Computernetze

Ein Top-Down-Ansatz mit Schwerpunkt Internet

James F. Kurose
Keith W. Ross

Computernetze

Ein Top-Down-Ansatz mit Schwerpunkt Internet

ein Imprint der Pearson Education Deutschland GmbH

Die Deutsche Bibliothek – CIP-Einheitsaufnahme

Ein Titeldatensatz für diese Publikation ist
bei der Deutschen Bibliothek erhältlich.

Die Informationen in diesem Buch werden ohne Rücksicht auf einen eventuellen Patentschutz veröffentlicht. Warennamen werden ohne Gewährleistung der freien Verwendbarkeit benutzt. Bei der Zusammenstellung von Texten und Abbildungen wurde mit größter Sorgfalt vorgegangen. Trotzdem können Fehler nicht vollständig ausgeschlossen werden. Verlag, Herausgeber und Autoren können für fehlerhafte Angaben und deren Folgen weder eine juristische Verantwortung noch irgendeine Haftung übernehmen. Für Verbesserungsvorschläge und Hinweise auf Fehler sind Verlag und Herausgeber dankbar.

Autorisierte Übersetzung der englischen Originalausgabe:
Translation copyright © 2002 by **PEARSON EDUCATION DEUTSCHLAND GMBH**
(Original Language title from Proprietor's edition of Work)
Original English language title: **Computer Networking: A Top-Down Approach Featuring the Internet, First Edition by James Kurose**, Copyright © 2001, All Rights Reserved
Published by arrangement with the original publisher, Pearson Education, Inc.,
publishing as **ADDISON WESLEY LONGMAN**

Alle Rechte vorbehalten, auch die der fotomechanischen Wiedergabe und der Speicherung in elektronischen Medien. Die gewerbliche Nutzung der in diesem Produkt gezeigten Modelle und Arbeiten ist nicht zulässig.

Fast alle Hardware- und Softwarebezeichnungen, die in diesem Buch erwähnt werden, sind gleichzeitig auch eingetragene Warenzeichen oder sollten als solche betrachtet werden.

Umwelthinweis:
Dieses Buch wurde auf chlorfrei gebleichtem Papier gedruckt.
Die Einschrumpffolie – zum Schutz vor Verschmutzung – ist aus umweltverträglichem und recyclingfähigem PE-Material.

10 9 8 7 6 5 4 3 2 1
05 04 03 02

ISBN 3-8273-7017-5

© 2002 by Pearson Studium
ein Imprint der Pearson Education Deutschland GmbH,
Martin-Kollar-Str. 10-12, D- 81829 München/Germany
Alle Rechte vorbehalten
www.pearson-studium.de
Übersetzung: Angelika Shafir, Tel Aviv
Lektorat: Helge Sturmfels, hsturmfels@pearson.de
             Antje Klatte
Fachlektorat: Prof. Dr. Reinhard German, Universität Erlangen-Nürnberg
Korrektorat: Petra Kienle, Fürstenfeldbruck
Einbandgestaltung: Julia Graff, DYADEsign, Düsseldorf
Titelabbildung: Bavaria (Getty Images), München
Herstellung: Anna Plenk, aplenk@pearson.de
Satz: Textservice Zink, Schwarzach
Druck und Verarbeitung: Kösel, Kempten (www.koeselbuch.de)
Printed in Germany

Inhaltsverzeichnis

Vorwort		**11**
Besonderheiten dieses Buches		11
Pädagogische Aspekte		15
Zusatzmaterial für Dozenten		16
Zusammenhang der Kapitel		16
Ein letzter Hinweis		17
Danksagungen		17
Über die Autoren		19

Kapitel 1 Computernetzwerke und das Internet — **21**
- 1.1 Was ist das Internet? — 21
- 1.2 Was ist ein Protokoll? — 26
- 1.3 Der Netzwerkperipherie — 28
- 1.4 Der Netzwerkkern — 32
- 1.5 Zugangsnetzwerke und physikalische Medien — 47
- 1.6 Verzögerung und Verlust in paketvermittelten Netzwerken — 56
- 1.7 Protokollschichten und ihre Dienstmodelle — 62
- 1.8 Internet-Backbones, NAPs und ISPs — 71
- 1.9 Kurze Geschichte der Computervernetzung und des Internets — 74
- 1.10 Zusammenfassung — 80
  - Wiederholungsfragen — 82
  - Übungen — 83
  - Diskussionsfragen — 86
  - Interview — 86

Kapitel 2 Anwendungsschicht — **89**
- 2.1 Prinzipien der Protokolle auf der Anwendungsschicht — 89
- 2.2 Das World Wide Web: HTTP — 99
- 2.3 Filetransfer: FTP — 118
- 2.4 E-Mail im Internet — 121
- 2.5 DNS – der Internet-Verzeichnisdienst — 137
- 2.6 Socket-Programmierung mit TCP — 148
- 2.7 Socket-Programmierung mit UDP — 157

2.8 Aufbau eines einfachen Web-Servers 163
2.9 Zusammenfassung 167
　　Wiederholungsfragen 168
　　Übungen 169
　　Programmieraufgaben 171
　　Diskussionsfragen 171
　　Interview 173

Kapitel 3 Transportschicht **175**
3.1 Dienste und Prinzipien auf der Transportschicht 175
3.2 Multiplexen und Demultiplexen von Anwendungen 180
3.3 Verbindungsloser Transport: UDP 184
3.4 Prinzipien des zuverlässigen Datentransfers 189
3.5 Verbindungsorientierter Transport: TCP 212
3.6 Grundlagen der Überlastkontrolle 234
3.7 TCP-Überlastkontrolle 243
3.8 Zusammenfassung 260
　　Wiederholungsfragen 262
　　Übungen 263
　　Diskussionsfragen 269
　　Programmieraufgaben 269
　　Interview 270

Kapitel 4 Vermittlungsschicht und Routing **273**
4.1 Einleitung und Netzwerkdienstmodelle 273
4.2 Routing-Prinzipien 281
4.3 Hierarchisches Routing 298
4.4 Das Internet-Protokoll (IP) 301
4.5 Routing im Internet 321
4.6 Was befindet sich im Inneren eines Routers? 331
4.7 IPv6 341
4.8 Multicast-Routing 347
4.9 Zusammenfassung 365
　　Wiederholungsfragen 367
　　Übungen 369
　　Diskussionsfragen 373
　　Programmieraufgabe 374
　　Interview 375

Kapitel 5 Sicherungsschicht und LAN **377**
5.1 Die Sicherungsschicht: Einführung, Dienste 377
5.2 Fehlererkennungs- und Fehlerkorrekturtechniken 383
5.3 Mehrfachzugriffsprotokolle und LANs 388
5.4 LAN-Adressen und ARP 405

5.5	Ethernet	411
5.6	Hubs, Bridges und Switches	423
5.7	IEEE-802.11-LANs	436
5.8	PPP (Point-to-Point Protocol)	441
5.9	ATM (Asynchronous Transfer Mode)	447
5.10	X.25 und Frame-Relay	458
5.11	Zusammenfassung	463
	Wiederholungsfragen	465
	Übungen	466
	Diskussionsfragen	472
	Interview	473

Kapitel 6 Multimedia-Vernetzung — **475**

6.1	Multimedia-Netzwerkanwendungen	476
6.2	Streaming von gespeichertem Audio und Video	483
6.3	Das Beste aus dem Best-Effort-Dienst machen: ein Internet-Phone-Beispiel	492
6.4	RTP	501
6.5	Über Best-Effort hinaus	512
6.6	Scheduling- und Policing-Mechanismen	518
6.7	Integrated-Services	526
6.8	RSVP	529
6.9	Differentiated-Services	538
6.10	Zusammenfassung	545
	Wiederholungsfragen	547
	Übungen	548
	Diskussionsfragen	550
	Interview	551

Kapitel 7 Sicherheit in Computernetzwerken — **553**

7.1	Was ist Netzwerksicherheit?	553
7.2	Die Prinzipien von Kryptographie	557
7.3	Authentifikation	568
7.4	Integrität	575
7.5	Schlüsselverteilung und Zertifizierung	581
7.6	Sichere E-Mail	588
7.7	Internet-Commerce	594
7.8	Sicherheit auf der Vermittlungsschicht: IPsec	601
7.9	Zusammenfassung	605
	Wiederholungsfragen	606
	Übungen	607
	Interview	608
	Diskussionsfragen	608

Kapitel 8 Netzwerkmanagement **611**
   8.1 Was ist Netzwerkmanagement? 611
   8.2 Infrastruktur für Netzwerkmanagement 615
   8.3 Netzwerkmanagement im Internet 618
   8.4 ASN.1 632
   8.5 Firewalls 637
   8.6 Zusammenfassung 642
       Wiederholungsfragen 643
       Übungen 643
       Diskussionsfragen 644
       Interview 644

Literaturverzeichnis 647

Register 673

*Für Julie und unsere drei Goldstücke
Chris, Charlie und Nina*
JFK

*Für meine Frau Véronique
und unsere drei kleinen Erbsen
Cécile, Claire und Katie*
KWR

Vorwort

Willkommen bei unserem Buch über Computervernetzung! Wir glauben, dass dieses Lehrbuch einen interessanten Ansatz bietet. Warum, so fragen Sie sich vielleicht, ist ein neuer Ansatz für ein Lehrbuch über Computernetzwerke nötig? In den letzten Jahren haben wir zwei revolutionäre Änderungen auf dem Gebiet der Vernetzung beobachtet: Änderungen, die sich in den einschlägigen Fachbüchern, die in den achtziger und neunziger Jahren veröffentlicht wurden, nicht widerspiegeln. Erstens hat das Internet die Herrschaft über das Universum der Computervernetzung übernommen. Jede ernsthafte Diskussion über Computernetzwerke muss heute vor dem Hintergrund des Internets erfolgen. Zweitens verzeichnen Dienstleistungen und Anwendungen im Netzwerkbereich seit über zehn Jahren das größte Wachstum. Dies zeigt sich auch an der Verbreitung des Web, der allgegenwärtigen Nutzung von E-Mail-Diensten, Audio- und Video-Streaming, Internet-Telefonie, ICQ und E-Commerce.

Wir unterrichten seit 15 Jahren im Bereich der Computervernetzung und werden dies wahrscheinlich noch viele Jahre fortsetzen. Da es kein Lehrbuch gibt, das die zugrunde liegenden Prinzipien der Vernetzung abdeckt und gleichzeitig Internet-Protokolle und Netzwerkanwendungen behandelt, sahen wir uns veranlasst, dieses Buch zu schreiben. Der darin verwendete neue und moderne Ansatz zur Vermittlung von Kenntnissen in der Computervernetzung hat unserer Meinung nach zahlreiche Vorteile.

Dieses Buch richtet sich vor allem an Studenten der unteren Semester im Bereich der Computervernetzung. Es kann sowohl im Fachbereich Informatik als auch im Fachbereich Elektrotechnik verwendet werden. Hinsichtlich Programmiersprachen wird in diesem Buch davon ausgegangen, dass der Student Erfahrung mit C, C++ oder Java hat. Ein Student, der nur in C oder C++, nicht aber in Java programmiert hat, dürfte keine Schwierigkeiten haben, den enthaltenen Programmieranwendungen zu folgen, auch wenn diese im Java-Kontext präsentiert werden. Dieses Buch ist zwar genauer und analytischer als viele andere Lehrbücher im Bereich der Computervernetzung, es werden jedoch nur selten mathematische Konzepte verwendet, die an Gymnasien nicht unterrichtet werden. Wir haben uns bemüht, fortgeschrittene mathematische Konzepte zu vermeiden. Das Buch eignet sich deshalb für die unteren Semester. Ferner ist es unserer Meinung nach eine nützliche Lektüre für den Praktiker in der Telekommunikationsbranche.

Besonderheiten dieses Buches

Das Thema »Computervernetzung« ist unglaublich weitreichend und komplex, da es viele Konzepte, Protokolle und Technologien umfasst, die auf komplizierte Weise miteinander verflochten sind. Um diese Fülle und Komplexität zu bewältigen, sind die meisten Fachbücher entsprechend den »Schichten« einer Netzwerkarchitektur aufgebaut. Ein solcher schichtenorientierter Aufbau ermöglicht es den Studenten, die Komplexität der Computervernetzung zu überblicken. Sie erlernen die unterschiedlichen Konzepte und Protokolle in einem Teil der Architektur, bei gleichzeitiger Betrachtung des Gesamtbildes, d. h. wie alles zusammenpasst. Viele Fachbücher sind z. B. auf der Grundlage der siebenschichtigen OSI-Architektur aufgebaut. Unseren persönlichen Erfahrungen zufolge ist ein solcher schichtenorientierter Lehransatz aus pädagogischer Sicht sinnvoll und wünschenswert. Dennoch haben wir bei diesem traditionellen Bottom-Up-Ansatz – von der Bitübertragungs- zur Anwendungsschicht – festgestellt, dass er nicht unbedingt die beste Methode für einen modernen Kurs in Computervernetzung darstellt.

Top-Down-Ansatz

Im Gegensatz zu anderen Büchern über Computernetze folgt dieses Buch einem Top-Down-Ansatz. Das heißt, es beginnt mit der Anwendungsschicht und verläuft nach unten bis zur Bitübertragungsschicht.

Der Top-Down-Ansatz weist mehrere wichtige Vorteile auf. Erstens legt er mehr Gewicht auf die Anwendungsschicht – dem größten Wachstumsbereich in der Computervernetzung. Tatsächlich fanden viele neuere Revolutionen in der Computervernetzung, wie beispielsweise das Web, Audio- und Video-Streaming und Inhaltsverteilung, auf der Anwendungsschicht statt. Wir glauben, dass die Anwendungsschicht auch künftig das höchste Wachstum auf dem Gebiet verzeichnen wird, sowohl hinsichtlich der Forschung als auch der praktischen Realisierung. Unser Ansatz, bei dem wichtige Fragen der Anwendungsschicht zu Beginn und nicht zum Schluss behandelt werden, unterscheidet sich grundlegend von den traditionellen Lehrbüchern, in denen Netzwerkanwendungen und ihre Anforderungen, Paradigmen der Anwendungsschicht (z. B. das Client/Server-Paradigma) und APIs nur kurz (bzw. überhaupt nicht) behandelt werden.

Zweitens gelangten wir aufgrund unserer Erfahrungen als Dozenten zu der Erkenntnis, dass die Unterrichtung von Netzwerkanwendungen zu Beginn des Kurses eine stark motivierende Wirkung hat. Die Studenten sind daran interessiert, die Funktionsweise von Netzwerkanwendungen wie E-Mail und Web kennen zu lernen, weil dies Anwendungen sind, mit denen sie täglich in Berührung kommen. Hat ein Student die Anwendungen verstanden, kennt er auch die für die Unterstützung dieser Anwendungen erforderlichen Netzwerkdienste. Er kann dann wiederum die verschiedenen Möglichkeiten durchgehen, wie solche Dienste auf den niedrigeren Schichten bereitgestellt und implementiert werden können. Durch die frühe Behandlung von Netzwerkanwendungen werden die Studenten zum Erlernen des restlichen Lehrstoffs motiviert.

Drittens ermöglicht es der Top-Down-Ansatz den Dozenten, die Entwicklung von Netzwerkanwendungen in einer frühen Phase einzuführen. Die Studenten sehen nicht nur, wie beliebte Anwendungen und Protokolle funktionieren, sondern sie lernen auch, wie leicht es ist, eigene Netzwerkanwendungen und Protokolle der Anwendungsschicht zu erstellen. In anderen Fachbüchern für die unteren Semester werden Anwendungsentwicklung und Socket-Programmierung nicht behandelt. (Es gibt zwar spezielle Fachbücher für Netzwerkprogrammierung, dies sind aber keine einführenden Netzwerklehrbücher.) Durch Bereitstellung von Socket-Programmierbeispielen in Java betonen wir die wichtigen Konzepte, ohne die Studenten mit komplexem Code zu verwirren. Studenten der unteren Semester im Fachbereich Elektrotechnik sowie Informatik dürften keine Schwierigkeiten haben, dem Java-Code zu folgen. Dadurch kommen die Studenten mit den Konzepten von APIs, Dienstmodellen und Protokollen, also den wichtigen Konzepten oberhalb der übrigen Schichten, in Berührung.

Internet-Fokus

Wie der Titel bereits andeutet, stellt dieses Buch das Thema Internet in den Mittelpunkt. Die meisten Fachbücher legen beträchtliches Gewicht auf eine Vielzahl von Telekommunikationsnetzwerken und Protokollen und behandeln das Internet lediglich als eine Netzwerktechnologie unter vielen. Wir dagegen stellen das Internet ins Rampenlicht und verwenden die Internet-Protokolle als Vehikel für das Studium einiger grundlegender Computernetzwerkkonzepte. Warum aber das Internet und nicht eine andere Netzwerktechnologie wie ATM ins Rampenlicht setzen? Erstens ist die Computervernetzung heute gleichbedeutend mit dem Internet. Dies war vor fünf bis zehn Jahren nicht der Fall, als ATM-LANs und direkt auf ATM zugreifende Anwendungen (ohne TCP/IP zu durchlaufen) viel von sich reden machten. Inzwischen sind wir an dem Punkt angelangt, wo praktisch der gesamte Datenverkehr über das Internet (oder Intranets) fließt. Heute sind die leitungsvermittelten Telefonnetze der einzige Netzwerktyp, der mit dem Internet konkurriert. Und dieser Konkurrent könnte auch dem Untergang geweiht sein. Obwohl heute der Großteil des Sprachverkehrs in Telefonnetzen befördert wird, bereiten sich Hersteller von Vernetzungsprodukten und Telefongesellschaften derzeit intensiv auf eine größere Migration auf die Internet-Technologie vor.

Ein weiterer Vorteil der Konzentration auf das Internet ist, dass die meisten Studenten der Informatik und Elektrotechnik vorrangig an Wissen über das Internet und seine Protokolle interessiert sind. Die meisten benutzen das Internet täglich (zumindest, um E-Mail zu senden und im Web zu surfen) und hören ständig, wie das Internet als revolutionäre Technologie unsere Welt einschneidend verändert. Angesichts der enormen Bedeutung des Internets sind die Studenten natürlich neugierig, was sich hinter diesem Begriff verbirgt. Folglich ist es für einen Dozenten ein Leichtes, das Interesse der Studenten an den Grundprinzipien zu wecken, wenn das Internet als lenkender Orientierungspunkt herangezogen wird.

Da dieses Buch das Internet in den Mittelpunkt stellt, orientiert es sich an der fünfschichtigen Internet-Architektur statt der traditionellen OSI-Architektur. Diese Schichten sind: Anwendung, Transport, Vermittlung, Sicherung und Bitübertragung.

Ausrichtung auf die Prinzipien

Das Gebiet der Computernetze ist heute ausreichend ausgereift, um eine Reihe grundlegender Prinzipien zu identifizieren. Auf der Transportschicht sind dies beispielsweise zuverlässige Kommunikation über eine unzuverlässige Vermittlungsschicht, Auf- und Abbau von Verbindungen und Handshaking, Überlast- und Flusskontrolle sowie Multiplexen. Auf der Vermittlungsschicht handelt es sich um das Herausfinden »guter« Pfade zwischen zwei Routern und den Zusammenschluss einer großen Zahl von heterogenen Systemen. Ein grundsätzliches Problem auf der Sicherungsschicht betrifft die gemeinsame Nutzung eines Mehrfachzugriffskanals. Dieses Buch identifiziert grundlegende Vernetzungsprinzipien sowie Lösungsansätze. Wir glauben, dass das Internet als motivierender Faktor und die Betonung der

Probleme und Lösungen es den Studenten ermöglichen, praktisch jede Netzwerktechnologie schnell zu verstehen.

Die Web-Site

Die englischsprachige Originalausgabe dieses Lehrbuchs bietet unter der Adresse http://www.awl.com/kurose-ross eine begleitende Web-Site mit den folgenden Inhalten:

- *Das gesamte Buch online!* Wenn ein Dozent oder Student das Buch nicht zur Hand hat, kann er jederzeit von überall auf das benötigte Originalmaterial auf der Web-Site zugreifen. Unser englisschsprachiges Online-Buch ermöglicht es uns auch, mehr Zeichensätze und Farben (sowohl im Text als auch in den Diagrammen) zu verwenden und das Lehrmaterial gefälliger und interessanter zu gestalten. Außerdem ermöglicht das Online-Format auch die einfachere und schnellere Veröffentlichung von Updates, um das Buch angesichts dieses schnell sich ändernden Gebiets stets auf dem Laufenden zu halten.

- *Über 500 Links zu relevantem Material*: Wie wir alle als Internet-Enthusiasten wissen, findet sich das beste Material zur Beschreibung des Internets im Internet selbst. Die Hyperlinks der Online-Version, die in einem kohärenten Kontext eingebettet sind, bieten dem Leser direkten Zugriff auf einige der besten Sites zum Thema Computervernetzung und Internet-Protokolle. Die Links verweisen nicht nur auf RFCs, Journal- und Konferenzartikel, sondern auch auf Sites, die mehr pädagogischer Natur sind, wie beispielsweise Seiten über bestimmte Aspekte der Internet-Technologie und Artikel, die in speziellen Online-Fachzeitschriften erscheinen. Dozenten können das Material, auf das die Links verweisen, als Zusatzstoff vorschlagen oder auch verlangen. Wir beabsichtigen, die Richtigkeit der Links mehrmals pro Jahr zu überprüfen.

- *Interaktives Lehrmaterial*: Die Site enthält interaktive Java-Applets, die wichtige Vernetzungskonzepte illustrieren. Außerdem bietet sie direkten Zugriff auf die Programme, z. B. Traceroute (über Ihren Browser), das den Pfad aufzeigt, den Pakete im Internet zurücklegen. Dozenten können diese interaktiven Features als eine Art Minilabor nutzen. Die Web-Site bietet außerdem direkten Zugriff auf Suchmaschinen für Internet-Drafts und zu einer Newsgroup, in der Themen dieses Buchs diskutiert werden. Ein Such-Feature ermöglicht es den Lesern, die Online-Version dieses Buchs zu durchsuchen. Schließlich stellt die Site auch interaktive Quizspiele zur Verfügung, mit denen Studenten ihre Kenntnisse testen können.

Wir beabsichtigen, die Web-Site laufend zu erweitern, beispielsweise durch Material von Dozenten und Lesern sowie eigene neue Features, wie z. B. Online-Vorlesungen. Updates sind alle drei Monate geplant. Falls Sie Probleme mit der Web-Site haben, senden Sie eine Mail an aw.cse@awl.com.

Die Online-Version dieses Buchs und die begleitende Web-Site eignen sich hervorragend für asynchrone Online-Kurse. Solche Kurse sind besonders attraktiv für Studenten, die zur Hochschule pendeln müssen oder aus zeitlichen Gründen Schwierigkeiten haben, an den Kursen teilzunehmen. Unter Verwendung eines Entwurfs der Online-Version dieses Buchs hielten die Autoren asynchrone volle Online-Kurse über Computernetzwerke ab. Dabei ließ sich beobachten, dass die Zuweisung wöchentlicher Online-Lesungen und die Teilnahme der Studenten in wöchentlichen Newsgroup-Diskussionen über die Lesungen erfolgreich waren. Dozenten können Studenten eine virtuelle Präsenz bieten, indem die URLs aller Studenten-Homepages gesammelt und auf der Web-Seite der Klasse gelistet werden. Die Studenten können sogar an gemeinsamen Projekten, z. B. Forschungsarbeiten und Entwicklung von Netzwerkanwendungen, asynchron über das Internet zusammenarbeiten. Wenn Sie an asynchronem Online-Lernen interessiert sind, besuchen Sie am besten die Site »Asynchronous Learning Network« auf http://www.aln.org.

Für die deutsche Ausgabe des Titels *Computernetze* wurde unter http://www.pearson-studium.de eine eigene Web-Seite eingerichtet.

Pädagogische Aspekte

Wir unterrichten Computervernetzung seit über 15 Jahren. Insgesamt bringen wir in dieses Buch Unterrichtserfahrungen von 30 Jahren mit über 3.000 Studenten ein. Wir sind außerdem seit über 20 Jahren aktiv an Forschungsarbeiten auf dem Gebiet der Computervernetzung tätig. (Jim und Keith lernten sich als Master-Studenten in einem Computernetzwerkkurs kennen, der von Mischa Schwartz 1979 an der Columbia University abgehalten wurde.) Wir glauben, dass wir dadurch eine gute Perspektive haben, wo der Computernetzwerkbereich steht und welche Richtung er wahrscheinlich künftig einschlagen wird. Dennoch sind wir nicht der Versuchung verfallen, das Material dieses Buchs ganz auf unsere eigenen gehätschelten Forschungsprojekte auszurichten. Wenn Sie an unseren Forschungsarbeiten interessiert sind, können Sie unsere persönlichen Web-Sites besuchen. Folglich befasst sich dieses Buch mit moderner Computervernetzung, mit zeitgemäßen Protokollen und Technologien sowie den zugrunde liegenden Prinzipien.

Kästen mit wichtigen Prinzipien

Ein wichtiges Merkmal dieses Buchs ist, dass es die grundlegenden Prinzipien der Computervernetzung und die Bedeutung dieser Prinzipien in der Praxis genauer betrachtet. In jedem Kapitel findet sich ein spezieller Textkasten, in dem ein wichtiges Prinzip der Computervernetzung erklärt wird. Diese Kästen unterstützen die Studenten dabei, einen tieferen Einblick in die in der modernen Vernetzung angewandten Konzepte zu gewinnen.

Kästen mit geschichtlichen Ereignissen

Das Gebiet der Computervernetzung, das Ende der sechziger Jahre seinen Anfang nahm, hat eine reichhaltige und faszinierende Geschichte. Wir haben uns daher besonders bemüht, an den relevanten Stellen geschichtliche Ereignisse kurz darzustellen. Dies beginnt mit einem speziellen historischen Abschnitt in Kapitel 1 und setzt sich fort in etwa einem Dutzend Fallbeispielen mit einer Kurzbeschreibung geschichtlicher Ereignisse in allen Kapiteln. In diesen historischen Abrissen beschreiben wir die Erfindung der Paketvermittlung, die Evolution des Internets, die Geburt wichtiger Vernetzungsriesen wie Cisco und 3Com und viele weitere wichtige Ereignisse. Die Studenten erfahren durch diese historischen Abrisse zusätzliche Motivation. Außerdem hilft uns die Geschichte, wie die Historiker sagen, die Zukunft besser vorherzusagen. Und die korrekte Vorhersage der Zukunft dieses rasch sich wandelnden Gebiets ist wichtig für den Erfolg jedes Protokolls und jeder Technologie im Computernetzwerkbereich.

Interviews

Als weiteres originelles Merkmal dieses Buchs endet jedes Kapitel mit einem Interview einer bekannten Persönlichkeit auf dem Gebiet der Vernetzung: Leonard Kleinrock, Tim Berners-Lee, Sally Floyd, J. J. Garcia-Luna-Aceves, Bob Metcalfe, Henning Schulzrinne, Phillip Zimmermann und Jeff Case.

Zusatzmaterial für Dozenten

Wir sind uns darüber im Klaren, dass die Änderung Ihres Ansatzes in Bezug auf die Unterrichtung eines Kurses sehr zeitaufwendig sein kann. Um Sie bei diesem Übergang zu unterstützen, bieten wir auf der englischsprachigen Web-Seite des Buchs ein umfassendes Zusatzpaket:

- *PowerPoint-Folien*: Auf der Web-Site zu diesem Buch befinden sich PowerPoint-Folien, die alle acht Kapitel im Detail abdecken. Sie enthalten Grafiken und Animationen statt monotoner Textaufzählungen, um sie interessanter und visuell ansprechender zu gestalten. Wir stellen den Dozenten die PowerPoint-Folien im Original zur Verfügung, so dass sie entsprechend den Vorlesungserfordernissen angepasst werden können.

- *Laboraufgaben*: Die Web-Site enthält auch mehrere ausführliche Programmieraufgaben, darunter eine Aufgabe für die Entwicklung eines Multithreaded Web-Servers, eines E-Mail-Clients mit grafischer Benutzeroberfläche, die Programmierung der Sender- und Empfängerseite eines zuverlässigen Datentransportprotokolls und eine Aufgabe zum Routing im Internet.

- *Lösungen zu den Wiederholungsfragen*: Die Web-Site bietet ein Lösungsheft zu den im Buch enthaltenen Übungen. Diese Lösungen werden nur Dozenten zur Verfügung gestellt. Sie können vom Verlag mittels E-Mail an aw.cse@awl.com angefordert werden.

Zusammenhang der Kapitel

Das erste Kapitel dieses Buchs enthält einen in sich geschlossenen Überblick über Computervernetzung. Es bietet eine Einführung in viele wichtige Konzepte und Fachbegriffe und bildet so die Bühne für den Rest des Buchs. Alle übrigen Kapitel basieren direkt auf dem ersten Kapitel. Wir empfehlen den Dozenten, nach Beendigung von Kapitel 1 die Kapitel 2 bis 5 nacheinander zu behandeln und dabei entsprechend der Top-Down-Philosophie vorzugehen. Jedes dieser fünf Kapitel baut auf den vorherigen Kapiteln auf.

Nach Beendigung der ersten fünf Kapitel verfügt der Dozent über recht viel Spielraum. Zwischen den letzten drei Kapiteln besteht keinerlei Abhängigkeit, so dass sie in jeder beliebigen Reihenfolge behandelt werden können. Jedes der letzten drei Kapitel basiert allerdings auf dem Material der ersten fünf Kapitel. Im Idealfall behandelt der Dozent ausgewähltes Material aus den drei letzten Kapiteln in einem vollen Semesterkurs.

Wir weisen auch darauf hin, dass das erste Kapitel des Buchs umfassend und in sich geschlossen ist und somit als Grundlage für einen kurzen Computernetzwerkkurs dienen kann.

Ein letzter Hinweis

Wir empfehlen Dozenten und Studenten, neue Java-Applets zu erstellen, um an den in diesem Buch behandelten Konzepten und Protokollen weiterzuarbeiten. Wenn Sie über ein Applet verfügen, das sich Ihrer Ansicht nach für dieses Buch eignet, bitten wir Sie, es den Autoren zu senden. Falls sich das Applet (einschließlich Notation und Terminologie) eignet, werden wir es mit einem entsprechenden Verweis auf die Autoren des Applets der Web-Site zum Buch hinzufügen. Außerdem empfehlen wir Dozenten, uns neue Hausarbeiten (und Lösungen) zu senden, die unsere Übungen ergänzen. Wir werden sie in dem nur für Dozenten vorbehaltenen Teil der Web-Site veröffentlichen.

Darüber hinaus bitten wir Studenten und Dozenten, uns eventuelle Kommentare zur gedruckten Form oder zur Online-Version dieses Buchs zu mailen. Bitte fühlen Sie sich frei, uns interessante URLs zu senden, uns auf Tippfehler hinzuweisen, von uns gemachte Aussagen in Frage zu stellen und uns mitzuteilen, was funktioniert und was nicht. Sagen Sie uns, was Ihrer Meinung nach in der nächsten Ausgabe berücksichtigt bzw. weggelassen werden soll. Senden Sie Ihre E-Mail an kurose@cs.umass.edu und ross@eurecom.fr.

Danksagungen

Seit Beginn dieses Projekts im Jahr 1996 haben uns viele Leute unschätzbare Hilfe zuteil werden lassen und unsere Überlegungen bezüglich des besten Aufbaus und der idealen Unterrichtung eines Vernetzungskurses beeinflusst. Ein herzliches Dankeschön ALLEN, die uns geholfen haben, darunter Hunderte von Studenten, die Vorversionen getestet haben. Unser besonderer Dank gilt folgenden Personen:

Al Aho (*Lucent Bell Laboratories*)

Paul Amer (*University of Delaware*)

Daniel Brushteyn (ehemaliger Student der *University of Pennsylvania*, der das Ethernet-Applet geschrieben hat)

Jeff Case (*SNMP Research International*)

John Daigle (*University of Mississippi*)

Philippe Decuetos (*Institut Eurécom*)

Michalis Faloutsos (*University of California*, Riverside)

Wu-chi Feng (*Ohio State University*)

Sally Floyd (*ACIRI*)

J. J. Garcia-Luna-Aceves (*University of California*, Santa Cruz)

Mario Gerla (*University of California*, Los Angeles)

Phillipp Hoschka (*INRIA/W3C*)

Albert Huang (ehemaliger Student der *University of Pennsylvania*, der das Fragmentierungs-Applet geschrieben hat)

Sugih Jamin (*University of Michigan*)

Jussi Kangasharju (*Institut Eurécom*, der uns mit den Lösungen zu den Wiederholungsfragen und einem Teil der Online-Labs geholfen hat)

Hyojin Kim (ehemaliger Student der *University of Pennsylvania*, der das Flusskontroll-Applet geschrieben hat)

Leonard Kleinrock (*UCLA*)

Tim Berners-Lee (*World Wide Web Consortium*)

Brian Levine (*University of Massachusetts*)

William Liang (ehemaliger Student der *University of Pennsylvania*)

Willis Marti (*Texas A&M*)

Deep Medhi (*University of Missouri*, Kansas City)

Bob Metcalfe (*International Data Group*)

Erich Nahum (vormals *University of Massachusetts*, jetzt bei *IBM Research*)

Craig Partridge (*BBN Technologies*)

Radia Perlman (*Sun Microsystems*)

Jitendra Padhye (vormals *University of Massachusetts*, jetzt bei *ACIRI*)

George Polyzos (*University of California*, San Diego)

Ken Reek (*Rochester Institute of Technology*)

Martin Reisslein (*Arizona State University*)

Despina Saparilla (*University of Pennsylvania*)

Henning Schulzrinne (*Columbia University*)

Mischa Schwartz (*Columbia University*)

Prashant Shenoy (*University of Massachusetts*)

Subin Shrestra (*University of Pennsylvania*)

Peter Steenkiste (*Carnegie Mellon University*)

Tatsuya Suda (*University of California*, Irvine)

Kin Sun Tam (*State University of New York*, Albany)

Don Towsley (*University of Massachusetts*)

David Turner (*Institut Eurécom*, der uns mit einem der Online-Labs geholfen hat)

Raj Yavatkar (*Intel*, vormals *University of Kentucky*)

Yechiam Yemini (*Columbia University*)

Ellen Zegura (*Georgia Institute of Technology*)

Hui Zhang (*Carnegie Mellon University*)

Lixia Zhang (*University of California*, Los Angeles)

ZhiLi Zhang (*University of Minnesota*)

Shuchun Zhang (ehemaliger Student der *University of Pennsylvania*, der das Message-Switching-Applet geschrieben hat)

Phil Zimmermann (*Network Associates*)

Die Autoren danken auch dem Addison-Wesley-Team, das hervorragende Arbeit geleistet hat. Insbesondere danken wir: Joyce Cosentino, Susan Hartman, Michael Hirsch, Lisa Kalner, Patty Mahtni, Helen Reebenacker und Amy Rose, vor allem aber unserer Lektorin Susan bei Addison-Wesley. Dieses Buch wäre ohne ihre Unterstützung, Ermutigung, Geduld und Ausdauer nie fertig geworden.

Über die Autoren

Jim Kurose

Jim Kurose ist Professor und Chair of the Department of Computer Science an der University of Massachusetts in Amherst. Er wurde acht Mal mit dem Outstanding Teacher Award von der National Technological University ausgezeichnet, erhielt den Outstanding Teacher Award vom College of Natural Science and Mathematics an der University of Massachusetts und 1996 den Outstanding Teaching Award der Northeast Associations of Graduate Schools. Außerdem erhielt er eine GE-Fellowship, einen IBM Faculty Development Award und eine Lilly Teaching Fellowship.

Dr. Kurose war früher verantwortlicher Redakteur der IEEE Transactions on Communications und IEEE/ACM Transactions on Networking. Er ist aktives Mitglied in den Programmausschüssen für IEEE Infocom, ACM SIGCOMM und ACM SIGMETRICS. Er hält einen Ph.D. in Computerwissenschaft von der Columbia University.

Keith Ross

Keith Ross ist Chair of the Multimedia Communications Department am Institut Eurécom. Von 1985 bis 1997 war er Professor an der University of Pennsylvania, wo er einen Lehrstuhl im Department of Systems Engineering und an der Wharton School of Business hielt. Er ist Mitgründer der 1999 gegründeten Internet-Firma Wimba.com.

Dr. Ross hat über 50 Arbeiten veröffentlicht und zwei Bücher geschrieben. Er arbeitete in der Redaktion von fünf wichtigen Journalen und in den Programmausschüssen wichtiger Netzwerkkonferenzen, darunter IEEE Infocom und ACM SIGCOMM. Er betreute mehr als zehn Dissertationen. Seine Forschungs- und Lehrinteressen gelten den Themen Multimedia-Vernetzung, asynchrones Lernen, Web-Caching, Audio- und Video-Streaming und Verkehrsmodellierung. Er erhielt seinen Ph.D. von der University of Michigan.

KAPITEL 1

Computernetzwerke und das Internet

1.1 Was ist das Internet?

In diesem Buch ziehen wir das öffentliche Internet als wichtigste Basis für die Diskussion von Computernetzwerkprotokollen heran. Doch was ist das Internet? Ein spezifisches Computernetzwerk und eines, das die meisten Leser sicherlich schon benutzt haben. Wir würden dem Leser gerne eine Definition des Internets in einem Satz bieten – eine Definition, die man mit nach Hause nehmen und an Familienmitglieder und Freunde weitergeben kann. Das Internet ist jedoch sehr komplex hinsichtlich seiner Hardware- und Softwarekomponenten sowie der Dienste, die es bereitstellt.

1.1.1 Beschreibung der einzelnen Komponenten

Statt einer aus einem Satz bestehenden Definition wollen wir es mit einer praktischen Beschreibung versuchen. Hierfür gibt es mehrere Möglichkeiten. Zum einen lassen sich die Bestandteile des Internets beschreiben, d. h. die grundlegenden Hardware- und Softwarekomponenten, aus denen das Internet besteht. Alternativ wird das Internet als Netzwerkinfrastruktur beschrieben, die Dienste für verteilte Anwendungen bereitstellt. Wir beginnen mit der praktischen Beschreibung und verwenden Abbildung 1.1 als Grundlage.

Das öffentliche Internet ist ein weltweites **Computernetzwerk**, d. h. ein Netzwerk, das Millionen von Computergeräten in aller Welt verbindet. Die meisten dieser Computergeräte sind traditionelle Desktop-PCs, Unix-Workstations und so genannte »Server«, auf denen Informationen wie beispielsweise WWW-Seiten (World Wide Web) und E-Mail-Nachrichten gespeichert sind und übertragen werden können. In zunehmendem Umfang werden auch nicht traditionelle Computergeräte, wie beispielsweise Web-Fernseher, mobile Computer, Personenrufsysteme (Pager) und Toaster an das Internet angeschlossen. (Toaster sind nicht die einzigen ungewöhnlichen Geräte, die an das Internet angeschlossen werden; siehe *The Future of the Living Room* [Greenberg 1997]). Im Internet-Jargon bezeichnet man alle diese Geräte als **Hosts** oder **Endsysteme**. Die Internet-Anwendungen, mit denen die meisten von uns vertraut sind, z. B. das Web und E-Mail, sind **Netzwerkanwendungen**, die auf solchen Endsystemen laufen. Wir werden Internet-Endsysteme ausführlicher in Abschnitt 1.3 behandeln und dann in Kapitel 2 detaillierter in Netzwerkanwendungen einsteigen.

Endsysteme sowie die meisten anderen »Teile« des Internets führen Protokolle aus, die das Senden und Empfangen von Informationen im Internet steuern. **TCP**

Abbildung 1.1 Einige Teile des Internets

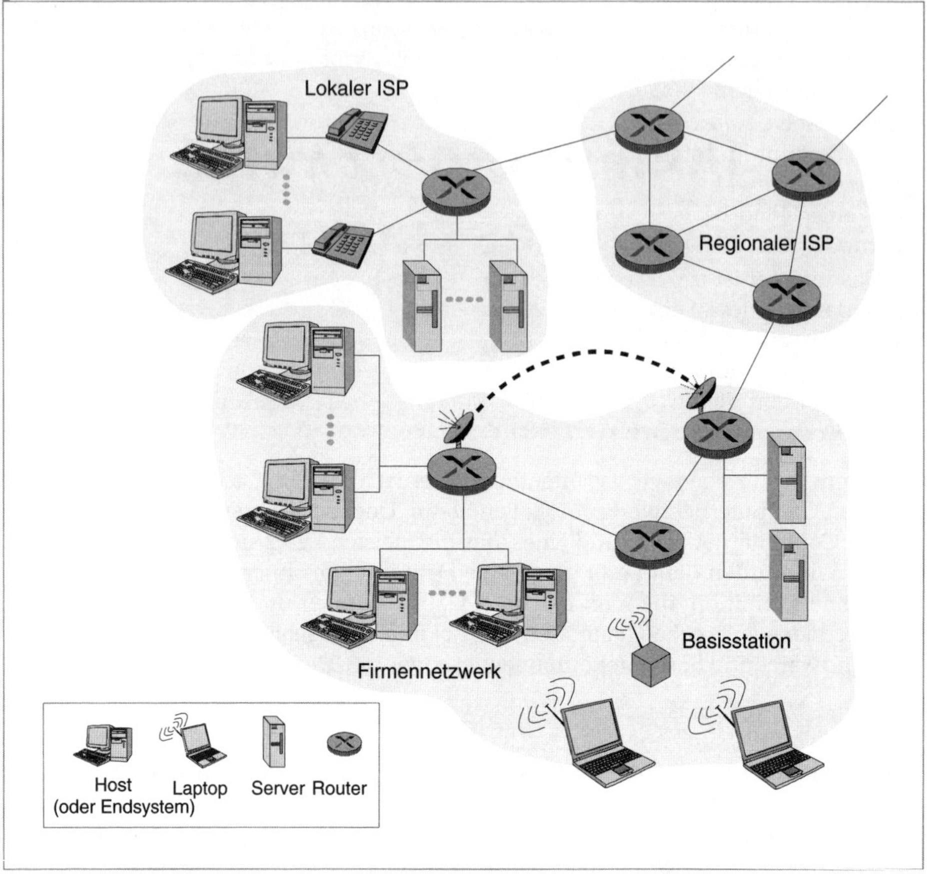

(Transmission Control Protocol) und **IP** (Internet Protocol) sind die beiden wichtigsten Protokolle im Internet, die man zusammengenommen **TCP/IP** nennt. Wir beginnen mit der Beschreibung von Protokollen in Abschnitt 1.2. Das ist aber erst der Anfang; der Großteil dieses Buchs betrifft Netzwerkprotokolle!

Endsysteme werden über **Kommunikationsleitungen** verbunden. Wir werden in Abschnitt 1.5 noch sehen, dass es viele Arten von Kommunikationsleitungen gibt. Diese Leitungen werden mit Hilfe verschiedener **physikalischer Medien** realisiert, z. B. Koaxialkabel, Kupferkabel, Glasfaser und Funkspektren. Je nach Leitung kann man in unterschiedlichen Geschwindigkeiten (Raten) übertragen. Die Übertragungsrate einer Leitung nennt man **Bandbreite**, die meist in Bit pro Sekunde (bps) gemessen wird.

Normalerweise werden Endsysteme nicht direkt über eine einzelne Kommunikationsleitung miteinander verbunden. Vielmehr werden sie indirekt über dazwischen liegende Geräte, die man als **Router** bezeichnet, verbunden. Ein Router nimmt die von einer seiner Eingangsleitungen ankommenden Informationen an und leitet sie über eine seiner abgehenden Kommunikationsleitungen weiter. Das **IP-Protokoll** spezifiziert das Format, in dem die Informationen zwischen Routern und Endsystemen ausgetauscht werden. Der Weg, den übertragene Informationen vom sendenden

Endsystem durch eine Reihe von Kommunikationsleitungen und Router zum empfangenden Endsystem einschlagen, wird als **Route** oder **Pfad** (durch das Netzwerk) bezeichnet. Routing wird ausführlich in Abschnitt 1.4 behandelt. Die Algorithmen, die zur Bestimmung von Routen verwendet werden, sowie die interne Struktur eines Routers sind Thema von Kapitel 4.

Statt einen *dedizierten* Pfad zwischen kommunizierenden Endsystemen bereitzustellen, kommt im Internet eine Technik zum Einsatz, die man als **Paketvermittlung** (*Packet Switching*) bezeichnet. Sie erlaubt es mehreren kommunizierenden Endsystemen, einen Pfad bzw. Teile eines Pfads gleichzeitig zu benutzen. Die Urahnen des Internets waren die ersten paketvermittelten Netzwerke.

Das Internet ist im Grunde ein Netzwerk bestehend aus vielen Netzwerken. Das heißt, das Internet ist ein Zusammenschluss oder Verbund von privaten und öffentlichen Netzwerken. Jedes an das Internet angeschlossene Netzwerk muss das IP-Protokoll ausführen und bestimmte Namens- und Adressierkonventionen einhalten. Abgesehen von diesen wenigen Einschränkungen kann ein Netzwerkbetreiber aber sein Netzwerk (d. h. seinen kleinen Teil am Internet) nach Belieben konfigurieren und betreiben. Aufgrund der universellen Nutzung des IP-Protokolls im Internet wird das IP-Protokoll auch als **Internet-Wählton** bezeichnet.

Die Topologie des Internets, oder besser gesagt, die Struktur des Zusammenschlusses der verschiedenen Teile des Internets, ist in lockerem Rahmen hierarchisch. Grob gesagt, besteht die Hierarchie – von unten nach oben betrachtet – aus Endsystemen, die an **lokale Internet-Provider (ISPs)** über **Zugangsnetzwerke** angeschlossen sind. Ein Zugangsnetzwerk kann ein so genanntes lokales Netzwerk (LAN) innerhalb eines Unternehmens oder einer Universität, eine Wählverbindung über Telefonleitung und Modem oder eine schnellere Verbindung mittels Kabel oder Telefon sein. Die lokalen ISPs sind ihrerseits mit regionalen ISPs verbunden, die wiederum mit nationalen und internationalen ISPs verbunden sind. Zusammen sind die nationalen und internationalen ISPs auf der höchsten Schicht in der Hierarchie angesiedelt. Neue Schichten und Zweige (d. h. neue Netzwerke und neue Netzwerke von Netzwerken) können jederzeit hinzugefügt werden, ähnlich wie man eine bestehende Legokonstruktion durch weitere Legosteine erweitern kann. In der ersten Hälfte 1996 wurden an das Internet etwa 40.000 *neue* Netzwerke angeschlossen [Network 1996] – eine wahrlich erstaunliche Wachstumsrate.

Auf der Ebene der Techniken und Entwicklungen ist das Internet durch Entwicklung, Prüfung und Implementierung von **Internet-Standards** möglich. Diese Standards werden von der IETF (Internet Engineering Task Force) entwickelt. Die IETF-Standardisierungsdokumente nennt man **RFCs** (Request for Comments). Ein RFC beginnt als allgemeine Aufforderung zur Einreichung von Kommentaren (daher der Name), um Architekturprobleme zu lösen, mit denen der Vorläufer des Internets zu kämpfen hatte. RFCs sind zwar keine formellen Standards, haben sich aber so weit entwickelt, dass sie als solche betrachtet werden. RFCs sind recht technisch und ausführlich. Sie definieren Protokolle wie TCP, IP, HTTP (für das Web) und SMTP (für E-Mail) auf der Grundlage offener Standards. Heute gibt es über 3.000 RFCs.

Das öffentliche Internet (d. h. das globale, oben erwähnte Netzwerk von Netzwerken) ist das Netzwerk, das generell als *das* Internet bezeichnet wird. Daneben gibt es viele private Netzwerke, z. B. bestimmte Firmen- und Regierungsnetzwerke, deren Hosts für Hosts außerhalb des betreffenden privaten Netzwerks nicht zugänglich sind (d. h., sie können keine Nachrichten untereinander austauschen). Diese privaten Netzwerke nennt man **Intranets**, weil sie oft die gleiche Internet-Technologie wie das öffentliche Internet verwenden (z. B. die gleichen Typen von Hosts, Routern, Leitungen, Protokollen und Standards).

1.1.2 Beschreibung aus Sicht der Dienste

Im vorherigen Abschnitt wurden viele Komponenten beschrieben, aus denen sich das Internet zusammensetzt. Wir verlassen jetzt diese Beschreibung der einzelnen Teile und befassen uns mit einer abstrakteren Sicht der Dienste:

- Im Internet können **verteilte Anwendungen**, die auf Endsystemen laufen, Daten miteinander austauschen. Zu diesen Anwendungen zählen Remote-Login, Filetransfer, E-Mail, Audio- und Video-Streaming, Audio- und Videokonferenzen in Echtzeit, Online-Spiele, das World Wide Web und viele mehr [AT&T Apps 1998]. An dieser Stelle sei betont, dass das Web kein separates Netzwerk ist, sondern vielmehr eine der vielen verteilten Anwendungen, die die vom Internet bereitgestellten Kommunikationsdienste nutzen. Das Web könnte also in einem anderen Netzwerk als dem Internet betrieben werden. Ein Grund, warum das Internet das Kommunikationsmedium der Wahl für das Web ist, ist der, dass kein anderes existierendes paketvermitteltes Netzwerk mehr als 43 Millionen [Network 1999] Computer miteinander verbindet und über 100 Millionen Benutzer [Almanac 1998] hat. (Übrigens lässt sich die Anzahl der an das Internet angeschlossenen Computer nur schwer ermitteln, weil kein Verzeichnis der Teilnehmer existiert. Wenn ein neues Netzwerk an das Internet angeschlossen wird, brauchen die Administratoren dieses Netzwerks nicht zu melden, welche Endsysteme sie anschließen. Ebenso wenig muss ein bestehendes Netzwerk irgendwelche Änderungen an den angeschlossenen Endsystemen einer zentralen Behörde melden.)

- Das Internet bietet seinen verteilten Anwendungen zwei Dienste: einen **verbindungsorientierten** und einen **verbindungslosen**. Allgemein gesagt, garantiert ein verbindungsorientierter Dienst, dass die von einem Sender zu einem Empfänger übertragenen Daten irgendwann in der richtigen Reihenfolge und vollständig beim Empfänger ankommen. Beim verbindungslosen Dienst werden keinerlei Garantien bezüglich der Ankunft der Daten gemacht. Normalerweise benutzt eine verteilte Anwendung eine dieser beiden Dienstarten, aber nicht beide. Die beiden Dienstarten werden in Abschnitt 1.3 wieder aufgegriffen und in Kapitel 3 ausführlich beschrieben.

- Derzeit stellt das Internet keinen Dienst bereit, der Zusicherungen darüber macht, *wie lange* es dauert, bis die Daten vom Sender zum Empfänger übertragen werden. Und abgesehen von der Erhöhung Ihrer Zugangsbitrate zu Ihrem Internet-Service-Provider können Sie derzeit keinen besseren Dienst (z. B. kürzere Verzögerungen) dadurch erhalten, dass Sie mehr bezahlen – ein Zustand, den manche (insbesondere Amerikaner!) doch recht seltsam finden. In Kapitel 6 werden neueste Internet-Forschungen, die eine Änderung dieser Situation zum Ziel haben, näher betrachtet.

Unsere zweite Beschreibung des Internets – in Bezug auf die für verteilte Anwendungen bereitgestellten Dienste – ist nicht traditionell, aber wichtig. In immer größerem Umfang werden Fortschritte des Internets durch die Anforderungen neuer Anwendungen vorangetrieben. So muss man sich beispielsweise vor Augen halten, dass das Internet eine *Infrastruktur* ist, in der ständig neue Anwendungen entwickelt und implementiert werden.

Bisher erfolgten zwei Beschreibungen des Internets: eine basierend auf seinen Hard- und Softwarekomponenten und die andere in Bezug auf die Dienste, die es für verteilte Anwendungen bereitstellt. Möglicherweise ist dadurch aber immer noch nicht jedem Leser klar, was das Internet eigentlich ist. Was versteht man unter Paketvermittlung, TCP/IP und verbindungsorientierter Dienst? Was sind Router? Welche Kommunikationsleitungen sind im Internet vorhanden? Was ist eine verteilte Anwendung? Was hat das Internet mit Spielzeug zu tun? Falls Sie sich im Augenblick angesichts all dieser Begriffe etwas überfordert fühlen, machen Sie sich keine Sorgen: Der Zweck dieses Buchs ist die Einführung in die Komponenten des Internets sowie in die Prinzipien, durch die es gelenkt und betrieben wird. Wir werden diese wichtigen Begriffe und Fragen in den folgenden Abschnitten und Kapiteln erklären.

1.1.3 Einige gute Hyperlinks

Wie jeder Internet-Wissenschaftler weiß, finden sich die besten und genauesten Informationen über das Internet und seine Protokolle nicht in gedruckten Büchern, Zeitschriften oder Zeitungen. Das beste Material über das Internet bietet das Internet selbst! Selbstverständlich ist die Materialfülle viel zu umfangreich, um sie durchforsten zu können, und manchmal sind die Juwelen rar und schwer zu finden. Die nachfolgende Liste enthält ein paar allgemeine ausgezeichnete Web-Sites mit Material über Netzwerke und das Internet. Im gesamten Verlauf dieses Buchs führen wir außerdem relevante Links und qualitativ hochwertige URLs auf, die Hintergrund-, Original- oder weiterführendes Material in Zusammenhang mit dem jeweiligen Thema bieten. Die unten aufgeführten Links sind für alle Teile dieses Buchs nützlich:

- IETF (Internet Engineering Task Force), http://www.ietf.org: Die IETF ist eine offene internationale Gemeinschaft, die sich mit der Entwicklung und Nutzung des Internets und seiner Architektur befasst. Die IETF wurde 1986 formell vom Internet Architecture Board (IAB), http://www.sis.edu/iab, gegründet. Sie veranstaltet drei Mal im Jahr eine Zusammenkunft; ein Großteil der laufenden Arbeiten wird über Mailing-Listen von Arbeitsgruppen durchgeführt. Meist diskutieren die Arbeitsgruppen ihre laufenden Arbeiten auf der Grundlage vorheriger IETF-Verfahren. Die IETF wird von der Internet Society, http://www.isoc.org, verwaltet, auf deren Web-Site sich viel hervorragendes Material in Bezug auf das Internet befindet.

- World Wide Web Consortium (W3C), http://www.w3.org/Consortium: Das W3C wurde 1994 für die Entwicklung gemeinsamer Protokolle im Rahmen der Weiterentwicklung des World Wide Web gegründet. Dies ist eine hervorragende Site mit faszinierenden Informationen über die Entstehung der Web-Technologien, -Protokolle und -Standards.

- Association for Computing Machinery (ACM), http://www.acm.org, und Institute of Electrical and Electronics Engineers (IEEE), http://www.ieee.org: Dies sind die beiden wichtigsten internationalen Fachverbände mit technischen Konferenzen, Magazinen und Zeitschriften im Vernetzungsbereich. Die ACM Special Interest Group in Data Communications (SIGCOMM), http://www.acm.org/sigcomm, die IEEE Communications Society, http://www.comsoc.org, und die IEEE Computer Society, http://www.computer.org, sind die Gruppen innerhalb dieser Körperschaften, deren Bemühungen am engsten mit Computervernetzung zusammenhängen.

- Übungskurse (Tutorials) für Datenkommunikation aus dem Online-Magazin Data Communications, http://www.data.com: Eines der besseren Magazine für Datenkommunikationstechnologie. Die Site bietet viele ausgezeichnete Tutorien.
- Media History Project, http://www.mediahistory.com: Sie interessieren sich vielleicht für die Entstehungsgeschichte des Internets bzw. für die Anfänge der elektrischen Kommunikation. Vielleicht fragen Sie sich auch, was der elektrischen Kommunikation vorausgegangen ist! Das Web enthält eine Fülle ausgezeichneter Ressourcen über diese Themen. Diese Site unterstützt Sie bei der Untersuchung der Mediengeschichte von vorgeschichtlichen Felszeichnungen bis hin zu Pixeln.

1.2 Was ist ein Protokoll?

Nachdem wir nun ein bisschen darüber vermittelt haben, was das Internet ist, betrachten wir ein weiteres wichtiges Schlagwort im Bereich der Computervernetzung: »Protokoll«. Was *ist* ein Protokoll? Was *macht* ein Protokoll? Wie weiß ich, dass ich es mit einem Protokoll zu tun habe, falls ich auf eines stoße?

1.2.1 Eine menschliche Analogie

Das Konzept eines Netzwerkprotokolls wird wahrscheinlich am leichtesten verständlich, wenn man zuerst einige menschliche Analogien betrachtet, weil wir Menschen die ganze Zeit Protokolle ausführen. Überlegen Sie einmal, was Sie tun, wenn Sie jemanden nach der Uhrzeit fragen wollen. Ein typischer Austausch ist in Abbildung 1.2 dargestellt. Das menschliche Protokoll (oder zumindest der Anstand) gebietet es, dass man zuerst grüßt (das erste »Hallo« in Abbildung 1.2), um die Kommunikation mit einer anderen Person einzuleiten. Die typische Antwort auf eine »Hallo«-Nachricht ist ebenfalls eine »Hallo«-Nachricht. Stillschweigend fasst man dann eine höfliche »Hallo«-Antwort als Hinweis auf, dass man fortfahren und nach der Uhrzeit fragen kann. Eine andere Antwort auf das erste »Hallo« (etwa »Lassen Sie mich doch in Ruhe!« oder »Ich spreche nicht Deutsch«) kann ein Hinweis darauf sein, dass die andere Person nicht willens bzw. unfähig ist zu kommunizieren. In diesem Fall würde das menschliche Protokoll bedeuten, dass man nicht nach der Uhrzeit fragt. Manchmal erhält man überhaupt keine Antwort auf eine Frage, so dass man normalerweise gleich aufgibt, diese Person nach der Uhrzeit zu fragen. Man beachte, dass wir in unserem menschlichen Protokoll *spezifische Nachrichten senden und als Reaktion auf die erhaltenen Antwortnachrichten oder andere Ereignisse (z. B. keine Antwort innerhalb eines bestimmten Zeitraums) spezifische Handlungen vornehmen*. Klar übertragene und empfangene Nachrichten und Handlungen, wie beim Versenden oder Empfangen dieser Nachrichten oder beim Eintritt anderer Ereignisse, spielen eine zentrale Rolle in einem menschlichen Protokoll. Wenn Menschen unterschiedliche Protokolle ausführen (z. B. hat eine Person Manieren und die andere nicht, oder eine versteht das Konzept von Zeit und die andere nicht), arbeiten die Protokolle nicht zusammen und es lässt sich kein brauchbares Ergebnis erzielen. Das Gleiche gilt in der Vernetzungswelt: Es braucht immer zwei (oder mehr) kommunizierende Einheiten, die das gleiche Protokoll ausführen, damit eine Aufgabe erfüllt werden kann.

Wir betrachten nun eine zweite menschliche Analogie. Angenommen, Sie befinden sich in einer Univorlesung (beispielsweise in einer über Computernetzwerke!). Der Dozent hält seinen Vortrag über Protokolle und Sie sind verwirrt. Der Dozent hält inne und sagt: »Irgendwelche Fragen?« (eine Nachricht, die an alle Studenten

Abbildung 1.2 Ein menschliches und ein Netzwerkprotokoll

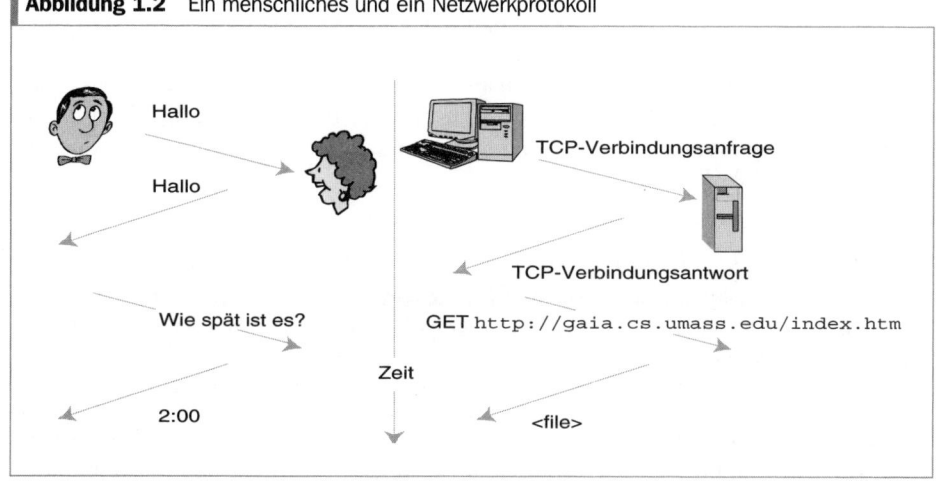

übertragen und von allen empfangen wird, die nicht schlafen). Sie heben die Hand (und übertragen damit eine ausdrückliche Nachricht an den Dozenten). Ihr Dozent quittiert dies mit einem Lächeln und sagt: »Ja ...?« (eine Nachricht, die Sie ermutigen soll, Ihre Frage zu stellen. Dozenten lieben es, Fragen gestellt zu bekommen). Dann stellen Sie Ihre Frage (d. h., Sie übertragen Ihre Nachricht an den Dozenten). Der Dozent hört Ihre Frage (empfängt Ihre Nachricht mit der Frage) und antwortet (überträgt eine Antwort an Sie). Wiederum sehen wir, dass die Übertragung und der Empfang von Nachrichten und eine Reihe konventioneller Handlungen beim Senden und Empfangen dieser Nachrichten den Kern dieses Frage-und-Antwort-Protokolls bilden.

1.2.2 Netzwerkprotokolle

Ein Netzwerkprotokoll ist mit einem menschlichen Protokoll vergleichbar, außer dass die Einheiten, die Nachrichten austauschen und Handlungen unternehmen, Hard- oder Softwarekomponenten eines Computernetzwerks sind. Das sind die Komponenten, die wir in den folgenden Abschnitten beschreiben. Alle Aktivitäten im Internet, die zwei oder mehr kommunizierende entfernte Einheiten betreffen, werden von einem Protokoll geregelt. Protokolle in Routern bestimmen den Pfad eines Pakets von der Quelle zum Ziel. Hardwareseitig implementierte Protokolle in den Netzwerkschnittstellenkarten zweier physisch verbundener Computer steuern den Bitfluss im »Draht« zwischen den beiden Computern. Ein Überlastkontrollprotokoll steuert die Rate, in der Pakete zwischen Sender und Empfänger übertragen werden können. Protokolle laufen überall im Internet; folglich hat ein großer Teil dieses Buchs mit Protokollen zu tun.

Als Beispiel eines Netzwerkprotokolls, mit dem Sie wahrscheinlich vertraut sind, betrachten wir, was passiert, wenn Sie eine Anfrage an einen Web-Server richten, d. h. wenn Sie die URL einer Web-Seite in Ihren Web-Browser eintippen. Das Szenario ist in der rechten Hälfte von Abbildung 1.2 dargestellt. Erstens sendet Ihr Computer eine »Verbindungsanfrage« an den Web-Server und wartet auf eine Antwort. Der Web-Server empfängt irgendwann Ihre Verbindungsanfrage und gibt eine »Verbindungsantwort« zurück. Ihr Computer versteht dadurch, dass er jetzt das Web-Dokument anfordern kann, und sendet den Namen der Web-Seite in einer »get«-Nachricht. Schließlich gibt der Web-Server den Inhalt des Web-Dokuments an Ihren Computer zurück.

Vor dem Hintergrund der obigen Beispiele mit menschlichen und Netzwerkprotokollen sind der Austausch von Nachrichten und die beim Senden und Empfangen dieser Nachrichten unternommenen Handlungen die wichtigsten definierenden Elemente eines Protokolls:

> Ein **Protokoll** *definiert das Format und die Reihenfolge von Nachrichten, die zwischen zwei oder mehr kommunizierenden Einheiten ausgetauscht werden, sowie die Handlungen, die bei der Übertragung und/oder beim Empfang einer Nachricht oder eines anderen Ereignisses unternommen werden.*

Das Internet und Computernetzwerke im Allgemeinen machen umfangreichen Gebrauch von Protokollen. Für die Durchführung unterschiedlicher Kommunikationsaufgaben werden verschiedene Protokolle benutzt. Im weiteren Verlauf dieses Buchs werden Sie erfahren, dass einige Protokolle einfach und andere komplex sind. Die Beherrschung des Bereichs der Computervernetzung hängt von der Kenntnis des Was, Warum und Wie von Netzwerkprotokollen ab.

1.3 Der Netzwerkperipherie

Die vorherigen Abschnitte enthielten eine abstrakte Beschreibung des Internets und von Netzwerkprotokollen. Wir gehen nun zu einer detaillierteren Betrachtung der Komponenten des Internets über. Wir beginnen in diesem Abschnitt mit der Netzwerkperipherie und betrachten die Komponenten, mit denen wir besonders vertraut sind – die Computer (z. B. PC und Workstations), die wir täglich benutzen. Im nächsten Abschnitt gehen wir von der Netzwerkperipherie auf den Netzwerkkern über und betrachten Vermittlung (Switching) und Routing in Computernetzwerken. In Abschnitt 1.5 werden dann die tatsächlichen physikalischen Verbindungsleitungen behandelt, über die die Signale zwischen den Computern und den Switches (elektronische Vermittler) übertragen werden.

1.3.1 Endsysteme, Clients und Server

Im Vernetzungsbereich werden die Computer, die wir täglich benutzen, meist als **Hosts** oder **Endsysteme** bezeichnet. Man nennt sie Hosts, weil sie sozusagen die Wirte für Anwendungsprogramme wie Web-Browser oder Serverprogramme oder ein E-Mail-Programm sind. Sie werden aber auch Endsysteme genannt, weil sie sich an der Peripherie des Internets befinden, wie Abbildung 1.3 zeigt. Wir verwenden in diesem Buch die beiden Begriffe gleichbedeutend, d. h. *Host = Endsystem*.

Hosts werden weiterhin in zwei Kategorien unterteilt: **Clients** und **Server**. Informell sind die meisten Clients Desktop-PCs oder Workstations, während Server leistungsstärkere Maschinen sind. Im Bereich der Computervernetzung haben die Begriffe »Client« und »Server« aber eine genauere Bedeutung. Im so genannten **Client/Server-Modell** erhält ein Clientprogramm, das auf einem Endsystem läuft, Informationen von einem Server, der auf einem anderen Endsystem läuft. Dieses Client/Server-Modell, das in Kapitel 2 ausführlich beschrieben wird, ist zweifellos die vorherrschende Struktur von Internet-Anwendungen. Das Web, E-Mail, Filetransfer, Remote-Login (z. B. Telnet), Newsgroups und viele andere beliebte Anwendungen basieren auf dem Client/Server-Modell. Da ein Client normalerweise auf einem Computer und der Server auf einem anderen läuft, gelten Client/Server-Anwendungen im Internet grundsätzlich als **verteilte Anwendungen**. Der Client und der Server interagieren miteinander durch Kommunikation im Internet (d. h., sie senden einander Nachrichten). Auf dieser Abstraktionsebene dienen Router, Verbindungsleitungen und andere »Teile« des Internets als »Blackboxes«, die Nachrichten zwischen den verteilten, kommunizierenden Komponenten einer Internet-Anwendung übermitteln. Diese Abstraktionsebene ist in Abbildung 1.3 dargestellt.

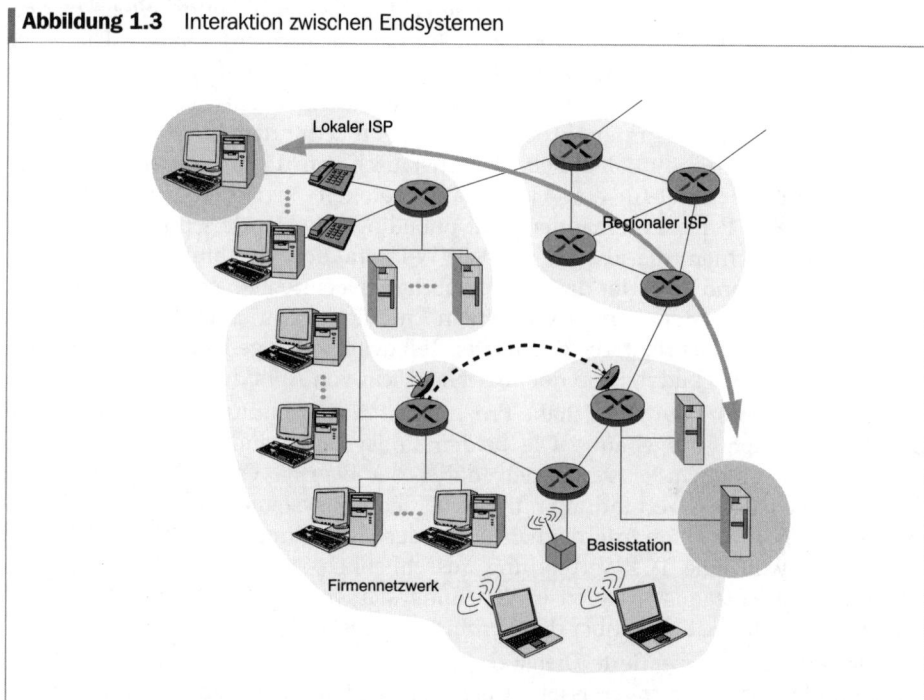

Abbildung 1.3 Interaktion zwischen Endsystemen

Computer (z. B. ein PC oder eine Workstation), die als Clients und Server fungieren, sind der vorherrschende Endsystemtyp. Allerdings werden vermehrt auch andere Geräte, z. B. so genannte Netzwerkcomputer und Thin-Clients [Thinplanet 2000], Web-Fernseher und Settop-Boxen [Mills 1998], digitale Kameras und andere Geräte als Endsysteme an das Internet angeschlossen. Für eine interessante Diskussion der laufenden Evolution von Internet-Anwendungen, siehe [AT&T Apps 1998; Dertouzos 1999; Lucky 1997].

1.3.2 Verbindungslose und verbindungsorientierte Dienste

Wie bereits beschrieben, tauschen Endsysteme mit Hilfe eines Protokolls auf Anwendungsebene Nachrichten aus, um bestimmte Aufgaben durchzuführen. Die Verbindungsleitungen, Router und andere Teile des Internets stellen die Mittel für die Beförderung dieser Nachrichten zwischen den Endsystemanwendungen bereit. Welche

Eigenschaften weisen aber die bereitgestellten Kommunikationsdienste auf? Das Internet im Besonderen und TCP/IP-Netzwerke im Allgemeinen bieten ihren Anwendungen zwei Dienstarten: **verbindungslos** und **verbindungsorientiert**. Ein Entwickler, der eine Internet-Anwendung schreibt (z. B. eine E-Mail-, Filetransfer-, Web- oder Internet-Phone-Anwendung), muss die Anwendung so programmieren, dass sie eine dieser beiden Dienstarten benutzt. Wir beschreiben diese beiden Dienste hier nur kurz; sie werden ausführlich in Kapitel 3 in Zusammenhang mit Protokollen auf der Transportschicht beschrieben.

Verbindungsorientierter Dienst

Wenn eine Anwendung den verbindungsorientierten Dienst nutzt, senden der Client und der Server (die sich auf je einem anderen Endsystem befinden) Steuerpakete, bevor sie Pakete mit echten Daten (z. B. E-Mail-Nachrichten) senden. Dieses so genannte »Handshake« (Händeschütteln) macht den Client und den Server darauf aufmerksam, dass sie sich auf den Empfang von Datenpaketen einzustellen haben. Interessant ist, dass diese anfängliche Handshake-Prozedur dem in der menschlichen Interaktion üblichen Protokoll ähnelt. Der Austausch von »Hallo«-Anreden in Abbildung 1.2 ist ein Beispiel für ein »Handshake-Protokoll« zwischen Menschen (auch wenn die beiden Personen einander nicht unbedingt die Hände schütteln). Die beiden TCP-Nachrichten, die als Teil der WWW-Interaktion in Abbildung 1.2 ausgetauscht werden, sind zwei der drei ausgetauschten Nachrichten, wenn TCP eine Verbindung zwischen einem Sender und einem Empfänger einrichtet. Die dritte (nicht dargestellte) TCP-Nachricht, die den letzten Teil des Drei-Wege-Handshake von TCP (siehe Abschnitt 3.5) bildet, ist in der GET-Nachricht von Abbildung 1.2 enthalten.

Nach Beendigung der Handshake-Prozedur ist die Verbindung zwischen den beiden Endsystemen »aufgebaut«. Die beiden Endsysteme sind aber auf eine sehr lockere Weise miteinander verbunden; daher der Begriff »verbindungsorientiert«. Insbesondere ist diese Verbindung nur den beiden Endsystemen bekannt. Die Paket-Switches (d. h. Router) im Internet haben von der Verbindung keine Ahnung. Das ist deshalb so, weil eine TCP-Verbindung ausschließlich aus zugeteilten Ressourcen (Puffern) und Zustandsvariablen in den Endsystemen besteht. Die Paket-Switches führen keine Informationen über den Verbindungszustand.

Der verbindungsorientierte Dienst des Internets ist mit mehreren anderen Diensten gebündelt, darunter zuverlässiger Datentransfer, Flusskontrolle und Überlastkontrolle. Unter **zuverlässigem Datentransfer** versteht man, dass sich eine Anwendung darauf verlassen kann, dass die Verbindung alle ihre Daten ohne Fehler und in der richtigen Reihenfolge übermittelt. Im Internet wird Zuverlässigkeit durch Verwendung von Bestätigungen (Acknowledgments, ACK) und Neuübertragungen (Retransmissions) erreicht. Um eine grobe Vorstellung davon zu bekommen, wie das Internet den zuverlässigen Transportdienst implementiert, betrachte man eine Anwendung, die eine Verbindung zwischen Endsystem A und B aufgebaut hat. Wenn Endsystem B ein Paket von A empfängt, sendet es eine Bestätigung zurück; wenn Endsystem A die Bestätigung empfängt, weiß es, dass das betreffende Paket tatsächlich empfangen wurde. Wenn Endsystem A keine Bestätigung empfängt, geht es davon aus, dass das von ihm gesendete Paket nicht bei B angekommen ist; es überträgt das Paket daher erneut. Die **Flusskontrolle** stellt sicher, dass keine Seite einer Verbindung die jeweils andere durch zu schnelles Senden zu vieler Pakete überschwemmt. Das ist sinnvoll, weil die Anwendung auf einer Seite der Verbindung möglicherweise nicht in der Lage ist, Informationen so schnell zu verarbeiten wie sie ankommen. Dadurch entsteht das Risiko, eine Seite einer Anwendung zu überschwemmen. Der Flusskontrolldienst zwingt das sendende Endsystem, seine Rate zu reduzieren, sobald sich ein solches Risiko abzeichnet. Wir werden in Kapitel 3 noch sehen, dass das Internet den Flusskontrolldienst dadurch implementiert, dass in den kommunizierenden Endsystemen Sende- und Empfangspuffer benutzt werden. Die **Überlastkontrolle** im Internet verhindert, dass das Internet in einen »Verkehrsstau« gerät. Ist ein Router überlastet, können seine Puffer überlaufen und Pakete verloren gehen. Wenn ein kommunizierendes Endsystempaar unter solchen Umständen mit dem Einspeisen von Paketen in das Netzwerk fortfährt, bildet sich ein Stau und nur wenige Pakete kommen zu ihrem jeweiligen Ziel durch. Im Internet lässt sich dieses Problem dadurch vermeiden, dass Endsysteme gezwungen werden, die Rate, in der sie Pakete in das Netzwerk senden, in Zeiten der Überlast zu reduzieren. Endsysteme werden über die Existenz einer schweren Überlast informiert, wenn sie keine Bestätigungen für die von ihnen gesendeten Pakete mehr erhalten.

Es sei hier betont, dass der verbindungsorientierte Dienst des Internets zwar zuverlässigen Datentransfer, Flusskontrolle und Überlastkontrolle umfasst, diese drei Merkmale aber keinesfalls notwendige Komponenten eines verbindungsorientierten Dienstes sind. Ein anderer Typ von Computernetzwerk stellt seinen Anwendungen vielleicht einen verbindungsorientierten Dienst ohne eines oder mehrere dieser Merkmale bereit. Tatsächlich ist ein Protokoll, das ein Handshake zwischen den kommunizierenden Einheiten durchführt, bevor Daten übertragen werden, ein verbindungsorientierter Dienst [Iren 1999].

Der verbindungsorientierte Dienst des Internets hat einen Namen: **TCP** (Transmission Control Protocol). Die erste Version des TCP-Protokolls ist in RFC 793 definiert [RFC 793]. Die Dienste, die TCP einer Anwendung bereitstellt, sind u. a. zuverlässiger Transport, Flusskontrolle und Überlastkontrolle. Wichtig ist hier, dass sich eine Anwendung nur um die bereitgestellten Dienste kümmern muss. Sie muss sich nicht darum kümmern, *wie* TCP Zuverlässigkeit, Flusskontrolle oder Überlastkontrolle implementiert. *Wir* sind natürlich sehr daran interessiert, wie TCP diese Dienste implementiert, und behandeln diese Themen ausführlich in Kapitel 3.

Verbindungsloser Dienst

Beim verbindungslosen Dienst des Internets gibt es kein Handshake. Wenn eine Seite einer Anwendung Pakete an die andere Seite einer Anwendung senden will, schickt die sendende Anwendung die Pakete einfach los. Da vor der Übertragung der Pakete keine Handshake-Prozedur erfolgt, werden die Daten schneller übertragen. Es gibt aber auch keine Bestätigungen, so dass eine Quelle nie sicher sein kann, welche Pakete am Ziel ankommen. Außerdem trifft der Dienst keine Vorkehrungen für Fluss- und Überlastkontrolle. Der verbindungslose Dienst des Internets wird vom **UDP** (User Datagram Protocol) bereitgestellt; UDP ist in RFC 768 [RFC 768] definiert.

Die meisten bekannten Internet-Anwendungen nutzen TCP, den verbindungsorientierten Dienst des Internets. Zu diesen Anwendungen zählen Telnet (Remote Login), SMTP (für E-Mail), FTP (für Filetransfer) und HTTP (für das Web). Dennoch wird UDP, der verbindungslose Dienst des Internets, von vielen Anwendungen benutzt, darunter viele der neuen Multimedia-Anwendungen wie Internet-Phone, Audio-on-Demand und Videokonferenzen.

1.4 Der Netzwerkkern

Nachdem die Endsysteme und das Modell des Ende-zu-Ende-Transportdienstes im Internet in Abschnitt 1.3 betrachtet wurden, tauchen wir nun tiefer in das »Innere« des Netzwerks ein. In diesem Abschnitt betrachten wir den Netzwerkkern: das Geflecht aus Routern, die die Endsysteme im Internet miteinander verbinden. Abbildung 1.4 hebt den Netzwerkkern durch die fetten Linien hervor.

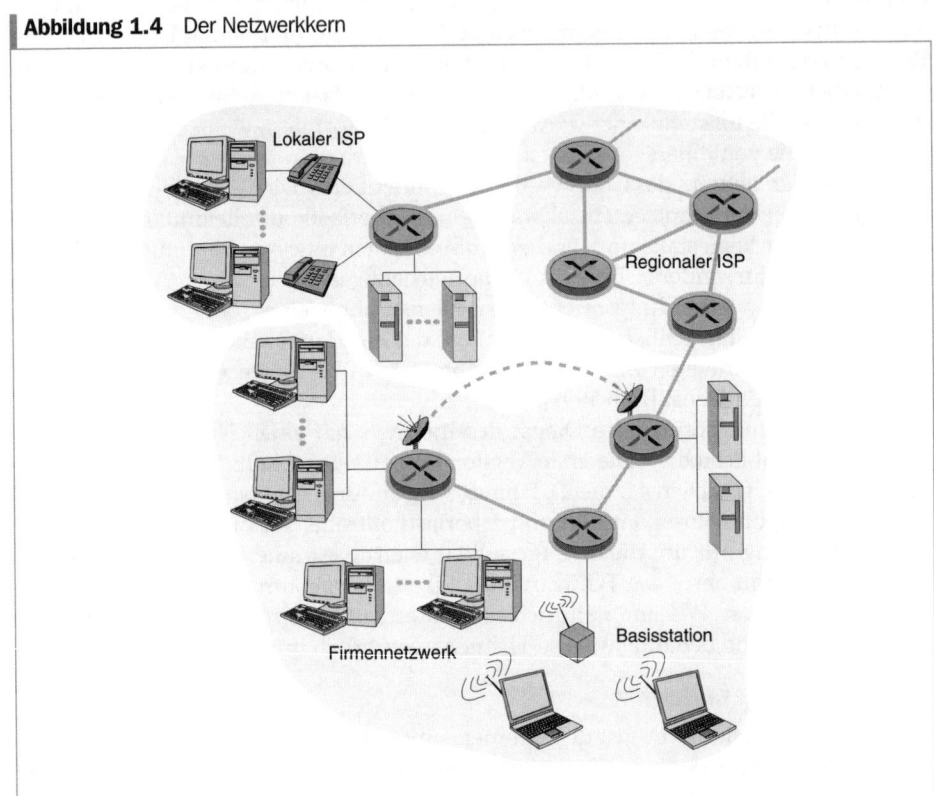

Abbildung 1.4 Der Netzwerkkern

1.4.1 Leitungs-, Paket- und Nachrichtenvermittlung

Für den Aufbau eines Netzwerkkerns existieren zwei grundlegende Ansätze: **Leitungsvermittlung** und **Paketvermittlung**. In leitungsvermittelten Netzwerken werden die auf einem Pfad benötigten Ressourcen (Puffer, Leitungsbandbreite) zur Kommunikation zwischen den Endsystemen für die Dauer der Sitzung *reserviert*. In paketvermittelten Netzwerken werden diese Ressourcen *nicht* reserviert; die Nachrichten einer Sitzung verwenden die Ressourcen auf Anfrage und müssen als Folge davon möglicherweise auf den Zugriff auf eine Verbindungsleitung warten (d. h. in einer Warteschlange anstehen). Als einfache Analogie betrachte man zwei Restaurants: Bei einem muss man im Voraus reservieren und beim anderen nicht oder vielleicht akzeptiert es nicht einmal Reservierungen. Das Restaurant, bei dem reserviert werden muss, müssen wir zuerst anrufen. Wenn wir beim Restaurant ankommen, können wir im Prinzip aber sofort mit dem Kellner kommunizieren und unsere

Mahlzeit bestellen. In einem Restaurant, das keine Reservierungen verlangt oder entgegennimmt, brauchen wir vorher keinen Tisch zu bestellen. Wenn wir beim Restaurant ankommen, müssen wir vielleicht aber auf einen freien Tisch warten, bevor wir mit dem Kellner kommunizieren können.

Die herkömmlichen Telefonnetze sind Beispiele von leitungsvermittelten Netzwerken. Man überlege, was passiert, wenn eine Person Informationen (Sprache oder Fax) über ein Telefonnetz an eine andere senden möchte. Bevor der Sender die Informationen senden kann, muss das Netzwerk eine Verbindung zwischen Sender und Empfänger aufbauen. Im Gegensatz zu der im vorherigen Abschnitt beschriebenen TCP-Verbindung ist das eine bona fide Verbindung, für die die Switches auf dem Pfad zwischen dem Sender und dem Empfänger den Verbindungszustand für die Dauer dieser Verbindung aufrechterhalten. Im Fernmeldejargon nennt man dies **Schaltkreis** (Circuit). Wenn das Netzwerk den Schaltkreis aufbaut, wird auch eine konstante Übertragungsrate für die Dauer der Verbindung reserviert. Diese Reservierung erlaubt es dem Sender, die Daten in einer *garantierten* konstanten Rate an den Empfänger zu übertragen.

Das heutige Internet ist im Wesentlichen ein paketvermitteltes Netzwerk. Man betrachte, was passiert, wenn ein Host ein Paket über ein paketvermitteltes Netzwerk an einen anderen Host senden will. Wie bei der Leitungsvermittlung wird das Paket über eine Reihe von Verbindungsleitungen übertragen. Bei der Paketvermittlung wird das Paket aber ohne Reservierung irgendwelcher Bandbreite in das Netzwerk eingespeist. Entsteht in einer der Leitungen eine Überlast, weil andere Pakete zur gleichen Zeit über diese Leitung übertragen werden müssen, dann muss unser Paket in einem Puffer auf der Sendeseite der Übertragungsleitung warten und eine Verzögerung in Kauf nehmen. Das Internet überträgt die Daten nach »bestem Bemühen« (*Best-Effort*) möglichst schnell, macht dafür aber keinerlei Zusicherungen.

Nicht alle Telekommunikationsnetze können starr als reine leitungsvermittelte oder reine paketvermittelte Netzwerke klassifiziert werden. Für Netzwerke, die auf der ATM-Technologie basieren, kann eine Verbindung z. B. eine Reservierung durchführen und trotzdem müssen ihre Nachrichten möglicherweise auf überlastete Ressourcen warten! Dennoch ist diese grundlegende Klassifizierung in paket- und leitungsvermittelte Netzwerke ein ausgezeichneter Ausgangspunkt, um die Technologie von Telekommunikationsnetzen zu verstehen.

Leitungsvermittlung

Die Schwerpunktthemen dieses Buchs sind Computernetzwerke, das Internet und Paketvermittlung, nicht aber Telefonnetze und Leitungsvermittlung. Dennoch ist es wichtig zu verstehen, warum das Internet und andere Computernetzwerke die Paketvermittlung und nicht die traditionellere Leitungsvermittlung, die in Telefonnetzwerken zum Einsatz kommt, verwenden. Aus diesem Grund geben wir hier eine kurze Übersicht über die Leitungsvermittlung.

Abbildung 1.5 zeigt ein leitungsvermitteltes Netzwerk. Bei diesem Netzwerk sind drei Leitungsvermittler (Circuit Switches) über zwei Verbindungsleitungen miteinander verbunden. Jede dieser Verbindungsleitungen hat n Schaltkreise, so dass jede Verbindungsleitung n gleichzeitige Verbindungen unterstützen kann. Die Endsysteme (z. B. PC und Workstations) sind jeweils direkt an einen der Vermittler (Switches) angeschlossen. (Außerdem sind auch gewöhnliche Telefone an die Vermittler angeschlossen, im Diagramm aber nicht dargestellt.) Man beachte, dass einige Hosts analogen Zugriff und andere direkten digitalen Zugriff auf die Vermittler haben. Für den

Abbildung 1.5 Einfaches leitungsvermitteltes Netzwerk mit drei Leitungsvermittlern, die über zwei Verbindungsleitungen verbunden sind

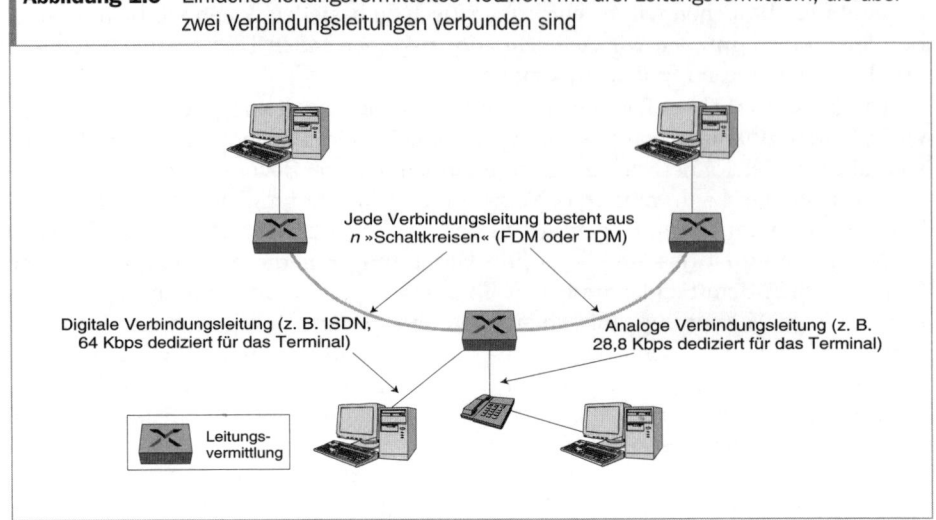

analogen Zugriff ist ein Modem erforderlich. Wenn zwei Hosts kommunizieren wollen, baut das Netzwerk einen dedizierten *Ende-zu-Ende-Schaltkreis* zwischen den beiden Hosts auf. (Konferenzgespräche sind selbstverständlich zwischen mehr als zwei Geräten möglich. Der Einfachheit halber nehmen wir hier aber an, dass jede Verbindung nur von zwei Hosts benutzt wird.) Damit Host A also Nachrichten an Host B senden kann, muss das Netzwerk zuerst einen Schaltkreis auf beiden Verbindungsleitungen reservieren. Jede Verbindungsleitung hat n Schaltkreise; jeder Ende-zu-Ende-Schaltkreis auf einer Verbindungsleitung erhält einen Anteil von $1/n$ an der Bandbreite der Verbindungsleitung für die Dauer der Verbindung.

Multiplexen

Ein Schaltkreis auf einer Verbindungsleitung wird entweder durch **Frequenzmultiplexen** (Frequency-Division Multiplexing, **FDM**) oder **Zeitmultiplexen** (Time-Division Multiplexing, **TDM**) implementiert. Beim FDM wird das Frequenzspektrum einer Verbindungsleitung von den über die Leitung aufgebauten Verbindungen gemeinsam genutzt. Genauer gesagt, die Leitung teilt jeder Verbindung für die Dauer der Nutzung ein Frequenzband zu. In Telefonnetzen hat dieses Frequenzband normalerweise eine Breite von 4 kHz (d. h. 4.000 Hertz oder 4.000 Zyklen pro Sekunde). Die Breite des Bandes wird logischerweise als **Bandbreite** bezeichnet. FM-Radiostationen nutzen ebenfalls FDM, um das Mikrowellen-Frequenzspektrum zu teilen.

In der modernen Telefonie zeichnet sich eine Ablösung von FDM durch TDM ab. Fast alle Verbindungsleitungen in den meisten Telefonsystemen in den USA und anderen entwickelten Ländern wenden heute TDM an. Bei einer TDM-Verbindungsleitung wird die Zeit in Rahmen (Frames) mit einer festen Dauer und jeder Rahmen wiederum in eine feste Anzahl von Zeitschlitzen (Time Slots) aufgeteilt. Wenn das Netzwerk über eine Verbindungsleitung eine Verbindung aufbaut, teilt das Netzwerk der Verbindung einen Zeitschlitz in jedem Rahmen zu. Diese Schlitze stehen für die ausschließliche Nutzung durch diese Verbindung zur Verfügung, wobei ein Zeitschlitz (in jedem Rahmen) für die Übertragung der Daten dieser Verbindung verfügbar ist.

1.4 Der Netzwerkkern

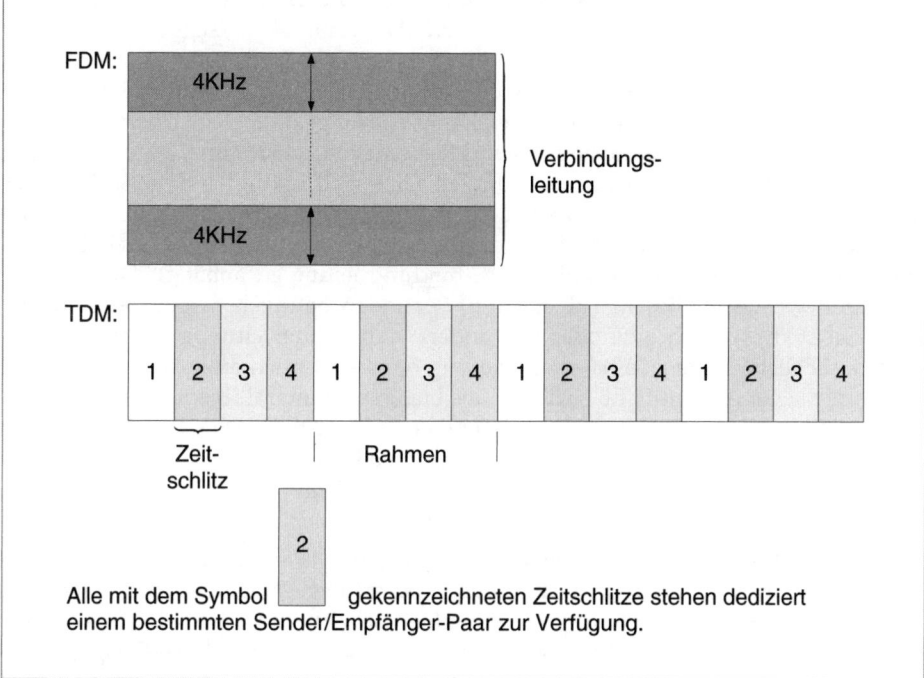

Abbildung 1.6 Bei FDM erhält jeder Schaltkreis kontinuierlich einen Anteil an der Bandbreite. Bei TDM erhält jeder Schaltkreis periodisch in kurzen Zeitintervallen (d. h. in den Zeitschlitzen) die gesamte Bandbreite.

Abbildung 1.6 zeigt FDM und TDM für eine spezifische Netzwerkleitung. Bei FDM wird der Frequenzbereich in eine Reihe von Schaltkreisen mit je einer Bandbreite von 4 kHz unterteilt. Bei TDM wird der Zeitbereich in vier Schaltkreise unterteilt; jedem Schaltkreis wird der gleiche dedizierte Zeitschlitz in umlaufenden TDM-Rahmen zugeteilt. Die Übertragungsrate des Rahmens entspricht der Rahmenrate, multipliziert mit der Anzahl der Bits in einem Zeitschlitz. Wenn die Verbindungsleitung beispielsweise 8.000 Rahmen pro Sekunde überträgt und jeder Zeitschlitz aus 8 Bit besteht, erhält man eine Übertragungsrate von 64 Kbps.

Die Befürworter der Paketvermittlung behaupten, dass Leitungsvermittlung eine Verschwendung bedeutet, weil die dedizierten Schaltkreise während der **Stillephasen** ungenutzt bleiben. Wenn beispielsweise einer der Teilnehmer in einem Telefongespräch zu sprechen aufhört, können die ungenutzten Netzwerkressourcen (Frequenzbänder oder Zeitschlitze auf den Verbindungsleitungen auf der Route der Verbindung) nicht für andere laufende Verbindungen genutzt werden. Als weiteres Beispiel der schlechten Auslastung dieser Ressourcen betrachte man den Fall, bei dem ein Radiologe ein leitungsvermitteltes Netzwerk benutzt, um auf Röntgenbilder auf einem entfernten Computer zuzugreifen. Der Radiologe baut eine Verbindung auf, fordert ein Bild an, betrachtet das Bild und fordert dann ein anderes Bild an. In den Phasen, in denen der Radiologe die Bilder betrachtet, werden Netzwerkressourcen verschwendet. Die Befürworter der Paketvermittlung weisen auch gerne darauf hin, dass der Aufbau von Schaltkreisen und die Reservierung von Bandbreite von Ende zu Ende kompliziert ist und komplexe Signalisierungssoftware voraussetzt, um die Vermittler auf dem Ende-zu-Ende-Pfad zu koordinieren.

Bevor wir unsere Diskussion der Leitungsvermittlung beenden, arbeiten wir uns durch ein Zahlenbeispiel, das die Angelegenheit zusätzlich erhellen soll. Wir untersuchen, wie lange die Übertragung einer Datei mit einer Größe von 640 KBit von Host A über ein leitungsvermitteltes Netzwerk an Host B dauert. Wir gehen davon aus, dass alle Verbindungsleitungen im Netzwerk TDM mit 24 Zeitschlitzen anwenden und eine Bitrate von 1,536 Mbps haben. Wir nehmen außerdem an, dass es 500 ms (Millisekunden) dauert, um einen Ende-zu-Ende-Schaltkreis aufzubauen, bevor A mit der Übertragung der Datei beginnen kann. Wie lange dauert die Übertragung der Datei? Jeder Schaltkreis hat eine Übertragungsrate von 1,536 Mbps/24 = 64 Kbps, so dass die Übertragung der Datei 640 KBit/64 Kbps = 10 Sekunden dauert. Zu diesen 10 Sekunden addieren wir die Zeit für den Verbindungsaufbau, was eine Übertragungsdauer von 10,5 Sekunden für die Datei ergibt. Man beachte, dass die Übertragungszeit nicht von der Anzahl der Verbindungsleitungen abhängt. Die Übertragungszeit würde in diesem Fall auch 10 Sekunden betragen, wenn der Ende-zu-Ende-Schaltkreis durch eine oder einhundert Verbindungsleitungen führen würde. (Die tatsächliche Ende-zu-Ende-Verzögerung beinhaltet auch eine Ausbreitungsverzögerung; siehe Abschnitt 1.6.) AT&T Labs bieten eine interaktive Site [AT&T Bandwidth 1998], auf der die Übertragungsverzögerung für unterschiedliche Dateitypen und Übertragungstechnologien untersucht werden kann.

Paketvermittlung

Die Abschnitte 1.2 und 1.3 haben gezeigt, dass Protokolle auf der Anwendungsebene Nachrichten austauschen, um ihre Aufgabe zu erfüllen. Nachrichten können alles enthalten, was der Protokolldesigner wünscht. Nachrichten können eine Steuerfunktion erfüllen (z. B. die »Hallo«-Nachrichten in unserem Handshake-Beispiel) oder Daten enthalten, z. B. eine ASCII- oder Postscript-Datei, eine Web-Seite oder eine digitale Audiodatei. In modernen paketvermittelten Netzwerken teilt die Quelle lange Nachrichten in kleinere **Pakete** auf. Zwischen der Quelle und dem Ziel überqueren diese Pakete Kommunikationsleitungen und **Paket-Switches** (die auch als **Router** bezeichnet werden). Pakete werden über eine Kommunikationsleitung in einer Rate übertragen, die der *vollen* Übertragungsrate der Verbindungsleitung entspricht. Die meisten Paket-Switches nutzen die **Store-and-Forward-Übertragung** an den Eingängen der Verbindungsleitungen. Store-and-Forward (Speichervermittlung) bedeutet, dass der Switch zuerst das gesamte Paket empfangen muss, bevor er damit beginnen kann, das erste Bit des Pakets über die abgehende Verbindungsleitung zu versenden. Folglich führen Paket-Switches, die mit Store-and-Forward arbeiten, eine **Store-and-Forward-Verzögerung** am Eingang jeder Verbindungsleitung entlang der Route des Pakets ein. Diese Verzögerung ist proportional zur Paketlänge, gemessen in Bits. Das heißt, wenn ein Paket aus L Bit besteht und über eine abgehende Verbindungsleitung mit R bps weitergeleitet werden muss, dann beträgt die Store-and-Forward-Verzögerung im Switch L/R Sekunden.

In jedem Router sind mehrere Puffer (auch als »Warteschlangen« bezeichnet) vorhanden: Jede Verbindungsleitung hat einen **Eingangspuffer** (um gerade auf dieser Verbindungsleitung angekommene Pakete zu speichern) und einen **Ausgangspuffer**. Die Ausgangspuffer spielen in der Paketvermittlung eine wichtige Rolle. Wenn ein ankommendes Paket über eine Verbindungsleitung übertragen werden muss, die Leitung aber durch die Übertragung eines anderen Pakets besetzt ist, muss das ankommende Paket im Ausgangspuffer warten. Folglich erleiden Pakete zusätzlich zu den Store-and-Forward-Verzögerungen auch **Warteschlangenverzögerungen** entsprechend der Wartezeit im Ausgangspuffer. Diese Verzögerungen sind variabel und hängen davon ab, wie stark das Netzwerk ausgelastet bzw. überlastet ist. Da der Pufferplatz endlich ist, kann es passieren, dass ein Paket ankommt, der Puffer aber vollständig mit wartenden Paketen gefüllt ist. In diesem Fall kommt es zum **Paketverlust**, d. h., entweder das ankommende Paket oder ein bereits wartendes Paket wird weggeworfen. Wenn wir kurz zu unserer Restaurantanalogie zurückkehren, entspricht die Warteschlangenverzögerung der Zeit, die wir auf einen Tisch warten müssen. Ein Paketverlust würde der Situation entsprechen, in der uns der Kellner sagt, dass wir das Restaurant leider verlassen müssen, weil bereits zu viele andere Leute an der Bar auf einen freien Tisch warten.

Abbildung 1.7 zeigt ein einfaches paketvermitteltes Netzwerk. Angenommen, die Hosts A und B senden Pakete an Host E. Sie senden ihre Pakete zuerst auf der 10-Mbps-Verbindungsleitung an den ersten Paket-Switch. Der Paket-Switch leitet diese Pakete zur 1,544-Mbps-Verbindungsleitung weiter. Ist diese Verbindungsleitung überlastet, landen die Pakete im Ausgangspuffer der Verbindungsleitung und müssen warten, bis sie auf der Verbindungsleitung übertragen werden können. Jetzt betrachten wir, wie die Pakete von Host A und Host B auf diese Verbindungsleitung geschickt werden. Wie in Abbildung 1.7 dargestellt, hält die Reihenfolge der Pakete von A und B keine periodische Ordnung ein; die Ordnung ist zufällig oder statistisch, weil Pakete gesendet werden, wann immer sie an der Verbindungsleitung anstehen. Aus diesem Grund sagt man, dass die Paketvermittlung das **statistische Multiplexen** anwendet. Statistisches Multiplexen steht in starkem Gegensatz zum Zeitmultiplexen (TDM), bei dem jeder Host den gleichen Zeitschlitz in einem umlaufenden TDM-Rahmen erhält.

Abbildung 1.7 Paketvermittlung

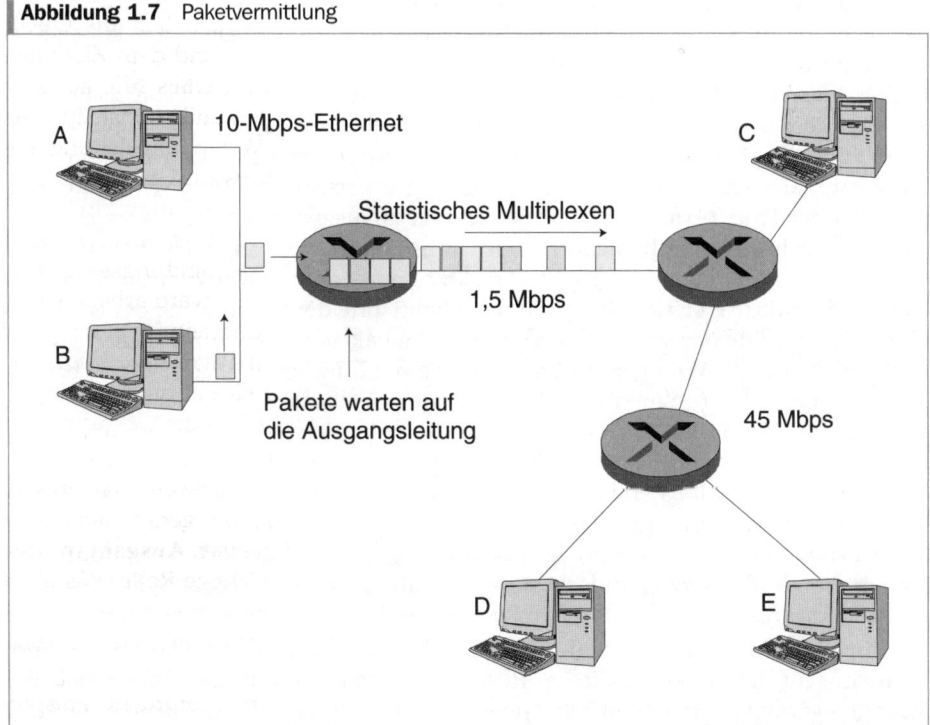

Wir untersuchen jetzt, wie lange es dauert, um ein Paket mit L Bit von einem Host zu einem anderen über ein paketvermitteltes Netzwerk zu übertragen. Wir nehmen an, dass zwischen den beiden Hosts Q Verbindungsleitungen mit jeweils einer Rate von R bps vorhanden sind. Wir gehen weiter davon aus, dass die Warteschlangen- und Ausbreitungsverzögerungen von Ende zu Ende verschwindend gering sind und kein Verbindungsaufbau nötig ist. Das Paket muss zuerst von Host A auf die erste Verbindungsleitung geschickt werden; dies dauert L/R Sekunden. Anschließend muss es auf jeder der $Q-1$ verbleibenden Verbindungsleitungen übertragen werden; es muss also $Q-1$ Mal gespeichert und weitergeleitet werden. Folglich ergibt sich eine Gesamtverzögerung von QL/R.

Paket- und Leitungsvermittlung im Vergleich

Nach der Beschreibung der Leitungs- und Paketvermittlung sollen die beiden Techniken nun verglichen werden. Die Gegner der Paketvermittlung behaupten oft, dass Paketvermittlung aufgrund ihrer schwankenden und unvorhersehbaren Verzögerungen nicht für Echtzeitdienste (z. B. Telefon- und Videokonferenzgespräche) geeignet ist. Die Befürworter der Paketvermittlung führen meist die Argumente an, dass (1) diese Technik im Vergleich zur Leitungsvermittlung eine bessere gemeinsame Nutzung der Bandbreite bietet und (2) die Implementierung im Gegensatz zur Leitungsvermittlung einfacher, effizienter und preisgünstiger ist. Allgemein ausgedrückt, könnte man das damit vergleichen, dass die Leute, die sich nicht die Mühe machen wollen, in einem Restaurant einen Tisch zu reservieren, der Paketvermittlung den Vorzug vor der Leitungsvermittlung geben.

Warum ist Paketvermittlung effizienter? Wir betrachten ein einfaches Beispiel. Angenommen, einige Benutzer teilen sich eine 1-Mbps-Verbindungsleitung; jeder Benutzer hat abwechselnd Aktivitätsphasen (wenn er Daten in einer konstanten Rate von 100 Kbps erzeugt) und Stillephasen (wenn er keine Daten erzeugt). Wir gehen weiter davon aus, dass ein Benutzer nur 10% der Zeit aktiv ist (und die restlichen 90% der Zeit über untätig ist und Kaffee trinkt). Bei der Leitungsvermittlung müssen 100 Kbps für *jeden* Benutzer die ganze Zeit über *reserviert* werden. Die Verbindungsleitung kann also nur zehn Benutzer gleichzeitig unterstützen. Wenn wir demgegenüber bei der Paketvermittlung von 35 Benutzern ausgehen, ist die Wahrscheinlichkeit, dass zehn oder mehr Benutzer gleichzeitig aktiv sind, ungefähr 0,0004. Wenn zehn oder weniger Benutzer gleichzeitig aktiv sind (was mit einer Wahrscheinlichkeit von 0,9996 eintritt), beträgt die gesamte Ankunftsrate der Daten weniger als 1 Mbps (die Ausgangsrate der Verbindungsleitung). Die Pakete der Benutzer fließen also im Wesentlichen ohne Verzögerung durch die Verbindungsleitung, ebenso wie bei der Leitungsvermittlung. Wenn mehr als zehn Benutzer gleichzeitig aktiv sind, übersteigt die gesamte Ankunftsrate von Paketen die Ausgangskapazität der Verbindungsleitung und die Ausgangswarteschlange beginnt sich zu füllen (bis die Gesamteingangsrate unter 1 Mbps sinkt, also an einen Punkt, an dem die Länge der Warteschlange sich zu verringern beginnt). Da die Wahrscheinlichkeit, dass zehn oder mehr Benutzer gleichzeitig aktiv sind, sehr gering ist, weist die Paketvermittlung fast immer die gleiche Verzögerungsleistung wie die Leitungsvermittlung auf, *wobei sie dies allerdings für mehr als die dreifache Benutzeranzahl erreicht*.

Obwohl beide Techniken in den heutigen Telekommunikationsnetzen angewandt werden, geht der Trend deutlich in Richtung der Paketvermittlung. Sogar viele der heutigen leitungsvermittelten Telefonnetze werden allmählich auf Paketvermittlung umgestellt. Insbesondere werden Telefonnetze oft für den teuren Überseeanteil eines Telefongesprächs auf die Paketvermittlung konvertiert.

Nachrichtenvermittlung

In einem modernen paketvermittelten Netzwerk teilt der Quellhost lange Nachrichten in kleinere Pakete auf und speist diese kleineren Pakete in das Netzwerk ein. Der Empfänger reassembliert die Pakete, d. h., er setzt sie wieder zur Originalnachricht zusammen. Wozu aber überhaupt die Nachrichten in Pakete aufteilen, nur um sie am anderen Ende wieder zu Nachrichten zusammenzusetzen? Die Segmentierung und Reassemblierung machen das Design von Quelle und Empfänger zwar komplizierter, Wissenschaftler und Netzwerkdesigner stellten aber bei der Paketvermittlung fest, dass die Vorteile der Segmentierung ihre Komplexität bei weitem aufwiegt. Bevor wir diese Vorteile behandeln, müssen wir einige Fachbegriffe einführen. Wir sagen, dass ein paketvermitteltes Netzwerk eine **Nachrichtenvermittlung** ausführt, wenn die Quellen die Nachrichten nicht segmentieren (d. h., sie senden die Nachrichten ganz in das Netzwerk). Folglich ist die Nachrichtenvermittlung eine spezifische Art der Paketvermittlung, wobei die durch das Netzwerk fließenden Pakete selbst ganze Nachrichten sind.

Abbildung 1.8 zeigt die Nachrichtenvermittlung auf einer Route, auf der sich zwei Paket-Switches (PS) und drei Verbindungsleitungen befinden. Bei der Nachrichtenvermittlung bleibt eine Nachricht intakt, während sie das Netzwerk überquert. Da die Paket-Switches die Store-and-Forward-Technik anwenden, muss ein Paket-Switch zuerst die komplette Nachricht empfangen, bevor er mit der Weiterleitung derselben über eine abgehende Verbindungsleitung beginnen kann.

Abbildung 1.8 Einfaches nachrichtenvermitteltes Netzwerk

Quelle — Paket-Switch — Paket-Switch — Ziel

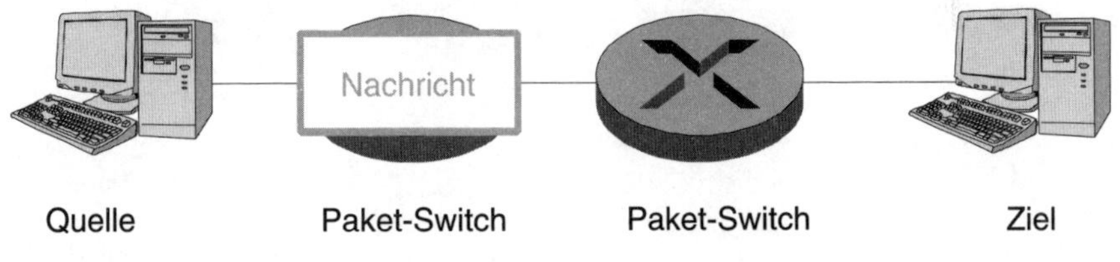

Abbildung 1.9 stellt die Paketvermittlung für das gleiche Netzwerk dar. Bei diesem Beispiel wurde die Originalnachricht in fünf Pakete aufgeteilt. In Abbildung 1.9 ist das erste Paket am Ziel angekommen, das zweite und das dritte befinden sich auf dem Transit im Netzwerk und die letzten beiden Pakete befinden sich noch in der Quelle. Da die Paket-Switches die Store-and-Forward-Technik anwenden, muss auch hier ein Paket-Switch ein ganzes Paket empfangen, bevor er es über eine abgehende Verbindungsleitung weiterleiten kann.

Ein großer Vorteil der Paketvermittlung (mit segmentierten Nachrichten) ist, dass sie wesentlich geringere Ende-zu-Ende-Verzögerungen als die Nachrichtenvermittlung erreicht. Man betrachte eine Nachricht, die 7,5 MBit lang ist. Angenommen, zwischen Quelle und Ziel befinden sich zwei Paket-Switches und drei Verbindungslei-

Abbildung 1.9 Einfaches paketvermitteltes Netzwerk

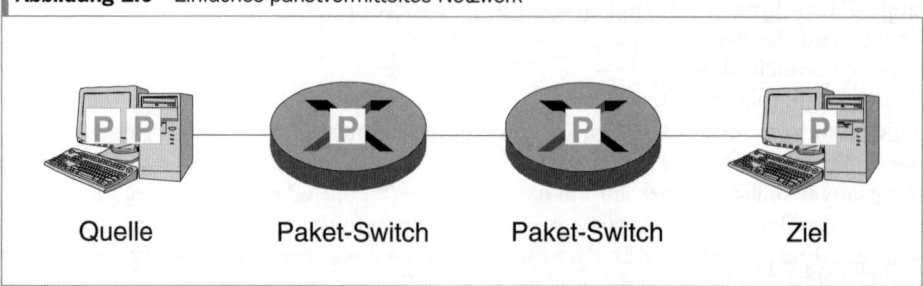

tungen und jede Verbindungsleitung hat eine Übertragungsrate von 1,5 Mbps. Weiter nehmen wir an, dass im Netzwerk keine Überlast vorkommt. Wie viel Zeit ist erforderlich, um die Nachricht mit der Nachrichtenvermittlung von der Quelle zum Ziel zu befördern? Die Quelle braucht 5 Sekunden, um die Nachricht bis zum ersten Switch zu befördern. Da die Switches die Store-and-Forward-Übertragung anwenden, kann der erste Switch erst mit der Übertragung von Bits der Nachricht beginnen, wenn er die ganze Nachricht empfangen hat. Nachdem der erste Switch die ganze Nachricht empfangen hat, dauert es 5 Sekunden, bis die Nachricht von der Quelle den zweiten Switch erreicht. Wenn wir dieser Logik folgen, sehen wir, dass insgesamt 15 Sekunden erforderlich sind, um die Nachricht von der Quelle zum Ziel zu senden. Diese Verzögerungen sind in Abbildung 1.10 dargestellt.

Abbildung 1.10 Zeitlicher Ablauf der Übertragung einer 7,5-MBit-Nachricht in einem nachrichtenvermittelten Netzwerk

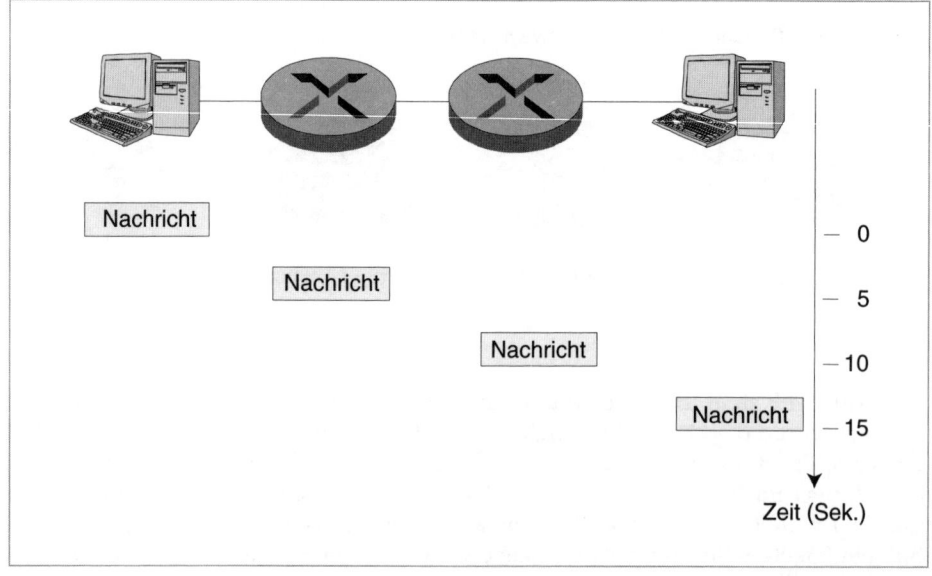

Wir fahren mit diesem Beispiel fort und nehmen nun an, dass die Quelle die Nachricht in 5.000 Pakete mit einer Länge von je 1,5 KBit aufteilt. Wieder gehen wir davon aus, dass im Netzwerk keine Überlast vorkommt. Wie lange dauert es, um die 5.000 Pakete von der Quelle zum Ziel zu befördern? Die Quelle braucht 1 ms, um das erste

Paket zum ersten Switch zu senden. Vom ersten zum zweiten Switch benötigt das erste Paket 1 ms. Während das erste Paket aber vom ersten zum zweiten Switch fließt, wird das zweite Paket *gleichzeitig* von der Quelle zum ersten Switch gesendet. Folglich erreicht das zweite Paket den ersten Switch in einer Zeit von 2 ms. Wenn wir dieser Logik folgen, sehen wir, dass das letzte Paket vom ersten Switch vollständig in einer Zeit von 5.000 ms = 5 Sekunden empfangen wird. Da dieses letzte Paket über zwei weitere Verbindungsleitungen übertragen werden muss, wird das letzte Paket vom Ziel in 5,002 Sekunden empfangen (siehe Abbildung 1.11).

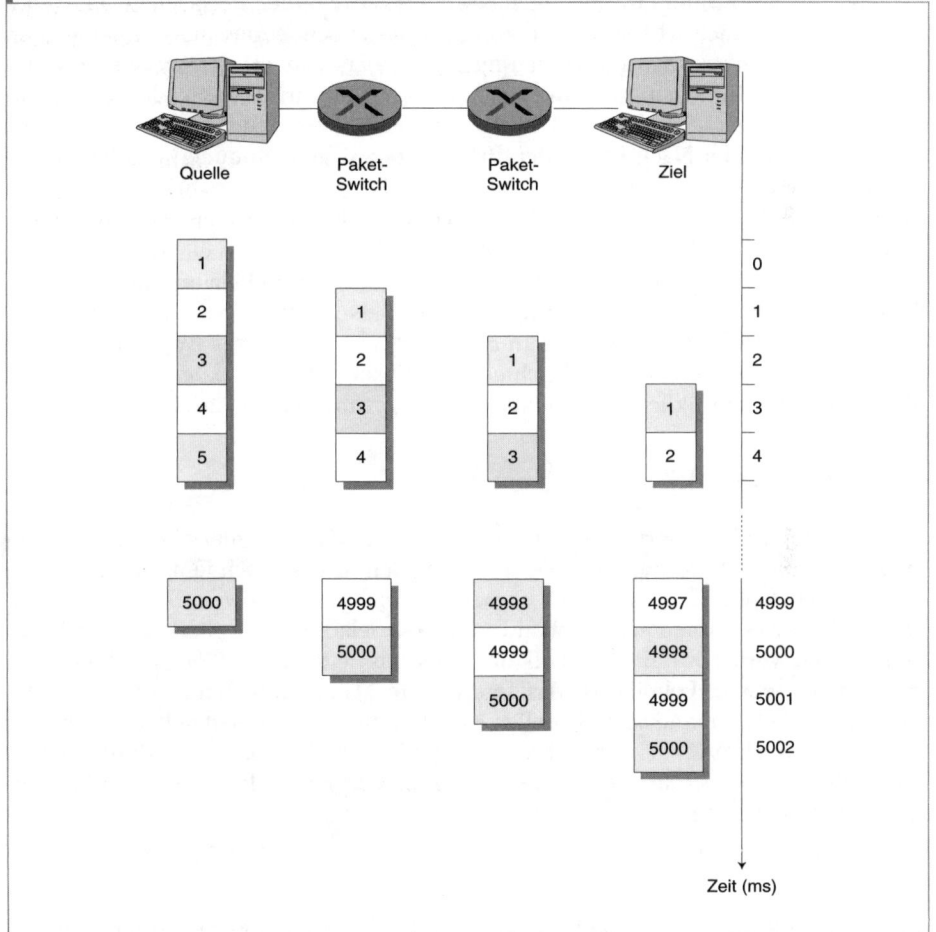

Abbildung 1.11 Zeitlicher Ablauf der Übertragung einer 7,5-MBit-Nachricht, die in 5.000 Pakete aufgeteilt wurde, in einem paketvermittelten Netzwerk

Wir stellen mit Erstaunen fest, dass die Paketvermittlung die Verzögerung der Nachrichtenvermittlung um einen Faktor von Drei reduziert hat! Doch warum ist das so? Was macht die Paketvermittlung, dass sie sich derart von der Nachrichtenvermittlung unterscheidet? Als wichtigsten Unterschied führt die Nachrichtenvermittlung eine sequentielle Übertragung durch, während die Paketvermittlung eine parallele Übertragung vornimmt. Man beachte, dass bei der Nachrichtenvermittlung alle übrigen Knoten untätig sind, während ein Knoten (die Quelle oder einer der Switches) überträgt. Bei der Paketvermittlung übertragen drei Knoten gleichzeitig, nachdem das erste Paket den letzten Switch erreicht hat.

Die Paketvermittlung weist im Vergleich zur Nachrichtenvermittlung noch einen wichtigen Vorteil auf. Wie später beschrieben wird, können in Paketen auf dem Transit durch das Netzwerk Bitfehler entstehen. Wenn ein Switch einen Fehler in einem Paket erkennt, verwirft er normalerweise das ganze Paket. Wenn also ein Paket eine ganze Nachricht ist und ein Bit in der Nachricht verfälscht wurde, wird die gesamte Nachricht verworfen. Wird die Nachricht demgegenüber in viele Pakete aufgeteilt und ist ein Bit in einem der Pakete verstümmelt, wird nur dieses eine Paket verworfen.

Die Paketvermittlung hat aber auch Nachteile. Wir werden noch sehen, dass jedes Paket oder jede Nachricht zusätzlich zu den von der sendenden zur empfangenden Anwendung übertragenen Nutzdaten auch zahlreiche Steuerinformationen mitführen muss. Diese Informationen, die im Paket- oder Nachrichten-**Header** (Nachrichten-Kopfteil) übertragen werden, können die Identität des Senders und Empfängers und eine Paket- oder Nachrichtenidentifizierung (z. B. eine Nummer) beinhalten. Da der Umfang der Header-Informationen für ein Paket oder eine Nachricht etwa gleich ist, ergibt sich bei der Paketvermittlung gegenüber der Nachrichtenvermittlung ein höherer Header-Overhead pro Datenbyte.

Bevor wir zum nächsten Unterabschnitt übergehen, empfehlen wir dem Leser die Erforschung des Message-Switching Java-Applets (http://www.awl.com/kuroseross), das auf der Web-Site zu diesem Buch verfügbar ist. Dieses Applet ermöglicht es Ihnen, mit verschiedenen Nachrichten- und Paketgrößen zu experimentieren und die Auswirkung zusätzlicher Ausbreitungsverzögerungen zu beobachten.

1.4.2 Routing in Datennetzwerken

Paketvermittelte Netzwerke werden in zwei grobe Klassen unterteilt: Datagramm-Netzwerke und VC-Netzwerke. Sie unterscheiden sich je nachdem, ob sie Pakete anhand von Hostzieladressen oder virtuellen Kanalnummern weiterleiten. Wir nennen ein Netzwerk, das Pakete anhand von Hostzieladressen weiterleitet, ein **Datagramm-Netzwerk**. Das IP-Protokoll des Internets leitet Pakete entsprechend den Zieladressen weiter. Folglich ist das Internet ein Datagramm-Netzwerk. Ein Netzwerk, das Pakete anhand von virtuellen Kanalnummern weiterleitet, bezeichnen wir als **VC-Netzwerk** (VC = Virtual Circuit = virtueller Kanal). Paketvermittlungstechnologien, die virtuelle Kanäle verwenden, sind z. B. X.25, Frame-Relay und ATM (Asynchronous Transfer Mode).

VC-Netzwerke

Ein virtueller Kanal (VC) besteht aus (1) einem Pfad (einer Reihe von Verbindungsleitungen und Paket-Switches) zwischen dem Quell- und Zielhost, (2) virtuellen Kanalnummern (einer Nummer pro Verbindungsleitung auf dem Pfad) und (3) Einträgen in VC-Nummernübersetzungstabellen in jedem Paket-Switch auf dem Pfad. Nachdem ein VC (virtueller Kanal) zwischen der Quelle und dem Ziel aufgebaut wurde, können Pakete mit den entsprechenden VC-Nummern gesendet werden. Da ein VC auf jeder Verbindungsleitung eine andere VC-Nummer hat, muss ein dazwischen liegender Paket-Switch die VC-Nummer jedes durchkommenden Pakets durch eine neue ersetzen. Die neue VC-Nummer wird einer VC-Nummernübersetzungstabelle entnommen.

Das Netzwerk in Abbildung 1.12 veranschaulicht dieses Konzept. Es sei gegeben, dass Host A vom Netzwerk den Aufbau eines VC zwischen sich und Host B anfordert. Wir nehmen an, dass das Netzwerk den Pfad A-PS1-PS2-B wählt und den drei Verbindungsleitungen auf diesem Pfad die VC-Nummern 12, 22 und 32 zuweist. Wenn ein Paket als Teil dieses VC Host A verlässt, ist der Wert im VC-Nummernfeld 12; wenn es PS1 verlässt, ist der Wert 22, und wenn es PS2 verlässt, ist der Wert 32. Die Nummern auf den Verbindungsleitungen von PS1 sind die **Schnittstellennummern**.

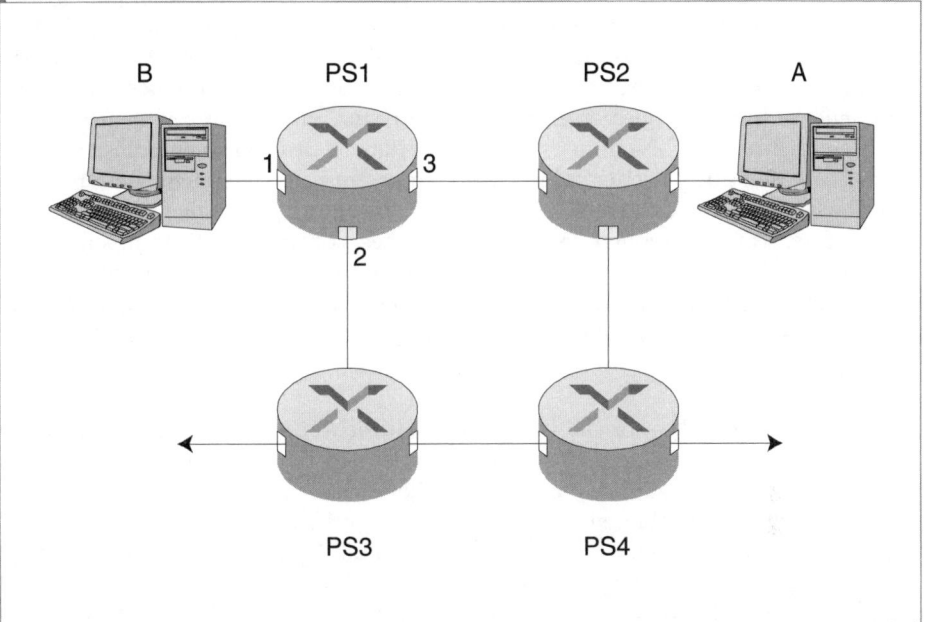

Abbildung 1.12 Einfaches virtuelles Leitungsnetzwerk

Wie bestimmt der Switch die Ersetzung der VC-Nummer für ein durchfließendes Paket? Jeder Switch verfügt über eine VC-Nummernübersetzungstabelle. Die Übersetzungstabelle in PS1 kann z. B. wie folgt aussehen:

Eingangs-schnittstelle	Nr. des Eingangs-VC	Ausgangs-schnittstelle	Nr. des Ausgangs-VC
1	12	3	22
2	63	1	18
3	7	2	17
1	97	3	87
…	…	…	…

Wenn ein neuer VC über einen Switch hinweg aufgebaut wird, wird in die VC-Nummerntabelle ein Eintrag eingefügt. Wird ein VC beendet, werden die Einträge in jeder Tabelle auf seinem Pfad wieder entfernt.

Sie fragen sich vielleicht, warum ein Paket nicht einfach die gleiche VC-Nummer auf allen Verbindungsleitungen entlang seiner Route beibehalten kann. Warum das nicht geht, hat zweierlei Gründe: Erstens reduziert sich die Länge des VC-Feldes dadurch, dass die Nummer von einer Verbindungsleitung zu einer anderen ersetzt wird. Zweitens (und wichtiger) vereinfacht sich das Netzwerkmanagement durch die unterschiedlichen VC-Nummern für jede Verbindungsleitung auf dem Pfad des VC. Bei mehrfachen VC-Nummern kann jede Verbindungsleitung auf dem Pfad eine VC-Nummer unabhängig von den anderen Verbindungsleitungen auf dem Pfad wählen. Wäre eine einheitliche Nummer für alle Verbindungsleitungen auf dem Pfad erforderlich, müssten die Switches zahlreiche Nachrichten austauschen und verarbeiten, um sich über die für eine Verbindung zu verwendende VC-Nummer zu einigen.

Verwendet ein Netzwerk virtuelle Kanäle, müssen die Switches des Netzwerks **Zustandsinformationen** für die laufenden Verbindungen führen. Jedes Mal, wenn eine neue Verbindung über einen Switch aufgebaut wird, muss ein neuer Verbindungseintrag in die VC-Nummernübersetzungstabelle des Switch eingefügt werden. Wird eine Verbindung wieder gelöst, muss ein Eintrag aus der Tabelle entfernt werden. Doch auch wenn es keine VC-Nummernübersetzung gäbe, wäre es immer noch nötig, Zustandsinformationen für die Zuordnungen von VC- und Schnittstellennummern zu führen. Die Frage, ob ein Switch oder Router Zustandsinformationen für jede laufende Verbindung führt, ist sehr wichtig; sie wird in einem der folgenden Abschnitte wieder aufgegriffen.

Datagramm-Netzwerke

Datagramm-Netzwerke ähneln in vielerlei Hinsicht dem Postdienst. Wenn ein Absender einen Brief an ein Ziel schickt, steckt er den Brief in einen Umschlag und schreibt die Empfängeradresse darauf. Diese Zieladresse hat eine hierarchische Struktur. Beispielsweise beinhalten Briefe für einen Empfänger in den USA das Land (USA), den Bundesstaat (z. B. Pennsylvania), die Stadt (z. B. Philadelphia), die Straße (z. B. Walnut Street) und die Hausnummer (z. B. 421). Der Postdienst benutzt die auf dem Umschlag stehende Adresse, um den Brief an sein Ziel zu befördern. Wird der Brief beispielsweise aus Frankreich abgeschickt, leitet ein Postamt in Frankreich den Brief zuerst an eine Postverteilerstelle in den USA weiter. Diese Postverteilerstelle sendet den Brief an eine andere in Philadelphia. Schließlich wird der Brief von einem Briefträger in Philadelphia an sein Endziel befördert.

In einem Datagramm-Netzwerk enthält jedes Paket, das im Netzwerk übertragen wird, in seinem Header (Kopfteil) die Adresse des Ziels. Wie bei Postadressen hat diese Adresse eine hierarchische Struktur. Kommt ein Paket bei einem Paket-Switch im Netzwerk an, prüft der Paket-Switch einen Teil der im Paket befindlichen Zieladresse und leitet es an einen benachbarten Switch weiter. Genauer gesagt, verfügt jeder Paket-Switch über eine Routing-Tabelle, in der Zieladressen (oder Teile davon) auf eine Ausgangsleitung abgebildet werden. Wenn ein Paket bei einem Switch ankommt, prüft der Switch die Adresse und indiziert seine Tabelle auf diese Adresse, um die entsprechende Ausgangsleitung zu ermitteln. Dann sendet der Switch das Paket zu dieser Ausgangsleitung.

Der gesamte Routing-Prozess ist also vergleichbar mit einem Autofahrer, der keine Straßenkarten benutzen will, sondern lieber nach der Richtung fragt. Angenommen, Joe fährt von Philadelphia nach Orlando in Florida, 156 Lakeside Drive. Joe fragt nun zuerst an seiner Tankstelle, wie er zu 156 Lakeside Drive in Orlando, Florida, kommt. Der Tankwart zieht den Florida-Teil der Adresse heraus und sagt Joe, dass er auf den Highway I-95 in Richtung Süden fahren muss, zu dem es gleich hinter der Tankstelle eine Auffahrt gibt. Er sagt Joe auch, dass er jemanden fragen soll, wenn er die Grenze des Bundesstaates Florida überquert hat. Joe biegt auf den I-95 South ein und fährt bis nach Jacksonville in Florida, wo er dann an einer Tankstelle wieder nach dem Weg fragt. Der dortige Tankwart nimmt den Orlando-Teil aus der Adresse und sagt Joe, dass er auf dem I-95 bis nach Daytona Beach weiterfahren und dort erneut fragen soll. In Daytona Beach nimmt ein anderer Tankwart ebenfalls den Orlando-Teil aus der Adresse und sagt Joe, dass er auf dem I-4 direkt nach Orlando kommt. Joe fährt auf dem I-4 bis zur Ausfahrt Orlando. Er stoppt erneut an einer Tankstelle und diesmal zieht der Tankwart den Lakeside-Drive-Teil aus der Adresse. Er erklärt Joe, wie er zu dieser Straße kommt. Joe erreicht den Lakeside Drive und fragt einen radelnden Jungen, wie er an sein Ziel kommt. Der Junge entnimmt den 156-Teil aus der Adresse und zeigt Joe das Haus. Joe erreicht schließlich sein endgültiges Ziel.

Wir werden das Routing in Datagramm-Netzwerken später ausführlicher behandeln. Vorläufig genügt es zu wissen, dass Datagramm-Netzwerke im Gegensatz zu VC-Netzwerken *keine Zustandsinformationen über Verbindungen in ihren Switches führen*. Ein Switch in einem reinen Datagramm-Netzwerk hat tatsächlich von dem möglicherweise durch ihn durchfließenden Datenverkehr keine Kenntnis. Er trifft seine Routing-Entscheidungen für jedes einzelne Paket. Da VC-Netzwerke in ihren Switches Zustandsinformationen über Verbindungen führen müssen, argumentieren die Gegner von VC-Netzwerken, dass VC-Netzwerke zu komplex seien. Zu diesen Gegnern zählen die meisten Wissenschaftler und Techniker der Internet-Gemeinde. Die Befürworter von VC-Netzwerken vertreten die Ansicht, dass VC-Netzwerke Anwendungen eine größere Vielfalt von Netzwerkdiensten bieten können.

Wie wollen Sie herausfinden, welchen Weg Pakete im Internet tatsächlich einschlagen? Wir fordern Sie mit dieser Frage auf, selbst aktiv zu werden: Benutzen Sie das Traceroute-Programm und geben Sie die URL der Web-Site für dieses Buch (http://www.awl.com/kurose-ross) ein.

Netzwerktaxonomie

Bis hierher wurden mehrere wichtige Netzwerkkonzepte eingeführt: Leitungsvermittlung, Paketvermittlung, Nachrichtenvermittlung, virtuelle Kanäle, verbindungslose und verbindungsorientierte Dienste. Wie passt dies alles zusammen?

Erstens wendet ein Telekommunikationsnetz aus unserer einfachen Sicht der Welt entweder die Leitungs- oder die Paketvermittlung an (siehe Abbildung 1.13). Eine Verbindungsleitung in einem leitungsvermittelten Netzwerk wendet entweder FDM oder TDM an (siehe Abbildung 1.14). Paketvermittelte Netzwerke sind entweder VC- oder Datagramm-Netzwerke. Switches in VC-Netzwerken übertragen Pakete gemäß den VC-Nummern der Pakete und führen einen Verbindungszustand. Switches in Datagramm-Netzwerken übertragen Pakete anhand ihrer Zieladressen und führen keinen Verbindungszustand (siehe Abbildung 1.15).

Paketvermittelte Netzwerke, die VCs benutzen, sind z. B. X.25, Frame-Relay und ATM. Ein paketvermitteltes Netzwerk benutzt entweder (1) VCs oder (2) Zieladressen für sein gesamtes Nachrichten-Routing; es wendet aber nie beide Routing-Techniken an. (Diese letzte Aussage ist nicht ganz richtig, weil es genau genommen Netz-

Abbildung 1.13 Unterscheidung von Telekommunikationsnetzen auf höchster Ebene: leitungs- oder paketvermittelt?

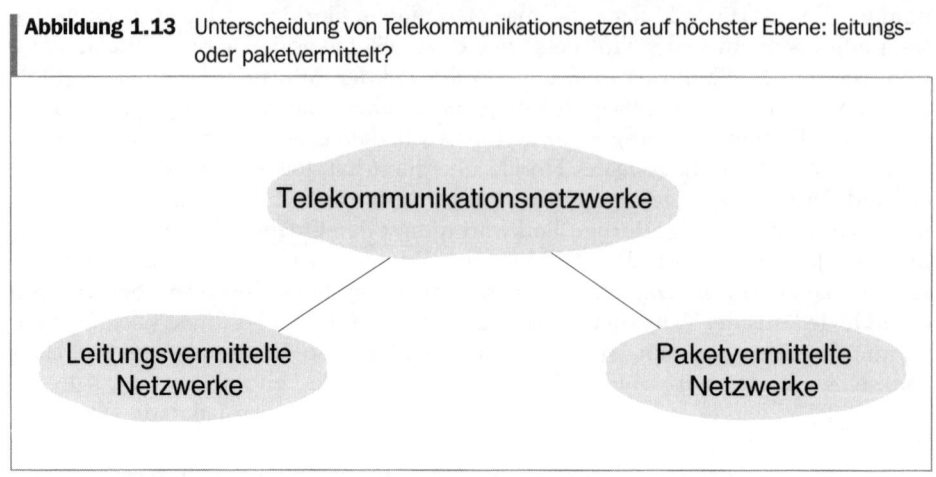

werke gibt, bei denen das Datagramm-Routing auf das VC-Routing aufsetzt. Das ist der Fall bei »IP-Over-ATM«, das später beschrieben wird.)

Abbildung 1.14 Leitungsvermittelte Implementierung: FDM oder TDM?

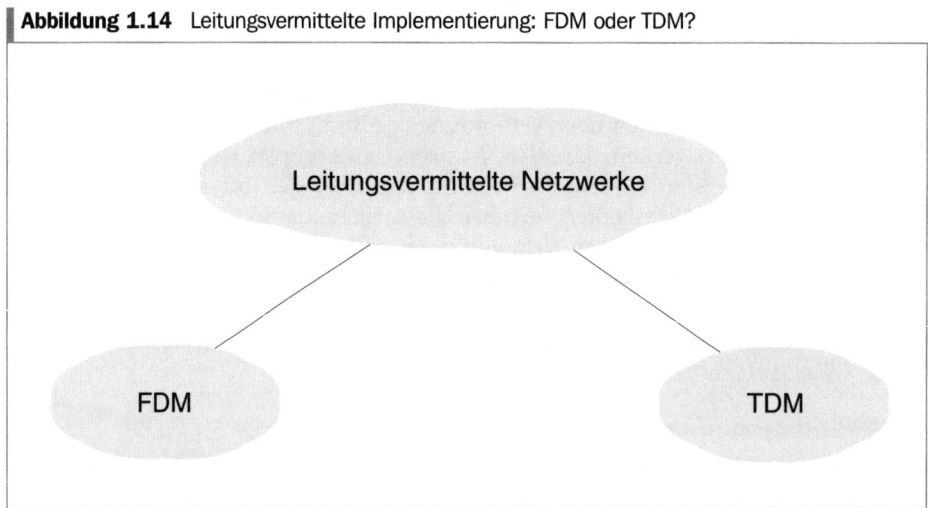

Ein Datagramm-Netzwerk ist allerdings *nicht* entweder ein verbindungsloses oder ein verbindungsorientiertes Netzwerk. Es kann einigen seiner Anwendungen den verbindungslosen und anderen den verbindungsorientierten Dienst bieten. Das Internet – ein Datagramm-Netzwerk – bietet z. B. seinen Anwendungen den verbindungslosen und verbindungsorientierten Dienst. Abschnitt 1.3 hat gezeigt, dass diese Dienste im Internet vom UDP- bzw. TCP-Protokoll bereitgestellt werden. VC-Netzwerke wie X.25, Frame-Relay und ATM sind aber immer verbindungsorientiert.

Abbildung 1.15 Paketvermittelte Implementierung: virtuelle Kanäle oder Datagramme?

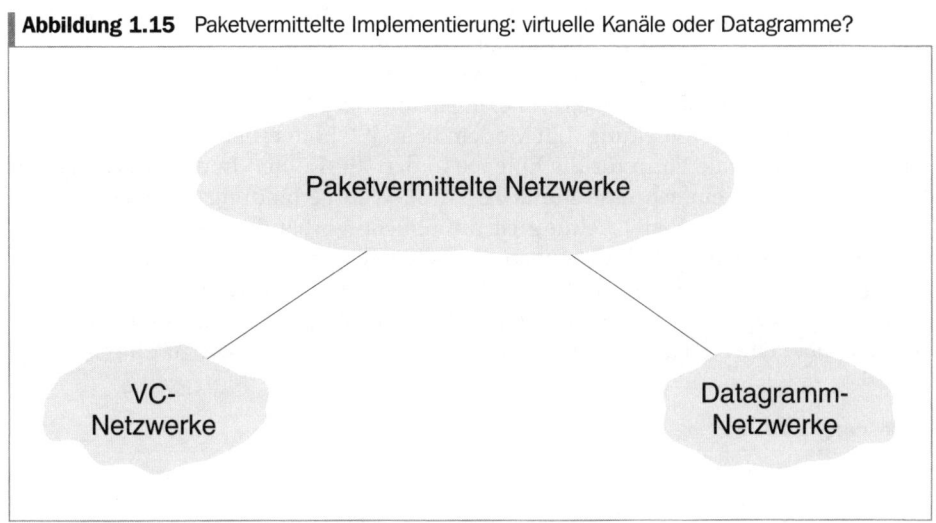

1.5 Zugangsnetzwerke und physikalische Medien

In den Abschnitten 1.3 und 1.4 wurden die Rollen von Endsystemen und Routern in einer Netzwerkarchitektur betrachtet. In diesem Abschnitt befassen wir uns mit dem **Zugangsnetzwerk** – den physikalischen Verbindungsleitungen, über die ein Endsystem mit seinem **Grenz-Router**, d. h. mit dem ersten Router auf einem Pfad vom Endsystem zu einem anderen entfernten Endsystem – verbunden wird. Da die Zugangsnetzwerktechnologie eng mit der Technologie des physikalischen Mediums (Glasfaser, Koaxialkabel, Telefonkabel, Funkspektrum) zusammenhängt, betrachten wir diese beiden Themen zusammen in diesem Abschnitt.

1.5.1 Zugangsnetzwerke

In Abbildung 1.16 sind die Verbindungsleitungen von Zugangsnetzwerken durch fette Linien hervorgehoben. Zugangsnetzwerke lassen sich grob in drei Kategorien unterteilen:

- **Zugangsnetzwerke für private Endsysteme** werden vorwiegend benutzt, um ein Endsystem in einer Privatwohnung an ein Netzwerk anzuschließen.
- **Zugangsnetzwerke für institutionelle Endsysteme** werden benutzt, um Endsysteme einer Firma oder eines Bildungsinstituts an ein Netzwerk anzuschließen.
- **Zugangsnetzwerke für mobile Endsysteme** dienen dem Anschluss eines mobilen Endsystems an ein Netzwerk.

Diese Kategorien sind aber nicht hart abgegrenzt; einige Firmenendsysteme benutzen vielleicht Zugangsnetzwerktechnologien, die wir als private Zugangsnetzwerke klassifizieren, und umgekehrt. Die folgende Beschreibung soll den üblichen (nicht jeden) Fall darlegen.

Zugangsnetzwerke für private Endsysteme

Diese Zugangsnetzwerke verbinden ein privates Endsystem (normalerweise ein PC, vielleicht aber auch ein Web-Fernseher oder andere in Privathaushalten vorhandene

Systeme) mit einem Grenz-Router. Die wahrscheinlich häufigste Form eines Heimanschlusses ist eine Wählverbindung über ein **Modem** und eine gewöhnliche Telefonleitung zu einem Internet-Service-Provider (ISP). Das Modem im Privathaushalt konvertiert die digitale Ausgabe des PC in ein analoges Format für die Übertragung auf der analogen Telefonleitung. Ein Modem beim ISP konvertiert das analoge Signal wieder in die digitale Form für die Eingabe in den ISP-Router. In diesem Fall ist das Zugangsnetzwerk einfach eine Punkt-zu-Punkt-Wählverbindung zu einem Grenz-Router. Die Punkt-zu-Punkt-Leitung ist die übliche vorhandene Kupferdoppelader des Fernsprechnetzes. (Wir beschreiben dieses Kabel später in diesem Abschnitt.) Die heutigen Modems unterstützen Zugangsraten bis 56 Kbps. Aufgrund der schlechten Qualität der Kupferdoppelader zwischen Privathaushalten und ISPs erhalten viele Benutzer aber eine viel geringere effektive Rate.

Abbildung 1.16 Zugangsnetzwerke

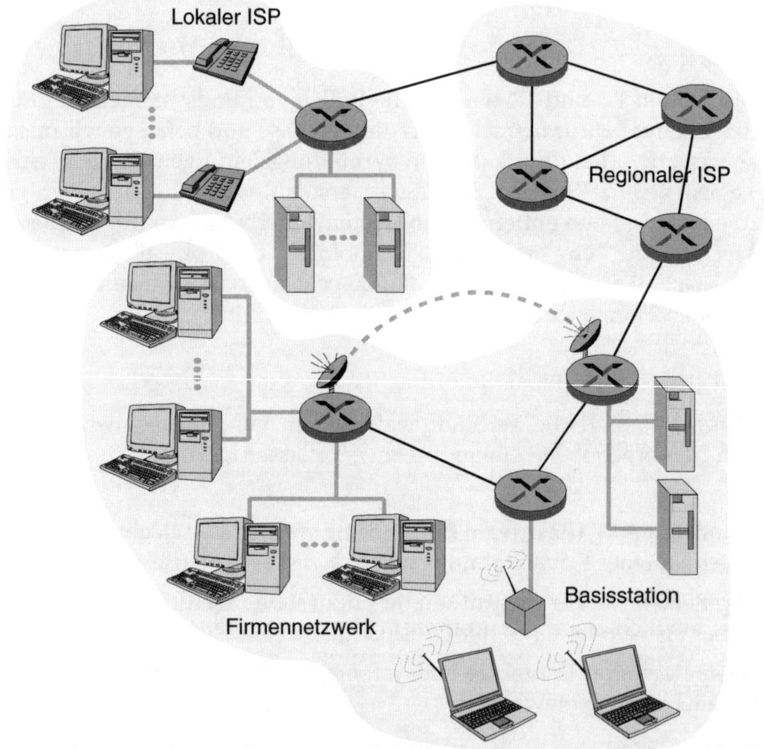

Während Wählmodems die Umwandlung der digitalen Daten des Endsystems in analoge Form für die Übertragung erfordern, ermöglicht **ISDN** (Integrated Services Digital Network) [Pacific Bell 1998], [Siegmund 1999] als so genannte Schmalbandtechnologie die vollständig digitale Übertragung von Daten vom privaten Endsystem über ISDN-»Telefonleitungen« zur Zentralvermittlungsstelle (ZVSt) der Telefongesellschaft. Obwohl ISDN ursprünglich als Möglichkeit entwickelt wurde, digitale Daten von einem Ende des Telefonsystems zu einem anderen zu übertragen, ist es auch eine wichtige Netzwerkzugangstechnologie, die höhere Geschwindigkeiten (z. B. 128 Kbps) vom Haushalt zu einem Datennetzwerk, z. B. dem Internet, bietet. In diesem Fall kann man sich ISDN als »besseres Modem« [NAS 1995] vorstellen. Eine gute Quelle mit weiteren Web-Informationen über ISDN ist Dan Kegels ISDN-Seite [Kegel 1999].

Wählmodems und Schmalband-ISDN sind häufig installierte Technologien. Seit einiger Zeit werden auch zwei neue Technologien – **ADSL (Asymmetric Digital Subscriber Line)** [ADSL 1998] und **HFC (Hybrid Fiber Coaxial Cable)** [Cable 1998] installiert. Vom Konzept her ähnelt ADSL den Wählmodems: Es ist eine neue Modemtechnologie, die zwar auch über die vorhandenen Kupferdoppeladern des Fernsprechnetzes läuft, aber in Raten von bis zu etwa 8 Mbps vom ISP-Router zum privaten Endsystem übertragen kann. Die Datenrate in umgekehrter Richtung, d. h. vom privaten Endsystem zum Router in der Zentralvermittlungsstelle, beträgt weniger als 1 Mbps. Der Asymmetrie der Zugangsgeschwindigkeiten ist der Begriff *Asymmetric* in ADSL zuzuschreiben. Die Asymmetrie der Datenraten gibt Anlass zu der Vermutung, dass ein privater Benutzer eher ein Verbraucher als ein Erzeuger von Informationen ist (d. h., er holt sich vorwiegend Daten über die Leitung nach Hause).

ADSL nutzt das im vorigen Abschnitt beschriebene Frequenzmultiplexverfahren. Insbesondere teilt ADSL die Kommunikationsleitung zwischen dem Heim-PC und dem ISP in drei nicht überlappende Frequenzbänder auf:

- Ein Downstream-Kanal (in Richtung vom Netzwerk zum Kunden) für hohe Geschwindigkeit im Band von 50 kHz bis 1 MHz.
- Ein Upstream-Kanal (in Richtung vom Kunden zum Netzwerk) für mittlere Geschwindigkeit im Band von 4 kHz bis 50 kHz.
- Ein gewöhnlicher Kanal über die konventionelle Telefonleitung in beiden Richtungen im Band von 0 bis 4 kHz.

ADSL weist u. a. das Merkmal auf, dass der Benutzer im Rahmen des Dienstes ein gewöhnliches Telefongespräch über die Telefonleitung führen und gleichzeitig im Web surfen kann. Dieses Merkmal wird von den gewöhnlichen Wählmodems nicht unterstützt. Die tatsächlich dem Benutzer in Downstream- und Upstream-Richtung zur Verfügung stehende Bandbreite ist eine Funktion der Entfernung zwischen seinem Modem und dem ISP-Modem, dem Leiterdurchmesser des Kupferkabels und dem Umfang an elektrischer Interferenz. Bei einer Leitung mit hoher Qualität und vernachlässigbarer elektrischer Interferenz ist eine Downstream-Übertragungsrate von 8 Mbps möglich, wenn die Entfernung zwischen dem Teilnehmer und dem ISP weniger als 3.000 m beträgt; bei einer Entfernung von 6.000 m sinkt die Downstream-Übertragungsrate auf etwa 2 Mbps. Die Upstream-Rate liegt im Bereich von 16 Kbps bis 1 Mbps.

Bei ADSL, ISDN und Wählmodems werden die gewöhnlichen Telefonleitungen benutzt. Demgegenüber sind HFC-Zugangsnetzwerke Erweiterungen des heutigen Kabelnetzes für das Kabelfernsehen. Dabei bildet eine Head-End-Station den zentralen Punkt im traditionellen Kabelverteilnetz. Bei dieser Hybridlösung (siehe Abbildung 1.17) wird Glasfaser mit hoher Bandbreite bis zu Verteilerknoten und von dort das Koaxialkabel zur Ringleitung, d. h. zu den Haushalten, benutzt. (Glasfaser- und Koaxialkabel werden später in diesem Kapitel beschrieben.) Jede Abzweiganlage in einem Wohngebiet bedient in der Regel 500 bis 5.000 Haushalte.

Abbildung 1.17 Das HFC-Zugangsnetzwerk ist eine Hybridlösung, bei der Glasfaser- und Koaxialkabel benutzt werden.

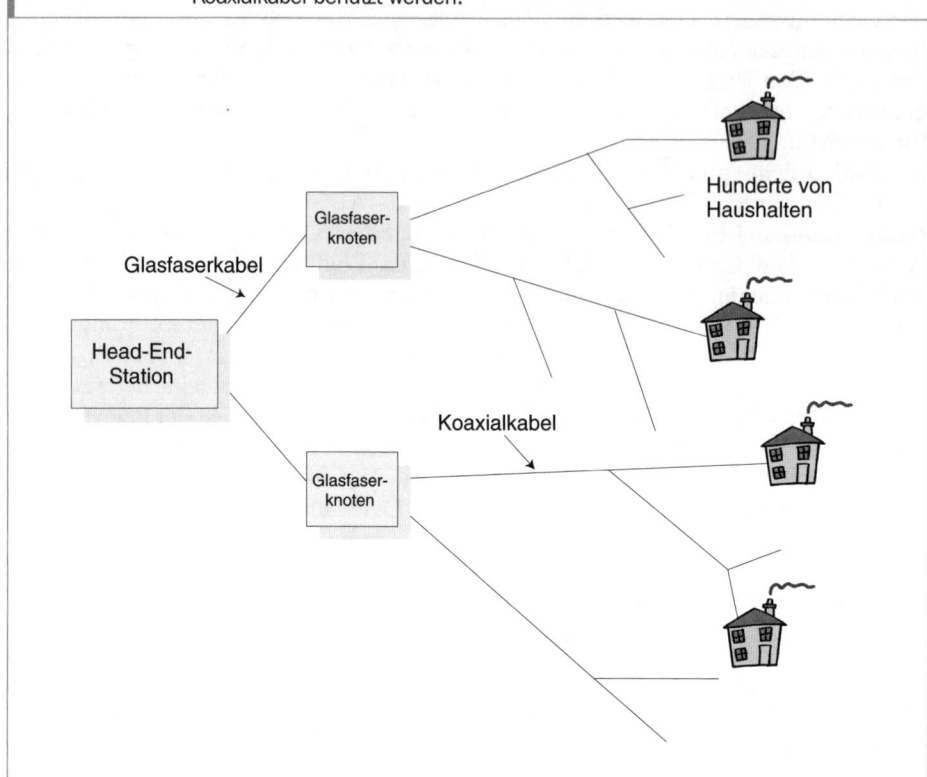

Wie bei ADSL sind für HFC spezielle Modems – die so genannten »Kabelmodems« – erforderlich. In der Regel muss der Endkunde für den Internet-Zugang über Kabel ein Kabelmodem kaufen oder mieten. Ein Anbieter von Kabelzugang zum Internet ist z. B. Cyber Cable; die Firma verwendet das Modem Cyber Surfer Cable von Motorola und bietet Internet-Zugang in hoher Geschwindigkeit für fast alle Stadtteile von Paris. Normalerweise ist das Kabelmodem ein externes Gerät, das über einen 10BaseT-Ethernet-Port an den PC angeschlossen wird. (Ethernet wird ausführlich in Kapitel 5 beschrieben.) Kabelmodems teilen das HFC-Netzwerk in zwei Kanäle – einen Downstream- und einen Upstream-Kanal – auf. Wie bei ADSL wird dem Downstream-Kanal mehr Bandbreite und damit eine größere Übertragungsrate zugeteilt. Im Cyber-Cable-System beträgt die Downstream-Rate z. B. 10 Mbps und die Upstream-Rate 768 Kbps. Im Gegensatz zu ADSL werden diese Raten in HFC aber von vielen Endkunden gemeinsam genutzt.

Ein wichtiges Merkmal von HFC ist, dass es ein gemeinsam genutztes Broadcast-Medium ist. Das bedeutet, dass jedes von der Head-End-Station gesendete Paket in Downstream-Richtung über jede Verbindungsleitung zu jedem Haushalt fließt. Jedes Paket, das von einem Haushalt gesendet wird, fließt im Upstream-Kanal zur Head-End-Station. Wenn also mehrere Benutzer unterschiedliche Internet-Videos auf dem Downstream-Kanal empfangen, ist die tatsächliche Rate, in der jeder Benutzer sein Video empfängt, wesentlich geringer als die Downstream-Rate. Wenn andererseits alle aktiven Benutzer im Web surfen, kann jeder Benutzer im Grunde die Web-Seiten in der vollen Downstream-Rate empfangen, weil eine begrenzte Gruppe von Benutzern selten genau zur gleichen Zeit eine Web-Seite anfordert. Da der Upstream-Kanal gemeinsam benutzt wird, kollidieren die gleichzeitig von zwei verschiedenen Haushalten gesendeten Pakete, so dass sich die effektive Upstream-Bandbreite noch weiter reduziert. (Das Thema »Kollision« wird in Zusammenhang mit Ethernet in Kapitel 5 behandelt.) Die Befürworter von ADSL weisen meist darauf hin, dass ADSL eine Punkt-zu-Punkt-Verbindung zwischen dem Endkunden und dem ISP darstellt und daher die ADSL-Bandbreite dem Endkunden allein zur Verfügung steht. Dem halten die Befürworter des Kabelsystems entgegen, dass ein vernünftig bemessenes HFC-Netzwerk höhere Bandbreiten als ADSL bietet [@Home 1998]. Der Kampf zwischen ADSL und HFC um schnellen Zugang für Haushalte hat offensichtlich begonnen; siehe hierzu ebenfalls [@Home 1998].

Zugangsnetzwerke für institutionelle Endsysteme

Für diese Zugangsnetzwerke wird ein lokales Netzwerk (LAN) benutzt, um ein Endsystem mit einem Grenz-Router zu verbinden. Wir werden in Kapitel 5 noch sehen, dass es viele verschiedene LAN-Technologien gibt. Derzeit ist die Ethernet-Technologie aber bei weitem die vorherrschende Zugangstechnologie in Firmennetzwerken. Ethernet läuft mit 10 Mbps oder 100 Mbps (und neuerdings sogar mit 1 Gbps). Es verwendet entweder die Kupferdoppelader oder Koaxialkabel für den Anschluss einer Reihe von Endsystemen untereinander und an einen Grenz-Router. Der Grenz-Router ist für das Routing von Paketen mit Ziel außerhalb des LAN zuständig. Wie bei HFC wird das Medium in Ethernet gemeinsam genutzt, so dass die Endbenutzer sich die Übertragungsrate des LAN teilen müssen. In jüngerer Zeit verlagert sich jedoch die Ethernet-Technologie von der gemeinsamen Mediennutzung zur vermittelten Ethernet-Technologie. Bei diesem Switched-Ethernet werden mehrere Segmente des Koaxialkabels oder der Kupferdoppelader des Ethernet mit einem »Switch« verbunden, damit die volle Bandbreite eines Ethernet verschiedenen Benutzern im gleichen LAN gleichzeitig bereitgestellt werden kann [Cisco 1998]. Switched-Ethernet und Ethernet mit gemeinsamer Mediennutzung werden ausführlicher in Kapitel 5 behandelt.

Zugangsnetzwerke für mobile Endsysteme

In mobilen Zugangsnetzwerken wird das Funkspektrum benutzt, um ein mobiles Endsystem (z. B. einen Laptop oder einen PDA mit drahtlosem Modem) mit einer Basisstation zu verbinden. Diese Basisstation ist ihrerseits mit einem Grenz-Router eines Datennetzwerks verbunden.

Ein neuerer Standard für drahtlose Datennetzwerke ist **CDPD (Cellular Digital Packet Data)** [Wireless 1998]. Ein CDPD-Netzwerk setzt auf ein größeres Netzwerk auf. Das heißt, es läuft als separates kleineres virtuelles Netzwerk im Mobiltelefonnetz. Ein CDPD-Netzwerk benutzt also das gleiche Funkspektrum wie das Mobiltelefonsystem und läuft in Geschwindigkeiten im KBit-Bereich pro Sekunde. Wie bei kabelbasierten Zugangsnetzwerken und Ethernet mit gemeinsamer Mediennutzung müssen CDPD-Endsysteme die Übertragungsmedien mit anderen CDPD-Endsystemen innerhalb der von einer Basisstation abgedeckten Zelle teilen. Ein MAC-Protokoll (Media Access Control) wird benutzt, um die gemeinsame Kanalnutzung durch die CDPD-Endsysteme zu moderieren. MAC-Protokolle werden ausführlich in Kapitel 5 beschrieben.

Das CDPD-System unterstützt das IP-Protokoll, was einem IP-Endsystem den Austausch von IP-Paketen über den drahtlosen Kanal mit einer IP-Basisstation erlaubt. CDPD bietet keine Protokolle oberhalb der Netzwerkschicht. Aus der Internet-Perspektive kann man sich CDPD als Erweiterung des Internet-Wähltons (d. h. die Fähigkeit, IP-Pakete zu übertragen) über eine drahtlose Verbindungsleitung zwischen einem mobilen Endsystem und einem Internet-Router vorstellen. Eine ausgezeichnete Einführung in CDPD findet der Leser in [Waung 1998].

1.5.2 Physikalische Medien

Im vorigen Unterabschnitt wurden die meisten wichtigen Zugangsnetzwerktechnologien im Internet als Übersicht dargestellt. In der Beschreibung dieser Technologien haben wir auch auf die jeweils benutzten physikalischen Medien hingewiesen. Wir haben z. B. gesagt, dass in HFC Glasfaser- und Koaxialkabel als Hybridlösung benutzt werden. Wir haben gesagt, dass herkömmliche Modems, ISDN und ADSL die Kupferdoppelader des traditionellen Fernsprechnetzes verwenden. Und wir haben gesagt, dass mobile Zugangsnetze das Funkspektrum benutzen. Dieser Abschnitt enthält eine kurze Übersicht über diese und weitere Übertragungsmedien, die vorrangig im Internet verwendet werden.

Um zu definieren, was mit einem physikalischen Medium gemeint ist, schweifen wir kurz ab und betrachten das Leben eines Bits, das von einem Endsystem durch eine Reihe von Verbindungsleitungen und Routern zu einem anderen Endsystem reist. Dieses arme Bit wird unzählige Male übertragen! Die Quelle überträgt zuerst das Bit und kurz danach wird es vom ersten Router in der Reihe empfangen. Der erste Router überträgt es und kurz danach kommt es beim zweiten Router an usw. Wenn unser Bit also von der Quelle zum Ziel reist, durchläuft es eine Reihe von Sender/Empfänger-Paaren. Für jedes Sender/Empfänger-Paar wird das Bit durch Ausbreitung elektromagnetischer Wellen oder optischer Impulse auf einem **physikalischen Medium** übertragen. Das physikalische Medium kann vielerlei Formen und Gestalten annehmen und muss nicht für jedes Sender/Empfänger-Paar auf dem Pfad gleich sein. Zu den physikalischen Medien zählen beispielsweise die Kupferdoppelader (Twisted-Pair, TP), das Koaxialkabel, das Multimode-Glasfaserkabel sowie das terrestrische und das Satellitenfunkspektrum. Physikalische Medien werden in zwei Kategorien unterteilt: **geführte** und **ungeführte** Übertragungsmedien. Bei geführten Medien werden die Wellen an einem festen Medium wie Glasfaser-, Kupfer- und Koaxialkabel entlanggelenkt, während sie sich bei ungeführten Medien in der Atmosphäre und im Raum ausbreiten, wie z. B. in einem digitalen Satellitenkanal oder in einem CDPD-System.

Beliebte physikalische Medien

Angenommen, Sie möchten ein Gebäude verkabeln, so dass alle Computer Zugang zum Internet oder zu einem Intranet erhalten. Sollten Sie Kupfer-, Koaxial- oder Glasfaserkabel verwenden? Welches dieser Medien bietet höchste Bitraten über große Entfernungen? Diese Fragen werden im Folgenden beantwortet.

Bevor wir uns aber mit den Merkmalen der verschiedenen geführten Medientypen beschäftigen, lohnt sich ein Hinweis auf ihre Kosten. Die tatsächlichen Kosten der physikalischen Leitung (Kupferkabel, Glasfaser usw.) gelten im Vergleich zu anderen Vernetzungskosten oft als relativ gering. Insbesondere kann der Arbeitsaufwand für die Verlegung der physikalischen Leitung die Materialkosten um mehrere

Größenordnungen übersteigen. Aus diesem Grund werden in den meisten neuen Gebäuden überall Kupfer-, Glasfaser- und Koaxialkabel installiert. Auch wenn anfangs nur ein Medium benutzt wird, stehen die übrigen Medien für die künftige Nutzung zur Verfügung, so dass Kosten und Aufwand für die Verlegung zusätzlicher Kabel eingespart wird.

Kupferkabel, verdrilltes Adernpaar, Kupferdoppelader (Twisted-Pair, TP): Das preisgünstigste und am häufigsten genutzte Übertragungsmedium ist das verdrillte Kupferkabel, kurz **TP**. Seit mehr als hundert Jahren wird es in den Telefonnetzen verwendet. Tatsächlich werden in 99% aller Festnetzverbindungen vom Telefonapparat zur Ortsvermittlungsstelle der Telefongesellschaft TP-Kabel verwendet. Es ist in den meisten Haushalten und Firmen installiert. Das TP-Kabel besteht aus zwei isolierten Kupferadern, die je etwa einen Millimeter dick und in einem regelmäßigen Spiralmuster angeordnet sind (siehe Abbildung 1.18). Durch die Verdrillung verbessern sich die elektrischen Eigenschaften des Kabels, d. h., die gegenseitige Störung von benachbarten Kabeln durch die abgestrahlte elektromagnetische Energie wird reduziert. Normalerweise werden mehrere Kabel in einem Kabelmantel gebündelt. Ein Adernpaar stellt eine einzelne Kommunikationsleitung dar.

Abbildung 1.18 Verdrilltes Kabelpaar

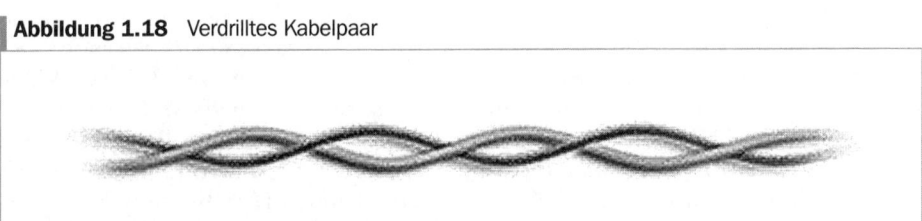

Kupferkabel, unabgeschirmtes verdrilltes Kabelpaar (UTP): Diese Kabelart wird vorwiegend für Computernetzwerke innerhalb eines Gebäudes, d. h. für lokale Netzwerke (LAN), verwendet. Die Datenraten für LANs mit TP-Kabeln liegen heute im Bereich von 10 bis 100 Mbps. Die erreichbaren Datenraten hängen von der Stärke des Kabels und der Entfernung zwischen Sender und Empfänger ab. Für LANs sind zwei UTP-Typen üblich: Kategorie 3 und Kategorie 5. Kategorie 3 entspricht dem TP-Kabel mit Sprachqualität, das in den meisten Bürogebäuden vorhanden ist. Bürogebäude werden oft im Voraus mit zwei oder mehr parallelen TP-Kabeln der Kategorie 3 ausgestattet; ein Paar wird für die Telefonkommunikation und das andere für zusätzliche Telefonleitungen oder LAN-Vernetzung benutzt. Für 10-Mbps-Ethernet, einen der häufigsten LAN-Typen, kann UTP Kategorie 3 verwendet werden. Kategorie 5 hat mehr Verdrillungen pro Zentimeter und eine Teflon-Isolierung; es unterstützt höhere Bitraten. 100-Mbps-Ethernet mit UTP Kategorie 5 ist seit einigen Jahren sehr beliebt. In den letzten Jahren wird UTP Kategorie 5 vorwiegend in neuen Bürogebäuden verlegt.

Als in den achtziger Jahren die Glasfasertechnologie auftauchte, betrachteten viele das TP-Kabel abschätzig wegen seiner relativ geringen Bitraten. Einige erwarteten die vollständige Ablösung des TP-Kabels durch Glasfaser, was allerdings nicht eingetreten ist. Moderne UTP-Technologien, wie beispielsweise UTP Kategorie 5, können Datenraten von 100 Mbps auf Entfernungen von ein paar hundert Metern erreichen. Über kürzere Entfernungen sind aber auch höhere Raten möglich. Letztlich hat sich das TP-Kabel als vorherrschende Lösung für LAN-Vernetzung mit hohen Geschwindigkeiten durchgesetzt.

Wie in dem Abschnitt über Zugangsnetzwerke erwähnt, wird das verdrillte Kabelpaar auch häufig für den Internet-Zugang in Haushalten benutzt. Wir haben gesehen, dass mit Wählmodems Zugangsraten von bis zu 56 Kbps über TP-Kabel möglich sind. Wir haben auch gesehen, dass in vielen Wohngegenden ISDN verfügbar ist, das Zugangsraten von etwa 128 Kbps auf TP-Kabeln unterstützt. Außerdem bietet die neuere ADSL-Technologie Privatnutzern Internet-Zugang in Raten von mehr als 6 Mbps über TP-Kabel.

Koaxialkabel: Wie das TP-Kabel besteht das Koaxialkabel aus zwei Kupferleitern, die hier aber nicht parallel, sondern konzentrisch verlaufen. Bei dieser Konstruktion und einer speziellen Isolierung und Abschirmung kann das Koaxialkabel höhere Bitraten als das TP-Kabel erreichen. Koaxialkabel gibt es in zwei Varianten: **Basisband** und **Breitband**.

Das Basisbandkoaxialkabel, das auch als »50-Ohm-Kabel« bezeichnet wird, ist etwa einen Zentimeter dick, von geringem Gewicht und lässt sich gut biegen. Es wird häufig in LANs benutzt. Der Computer, den Sie am Arbeitsplatz oder in der Schule benutzen, ist wahrscheinlich mit Basisbandkoaxialkabel oder UTP an ein LAN angeschlossen. Sehen Sie sich den Anschluss an die Schnittstellenkarte Ihres Computers an. Wenn Sie eine telefonähnliche Buchse und ein mit dem Telefonkabel vergleichbares Kabel sehen, handelt es sich um UTP. Wenn Sie einen T-Stecker und ein davon an beiden Seiten abgehendes Kabel sehen, wird Basisbandkoaxialkabel verwendet. Der Begriff *Basisband* ist darauf zurückzuführen, dass der Bitstrom direkt in das Kabel eingespeist wird, ohne das Signal auf ein anderes Frequenzband zu verlagern. 10-Mbps-Ethernet-Netzwerke können mit UTP oder Basisbandkoaxialkabel betrieben werden. Wie in Kapitel 5 beschrieben wird, ist die Verwendung von UTP für 10-Mbps-Ethernet etwas teurer, weil dafür ein so genannter **Hub** als zusätzliches Vernetzungsgerät benötigt wird.

Das Breitbandkoaxialkabel, das auch als »75-Ohm-Kabel« bezeichnet wird, ist viel dicker, schwerer und steifer als die Basisbandvariante. Es kam früher vorwiegend in LANs zum Einsatz und ist in älteren Installationen noch vorzufinden. Für LANs wird heute das Basisbandkabel bevorzugt, weil es preisgünstiger und leichter zu handhaben ist und keine Koppelmodule voraussetzt. Das Breitbandkabel ist das übliche Medium in Kabelfernsehsystemen. Wie wir an früherer Stelle gesehen haben, werden Kabelfernsehsysteme seit einiger Zeit mit Kabelmodems ausgestattet, um Web-Zugang in Raten von 10 Mbps oder höher für Privathaushalte zu bieten. Beim Breitbandkoaxialkabel verschiebt der Sender das digitale Signal in ein spezifisches Frequenzband und das resultierende Analogsignal wird vom Sender an einen oder mehrere Empfänger übertragen. Sowohl Basisband- als auch Breitbandkoaxialkabel können als geführtes **gemeinsames Medium** benutzt werden. Insbesondere können die Endsysteme direkt an das Kabel angeschlossen werden und alle Endsysteme der betreffenden Gruppe empfangen, was einer der Computer überträgt. Dieser Aspekt wird in Kapitel 5 ausführlicher behandelt.

Glasfaser (Lichtwellenleiter): Ein Lichtwellenleiter ist ein dünnes biegsames Medium, bei dem die Daten durch Licht übertragen werden, wobei jeder Impuls ein Bit darstellt. Ein einzelner Lichtwellenleiter kann enorm hohe Bitraten von bis zu mehreren zehn oder gar Hunderten von Gigabit pro Sekunde unterstützen. Glasfaser ist immun gegen elektromagnetische Störungen, hat eine sehr niedrige Signaldämpfung von bis zu 100 km und lässt sich nicht leicht anzapfen. Durch diese Eigenschaften ist Glasfaser das bevorzugte Medium für große Entfernungen, insbesondere Überseeleitungen. Für viele Fernleitungen der Telefonnetze in den USA und anderswo wird heute ausschließlich Glasfaser verwendet. Glasfaser herrscht auch im Internet-Backbone vor. Die hohen Kosten optischer Geräte wie Sender, Empfänger und Switches stehen bisher aber einer flächendeckenden Installation der Glasfaser für kurze Entfernungen, z. B. in einem LAN oder in lokalen Ringleitungen für den Internet-Anschluss von Haushalten, entgegen. AT&T Labs bietet eine Site über Glasfasertechniken mit mehreren gelungenen Animationen [AT&T Optics 1999]. In [Ramaswami 1998] und [Green 1992] werden optische Netzwerke ausführlich beschrieben.

Erdgebundene und Satellitenfunkkanäle: In Funkkanälen werden Signale im elektromagnetischen Spektrum befördert. Es handelt sich um attraktive Medien, weil sie keine physikalische Verkabelung voraussetzen, Mauern durchdringen können, dem mobilen Benutzer Anschluss bieten und potenziell Signale über große Entfernungen befördern können. Umgebungsspezifische Überlegungen bestimmen den Pfadverlust und den so genannten »Schatten-Schwund« (Verringerung der Signalstärke mit zunehmender Entfernung, die das Signal zurücklegt, und durch Hindernisse) und Interferenzen (aufgrund anderer Funkkanäle oder elektromagnetischer Signale).

Erdgebundene Funkkanäle lassen sich grob in zwei Gruppen klassifizieren: diejenigen, die als lokale Netzwerke (normalerweise mit einer Reichweite von zehn bis einigen hundert Metern) fungieren, und Weitstreckenfunkkanäle, die für mobile Datendienste (normalerweise innerhalb eines Großstadtbereichs) benutzt werden. Auf dem Markt werden zahlreiche drahtlose LAN-Produkte für Reichweiten von einem bis mehreren zehn Mbps angeboten. Mobile Datendienste (z. B. der in Abschnitt 1.5.1 kurz beschriebene CDPD-Standard) nutzen meist Kanäle, die mit mehreren zehn Kbps arbeiten. In [Goodman 1997] werden diese Produkte und die zugrunde liegenden Technologien ausführlich behandelt. [Walke 2001] und [Walke, Althoff, Seidenberg 2001] sind deutschsprachige Titel zum Thema.

Ein Kommunikationssatellit verbindet zwei oder mehr auf der Erde stationierte Mikrowellen-Sender/Empfänger, die man als Bodenstationen bezeichnet. Der Satellit empfängt Übertragungen auf einem Frequenzband, regeneriert das Signal mit Hilfe eines Repeaters (wird weiter unten beschrieben) und überträgt das Signal auf einer anderen Frequenz. Satelliten bieten Bandbreiten im Bereich von mehreren Gigabit pro Sekunde. Für die Kommunikation werden zwei Satellitentypen benutzt: GEO- und LEO-Satelliten.

GEO-Satelliten (Geostationärer Erdorbit) scheinen sich aus Sicht des Betrachters auf der Erde nicht zu bewegen. Sie werden auch *stationäre Satelliten* genannt, weil ein geostationärer Satellit in einem Orbit positioniert wird, der genau synchron zur Umdrehung der Erde ist. Die für den geostationären Orbit erforderliche Entfernung beträgt ungefähr 36.000 km. Diese enorme Entfernung von der Bodenstation durch den Satelliten und wieder zurück zur Bodenstation verursacht eine beträchtliche Ausbreitungsverzögerung des Signals von 250 ms. Dennoch können Satellitenverbindungen mit Geschwindigkeiten von Hunderten von Mbps oft in Telefonnetzen und im Internet-Backbone benutzt werden.

LEO-Satelliten (Low Earth Orbit) kreisen in einigen hundert Kilometern über der Erde. Sie drehen sich um die Erde wie der Mond. Für die ständige Kommunikation durch Satelliten im niedrigen Orbit müssen eine Reihe von Satelliten positioniert werden. Auch wenn ein bestimmter Satellit schnell kreist, werden die Orbits so gewählt, dass jeder Punkt auf der Erde jeweils von mindestens einem Satelliten abgedeckt wird. Derzeit befinden sich verschiedene LEO-Kommunikationssysteme in der Entwicklungsphase. Das inzwischen eingestellte Iridium-System bestand z. B. aus 66 LEO-Satelliten. Lloyds Web-Seite enthält laufend aktualisierte Informationen über Iridium- und andere Satellitenkonstellationssysteme [Wood 1999]. Die LEO-Technologie kann vielleicht irgendwann in der Zukunft für den Internet-Zugang verwendet werden.

1.6 Verzögerung und Verlust in paketvermittelten Netzwerken

Nachdem wir nun kurz die wichtigsten Teile der Internet-Architektur – die Anwendungen, Endsysteme, Ende-zu-Ende-Transportprotokolle, Router und Verbindungsleitungen – betrachtet haben, soll untersucht werden, was einem Paket auf seiner Reise von der Quelle zum Ziel alles zustoßen kann. Wir wissen, dass ein Paket in einem Host (Quelle) startet, durch eine Reihe von Routern fließt und in einem anderen Host (Ziel) endet. Auf seinem Weg von einem Knoten (Host oder Router) zum nächsten (Host oder Router) unterliegt ein Paket verschiedenen Arten von Verzögerungen in *jedem* auf dem Pfad liegenden Knoten. Die wichtigsten Verzögerungen sind die **Verarbeitungsverzögerung** in den Knoten, die **Warteschlangenverzögerung**, die **Übertragungsverzögerung** und die **Ausbreitungsverzögerung**; zusammen bilden sie die **Gesamtverzögerung** der Knoten. Um Paketvermittlung und Computernetzwerke besser zu verstehen, muss man die Natur und die Bedeutung dieser Verzögerungen kennen.

1.6.1 Verzögerungsarten

Wir untersuchen jetzt die genannten Verzögerungen basierend auf Abbildung 1.19. Als Teil seiner Ende-zu-Ende-Route zwischen Quelle und Ziel wird ein Paket vom Upstream-Knoten durch Router A zu Router B gesendet. Unser Ziel ist die Charakterisierung der Knotenverzögerung in Router A.

Abbildung 1.19 Verzögerung durch Router A

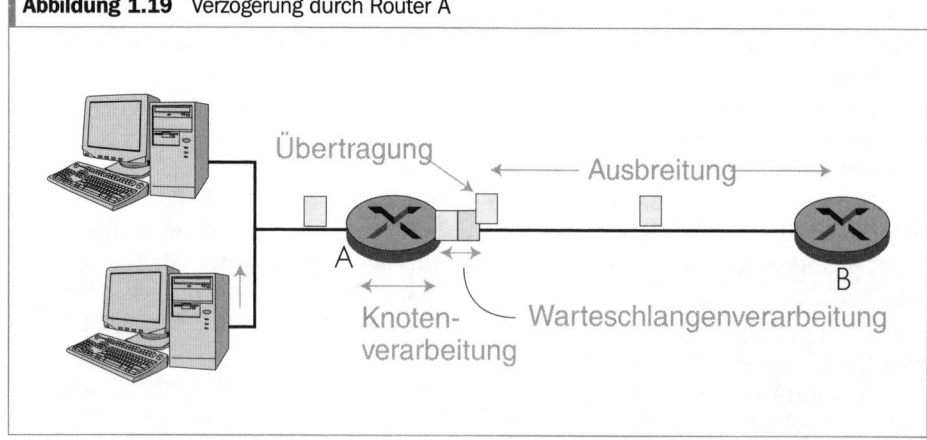

Man beachte, dass Router A eine abgehende Verbindungsleitung zu Router B hat. Vor dieser Verbindungsleitung befindet sich eine Warteschlange (auch als Puffer bezeichnet). Wenn das Paket bei Router A vom Upstream-Knoten ankommt, prüft Router A den Header des Pakets, um die entsprechende abgehende Verbindungsleitung für das Paket zu ermitteln. Dann leitet er das Paket zu dieser Verbindungsleitung weiter. Im vorliegenden Beispiel ist die abgehende Verbindungsleitung für das Paket diejenige, die zu Router B führt. Ein Paket kann nur auf einer Verbindungsleitung übertragen werden, wenn momentan kein anderes Paket auf der gleichen Verbindungsleitung übertragen wird und keine anderen Pakete vor dem betreffenden Paket bereits in der Warteschlange stehen. Ist die Verbindungsleitung momentan besetzt oder befinden sich bereits andere Pakete in der Warteschlange für diese Verbindungsleitung, muss sich das neu ankommende Paket in der Warteschlange hinten anstellen.

Verarbeitungsverzögerung

Die Zeit, die für die Durchsicht des Paket-Headers und die Feststellung, wohin das Paket weiterzuleiten ist, benötigt wird, ist Teil der Verarbeitungsverzögerung. Die Verarbeitungsverzögerung kann noch weitere Faktoren beinhalten, z. B. die erforderliche Zeit, um das Paket auf Bitfehler zu prüfen, die bei der Übertragung des Pakets vom Upstream-Router zu Router A möglicherweise entstanden sind. Verarbeitungsverzögerungen in Hochgeschwindigkeits-Routern bewegen sich normalerweise in einer Größenordnung von Mikrosekunden oder weniger. Nach dieser Knotenverarbeitung leitet der Router das Paket zu der Warteschlange weiter, die der Verbindungsleitung zu Router B vorausgeht. (In Abschnitt 4.6 wird im Detail untersucht, wie Router funktionieren.)

Warteschlangenverzögerung

In der Warteschlange ist das Paket einer **Warteschlangenverzögerung** ausgesetzt, während es auf die Übertragung auf der Verbindungsleitung warten muss. Die Warteschlangenverzögerung eines spezifischen Pakets hängt von der Anzahl anderer früher angekommener Pakete ab, die bereits auf die gleiche Verbindungsleitung warten. Die Verzögerung eines bestimmten Pakets kann von einem Paket zum anderen erheblich abweichen. Ist die Warteschlange leer und werden momentan keine anderen Pakete übertragen, ist die Warteschlangenverzögerung unseres Pakets gleich Null. Wenn andererseits starker Paketverkehr herrscht und viele andere Pakete ebenfalls auf die Übertragung warten, ist die Warteschlangenverzögerung lang. Wir werden gleich sehen, dass die Anzahl von Paketen, die ein neu ankommendes Paket möglicherweise vorfindet, eine Funktion der Intensität und Natur des in der Warteschlange ankommenden Verkehrs ist. Warteschlangenverzögerungen bewegen sich in der Praxis in einer Größenordnung von Millisekunden bis Mikrosekunden.

Übertragungsverzögerung

Unter der Annahme, dass Pakete nach dem Motto »Wer zuerst kommt, mahlt zuerst« übertragen werden, wie das im Internet üblich ist, kann unser Paket übertragen werden, sobald alle vor ihm angekommenen Pakete übertragen wurden. Es sei gegeben, dass die Länge des Pakets L Bit und die Übertragungsrate auf der Verbindungsleitung von Router A zu Router B R Bit/s sind. Die Rate R wird von der Übertragungsrate der Verbindungsleitung zu Router B bestimmt. Bei einer 10-Mbps-Ethernet-Leitung ist die Rate z. B. $R = 10$ Mbps; bei einer 100-Mbps-Ethernet-Leitung ist die Rate $R = 100$ Mbps. Die **Übertragungsverzögerung** (die auch als Store-and-Forward-Verzögerung bezeichnet wird; siehe Abschnitt 1.4) ist L/R. Das ist die für die Übertragung aller Paketbits auf der Verbindungsleitung erforderliche Zeit. Übertragungsverzögerungen bewegen sich in der Praxis normalerweise in einer Größenordnung von Mikrosekunden.

Ausbreitungsverzögerung

Nachdem ein Bit auf die Verbindungsleitung befördert wurde, muss es sich zu Router B ausbreiten. Die für die Ausbreitung vom Anfang der Verbindungsleitung zu Router B erforderliche Zeit ist die **Ausbreitungsverzögerung**. Das Bit breitet sich in der Ausbreitungsgeschwindigkeit der Verbindungsleitung aus. Die Ausbreitungsgeschwindigkeit hängt vom physikalischen Medium der Verbindungsleitung (Multimode-Glasfaser, TP-Kabel usw.) ab und liegt im Bereich von

$$2 \cdot 10^8 \ m/s \text{ bis } 3 \cdot 10^8 \ m/s$$

Dies entspricht der Lichtgeschwindigkeit (bzw. liegt etwas darunter). Die Ausbreitungsverzögerung ist die Entfernung zwischen zwei Routern, geteilt durch die Ausbreitungsgeschwindigkeit. Das heißt, die Ausbreitungsverzögerung ist d/s, wobei d die Entfernung zwischen Router A und Router B und s die Ausbreitungsgeschwindigkeit der Verbindungsleitung sind. Nachdem sich das letzte Paketbit auf Knoten B ausgebreitet hat, werden dieses und alle vorhergehenden Paketbits in Router B gespeichert. Der gesamte Prozess findet seine Fortsetzung dann bei Router B, der nun die Weiterleitung durchführt. In Weitverkehrsnetzen (WANs) bewegen sich die Ausbreitungsverzögerungen in einer Größenordnung von Millisekunden.

Übertragungs- und Ausbreitungsverzögerung im Vergleich

Neulinge auf dem Gebiet der Computervernetzung haben manchmal Schwierigkeiten, den Unterschied zwischen der Übertragungs- und der Ausbreitungsverzögerung zu verstehen. Der Unterschied ist gering, aber wichtig. Die Übertragungsverzögerung ist die Zeit, die der Router benötigt, um das Paket abzuschicken. Sie ist eine Funktion der Paketlänge und der Übertragungsrate der Verbindungsleitung, hat aber nichts mit der Entfernung zwischen den beiden Routern zu tun. Die Ausbreitungsverzögerung ist dagegen die Zeit, die es dauert, bis ein Bit sich von einem Router zum nächsten ausbreitet. Sie ist eine Funktion der Entfernung zwischen den beiden Routern, hat aber nichts mit der Paketlänge oder der Übertragungsrate der Verbindungsleitung zu tun.

Eine Analogie kann das Konzept der Übertragungs- und Ausbreitungsverzögerung verdeutlichen. Man denke an eine Autobahn, auf der sich alle 100 km eine Mautstelle befindet. Man stelle sich die Autobahnsegmente zwischen den Mautstellen als Verbindungsleitungen und die Mautstellen als Router vor. Wir gehen davon aus, dass Autos die Autobahn befahren (d. h. sich ausbreiten), und zwar mit einer Geschwindigkeit von 100 km/h (d. h. wenn ein Auto eine Mautstelle verlässt, beschleunigt es sofort auf 100 km/h und behält diese Geschwindigkeit zwischen je zwei Mautstellen bei). Wir nehmen weiter an, dass je 10 Autos in einer Kolonne fahren und die Reihenfolge der 10 Autos in der Kolonne sich nicht ändert. Man stelle sich jedes Auto als Bit und die Kolonne als Paket vor. Ferner nehmen wir an, dass jede Mautstelle ein Auto in einer Rate von einem Auto alle 12 Sekunden abfertigt (d. h. überträgt). Außerdem spielt sich dies mitten in der Nacht ab, so dass unsere Autokolonne die einzige auf der Autobahn ist. Wenn das erste Auto der Kolonne an einer Mautstelle ankommt, wartet es an der Schranke, bis die neun anderen Autos ankommen und hinter ihm anstehen. (Folglich muss die ganze Kolonne an der Mautstelle »gespeichert« werden, bevor man beginnen kann, sie »weiterzuleiten«.) Die

Zeit, bis die Mautstelle die ganze Kolonne auf die Autobahn durchschleust, beträgt 10/(5 Autos/Minute) = 2 Minuten. Diese Zeit entspricht der Übertragungsverzögerung in einem Router. Die Zeit, bis ein Auto von der Ausfahrt einer Mautstelle bis zur nächsten gelangt, beträgt 100 km/(100 km/h) = 1 Stunde. Diese Zeit entspricht der Ausbreitungsverzögerung. Deshalb ist die Zeit ab dem Punkt, an dem die Kolonne vor einer Mautstelle »gespeichert« wird, und dem Punkt, an dem die Kolonne in der nächsten Mautstelle »gespeichert« wird, die Summe der »Übertragungs-« und »Ausbreitungsverzögerung«; in diesem Beispiel 62 Minuten.

Wir wollen diese Analogie noch weiter fortsetzen. Was würde passieren, wenn die Zeit, in der eine Mautstelle eine Kolonne abfertigt, größer als die Zeit wäre, die ein Auto zwischen je zwei Mautstellen benötigt? Wenn wir annehmen, dass die Autos mit einer Geschwindigkeit von 1.000 km/h fahren und die Mautstellen je ein Auto pro Minute abfertigen, dann beträgt die Reiseverzögerung zwischen den Mautstellen 6 Minuten und die Zeit der Abfertigung einer Kolonne 10 Minuten. In diesem Fall kommen die ersten paar Autos der Kolonne bei der zweiten Mautstelle an, bevor die letzten Autos der Kolonne die erste Mautstelle verlassen. Diese Situation entsteht auch in paketvermittelten Netzwerken: Die ersten Bits eines Pakets können bei einem Router ankommen, während viele der restlichen Bits des Pakets noch beim vorhergehenden Router auf die Übertragung warten.

Es sei gegeben, dass d_{proc}, d_{queue}, d_{trans} und d_{prop} die Verarbeitungs-, Warteschlangen-, Übertragungs- bzw. Ausbreitungsverzögerung darstellen, dann ist die gesamte Knotenverzögerung (*nodal*):

$$d_{nodal} = d_{proc} + d_{queue} + d_{trans} + d_{prop}$$

Der Anteil dieser Verzögerungskomponenten schwankt beträchtlich. Beispielsweise kann d_{prop} bei einer Verbindungsleitung zwischen zwei Routern des gleichen Universitätscampus verschwindend gering sein (etwa ein paar Mikrosekunden), während d_{prop} aber Hunderte von Millisekunden beträgt, wenn zwei Router über einen GEO-Satelliten verbunden sind, und der beherrschende Term in d_{nodal} sein kann. Ebenso kann d_{trans} Werte von verschwindend gering bis beträchtlich annehmen. Ihr Anteil ist bei Übertragungsraten von 10 Mbps und höher (z. B. in LANs) normalerweise kaum spürbar, kann aber bei großen Internet-Paketen, die über 28,8-Kbps-Modemverbindungen übertragen werden, Hunderte von Millisekunden ausmachen. Die Verarbeitungsverzögerung d_{proc} ist oft vernachlässigbar. Sie beeinflusst allerdings den maximalen Durchsatz eines Routers, also die maximale Rate, in der ein Router Pakete weiterleiten kann.

Warteschlangenverzögerung

Die komplizierteste und interessanteste Komponente der Knotenverzögerung ist die Warteschlangenverzögerung d_{queue}. Sie ist in Computernetzwerken so wichtig und interessant, dass Tausende von Arbeiten und zahlreiche Bücher darüber geschrieben wurden [Bertsekas 1991; Daigle 1991; Kleinrock 1975, 1976; Ross 1995]! Wir behandeln dieses Thema hier nur oberflächlich; dem interessierten Leser sei die Lektüre einiger der einschlägigen Bücher (beispielsweise [Bolch 1989]) empfohlen (oder vielleicht sogar eine Dissertation zu diesem Thema!). Im Gegensatz zu den übrigen drei Verzögerungen (d. h. d_{proc}, d_{trans} und d_{prop}) kann die Warteschlangenverzögerung von einem Paket zum nächsten schwanken. Kommen beispielsweise zehn Pakete gleichzeitig an einer leeren Warteschlange an, muss das erste dieser Pakete überhaupt keine Wartezeit in Kauf nehmen, während das letzte nach einer relativ langen Warteschlangenverzögerung übertragen wird (weil es warten muss, bis die anderen neun Pakete übertragen wurden). Für die Charakterisierung einer Warteschlangenverzögerung muss man deshalb normalerweise statistische Messwerte verwenden, z. B. die durchschnittliche Warteschlangenverzögerung, die Abweichung der Warteschlangenverzögerung und die Wahrscheinlichkeit, dass die Warteschlangenverzögerung einen spezifischen Wert übersteigt.

Wann ist die Warteschlangenverzögerung groß und wann unbedeutend? Die Antwort auf diese Frage hängt größtenteils von der Rate ab, in der der Verkehr an der Warteschlange ankommt, sowie von der Übertragungsrate der Verbindungsleitung und der Art des ankommenden Verkehrs, d. h. ob er periodisch oder in Bursts (Schüben) ankommt. Um hier einige Einblicke zu gewinnen, sei eine durchschnittliche Rate a (in Einheiten von Paketen/s) gegeben, in der Pakete an der Warteschlange ankommen. Wir erinnern uns, dass R die Übertragungsrate ist, d. h. die Rate (in Bits/s), in der Bits aus der Warteschlange geschoben werden. Der Einfachheit halber nehmen wir auch an, dass alle Pakete aus L Bits bestehen. Dann beträgt die durchschnittliche Rate, in der Bits an der Warteschlange ankommen, La Bit/s. Schließlich nehmen wir an, dass die Warteschlange sehr groß ist, so dass sie im Wesentlichen eine unendliche Anzahl von Bits aufnehmen kann. Das Verhältnis La/R, das als **Verkehrsintensität** bezeichnet wird, spielt bei der Schätzung der Warteschlangenverzögerung oft eine wichtige Rolle. Wenn $La/R > 1$ ist, dann übersteigt die durchschnittliche Rate, in der Bits an der Warteschlange ankommen, die Rate, in der die Bits von der Warteschlange übertragen werden können. In dieser unglücklichen Situation wächst die Warteschlange grenzenlos und die Warteschlangenverzögerung nähert sich dem Wert unendlich! Deshalb lautet eine goldene Designregel: *Entwerfe dein System so, dass die Verkehrsintensität nicht größer als 1 ist.*

Nun betrachten wir den Fall $La/R \leq 1$. Hier wirkt sich die Art des ankommenden Verkehrs auf die Warteschlangenverzögerung aus. Wenn Pakete z. B. periodisch ankommen, d. h. ein Paket alle L/R Sekunden, dann trifft jedes Paket auf eine leere Warteschlange und es entsteht keine Warteschlangenverzögerung. Kommen die Pakete andererseits periodisch in Bursts an, kann eine beträchtliche durchschnittliche Warteschlangenverzögerung entstehen. Angenommen, N Pakete kommen gleichzeitig alle $(L/R)N$ Sekunden an. Dann entsteht für das erste übertragene Paket keine Warteschlangenverzögerung; das zweite übertragene Paket hat eine Warteschlangenverzögerung von L/R Sekunden und das $n$te übertragene Paket hat eine Warteschlangenverzögerung von $(n-1)L/R$ Sekunden. Wir überlassen es dem Leser als Übung, die durchschnittliche Warteschlangenverzögerung dieses Beispiels zu berechnen.

Die beiden obigen Beispiele mit periodischen Paketankünften sind eher akademischer Natur. Normalerweise kommen Pakete *zufällig* an einer Warteschlange an. Die Ankünfte folgen keinem bestimmten Muster; der zeitliche Abstand zwischen den Paketen ist rein zufällig. In diesem realistischeren Fall reicht die Größe La/R meist nicht aus, um die Verzögerungsstatistiken voll zu charakterisieren. Dennoch ist sie nützlich, um einen groben Überblick über den Umfang der Warteschlangenverzögerung zu erhalten. Nähert sich die Verkehrsintensität Null, dann kommen nur wenige Pakete in großen Abständen an und es ist unwahrscheinlich, dass ein ankommendes Paket ein anderes Paket in der Warteschlange vorfindet. Folglich wird die durchschnittliche Warteschlangenverzögerung bei Null liegen. Wenn die Verkehrsintensität andererseits nahe 1 liegt, gibt es Zeiten, in denen die Ankunftsrate (aufgrund von Burst-Ankünften) die Übertragungskapazität übersteigt und sich eine Warteschlange bildet. Mit zunehmender Näherung der Verkehrsintensität an 1 wächst die durchschnittliche Warteschlangenlänge. Die qualitative Abhängigkeit der durchschnittlichen Warteschlangenverzögerung von der Verkehrsintensität ist in Abbildung 1.20 dar- gestellt.

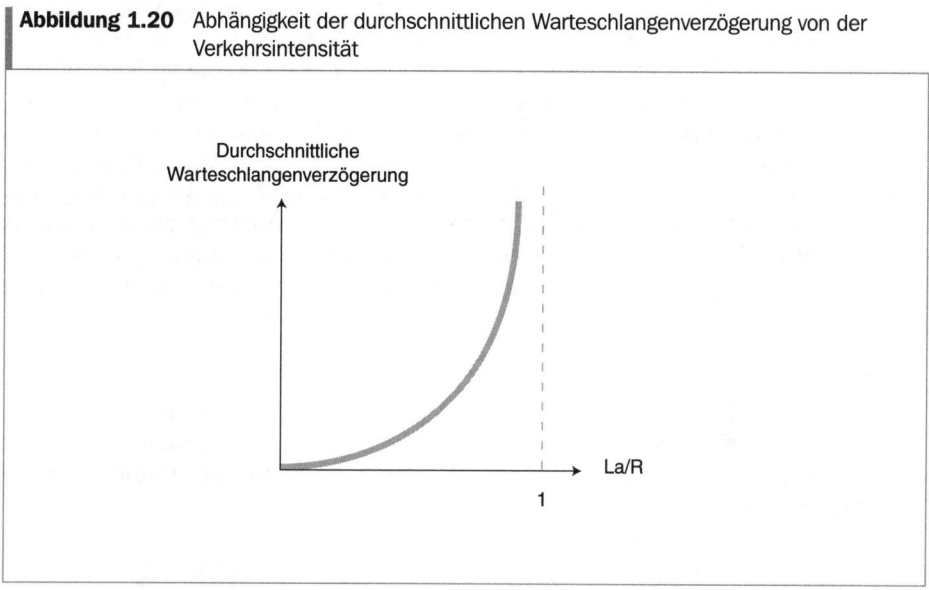

Abbildung 1.20 Abhängigkeit der durchschnittlichen Warteschlangenverzögerung von der Verkehrsintensität

Ein wichtiger Aspekt von Abbildung 1.20 ist die Tatsache, dass sich mit zunehmender Näherung der Verkehrsintensität an 1 die durchschnittliche Warteschlangenverzögerung schneller erhöht. Eine geringe prozentuale Erhöhung der Intensität führt zu einer viel größeren prozentualen Erhöhung der Verzögerung. Sie haben dieses Phänomen vielleicht schon im Straßenverkehr erlebt. Wenn Sie regelmäßig auf einer normalerweise überlasteten Straße fahren, bedeutet die Tatsache, dass die Straße normalerweise überlastet ist, dass die Verkehrsintensität nahe 1 ist. Wird der für die Straße übliche Verkehr durch ein Ereignis auch nur geringfügig erhöht, können sich enorme Verzögerungen ergeben.

Paketverlust

In der obigen Diskussion gingen wir davon aus, dass die Warteschlange eine unendliche Anzahl von Paketen aufnehmen kann. In Wirklichkeit hat eine vor einer Verbindungsleitung befindliche Warteschlange eine endliche Kapazität, obwohl die Warteschlangenkapazität größtenteils vom Switch-Design und den Kosten abhängt. Da die Warteschlangenkapazität endlich ist, nähert sich die Paketverzögerung nicht wirklich an Unendlich, während sich die Verkehrsintensität 1 nähert. Vielmehr kann ein ankommendes Paket eine volle Warteschlange vorfinden. Ist für dieses Paket kein Speicherplatz vorhanden, **verwirft** der Router das Paket, das heißt, das Paket **geht verloren**. Aus Sicht eines Endsystems hat dies den Anschein, dass das Paket zum Netzwerkkern übertragen wurde, am Ziel aber nie angekommen ist. Der Anteil verlorener Pakete erhöht sich mit zunehmender Verkehrsintensität. Deshalb wird die Leistung (Performance) an einem Knoten oft nicht in Bezug auf Verzögerung, sondern in Bezug auf die Wahrscheinlichkeit von Paketverlusten gemessen. Wie in den folgenden Kapiteln beschrieben wird, kann ein verlorenes Paket auf einer Ende-zu-

Ende-Basis entweder von der Anwendung oder vom Protokoll der Transportschicht erneut übertragen werden.

Ende-zu-Ende-Verzögerung

Bis zu diesem Punkt haben wir uns auf die Knotenverzögerung, d. h. die Verzögerung an einem einzigen Router, konzentriert. Wir beenden diese Diskussion mit einem kurzen Überblick über die Verzögerung von der Quelle zum Ziel. Zur Verdeutlichung dieses Konzepts stelle man sich vor, dass zwischen dem Quell- und dem Zielhost $Q-1$ Router liegen. Wir nehmen weiter an, dass das Netzwerk nicht überlastet ist (so dass keine Warteschlangenverzögerungen zu berücksichtigen sind), dass die Verarbeitungsverzögerung in jedem Router und im Quellhost d_{proc}, die Übertragungsrate von jedem Router und vom Quellhost R Bit/s und die Ausbreitungsverzögerung zwischen je zwei Routern und zwischen dem Quellhost und dem ersten Router d_{prop} sind. Die kumulierten Knotenverzögerungen ergeben eine Ende-zu-Ende-Verzögerung von

$$d_{end-end} = Q\,(d_{proc} + d_{trans} + d_{prop})$$

wobei wiederum $d_{trans} = L/R$ und L die Paketgröße ist. Wir überlassen die Verallgemeinerung dieser Formel für heterogene Verzögerungen an den Knoten und das eventuelle Vorhandensein einer durchschnittlichen Warteschlangenverzögerung an jedem Knoten dem Leser.

1.7 Protokollschichten und ihre Dienstmodelle

Aus unserer bisherigen Diskussion wird deutlich, dass das Internet ein *extrem* kompliziertes System ist. Wir haben gesehen, dass sich das Internet aus vielen Teilen zusammensetzt: zahlreiche Anwendungen und Protokolle, verschiedene Endsystemtypen und Verbindungen zwischen den Endsystemen, Router und verschiedene Medien auf der Anschlussebene. Angesichts dieser enormen Komplexität stellt sich die Frage, ob Hoffnung für die Organisation einer Netzwerkarchitektur oder zumindest unserer Diskussion einer Netzwerkarchitektur besteht. Zum Glück lautet die Antwort in beiden Fällen »Ja«.

1.7.1 Mehrschichtige Architektur

Bevor wir versuchen, unsere Gedanken über die Internet-Architektur zu ordnen, greifen wir wieder auf eine menschliche Analogie zurück. Eigentlich haben wir es die ganze Zeit im Alltag mit komplexen Systemen zu tun. Stellen Sie sich vor, Sie werden von jemandem aufgefordert, das Flugsystem zu beschreiben. Wie würden Sie die Struktur ermitteln, um dieses komplexe System zu beschreiben, das Ticketing (z. B. Reisebüros, andere Flugreisenanbieter), Personal in der Gepäckabfertigung und an den Flugsteigen, Piloten, Flugzeuge, Flugsicherung und ein weltweites System für die Streckenlenkung von Flugzeugen umfasst? Als eine Möglichkeit könnte man dieses System als Ablauf von Handlungen beschreiben, die Sie (oder andere für Sie) durchführen, wenn Sie eine Flugreise unternehmen. Sie kaufen das Ticket, checken Ihr Gepäck ein, begeben sich zum AbflugGate und werden schließlich zum Flugzeug befördert. Das Flugzeug startet und gelangt an sein Ziel. Nach der Landung des Flugzeugs steigen Sie aus, gehen durch das Ankunfts-Gate und holen Ihr Gepäck ab. Falls Sie eine schlechte Flugreise hatten, beschweren Sie sich über den Flug beim Reiseveranstalter oder bei der Fluggesellschaft (ohne etwas für Ihre Mühe zu erhalten). Dieses Szenario ist in Abbildung 1.21 dargestellt.

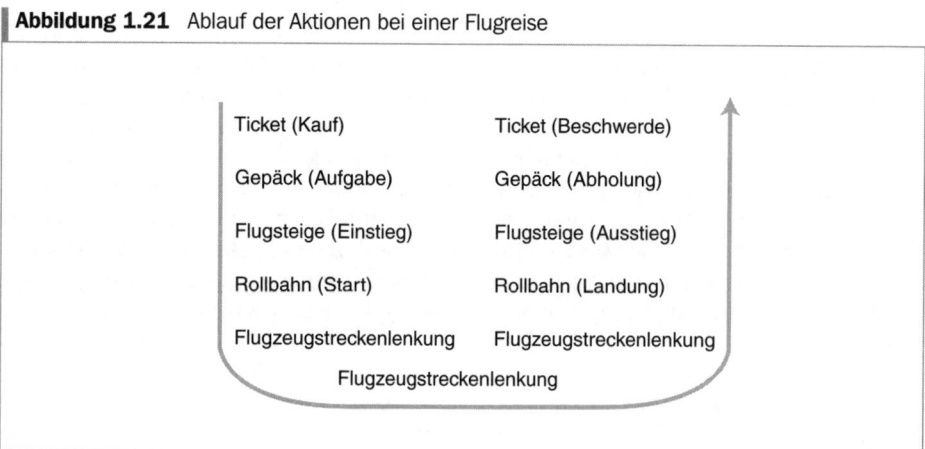

Abbildung 1.21 Ablauf der Aktionen bei einer Flugreise

Hier werden bereits einige Analogien zur Computervernetzung deutlich: Sie werden von der Fluggesellschaft von der Quelle zum Ziel befördert; im Internet wird ein Paket vom Quell- zum Zielhost befördert. Das ist aber nicht ganz die Analogie, nach der wir suchen. Wir suchen in Abbildung 1.21 nach einer gewissen *Struktur*. Wir stellen in Abbildung 1.21 fest, dass es an beiden Enden eine Ticketing-Funktion gibt; außerdem existiert eine Gepäckfunktion für Passagiere, die bereits ein Ticket haben, und eine Flugsteigfunktion für Passagiere, die über ein Ticket verfügen und ihr Gepäck bereits eingecheckt haben. Für Passagiere, die ihren Weg zum Flugsteig hinter sich gebracht haben (d. h., die bereits abgefertigt (Ticket, Gepäck) wurden und sich auf dem Flugsteig befinden), existiert eine Start- und Landefunktion und während des Flugs gibt es eine Flugzeugstreckenlenkungsfunktion. Dies lässt darauf schließen, dass wir die Funktionalität in Abbildung 1.21 auf die in Abbildung 1.22 dargestellte *horizontale* Weise betrachten können.

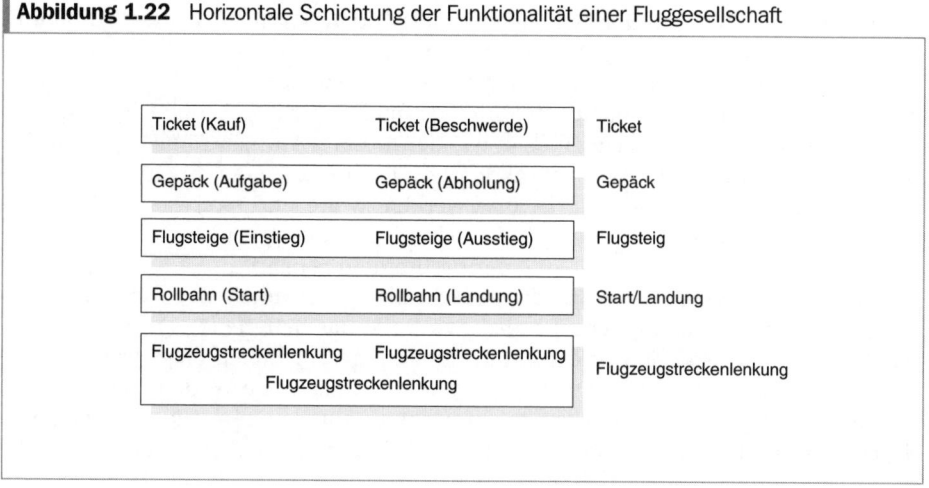

Abbildung 1.22 Horizontale Schichtung der Funktionalität einer Fluggesellschaft

In Abbildung 1.22 ist die Funktionalität der Fluggesellschaft in Schichten aufgeteilt; dies bietet einen Rahmen, auf dessen Grundlage wir Flugreisen diskutieren können. Um jetzt einen Teil einer Flugreise zu beschreiben, können wir über eine spezifische wohl definierte Komponente von Flugreisen sprechen. Wenn wir beispielsweise die Flugsteigfunktion diskutieren, wissen wir, dass wir über die Funktion sprechen, die »unterhalb« der Gepäckabfertigung und »oberhalb« von Start und Landung des Flugzeugs angesiedelt ist. Wir stellen fest, dass jede Schicht in Kombination mit den jeweils darunter liegenden Schichten eine bestimmte Funktion bzw. einen *Dienst* implementiert. Auf der Ticketing-Schicht und darunter erfolgt der Transfer eines Fluggastes von Abfertigungsschalter zu Abfertigungsschalter der Fluggesellschaft. Auf der Gepäckschicht und darunter erfolgt der Transfer eines Fluggastes von der Gepäckaufgabe bis zur Gepäckabholung. Man beachte, dass die Gepäckschicht diesen Dienst nur Personen bietet, die über ein Ticket verfügen. Auf der Flugsteigschicht erfolgt der Transfer des Fluggastes und seiner Gepäckstücke vom Flugsteig der Abflughalle zum Flugsteig der Ankunftshalle. Auf der Rollbahnschicht erfolgt der Transfer von Passagieren und ihren Gepäckstücken von Rollbahn zu Rollbahn. Jede Schicht bietet ihren Dienst durch (1) Durchführung bestimmter Handlungen innerhalb der Schicht (z. B. Ein- und Ausstieg von Passagieren in ein / von einem Flugzeug auf der Flugsteigschicht) und (2) Verwendung der Dienste der unmittelbar darunter liegenden Schicht (z. B. Verwendung des Passagiertransferdienstes von Rollbahn zu Rollbahn auf der Flugsteigschicht).

Wie oben festgestellt, ermöglicht uns eine mehrschichtige Architektur die Diskussion eines wohl definierten spezifischen Teils eines größeren und komplexen Systems. Diese Vereinfachung selbst ist von beträchtlichem Interesse. Wenn ein System eine Schichtenstruktur aufweist, lässt sich auch die *Implementierung* des von jeder Schicht bereitgestellten Dienstes ändern. Solange die Schicht den gleichen Dienst für die darüber liegende Schicht bereitstellt und die gleichen Dienste von der darunter liegenden Schicht benutzt, bleibt der Rest des Systems unverändert, falls sich die Implementierung einer Schicht ändert. (Man beachte, dass sich die Änderung der Implementierung eines Dienstes grundsätzlich von der Änderung des Dienstes selbst unterscheidet!) Auch wenn man beispielsweise die Flugsteigfunktionen ändert (z. B. Boarding der Passagiere nicht nach Sitznummern, sondern nach Größe), würde das restliche Flugsystem unverändert bleiben, weil die Flugsteigschicht nach wie vor die gleiche Funktion bietet (nämlich das Ein- und Aussteigen von Flugpassagieren); sie implementiert diese Funktion lediglich auf eine andere Weise als vor der Änderung. Bei großen und komplexen Systemen, die laufend aktualisiert werden, stellt die Möglichkeit der Implementierung eines Dienstes ohne Auswirkungen auf andere Komponenten des Systems einen wichtigen Vorteil der mehrschichtigen Architektur dar.

Doch genug von Flugzeugen. Wir wenden unsere Aufmerksamkeit jetzt Netzwerkprotokollen zu. Um die Designkomplexität zu reduzieren, organisieren Netzwerkdesigner Protokolle – und die Netzwerkhardware und -software, mit der die Protokolle implementiert werden – in **Schichten**. Bei einer geschichteten Protokollarchitektur gehört jedes Protokoll zu einer bestimmten Schicht. Es ist wichtig, zu verstehen, dass ein Protokoll von Schicht n auf die Netzwerkeinheiten (einschließlich der Endsysteme und Paket-Switches) *verteilt* wird, die das betreffende Protokoll implementieren, genau wie die Funktionen in unserem geschichteten Flugsystem auf die Abflugs- und Ankunftsflughäfen verteilt wurden. Mit anderen Worten: In jeder Netzwerkeinheit gibt es einen Teil von Schicht n. Diese Teile kommunizieren miteinander durch Austausch von Schicht-n-Nachrichten. Diese Nachrichten nennt man Protokolldateneinheiten (Protocol Data Units) von Schicht n bzw. n-**PDUs**. Inhalt und Format einer n-PDU sowie die Art, in der die n-PDUs zwischen den Netzwerkelementen ausgetauscht werden, werden vom Schicht-n-Protokoll definiert. Zusammengenommen werden die Protokolle der verschiedenen Schichten als **Protokollstack** (Protokollstapel) bezeichnet.

Wenn Schicht n von Host A eine n-PDU an Schicht n von Host B sendet, gibt Schicht n von Host A die n-PDU an Schicht $n-1$ weiter und lässt dann Schicht $n-1$ die n-PDU an Schicht n von B übertragen; folglich sagt man, dass Schicht n sich bezüglich der Übertragung ihrer n-PDU an das Ziel auf Schicht $n-1$ *verlässt*. Ein wichtiges Konzept ist das **Dienstmodell** einer Schicht. Schicht $n-1$ bietet **Dienste** für Schicht n. Beispielsweise könnte Schicht $n-1$ zusichern, dass die n-PDU auf Schicht n fehlerfrei innerhalb einer Sekunde am Ziel ankommt, oder aber sie gewährleistet nur, dass die n-PDU letztendlich am Ziel ankommt, jedoch ohne Zusicherungen über Fehler zu machen.

Protokollschichtung

Das Konzept der Protokollschichtung ist relativ abstrakt und anfangs oft schwer zu verstehen. Dieses Konzept wird jedoch klar, während wir die Internet-Schichten und ihre jeweiligen Protokolle ausführlicher untersuchen. Vorläufig erhalten Sie einen Überblick über Protokollschichten und Protokollstacks mit einem Beispiel. Man betrachte ein Netzwerk, das seine Kommunikationsprotokolle in vier Schichten organisiert. Da es vier Schichten gibt, haben wir vier PDU-Typen: 1-PDUs, 2-PDUs, 3-PDUs und 4-PDUs. Wie Abbildung 1.23 verdeutlicht, erzeugt die Anwendung, die auf der höchsten Schicht (Schicht 4) läuft, eine Nachricht M. Jede auf dieser höchsten Schicht erzeugte Nachricht ist eine 4-PDU. Die Nachricht M selbst kann sich aus vielen verschiedenen Feldern zusammensetzen (etwa wie eine Struktur in einer Programmiersprache verschiedene Felder enthalten kann). Die Definition und Interpretation der Felder einer Nachricht sind Sache der Anwendung. Die Felder können den Namen des Senders, einen Code für den Nachrichtentyp und zusätzliche Daten enthalten.

Abbildung 1.23 Verschiedene PDUs auf unterschiedlichen Schichten der Protokollarchitektur

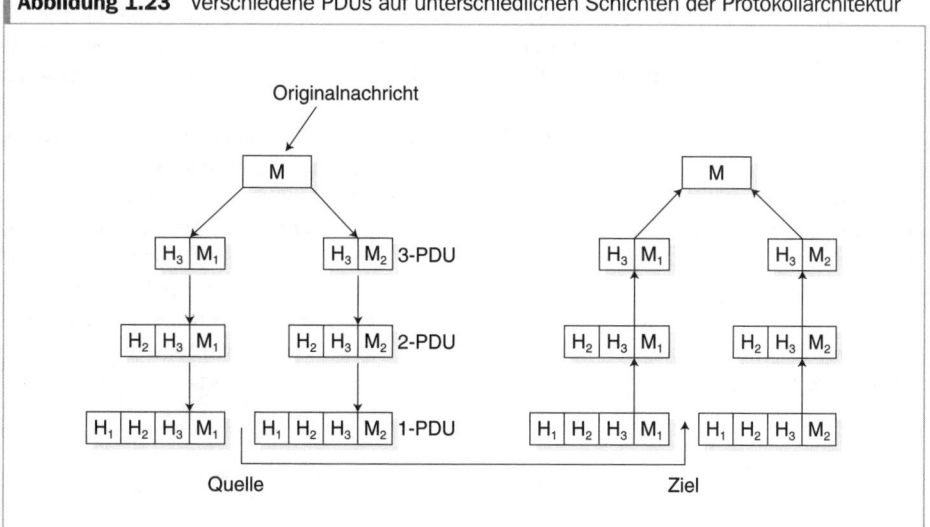

Im Quellhost wird der Inhalt der gesamten Nachricht M dann im Protokollstack nach unten an Schicht 3 »weitergegeben«. In dem Beispiel in Abbildung 1.23 teilt eine Schicht 3 im Quellhost eine 4-PDU, M, in zwei Teile, M_1 und M_2, auf. Die Schicht 3 im Quellhost fügt dann in M_1 und M_2 so genannte **Header** ein, um zwei 3-PDUs zu erzeugen. Header enthalten die zusätzlichen Informationen, die von der sendenden und der empfangenden Seite von Schicht 3 benötigt werden, um den Dienst zu implementieren, den Schicht 3 für Schicht 4 bereitstellt. Die Prozedur wird in der Quelle fortgesetzt, d. h., es wird auf jeder Schicht ein weiterer Header hinzugefügt, bis 1-PDUs fertig sind. Die 1-PDUs werden vom Quellhost auf einer physikalischen Leitung abgeschickt. Am anderen Ende empfängt der Zielhost 1-PDUs und leitet sie im Protokollstack nach oben weiter. Auf jeder Schicht wird der entsprechende Header entfernt. Schließlich wird M aus M_1 und M_2 reassembliert (wieder zusammengesetzt) und an die Anwendung abgegeben.

Man beachte, dass Schicht *n* in Abbildung 1.23 die Dienste von Schicht *n* −1 benutzt. Nachdem Schicht 4 z. B. die Nachricht M erzeugt hat, gibt sie die Nachricht nach unten an Schicht 3 weiter und verlässt sich hinsichtlich der Übertragung der Nachricht an Schicht 4 des Ziels auf Schicht 3.

Interessant ist, dass diese Vorgehensweise, »sich auf Dienste der nächsttieferen Schicht zu verlassen«, in vielen anderen Kommunikationsformen vorherrscht. Man betrachte beispielsweise den gewöhnlichen Postdienst. Wenn Sie einen Brief versenden wollen, schreiben Sie Informationen auf den Umschlag, z. B. die Empfänger- und die Absenderadresse. Der Brief kann zusammen mit den Adressinformationen als PDU auf der höchsten Schicht des Protokollstapels betrachtet werden. Anschließend werfen Sie die PDU in einen Briefkasten. An diesem Punkt ist der Brief nicht mehr in Ihren Händen. Der Postdienst fügt möglicherweise interne Informationen auf Ihrem Brief hinzu, was im Wesentlichen dem Hinzufügen eines Headers entspricht. In den USA wird z. B. oft ein Strichcode auf Postsendungen aufgebracht.

Sobald Sie den Brief in einen Briefkasten geworfen haben, *verlassen* Sie sich auf die Dienste des Postsystems hinsichtlich der Zustellung des Briefs an das richtige Ziel und innerhalb einer akzeptablen Zeit. Sie machen sich z. B. keine Gedanken, ob ein Postwagen während der Zustellung Ihres Briefs eine Panne hat. Vielmehr kümmert sich der Postdienst darum. Dabei kann man davon ausgehen, dass dies auf der Grundlage wohl definierter Pläne geschieht, um trotz solcher Ausfälle den erwarteten Dienst bereitzustellen. Außerdem gibt es innerhalb des Postdienstes Schichten, und die Protokolle auf einer Schicht verlassen sich auf die Dienste der nächsttieferen Schicht, die sie benutzt.

Damit eine Schicht mit der unter ihr liegenden Schicht zusammenarbeiten kann, müssen die Schnittstellen zwischen den beiden Schichten genau definiert werden. Standardisierungsorgane definieren die Schnittstellen zwischen benachbarten Schichten ganz genau (z. B. das Format der zwischen den Schichten ausgetauschten PDUs) und erlauben es Entwicklern von Netzwerksoftware und -hardware, das Innere der Schichten nach eigenem Gutdünken zu implementieren. Wenn eine neue Implementierung einer Schicht genehmigt und freigegeben wird, kann die neue Implementierung die alte ablösen und die Schichten können – zumindest theoretisch – weiterhin zusammenarbeiten.

Funktionen der Schichten

In einem Computernetzwerk kann jede Schicht eine oder mehrere der folgenden generischen Aufgaben ausführen:

- **Fehlerkontrolle**: Dadurch wird der logische Kanal zwischen den Schichten in zwei kooperierenden Netzwerkelementen zuverlässiger.
- **Flusskontrolle**: Soll vermeiden, dass ein langsamerer Kommunikationspartner mit PDUs überschwemmt wird.
- **Segmentierung und Reassemblierung**: Dadurch werden große Datenstücke auf der sendenden Seite in kleinere Teile aufgeteilt und auf der empfangenden Seite wieder zum Gesamtstück zusammengesetzt.
- **Multiplexen**: Erlaubt es mehreren höherschichtigen Sitzungen, eine einzige Verbindung auf einer niedrigeren Schicht gemeinsam zu nutzen.
- **Verbindungsaufbau**: Für das Handshake mit einem Kommunikationspartner.

Die Protokollschichtung hat konzeptionelle und strukturelle Vorteile. Wir weisen allerdings darauf hin, dass einige Wissenschaftler und Netzwerktechniker erklärte Gegner des Schichtenkonzepts sind [Wakeman 1992]. Ein potenzieller Nachteil des Schichtenkonzepts ist, dass eine Schicht vielleicht die gleiche Funktionalität wie eine niedrigere Schicht ausführt. Viele Protokollstapel bieten z. B. Fehlerbehebung auf Verbindungs- und Ende-zu-Ende-Basis. Ein weiterer potenzieller Nachteil ist, dass die Funktionalität auf einer Schicht möglicherweise Informationen benötigt (z. B. einen Zeitstempelwert), der nur auf einer anderen Schicht vorhanden ist; dies verletzt die Trennung von Schichten.

1.7.2 Der Internet-Protokollstapel

Der Internet-Protokollstapel besteht aus fünf Schichten: Bitübertragung (Physical Layer), Sicherung (Data Link Layer), Vermittlung (Network Layer), Transport (Transport Layer) und Anwendung (Application Layer). Statt der mühsamen Terminologie »n-PDU für jede der fünf Schichten« geben wir den PDUs auf vier der fünf Schichten spezielle Namen: Rahmen (Frame), Datagramm, Segment und Nachricht (Message). Für die Bitübertragungsschicht benennen wir keine Dateneinheit, weil auf dieser Schicht keine Bezeichnung für Dateneinheiten üblich ist. Abbildung 1.24 zeigt den Internet-Protokollstack und die entsprechenden PDU-Bezeichnungen.

Eine Protokollschicht kann in Software, in Hardware oder in einer Kombination aus beiden implementiert werden. Protokolle auf der Anwendungsschicht (z. B. HTTP und SMTP) werden fast immer in Software in den Endsystemen implementiert, ebenso wie Protokolle der Transportschicht. Da die Bitübertragungs- und die Sicherungsschicht für die Behandlung der Kommunikation über eine spezifische Verbindungsleitung zuständig sind, werden sie normalerweise in einer Netzwerkschnittstellenkarte (z. B. Ethernet- oder ATM-Schnittstellenkarten) in Zusammenhang mit einer bestimmten Verbindungsleitung implementiert. Die Vermittlungsschicht wird oft als gemischte Hardware- und Softwareimplementierung realisiert. Die folgenden Unterabschnitte enthalten eine Zusammenfassung der Internet-Schichten und der von ihnen bereitgestellten Dienste.

Abbildung 1.24 Der Internet-Protokollstack und PDUs

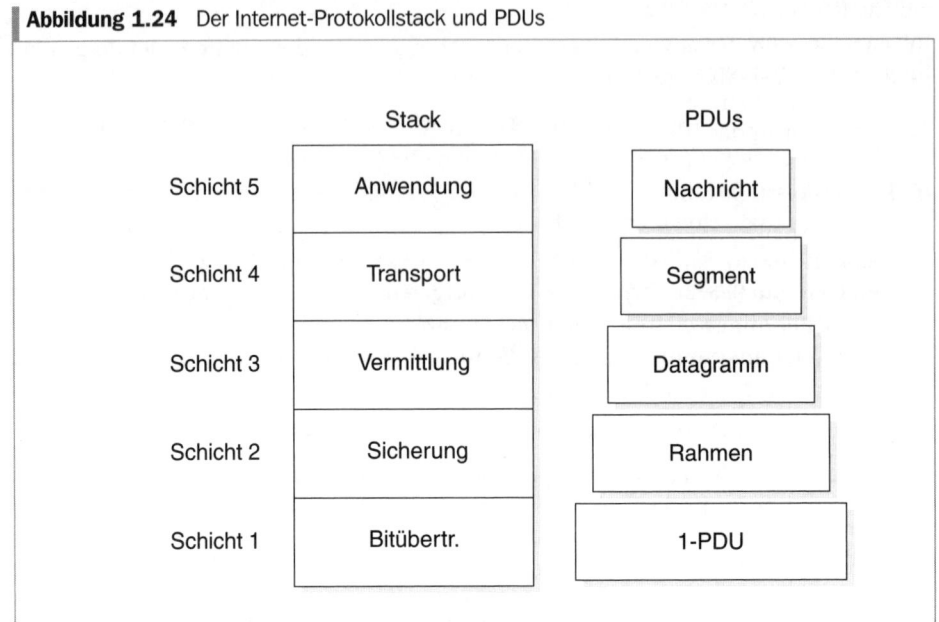

Anwendungsschicht (Application Layer)

Die Anwendungsschicht ist zuständig für die Unterstützung von Netzwerkanwendungen. Sie beinhaltet viele Protokolle, darunter HTTP für das Web, SMTP für E-Mail und FTP für Filetransfer. Kapitel 2 wird zeigen, dass es sehr einfach ist, eigene neue Protokolle für die Anwendungsschicht zu schreiben.

Transportschicht (Transport Layer)

Der von der Transportschicht gebotene Dienst übernimmt den Transport von Nachrichten der Anwendungsschicht zwischen der Client- und Serverseite einer Anwendung. Im Internet gibt es zwei Transportprotokolle – TCP und UDP –; beide können Nachrichten der Anwendungsschicht befördern. TCP bietet seinen Anwendungen einen verbindungsorientierten Dienst. Dieser Dienst beinhaltet die zugesicherte Übertragung von Nachrichten der Anwendungsschicht an das Ziel und die Flusskontrolle (d. h. Abstimmung der Geschwindigkeit von Sender und Empfänger). Außerdem teilt TCP lange Nachrichten in kürzere Segmente auf und bietet einen Überlastkontrollmechanismus, so dass eine Quelle ihre Übertragungsrate drosselt, wenn das Netzwerk überlastet ist. Das UDP-Protokoll bietet seinen Anwendungen einen verbindungslosen Dienst (siehe Abschnitt 1.3).

Vermittlungsschicht (Network Layer)

Die Vermittlungsschicht ist zuständig für die Weiterleitung von Datagrammen von einem Host zum anderen. Die Vermittlungsschicht des Internets umfasst zwei Hauptkomponenten. Sie hat ein Protokoll, das die Felder im IP-Datagramm und die Reaktion der Endsysteme und Router auf diese Felder definiert. Dieses Protokoll ist das allseits gerühmte IP-Protokoll. Es gibt nur ein IP-Protokoll und alle Internet-Komponenten, die eine Vermittlungsschicht haben, müssen das IP-Protokoll ausführen. Die Vermittlungsschicht des Internets umfasst auch Routing-Protokolle, die bestimmen, welche Routen die Datagramme zwischen Quellen und Zielen nehmen müssen. Das Internet hat viele Routing-Protokolle. Wie wir in Abschnitt 1.4 gesehen haben, ist das Internet ein Netzwerk aus Netzwerken, und innerhalb eines Netzwerks kann der Netzwerkadministrator jedes beliebige Routing-Protokoll benutzen. Obwohl die Vermittlungsschicht das IP-Protokoll und zahlreiche Routing-Protokolle enthält, wird sie oft einfach als »IP-Schicht« bezeichnet, was auf die Tatsache zurückzuführen ist, dass IP der »Klebstoff« ist, der das Internet zusammenhält.

Die Internet-Protokolle der Transportschicht (TCP und UDP) in einem Quellhost geben ein Segment der Transportschicht und eine Zieladresse an die IP-Schicht weiter, genauso wie Sie einen Brief mit einer Zieladresse beim Postdienst aufgeben. Die IP-Schicht übernimmt dann die Weiterleitung des Segments an sein Ziel. Wenn das Paket am Ziel ankommt, gibt IP das Segment an die Transportschicht dieses Ziels weiter.

Sicherungsschicht (Data Link Layer)

Die Vermittlungsschicht leitet ein Paket durch eine Reihe von Paket-Switches (die im Internet als Router bezeichnet werden) zwischen der Quelle und dem Ziel weiter. Um ein Paket von einem Knoten (Host oder Paket-Switch) zum nächsten Knoten auf der Route zu befördern, muss sich die Vermittlungsschicht auf die Dienste der Sicherungsschicht verlassen. An jedem Knoten gibt IP das Datagramm an die Sicherungsschicht weiter, die das Datagramm an den nächsten Knoten auf der Route überträgt. In diesem nächsten Knoten gibt die Sicherungsschicht das IP-Datagramm an die Vermittlungsschicht weiter. Der Prozess ist vergleichbar mit dem Postangestellten in einer Postverteilerstelle, der einen Brief an ein Flugzeug weiterleitet, das den Brief zur nächsten Postverteilerstelle auf der Route befördert. Der auf der Sicherungsschicht bereitgestellte Dienst hängt von dem spezifischen Sicherungsschichtprotokoll ab, das über die Verbindungsleitung angewandt wird. Einige Protokolle bieten z. B. zuverlässige Übertragung auf Leitungsbasis, d. h. vom sendenden Knoten über eine Verbindungsleitung zum empfangenden Knoten. Man beachte, dass sich dieser zuverlässige Übertragungsdienst von dem zuverlässigen Übertragungsdienst von TCP unterscheidet: TCP bietet die zuverlässige Übertragung von einem Endsystem zu einem anderen. Beispiele der Sicherungsschicht sind Ethernet und PPP und in gewissem Umfang auch ATM und Frame-Relay. Da Datagramme von der Quelle zum Ziel normalerweise mehrere Verbindungsleitungen überqueren müssen, kann ein Datagramm von den verschiedenen Protokollen der Sicherungsschicht auf seiner Route unterschiedlich behandelt werden. Ein Datagramm wird beispielsweise von Ethernet auf einer Verbindungsleitung und dann von PPP auf der nächsten behandelt. Von jedem dieser verschiedenen Sicherungsschichtprotokolle erhält IP einen anderen Dienst.

Bitübertragungsschicht (Physical Layer)

Während die Sicherungsschicht für die Beförderung ganzer Rahmen von einem Netzwerkelement zu einem benachbarten Netzwerkelement zuständig ist, hat die Bitübertragungsschicht die Aufgabe, die *einzelnen Bits* im Rahmen von einem Knoten zum nächsten zu übertragen. Auch auf dieser Schicht hängen die Protokolle von der Verbindungsleitung und außerdem vom tatsächlichen Übertragungsmedium der Verbindungsleitung (z. B. TP-Kabel, Single-Mode-Glasfaser) ab. Ethernet hat z. B. viele Protokolle für die Bitübertragungsschicht: eines für TP-Kabel, eines für Koaxialkabel, eines für Glasfaser usw. Je nach Medium wird ein Bit jeweils unterschiedlich auf der Verbindungsleitung übertragen.

Wenn Sie sich das Inhaltsverzeichnis dieses Buchs ansehen, werden Sie feststellen, dass wir den Inhalt grob entsprechend der Schichten des Internet-Protokollstacks gegliedert haben. Wir wenden dabei einen so genannten **Top-Down-Ansatz** an, was bedeutet, dass wir mit der Anwendungsschicht beginnen und uns nach unten durch den Protokollstack arbeiten.

1.7.3 Netzwerkeinheiten und Schichten

Die wichtigsten Netzwerkeinheiten sind die Endsysteme und Paket-Switches. Wie später in diesem Buch noch beschrieben wird, gibt es zwei Arten von Paket-Switches: Router und Bridges. In früheren Abschnitten wurden Router kurz vorgestellt. Bridges werden ausführlich in Kapitel 5 und Router in Kapitel 4 beschrieben. Ähnlich wie Endsysteme organisieren Router und Bridges die Vernetzungshardware und -software in Schichten. Router und Bridges implementieren aber nicht *alle* Schichten des Protokollstacks; normalerweise implementieren sie nur die unteren Schichten. Abbildung 1.25 zeigt, dass Bridges die Schichten 1 und 2 implementieren, während Router die Schichten 1 bis 3 implementieren. Das bedeutet beispielsweise, dass Internet-Router in der Lage sind, das IP-Protokoll (ein Protokoll der Schicht 3) zu implementieren, was bei Bridges nicht der Fall ist. Wir werden später sehen, dass Bridges keine IP-Adressen, dafür aber Adressen der Schicht 2, z. B. Ethernet-Adressen, erkennen. Man beachte, dass Hosts alle fünf Schichten implementieren; dies hängt mit dem Bestreben zusammen, dass die Internet-Architektur einen großen Teil ihrer Komplexität auf die »Ränder« des Netzwerks legen soll.

Abbildung 1.25 Hosts, Router und Bridges, die entsprechend ihrer funktionellen Unterschiede jeweils eine andere Reihe von Schichten beinhalten

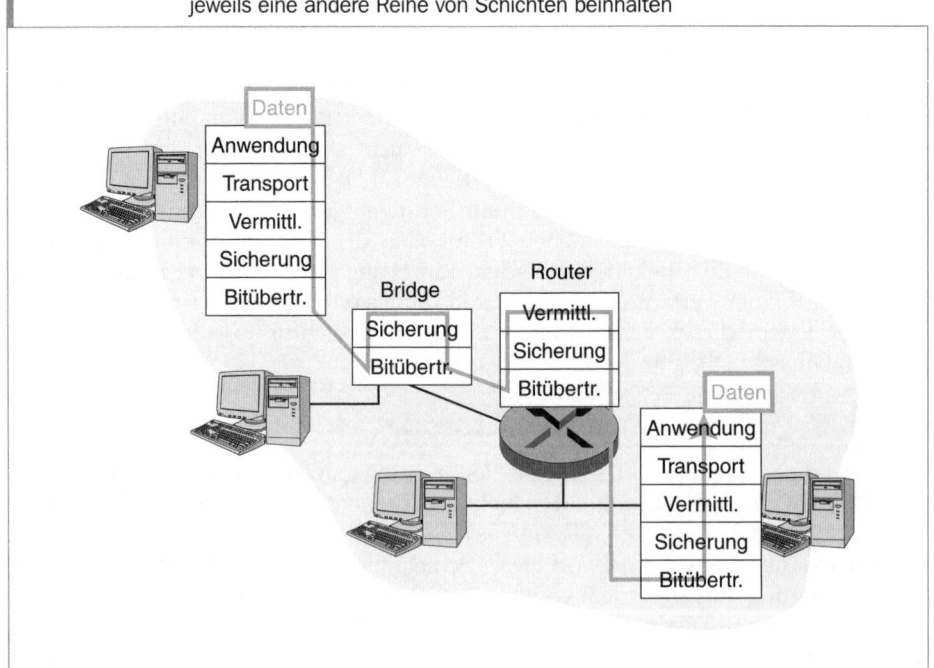

1.8 Internet-Backbones, NAPs und ISPs

Die Beschreibung der Protokollschichtung im vorherigen Abschnitt hat vielleicht den Eindruck erweckt, dass das Internet eine sorgfältig organisierte und höchst verflochtene Struktur aufweist. Das trifft in dem Sinn sicherlich zu, dass alle Netzwerkeinheiten (Endsysteme, Router und Bridges) gemeinsame Protokolle benutzen, die es den Einheiten ermöglichen, miteinander zu kommunizieren. Aus einer topologischen Perspektive betrachtet, scheint das Internet für viele Leute allerdings auf chaotische Weise zu wachsen, da sich quasi täglich neue Abschnitte, Zweige und Flügel an zufälligen Stellen bilden. Im Gegensatz zu den Protokollen kann die Topologie des Internets tatsächlich wachsen und sich weiterentwickeln, ohne dass eine Genehmigung von irgendeiner zentralen Behörde nötig ist. Wir versuchen jetzt, die scheinbar undurchschaubare Internet-Topologie zu erhellen.

Wie zu Beginn dieses Kapitels erwähnt, hat das Internet eine lose hierarchische Topologie. Grob gesagt, besteht die Hierarchie von unten nach oben aus Endsystemen (PC, Workstations usw.), die mit lokalen Internet-Service-Providern (ISPs) verbunden sind. Die lokalen ISPs unterhalten ihrerseits Verbindungen mit regionalen ISPs, die wiederum mit nationalen und internationalen ISPs verbunden sind. Die nationalen und internationalen ISPs sind untereinander auf der höchsten Ebene der Hierarchie verbunden. Neue Ebenen und Zweige können jederzeit wie Legosteine an eine bereits bestehende Legokonstruktion angefügt werden.

In diesem Abschnitt beschreiben wir die Topologie des Internets in den USA, basierend auf dem Stand 2000. Wir beginnen mit dem oberen Ende der Hierarchie und arbeiten uns nach unten durch. Ganz oben in der Hierarchie befinden sich die nationalen ISPs, die man **nationale Service-Provider** (**NSPs**) nennt. Die NSPs bilden unabhängige Backbone-Netzwerke, die sich über Nordamerika (und normalerweise auch ins Ausland) erstrecken. Genauso wie es in den USA mehrere Telefongesellschaften für Fernverbindungen gibt, existieren mehrere NSPs, die um Verkehr und Kunden miteinander konkurrieren, z. B. InternetMCI, SprintLink, PSINet, UUNet Technologies und AGIS. Die meisten NSPs haben Übertragungsleitungen mit hoher Bandbreite, wobei die Bandbreiten von 1,5 Mbps bis 622 Mbps und mehr reichen. Jeder **NSP** verfügt auch über zahlreiche Hubs, die seine Verbindungsleitungen untereinander verbinden und über die sich **regionale ISPs** auf den NSP aufschalten können.

Die NSPs selbst müssen untereinander verbunden werden. Um einen Überblick zu vermitteln, nehmen wir an, dass ein regionaler ISP, sagen wir MidWestnet, mit dem MCI-NSP und ein weiterer regionaler ISP, z. B. EastCoastnet, mit dem Sprint-NSP verbunden ist. Wie kann Datenverkehr von MidWestnet zu EastCoastnet gesendet werden? Die Lösung besteht in der Verwendung von Vermittlungszentren (Switching Centers), so genannte **Netzwerkzugangspunkte** (Network Access Points, **NAPs**). Sie verbinden die NSPs untereinander und ermöglichen es dadurch jedem regionalen ISP, Datenverkehr an einen beliebigen anderen regionalen ISP weiterzuleiten. Um unsere allgemeine Verwirrung noch zu verschlimmern, werden einige NAPs nicht als NAPs, sondern als »MAEs« (Metropolitan Area Exchanges) bezeichnet. In den USA werden viele NAPs von RBOCs (Regional Bell Operating Companies) betrieben. PacBell hat z. B. einen NAP in San Francisco und Ameritech hat einen in Chicago. Eine Liste der wichtigen NSPs (solche, die mit mindestens drei NAPs/MAEs verbunden sind), findet der Leser in [Haynal 1999]. Abgesehen von NAPs können sich NSPs untereinander auch durch so genannte »Private Peering Points«

zusammenschließen (siehe Abbildung 1.26). NAPs und privates Peering zwischen NSPs werden in [Huston 1999a] beschrieben.

Abbildung 1.26 Internet-Struktur: ein Netzwerk aus Netzwerken

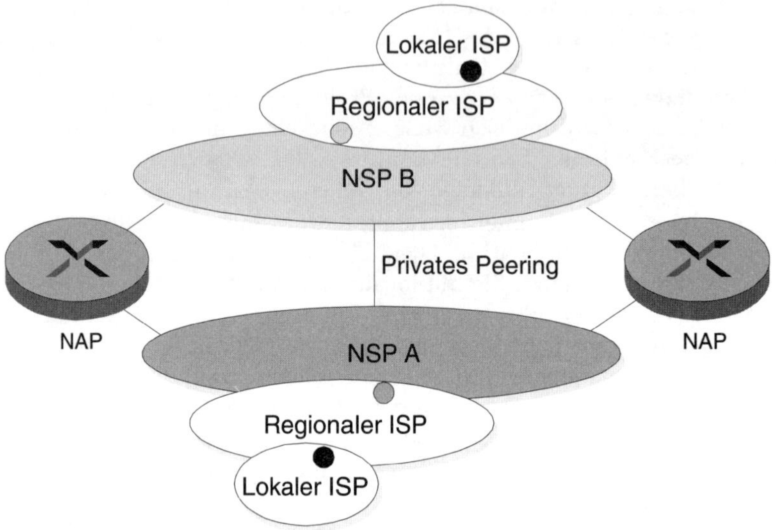

Da die NAPs enormes Internet-Verkehrsvolumen vermitteln, handelt es sich bei ihnen meist um komplexe Vermittlungsnetzwerke mit hoher Geschwindigkeit, die sich in einem kleinen geografischen Bereich (z. B. einem einzigen Gebäude) konzentrieren. Oft verwenden die NAPs in ihrem Kern eine ATM-Vermittlungstechnologie mit hoher Geschwindigkeit, wobei IP auf ATM aufsetzt. Abbildung 1.27 zeigt als Beispiel den NAP von PacBell in San Francisco. Die Details dieser Abbildung sind für uns im Augenblick unwichtig; wichtig ist nur die Feststellung, dass die NSP-Hubs selbst komplexe Datennetzwerke sein können.

Der Betrieb eines NSP ist nicht billig. Im Juni 1996 beliefen sich die Kosten für das Leasing von 45-Mbps-Glasfaser von Küste zu Küste sowie die zusätzlich dafür notwendige Hardware auf etwa $150.000 pro Monat. Und die Gebühren, die ein NSP für den Anschluss an die NAPs zahlt, können jährlich mehr als $300.000 ausmachen. NSPs und NAPs müssen auch beträchtliche Summen in Anlagen für Hochgeschwindigkeitsvernetzung investieren. Ein NSP verdient Geld, indem er von den an ihn angeschlossenen regionalen ISPs eine monatliche Gebühr verlangt. Diese Gebühr hängt normalerweise von der Bandbreite der Verbindung zwischen dem regionalen ISP und dem NSP ab. Für eine 1,5-Mbps-Verbindung wird natürlich weniger als für eine 45-Mbps-Verbindung berechnet. Nach der Einrichtung einer Verbindung mit fester Bandbreite kann der regionale ISP beliebig viele Daten über diese Verbindung versenden und empfangen, d. h., er kann die Bandbreite der Verbindung ohne zusätzliche Kosten voll nutzen. Tätigt ein NSP mit den angeschlossenen regionalen ISPs beträchtliche Umsätze, gelingt es ihm vielleicht, die hohen Investitionskosten und die laufenden monatlichen Kosten für die Einrichtung und Erhaltung eines NSP zu

Abbildung 1.27 Die PacBell-NAP-Architektur (Quelle: Web-Site der Pacific Bell)

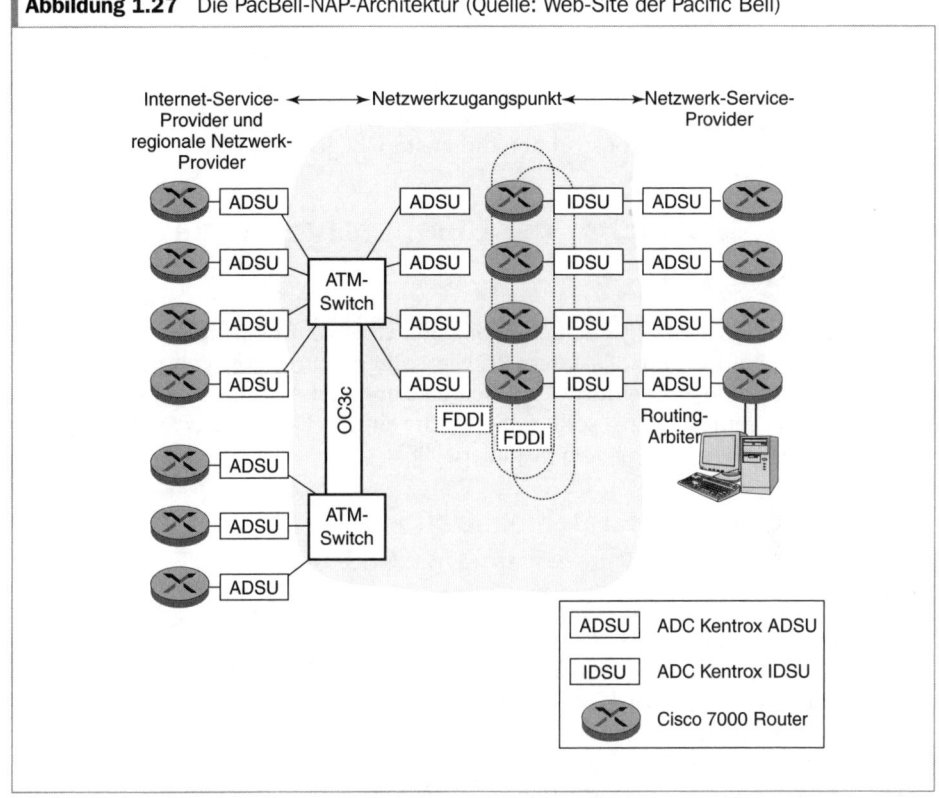

decken. Die derzeitigen Praktiken hinsichtlich der Finanzierung und Abrechnung zwischen Netzwerk-Providern werden ausführlich in [Huston 1999b] beschrieben.

Ein regionaler ISP verfügt ebenfalls über ein komplexes Netzwerk, bestehend aus Routern und Übertragungsleitungen mit Raten im Bereich von 64 Kbps und mehr. Ein regionaler ISP schaltet sich normalerweise auf einen NSP (auf den NSP-Hub) auf, kann sich aber auch direkt an einen NAP anschließen; in diesem Fall zahlt der regionale ISP dem NAP statt einem NSP eine monatliche Gebühr. Ein regionaler ISP kann sich auch auf das Internet-Backbone an zwei oder mehr bestimmten Punkten (z. B. an einen NSP-Hub oder an einem NAP) aufschalten. Wie deckt ein regionaler ISP seine Kosten? Um diese Frage zu beantworten, machen wir einen Sprung an das untere Ende der Hierarchie.

Endsysteme erhalten Zugang zum Internet, indem sie sich mit einem lokalen ISP verbinden. Universitäten und Firmen können als lokale ISPs fungieren, ebenso aber auch Backbone-Service-Provider. Viele lokale ISPs sind jedoch kleine »Familienbetriebe«. Eine beliebte Web-Site, die als »The List« bekannt ist, enthält Links zu nahezu 8.000 lokalen, regionalen und Backbone-ISPs [List 1999]. Die lokalen ISPs schalten sich auf einen der regionalen ISPs in ihrem Gebiet auf. Vergleichbar mit der Gebührenstruktur zwischen den regionalen ISPs und dem NSP entrichtet der lokale ISP eine monatliche Gebühr an seinen regionalen ISP, basierend auf der Bandbreite der Verbindung. Schließlich berechnet der lokale ISP seinen Kunden (meist) eine monatliche Pauschalgebühr für den Internet-Zugang. Dabei gilt: Je höher die Übertragungsrate der Verbindung, desto höher die monatliche Gebühr.

Wir beenden diesen Abschnitt mit dem Hinweis, dass jeder von uns ein lokaler ISP werden kann; ein Internet-Anschluss genügt. Wir müssen nur die erforderliche Anlage (z. B. einen Router- und Modem-Pool) kaufen, damit sich andere Benutzer auf unseren so genannten »Point of Presence« aufschalten können. Folglich lassen sich zur Internet-Topologie ständig neue Schichten und Zweige hinzufügen, ebenso wie man eine bestehende Legokonstruktion um weitere Legosteine erweitert.

1.9 Kurze Geschichte der Computervernetzung und des Internets

In den Abschnitten 1.1 bis 1.8 erhielten Sie eine Übersicht über die Technologie der Computervernetzung und des Internets. Sie sollten nun schon genug wissen, um Familie und Freunde zu beeindrucken. Wenn Sie aber die Attraktion auf der nächsten Cocktail-Party sein wollen, sollten Sie sich einige Details der faszinierenden Geschichte des Internets aneignen [Segaller 1998].

1.9.1 Entwicklung und Demonstration der ersten Paketvermittlungsprinzipien: 1961 bis 1972

Das Gebiet der Computervernetzung und des heutigen Internet entstand Anfang der sechziger Jahre zu einer Zeit, als das Telefonnetz das vorherrschende Kommunikationsnetz der Welt war. Wir wissen aus Abschnitt 1.4, dass im Telefonnetz die Leitungsvermittlung angewandt wird, um Informationen von einem Sender zu einem Empfänger zu übertragen. Aufgrund der Tatsache, dass Sprache in einer konstanten Rate zwischen Sender und Empfänger übertragen wird, war das die richtige Wahl. Die zunehmende Bedeutung (und die hohen Kosten) von Computern Anfang der sechziger Jahre und die Einführung von Timeshare-Computern führten zu der (zumindest aus heutiger Sicht!) vielleicht ganz natürlichen Überlegung, wie man Computer so verbinden kann, dass sie von geographisch verteilten Benutzern gemeinsam genutzt werden können. Der von solchen Benutzern erzeugte Verkehr würde höchstwahrscheinlich »bursty« sein, d. h., Intervallen mit Aktivitäten wie das Senden eines Befehls an einen entfernten Computer würden Intervalle der Untätigkeit folgen, während man auf eine Antwort wartet oder eine erhaltene Antwort betrachtet.

Drei Forschungsgruppen an verschiedenen Orten der Welt, die untereinander von ihrer Arbeit nichts wussten [Leiner 1998], entwickelten das Konzept der Paketvermittlung als effiziente und robuste Alternative zur Leitungsvermittlung. Die erste veröffentlichte Arbeit über Paketvermittlungstechniken war die von Leonard Kleinrock [Kleinrock 1961; Kleinrock 1964], der damals noch graduierter Student am MIT war. Unter Verwendung der Warteschlangentheorie demonstrierte Kleinrocks Arbeit elegant die Effektivität der Paketvermittlung für bursty Verkehrsquellen. 1964 startete Paul Baran [Baran 1964] am Rand-Institut eine Untersuchung über die Nutzung der Paketvermittlung für sichere Sprachübertragungen in Militärnetzwerken, während am National Physical Laboratory (NPL) in England Donald Davies und Roger Scantlebury ebenfalls ihre Ideen über Paketvermittlung entwickelten.

Die Arbeiten am MIT, Rand und NPL legten die Grundsteine für das heutige Internet. Das Internet hat aber auch eine lange Geschichte mit einer Einstellung nach dem Motto »lasst es uns aufbauen und ausprobieren«, die ebenfalls auf den Anfang der sechziger Jahre zurückgeht. J. C. R. Licklider [DEC 1990] und Lawrence Roberts, beide Kollegen von Kleinrock am MIT, leiteten das Computerwissenschaftsprogramm an der ARPA (Advanced Research Projects Agency) in den USA. Roberts veröffentlichte einen umfassenden Plan für das ARPANET [Roberts 1967], dem ersten paketvermittelten Computernetzwerk und einem direkten Vorläufer des heutigen öffentlichen Internet. Die ersten Paket-Switches wurden als Interface Message Processors (IMPs) bezeichnet und im Rahmen einer Ausschreibung wurde der Firma BBN der Zuschlag für die Herstellung dieser Switches erteilt. Am Tag der Arbeit des Jahres 1969 wurde der erste IMP an der UCLA unter Kleinrocks Leitung installiert. Drei weitere IMPs wurden kurz danach am Stanford Research Institute (SRI), an der UC Santa Barbara und an der Universität von Utah installiert (siehe Abbildung 1.28). Der neu geborene Vorläufer des Internets bestand Ende 1969 aus vier Knoten. Kleinrock erinnert sich in [Kleinrock 1998] an die erste Benutzung des Netzwerks, um ein Remote-Login von der UCLA zum SRI durchzuführen, bei der das System abstürzte.

Abbildung 1.28 L. Kleinrock mit dem ersten Interface Message Processor (IMP)

Bis 1972 war das ARPANET auf ca. 15 Knoten angewachsen und wurde von Robert Kahn auf der International Conference on Computer Communications 1972 erstmals öffentlich vorgeführt. Das erste Host-zu-Host-Protokoll zwischen ARPANET-Endsystemen, die man als Network Control Protocol (NCP) bezeichnete, war fertig gestellt worden [RFC 001]. Mit einem verfügbaren Ende-zu-Ende-Protokoll konnten nun Anwendungen geschrieben werden. Das erste E-Mail-Programm wurde noch im gleichen Jahr von Ray Tomlinson bei der BBN geschrieben.

1.9.2 Internetworking, neue und proprietäre Netzwerke: 1972 bis 1980

Das anfängliche ARPANET war ein einzelnes, abgeschlossenes Netzwerk. Um mit einem ARPANET-Host kommunizieren zu können, musste man an einen anderen ARPANET-IMP angeschlossen sein. Anfang bis Mitte der siebziger Jahre entstanden neben dem ARPANET weitere paketvermittelte Netzwerke. Konkret waren dies: ALOHAnet, ein Mikrowellennetzwerk, das Universitäten auf den Hawaiianischen Inseln miteinander verband [Abramson 1970)]; Telenet, ein kommerzielles paketvermitteltes Netzwerk der BBN auf der Grundlage der ARPANET-Technologie; Tymnet; und Transpac, ein französisches paketvermitteltes Netzwerk. Die Anzahl der Netzwerke nahm ständig zu. 1973 beschrieb Robert Metcalfe in seiner Dissertation das Ethernet-Prinzip, das später in den so genannten lokalen Netzwerken (LANs) eine enorme Verbreitung erfahren sollte.

Rückblickend ist es natürlich einfach zu sagen, dass die Zeit für die Entwicklung einer universellen Architektur für den Zusammenschluss von Netzwerken reif war. Vinton Cerf und Robert Kahn [Cerf 1974] leisteten Pionierarbeit auf dem Gebiet der Verbindung von Netzwerken (wiederum im Rahmen einer Förderung von der DARPA [Defense Advanced Research Projects Agency]), die im Wesentlichen zur Schaffung eines *Netzwerks aus Netzwerken* führte. In dieser Arbeit wurde der Begriff »Internetworking« geprägt.

Diese Architekturprinzipien fanden Eingang in das TCP-Protokoll. Die ersten TCP-Versionen unterschieden sich allerdings sehr vom heutigen TCP. In den ersten Versionen wurde eine zuverlässige sequentielle Übertragung von Daten durch Neuübertragung auf Seiten der Endsysteme (immer noch Teil des heutigen TCP) mit Weiterleitungsfunktionen (die heute von IP durchgeführt werden) kombiniert. Erste Experimente mit TCP in Verbindung mit der Erkenntnis über die Bedeutung eines unzuverlässigen, nicht flusskontrollierten Ende-zu-Ende-Transportdienstes für Anwendungen wie »Sprache in Datenpaketen« führten zur Trennung von IP und TCP und der Entwicklung des UDP-Protokolls. Die heute wichtigsten Internet-Protokolle – TCP, UDP und IP – waren konzeptionell bereits Ende der siebziger Jahre vorhanden.

INTERNET-DESIGNPRINZIPIEN

Die Architekturprinzipien, die Cerf und Kahn [Cerf 1974] für die Schaffung einer so genannten »offenen Netzwerkarchitektur« formulierten, bilden den Grundstein des heutigen Internet [Leiner 1998]:

- *Minimalismus, Autonomie*: Ein Netzwerk soll in der Lage sein, selbständig zu arbeiten, ohne dass interne Änderungen nötig sind, damit es mit anderen Netzwerken zusammenarbeitet.

- *Best-Effort-Dienst*: Mehrere zusammengeschlossene Netzwerke sollen einen Ende-zu-Ende-Dienst mit Best-Effort-Qualität bieten. Soweit zuverlässige Kommunikation notwendig ist, soll dies durch Neuübertragung verlorener Nachrichten durch den sendenden Host erreicht werden.

→

- *Zustandslose Router*: Die Router in den zusammengeschlossenen Netzwerken sollen keinen Zustand über die laufende Verbindung führen.
- *Dezentrale Kontrolle*: Die zusammengeschlossenen Netzwerke sollen von keinem globalen Kontrollorgan überwacht werden.

Diese Prinzipien dienen 25 Jahre später immer noch als Grundlage für die Architektur des heutigen Internets. Dies bezeugt die große Voraussicht der ersten Internet-Designer. Eine interessante Retrospektive auf die Internet-Designphilosophie findet der Leser in [Clark 1988].

Abgesehen von der Internet-bezogenen Forschungsarbeit der DARPA waren viele weitere Netzwerkaktivitäten im Gange. In Hawaii entwickelte Norman Abramson das ALOHAnet, ein paketbasiertes Funknetzwerk, über das mehrere entfernte Standorte auf Hawaiianischen Inseln miteinander kommunizieren konnten. Das ALOHA-Protokoll [Abramson 1970] war das erste Mehrfachzugriffsprotokoll (Multiple-Access Protocol), das es geographisch verteilten Benutzern erlaubte, ein einziges Broadcast-Kommunikationsmedium (eine Funkfrequenz) gemeinsam zu nutzen. Abramsons Arbeiten über Mehrfachzugriffsprotokolle bildeten die Grundlage für die Entwicklung des Ethernet-Protokolls für gemeinsam genutzte Broadcast-Festnetze durch Metcalfe und Boggs [Metcalfe 1976] (siehe Abbildung 1.29). Interessant ist, dass das Ethernet-Protokoll von Metcalfe und Boggs aus der Notwendigkeit heraus, mehrere PCs, Drucker und Platten zu verbinden, entstand [Perkins 1994]. Vor gut 25 Jahren, noch lange bevor die PC-Revolution und die explosionsartige Entwicklung von Netzwerken einsetzten, legten Metcalfe und Boggs den Grundstein für die heutigen PC-LANs. Die Ethernet-Technologie war auch ein wichtiger Schritt für das Internetworking. Jedes Ethernet-LAN war in sich selbst ein Netzwerk und mit zunehmender Verbreitung von LANs gewann der Zusammenschluss dieser LANs immer mehr an Bedeutung. Ethernet, ALOHA und andere LAN-Technologien werden ausführlich in Kapitel 5 behandelt.

Abbildung 1.29 Metcalfes erste Ethernet-Konzeption

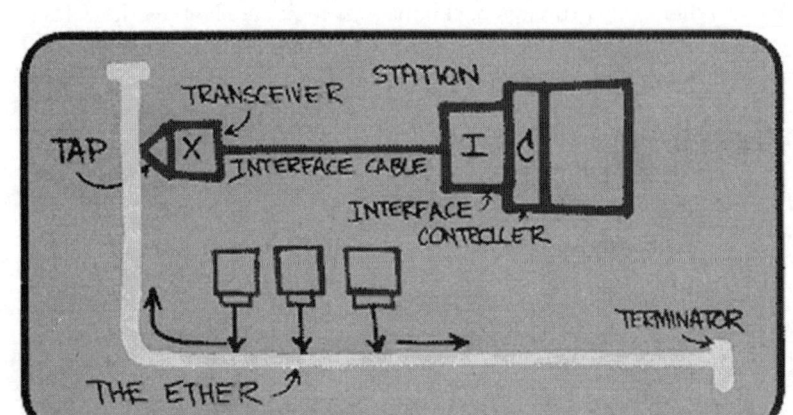

Neben den Internetworking-Bemühungen der DARPA und den Aloha/Ethernet-Mehrfachzugriffsnetzen entwickelten mehrere Firmen ihre eigenen proprietären Netzwerkarchitekturen. Digital Equipment Corporation (DEC) führte 1975 die erste Version von DECnet ein, über das zwei PDP-11-Minicomputer miteinander kommunizieren konnten. Seither entwickelte sich DECnet ständig weiter und wichtige Teile der OSI-Protokollreihe basierten auf Ideen, die erstmals in DECnet umgesetzt wurden. Andere bedeutende Mitspieler waren in den siebziger Jahren Xerox (mit der XNS-Architektur) und IBM (mit der SNA-Architektur). Jede dieser frühen Vernetzungsbemühungen leistete ihren Beitrag zu dem Wissensstand, der die Vernetzung in den achtziger und neunziger Jahren vorangetrieben hat.

An dieser Stelle erscheint uns der Hinweis wichtig, dass Wissenschaftler wie [Fraser 1983; 1993] und [Turner 1986] in den achtziger Jahren (und noch früher) ebenfalls eine konkurrierende Technologie zur Internet-Architektur entwickelten. Diese Bemühungen leisteten einen großen Beitrag zur Entwicklung der ATM-Architektur – einem verbindungsorientierten Ansatz auf der Grundlage der Verwendung von Paketen mit fester Größe, den so genannten »Zellen«. Die ATM-Architektur wird an verschiedenen Stellen in allen Teilen dieses Buchs beschrieben.

1.9.3 Verbreitung von Netzwerken: 1980 bis 1990

Ende der siebziger Jahre waren etwa 200 Hosts an das ARPANET angeschlossen. Ende der achtziger Jahre erreichte die Anzahl der an das öffentliche Internet – ein Zusammenschluss von Netzwerken, der dem heutigen Internet ähnelte – angeschlossenen Hosts 100.000. Die achtziger Jahre waren eine Zeit unglaublichen Wachstums.

Ein Großteil dieses Wachstums resultierte Anfang der achtziger Jahre aus mehreren unabhängigen Bemühungen, Computernetzwerke aufzubauen, um Universitäten untereinander zu verbinden. BITnet (Abkürzung von »Because It's There NETwork«) bot E-Mail und Filetransfer zwischen mehreren Universitäten im Nordosten der USA. Das CSNET (Computer Science Network) entstand aus dem Zusammenschluss von Universitätswissenschaftlern, die keinen Zugang zum ARPANET hatten. Das NSFNET wurde 1986 entwickelt, um Zugang zu den von der NSF (National Science Foundation) gesponserten Supercomputerzentren zu bieten. Mit einer Geschwindigkeit von anfangs 56 Kbps lief das NSFNET-Backbone Ende des Jahrzehnts bereits mit 1,5 Mbps und diente als primäres Backbone, das regionale Netzwerke verband.

Unterdessen entstanden in der ARPANET-Gemeinde viele der letzten Teile der heutigen Internet-Architektur. Am 1. Januar 1983 wurde TCP/IP als das neue Standardhostprotokoll für das ARPANET (als Ablösung des NCP-Protokolls) offiziell installiert. Der Übergang von NCP zu TCP/IP [RFC 801] war ein einschneidendes Ereignis: Ab diesem Tag mussten alle Hosts über TCP/IP übertragen. Ende der achtziger Jahre wurden wichtige Erweiterungen des TCP entwickelt, um hostbasierte Überlastkontrolle zu implementieren [Jacobson 1988]. Ferner wurde das Domain Name System (DNS) für die Übersetzung zwischen einem für Menschen lesbaren Internet-Namen (z. B. `gaia.cs.umass.edu`) und der 32-Bit-IP-Adresse eingeführt [RFC 1034].

Parallel zu dieser (größtenteils in den USA erfolgten) Entwicklung des ARPANET verfolgten die Franzosen Anfang der achtziger Jahre mit dem Minitel-Projekt einen ehrgeizigen Plan, Datenvernetzung in jeden Haushalt zu bringen. Das von der französischen Regierung geförderte Minitel-System bestand aus einem öffentlichen paketvermittelten Netzwerk (auf der Grundlage der X.25-Protokollreihe, die virtuelle

Leitungen verwendet), Minitel-Servern und preisgünstigen Terminals mit eingebauten langsamen Modems. Das Minitel war 1984 ein riesiger Erfolg, als die französische Regierung an jeden interessierten Haushalt kostenlos ein Minitel-Terminal verteilte. Zu den Minitel-Sites zählten auch kostenlose Sites, z. B. ein komplettes Telefonverzeichnis, sowie private Sites, für die der Benutzer eine nutzungsbezogene Gebühr zahlte. Mitte der neunziger Jahre war Minitel auf dem Höhepunkt seines Erfolgs und bot mehr als 20.000 verschiedene Dienste, von Home-Banking bis zu speziellen Forschungsdatenbanken. Es wurde von über 20% der Bevölkerung Frankreichs genutzt, erzeugte mehr als $1 Milliarde Umsatz pro Jahr und schuf 10.000 Arbeitsplätze. Minitel befand sich in großen Teilen der französischen Haushalte bereits zehn Jahre, bevor die meisten Amerikaner überhaupt vom Internet gehört hatten. Es wird in Frankreich immer noch gut genutzt, sieht sich aber einer ständig wachsenden Konkurrenz durch das Internet ausgesetzt.

1.9.4 Kommerzialisierung und Web: die neunziger Jahre

Die neunziger Jahre waren durch zwei Ereignisse gekennzeichnet, die die fortdauernde Evolution und die bevorstehende Kommerzialisierung des Internets symbolisierten. Erstens wurde das ARPANET, der Vorläufer des Internets, eingestellt. MILNET und das Defense Data Network waren in den achtziger Jahren bereits derart umfangreich, dass sie den Großteil des Datenverkehrs in Zusammenhang mit dem US-Verteidigungsministerium beförderten, und das NSFNET diente inzwischen als Backbone-Netzwerk, das regionale Netzwerke in den USA mit nationalen Netzwerken in Übersee verband. 1991 wurden die Beschränkungen des NSFNET gegen die Nutzung für kommerzielle Zwecke aufgehoben. NSFNET selbst wurde 1995 außer Betrieb genommen, als Internet-Backbones von da an von kommerziellen Internet-Service-Providern (ISPs) betrieben wurden.

Das wichtigste Ereignis der neunziger Jahre war aber die Einführung des World Wide Web (WWW), das das Internet in die Haushalte und Firmen von unzähligen Millionen Menschen in aller Welt brachte. Das Web diente auch als Plattform für die Entwicklung und die Installation hunderter neuer Anwendungen, darunter Online-Aktienhandel und Online-Banking, Multimedia-Dienste und Informations-Retrieval-Dienste. Einen kurzen Abriss der Entstehungsgeschichte des Webs findet der Leser in [W3C 1995].

Das Web wurde am CERN von Tim Berners-Lee in den Jahren 1989 bis 1991 erfunden [Berners-Lee 1989]. Grundlage dieser Entwicklung bildeten Ideen, die aus ersten Forschungsarbeiten über Hypertext in den vierziger Jahren von Bush [Bush 1945] und ab den sechziger Jahren von Ted Nelson [Ziff-Davies 1998] entstanden. Berners-Lee und Kollegen entwickelten erste Versionen von HTML, HTTP, einen Web-Server und einen Browser, also die vier wichtigsten Komponenten des Web. Die ersten CERN-Browser boten nur eine Zeilenmodusoberfläche. Etwa Ende 1992 waren ungefähr 200 Web-Server in Betrieb. Diese kleine Sammlung von Servern war nur die Spitze des Eisbergs – ein Vorzeichen dessen, was da noch kommen sollte. Etwa zur gleichen Zeit arbeiteten mehrere Wissenschaftler an der Entwicklung von Web-Browsern mit grafischen Benutzeroberflächen (Graphical User Interfaces, GUIs), darunter Marc Andreesen, der die Entwicklung des beliebten GUI-Browsers Mosaic für X leitete. Andreesen und Kollegen führten 1993 eine Alphaversion des Browsers ein und 1994 gründeten er und James Baker die Firma Mosaic Communications, die später in Netscape Communications Corporation umfirmiert wurde [Cusumano 1998; Quittner 1998]. Bereits 1995 benutzten Universitätsstudenten Mosaic- und Netscape-Browser sozusagen täglich, um im Web zu surfen. Etwa zu dieser Zeit begannen große und kleine Firmen mit dem Betrieb von Web-Servern und Handelstransaktionen über das Web. 1996 stieg Microsoft ganz groß in das Web-Geschäft ein.

In den neunziger Jahren wurden auch in Bezug auf Hochgeschwindigkeits-Router und Routing (siehe Kapitel 4) sowie lokale Netzwerke (LANs, siehe Kapitel 5) wichtige Fortschritte erzielt. Die technische Gemeinde kämpfte mit den Problemen der Definition und Implementierung eines Internet-Dienstmodells für Verkehr, der Echtzeitbeschränkungen auferlegte, z. B. kontinuierliche Medienanwendungen (siehe Kapitel 6). Außerdem gewannen auch Sicherheitsaspekte und die Notwendigkeit einer Verwaltung der Internet-Infrastruktur (siehe Kapitel 7 und 8) angesichts der wachsenden Verbreitung von E-Commerce-Anwendungen (elektronischer Handel) zunehmend an Bedeutung. Das Internet wurde zu einer zentralen Komponente der Telekommunikationsinfrastruktur der ganzen Welt.

1.10 Zusammenfassung

Dieses Kapitel bot eine riesige Fülle von Material! Wir haben die verschiedenen Hard- und Softwarekomponenten betrachtet, aus denen sich das Internet im Besonderen und alle Computernetzwerke im Allgemeinen zusammensetzen. Wir haben an der Peripherie des Netzwerks begonnen und Endsysteme und Anwendungen beschrieben. Außerdem wurde der Transportdienst beschrieben, der den Anwendungen auf Endsystemen bereitgestellt wird. Unter Verwendung von netzwerkbasierten verteilten Anwendungen als Beispiele haben wir das Konzept eines Protokolls – eines der wichtigsten Konzepte im Computernetzwerkbereich – eingeführt. Wir sind dann tiefer in das Innere des Netzwerks – in den Netzwerkkern – vorgedrungen und haben Paket- und Leitungsvermittlung als die beiden grundlegenden Ansätze für die Datenübertragung in einem Telekommunikationsnetz betrachtet. Außerdem stellten wir die Stärken und Schwächen jedes Ansatzes gegenüber. Anschließend betrachteten wir die (aus Sicht der Architektur) niedrigsten Teile des Netzwerks: die Technologien auf der Sicherungsschicht und die physikalischen Medien, die man normalerweise in einem Zugangsnetzwerk vorfindet.

Im zweiten Teil dieses Einführungskapitels untersuchten wir Computernetzwerke aus einer umfassenderen Perspektive. Aus Sicht der Leistung haben wir die Ursache von Paketverzögerung und Paketverlust im Internet festgestellt. Wichtige Architekturprinzipien (Schichtung, Dienstmodelle) von Netzwerken wurden identifiziert. Anschließend betrachteten wir die Struktur des heutigen Internets. Die Einführung endete schließlich mit einem kurzen Abriss der Geschichte von Computernetzwerken. Das erste Kapitel stellt im Prinzip einen Minikurs in Computervernetzung dar.

Wir haben also tatsächlich in diesem ersten Kapitel eine Menge Stoff durchgearbeitet! Machen Sie sich aber keine Sorgen, falls Sie sich ein bisschen überfordert fühlen. In den folgenden Kapiteln werden alle hier vorgestellten Ideen wieder aufgegriffen und ausführlicher behandelt (das ist ein Versprechen und keine Drohung!). An diesem Punkt hoffen wir, dass Sie dieses Kapitel mit einer noch in der Entwicklung befindlichen Intuition für die Teile, aus denen sich ein Netzwerk zusammensetzt, einer noch rudimentären Beherrschung der Fachausdrücke im Computernetzwerkbereich (also immer mal wieder in diesem Kapitel nachschlagen) und einem ständig wachsenden Wunsch nach mehr Wissen über Netzwerke verlassen. Das sind Aufgaben, die in diesem Buch noch vor uns liegen.

Straßenkarte für dieses Buch

Vor dem Antritt einer Reise sollten wir immer mal einen Blick auf eine Straßenkarte werfen, um uns mit den Hauptstraßen und Kreuzungen vertraut zu machen, die zwischen uns und dem Endziel liegen. Für die Reise, auf die wir uns gleich begeben, sind das Endziel detaillierte Kenntnisse des Wie, Womit und Warum von Computernetzwerken. Unsere Straßenkarte besteht aus der Sequenz der Kapitel dieses Buchs:

1. Computernetzwerke und das Internet
2. Anwendungsschicht
3. Transportschicht
4. Vermittlungsschicht und Routing
5. Sicherungsschicht und lokale Netzwerke (LANs)
6. Multimedia-Vernetzung
7. Sicherheit in Computernetzwerken
8. Netzwerkmanagement

Ein Blick auf diese Straßenkarte lässt deutlich werden, dass die Kapitel 2 bis 5 die wichtigsten dieses Buchs sind. Man beachte, dass es ein Kapitel für jede der oberen vier Schichten des Internet-Protokollstacks gibt. Man beachte ferner, dass unsere Reise oben im Internet-Protokollstack beginnt, auf der Anwendungsschicht, und dass unser Weg von dort nach unten verläuft. Der Grund für diese Reise von oben nach unten ist, dass man die Netzwerkdienste, die für die Unterstützung der Anwendungen erforderlich sind, besser versteht, wenn man die Anwendungen verstanden hat. Wir können dann nacheinander die verschiedenen Möglichkeiten betrachten, in denen solche Dienste in einer Netzwerkarchitektur implementiert werden können. Durch die Behandlung der Anwendungen an erster Stelle haben wir auch die nötige Motivation, uns mit dem Rest des Buchs zu befassen.

Die zweite Hälfte des Buchs – die Kapitel 6 bis 8 – konzentriert sich auf drei sehr wichtige (und in gewisser Weise unabhängige) Themen im Bereich der modernen Computervernetzung. In Kapitel 6 (Multimedia-Vernetzung) untersuchen wir Audio- und Videoanwendungen, z. B. Internet-Phone, Videokonferenzen und Streaming gespeicherter Medien. Wir untersuchen auch, wie ein paketvermitteltes Netzwerk ausgelegt werden kann, um eine konsistente Dienstqualität für Audio- und Videoanwendungen bereitzustellen. In Kapitel 7 (Sicherheit in Computernetzwerken) betrachten wir zuerst die Grundlagen von Verschlüsselung und Netzwerksicherheit und anschließend die Anwendung der Basistheorie in einem breiten Bereich von Internet-Zusammenhängen, z. B. E-Mail und Internet-Commerce. Die vorrangigen Themen des letzten Kapitels (Netzwerkmanagement) sind Netzwerkmanagement und die Internet-Protokolle, die dafür eingesetzt werden. Empfehlenswerte Literatur zum Thema sind [Tanenbaum 2000] und [Hunt 1998].

WIEDERHOLUNGSFRAGEN

Abschnitte 1.1 bis 1.4

1. Welche zwei Dienstarten bietet das Internet seinen Anwendungen? Welche gemeinsamen Merkmale weisen die beiden Dienste auf?
2. Es wurde gesagt, dass Flusskontrolle und Überlastkontrolle gleichbedeutend sind. Trifft dies für den verbindungsorientierten Dienst des Internets zu? Werden mit Fluss- und Überlastkontrolle die gleichen Ziele verfolgt?
3. Beschreiben Sie kurz, wie der verbindungsorientierte Dienst des Internets zuverlässige Übertragung bereitstellt.
4. Welchen Vorteil hat ein leitungsvermitteltes im Vergleich zu einem paketvermittelten Netzwerk? Welche Vorteile hat TDM gegenüber FDM in einem leitungsvermittelten Netzwerk?
5. Es sei gegeben, dass zwischen einem sendenden und einem empfangenden Host genau ein Paket-Switch liegt. Die Übertragungsraten zwischen dem sendenden Host und dem Switch sowie zwischen dem Switch und dem empfangenden Host betragen R_1 bzw. R_2. Der Router wendet die Store-and-Forward-Vermittlung von Paketen an. Welche Gesamtverzögerung ergibt sich von Ende zu Ende bei der Übertragung eines Pakets mit der Länge L? (Ignorieren Sie die Warteschlangen-, Ausbreitungs- und Verarbeitungsverzögerung.)
6. Welche Netzwerktechnologien verwenden virtuelle Kanäle (VCs)? (Finden Sie URLs zu guten Sites, auf denen diese Technologien erklärt werden.)
7. Was versteht man unter Zustandsinformationen über Verbindungen in einem VC-Netzwerk?
8. Angenommen, Sie entwickeln einen Standard für einen neuen Netzwerktyp. Sie müssen entscheiden, ob Ihr Netzwerk mit VCs oder Datagramm-Routing arbeitet. Welche Vor- und Nachteile ergeben sich bei der Verwendung von VCs?

Abschnitte 1.5 bis 1.7

9. Ist die HFC-Bandbreite dediziert oder wird sie von mehreren Benutzern gemeinsam genutzt? Sind in HFC Kollisionen im Downstream-Kanal möglich? Warum bzw. warum nicht?
10. Welche Übertragungsrate haben Ethernet-LANs? Kann jeder Benutzer bei einer bestimmten Übertragungsrate kontinuierlich im LAN in dieser Rate übertragen?
11. Welche physikalischen Medien können für Ethernet benutzt werden?
12. Wählmodems, ISDN, HFC und ADSL werden für den privaten Netzwerkzugang verwendet. Führen Sie für jede dieser Zugangstechnologien einen Übertragungsratenbereich auf und vermerken Sie, ob die Bandbreite gemeinsam genutzt oder dediziert zur Verfügung gestellt wird.
13. Eine Reihe von Paketen muss von einem sendenden zu einem empfangenden Host über eine feste Route übertragen werden. Führen Sie die Verzögerungskomponenten in der Ende-zu-Ende-Verzögerung für ein einziges Paket auf. Welche dieser Verzögerungen sind konstant und welche variabel?
14. Lesen Sie die Analogie mit der Autokolonne in Abschnitt 1.6 noch einmal durch. Gehen Sie wieder von einer Ausbreitungsgeschwindigkeit von 100 km/h aus.
    a. Angenommen, die Kolonne bewegt sich in 200 km vorwärts; sie beginnt vor einer Mautstelle, passiert eine zweite Mautstelle und endet kurz vor der dritten Mautstelle. Welche Ende-zu-Ende-Verzögerung ergibt sich?

b. Wiederholen Sie (a), gehen Sie jedoch davon aus, dass die Kolonne nicht aus zehn, sondern nur aus sieben Autos besteht.
15. Listen Sie fünf Aufgaben auf, die eine Schicht ausführen kann. Ist es möglich, dass eine (oder mehrere) dieser Aufgaben von zwei (oder mehreren) Schichten ausgeführt werden?
16. Wie lauten die fünf Schichten im Internet-Protokollstack? Wofür ist jede dieser Schichten hauptsächlich zuständig?
17. Welche Schichten im Internet-Protokollstack führen einen Router-Prozess aus?

ÜBUNGEN

1.1 Entwerfen und beschreiben Sie ein Protokoll für die Anwendungsschicht, das zwischen einem Bankautomaten und dem Zentralrechner einer Bank benutzt werden soll. Ihr Protokoll sollte die Überprüfung der Karte und des Passworts eines Benutzers, die Abfrage des Kontosaldos (der im Zentralrechner geführt wird) und die Abhebung vom Konto (d. h. die Ausgabe von Bargeld an den Benutzer) ermöglichen. Ihre Protokolleinheiten sollten in der Lage sein, den allzu häufigen Fall zu behandeln, bei dem nicht genügend Bargeld auf dem Konto ist, um die gewünschte Summe abzuheben. Spezifizieren Sie Ihr Protokoll durch Auflistung der ausgetauschten Nachrichten und der vom Geldautomaten oder vom Zentralrechner der Bank bei Übertragung und Empfang von Nachrichten unternommenen Handlung. Skizzieren Sie den Betrieb Ihres Protokolls für den Fall einer einfachen Abhebung ohne Fehler unter Verwendung eines Diagramms wie dem in Abbildung 1.2. Geben Sie ausdrücklich die Annahmen an, die Ihr Protokoll über den zugrunde liegenden Ende-zu-Ende-Transportdienst trifft.

1.2 Betrachten Sie eine Anwendung, die Daten in einer steten Rate überträgt (z. B. erzeugt der Sender eine N-Bit-Dateneinheit alle k Zeiteinheiten, wobei k klein und konstant ist). Berücksichtigen Sie auch, dass die Anwendung nach ihrem Start über eine relativ lange Zeit aktiv bleibt. Beantworten Sie kurz folgende Fragen:
  a. Wäre für diese Anwendung ein paketvermitteltes oder ein leitungsvermitteltes Netzwerk besser geeignet? Warum?
  b. Angenommen, es wird ein paketvermitteltes Netzwerk benutzt und der einzige Verkehr in diesem Netzwerk kommt von Anwendungen wie der oben beschriebenen. Gehen Sie weiter davon aus, dass die Summe der Anwendungsdatenraten geringer als die Kapazität jeder einzelnen Verbindungsleitung ist. Ist irgendeine Form der Überlastkontrolle erforderlich? Warum?

1.3 Es sei gegeben, dass eine Datei mit $F = M \cdot L$ Bit über einen Pfad mit Q Verbindungsleitungen gesendet wird. Das Netzwerk ist nur leicht ausgelastet, so dass keine Warteschlangenverzögerungen entstehen. Wenn eine Form der Paketvermittlung angewandt wird, werden die $M \cdot L$ Bit in M Pakete aufgeteilt und jedes Paket umfasst L Bit. Die Ausbreitungsverzögerung ist verschwindend gering.
  a. Das Netzwerk ist paketvermittelt und nutzt virtuelle Kanäle (VCs). Die VC-Einrichtzeit beträgt t_s Sekunden. Die sendenden Schichten fügen einen Header mit insgesamt h Bit an jedes Paket an. Wie lange dauert die Übertragung der Datei von der Quelle zum Ziel?

b. Es sei gegeben, dass das Netzwerk paketvermittelt ist, Datagramme verwendet und einen verbindungslosen Dienst nutzt. Jedes Paket hat einen Header von $2h$ Bit. Wie lange dauert jetzt die Übertragung der Datei?

c. Wiederholen Sie b., gehen Sie jedoch von der Verwendung der Nachrichtenvermittlung aus (d. h., zur Nachricht werden $2h$ Bit hinzugefügt und die Nachricht wird nicht segmentiert).

d. Es sei nun gegeben, dass es sich um ein leitungsvermitteltes Netzwerk handelt. Die Übertragungsrate des Kanals zwischen der Quelle und dem Ziel beträgt R bps; die Einrichtzeit ist t_s. An die ganze Datei wird ein Header mit h Bit angehängt. Wie lange dauert in diesem Fall die Übertragung der Datei?

1.4 Experimentieren Sie mit dem Java-Applet für die Nachrichtenvermittlung in diesem Kapitel. Entsprechen die Verzögerungen im Applet denen in der vorherigen Übung? Wie wirken sich die Ausbreitungsverzögerungen von Verbindungsleitungen auf die gesamte Ende-zu-Ende-Verzögerung bei der Paketvermittlung und bei der Nachrichtenvermittlung aus?

1.5 Sie möchten eine große Datei mit F Bit von Host A an Host B senden. Zwischen A und B existieren zwei Verbindungsleitungen (und ein Switch). Die Verbindungsleitungen sind nicht überlastet (also keine Warteschlangenverzögerungen). Host A teilt die Datei in Segmente mit je S Bit auf und fügt an jedes Segment einen Header mit 40 Bit an, so dass Pakete mit $L = 40 + S$ Bit gebildet werden. Jede Verbindungsleitung hat eine Übertragungsrate von R bps. Stellen Sie den Wert von S fest, der die Verzögerung bei der Beförderung der Datei von Host A zu Host B minimiert. Ignorieren Sie die Ausbreitungsverzögerung.

1.6 Mit dieser elementaren Übung wird mit der Untersuchung der Ausbreitungs- und Übertragungsverzögerung – zwei zentrale Konzepte in Datennetzwerken – begonnen. Betrachten Sie zwei Hosts – Host A und B –, die über eine einzige Verbindungsleitung mit einer Rate von R bps verbunden sind. Die beiden Hosts sind m Meter voneinander entfernt; die Ausbreitungsgeschwindigkeit auf der Verbindungsleitung beträgt s Meter/Sekunde. Host A sendet ein Paket mit einer Größe von L Bit an Host B.

a. Drücken Sie die Ausbreitungsverzögerung d_{prop} in Bezug zu m und s aus.
b. Ermitteln Sie die Übertragungszeit des Pakets, d_{trans}, in Bezug zu L und R.
c. Ignorieren Sie die Verarbeitungs- und Warteschlangenverzögerungen und erarbeiten Sie einen Ausdruck für die Ende-zu-Ende-Verzögerung.
d. Wo ist das letzte Bit des Pakets zum Zeitpunkt $t = d_{trans}$, wenn Host A mit der Übertragung des Pakets zum Zeitpunkt $t = 0$ beginnt?
e. Angenommen, d_{prop} ist größer als d_{trans}. Wo ist das erste Bit des Pakets zum Zeitpunkt $t = d_{trans}$?
f. Angenommen, d_{prop} ist kleiner als d_{trans}. Wo ist das erste Bit des Pakets zum Zeitpunkt $t = d_{trans}$?
g. Angenommen, $s = 2,5 \cdot 10^8$, $L = 100$ Bit und $R = 28$ Kbps. Ermitteln Sie die Entfernung m, so dass d_{prop} gleich d_{trans} ist.

1.7 In dieser Übung wollen wir Sprache (z. B. Internet-Phone) von Host A zu Host B über ein paketvermitteltes Netzwerk senden. Host A konvertiert analoge Sprache »on the fly« (d.h. während der Übertragung) in einen digitalen 64-Kbps-Bitstrom. Dann gruppiert er die Bits in 48-Byte-Pakete. Zwischen Host A und B gibt es eine Verbindungsleitung mit einer Übertragungsrate von 1 Mbps und einer Ausbreitungsverzögerung von 2 ms. Sobald Host A ein Paket fertig hat, sendet er es an Host B. Sobald Host B ein ganzes Paket empfängt, konvertiert er die Paketbits in ein analoges Signal. Wie viel Zeit verstreicht von dem Zeitpunkt, an dem (aus dem Originalanalogsignal in A) ein Bit erzeugt wird, und dem Zeitpunkt, an dem ein Bit (als Teil des Analogsignals in B) dekodiert wird?

1.8 Angenommen, einige Benutzer nutzen gemeinsam eine 1-Mbps-Verbindungsleitung. Jeder Benutzer benötigt bei der Übertragung 100 Kbps, jedoch überträgt jeder Benutzer nur in 10% der Zeit (siehe Abschnitt »Paket- und Leitungsvermittlung im Vergleich«).
   a. Wie viele Benutzer werden unterstützt, wenn die Leitungsvermittlung angewandt wird?
   b. Gehen Sie für den Rest dieser Übung davon aus, dass die Paketvermittlung zum Einsatz kommt. Ermitteln Sie die Wahrscheinlichkeit, dass ein bestimmter Benutzer überträgt.
   c. Gehen Sie von 40 Benutzern aus. Ermitteln Sie die Wahrscheinlichkeit, dass n Benutzer zu einem bestimmten Zeitpunkt gleichzeitig übertragen.
   d. Ermitteln Sie die Wahrscheinlichkeit, dass elf oder mehr Benutzer gleichzeitig übertragen.

1.9 Betrachten Sie die Warteschlangenverzögerung in einem Router-Puffer (vor einer abgehenden Verbindungsleitung). Es wird angenommen, dass alle Pakete L Bit beinhalten, die Übertragungsrate R bps ist und N Pakete alle LN/R Sekunden am Puffer ankommen. Ermitteln Sie die durchschnittliche Warteschlangenverzögerung eines Pakets.

1.10 Betrachten Sie die Warteschlangenverzögerung in einem Router-Puffer. Es sei I die Verkehrsintensität, d. h. $I = La/R$. Die Warteschlangenverzögerung hat die Form IL/R $(1 - I)$ für $I < 1$.
   a. Schreiben Sie eine Formel für die Gesamtverzögerung, d. h. Warteschlangenverzögerung zuzüglich Übertragungsverzögerung.
   b. Skizzieren Sie die Gesamtverzögerung als Funktion von L/R.

1.11 Führen Sie folgende Übungen durch:
   a. Verallgemeinern Sie die Formel für die Ende-zu-Ende-Verzögerung in Abschnitt 1.6 auf heterogene Verarbeitungsraten, Übertragungsraten und Ausbreitungsverzögerungen.
   b. Wiederholen Sie a., gehen Sie jedoch jetzt davon aus, dass an jedem Knoten eine durchschnittliche Warteschlangenverzögerung von d_{queue} entsteht.

1.12 Führen Sie *Traceroute* zwischen einer Quelle und einem Ziel auf dem gleichen Kontinent zu drei unterschiedlichen Tageszeiten aus. Ermitteln Sie die Durchschnitts- und Standardabweichung der Verzögerungen. Führen Sie die gleiche Übung für eine Quelle und ein Ziel auf unterschiedlichen Kontinenten durch.

DISKUSSIONSFRAGEN

1.1 Beschreiben Sie in einem Absatz jeweils drei wichtige Projekte, die derzeit am World Wide Web Consortium (W3C) durchgeführt werden.

1.2 Was ist Internet-Phone? Beschreiben Sie einige existierende Produkte für Internet-Phone. Finden Sie einige der Web-Sites von Firmen, die solche Produkte anbieten.

1.3 Was versteht man unter Streaming von gespeichertem Audio? Beschreiben Sie einige der existierenden Produkte für Audio-Streaming im Internet. Finden Sie die Web-Sites einiger Firmen, die solche Produkte anbieten. Finden Sie einige Web-Sites, auf denen Streaming-Inhalt angeboten wird.

1.4 Was ist eine Internet-Videokonferenz? Beschreiben Sie einige existierende Produkte für Internet-Videokonferenzen. Finden Sie die Web-Sites einiger Firmen, die solche Produkte anbieten.

1.5 Surfen Sie im Web und suchen Sie eine Firma, die Internet-Zugang mittels HFC anbietet. Wie hoch ist die Übertragungsrate des Kabelmodems? Wird diese Rate immer für jeden Benutzer im Netzwerk zugesichert?

1.6 Angenommen, Sie entwickeln eine Anwendung für das Internet. Würden Sie Ihre Anwendung über TCP oder UDP ausführen? Begründen Sie Ihre Entscheidung. (Wir werden diese Frage ausführlich in den folgenden Kapiteln behandeln. Vorläufig beantworten Sie die Frage nach Ihren Vorstellungen.)

1.7 Was hat die derzeitige topologische Struktur des Internets (d. h. Backbone-ISPs, regionale ISPs und lokale ISPs) mit der topologischen Struktur der Telefonnetze in den USA gemeinsam? Unterscheiden sich die Gebühren bzw. Tarife des Internets und des Telefonsystems?

INTERVIEW
Leonard Kleinrock

Leonard Kleinrock ist Professor für Computerwissenschaft an der Universität von Kalifornien in Los Angeles (UCLA). 1969 wurde sein Computer an der UCLA der erste Knoten des Internets. Die von ihm entwickelten Paketvermittlungsprinzipien zur Technologie, die hinter dem Internet steht. Leonard ist auch Vorsitzender und Gründer von Nomadix Inc., einer Firma, deren Technologie den Verbrauchern besseren Zugang zu den Breitbanddiensten von Internet-Service-Providern bietet. Er erhielt sein Bachelor in Elektrotechnik vom City College of New York (CCNY) und seinen Masters und Ph.D. in Elektrotechnik am MIT.

- **Was hat Sie dazu bewegt, sich auf Vernetzungs- und Internet-Technologien zu spezialisieren?**

Als Student am MIT sah ich mich 1959 um und stellte fest, dass sich die meisten meiner Kommilitonen mit Forschung im Bereich der Informationstheorie und Kodiertheorie befassten. Am MIT gab es den großartigen Wissenschaftler Claude Shannon, der diese Gebiete ins Leben gerufen und den Großteil der wichtigsten Probleme bereits gelöst hatte. Die noch übrigen Forschungsprobleme waren schwierig und von geringerer Bedeutung. Daher entschloss ich mich für einen völlig neuen Bereich. Man darf nicht vergessen, dass ich am MIT von unzähligen Computern umgeben war. Mir war klar, dass diese Maschinen bald miteinander kommunizieren mussten. Zu der Zeit gab es keine effektive Möglichkeit dafür. Deshalb beschloss ich, die Technologie zu entwickeln, die den Aufbau effizienter Datennetzwerke ermöglichte.

- **Was war Ihre erste Stelle in der Computerindustrie und wie sah Ihr Aufgabenbereich aus?**

Ich studierte von 1951 bis 1957 in Abendkursen Elektrotechnik am CCNY. Tagsüber arbeitete ich zuerst als Techniker und dann als Ingenieur in einer kleinen Elektronikfirma namens Photobell. Dort führte ich die digitale Technologie in ihre Produktlinie ein. Im Wesentlichen benutzten wir fotoelektrische Geräte zur Erkennung des Vorhandenseins bestimmter Gegenstände (Schachteln, Menschen usw.) und Nutzung eines Schaltkreises, der damals als bistabiler Multivibrator bezeichnet wurde. Das war eine Technologie, die wir brauchten, um die digitale Verarbeitung in dieses Erkennungsgebiet einzubringen. Diese Schaltkreise bilden übrigens die Bausteine für Computer.

- **Wie sieht ein typischer Arbeitstag für Sie aus?**

Bei Nomadix arbeite ich an der Vision der Firma für die nächsten Jahre sowie an Geschäftsgelegenheiten und Interviews mit der Presse und den Medien. An der UCLA fahre ich mit der Betreuung von Studenten in der Forschung von Netzwerken fort. Am Abend setze ich meine Arbeit fort, schreibe endlos E-Mails, betreibe Sport (Karate, Jogging, Schwimmen) und lese.

- **Wie sieht Ihrer Meinung nach die Zukunft der Computernetzwerke aus?**

Der klarste Teil meiner Vision sind nomadisierende Computernutzung und smarte Räume. Die Verfügbarkeit von leichten, preisgünstigen, leistungsstarken portablen Computergeräten sowie die Allgegenwärtigkeit des Internets haben es uns ermöglicht, Nomaden zu werden. Mit nomadisierender Computernutzung meine ich die Technologie, die es reisenden Endbenutzern ermöglicht, transparent überall und jederzeit auf Internet-Dienste zuzugreifen. Das ist aber nur der erste Schritt. Der nächste Schritt wird es uns ermöglichen, uns aus der Unterwelt des Cyberspace hinaus in die physische Welt smarter Räume zu bewegen. Unsere Umgebungen (Schreibtische, Wände, Fahrzeuge, Uhren, Gürtel usw.) werden mit der Technologie – durch Schalter, Sensoren, Logik, Verarbeitung, Speicherung, Kameras, Mikrophone, Lautsprecher, Anzeigegeräte und Kommunikation – lebendig. Diese eingebettete Technologie wird es unserer Umgebung ermöglichen, die gewünschten IP-Dienste bereitzustellen. Wenn ich einen Raum betrete, wird der Raum wissen, dass ich ihn betreten habe. Ich werde mit meiner Umgebung ganz natürlich in normaler Sprache kommunizieren können. Meine Anfragen werden Antworten erzeugen, die mir Web-Seiten auf Wand-Displays, in der Brille, als Sprache, Hologramme usw. präsentieren. Das Internet wird im Wesentlichen ein durchdringendes, globales Nervensystem sein.

- **Durch welche Leute wurden Sie beruflich und fachlich inspiriert?**

Allen voran war das Claude Shannon vom MIT, ein brillanter Wissenschaftler mit der Fähigkeit, seine mathematischen Ideen auf höchst intuitive Weise mit der physischen

→ Welt in Zusammenhang zu setzen. Er war Mitglied in meinem Dissertationsausschuss.

- **Haben Sie einen Rat für Studenten, die in die Netzwerk/Internet-Branche einsteigen wollen?**

Das Internet und alles, das es ermöglicht, ist ein weites Gebiet voller erstaunlicher Herausforderungen. Da besteht Raum für großartige Innovationen. Lasst euch nicht durch die heutige Technologie einschränken. Sucht nach mehr, stellt euch vor, was es sein könnte, und setzt es dann in die Tat um.

- **Was ging Ihnen durch den Kopf, als Sie Ihre erste Host-zu-Host-Nachricht (von der UCLA an das Stanford-Forschungsinstitut) schickten?**

Die erste Host-zu-Host-Nachricht war eher eine Enttäuschung. Das eindrucksvollere entscheidende Ereignis fand am 2. September 1969 statt, als das erste Vernetzungsgerät (der IMP) an das erste betriebsfähige System mit der Außenwelt (meinem Hostcomputer an der UCLA) angeschlossen wurde. Das war die Geburt des Internets. Früher im gleichen Jahr wurde ich in einer UCLA-Pressemitteilung mit der Aussage zitiert, wenn das Netzwerk einmal in Betrieb sei und liefe, würde es möglich werden, Zugang zu Computerressourcen von zu Hause und von Büros aus so leicht zu erhalten, wie wir Zugang zu Elektrizitäts- und Telefonanschluss haben. Damals hätte ich mir aber nicht vorstellen können, dass meine 92 Jahre alte Mutter heute im Internet surft.

KAPITEL 2

Anwendungsschicht

2.1 Prinzipien der Protokolle auf der Anwendungsschicht

Netzwerkanwendungen sind die *Daseinsberechtigung* eines Computernetzwerks. Könnte man sich keine nützlichen Anwendungen ausdenken, bestünde keine Notwendigkeit für das Design von Netzwerkprotokollen, um sie zu unterstützen. Im Laufe der letzten 30 Jahre haben sich aber viele Leute zahlreiche geniale und wunderbare Netzwerkanwendungen ausgedacht. Diese Anwendungen umfassen die klassischen textbasierten Anwendungen, die in den achtziger Jahren beliebt wurden, darunter Remote-Login, E-Mail, Filetransfer, Newsgroups und Chat. Sie beinhalten aber auch modernere Multimedia-Anwendungen, z. B. das World Wide Web, Internet-Telefonie, Videokonferenzen sowie Audio- und Video-on-Demand.

Netzwerkanwendungen sind zwar vielseitig und haben viele interagierende Komponenten, in ihrem Kern findet sich jedoch fast immer Software. Wir wissen aus Abschnitt 1.2, dass die Software einer Netzwerkanwendung auf zwei oder mehr Endsysteme (d. h. Hostcomputer) verteilt wird. Beim Web gibt es beispielsweise zwei Softwareteile, die miteinander kommunizieren: die Browser-Software auf dem Host des Benutzers (PC, Mac oder Workstation) und die Web-Serversoftware auf dem Web-Server. Bei Telnet gibt es wiederum zwei Softwareteile in zwei Hosts: die Software im lokalen Host und die im entfernten Host. Bei Videokonferenzen zwischen mehreren Teilnehmern gibt es einen Softwareteil in jedem Host, der an der Konferenz teilnimmt.

Im Jargon der Betriebssysteme spricht man allerdings nicht von kommunizierenden Softwareteilen (d. h. Programmen), sondern von kommunizierenden **Prozessen**. Einen Prozess kann man sich als Programm vorstellen, das auf einem Endsystem *läuft*. Wenn kommunizierende Prozesse auf dem gleichen Endsystem laufen, kommunizieren sie miteinander mit Hilfe der prozessübergreifenden Kommunikation. Die Regeln für diese Interprozess-Kommunikation werden vom Betriebssystem des Endsystems aufgestellt. In diesem Buch sind wir aber nicht an der Kommunikation zwischen Prozessen auf dem gleichen Host interessiert, sondern vielmehr daran, wie Prozesse miteinander kommunizieren, die auf *unterschiedlichen* Endsystemen (mit potenziell verschiedenen Betriebssystemen) laufen. Prozesse auf zwei unterschiedlichen Endsystemen kommunizieren miteinander durch Austausch von **Nachrichten** über das Computernetzwerk. Ein sendender Prozess erzeugt und sendet Nachrichten im Netzwerk; ein empfangender Prozess empfängt diese Nachrichten und antwortet möglicherweise, indem er Nachrichten zurückschickt (siehe Abbildung 2.1). Netzwerkanwendungen haben Protokolle auf der Anwendungsschicht, die das Format und die Reihenfolge der zwischen den Prozessen ausgetauschten Nachrichten definieren. Außerdem definieren sie die aus der Übertragung oder dem Empfang einer Nachricht resultierenden Handlungen.

Abbildung 2.1 Kommunizierende Anwendungen

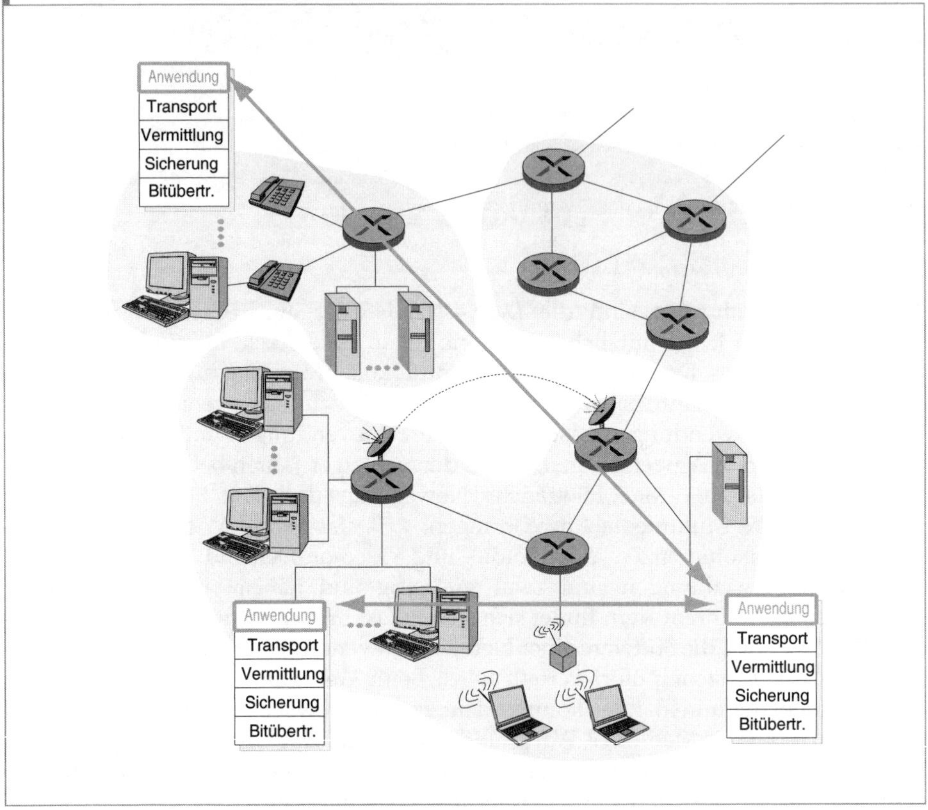

Die Anwendungsschicht ist ein besonders guter Ansatzpunkt, um mit der Untersuchung von Protokollen zu beginnen. Sie ist vertrautes Gebiet. Wir sind alle mit vielen Anwendungen vertraut, die die Protokolle benutzen, die wir im weiteren Verlauf untersuchen. Dies gibt uns ein gutes Gefühl dafür, was Protokolle eigentlich sind, und führt uns zu vielen Fragen, die immer wieder auftauchen, wenn wir uns später mit Protokollen der Transport-, Vermittlungs- und Sicherungsschicht befassen.

2.1.1 Protokolle auf der Anwendungsschicht

Wichtig ist, zwischen **Netzwerkanwendungen** und **Protokollen auf der Anwendungsschicht** zu unterscheiden. Ein Protokoll der Anwendungsschicht ist nur ein (allerdings großer) Teil einer Netzwerkanwendung. Wir wollen ein paar Beispiele betrachten. Das Web ist eine Netzwerkanwendung, die es Benutzern erlaubt, »Dokumente« auf Anfrage von Web-Servern zu holen. Die Web-Anwendung besteht aus vielen Komponenten, darunter ein Standard für Dokumentformate (d. h. HTML), Web-Browser (z. B. Netscape Navigator und Microsoft Internet Explorer), Web-Server (z. B. Apache-, Microsoft- und Netscape-Server) und ein Protokoll der Anwendungsschicht. Das Web-Protokoll der Anwendungsschicht (HTTP, HyperText Transfer Protocol [RFC 2616]), definiert die Art der Weiterleitung von Nachrichten zwischen Browser und Web-Server. Folglich ist HTTP nur ein Teil der Web-Anwendung. Als weiteres Beispiel betrachten wir die E-Mail-Anwendung des Internet. Internet-E-Mail besteht ebenfalls aus vielen Komponenten, darunter Mail-Server, auf denen sich die Mailboxen von Benutzern befinden, Mail-Reader, mit denen Benutzer Nachrichten lesen und erstellen können, ein Standard für die Definition der Struktur einer E-Mail-Nachricht und Protokolle auf der Anwendungsschicht, die die Weiterleitung von Nachrichten zwischen Servern sowie zwischen Servern und Mail-Readern und die Interpretation des Inhalts bestimmter Teile der Mail (z. B. Nachrichten-Header) definieren. Das vorherrschende Protokoll auf der Anwendungsschicht für E-Mail ist SMTP (Simple Mail Transfer Protocol [RFC 821]). Folglich ist SMTP nur ein (allerdings großer) Teil der E-Mail-Anwendung.

Wie oben erwähnt, definiert ein Protokoll der Anwendungsschicht, wie die auf verschiedenen Endsystemen laufenden Prozesse einer Anwendung einander Nachrichten zuspielen. Insbesondere definiert ein Protokoll auf der Anwendungsschicht Folgendes:

- Die ausgetauschten Nachrichtentypen, z. B. Anfrage- und Antwortnachrichten.
- Die Syntax der verschiedenen Nachrichtentypen, z. B. die Felder in der Nachricht und die Abgrenzung der Felder.
- Die Semantik der Felder, d. h. die Bedeutung der in den Feldern enthaltenen Informationen.
- Regeln für die Bestimmung, wann und wie ein Prozess Nachrichten sendet und auf Nachrichten antwortet.

Einige Protokolle der Anwendungsschicht sind in RFCs spezifiziert und sind daher öffentlich bekannt. HTTP ist beispielsweise als RFC verfügbar. Wenn ein Browser-Entwickler den Regeln des HTTP-RFC folgt, kann der Browser Web-Seiten von jedem beliebigen Web-Server abrufen, der ebenfalls den Regeln des HTTP-RFC folgt. Viele andere Protokolle der Anwendungsschicht sind proprietär oder absichtlich nicht öffentlich verfügbar. Viele der existierenden Produkte für Internet-Telefonie verwenden z. B. proprietäre Protokolle auf der Anwendungsschicht.

Clients und Server

Ein Netzwerkanwendungsprotokoll hat normalerweise zwei Teile bzw. »Seiten«: eine **Client-** und eine **Server-Seite** (siehe Abbildung 2.2). Die Client-Seite auf einem Endsystem kommuniziert mit der Server-Seite auf einem anderen Endsystem. Ein Web-Browser implementiert beispielsweise die Client-Seite von HTTP, während ein Web-Server die Server-Seite von HTTP implementiert. Bei E-Mail implementiert der sendende Mail-Server die Client-Seite und der empfangende Mail-Server die Server-Seite von SMTP.

Für viele Anwendungen implementiert ein Host sowohl die Client- als auch die Server-Seite einer Anwendung. Man betrachte beispielsweise eine Telnet-Sitzung zwischen Host A und B. (Sie erinnern sich, dass Telnet eine beliebte Anwendung für Remote-Login ist.) Wenn Host A die Telnet-Sitzung einleitet (so dass ein Benutzer an Host A sich bei Host B anmeldet), führt Host A die Client-Seite und Host B die Server-Seite der Anwendung aus. Wenn Host B andererseits die Telnet-Sitzung einleitet, führt Host B die Client-Seite der Anwendung aus. Das für die Übertragung von

Abbildung 2.2 Client/Server-Interaktion

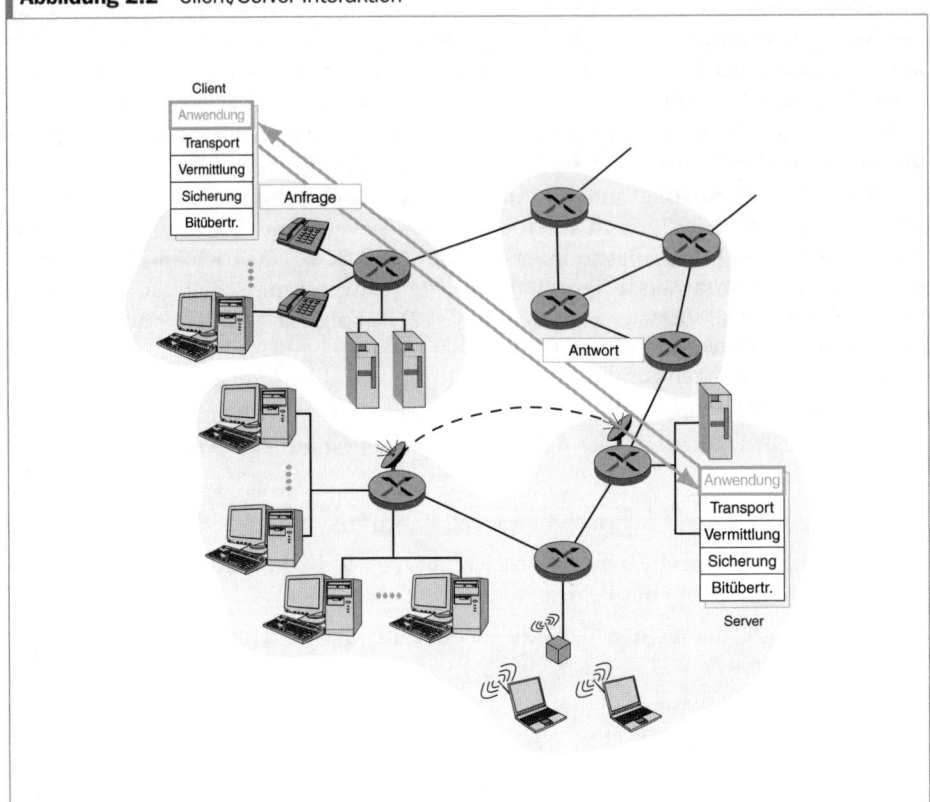

Dateien zwischen zwei Hosts benutzte FTP ist ein weiteres Beispiel. Wenn eine FTP-Sitzung zwischen zwei Hosts läuft, können beide Hosts Dateien an den jeweils anderen Host während der Sitzung übertragen. *Bei fast allen Netzwerkanwendungen gilt aber der Host, der die Sitzung einleitet, als Client.* Außerdem kann ein Host tatsächlich für eine bestimmte Anwendung gleichzeitig als Client und Server fungieren. Ein Mail-Server-Host kann z. B. die Client-Seite von SMTP (zum Senden von Mail) und die Server-Seite von SMTP (zum Empfangen von Mail) ausführen.

Kommunikation zwischen Prozessen in einem Netzwerk

Wie oben erwähnt, involviert eine Anwendung zwei Prozesse auf zwei unterschiedlichen Hosts, die miteinander in einem Netzwerk kommunizieren. (Eigentlich kann eine Multicast-Anwendung die Kommunikation zwischen mehr als zwei Hosts ablaufen. Wir greifen dieses Thema in Kapitel 4 wieder auf.) Die beiden Prozesse kommunizieren miteinander, indem sie Nachrichten durch ihre *Sockets* senden und empfangen. Man kann sich das Socket eines Prozesses als Tür desselben vorstellen: Ein Prozess sendet Nachrichten durch sein Socket in das Netzwerk und empfängt ebensolche vom Netzwerk. Möchte ein Prozess eine Nachricht an einen anderen Prozess auf einem anderen Host senden, schiebt er die Nachricht durch seine Tür. Der Prozess geht davon aus, dass auf der anderen Seite der Tür eine Übertragungsinfrastruktur vorhanden ist, durch die seine Nachricht von der Tür zum Zielprozess befördert wird.

Abbildung 2.3 zeigt eine Socket-Kommunikation zwischen zwei Prozessen, die im Internet kommunizieren. (In Abbildung 2.3 wird von TCP als dem zugrunde liegenden Transportprotokoll ausgegangen; im Internet könnte aber auch das UDP-Protokoll verwendet werden.) Wir sehen in dieser Abbildung, dass ein Socket die Schnittstelle zwischen der Anwendungs- und der Transportschicht in einem Host bildet. Sie wird auch als **API (Application Programming Interface)** zwischen der Anwendung und dem Netzwerk bezeichnet, weil das Socket die Programmierschnittstelle bildet, mit der vernetzte Anwendungen im Internet aufgebaut werden. Der Anwendungsentwickler hat die Kontrolle über alles auf der Anwendungsschichtseite des Sockets, hat aber kaum Kontrolle über die Transportschichtseite des Sockets. Die einzige Kontrolle, die der Anwendungsentwickler auf der Transportschichtseite hat, ist erstens die Wahl des Transportprotokolls und zweitens vielleicht die Möglichkeit, ein paar Parameter der Transportschicht zu setzen, z. B. die maximale Puffer- und Segmentgröße. Hat der Anwendungsentwickler ein Transportprotokoll gewählt (falls eine Wahl möglich ist), wird die Anwendung mit Hilfe der von diesem Protokoll angebotenen Dienste aufgebaut. Sokkets werden ausführlicher in den Abschnitten 2.6 und 2.7 behandelt.

Abbildung 2.3 Anwendungsprozesse, Sockets und das zugrunde liegende Transportprotokoll

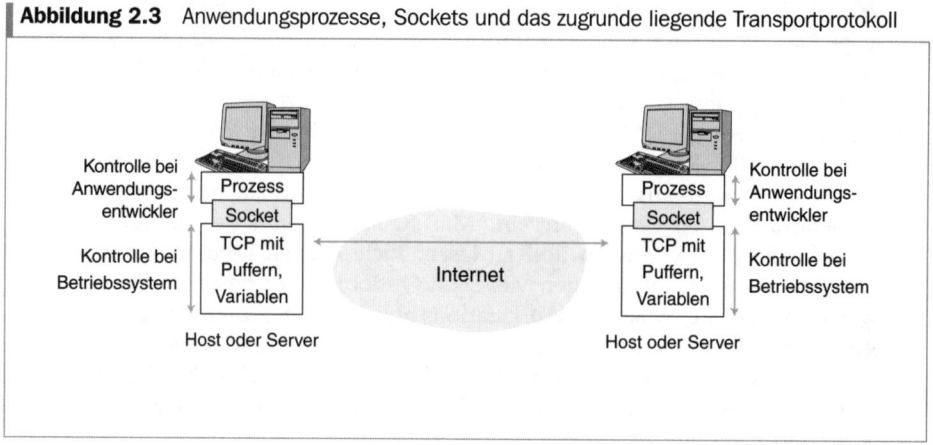

Adressierung von Prozessen

Damit ein Prozess auf einem Host eine Nachricht an einen Prozess auf einem anderen senden kann, muss der sendende den empfangenden Prozess identifizieren. Hierfür muss man normalerweise zwei Informationsteile angeben: (1) den Namen oder die Adresse des Hostrechners und (2) einen Identifizierer, der die Identität des empfangenden Prozesses auf dem Zielhost bezeichnet.

Wir betrachten zuerst Hostadressen. In Internet-Anwendungen wird der Zielhost durch seine **IP-Adresse** bezeichnet. IP-Adressen werden ausführlich in Kapitel 4 behandelt. Vorläufig genügt es zu wissen, dass die IP-Adresse eine 32-Bit-Menge ist, die das Endsystem *eindeutig* identifiziert (genauer gesagt, bewirkt sie eine eindeutige Identifizierung der Schnittstelle, die den betreffenden Host mit dem Internet verbindet). Da die IP-Adresse eines an das öffentliche Internet angeschlossenen Endsystems *global* eindeutig sein muss, setzt die Zuweisung von IP-Adressen eine sorgfältige Verwaltung voraus (siehe Abschnitt 4.4). ATM-Netzwerke haben einen anderen Adressierstandard. Die ITU-T hat mit Telefonnummern vergleichbare Adressen für die Verwendung in öffentlichen ATM-Netzwerken spezifiziert, die man »E.164-Adressen« nennt (ITU 1997].

Abgesehen von der Adresse des Endsystems, an das eine Nachricht gerichtet ist, muss die sendende Anwendung auch Informationen angeben, mit deren Hilfe das empfangende Endsystem die Nachricht an den entsprechenden Prozess in diesem System weiterleiten kann. Eine **Portnummer** auf der Empfängerseite dient im Internet diesem Zweck. Beliebten Protokollen auf der Anwendungsschicht wurden spezifische Portnummern zugewiesen. Ein Web-Server-Prozess (der das HTTP-Protokoll benutzt) wird beispielsweise durch Portnummer 80 identifiziert. Ein Mail-Server (der das SMTP-Protokoll benutzt) wird durch Portnummer 25 identifiziert. RFC 1700 enthält eine Liste der wohl bekannten Portnummern aller Internet-Standardprotokolle. Wenn ein Entwickler eine neue Netzwerkanwendung erzeugt, muss der Anwendung eine neue Portnummer zugewiesen werden.

User-Agents

Bevor wir die Protokolle auf der Anwendungsschicht ausführlicher untersuchen, ist eine Beschreibung des Konzepts eines **User-Agent** hilfreich. Ein User-Agent ist eine Schnittstelle zwischen dem Benutzer und der Netzwerkanwendung. Man betrachte das Web als Beispiel. Bei dieser Anwendung ist der User-Agent ein Browser, wie z. B. Netscape Navigator oder Microsoft Internet Explorer. Der Browser erlaubt es einem Benutzer, Web-Seiten anzusehen, im Web zu navigieren, Daten in Formulare einzugeben, mit Java-Applets zu interagieren und so weiter. Der Browser implementiert auch die Client-Seite des HTTP-Protokolls. Bei Aktivierung ist der Browser also ein Prozess, der außer der Bereitstellung einer Benutzeroberfläche auch Nachrichten über ein Socket sendet und empfängt. Als weiteres Beispiel betrachte man E-Mail. Bei dieser Anwendung ist der User-Agent ein »Mail-Reader«, der es dem Benutzer ermöglicht, Nachrichten zu verfassen und zu lesen. Viele Firmen vertreiben Mail-Reader (z. B. Eudora, Netscape Messenger, Microsoft Outlook) mit grafischen Benutzungsoberflächen, die auf PC, Mac und Workstations ausgeführt werden können. Mail-Reader für PC implementieren auch die Client-Seite von Protokollen der Anwendungsschicht. Normalerweise implementieren sie die Client-Seite von SMTP zum Senden und die Client-Seite eines Mail-Retrieval-Protokolls wie POP3 oder IMAP (siehe Abschnitt 2.4) zum Empfangen von Mail.

2.1.2 Welche Dienste benötigt eine Anwendung?

Wie weiter oben beschrieben, ist ein Socket die Schnittstelle zwischen dem Anwendungsprozess und dem Transportprotokoll. Die Anwendung auf der Senderseite sendet Nachrichten durch die Tür. Auf der anderen Seite der Tür ist das Transportprotokoll dafür verantwortlich, die Nachrichten über das Netzwerk bis zur Tür des empfangenden Prozesses zu befördern. Viele Netzwerke, darunter auch das Internet, bieten mehr als ein Transportprotokoll. Wenn Sie eine Anwendung entwickeln, müssen Sie eines der verfügbaren Transportprotokolle wählen. Wie treffen Sie diese Wahl? Höchstwahrscheinlich werden Sie die Dienste untersuchen, die von dem jeweiligen Protokoll bereitgestellt werden; dann werden Sie das Protokoll wählen, dessen Dienste die Anforderungen Ihrer Anwendung am besten erfüllen. Die Situation ist vergleichbar mit der Entscheidung zwischen einer Zug- und einer Flugreise zwischen zwei Städten (z. B. New York und Boston). Sie müssen eine Transportmöglichkeit wählen und die verfügbaren Möglichkeiten bieten unterschiedliche Dienste. (Beispielsweise bietet die Bahn Zentrumsnähe, während das Flugzeug den Vorteil einer kürzeren Reisezeit hat.)

Welche Dienste benötigt eine Netzwerkanwendung von einem Transportprotokoll? Wir können die Dienstanforderungen einer Anwendung allgemein nach drei Dimensionen klassifizieren: Datenverlust, Bandbreite und Zeit.

Datenverlust

Einige Anwendungen, wie z. B. E-Mail, Filetransfer, Remote-Login, Web-Dokumenttransfer und Finanzanwendungen, erfordern einen absolut zuverlässigen Datentransfer, d. h., sie tolerieren keinen Datenverlust. Ein Verlust von Dateidaten oder Daten einer Finanzanwendung kann verheerende Konsequenzen haben (im letzteren Fall für die Bank oder den Kunden!). Demgegenüber können **verlusttolerante Anwendungen**, insbesondere Multimedia-Anwendungen wie Echtzeitaudio und -video oder gespeichertes Audio/Video, Datenverlust in gewissem Umfang tolerieren. Bei diesen Anwendungen kann ein Datenverlust zu einem kleinen Ruckeleffekt bei der audiovisuellen Wiedergabe führen, also keine kritische Beeinträchtigung. Die Auswirkungen eines solchen Verlustes auf die Anwendungsqualität und der tatsächliche Umfang an tolerierbarem Paketverlust hängen sehr stark von der Anwendung und dem angewandten Kodierschema ab.

Bandbreite

Einige Anwendungen müssen in der Lage sein, Daten in einer bestimmten Rate zu übertragen, um effektiv arbeiten zu können. Wenn eine Anwendung für Internet-Telefonie z. B. Sprache in 32 Kbps kodiert, muss sie Daten in dieser Rate über das Netzwerk an die empfangende Anwendung senden können. Ist diese Bandbreite nicht verfügbar, muss die Anwendung in einer anderen Rate kodieren (und ausreichend Bandbreite erhalten, um diese unterschiedliche Kodierrate beibehalten zu können) oder aufgeben, weil der Erhalt der Hälfte der benötigten Bandbreite für eine solche **bandbreitensensitive Anwendung** nichts nutzt. Viele moderne Multimedia-Anwendungen sind bandbreitensensitiv, künftige Multimedia-Anwendungen können erwartungsgemäß aber adaptive Kodiertechniken nutzen, um in einer Rate zu kodieren, die der momentan verfügbaren Bandbreite entspricht. Während bandbreitensensitive Anwendungen eine bestimmte Bandbreite voraussetzen, können **elastische Anwendungen** so viel oder so wenig Bandbreite nutzen wie momentan eben zur Verfügung steht. E-Mail, Filetransfer, Remote-Login und Web-Transfer sind elastische Anwendungen. Natürlich gilt der Grundsatz: je mehr Bandbreite, umso besser; oder anders ausgedrückt: Man kann nie reich genug, schlank genug und bandbreitengefräßig genug sein.

Zeit

Die letzte Dienstanforderung betrifft die Zeit. Interaktive Echtzeitanwendungen, wie beispielsweise Internet-Telefonie, virtuelle Umgebungen, Telekonferenzen und Multiplayer-Games (Online-Spiele mit mehreren Spielern) setzen strenge Zeitbeschränkungen voraus, damit Daten effektiv übertragen werden können. Viele dieser Anwendungen erfordern z. B. Ende-zu-Ende-Verzögerungen in einer Größenordnung von ein paar hundert Millisekunden oder weniger (siehe Kapitel 6, [Gauthier 1999; Ramjee 1994]). Lange Verzögerungen führen z. B. bei Internet-Telefonie zu unnatürlichen Pausen im Gesprächsverlauf. In einem Multiplayer-Game oder einer virtuellen interaktiven Umgebung kann eine lange Verzögerung zwischen einer Handlung und der

Anzeige einer Reaktion von der Umgebung (z. B. von einem anderen Spieler am Ende einer Ende-zu-Ende-Verbindung) dazu führen, dass die Anwendung einen weniger realistischen Eindruck erweckt. Für andere als Echtzeitanwendungen ist einer geringeren Verzögerung gegenüber einer höheren immer der Vorzug zu geben, den Ende-zu-Ende-Verzögerungen werden aber strengen straffen Einschränkungen auferlegt.

Abbildung 2.4 Anforderungen ausgewählter Netzwerkanwendungen

Anwendung	Datenverlust	Bandbreite	zeitsensitiv
Filetransfer	Kein Verlust	Elastisch	Nein
E-Mail	Kein Verlust	Elastisch	Nein
Web-Dokumente	Kein Verlust	Elastisch (wenige Kbps)	Nein
Echtzeitaudio/-video	Verlusttolerant	Audio: wenige Kbps bis 1 MB Video: 10 KB bis 5 MB	Ja, einige hundert Millisekunden
Gespeichertes Audio/Video	Verlusttolerant	wie oben	Ja: wenige Sekunden
Interaktive Spiele	Verlusttolerant	Wenige Kbps bis 10 KB	Ja: einige hundert Millisekunden
Finanzanwendungen	Kein Verlust	Elastisch	Ja und nein

Abbildung 2.4 zeigt eine Zusammenfassung der Anforderungen einiger beliebter Internet-Anwendungen hinsichtlich Zuverlässigkeit, Bandbreite und Zeit. Die Aufstellung enthält nur einige der wichtigsten Anforderungen von ausgewählten, besonders beliebten Internet-Anwendungen. Das Ziel ist dabei nicht eine Bereitstellung einer vollständigen Klassifizierung, sondern lediglich die Identifizierung einiger sehr wichtiger Größen, anhand derer die Anforderungen von Netzwerkanwendungen klassifiziert werden können.

2.1.3 Die Internet-Transportprotokolle und ihre Dienste

Das Internet (und im Allgemeinen alle TCP/IP-Netzwerke) stellt Anwendungen zwei Transportprotokolle zur Verfügung: **UDP** (User Datagram Protocol) und **TCP** (Transmission Control Protocol). Wenn ein Entwickler eine neue Anwendung für das Internet schreibt, muss er in einer der ersten Entscheidungen UDP oder TCP wählen. Die beiden Protokolle bieten den nutzenden Anwendungen ein unterschiedliches Dienstmodell.

TCP-Dienste

Das TCP-Dienstmodell beinhaltet einen verbindungsorientierten Dienst und einen zuverlässigen Datentransferdienst. Wenn eine Anwendung TCP als Transportprotokoll nutzt, erhält sie diese beiden Dienste von TCP.

Verbindungsorientierter Dienst: TCP lässt den Client und Server Steuerinformationen auf der Transportschicht austauschen, *bevor* Nachrichten auf der Anwendungsschicht zu fließen beginnen. Diese so genannte Handshake-Prozedur macht den Client und Server auf eine bevorstehende Datenübertragung aufmerksam, so dass sie sich auf eine Flut von Paketen vorbereiten können. Nach der Handshake-Phase besteht eine **TCP-Verbindung** zwischen den Sockets der beiden Prozesse. Dies ist eine Duplexverbindung in dem Sinne, als beide Prozesse einander gleichzeitig Nachrichten über die Verbindung senden können. Wenn die Anwendung mit der Übertragung von Nachrichten fertig ist, muss sie die Verbindung abbauen. Der Dienst gilt als »verbindungsorientiert« und nicht als »Verbindungsdienst« (oder »virtueller Kanal«), weil die beiden Prozesse sehr locker miteinander verbunden sind. In Kapitel 3 werden verbindungsorientierte Dienste und ihre Implementierungen ausführlich beschrieben.

Zuverlässiger Transportdienst: Die kommunizierenden Prozesse können sich hinsichtlich der Auslieferung aller gesendeten Daten ohne Fehler und in der richtigen Reihenfolge auf TCP verlassen. Wenn eine Seite der Anwendung einen Bytestrom in ein Socket einspeist, kann sie darauf zählen, dass TCP den gleichen Datenstrom an das empfangende Socket sendet, ohne dass Bytes fehlen oder dupliziert werden.

TCP beinhaltet auch einen Überlastkontrollmechanismus, d. h. einen Dienst für das allgemeine Wohlbefinden des Internets und nicht zum unmittelbaren Nutzen der kommunizierenden Prozesse. Der Überlastkontrollmechanismus von TCP drosselt einen Prozess (Client oder Server), wenn das Netzwerk überlastet ist. Wie wir in Kapitel 3 sehen werden, versucht die TCP-Überlastkontrolle insbesondere, jede TCP-Verbindung auf ihren fairen Anteil an der Netzwerkbandbreite zu beschränken.

Das Drosseln der Übertragungsrate kann Echtzeitanwendungen (Audio und Video) deutlich beeinträchtigen, weil sie auf eine minimale Bandbreite beschränkt sind. Außerdem sind Echtzeitanwendungen verlusttolerant und benötigen keinen absolut zuverlässigen Transportdienst. Aus diesen Gründen führen Entwickler von Echtzeitanwendungen ihre Anwendungen normalerweise über UDP und nicht über TCP aus.

Nachdem wir die von TCP bereitgestellten Dienste betrachtet haben, halten wir es für sinnvoll, kurz zu erwähnen, welche Dienste von TCP *nicht* bereitgestellt werden. Erstens sichert TCP keine minimale Übertragungsrate zu. Das heißt, einem sendenden Prozess ist es nicht gestattet, in einer beliebigen Rate zu übertragen. Vielmehr ist die Senderate von der TCP-Überlastkontrolle reguliert, die den Sender zwingen kann, in einer niedrigeren Durchschnittsrate zu senden. Zweitens bietet TCP keinerlei Verzögerungszusicherungen. Das heißt, wenn ein sendender Prozess Daten zum TCP-Socket weiterleitet, kommen die Daten letztendlich beim empfangenden Socket an, TCP macht aber absolut keine Zusicherungen dahingehend, wie lange es dauert, bis die Daten dort ankommen. Viele von uns mussten mit dem »World Wide Wait« schon die Erfahrung machen, dass es manchmal sogar Minuten dauern kann, bis TCP eine Nachricht (die z. B. eine HTML-Datei enthält) vom Web-Server zum Web-Client überträgt. Zusammenfassend kann man sagen, dass TCP die Übertragung aller Daten zusichert, über die Übertragungsrate oder die möglicherweise entstehenden Verzögerungen aber keinerlei Zusicherungen macht.

UDP-Dienste

UDP ist ein einfaches kompaktes Transportprotokoll mit einem minimalistischen Dienstmodell. Es ist verbindungslos, so dass es kein Handshake gibt, bevor die beiden Prozesse mit der Kommunikation beginnen. UDP bietet einen unzuverlässigen Datentransferdienst. Das heißt, wenn ein Prozess eine Nachricht an ein UDP-Socket sendet, macht UDP *keine* Zusicherung, dass die Nachricht jemals das empfangende Socket erreicht. Ferner können Nachrichten beim empfangenden Socket außer der Reihe ankommen.

Andererseits beinhaltet UDP keinen Überlastkontrollmechanismus, so dass ein sendender Prozess in jeder beliebigen Rate Daten auf ein UDP-Socket speisen kann. Möglicherweise schaffen es nicht alle Daten bis zum empfangenden Socket, ein großer Teil kommt aber meist an. Die Entwickler von Echtzeitanwendungen wählen oft UDP für ihre Anwendungen. Wie TCP macht auch UDP keine Zusicherungen bezüglich Verzögerungen.

Abbildung 2.5 enthält eine Aufstellung der von einigen beliebten Internet-Anwendungen benutzten Transportprotokolle. Wir sehen, dass E-Mail, Remote-Login, das Web und Filetransfer TCP verwenden. Für diese Anwendungen wurde TCP hauptsächlich aus dem Grund gewählt, weil TCP einen zuverlässigen Datentransferdienst bereitstellt, d. h. zusichert, dass letztendlich alle Daten am Ziel ankommen. Wir sehen auch, dass Internet-Telefonie meist über UDP betrieben wird. Beide Seiten einer Internet-Phone-Anwendung müssen Daten in einer minimalen Rate (siehe Abbildung 2.4) über das Netzwerk senden. Dies ist mit UDP eher möglich als mit TCP. Außerdem sind Internet-Phone-Anwendungen verlusttolerant, so dass sie den von TCP gebotenen zuverlässigen Datentransferdienst nicht brauchen.

Abbildung 2.5 Beliebte Internet-Anwendungen mit dem jeweiligen Protokoll der Anwendungsschicht und dem zugrunde liegenden Transportprotokoll

Anwendung	Protokoll der Anwendungsschicht	Zugrunde liegendes Transportprotokoll
E-Mail	SMTP (RFC 821)	TCP
Remote-Login	Telnet (RFC 854)	TCP
Web	HTTP (RFC 2616)	TCP
Filetransfer	FTP (RFC 959)	TCP
Remote File-Server	NFS [McKusik 1996]	UDP oder TCP
Streaming Multimedia	Proprietär (z. B. Real Networks)	UDP oder TCP
Internet-Telefonie	Proprietär (z. B. Vocaltec)	Normalerweise UDP

Wie an früherer Stelle bereits erwähnt, bietet weder TCP noch UDP Zeitzusicherungen. Heißt das, dass man im heutigen Internet keine zeitsensitiven Anwendungen ausführen kann? Selbstverständlich nicht; das Internet unterstützt seit vielen Jahren zeitsensitive Anwendungen. Diese Anwendungen funktionieren oft ziemlich gut, weil sie dafür ausgelegt wurden, im größtmöglichen Umfang ohne diese Zusicherungen zurechtzukommen. Wir werden in Kapitel 6 mehrere Designtipps in diesem Zusammenhang geben. Dennoch hat auch ein cleveres Design seine Grenzen, wenn die Verzögerung sehr groß ist, was im öffentlichen Internet oft vorkommt. Insgesamt kann man sagen, dass das heutige Internet zeitsensitiven Anwendungen oft einen zufriedenstellenden Dienst bietet, allerdings ohne Zusicherungen hinsichtlich Zeit oder Bandbreite. In Kapitel 6 werden auch moderne Internet-Dienstmodelle untersucht, die neue Dienste bereitstellen, darunter zugesicherte Verzögerungen für zeitsensitive Anwendungen.

2.1.4 In diesem Buch behandelte Netzwerkanwendungen

Neue Public-Domain- und proprietäre Internet-Anwendungen werden jeden Tag entwickelt. Statt eine große Zahl von Internet-Anwendungen in der Art einer Enzyklopädie zu behandeln, haben wir uns entschlossen, uns auf eine kleine Zahl wichtiger und beliebter Anwendungen zu konzentrieren. In diesem Kapitel beschreiben wir vier beliebte Anwendungen: das Web, Filetransfer, E-Mail und Verzeichnisdienst (Directory Service). Wir beginnen mit dem Web, aber nicht, weil das Web eine unglaublich beliebte Anwendung ist, sondern weil HTTP, das dem Web zugrunde liegende Protokoll auf der Anwendungsschicht, relativ einfach ist und viele wichtige Prinzipien von Netzwerkprotokollen veranschaulicht. Anschließend beschreiben wir Filetransfer, weil diese Anwendungsart einen interessanten Kontrast zu HTTP darstellt und sich gut für die Hervorhebung einiger zusätzlicher Prinzipien eignet. Schließlich behandeln wir E-Mail, die wohl populärste Internet-Anwendung. Wir werden sehen, dass moderne E-Mail nicht nur eines, sondern mehrere Protokolle auf der Anwendungsschicht nutzt. Das Web, Filetransfer und E-Mail weisen die gleichen Dienstanforderungen auf: Sie alle erfordern einen zuverlässigen Transferdienst, jedoch keine speziellen Zeitzusicherungen, und sie begrüßen ein elastisches Bandbreitenangebot. Die von TCP angebotenen Dienste reichen größtenteils für diese drei Anwendungen aus. Die vierte Anwendung – das Domain Name System (DNS) – bietet einen Verzeichnisdienst für das Internet. Die meisten Benutzer interagieren mit dem DNS nicht direkt, sondern rufen DNS indirekt durch andere Anwendungen (z. B. das Web, Filetransfer und E-Mail) auf. DNS ist ein interessantes Beispiel dafür, wie eine verteilte Datenbank im Internet implementiert werden kann. Keine der vier in diesem Kapitel behandelten Anwendungen ist besonders zeitsensitiv; wir werden die Beschreibung zeitsensitiver Anwendungen bis Kapitel 6 zurückstellen.

2.2 Das World Wide Web: HTTP

Bis in die neunziger Jahre hinein wurde das Internet vorwiegend von Wissenschaftlern, Akademikern und Studenten benutzt, um sich an entfernten Hosts anzumelden, Dateien von lokalen auf entfernte Hosts – und umgekehrt – zu übertragen, News auszutauschen und E-Mail zu senden und zu empfangen. Diese Anwendungen waren sehr nützlich (und sind es immer noch), jedoch war das Internet über die akademischen und wissenschaftlichen Kreise hinaus weitgehend unbekannt. Anfang der neunziger Jahre betrat dann die Killer-Anwendung des Internets die Bühne: das World Wide Web [Berners-Lee 1994]. Das Web ist die Anwendung, die die Aufmerksamkeit der allgemeinen Öffentlichkeit für das Internet weckte. Es hat die Art, wie Menschen innerhalb und außerhalb ihrer Arbeitsumgebungen interagieren, radikal verändert. In seinem Schatten sind Tausende von Neugründungen wie Pilze aus dem

Boden geschossen. Es hat das Internet von nur einem Datennetzwerk unter vielen (darunter Online-Netzwerke wie Prodigy, America OnLine und CompuServe, nationale Datennetzwerke wie Minitel/Transpac in Frankreich, private X.25- und Frame-Relay-Netzwerke) zu *dem* Datennetzwerk schlechthin gemacht.

Die Geschichte ist gekennzeichnet durch die Einführung elektronischer Kommunikationstechnologien, die große gesellschaftliche Auswirkungen hatten. Die erste Technologie dieser Art war das Telefon, das um etwa 1870 erfunden wurde. Das Telefon erlaubte es zwei Personen, mündlich in Echtzeit zu kommunizieren, ohne dass sie sich physisch am gleichen Standort befinden mussten. Es hatte weitreichende – gute und schlechte – Auswirkungen auf die Gesellschaft. Die nächste elektronische Kommunikationstechnologie war das Breitbandradio/-fernsehen, das in den zwanziger bzw. dreißiger Jahren des 20. Jahrhunderts auftauchte. Breitbandradio/-fernsehen ermöglichte es den Menschen, Ton- und Bildinformationen in großen Mengen zu empfangen. Es hatte ebenfalls große – gute und schlechte – Auswirkungen auf die Gesellschaft. Die dritte wichtige Kommunikationstechnologie, die das Leben und die Arbeit der Menschen entscheidend veränderte, ist das Web. Was die meisten Benutzer am Web so attraktiv finden, ist wahrscheinlich, dass es *auf Anfrage* (on Demand) funktioniert. Der Benutzer kann selbst bestimmen, was er wann empfängt. Dies steht im Gegensatz zum Breitbandradio und -fernsehen, bei dem der Benutzer sich »einschalten« muss, wenn der Content-Provider etwas zur Verfügung stellt. Darüber hinaus weist das Web viele weitere wunderbare Merkmale auf, die die Leute begeistern. Für jeden ist es enorm einfach, irgendwelche Informationen im Web zur Verfügung zu stellen. Jeder kann selbst zu extrem geringen Kosten ein Anbieter werden. Hyperlinks und Suchmaschinen helfen uns bei der Navigation durch eine Flut von Web-Sites. Grafiken und Animationen regen unsere Sinne an. Formulare, Java-Applets, ActiveX-Komponenten und viele andere Techniken ermöglichen es uns, mit Seiten und Sites zu interagieren. Und in wachsendem Maße bietet das Web eine Menüoberfläche zu einer Fülle von Audio- und Videomaterial, das im Internet gespeichert ist, also auch Audio und Video, das auf Anfrage zugänglich ist.

FALLBEISPIEL

Der Browser-Krieg

Im April 1994 gründeten Marc Andreesen, ein Computerwissenschaftler, der davor die Entwicklung des Mosaic-Browsers an der University of Illinois leitete, und Jim Clark, Gründer von Silicon Graphics und vormaliger Stanford-Professor, die Netscape Communication Corporation. Netscape stellte einen Großteil der ursprünglichen Mosaic-Teams von Illinois ein und führte seine Beta-Version von Navigator 1.0 im Oktober 1994 ein. In den Folgejahren brachte Netscape beträchtliche Erweiterungen in seine Browser ein, entwickelte Web-Server, Commerce-Server, Mail-Server, News-Server, Proxy-Server, Mail-Reader und viele andere Softwareprodukte der Anwendungsschicht. Mitte der neunziger Jahre war Netscape sicherlich eine der innovativsten und erfolgreichsten Internet-Firmen. Im Januar 1995 wurde Jim Barksdale CEO von Netscape und im August 1995 ging Netscape mit viel Applaus an die Börse.

Microsoft ging den Übergang in das Internet-Geschäft zunächst gemächlich an, führte dann im August 1995 aber mit Internet Explorer 1.0 seinen eigenen Browser ein. Internet Explorer 1.0 war schwerfällig und langsam; Microsoft investierte aber umfangreich in seine Weiterentwicklung und bis Ende 1997 trugen Microsoft und Netscape ein Kopf-an-

→ Kopf-Rennen im Browser-Krieg aus. Am 11. Juni 1997 führt Netscape die Version 4.0 seines Browsers ein, am 30. September zog Microsoft mit seiner Version 4.0 nach. Damals gab es keinen Konsens, welcher der beiden Browser besser war, aber Microsoft gewann laufend Marktanteile durch sein Monopol mit dem Windows-Betriebssystem. 1997 unterliefen Netscape mehrere große Fehler, wie beispielsweise die Bedeutung seiner Web-Site als potenzielle Portal-Site zu verkennen und der Start umfangreicher Entwicklungsbemühungen für einen Nur-Java-Browser (als Java noch nicht ganz reif war) [Cusumano 1998]. Das gesamte Jahr 1998 über musste Netscape Marktanteile mit seinem Browser und anderen Produkten abgeben. Ende 1998 wurde Netscape schließlich von America Online übernommen. Marc Andreesen und die meisten des ursprünglichen Netscape-Teams haben die Firma verlassen.

2.2.1 Übersicht über HTTP

HTTP (HyperText Transfer Protocol) ist das Protokoll des Web für die Anwendungsschicht und liegt im Kern des Web. HTTP wird in zwei Programmen implementiert: in einem Client- und einem Server-Programm. Die beiden Programme werden jeweils auf einem anderen Endsystem ausgeführt und sprechen miteinander durch den Austausch von HTTP-Nachrichten. HTTP definiert die Struktur und den Austausch dieser Nachrichten zwischen Client und Server. Bevor wir HTTP ausführlich erklären, befassen wir uns im Folgenden zunächst mit einigen Web-Fachausdrücken.

Eine **Web-Seite** (auch als »Dokument« bezeichnet) besteht aus Objekten. Ein **Objekt** ist einfach eine Datei, etwa eine HTML-, JPEG- oder GIF-Datei, ein Java-Applet, ein Audioclip usw., die mit einer einzigen URL zugänglich ist. Die meisten Web-Seiten bestehen aus einer **HTML-Basisdatei** und mehreren referenzierten Objekten. Beinhaltet eine Web-Seite beispielsweise HTML-Text und fünf JPEG-Bilder, dann umfasst diese Web-Seite sechs Objekte: die HTML-Basisdatei und die fünf Bilder. Die HTML-Basisdatei referenziert die übrigen, auf der Seite befindlichen Objekte mit Hilfe der URL des jeweiligen Objekts. Jede URL setzt sich aus zwei Komponenten zusammen: dem Hostnamen des Servers, auf dem sich das Objekt befindet, und dem Pfadnamen des Objekts. Die URL

  www.someSchool.edu/someDepartment/picture.gif

enthält z. B. www.someSchool.edu als Hostnamen und /someDepartment/picture.gif als Pfadnamen. Ein **Browser** ist ein User-Agent für das Web; er zeigt die angeforderte Web-Seite an und bietet zahlreiche Funktionen für die Navigation und Konfiguration. Web-Browser implementieren die Client-Seite von HTTP. In Zusammenhang mit dem Web verwenden wir deshalb die Begriffe »Browser« und »Client« gleichbedeutend. Beliebte Web-Browser sind Netscape Communicator und Microsoft Internet Explorer. Ein **Web-Server** beherbergt Web-Objekte, die jeweils mit einer URL zugänglich sind. Web-Server implementieren die Server-Seite von HTTP. Beliebte Web-Server sind Apache, Microsoft Internet Information Server und Netscape Enterprise Server. (Netcraft hat eine interessante Studie über die Marktdurchdringung von Web-Servern zusammengestellt [Netcraft 2000]).

HTTP definiert, wie Web-Clients (d. h. Browser) Web-Seiten von Servern (d. h. Web-Servern) anfordern und wie Server Web-Seiten an Clients übertragen. Wir beschreiben im Folgenden die Interaktion zwischen Client und Server ausführlich; das allgemeine Konzept wird aus Abbildung 2.6 deutlich. Wenn ein Benutzer eine Web-Seite anfordert (z. B. indem er auf ein Hyperlink klickt), sendet der Browser

HTTP-Anfragenachrichten für die Objekte der Seite an den Server. Der Server empfängt diese Anfragen und antwortet mit einer HTTP-Antwortnachricht, in der sich die Objekte befinden. Bis 1997 implementierten im Wesentlichen alle Browser und Web-Server die HTTP-Version 1.0, die in RFC 1945 definiert ist. Ab 1998 wurde die HTTP-Version 1.1, die in RFC 2616 definiert ist, in einigen Web-Servern und Browsern implementiert. HTTP/1.1 ist abwärtskompatibel mit HTTP/1.0; ein Web-Server, der 1.1 ausführt, kann mit einem Browser »sprechen«, der unter 1.0 läuft, und ein Browser, der 1.1 ausführt, kann mit einem Server »sprechen«, auf dem 1.0 läuft.

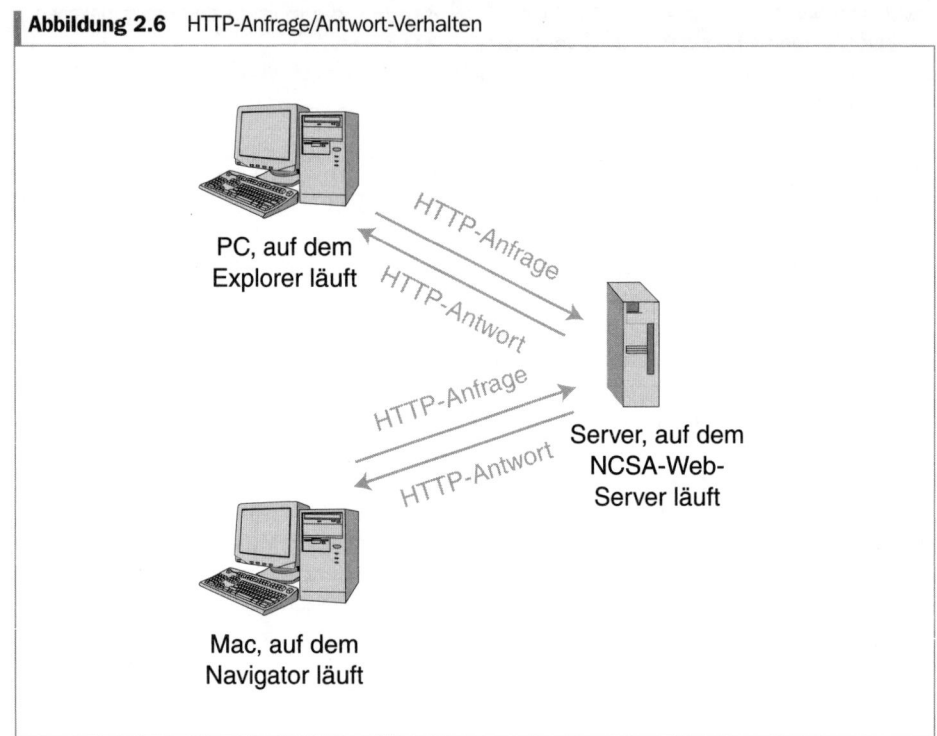

Abbildung 2.6 HTTP-Anfrage/Antwort-Verhalten

Beide HTTP-Versionen (1.0 und 1.1) verwenden TCP als zugrunde liegendes Transportprotokoll (statt auf UDP aufzusetzen). Der HTTP-Client initiiert zuerst eine TCP-Verbindung zu einem Server. Nach dem Aufbau der Verbindung greifen die Browser- und Server-Prozesse durch ihre Socket-Interfaces auf TCP zu. Wie in Abschnitt 2.1 beschrieben, ist das Socket-Interface auf der Client-Seite die »Tür« zwischen dem Server-Prozess und der TCP-Verbindung. Der Client sendet HTTP-Anfragenachrichten auf sein Socket-Interface und empfängt HTTP-Antwortnachrichten von seinem Socket-Interface. Ebenso empfängt der HTTP-Server Anfragenachrichten und sendet Antwortnachrichten über sein Socket-Interface. Nachdem der Client eine Nachricht an sein Socket-Interface gesendet hat, ist die Nachricht »aus den Händen des Client« und befindet sich nun »in den Händen von TCP«. Wir wissen aus Abschnitt 2.1, dass TCP für HTTP einen zuverlässigen Datentransferdienst bereitstellt. Dies bedeutet, dass jede von einem Client-Prozess ausgegebene HTTP-Anfragenachricht letztendlich intakt beim Server ankommt; ebenso kommt jede vom Server-Prozess ausgegebene HTTP-Antwortnachricht irgendwann intakt beim Client an. Hier sehen wir einen der großen Vorteile einer geschichteten Architektur: HTTP muss sich nicht um verlorene Daten oder um die Details kümmern, wie sich TCP von einem Datenverlust oder der Umordnung von Daten im Netzwerk erholt. Dies ist die Aufgabe von TCP und der Protokolle auf den unteren Schichten des Protokollstacks.

TCP wendet auch einen Überlastkontrollmechanismus an, den wir in Kapitel 3 beschreiben. Wir erwähnen hier nur, dass dieser Mechanismus jede neue TCP-Verbindung zwingt, anfangs in einer relativ langsamen Rate zu übertragen, die dann aber bis auf eine relativ hohe Rate gesteigert werden kann, wenn das Netzwerk nicht überlastet ist. Die Übertragung mit der langsamen Anfangsphase nennt man **Slow-Start** (Langsamstart).

Wichtig ist hier, dass der Server angeforderte Dateien an Clients sendet, ohne Zustandsinformationen über den Client zu speichern. Wenn ein bestimmter Client das gleiche Objekt innerhalb weniger Sekunden erneut anfragt, reagiert der Server nicht dadurch, dass er mitteilt, er habe den Client gerade mit dem Objekt bedient; vielmehr sendet er das Objekt erneut, als hätte er völlig vergessen, was er kurz davor gemacht hat. Da ein HTTP-Server keine Informationen über die Clients verwaltet, gilt HTTP als **zustandsloses Protokoll**.

2.2.2 Nicht persistente und persistente Verbindungen

HTTP unterstützt sowohl nicht persistente als auch persistente Verbindungen. HTTP/1.0 arbeitet mit nicht persistenten Verbindungen, während persistente Verbindungen der Default-Modus von HTTP/1.1 sind.

Nicht persistente Verbindungen

Wir gehen in diesem Abschnitt die einzelnen Schritte der Übertragung einer Web-Seite vom Server zum Client auf nicht persistenten Verbindungen durch. Angenommen, die Seite besteht aus einer HTML-Basisdatei und zehn JPEG-Bildern, und alle elf Objekte residieren auf dem gleichen Server. Es sei gegeben, dass die URL für die HTML-Basisdatei lautet:

www.someSchool.edu/someDepartment/home.index

Der Ablauf sieht wie folgt aus:

1. Der HTTP-Client leitet eine TCP-Verbindung zum Server www.someSchool.edu ein. Portnummer 80 wird als Default-Port benutzt, an dem der HTTP-Server auf HTTP-Clients »hört«, die Dokumente mittels HTTP abrufen möchten.
2. Der HTTP-Client sendet eine HTTP-Anfragenachricht über das Socket der TCP-Verbindung, die in Schritt 1 aufgebaut wurde, an den Server. Die Anfragenachricht beinhaltet den Pfadnamen /someDepartment/home.index. (Wir beschreiben HTTP-Nachrichten ausführlicher weiter unten.)
3. Der HTTP-Server empfängt die Anfragenachricht über das Socket der in Schritt 1 aufgebauten Verbindung, liest das Objekt /someDepartment/home.index aus seinem Speicher (RAM oder Festplatte) ein, kapselt das Objekt in eine HTTP-Antwortnachricht und sendet die Antwortnachricht über das Socket an den Client.
4. Der HTTP-Server weist TCP an, die TCP-Verbindung zu schließen. (TCP beendet die Verbindung aber erst, nachdem der Client die Antwortnachricht intakt empfangen hat.)
5. Der HTTP-Client empfängt die Antwortnachricht. Die TCP-Verbindung wird beendet. Die Nachricht deutet an, dass das gekapselte Objekt eine HTML-Datei

ist. Der Client extrahiert die Datei aus der Antwortnachricht, analysiert die HTML-Datei und sucht sich die Referenzen für die zehn JPEG-Objekte zusammen.
6. Die ersten vier Schritte werden dann für jedes referenzierte JPEG-Objekt wiederholt.

Der Browser empfängt die Web-Seite und zeigt sie am Benutzerbildschirm an. Zwei verschiedene Browser können eine Web-Seite unterschiedlich interpretieren (d. h. anders anzeigen). HTTP hat nichts damit zu tun, wie eine Web-Seite von einem Client interpretiert wird. Die HTTP-Spezifikationen [RFC 1945] und [RFC 2616] definieren nur das Kommunikationsprotokoll zwischen dem clientseitigen und dem serverseitigen HTTP-Programm.

Die obigen Schritte basieren auf nicht persistenten Verbindungen, da jede TCP-Verbindung geschlossen wird, nachdem der Server das Objekt verschickt hat, d. h., die Verbindung dauert nicht für weitere Objekte fort. Man beachte, dass jede TCP-Verbindung genau eine Anfrage- und eine Antwortnachricht befördert. Wenn also ein Benutzer bei diesem Beispiel eine Web-Seite anfordert, werden elf TCP-Verbindungen erzeugt.

Die Beschreibung der obigen Schritte ist absichtlich vage gehalten in Bezug darauf, ob der Client die zehn JPEG-Bilder über zehn serielle TCP-Verbindungen oder einige davon über parallele TCP-Verbindungen erhält. Tatsächlich können die Benutzer moderner Browser den Umfang an parallelen Verbindungen. In ihrem Default-Modus öffnen die meisten Browser fünf bis zehn parallele TCP-Verbindungen und jede davon behandelt eine Anfrage/Antwort-Transaktion. Wenn der Benutzer es vorzieht, die maximale Anzahl paralleler Verbindungen auf 1 zu setzen, werden im obigen Beispiel zehn Verbindungen seriell aufgebaut. Wie wir im nächsten Kapitel sehen werden, verkürzt sich durch die Verwendung paralleler Verbindungen die Reaktionszeit.

Bevor wir fortfahren, führen wir eine schnelle Berechnung durch, um die Zeit zu schätzen, bis die HTML-Basisdatei ab der Anfrage durch einen Client von diesem empfangen wird. Zu diesem Zweck definieren wir die **Roundtrip-Zeit** (Round-Trip Time, **RTT**). Das ist die Zeit, die ein kleines Paket braucht, um vom Client zum Server und wieder zurück zum Client zu reisen. Die RTT beinhaltet Ausbreitungsverzögerungen, Warteschlangenverzögerungen in dazwischen liegenden Routern und Switches sowie Verarbeitungsverzögerungen. (Diese Verzögerungen wurden in Abschnitt 1.6 beschrieben.) Nun betrachten wir, was passiert, wenn ein Benutzer auf einen Hyperlink klickt. Dies veranlasst den Browser, eine TCP-Verbindung zum Web-Server aufzubauen. Dabei läuft auch ein »Drei-Wege-Handshake« ab, was bedeutet, dass der Client eine kleine TCP-Nachricht an den Server sendet, die der Server bestätigt und mit einer kleinen Nachricht beantwortet. Anschließend schickt der Client dem Server eine Bestätigung. Eine RTT vergeht während der ersten beiden Teile des Handshakes. Nach Beendigung der ersten beiden Teile des Handshake sendet der Client die HTTP-Anfragenachricht über die TCP-Verbindung und TCP versendet die letzte Bestätigung (den dritten Teil des Drei-Wege-Handshake) Hukkepack (Piggyback) mit der Anfragenachricht. Nachdem die Anfragenachricht beim Server angekommen ist, sendet der Server die HTML-Datei über die TCP-Verbindung ab. Diese HTTP-Anfrage/Antwort verschluckt eine weitere RTT. Grob überschlagen, beläuft sich die Reaktionszeit also auf zwei RTTs zuzüglich der Übertragungszeit für die HTML-Datei auf Seiten des Servers.

Persistente Verbindungen

Nicht persistente Verbindungen haben einige Nachteile. Erstens muss für *jedes angeforderte Objekt* eine brandneue Verbindung aufgebaut und aufrechterhalten werden. Für jede dieser Verbindungen müssen TCP-Puffer zugeteilt und TCP-Variablen im Client und Server vorgehalten werden. Dies kann eine schwerwiegende Belastung des Web-Servers bedeuten, der möglicherweise Anfragen von Hunderten verschiedener Clients gleichzeitig bedienen muss. Zweitens muss jedes Objekt, wie wir soeben erfahren haben, zwei RTTs erdulden: eine RTT für den Aufbau der TCP-Verbindung und eine zweite für die Anfrage und den Empfang des Objekts. Drittens muss jedes Objekt den Slow-Start von TCP über sich ergehen lassen, weil jede TCP-Verbindung mit einer Slow-Start-Phase beginnt. Die Auswirkungen der RTT- und Slow-Start-Verzögerungen können aber teilweise gemildert werden, indem man parallele TCP-Verbindungen benutzt.

Bei persistenten Verbindungen lässt der Server die TCP-Verbindung offen, nachdem er eine Antwort gesendet hat. Anschließende Anfragen und Antworten zwischen dem gleichen Client und Server können also über dieselbe Verbindung gesendet werden. Insbesondere kann eine ganze Web-Seite (im obigen Beispiel die HTML-Basisdatei und die zehn Bilder) über eine einzige persistente TCP-Verbindung gesendet werden. Außerdem können mehrere Web-Seiten, die auf dem gleichen Server residieren, auf einer einzigen persistenten TCP-Verbindung gesendet werden. Normalerweise schließt der HTTP-Server eine Verbindung, wenn sie für eine bestimmte Zeitdauer (das Timeout-Intervall) nicht benutzt wird, was sich oft konfigurieren lässt. Von persistenten Verbindungen gibt es zwei Versionen: **ohne Pipelining** und **mit Pipelining**. Für die Version ohne Pipelining gibt der Client nur dann eine neue Anfrage aus, wenn die vorherige Antwort nicht empfangen wurde. In diesem Fall erfährt jedes referenzierte Objekt (die zehn Bilder im obigen Beispiel) eine RTT, um das Objekt anzufordern und zu empfangen. Dies bedeutet zwar eine Verbesserung im Vergleich zu zwei RTTs bei nicht persistenten Verbindungen, die RTT-Verzögerung lässt sich mit Pipelining aber noch weiter reduzieren. Ein weiterer Nachteil der Version ohne Pipelining ist, dass die Verbindung hängt – untätig ist –, nachdem der Server ein Objekt über die persistente TCP-Verbindung gesendet hat, und auf die Ankunft einer weiteren Anfrage wartet. Dieses »Hängen« verschwendet Server-Ressourcen.

HTTP/1.1 nutzt im Default-Modus persistente Verbindungen mit Pipelining. In diesem Fall gibt der HTTP-Client eine Anfrage aus, sobald er auf eine Referenz stößt. Folglich kann der HTTP-Client Anfragen für die referenzierten Objekte Zug um Zug ausgeben. Wenn der Server die Anfragen empfängt, kann er die Objekte ebenfalls aufeinander folgend senden. Werden alle Anfragen und alle Antworten aufeinander folgend gesendet, dann wird für alle referenzierten Objekte nur eine RTT benötigt (gegenüber zwei pro referenziertem Objekt bei der Version ohne Pipelining). Des Weiteren hängt eine TCP-Verbindung mit Pipelining weniger lang. Abgesehen von der Reduzierung der RTT-Verzögerungen haben persistente Verbindungen (mit und ohne Pipelining) eine kürzere Slow-Start-Verzögerung als nicht persistente. Das liegt daran, dass der persistente Server nach dem Versenden des ersten Objekts das nächste Objekt nicht in der anfänglichen langsamen Rate senden muss, weil er weiterhin die gleiche TCP-Verbindung benutzt. Stattdessen kann der Server in der Rate fortfahren, die nach dem Versenden des ersten Objekts vorherrschte. Wir werden die Leistung nicht persistenter und persistenter Verbindungen quantitativ in den Übungen von Kapitel 3 vergleichen. Dem an diesem Thema interessierten Leser empfehlen wir [Heidemann 1997; Nielsen 1997].

2.2.3 Das HTTP-Nachrichtenformat

Die HTTP-Spezifikationen 1.0 [RFC 1945] und 1.1 [RFC 2616] definieren die HTTP-Nachrichtenformate. Es gibt zwei HTTP-Nachrichtentypen, Anfrage- und Antwortnachrichten, die im Folgenden beschrieben werden.

HTTP-Anfragenachrichten

Eine typische HTTP-Anfragenachricht sieht wie folgt aus:

```
GET /somedir/page.html HTTP/1.1
Host: www.someschool.edu
Connection: close
User-agent: Mozilla/4.0
Accept-language:fr
(extra carriage return, line feed)
```

Wir können eine Menge lernen, wenn wir uns diese einfache Anfragenachricht genau ansehen. Erstens ist die Nachricht in gewöhnlichem ASCII-Text geschrieben, so dass sie jeder computerkundige Mensch lesen kann. Zweitens besteht die Nachricht aus fünf Zeilen, die jeweils mit einem Wagenrücklauf und Zeilenvorschub (Carriage Return und Line Feed) enden. Nach der letzten Zeile folgt eine zusätzliche Leerzeile. Obwohl diese spezifische Anfragenachricht fünf Zeilen umfasst, kann eine Anfragenachricht wesentlich mehr oder auch weniger Zeilen umfassen. Die erste Zeile einer HTTP-Anfragenachricht bezeichnet man als **Anfragezeile** (Request Line). Die anschließenden Zeilen sind die so genannten **Header-Zeilen**. Die Anfragezeile setzt sich aus drei Feldern zusammen: Methode, URL und HTTP. Das Methodenfeld kann verschiedene Werte annehmen, darunter GET, POST und HEAD. Die meisten HTTP-Anfragenachrichten enthalten die GET-Methode. Die GET-Methode wird benutzt, wenn der Browser ein Objekt anfordert, wobei das angeforderte Objekt im URL-Feld identifiziert wird. In diesem Beispiel verlangt der Browser das Objekt /somedir/page.html. Die Version ist selbst erklärend; bei diesem Beispiel implementiert der Browser die HTTP-Version 1.1.

Jetzt sehen wir uns die Header-Zeilen dieses Beispiels genauer an. Die Header-Zeile Host: www.someschool.edu spezifiziert den Host, auf dem das Objekt residiert. Durch Einbeziehung der Header-Zeile Connection: close weist der Browser den Server an, keine persistenten Verbindungen zu benutzen. Vielmehr soll der Server nach der Übertragung des angeforderten Objekts die Verbindung schließen. Obwohl der anfragende Browser HTTP/1.1 implementiert, möchte er sich nicht mit persistenten Verbindungen beschäftigen. Die Header-Zeile User-agent: spezifiziert den User-Agent, d. h. den Browsertyp, der die Anfrage an den Server richtet. In diesem Fall ist das Mozilla/4.0, ein Netscape-Browser. Diese Header-Zeile ist nützlich, weil der Server tatsächlich verschiedene Versionen des gleichen Objekts an unterschiedliche Typen von User-Agents senden kann. (Jede dieser Versionen wird mit der gleichen URL adressiert.) Schließlich bedeutet die Header-Zeile Accept-language:, dass der Benutzer eine französische Version (fr) des Objekts vorzieht, sofern eine solche auf dem Server vorhanden ist; andernfalls soll der Server die Default-Version senden. Der Header Accept-language: ist nur eine von zahlreichen inhaltsspezifischen Headern, die in HTTP verfügbar sind.

Nach der eingehenden Betrachtung eines Beispiels befassen wir uns jetzt mit dem allgemeinen Format für eine Anfragenachricht (siehe Abbildung 2.7). Wir sehen, dass das obige Beispiel dem allgemeinen Format einer Anfragenachricht folgt. Sie werden wahrscheinlich aber feststellen, dass nach den Header-Zeilen (und der zusätzlichen Leerzeile) ein »Entity Body« folgt. Der Entity Body (Rumpf der Einheit) wird nicht mit der GET-, sondern der POST-Methode benutzt. Der HTTP-Client verwendet die POST-Methode, wenn der Benutzer ein Formular ausfüllt, z. B. wenn er Suchwörter in eine Suchmaschine wie Altavista eingibt. Mit einer POST-Nachricht fordert der Benutzer zwar auch eine Web-Seite vom Server an, der spezifische Inhalt der Web-Seite hängt aber davon ab, was der Benutzer in die Formularfelder eingegeben hat. Ist POST der Wert im Methodenfeld, enthält der Entity Body das, was der Benutzer in die Formularfelder eingegeben hat. Die HEAD-Methode ähnelt der GET-Methode. Wenn ein Server eine Anfrage mit der HEAD-Methode empfängt, antwortet er mit einer HTTP-Nachricht, lässt aber das angefragte Objekt weg. Die HEAD-Methode wird von HTTP-Server-Entwicklern oft für das Debugging benutzt.

Abbildung 2.7 Allgemeines Format einer Anfragenachricht

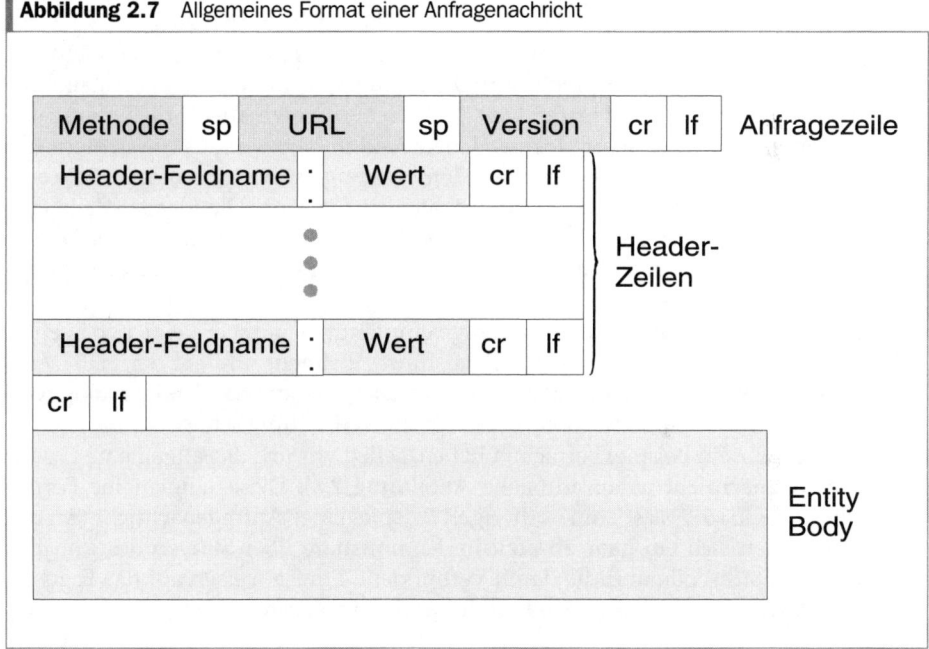

HTTP-Antwortnachrichten

Nachfolgend sehen Sie eine typische HTTP-Antwortnachricht. Diese hier könnte die Antwort auf das obige Beispiel einer Anfragenachricht sein.

```
HTTP/1.1 200 OK
Connection: close
Date: Thu, 06 Aug 1998 12:00:15 GMT
Server: Apache/1.3.0 (Unix)
Last-Modified: Mon, 22 Jun 1998 09:23:24 GMT
Content-Length: 6821
Content-Type: text/html

(Daten…Daten…Daten…Daten…Daten …)
```

Diese Antwortnachricht umfasst drei Abschnitte: eine **Statuszeile**, sechs **Header-Zeilen** und einen **Entity Body**. Der Entity Body ist das Herz der Nachricht; er enthält das angeforderte Objekt (im Beispiel durch *Daten...Daten...Daten...Daten...Daten* dargestellt). Die Statuszeile umfasst drei Felder: die Protokollversion, einen Statuscode und eine entsprechende Statusnachricht. In diesem Beispiel steht in der Statuszeile, dass der Server HTTP/1.1 benutzt und alles in Ordnung ist (d. h., der Server hat das angeforderte Objekt gefunden und sendet es).

Wir gehen nun die Header-Zeilen einzeln durch. Der Server benutzt die Header-Zeile Connection: close, um dem Client mitzuteilen, dass er die TCP-Verbindung nach dem Versenden der Nachricht schließt. Die Header-Zeile Date: enthält Zeit und Datum, wann die HTTP-Antwort vom Server erzeugt und gesendet wurde. Man beachte, dass dies nicht die Zeit ist, als das Objekt erstellt oder zuletzt geändert wurde; es ist die Zeit, wenn der Server das Objekt aus seinem Dateisystem abruft, es in die Antwortnachricht einfügt und die Antwortnachricht sendet. Die Header-Zeile Server: zeigt an, dass die Nachricht von einem Apache-Server erzeugt wurde; dies ist das Gegenstück der Header-Zeile User-Agent: in der HTTP-Anfragenachricht. Die Header-Zeile Last-Modified: gibt Zeit und Datum an, wann das Objekt erstellt oder zuletzt geändert wurde. Der Header Last-Modified:, den wir ausführlicher beschreiben, ist beim Objekt-Caching im lokalen Client und in Netzwerk-Cache-Servern (die auch als »Proxy-Server« bezeichnet werden) wichtig. Die Header-Zeile Content-Length: gibt die Anzahl der im Objekt enthaltenen Bytes an. Die Header-Zeile Content-Type: gibt an, dass das Objekt im Entity Body ein HTML-Text ist. (Der Objekttyp wird offiziell durch den Header Content-Type: und nicht durch die Dateierweiterung bezeichnet.)

Wenn der Server eine HTTP/1.0-Anfrage empfängt, benutzt er keine persistenten Verbindungen, auch wenn er HTTP/1.1 ausführt. Vielmehr schließt der HTTP/1.1-Server die TCP-Verbindung, nachdem er das Objekt gesendet hat. Dies ist nötig, weil ein HTTP/1.0-Client erwartet, dass der Server die Verbindung schließt.

Nachdem wir ein Beispiel betrachtet haben, sehen wir uns das allgemeine Format einer Antwortnachricht näher an (siehe Abbildung 2.8). Dieses allgemeine Format der Antwortnachricht passt zum vorherigen Beispiel einer Anfragenachricht. An dieser Stelle lohnen sich ein paar zusätzliche Kommentare über Statuscodes und ihre Phrasen. Der Statuscode und die damit verbundene Phrase weisen auf das Ergebnis der Anfrage hin. Die häufigsten Statuscodes und Phrasen sind:

- 200 OK: Die Anfrage war erfolgreich und die Informationen werden in der Antwort zurückgegeben.
- 301 Moved Permanently: Das angeforderte Objekt wurde permanent verschoben; die neue URL wird in der Header-Zeile Location: der Antwortnachricht angegeben. Die Clientsoftware liest die neue URL automatisch ein.
- 400 Bad Request: Ein generischer Fehlercode, der bedeutet, dass der Server die Anfrage nicht interpretieren konnte.
- 404 Not Found: Das angeforderte Dokument ist auf diesem Server nicht vorhanden.
- 505 HTTP Version Not Supported: Die verwendete HTTP-Protokollversion wird vom Server nicht unterstützt.

Wie wäre es mit einer echten HTTP-Antwortnachricht? Ganz einfach! Benutzen Sie Telnet und begeben Sie sich zu Ihrem bevorzugten Web-Server. Dann geben Sie eine

Abbildung 2.8 Allgemeines Format einer Antwortnachricht

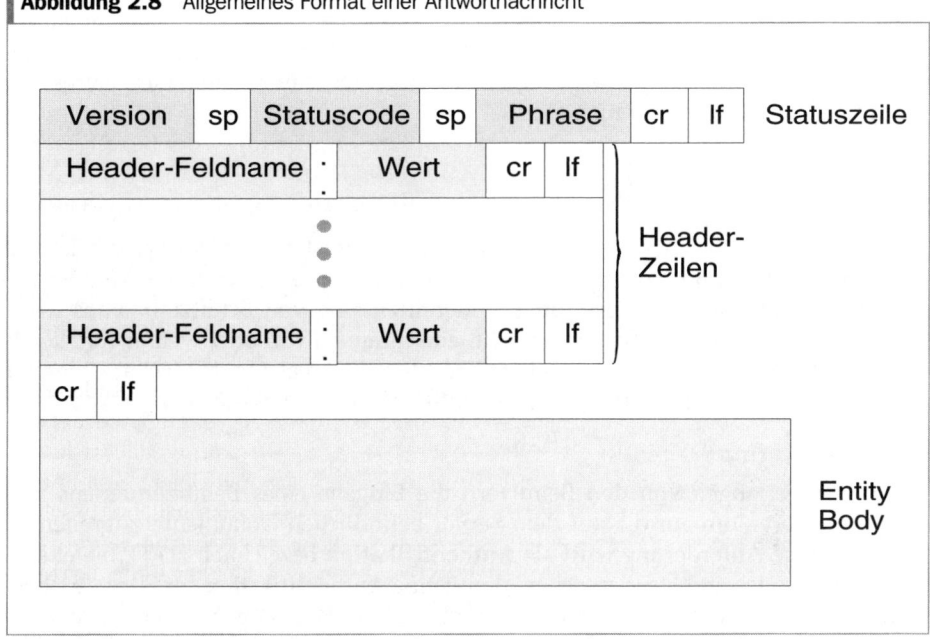

einzeilige Anfragenachricht für irgendein Objekt ein, das sich auf diesem Server befindet. Wenn Sie sich in eine Unix-Maschine einloggen können, geben Sie beispielsweise Folgendes ein:

```
telnet www.eurecom.fr 80
GET /~ross/index.html HTTP/1.0
```

(Drücken Sie die Return-Taste zwei Mal, nachdem Sie die zweite Zeile eingegeben haben.) Dies öffnet eine TCP-Verbindung zu Port 80 auf dem Host www.eurecom.fr und sendet den HTTP-Befehl GET. Sie sollten eine Antwortnachricht erhalten, die die HTML-Basisdatei der Homepage von Professor Ross enthält. Wenn Sie lieber einfach nur die HTTP-Nachrichtenzeilen sehen, aber kein Objekt empfangen wollen, ersetzen Sie GET durch HEAD. Anschließend ersetzen Sie /~ross/index.html durch /~ross/banana.html und sehen Sie, welche Antwortnachricht Sie erhalten.

In diesem Abschnitt haben wir eine Reihe von Header-Zeilen beschrieben, die in HTTP-Anfrage- und -Antwortnachrichten verwendet werden können. Die HTTP-Spezifikation (insbesondere HTTP/1.1) definiert zahlreiche weitere Header-Zeilen, die von Browsern, Web-Servern und Netzwerk-Cache-Servern eingefügt werden können. Wir haben lediglich eine kleine Anzahl der insgesamt verfügbaren Header-Zeilen behandelt. Am Ende dieses Kapitels werden in Zusammenhang mit Netzwerk-Web-Caching einige weitere Header-Zeilen beschrieben. Eine gut lesbare und verständliche Diskussion von HTTP-Headern und -Statuscodes findet der Leser in [Luotonen 1998]. Eine ausgezeichnete Einführung in die technischen Fragen rund um das Web bietet [Yeager 1996].

Wie entscheidet ein Browser, welche Header-Zeilen er in eine Anfragenachricht einbinden soll? Wie entscheidet ein Web-Server, welche Header-Zeilen er in eine Antwortnachricht einbeziehen soll? Ein Browser erzeugt Header-Zeilen als Funktion seines Typs und seiner Version (z. B. erzeugt ein HTTP/1.0-Browser keine 1.1-Header-

Zeilen), der vom Benutzer gewählten Konfiguration des Browsers (z. B. bevorzugte Sprache) und abhängig davon, ob der Browser momentan in seinem Cache eine – möglicherweise veraltete – Version des Objekts hat. Web-Server verhalten sich ähnlich: Welche Header-Zeilen sie in Antwortnachrichten einbeziehen, hängt von Produkt, Version und Konfiguration ab.

2.2.4 Benutzer/Server-Interaktion: Authentifikation und Cookies

Wir haben weiter oben gesagt, dass ein HTTP-Server zustandslos ist. Dies vereinfacht das Server-Design und ermöglicht die Entwicklung sehr leistungsstarker Web-Server. Allerdings ist für eine Web-Site oft die Identifizierung von Benutzern wünschenswert, weil der Server den Benutzerzugriff einschränken will oder weil er Inhalte als Funktion der Benutzeridentität bereitstellen soll. HTTP bietet zwei Mechanismen für die Identifizierung von Benutzern: Authentifikation und Cookies.

Authentifikation

Viele Sites verlangen von den Benutzern die Eingabe eines Benutzernamens und eines Passworts, um auf die auf dem Server befindlichen Dokumente zugreifen zu können. Diese Anforderung wird als **Authentifikation** bezeichnet. HTTP bietet spezielle Statuscodes und Header-Zeilen, damit eine Authentifikation auf Sites durchgeführt werden kann. Zum besseren Verständnis dieses Konzepts nehmen wir als Beispiel an, dass ein Client ein Objekt von einem Server anfordert und der Server die Authentifikation des Benutzers verlangt.

Der Client sendet zuerst eine übliche Anfragenachricht ohne spezielle Header-Zeilen. Der Server antwortet mit einem leeren Entity Body und dem Statuscode 401 Authorization Required. In diese Antwortnachricht bezieht der Server die Header-Zeile WWW-Authenticate: mit ein. Sie spezifiziert die Details über die Durchführung der Authentifikation. (Normalerweise weist sie darauf hin, dass der Benutzer einen Benutzernamen und ein Passwort eingeben muss.)

Der Client empfängt die Antwortnachricht und fordert den Benutzer zur Eingabe eines Benutzernamens und eines Passworts auf. Der Client sendet die Anfragenachricht erneut, diesmal aber mit der Header-Zeile Authorization:, in der der Benutzername und das Passwort stehen.

Nach dem Erhalt des ersten Objekts fährt der Client mit dem Senden des Benutzernamens und des Passworts in darauffolgenden Anfragen für Objekte vom Server fort. (Dies wird normalerweise so lange fortgesetzt, bis der Client den Browser schließt. Solange der Browser offen ist, werden Benutzername und Passwort aber im Cache vorgehalten, so dass der Benutzer nicht bei jeder Anfrage nach Objekten danach gefragt wird!) Auf diese Weise kann die Site den Benutzer für jede Anfrage identifizieren.

Wir werden in Kapitel 7 noch sehen, dass HTTP eine eher schwache Form der Authentifikation ausführt, die sich ohne großen Aufwand knacken lässt. Ebenfalls in Kapitel 7 werden andere Schemata beschrieben, die eine sicherere und robustere Authentifikation bieten.

Cookies

Cookies [RFC 2109] sind ein alternativer Mechanismus, mit dem Sites Benutzeridentitäten verfolgen können. Nicht alle Web-Sites verwenden Cookies. Wir gehen die einzelnen Schritte wieder anhand eines Beispiels durch. Angenommen, ein Client kontaktiert zum ersten Mal eine Web-Site, die Cookies verwendet. Die Antwort des Servers beinhaltet in diesem Fall die Header-Zeile Set-cookie:, die oft eine vom Web-Server generierte Identifizierungsnummer enthält. Sie kann beispielsweise so aussehen:

    Set-cookie: 1678453

Wenn der HTTP-Client die Antwortnachricht empfängt, sieht er die Header-Zeile Set-cookie: und die Identifizierungsnummer. Er fügt daraufhin eine Zeile in eine spezielle Cookie-Datei ein, die auf der Client-Maschine gespeichert wird. Diese Zeile beinhaltet normalerweise den Hostnamen des Servers und die damit verbundene Identifizierungsnummer des Benutzers. In späteren Anfragen an den gleichen Server – sagen wir eine Woche später – bindet der Client in seine Anfrage die Header-Zeile Cookie: mit der Identifizierungsnummer des betreffenden Servers mit ein. In unserem Beispiel enthält die Anfragenachricht folgende Header-Zeile:

    Cookie: 1678453

Auf diese Weise kennt der Server zwar nicht den Benutzernamen, er weiß aber, dass es sich um den gleichen Benutzer handelt, der eine Woche zuvor eine spezifische Anfrage geschickt hat. Web-Server verwenden Cookies aus mehreren Gründen:

- Wenn ein Server Authentifikation voraussetzt, die Benutzer aber nicht mit einer Aufforderung für die Eingabe von Benutzername und Passwort bei jedem Besuch der Site belästigen möchte, kann er ein Cookie setzen.
- Wenn sich ein Server an die Präferenzen eines Benutzers erinnern will, so dass er im Verlauf darauffolgender Besuche der Site gezielte Werbung betreiben kann, kann er ein Cookie setzen.
- Wenn ein Benutzer auf einer Site (z. B. mehrere CDs) einkauft, kann der Server Cookies verwenden, um die gekauften Artikel zu verfolgen, d. h. einen virtuellen Einkaufskorb zu schaffen.

Es sei allerdings erwähnt, dass Cookies im Falle eines nomadisierenden Benutzers, der auf die gleiche Site von mehreren Maschinen aus zugreift, Probleme verursachen. Die Site behandelt den gleichen Benutzer an jeder benutzten Maschine als jemand anderen. Zum Schluss möchten wir den Leser auf die Seite »Persistent Client State HTTP Cookies« [Netscape Cookie 1999] aufmerksam machen, die eine gut leserliche Einführung in Cookies bietet. Wir empfehlen außerdem Cookies Central [Cookie Central 2000] mit umfassenden Informationen über die Cookie-Kontroverse.

2.2.5 Bedingtes GET

Durch Speichern zuvor abgerufener Objekte lassen sich durch Web-Caching Verzögerungen beim Retrieval von Objekten und der Umfang an Web-Verkehr im Internet reduzieren. Web-Caches können in einem Client oder in einem auf dem Pfad befindlichen Netzwerk-Cache-Server residieren. Netzwerk-Caching wird ausführlich am Ende dieses Kapitels behandelt. In diesem Abschnitt wird zunächst nur das Client-Caching beschrieben.

Während Web-Caching die von Benutzern wahrnehmbaren Reaktionszeiten reduzieren kann, führt es jedoch auch ein neues Problem ein: Eine Kopie eines im Cache befindlichen Objekts kann *veraltet* sein. Mit anderen Worten: Das Objekt, das sich auf dem Web-Server befindet, wurde möglicherweise geändert oder aktualisiert, seit die

Kopie im Client-Cache abgelegt wurde. Zum Glück bietet HTTP einen Mechanismus, der es dem Client erlaubt, Caching anzuwenden und gleichzeitig sicherzustellen, dass alle dem Browser überreichten Objekte aktuell sind. Dieser Mechanismus wird als **bedingtes GET** (Conditional GET) bezeichnet. Eine HTTP-Anfragenachricht ist eine so genannte bedingte GET-Nachricht, wenn erstens die Anfragenachricht die GET-Methode benutzt und zweitens die Anfragenachricht die Header-Zeile If-Modified-Since: beinhaltet. Um die Funktionsweise des bedingten GET besser darzulegen, betrachten wir ein Beispiel.

Als Erstes fordert ein Browser ein nicht im Cache befindliches Objekt von einem Web-Server an:

```
GET /fruit/kiwi.gif HTTP/1.0
User-agent: Mozilla/4.0
```

Als Nächstes sendet der Web-Server eine Antwortnachricht mit dem Objekt an den Client:

```
HTTP/1.0 200 OK
Date: Wed, 12 Aug 1998 15:39:29
Server: Apache/1.3.0 (Unix)
Last-Modified: Mon, 22 Jun 1998 09:23:24
Content-Type: image/gif

(Daten...Daten...Daten...Daten...Daten ...)
```

Der Client zeigt das Objekt am Benutzerbildschirm an und speichert es in seinem lokalen Cache. Wichtig ist, dass der Client auch das Datum der letzten Änderung (Last-Modified) mit dem Objekt im Cache ablegt. Eine Woche später fordert der Benutzer das gleiche Objekt wieder an, das sich immer noch im Cache befindet. Da das Objekt im Verlauf der Woche auf dem Web-Server möglicherweise geändert wurde, führt der Browser durch Ausgabe eines bedingten GET eine Prüfung auf Aktualität durch. Das heißt konkret, dass der Browser Folgendes sendet:

```
GET /fruit/kiwi.gif HTTP/1.0
User-agent: Mozilla/4.0
If-modified-since: Mon, 22 Jun 1998 09:23:24
```

Man beachte, dass der Wert in der Header-Zeile If-modified-since: genau dem Wert der Header-Zeile Last-Modified: entspricht, die eine Woche zuvor vom Server gesendet wurde. Dieses bedingte GET weist den Server an, das Objekt nur zu senden, falls es sich seit dem spezifizierten Datum geändert hat. Angenommen, das Objekt wurde seit dem 22 Jun 1998 09:23:24 nicht geändert. In diesem Fall sendet der Web-Server eine Antwortnachricht an den Client:

```
HTTP/1.0 304 Not Modified
Date: Weg, 19 Aug 1998 15:39:29
Server: Apache/1.3.0 (Unix)

(leerer Entity Body)
```

Wir sehen, dass der Web-Server in Beantwortung des bedingten GET zwar auch eine Antwortnachricht sendet, diese aber nicht das angeforderte Objekt enthält. Das Einfügen des angeforderten Objekts würde nur Bandbreite verschwenden und die vom Benutzer wahrgenommene Ladezeit verlängern, insbesondere bei einem großen Objekt. Man beachte, dass diese letzte Antwortnachricht den Wert 304 Not Modified in der Statuszeile hat, was dem Client sagt, dass er die im Cache befindliche Kopie des angeforderten Objekts verwenden kann.

2.2.6 Web-Caches

Ein **Web-Cache**, auch **Proxy-Server** genannt, ist eine Netzwerkeinheit, die HTTP-Anfragen im Auftrag eines Client erfüllt. Der Web-Cache verfügt über seinen eigenen Plattenspeicher, in dem er Kopien der zuletzt angeforderten Objekte verwaltet. Wie Abbildung 2.9 zeigt, können Benutzer ihre Browser konfigurieren, so dass bei allen ihren HTTP-Anfragen zuerst geprüft wird, ob sie aus dem Web-Cache bedient werden können. (Das ist eine einfache und übersichtliche Funktion in den Microsoft- und Netscape-Browsern.) Nach der Konfiguration eines Browsers wird jede Browser-Anfrage für ein Objekt zuerst an den Web-Cache gerichtet. Als Beispiel nehmen wir an, dass ein Browser das Objekt http://www.someschool.edu/campus.gif anfordert. Der anschließende Ablauf sieht wie folgt aus:

- Der Browser baut eine TCP-Verbindung zum Web-Cache auf und sendet eine HTTP-Anfrage für das Objekt an den Web-Cache.
- Der Web-Cache prüft, ob er über eine lokal gespeicherte Kopie des Objekts verfügt. Trifft dies zu, leitet der Web-Cache das Objekt im Rahmen einer HTTP-Antwortnachricht an den Client-Browser weiter.
- Befindet sich im Web-Cache keine Kopie des Objekts, öffnet der Web-Cache eine TCP-Verbindung zum Ursprungsserver, in diesem Fall www.someschool.edu. Dann sendet er eine HTTP-Anfrage für das Objekt über die TCP-Verbindung. Nach Erhalt dieser Anfrage sendet der Server das Objekt im Rahmen einer HTTP-Antwort an den Web-Cache.
- Wenn der Web-Cache das Objekt empfängt, speichert er eine Kopie in seinem lokalen Speicher und gibt eine Kopie im Rahmen einer HTTP-Antwortnachricht (über die bestehende TCP-Verbindung zwischen dem Client-Browser und dem Web-Cache) an den Client-Browser weiter.

Man beachte, dass ein Cache gleichzeitig Server und Client ist. Wenn er Anfragen von einem Browser empfängt und Antworten an einen Browser sendet, ist er ein Server. Wenn er Anfragen und Antworten mit einem Ursprungsserver austauscht, agiert er als Client.

Wozu sich also überhaupt die Mühe mit einem Web-Cache machen? Welche Vorteile hat er? Web-Caches werden im Internet aus mindestens drei Gründen sehr häufig verwendet. Erstens kann ein Web-Cache die Reaktionszeit auf eine Client-Anfrage erheblich reduzieren, insbesondere, wenn die Flaschenhalsbandbreite zwischen dem Client und dem Ursprungsserver viel geringer als die zwischen dem Client und dem Cache ist. Besteht eine Hochgeschwindigkeitsverbindung zwischen dem Client und dem Cache, was oft der Fall ist, und verfügt der Cache über das angeforderte Objekt, kann der Cache den Client viel schneller mit dem Objekt bedienen. Zweitens können Web-Caches, wie wir gleich an einem weiteren Beispiel demonstrieren, den Verkehr zwischen der Zugangsleitung einer Institution und dem Internet erheblich reduzieren. Durch Reduzierung des Verkehrs muss die Institution (z. B. ein Unternehmen oder eine Universität) die Bandbreite nicht so schnell aufrüsten, was Kosten spart. Des Weiteren können Web-Caches den Web-Verkehr im Internet insgesamt reduzieren, so dass sich die Leistung für alle Anwendungen verbessert. 1998 machte der Web-Verkehr 75% des gesamten Internet-Verkehrs aus, so dass eine beträchtliche

Reduzierung des Web-Verkehrs eine erhebliche Verbesserung der Internet-Leistung bedeutet [Claffy 1998]. Drittens bietet ein mit Web-Caches – auf institutioneller, regionaler und nationaler Ebene – gespicktes Internet eine Infrastruktur für die schnelle Verteilung von Inhalten, auch für Content-Provider, die ihre eigenen Sites mit langsamen Servern hinter langsamen Zugangsleitungen betreiben. Wenn einer dieser »ressourcenarmen« Content-Provider plötzlich einen beliebten Inhalt verbreiten soll, wird er schnell in die Internet-Caches kopiert, so dass eine hohe Benutzernachfrage erfüllt werden kann.

Abbildung 2.9   Clients fordern Objekte über einen Web-Cache an.

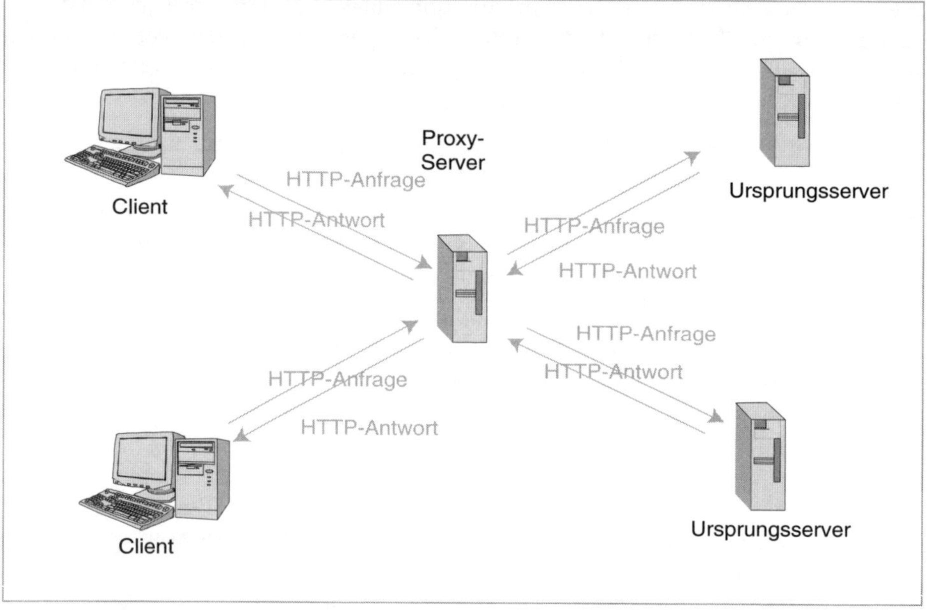

Um die Vorteile von Caches besser zu verstehen, betrachten wir ein Beispiel in Zusammenhang mit Abbildung 2.10, die zwei Netzwerke – ein institutionelles und das öffentliche Internet – darstellt. Das institutionelle Netzwerk ist ein Hochgeschwindigkeits-LAN. Ein Router im institutionellen Netzwerk und einer im Internet sind über eine 1,5-Mbps-Verbindungsleitung verbunden. Die Ursprungsserver sind an das Internet angeschlossen, aber über den gesamten Globus verstreut. Wir nehmen an, dass ein Objekt eine durchschnittliche Größe von 100 KBit hat und die Browser der Institution durchschnittlich 15 Anfragen pro Sekunde an die Ursprungsserver richten. Wir nehmen außerdem an, dass zwischen der Weiterleitung einer HTTP-Anfrage (in einem IP-Datagramm) von dem Router auf der Internet-Seite der Zugangsleitung in Abbildung 2.10 und dem Empfang des IP-Datagramms (normalerweise viele IP-Datagramme), in dem sich die entsprechende Antwort befindet, im Durchschnitt zwei Sekunden verstreichen. Informell bezeichnen wir diese letztgenannte Verzögerung als »Internet-Verzögerung«.

Die gesamte Reaktionszeit, d. h. die Zeit ab der Anfrage des Browsers für ein Objekt bis zum Empfang des Objekts, ist die Summe der LAN-Verzögerung, der Zugangsverzögerung (d. h. der Verzögerung zwischen den beiden Routern) und der Internet-Verzögerung. Wir führen jetzt eine sehr einfache Berechnung durch, um

Abbildung 2.10 Flaschenhals zwischen einem institutionellen Netzwerk und dem Internet

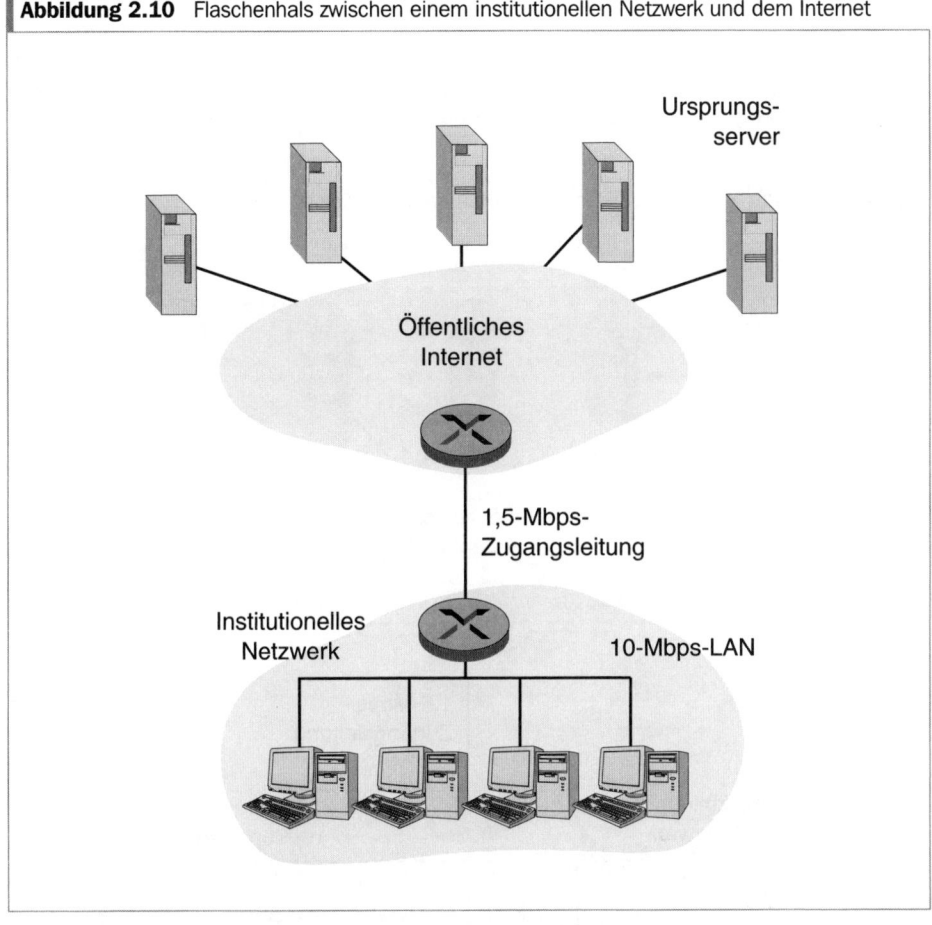

diese Verzögerung zu schätzen. Die Verkehrsintensität im LAN (siehe Abschnitt 1.6) beträgt

(15 Anfragen/Sek.) ∗ (100 KBit/Anfrage)/(10 Mbps) = 0,15

wobei die Verkehrsintensität auf der Zugangsleitung (vom Internet-Router zum Router der Institution)

(15 Anfragen/Sek.) ∗ (100 KBit/Anfrage)/(1,5 Mbps) = 1

beträgt. Eine Verkehrsintensität von 0,15 in einem LAN führt normalerweise höchstens zu einer Verzögerung von Zehntel Millisekunden. Folglich können wir die LAN-Verzögerung ignorieren. Wenn sich, wie in Abschnitt 1.6 beschrieben, die Verkehrsintensität allerdings 1 nähert (was bei der Zugangsleitung in Abbildung 2.10 der Fall ist), steigt die Verzögerung einer Verbindungsleitung sehr stark unbegrenzt an. Die durchschnittliche Reaktionszeit bei der Erfüllung von Anfragen wird also in der Größenordnung von Minuten – wenn nicht mehr – liegen, was für die Benutzer der Institution nicht akzeptabel ist. Zweifellos muss etwas unternommen werden.
Als eine mögliche Lösung kann man die Zugangsrate von 1,5 Mbps auf beispielsweise 10 Mbps erhöhen. Dies würde die Verkehrsintensität auf der Zugangsleitung

auf 0,15 senken, so dass sich verschwindend geringe Verzögerungen zwischen den beiden Routern ergeben würden. In diesem Fall würde die gesamte Reaktionszeit ungefähr 2 Sekunden betragen, d. h., sie entspräche der Internet-Verzögerung. Diese Lösung bedeutet aber auch, dass die Institution ihre Zugangsleitung von 1,5 auf 10 Mbps aufrüsten muss, was hohe Kosten bedeuten kann.

Abbildung 2.11 Im institutionellen Netzwerk wurde ein Cache hinzugefügt

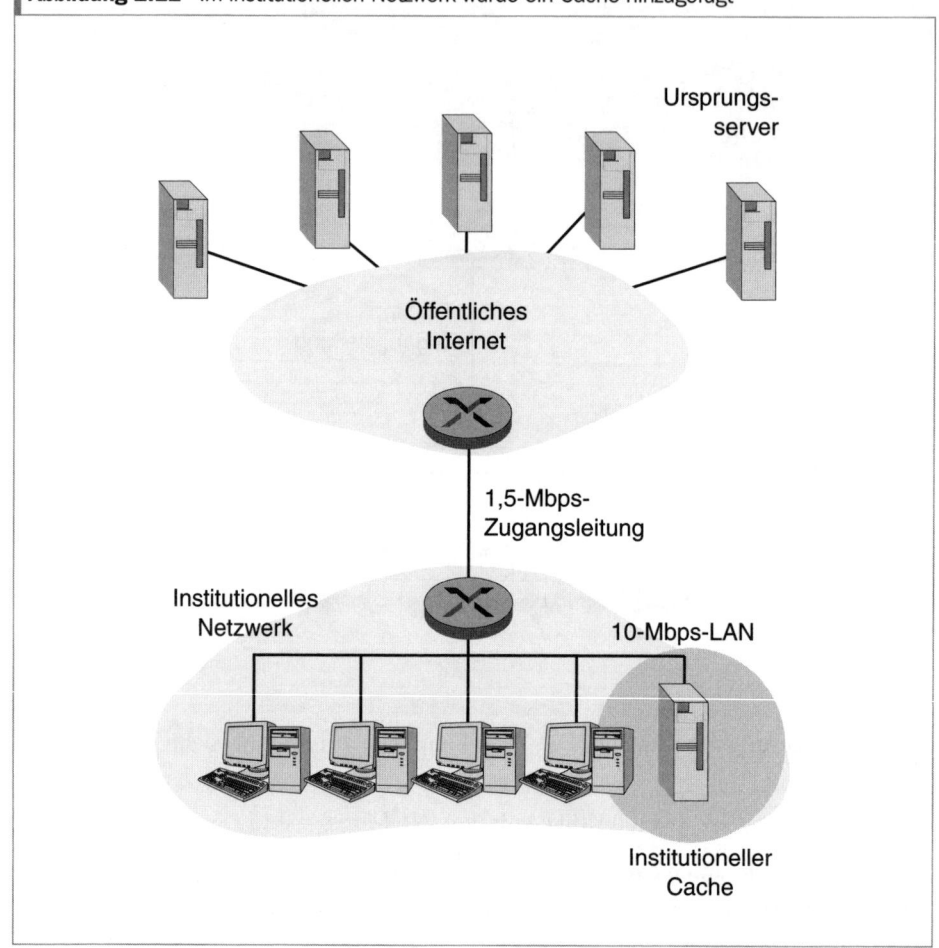

Wir betrachten jetzt eine alternative Lösung, bei der die Zugangsleitung nicht aufgerüstet werden muss. Stattdessen wird im institutionellen Netzwerk ein Web-Cache installiert (siehe Abbildung 2.11). Die Trefferraten – der Anteil der Anfragen, die aus dem Cache erfüllt werden können – liegen in der Praxis meist im Bereich von 0,2 bis 0,7. Zur besseren Veranschaulichung nehmen wir an, dass der Cache dieser Institution eine Trefferrate von 0,4 erreicht. Da die Clients und der Cache über das gleiche Hochgeschwindigkeits-LAN angeschlossen sind, werden 40% der Anfragen fast sofort, d. h. innerhalb von 10 Millisekunden, vom Cache erfüllt. Dennoch sind immer noch 60% der Anfragen von den Ursprungsservern zu bedienen. Da aber nur 60% der angeforderten Objekte durch die Zugangsleitung fließen, wird die Verkehrsintensität auf der Zugangsleitung von 1,0 auf 0,6 reduziert. Normalerweise entspricht eine Verkehrsintensität von weniger als 0,8 auf einer 1,5-Mbps-Verbindungsleitung einer geringen Verzögerung, etwa Zehntel Millisekunden. Diese Verzögerung ist im Vergleich zur Internet-Verzögerung von 2 Sekunden sehr gering. Vor diesem Hintergrund erhalten wir eine durchschnittliche Verzögerung von

0,4 * (0,010 Sekunden) + 0,6 * (2,01 Sekunden),

also knapp über 1,2 Sekunden. Folglich bietet diese zweite Lösung eine noch schnellere Reaktionszeit als die erste und sie setzt nicht voraus, dass die Institution in die Aufrüstung ihrer Verbindung zum Internet investieren muss. Die Institution muss allerdings einen Web-Cache anschaffen und installieren. Diese Kosten sind aber verhältnismäßig gering; viele Caches nutzen Public-Domain-Software, die auf preisgünstigen Servern und PCs ausgeführt werden kann.

Kooperatives Caching

Mehrere Web-Caches an unterschiedlichen Stellen im Internet können kooperieren und die Gesamtleistung verbessern. Beispielsweise kann ein institutioneller Cache so konfiguriert werden, dass seine HTTP-Anfragen an einen Cache bei einem nationalen Backbone-ISP gesendet werden. Wenn der institutionelle Cache in diesem Fall ein angefordertes Objekt nicht in seinem Speicher hat, leitet er die HTTP-Anfrage an den nationalen Cache weiter. Der nationale Cache liest das Objekt aus seinem Speicher oder, falls es dort nicht vorhanden ist, vom Ursprungsserver ein. Dann sendet der nationale Cache das Objekt (in einer HTTP-Antwortnachricht) an den institutionellen Cache, der es seinerseits an den anfragenden Browser sendet. Von jedem Objekt, das einen (institutionellen oder nationalen) Cache durchläuft, wird im lokalen Speicher dieses Cache eine Kopie hinterlegt. Das Durchreichen durch einen Cache auf höherer Ebene, wie beispielsweise ein nationaler Cache, hat den Vorteil, dass ein solcher Cache eine größere Benutzerzahl bedient und damit höhere Trefferraten erreicht.

Ein Beispiel des kooperativen Caching ist das NLANR-Caching-System, das eine Reihe von Backbone-Caches in den USA umfasst, die institutionellen und regionalen Caches aus aller Welt ihren Dienst anbieten [NLANR 1999]. Abbildung 2.12 zeigt die NLANR-Caching-Hierarchie [Huffaker 1998]. Die Caches erhalten untereinander Objekte durch Verwendung einer Kombination aus HTTP und ICP (Internet Caching Protocol). ICP ist ein Protokoll der Anwendungsschicht, das es einem Cache ermöglicht, schnell bei einem anderen Cache um ein bestimmtes Dokument anzufragen [RFC 2186]. Ein Cache kann dann HTTP benutzen, um das Objekt aus dem anderen Cache einzulesen. ICP wird umfangreich in vielen kooperativen Caching-Systemen angewandt und von Squid, einer beliebten Public-Domain-Software für Web-Caching [Squid 2000], unterstützt. Lesern, die mehr über ICP erfahren möchten, empfehlen wir [Luotonen 1998], [Ross 1998] und den ICP-RFC [RFC 2186].

Bei einer anderen Form des kooperativen Caching werden Cache-Cluster (Ansammlungen) gebildet, die sich oft im gleichen LAN befinden. Ein einzelner Cache wird dabei häufig durch eine Gruppe von Caches ersetzt, wenn der einzelne Cache nicht ausreicht, um den Verkehr zu bewältigen oder ausreichend Speicherkapazität bereitzustellen. Obwohl die Bildung von Cache-Clustern eine natürliche Art ist, das Caching entsprechend der Verkehrszunahme zu skalieren, führen Cluster zu einem neuen Problem: An welchen Cache im Cache-Cluster soll ein Browser seine Anfrage für ein bestimmtes Objekt richten? Dieses Problem kann mit Hilfe des Hash-Routing elegant gelöst werden. (Wenn Sie mit Hash-Funktionen nicht vertraut sind,

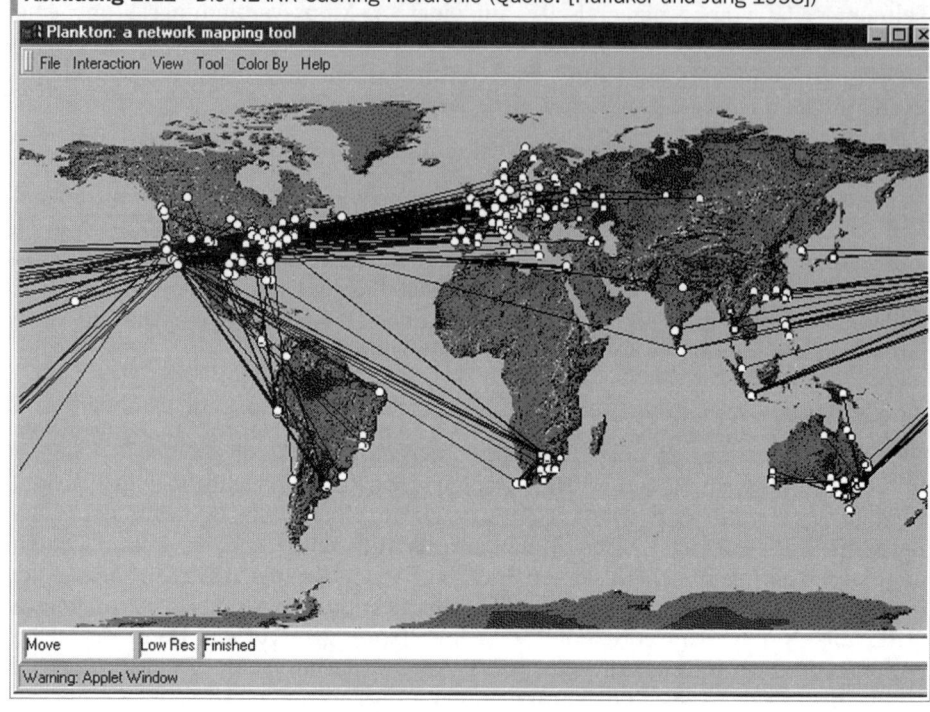

Abbildung 2.12 Die NLANR-Caching-Hierarchie (Quelle: [Huffaker und Jung 1998])

können Sie in Kapitel 7 mehr darüber lesen.) In der einfachsten Form des Hash-Routing hasht der Browser die URL und leitet je nach Hash-Ergebnis seine Anfragenachricht an einen der Caches im Cluster weiter. Indem man alle Browser die gleiche Hash-Funktion verwenden lässt, ist ein Objekt nie in mehr als einem Cache des Clusters vorhanden, und sofern sich das Objekt tatsächlich im Cache-Cluster befindet, richtet der Browser seine Anfrage immer an den richtigen Cache. Hash-Routing ist die Essenz von CARP (Cache Array Routing Protocol). Weitere Informationen über Hash-Routing oder CARP findet der Leser in [Valloppillil 1997; Luotonen 1998; Ross 1997, 1998].

Web-Caching ist ein komplexes Thema. Es ist seit einigen Jahren Gegenstand umfangreicher Forschungen und Produktentwicklungen. Des Weiteren werden heute Caches gebaut, die Streaming-Audio und -Video unterstützen. Caches werden sicherlich eine wichtige Rolle spielen, wenn sich das Internet zu einer Infrastruktur für die großangelegte Verteilung von Musik, Fernsehsendungen und Movies-on-Demand im Internet entwickelt.

2.3 Filetransfer: FTP

FTP (File Transfer Protocol) ist ein Protokoll für die Übertragung einer Datei von einem Host zu einem anderen. Das Protokoll wurde 1971 entwickelt (als das Internet noch ein Experiment war), erfreut sich aber auch heute noch enormer Beliebtheit. FTP wird in RFC 959 beschrieben. Abbildung 2.13 zeigt eine Übersicht über die von FTP gebotenen Dienste.

2.3 Filetransfer: FTP

Abbildung 2.13 FTP bewegt Dateien zwischen einem lokalen und einem entfernten Dateisystem.

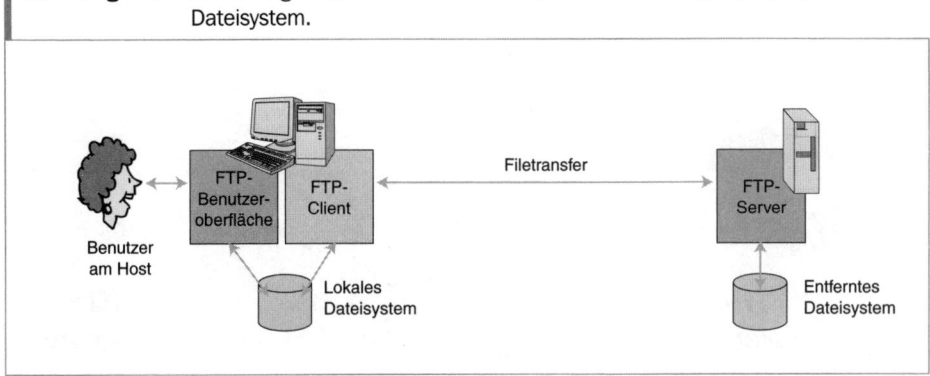

In einer typischen FTP-Sitzung sitzt der Benutzer vor einem Host (dem lokalen Host) und möchte Dateien von oder zu einem entfernten Host übertragen. Damit der Benutzer Zugang zu dem entfernten System erhält, muss er eine Benutzeridentifizierung und ein Passwort eingeben. Anschließend kann er Dateien vom lokalen zum entfernten Dateisystem, und umgekehrt, übertragen. Wie Abbildung 2.13 zeigt, interagiert der Benutzer mit FTP über einen FTP-User-Agent. Der Benutzer gibt zuerst den Hostnamen des entfernten Host ein, was den FTP-Client-Prozess im lokalen Host veranlasst, eine TCP-Verbindung mit dem FTP-Server-Prozess im entfernten Host aufzubauen. Anschließend gibt der Benutzer seine Identifizierung und ein Passwort ein; beide Eingaben werden über die TCP-Verbindung als Teil von FTP-Befehlen übertragen. Nachdem der Server den Benutzer autorisiert hat, kann der Benutzer eine oder mehrere Dateien, die im lokalen Dateisystem gespeichert sind, auf das entfernte Dateisystem übertragen, und umgekehrt.

HTTP und FTP sind Dateitransferprotokolle und weisen viele gemeinsame Merkmale auf; beide setzen z. B. auf TCP auf. Die beiden Protokolle der Anwendungsschicht weisen aber auch wichtige Unterschiede auf. Auffälligster Unterschied ist, dass FTP zwei parallele TCP-Verbindungen benutzt, um eine Datei zu übertragen: eine **Steuer-** und eine **Datenverbindung**. Die Steuerverbindung wird benutzt, um Steuerinformationen zwischen zwei Hosts auszutauschen, z. B. Benutzeridentifizierung, Passwort sowie Befehle zum Wechseln des entfernten Verzeichnisses und für die Übertragung von Dateien (*put* und *get*). Die Datenverbindung wird für die Übertragung der eigentlichen Dateien benutzt. Da FTP eine getrennte Steuerverbindung benutzt, sagt man, es sendet seine Steuerinformationen **Out-of-Band**. In Kapitel 6 wird das RTSP-Protokoll beschrieben, das ebenfalls seine Steuerinformationen von den Daten getrennt (Out-of-Band) sendet; es wird für die Steuerung der Übertragung von kontinuierlichen Medien wie Audio und Video benutzt. Wie bereits beschrieben, sendet HTTP Header-Zeilen in Anfragen und Antworten über die gleiche TCP-Verbindung, über die auch die Dateidaten selbst übertragen werden. Aus diesem Grund sagt man, HTTP sendet seine Steuerinformationen **In-Band**. Im nächsten Abschnitt wird in Zusammenhang mit SMTP – dem wichtigsten Protokoll für E-Mail – erklärt, dass es ebenfalls Steuerinformationen In-band sendet. Die Steuer- und Datenverbindungen von FTP sind in Abbildung 2.14 dargestellt.

Abbildung 2.14 Steuer- und Datenverbindungen in FTP

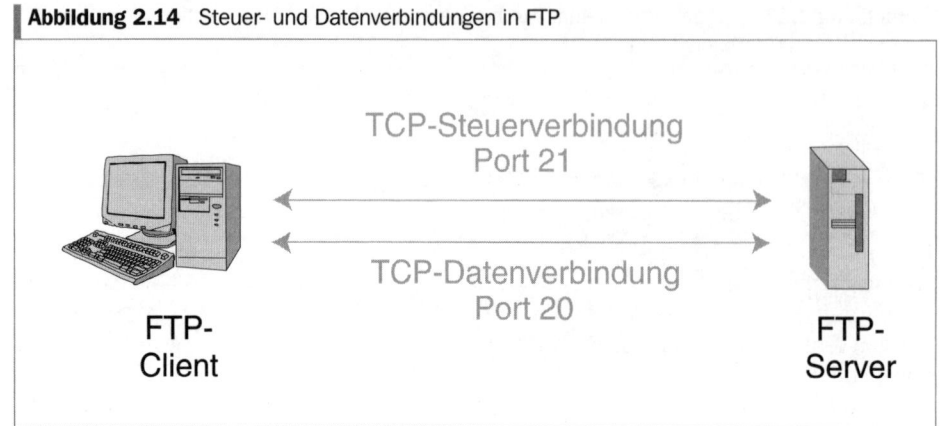

Wenn ein Benutzer eine FTP-Sitzung mit einem entfernten Host startet, richtet FTP zuerst eine TCP-Steuerverbindung auf Server-Portnummer 21 ein. Die Client-Seite von FTP sendet zuerst die Benutzeridentifizierung und das Passwort und anschließend Befehle zum Wechseln des entfernten Verzeichnisses (soweit zutreffend) über diese Steuerverbindung. Wenn der Benutzer eine Dateiübertragung (von oder zum entfernten Host) anfordert, öffnet FTP eine TCP-Datenverbindung auf Server-Portnummer 20. FTP sendet nur eine Datei über die Datenverbindung und schließt sie dann. Wenn der Benutzer in der gleichen Sitzung eine andere Datei übertragen möchte, öffnet FTP eine andere Datenverbindung. In FTP bleibt die Steuerverbindung also während der gesamten Dauer einer Sitzung offen, jedoch wird für jede übertragene Datei innerhalb einer Sitzung eine neue Datenverbindung aufgebaut (d. h., die Datenverbindungen sind nicht persistent).

Im Verlauf einer Sitzung muss der FTP-Server den **Zustand** über die Benutzersitzung führen. Insbesondere muss er ein bestimmtes Benutzerkonto mit der Steuerverbindung assoziieren und das aktuelle Verzeichnis verfolgen, während der Benutzer durch den entfernten Verzeichnisbaum wandert. Die Verfolgung dieser Zustandsinformationen für jede laufende Benutzersitzung schränkt die Gesamtzahl der Sitzungen, die FTP gleichzeitig unterstützen kann, erheblich ein. HTTP ist demgegenüber **zustandslos**; es muss keine Zustandsinformationen über Benutzer verfolgen.

2.3.1 FTP-Befehle und -Antworten

Wir beenden diesen Abschnitt mit einer kurzen Beschreibung der häufig benutzten FTP-Befehle. Die Befehle vom Client zum Server und die Antworten vom Server zum Client werden über die Steuerverbindung im 7-Bit-ASCII-Format gesendet. Wie in HTTP sind FTP-Befehle also für Menschen leserlich. Um aufeinander folgende Befehle abzugrenzen, wird jeder Befehl (und jede Antwort) mit einem Wagenrücklauf (Carriage Return) und einem Zeilenvorschub (Line Feed) beendet. Jeder Befehl setzt sich aus vier groß geschriebenen ASCII-Zeichen zusammen, von denen einige optionale Argumente annehmen können. Die folgenden Befehle werden am häufigsten benutzt:

- `USER username`: Dient zum Senden der Benutzeridentifizierung zum Server.
- `PASS password`: Wird benutzt, um das Passwort des Benutzers zum Server zu senden.

- `LIST`: Fordert den Server auf, eine Liste aller Dateien im aktuellen entfernten Verzeichnis auszugeben. Die Dateiliste wird über eine (neue und nicht persistente) Datenverbindung und nicht über die TCP-Steuerverbindung gesendet.
- `RETR filename`: Wird benutzt, um eine Datei vom aktuellen Verzeichnis des entfernten Host zu übertragen.
- `STOR filename`: Dient zur Übertragung einer Datei in das aktuelle Verzeichnis des entfernten Hosts.

Im typischen Fall gibt es eine Eins-zu-Eins-Entsprechung zwischen dem vom Benutzer ausgegebenen Befehl und dem FTP-Befehl, der über die Steuerverbindung gesendet wird. Jedem Befehl folgt eine Antwort, die vom Server zum Client gesendet wird. Bei den Antworten handelt es sich um dreistellige Zahlen und einer Zahl kann eine optionale Nachricht folgen. Dies ist hinsichtlich der Struktur vergleichbar mit dem Statuscode und der Phrase in der Statuszeile von HTTP-Antwortnachrichten; die Entwickler von HTTP haben diese Ähnlichkeit absichtlich in den HTTP-Antwortnachrichten realisiert. Einige typische Antworten und mögliche Nachrichten sehen wie folgt aus:

- `331 Username OK, password required`
- `125 Data connection already open; transfer starting`
- `425 Can't open data connection`
- `452 Error writing file`

Lesern, die an den übrigen FTP-Befehlen und -Antworten interessiert sind, empfehlen wir RFC 959.

2.4 E-Mail im Internet

Zusammen mit dem Web ist E-Mail eine der beliebtesten Internet-Anwendungen. Genauso wie die gewöhnliche »Schneckenpost« (wie die normale Briefpost oft scherzhaft genannt wird) ist E-Mail asynchron – Menschen senden und lesen Nachrichten, wenn es für sie bequem ist, ohne dies mit dem Terminen anderer koordinieren zu müssen. Im Gegensatz zur Schneckenpost ist E-Mail aber schnell, leicht zu verteilen und billig. Außerdem können moderne E-Mail-Nachrichten Hyperlinks, HTML-Text, Bilder, Klang und sogar Video beinhalten. In diesem Abschnitt werden die Protokolle für Internet-E-Mail auf der Anwendungsschicht beschrieben. Bevor wir uns aber eingehend mit diesen Protokollen befassen, werfen wir einen Blick aus der Vogelperspektive auf das Internet-Mail-System und seine wichtigsten Komponenten.

Abbildung 2.15 zeigt einen Überblick über das Internet-Mail-System. Wir erkennen in diesem Diagramm drei wichtige Komponenten: **User-Agents**, **Mail-Server** und **SMTP** (**Simple Mail Transfer Protocol**). Diese Komponenten werden in Zusammenhang mit einem Sender (Alice) und einem Empfänger (Bob) beschrieben. Mit Hilfe von User-Agents können Benutzer Nachrichten lesen, beantworten, weiterleiten, speichern und verfassen. (User-Agents für E-Mail werden auch *Mail-Reader* genannt; wir vermeiden diesen Begriff aber.) Wenn Alice mit dem Schreiben ihrer Nachricht fertig ist, sendet ihr User-Agent die Nachricht an ihren Mail-Server, wo die Nachricht in die abgehende Nachrichtenwarteschlange des Servers gestellt wird. Wenn Bob eine Nachricht lesen will, holt sein User-Agent die Nachricht von seiner

Mailbox auf seinem Mail-Server. Ende der neunziger Jahre wurden User-Agents mit grafischer Benutzeroberfläche (Graphical User Interface, GUI) beliebt, mit denen der Benutzer Multimedia-Nachrichten ansehen und erstellen kann. Derzeit zählen Eudora, Microsoft Outlook und Netscape Messenger zu den beliebtesten grafischen User-Agents für E-Mail. Daneben gibt es viele textbasierte E-Mail-Oberflächen im Public-Domain, z. B. mail, pine und elm.

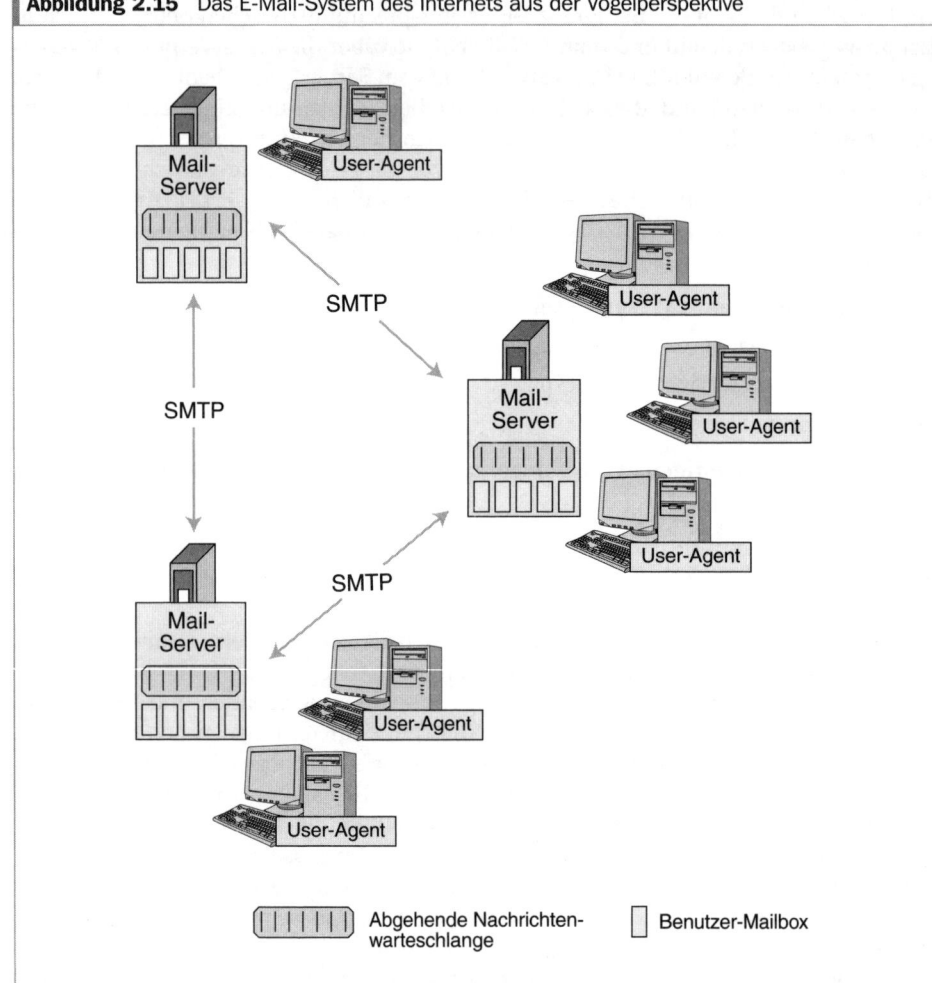

Abbildung 2.15 Das E-Mail-System des Internets aus der Vogelperspektive

Mail-Server bilden den Kern der E-Mail-Infrastruktur. Jeder Empfänger, z. B. Bob, hat eine **Mailbox**, die sich auf einem der Mail-Server befindet. Bobs Mailbox verwaltet die an ihn gesendeten Nachrichten. Eine typische Nachricht beginnt ihre Reise im User-Agent des Senders, gelangt von dort zum Mail-Server des Senders und zum Mail-Server des Empfängers, wo sie schließlich in der Mailbox des Empfängers abgelegt wird. Wenn Bob auf die Nachrichten in seiner Mailbox zugreifen will, authentifiziert der Mail-Server, auf dem sich seine Mailbox befindet, Bob (mit Benutzername und Passwort). Der Mail-Server von Alice muss sich auch mit Fehlern in Bobs Mail-

Server befassen. Wenn Alices Server keine Mail an Bobs Server übertragen kann, behält der Server von Alice die Nachricht in einer **Nachrichtenwarteschlange** und versucht die Übertragung der Nachricht später erneut. Wiederholte Versuche werden oft alle 30 Minuten gestartet; bleiben die Versuche nach mehreren Tagen erfolglos, entfernt der Server die Nachricht und benachrichtigt den Sender (Alice) durch eine E-Mail-Nachricht.

SMTP (Simple Mail Transfer Protocol) ist das wichtigste Protokoll für Internet-E-Mail auf der Anwendungsschicht. Es benutzt den zuverlässigen Datentransferdienst von TCP für die Übertragung von Mail vom Mail-Server des Senders zu dem des Empfängers. Wie bei den meisten Protokollen der Anwendungsschicht hat SMTP zwei Seiten: eine Client-Seite, die auf dem Mail-Server des Senders läuft, und eine Server-Seite, die auf dem Mail-Server des Empfängers läuft. Auf jedem Mail-Server laufen beide Seiten von SMTP. Wenn ein Mail-Server Mail (an andere Mail-Server) sendet, fungiert er als SMTP-Client. Empfängt ein Mail-Server Mail (von anderen Mail-Servern), fungiert er als SMTP-Server.

2.4.1 SMTP

SMTP ist in RFC 821 definiert und liegt im Kern von Internet-E-Mail. Wie oben erwähnt, überträgt SMTP Nachrichten von den Mail-Servern der Sender zu denjenigen der Empfänger. SMTP ist viel älter als HTTP. (Der SMTP-RFC wurde 1982 verfasst und SMTP gab es schon lange davor.) Obwohl SMTP zahlreiche wunderbare Qualitäten aufweist, was seine starke Verbreitung im Internet belegt, ist es dennoch eine alte Technologie, die gewisse »archaische« Merkmale aufweist. Beispielsweise beschränkt es den Rumpf (und nicht nur die Header) aller Mails auf einfaches 7-Bit-ASCII. Diese Einschränkung war Anfang der achtziger Jahre vielleicht sinnvoll, als die Übertragungskapazität knapp war und niemand Mails mit riesigen Attachments oder große Bilder, Audio- und Videodateien per E-Mail verschickte. Heute, im Multimedia-Zeitalter, bereitet diese Einschränkung – gelinde gesagt – ziemliche Schwierigkeiten. Sie setzt voraus, dass binäre Multimedia-Daten vor der Übertragung über SMTP zuerst in ASCII kodiert werden. Am empfangenden Ende muss die ASCII-Nachricht dann wieder in das binäre Format dekodiert werden. Wir wissen aus Abschnitt 2.3, dass HTTP keine ASCII-Kodierung von Multimedia-Daten vor der Übertragung voraussetzt.

Um die grundlegende Funktionsweise von SMTP zu veranschaulichen, stellen wir ein übliches Szenario dar. Alice möchte eine einfache ASCII-Nachricht an Bob senden:

- Alice öffnet ihren User-Agent für E-Mail, gibt die E-Mail-Adresse von Bob (z. B. bob@someschool.edu) ein, schreibt eine Nachricht und weist den User-Agent an, die Nachricht zu versenden.

- Der User-Agent von Alice sendet die Nachricht an ihren Mail-Server, wo sie in eine Nachrichtenwarteschlange gestellt wird.

- Die Client-Seite von SMTP, die auf dem Mail-Server von Alice läuft, sieht die Nachricht in der Nachrichtenwarteschlange und öffnet eine TCP-Verbindung zu einem SMTP-Server, der auf dem Mail-Server von Bob läuft.

- Nach einem anfänglichen SMTP-Handshake sendet der SMTP-Client die Nachricht von Alice über die TCP-Verbindung ab.

- Die Server-Seite von SMTP auf dem Mail-Server von Bob empfängt die Nachricht und überstellt sie an Bobs Mailbox.

- Bob aktiviert seinen User-Agent und liest die Nachricht, wann immer er will.

Dieses Szenario ist in Abbildung 2.16 dargestellt. Wichtig ist, dass SMTP normalerweise beim Versenden von Mail keine dazwischen liegenden Mail-Server benutzt, auch wenn sich die beiden Mail-Server an entgegengesetzten Orten der Welt befinden. Das heißt, auch wenn sich der Server von Alice in Hongkong und der von Bob in Mobile im US-Bundesstaat Alabama befindet, ist die »TCP-Verbindung« eine direkte Verbindung zwischen dem Server in Hongkong und dem in Mobile. Man beachte vor allem auch, dass die Nachricht im Mail-Server von Alice verbleibt und auf einen erneuten Versuch wartet, falls Bobs Mail-Server abstürzen sollte; die Nachricht wird nicht auf einem dazwischen liegenden Mail-Server abgestellt.

Abbildung 2.16 Der Mail-Server von Alice überträgt ihre Nachrichten an den Mail-Server von Bob.

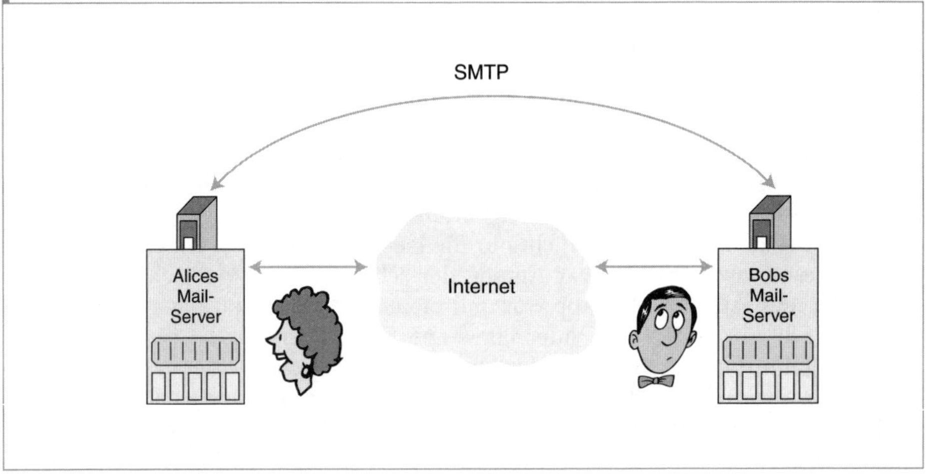

Wir sehen uns jetzt genauer an, wie SMTP eine Nachricht von einem sendenden zu einem empfangenden Mail-Server überträgt. Wir werden sehen, dass das SMTP-Protokoll viele Ähnlichkeiten mit Protokollen aufweist, die zwischen Menschen ablaufen. Erstens muss der SMTP-Client (der auf dem sendenden Mail-Server läuft) TCP anweisen, eine Verbindung zu Port 25 des SMTP-Servers (der auf dem empfangenden Mail-Server läuft) aufzubauen. Anschließend führen der Server und der Client ein Handshake auf der Anwendungsschicht durch. Wie sich Menschen oft zuerst einander vorstellen, bevor sie Informationen untereinander austauschen, stellen sich SMTP-Clients und -Server zunächst vor, bevor sie Informationen übertragen. Während dieser SMTP-Handshake-Phase gibt der SMTP-Client die E-Mail-Adresse des Senders (die Person, die die Nachricht erzeugt hat) und die E-Mail-Adresse des Empfängers an. Danach sendet der Client die Nachricht. SMTP kann sich auf den zuverlässigen Datentransferdienst von TCP dahingehend verlassen, dass die Nachricht ohne Fehler zum Server gelangt. Der Client wiederholt diesen Prozess dann über die gleiche TCP-Verbindung, falls er noch weitere Nachrichten zum Server senden muss; andernfalls weist er TCP an, die Verbindung zu schließen.

Wir betrachten ein praktisches Beispiel zwischen einem Client (C) und einem Server (S). Der Hostname des Clients ist `crepes.fr` und derjenige des Servers ist `hamburger.edu`. Die ASCII-Textzeilen, die mit **C:** beginnen, sind genau die Zeilen, die der Client auf sein TCP-Socket schickt, während es sich bei denjenigen, die mit **S:** beginnen, um die Zeilen handelt, die der Server auf sein TCP-Socket sendet. Der folgende Ablauf beginnt, sobald die TCP-Verbindung aufgebaut wurde:

```
S: 220 hamburger.edu
C: HELO crepes.fr
S: 250 Hello crepes.fr, pleased to meet you
C: MAIL FrOM: <alice@crepes.fr>
S: 250 alice@crepes.fr … Sender ok
C: RCPT TO: <bob@hamburger.edu>
S: 250 bob@hamburger.edu … Recipient ok
C: DATA
S: 354 Enter mail, end with "." on a line by itself
C: Do you like ketchup?
C: How about pickles?
C: .
S: 250 Message accepted for delivery
C: QUIT
S: 221 hamburger.edu closing connection
```

Im obigen Beispiel sendet der Client eine Nachricht ("Do you like ketchup? How about pickles?") vom Mail-Server crepes.fr zum Mail-Server hamburger.edu. Der Client gibt fünf Befehle aus: HELO (Abkürzung für HELLO als Begrüßung), MAIL FROM (Mail von), RCPT TO (für Empfänger), DATA (Daten) und QUIT (Beenden). Der Server gibt auf jeden Befehl eine Antwort aus, die einen Antwortcode und (optional) eine Erklärung im Klartext beinhaltet. Man beachte, dass SMTP persistente Verbindungen benutzt: Wenn der sendende Mail-Server mehrere Nachrichten an den gleichen empfangenden Mail-Server senden muss, kann er alle über die gleiche TCP-Verbindung senden. Für jede Nachricht beginnt der Client den Prozess mit einem neuen MAIL FROM und gibt dann erst ein QUIT aus, nachdem alle Nachrichten gesendet wurden.

Sie sollten unbedingt Telnet benutzen und einen direkten Dialog mit einem SMTP-Server durchführen. Hierfür geben Sie `telnet serverName 25` ein, wobei serverName durch den Namen des entfernten Mail-Servers zu ersetzen ist. Sie bauen dabei einfach eine TCP-Verbindung zwischen Ihrem lokalen Host und dem Mail-Server auf. Nachdem Sie diese Zeile eingegeben haben, sollten Sie unmittelbar die 220-Antwort vom Server empfangen. Dann geben Sie die SMTP-Befehle HELO, MAIL FROM, RCPT TO, DATA und QUIT zum entsprechenden Zeitpunkt ein. Wenn Sie beispielsweise in Telnet den SMTP-Server eines Freundes kontaktieren, sollte es Ihnen gelingen, ihm auf diese Weise eine Mail zu senden (d. h., ohne Ihren User-Agent für E-Mail zu benutzen).

2.4.2 SMTP und HTTP im Vergleich

In diesem Abschnitt vergleichen wir SMTP mit HTTP. Beide Protokolle werden für die Übertragung von Dateien von einem Host an einen anderen benutzt. HTTP überträgt Dateien (oder Objekte) vom Web-Server zum Web-User-Agent (d. h. Browser). SMTP überträgt Dateien (d. h. E-Mail-Nachrichten) von einem Mail-Server zu einem anderen. Für die Übertragung der Dateien benutzt sowohl persistentes HTTP als auch SMTP persistente Verbindungen. Die beiden Protokolle haben also einiges gemeinsam. Sie weisen aber auch wichtige Unterschiede auf. Erstens ist HTTP prinzipiell ein **Pull-Protokoll**. Das heißt, jemand lädt Informationen auf einen Web-Server und Benutzer verwenden HTTP, um die Informationen zu einem ihnen genehmen Zeitpunkt vom Server zu »ziehen« (pull). Die TCP-Verbindung wird von der Maschine initiiert, die die Datei empfangen will. Demgegenüber ist SMTP primär ein **Push-Protokoll**. Das heißt, der sendende Mail-Server »schiebt« (push) die Datei auf den empfangenden Mail-Server. Die TCP-Verbindung wird von der Maschine initiiert, die die Datei senden will.

Ein zweiter wichtiger Unterschied, den wir bereits an früherer Stelle angedeutet haben, ist der, dass in SMTP alle Nachrichten, einschließlich Rumpf, im 7-Bit-ASCII-Format sein müssen. Außerdem erfordert der SMTP-RFC, dass der Rumpf jeder Nachricht mit einer Zeile endet, die nur einen Punkt enthält. Im ASCII-Jargon heißt das, dass der Rumpf jeder Nachricht mit »CRLF.CRLF« enden muss, wobei CR und LF Carriage Return (Wagenrücklauf) bzw. Line Feed (Zeilenvorschub) bedeuten. Während der SMTP-Server eine Reihe von Nachrichten von einem SMTP-Client empfängt, kann der Server die Nachrichten dadurch abgrenzen, dass er nach dem »CRLF.CRLF« im Bytestrom sucht. Jetzt nehmen wir an, dass der Rumpf einer Nachricht Binärdaten (z. B. ein JPEG-Bild) enthält. Es könnte sein, dass diese Binärdaten zufällig das für die ASCII-Darstellung von »CRLF.CRLF« verwendete Bitmuster irgendwo im Bitstrom enthalten. Dadurch würde der SMTP-Server irrtümlich annehmen, dass die Nachricht an dieser Stelle endet. Um dieses und damit zusammenhängende Probleme zu vermeiden, werden Binärdaten zuerst in ASCII kodiert, so dass bestimmte ASCII-Zeichen (darunter ».«) nicht benutzt werden. Wenn wir zu unserem Vergleich mit HTTP zurückkehren, stellen wir fest, dass weder nicht persistentes noch persistentes HTTP eine ASCII-Umwandlung voraussetzt. Bei nicht persistentem HTTP überträgt die TCP-Verbindung nur ein Objekt. Wenn der Server die Verbindung schließt, weiß der Client, dass er eine komplette Antwortnachricht erhalten hat. Beim persistenten HTTP beinhaltet jede Antwortnachricht eine Header-Zeile Content-length:, durch die der Client das Ende jeder Nachricht abgrenzen kann.

Ein dritter wichtiger Unterschied betrifft die Art, wie ein aus Text und Bildern (sowie möglicherweise anderen Medientypen) bestehendes Dokument behandelt wird. Wir wissen aus Abschnitt 2.3, dass HTTP jedes Objekt in seine eigene HTTP-Antwortnachricht kapselt. Internet-Mail, wie später ausführlicher beschrieben wird, ordnet alle Objekte der Nachricht in einer Nachricht an.

2.4.3 Mail-Nachrichtenformate und MIME

Wenn Alice einen Brief mit der gelben Post an Bob schickt, steckt sie den Brief in einen Umschlag, auf dem verschiedene periphäre Informationen vermerkt werden, wie beispielsweise die Adresse von Bob, die Adresse des Absenders und das Datum (das vom Postdienst aufgebracht wird). Wenn eine E-Mail-Nachricht von einer Person zu einer anderen geschickt wird, enthält ein Header ebenfalls periphäre Informationen vor dem eigentlichen Rumpf der Nachricht. Diese Informationen befinden sich in einer Reihe von Header-Zeilen, die in RFC 822 definiert sind. Die Header-Zeilen sind vom Nachrichtenrumpf durch eine Leerzeile (CRLF) getrennt. RFC 822 spezifiziert das genaue Format für Mail-Header-Zeilen und ihre semantische Interpretation. Wie bei HTTP enthält jede Header-Zeile einen leserlichen Text, der sich aus einem Schlüsselwort, einem Doppelpunkt und einem Wert zusammensetzt. Einige der Schlüsselwörter sind zwingend, andere optional. Zwingende Header-Zeilen sind

z. B. From: und To:, während Subject: (Betreff) optional ist. Wichtig ist, dass sich diese Header-Zeilen von den in Abschnitt 2.4.1 beschriebenen SMTP-Befehlen *unterscheiden* (obwohl sie gleiche Wörter wie »From« und »To« aufweisen). Die SMTP-Befehle sind Teil des Handshake-Protokolls von SMTP; demgegenüber befinden sich die nachfolgend beschriebenen Header-Zeilen direkt in der Mail-Nachricht. Ein typischer Nachrichten-Header sieht wie folgt aus:

```
From: alice@crepes.fr
To: bob@hamburger.edu
Subject: Searching for the meaning of life.
```

Dem Nachrichten-Header folgen eine Leerzeile und der Nachrichtenrumpf (in ASCII). Die Nachricht endet mit einer Zeile, die nur einen Punkt enthält. Sie können Telnet benutzen, um eine Nachricht mit einigen Header-Zeilen, z. B. Subject:, an einen Mail-Server zu senden. Hierfür geben Sie telnet serverName 25 ein.

MIME-Erweiterung für Binärdaten

Die in RFC 822 definierten Nachrichten-Header erfüllen zwar ihren Zweck für das Senden gewöhnlicher ASCII-Texte, reichen aber für Multimedia-Nachrichten (z. B. Nachrichten mit Bildern, Audio und Video) oder die Übertragung von anderen als ASCII-Zeichen (z. B. Text in einer Sprache mit Sonderzeichen) nicht aus. Um etwas anderes als ASCII-Text übertragen zu können, muss der sendende User-Agent zusätzliche Header-Zeilen in die Nachricht einfügen. Diese Header sind in RFC 2045 und RFC 2046 definiert; die beiden RFCs spezifizieren MIME (Multipurpose Internet Mail Extensions), eine Erweiterung zum RFC 822.

Zwei wichtige MIME-Header für die Unterstützung von Multimedia sind Content-Type: und Content-Transfer-Encoding:. Der Header-Eintrag Content-Type: ermöglicht es dem empfangenden User-Agent, die Nachricht entsprechend zu behandeln, z. B. kann der empfangende User-Agent ein JPEG-Bild im Rumpf einer Nachricht an eine JPEG-Dekompressionsroutine weiterleiten. Um die Notwendigkeit des Headers Content-Transfer-Encoding: zu verstehen, bedenke man, dass alle Nachrichten außer ASCII-Text in ein ASCII-Format kodiert werden müssen, das nicht mit SMTP zu verwechseln ist. Der Header Content-Transfer-Encoding: macht den empfangenden User-Agent darauf aufmerksam, dass der Nachrichtenrumpf in ASCII kodiert und welche Kodierung angewandt wurde. Wenn also ein User-Agent eine Nachricht mit diesen beiden Header-Zeilen empfängt, benutzt er zuerst den Wert von Content-Transfer-Encoding:, um den Nachrichtenrumpf in sein ursprüngliches ASCII-fremdes Format zurück zu konvertieren; anschließend bestimmt er anhand des Werts von Content-Type:, welche Aktionen auf den Nachrichtenrumpf auszuführen sind.

Wir betrachten dies an einem konkreten Beispiel: Alice möchte Bob ein JPEG-Bild senden. Hierfür öffnet Alice ihren User-Agent für E-Mail, gibt Bobs E-Mail-Adresse ein, trägt unter »Subject« einen Betreff ein und fügt das JPEG-Bild in den Rumpf der Nachricht ein. (Je nachdem, mit welchem User-Agent Alice arbeitet, hängt sie das Bild möglicherweise als »Attachment« an die Nachricht an.) Wenn die Nachricht fertig ist, klickt Alice auf »Senden«. Ihr User-Agent erzeugt eine MIME-Nachricht, die etwa wie folgt aussehen kann:

```
From: alice@crepes.fr
To: bob@hamburger.edu
Subject: Picture of yummy crepe.
```

```
MIME-Version: 1.0
Content-Transfer-Encoding: base64
Content-Type: image/jpeg

(base64 kodierte Daten ...........
................................
.......... base64 kodierte Daten)
```

Anhand der obigen MIME-Nachricht lässt sich feststellen, dass Alices User-Agent das JPEG-Bild mit Hilfe der base64-Kodierung kodiert hat. Dies ist eine der in der MIME-Spezifikation [RFC 2045] standardisierten Kodiertechniken für die Konvertierung in ein 7-Bit-ASCII-Format. Eine weitere Kodiertechnik ist Quoted-Printable, die normalerweise angewandt wird, um eine gewöhnliche ASCII-Nachricht in ASCII-Text ohne unerwünschte Zeichenketten (z. B. eine Zeile mit nur einem Punkt) zu konvertieren.

Wenn Bob diese MIME-Nachricht in seinem User-Agent liest, prüft der User-Agent die Header-Zeile Content-Transfer-Encoding: base64 und dekodiert den Nachrichtenrumpf mittels base64. Die Nachricht beinhaltet auch die Header-Zeile Content-Type: image/jpeg, so dass Bobs User-Agent erkennt, dass der Nachrichtenrumpf in JPEG dekomprimiert werden muss. Schließlich enthält die Nachricht die Header-Zeile MIME-Version: mit der verwendeten MIME-Versionsnummer. Im Übrigen folgt die Nachricht dem in RFC 822 standardisierten SMTP-Format. Das bedeutet insbesondere, dass dem Nachrichten-Header eine Leerzeile, dann der Nachrichtenrumpf und danach eine Zeile mit nur einem Punkt folgt.

Wir sehen uns jetzt die Header-Zeile Content-Type: genauer an. Laut MIME-Spezifikation [RFC 2046] hat dieser Header folgendes Format:

```
Content-Type: type/subtype; Parameter
```

Das Semikolon und »Parameter« sind optional. Gemäß [RFC 2046] kann im Feld Content-Type die Datenart im Rumpf einer MIME-Nachricht, d. h. Medientyp und Subtypnamen, angegeben werden. Nach den Typ- und Subtypnamen lassen sich wahlweise Parameter angeben. Generell wird der Typ der obersten Ebene benutzt, um den allgemeinen Datentyp zu deklarieren, während der Subtyp ein spezifisches Format dieses Datentyps angibt. Bei den optionalen Parametern handelt es sich um Modifizierer des Subtyps, was bedeutet, dass sie sich im Wesentlichen nicht auf die Art des Inhalts auswirken. Sinnvolle Parameter hängen von Typ und Subtyp ab. Die meisten Parameter stehen mit einem einzigen spezifischen Subtyp in Zusammenhang. MIME wurde sorgfältig mit Blick auf Erweiterbarkeit ausgelegt. Es wird erwartet, dass die Anzahl der Typ/Subtyp-Paare für Medien und die entsprechenden Parameter im Laufe der Zeit beträchtlich zunehmen werden. Um sicherzustellen, dass alle Typen/Subtypen auf ordentliche, wohl spezifizierte und öffentliche Weise entwickelt werden, gibt MIME einen Registrierungsprozess vor, der IANA (Internet Assigned Numbers Authority) als zentrales Registry für verschiedene Belange hinsichtlich MIME-Erweiterungen benutzt. Der Registrierungsprozess für diese Bereiche ist in RFC 2048 beschrieben.

Derzeit sind sieben Typen der obersten Ebene definiert. Für jeden Typ gibt es einige Subtypen, zu denen jedes Jahr neue hinzukommen. Wir beschreiben nachfolgend fünf wichtige Typen:

- **Text**: An diesem Typ erkennt der empfangende User-Agent, dass der Nachrichtenrumpf Text enthält. Ein besonders häufiges Typ/Subtyp-Paar ist text/plain. Der

Subtyp `plain` bezeichnet einfachen Text ohne Formatierungen. Einfacher Text wird unformatiert angezeigt und es ist keine spezielle Software erforderlich, um den Text verständlich anzuzeigen, abgesehen von der Unterstützung des angegebenen Zeichensatzes. Wenn Sie sich einmal den MIME-Header einiger Nachrichten in Ihrer Mailbox ansehen, werden sie sicherlich in den Header-Zeilen `Content-Type:` den Eintrag `text/plain; charset=us-ascii` oder `text/plain; charset="ISO-8859-1"` sehen. Diese Parameter bezeichnen den Zeichensatz, mit dem die Nachricht erzeugt wurde. Ein weiteres Typ/Subtyp-Paar, das sich zunehmender Beliebtheit erfreut, ist `text/html`. Der Subtyp `html` bedeutet, dass der Mail-Reader die in der Nachricht eingebetteten HTML-Tags interpretieren soll. Dies ermöglicht es dem empfangenden User-Agent, die Nachricht als Web-Seite anzuzeigen, die möglicherweise verschiedene Schriftarten, Hyperlinks, Applets usw. enthält.

- **Image**: An diesem Typ erkennt der empfangende User-Agent, dass der Nachrichtenrumpf ein Bild enthält. Zwei beliebte Typ/Subtyp-Paare sind `image/gif` und `image/jpeg`. Wenn der empfangende User-Agent z. B. `image/gif` vorfindet, weiß er, dass er ein GIF-Bild dekodieren und anzeigen muss.

- **Audio**: Dieser Typ setzt ein Audioausgabegerät (z. B. Lautsprecher oder Telefon) voraus, um den Inhalt ausgeben zu können. Zu den standardisierten Subtypen zählen `basic` (einfache 8-Bit-Kodierung nach dem µ-Gesetz) und `32kadpcm` (ein in RFC 1911 definiertes 32-Kbps-Format).

- **Video**: Zu diesem Typ gibt es die Subtypen `mpeg` und `quicktime`.

- **Application**: Der Typ `application` wird für Daten verwendet, die in keine der übrigen Kategorien passen. Oft sind das Daten, die von einer Anwendung verarbeitet werden müssen, bevor sie von einem Benutzer betrachtet oder verwendet werden können. Wenn ein Benutzer beispielsweise ein Word-Dokument an eine E-Mail-Nachricht anhängt, benutzt der sendende User-Agent normalerweise das Typ/Subtyp-Paar `application/msword`. Wenn der empfangende User-Agent den Inhaltstyp `application/msword` sieht, startet er Microsoft Word und gibt den Rumpf der MIME-Nachricht an diese Anwendung weiter. Ein besonders wichtiger Subtyp für den Typ `application` ist `octet-stream` für beliebige Binärdaten. Bei Empfang dieses Typs fordert der Mail-Reader den Benutzer zur Auswahl auf, ob die Nachricht geöffnet oder auf der Festplatte für die spätere Verarbeitung gespeichert werden soll.

Darüber hinaus gibt es einen besonders wichtigen MIME-Typ, den wir eigens beschreiben wollen: den Typ **multipart**. Ebenso wie eine Web-Seite kann auch eine E-Mail-Nachricht viele Objekte (z. B. Text, Bilder, Applets) enthalten. Wir erinnern uns, dass das Web jedes Objekt in einer getrennten HTTP-Antwortnachricht sendet. Internet-E-Mail stellt demgegenüber alle Objekte (oder »Teile«) in die gleiche Nachricht. Wenn eine Multimedia-Nachricht mehr als ein Objekt (z. B. mehrere Bilder oder ASCII-Text und einige Bilder) enthält, hat diese Nachricht normalerweise in der Header-Zeile `Content-Type:` den Wert `multipart/mixed`. Diese Header-Zeile informiert den empfangenden User-Agent, dass die Nachricht mehrere Objekte enthält. Da sich alle Objekte in der gleichen Nachricht befinden, braucht der empfangende User-Agent eine Möglichkeit, um festzustellen, (1) wo jedes einzelne Objekt beginnt und endet, (2) wie jedes Nicht-ASCII-Objekt kodiert wurde und (3) welchen Inhaltstyp die Nachricht hat. Dies geschieht durch Einfügen von *Begrenzungszeichen* (Boundary

Characters) zwischen jedem Objekt und der Header-Zeilen `Content-Type:` und `Content-Transfer-Encoding:` vor jedem Objekt in der Nachricht.

Um `multipart/mixed` besser zu verstehen, betrachten wir ein Beispiel: Alice möchte Bob eine Nachricht senden, die aus ASCII-Text, einem JPEG-Bild und weiterem ASCII-Text besteht. Alice gibt in ihrem User-Agent einen Text ein, hängt ein JPEG-Bild an und schreibt dann weiteren Text. Ihr User-Agent erzeugt eine Nachricht, die etwa so aussieht:

```
From: alice@crepes.fr
To: bob@hamburger.edu
Subject: Picture of yummy crepe with commentary
MIME-Version: 1.0
Content-Type: multipart/mixed; Boundary=StartOfNextPart

--StartOfNextPart
Dear Bob,
Please find a picture of an absolutely scrumptious crepe.

--StartOfNextPart
Content-Transfer-Encoding: base64
Content-Type: image/jpeg
base64 kodierte Daten ..........
...............................
..........base64 kodierte Daten

--StartOfNextPart
Let me know if you would like the recipe.
```

In dieser Nachricht weist die Zeile `Content-Type:` im Header darauf hin, wie die verschiedenen Teile der Nachricht getrennt sind. Die Trennung beginnt immer mit zwei Bindestrichen und endet mit einer Leerzeile (CRLF).

Die empfangene Nachricht

Wie erwähnt, besteht eine E-Mail-Nachricht aus vielen Komponenten. Der Kern der Nachricht ist der Nachrichtenrumpf mit den eigentlichen Daten, die der Sender dem Empfänger übermitteln will. Bei einer Multipart-Nachricht besteht der Nachrichtenrumpf aus vielen Teilen, denen jeweils eine oder mehrere Zeilen mit identifizierenden Informationen vorangestellt sind. Vor dem Nachrichtenrumpf befinden sich eine Leerzeile und eine Reihe von Header-Zeilen. Diese Header-Zeilen sind laut RFC 822 z. B. `From:`, `To:` und `Subject:`. Die Header-Zeilen beinhalten außerdem MIME-Header-Zeilen wie `Content-Type:` und `Content-Transfer-Encoding:`. Es ist aber noch eine weitere Klasse von Header-Zeilen zu erwähnen, die vom empfangenden SMTP-Server eingefügt werden. Nach dem Empfang einer Nachricht mit RFC-822- und MIME-Header-Zeilen fügt der empfangende Server die Header-Zeile `Received:` oben in die Nachricht ein. Diese Header-Zeile spezifiziert den Namen des SMTP-Servers, der die Nachricht gesendet hat (»From«), den Namen des SMTP-Servers, der die Nachricht empfangen hat (»By«) und die Zeit, wann der empfangende Server die Nachricht erhalten hat. Auf der Seite des Zielbenutzers sieht die Nachricht also wie folgt aus:

```
Received: from crepes.fr by hamburger.edu; 12 Oct 98
15:27:39 GMT
From: alice@crepes.fr
To: bob@hamburger.edu
```

```
Subject: Picture of yummy crepe.
MIME-Version: 1.0
Content-Transfer-Encoding: base64
Content-Type: image/jpeg

base64 kodierte Daten ..........
................................
....... base64 kodierte Daten
.
```

Fast jeder, der E-Mail benutzt, hat die Header-Zeile `Received:` (zusammen mit den übrigen Header-Zeilen) am Anfang von E-Mail-Nachrichten sicherlich schon gesehen. (Diese Zeile erscheint oft direkt am Bildschirm oder wenn die Nachricht auf einem Drucker ausgedruckt wird.) Sie haben vielleicht festgestellt, dass eine einzelne Nachricht manchmal mehrere Header-Zeilen `Received:` und eine komplexere Header-Zeile `Return-Path:` enthält. Der Grund ist, dass eine Nachricht vielleicht an mehr als einen SMTP-Server auf dem Pfad zwischen dem Sender und dem Empfänger weitergeleitet werden muss. Wenn Bob seinen Mail-Server hamburger.edu z. B. so konfiguriert hat, dass alle seine Nachrichten an sushi.jp weitergeleitet werden, würde die Nachricht in Bobs User-Agent etwa so beginnen:

```
Received: from hamburger.edu by sushi.jp; 12 Oct 98 15:30:01 GMT
Received: from crepes.fr by hamburger.edu; 12 Oct 98 15:27:39 GMT
```

Anhand dieser Header-Zeilen kann der empfangende User-Agent die durchlaufenen SMTP-Server sowie Datumsangaben zurückverfolgen. Die Syntax dieser Header-Zeilen ist ausführlich im SMTP-RFC beschrieben – einer der besonders gut verständlichen unter den zahlreichen RFCs.

2.4.4 Mail-Zugangsprotokolle

Nachdem SMTP die Nachricht vom Mail-Server von Alice zu dem von Bob übertragen hat, landet die Nachricht in der Mailbox von Bob. Wir sind in der bisherigen Diskussion stillschweigend davon ausgegangen, dass Bob seine Mail wie folgt liest: Er meldet sich am Server-Host an und führt direkt auf diesem Host einen Mail-Reader aus. Bis Anfang der neunziger Jahre war das die Norm. Heute lesen die meisten Benutzer ihre Mail in einem User-Agent, der direkt auf ihrem lokalen PC (oder Mac) läuft; das kann ein Computer im Büro oder zu Hause oder ein Laptop unterwegs sein. Durch Ausführung des User-Agent auf einem lokalen PC kommt der Benutzer in den Genuss einer Fülle von Merkmalen, darunter die Möglichkeit, Multimedia-Nachrichten und Attachments anzusehen.

Angesichts der Tatsache, dass Bob (der Empfänger) seinen User-Agent auf seinem lokalen PC ausführt, ist die Überlegung ganz natürlich, auch einen Mail-Server auf dem lokalen PC bereitzustellen. Bei diesem Ansatz gibt es allerdings ein Problem. Wir wissen, dass ein Mail-Server Mailboxen verwaltet und die Client- und Server-Seite von SMTP ausführt. Soll Bobs Mail-Server auf seinem lokalen PC residieren, müsste Bobs PC ständig angeschaltet und an das Internet angeschlossen bleiben, damit neue Mail empfangen werden kann, die jederzeit ankommen kann. Das ist für die große Mehrheit der Internet-Benutzer nicht praktikabel. Deshalb führt der typische Benutzer einen User-Agent auf dem lokalen PC aus, greift aber auf eine Mailbox auf einem gemeinsam genutzten Mail-Server zu. Dieser Mail-Server ist immer an das Internet angeschlossen und wird von vielen Benutzern genutzt. In der Regel ist das ein Mail-Server beim ISP des Benutzers (z. B. Universität oder Firma).

Für User-Agents auf den lokalen PCs der Benutzer und Mail-Server, die bei einem ISP oder in einem institutionellen Netzwerk stehen, wird ein Protokoll benötigt, damit der User-Agent und der Mail-Server miteinander kommunizieren können. Wir sehen uns zuerst an, wie eine Nachricht von Alices lokalem PC zum SMTP-Mail-Server von Bob gelangt. Diese Aufgabe ließe sich ganz einfach dadurch bewerkstelligen, dass man Alices User-Agent direkt mit Bobs Mail-Server in der Sprache von SMTP kommunizieren lässt. Alices User-Agent würde eine TCP-Verbindung zum Mail-Server von Bob aufbauen, die Befehle für das SMTP-Handshake eingeben, die Nachricht mit dem Befehl DATA hochladen und dann die Verbindung schließen. Dieses Vorgehen ist zwar absolut machbar, wird aber nicht angewandt, weil es unter anderem dem User-Agent von Alice keinerlei Möglichkeit der Problembeseitigung gibt, falls der Mail-Server am Ziel abstürzt. Stattdessen startet der User-Agent von Alice einen SMTP-Dialog, um Alices Nachricht zuerst zu ihrem eigenen Mail-Server (und nicht direkt zum Mail-Server des Empfängers) zu senden. Anschließend baut der Mail-Server von Alice eine neue SMTP-Sitzung mit dem Mail-Server von Bob auf und *übermittelt* die Nachricht dorthin. Sollte der Mail-Server von Bob gerade nicht in Betrieb sein, hält der Mail-Server von Alice die Nachricht vor und versucht es später erneut. Der SMTP-RFC definiert, wie die SMTP-Befehle benutzt werden können, um eine Nachricht über mehrere SMTP-Server zu übermitteln.

In diesem Puzzle fehlt aber noch ein Teilchen! Wie erhält ein Empfänger wie Bob, der einen User-Agent auf seinem lokalen PC ausführt, seine Nachrichten, die sich ja auf dem Mail-Server seines ISP befinden? Das Puzzle wird durch Einführung eines speziellen Mail-Zugangsprotokolls vervollständigt, das Nachrichten von Bobs Mail-Server zu seinem lokalen PC überträgt. Derzeit gibt es zwei beliebte Mail-Zugangsprotokolle: **POP3** (Post Office Protocol, Version 3) und **IMAP** (Internet Mail Access Protocol). Wir beschreiben diese beiden Protokolle in den nächsten Unterabschnitten. Man beachte, dass der User-Agent von Bob nicht SMTP benutzen kann, um die Nachrichten vom Mail-Server des ISP abzurufen, weil es sich dabei um eine Pull-Operation handelt, während SMTP ein Push-Protokoll ist. Abbildung 2.17 stellt eine Zusammenfassung der Protokolle dar, die für Internet-Mail benutzt werden: SMTP wird sowohl für die Übertragung von Mail vom Mail-Server des Senders zu dem des Empfängers als auch für die Übertragung von Mail vom User-Agent des Senders zum Mail-Server des Senders benutzt. POP3 oder IMAP wird verwendet, um Mail vom Mail-Server des Empfängers an den User-Agent des Empfängers zu übertragen.

| **Abbildung 2.17** E-Mail-Protokolle und ihre kommunizierenden Einheiten

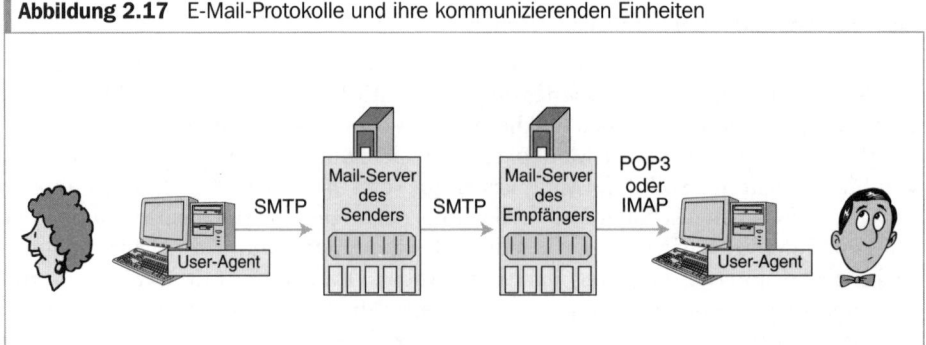

POP3

Das in RFC 1939 definierte POP3 ist ein extrem einfaches Mail-Zugangsprotokoll. Weil es so einfach ist, ist seine Funktionalität aber eher begrenzt. POP3 beginnt, wenn der User-Agent (Client) eine TCP-Verbindung zum Mail-Server (Server) auf Port 110 öffnet. Bei bestehender TCP-Verbindung verfährt POP3 in drei Phasen: Autorisation, Transaktion und Aktualisierung. In der ersten Phase (Autorisation) sendet der User-Agent einen Benutzernamen und ein Passwort, um den Benutzer für den Download seiner Mail zu authentifizieren. In der zweiten Phase (Transaktion) kann der User-Agent auch Nachrichten zum Löschen markieren, Löschmarkierungen entfernen und Mail-Statistiken abrufen. Die dritte Phase (Aktualisierung) findet statt, nachdem der Client den Befehl quit ausgegeben hat, um die POP3-Sitzung zu beenden. Zu diesem Zeitpunkt löscht der Mail-Server die zum Löschen markierten Nachrichten.

In einer POP3-Transaktion gibt der User-Agent Befehle aus, auf die der Server jeweils mit einer Antwort reagiert. Zwei Antworten sind möglich: +OK (manchmal gefolgt von Server-an-Client-Daten), wodurch der Server mitteilt, dass der vorherige Befehl in Ordnung ist, und -ERR, womit der Server sagt, dass etwas mit dem vorherigen Befehl nicht stimmt.

Die Autorisationsphase kennt zwei wichtige Befehle: user <Benutzername> und pass <Passwort>. Zum besseren Verständnis dieser beiden Befehle schlagen wir vor, dass Sie sich in Telnet über Port 110 direkt an einem POP3-Server anmelden und diese Befehle eingeben. Wenn mailServer beispielsweise der Name Ihres Mail-Servers ist, sehen Sie etwas Ähnliches wie:

```
telnet mailServer 110
+OK POP3 server ready
user alice
+OK
pass hungry
+OK user successfully logged on
```

Falls Sie sich bei einem Befehl vertippt haben, antwortet der POP3-Server mit einer -ERR-Meldung.

Wir wenden uns jetzt der Transaktionsphase zu. Ein User-Agent, der POP3 benutzt, kann oft (vom Benutzer) so konfiguriert werden, dass Nachrichten »*heruntergeladen und gelöscht*« oder »*heruntergeladen und behalten*« werden. Die Sequenz der von einem POP3-User-Agent ausgegebenen Befehle hängt davon ab, in welchem dieser beiden Modi der User-Agent arbeitet. Im Download/Löschen-Modus gibt der User-Agent die Befehle list, retr und dele aus. Als Beispiel nehmen wir an, dass sich in der Mailbox des Benutzers zwei Nachrichten befinden. In dem unten folgenden Dialog ist **C:** (Client) der User-Agent und **S:** (Server) der Mail-Server. Die Transaktion sieht wie folgt aus:

```
C: list
S: 1 498
S: 2 912
S: .
C: retr 1
S: (Blabla ........
S: .................
S: ........ Blabla)
S: .
C: dele 1
```

```
C: retr 2
S: (Blabla ........
S: ................
S: ........ Blabla)
S: .
C: dele 2
C: quit
S: +OK POP3 server signing off
```

Der User-Agent bittet den Mail-Server zuerst, die Größe jeder gespeicherten Nachricht aufzulisten. Anschließend ruft der User-Agent jede einzelne Nachricht ab und löscht sie vom Server. Man beachte, dass der User-Agent nach der Autorisationsphase nur vier Befehle ausführt: list, retr, dele und quit. Die Syntax für diese Befehle ist in RFC 1939 definiert. Nach der Verarbeitung des quit-Befehls tritt der POP3-Server in die Aktualisierungsphase ein und entfernt die Nachrichten 1 und 2 aus der Mailbox.

Ein Problem bei diesem Download/Löschen-Modus ist, dass der Empfänger, Bob, möglicherweise nomadisiert und von mehreren Computern aus Zugang zu seiner Mail wünscht, z. B. von einem Büro-PC, dem Heim-PC und einem Laptop. Der Download/Löschen-Modus verteilt Bobs Mail über alle seine Computer. Wenn Bob zuerst eine Nachricht auf einem Heim-PC liest, kann er diese Nachricht später nicht noch einmal auf seinem Laptop lesen. Im Download/Behalten-Modus lässt der User-Agent die Nachrichten nach dem Download auf dem Mail-Server. In diesem Fall kann Bob Nachrichten von verschiedenen Computern aus erneut lesen; er kann z. B. an seinem Arbeitsplatz auf eine Nachricht zugreifen und sie dann später zu Hause erneut lesen.

Während einer POP3-Sitzung zwischen einem User-Agent und dem Mail-Server führt der POP3-Server einige Zustandsinformationen; vor allem verfolgt er, welche Nachrichten zum Löschen markiert wurden. Der POP3-Server führt aber keine Zustandsinformationen über POP3-Sitzungen hinweg. So wird beispielsweise am Anfang einer jeden Sitzung keine Nachricht zum Löschen markiert. Dieses Fehlen von Zustandsinformationen über Sitzungen hinweg vereinfacht die Implementierung eines POP3-Servers.

IMAP

Nachdem Bob seine Nachrichten mit POP3 auf seinen lokalen Computer heruntergeladen hat, kann er Mail-Ordner erstellen und die Nachrichten in diese Ordner verschieben. Bob kann Nachrichten löschen, von einem Ordner zum anderen verschieben und Nachrichten (nach Absendername oder Betreff) suchen. Dieses Paradigma – Ordner und Nachrichten auf dem lokalen Computer – ist für den nomadisierenden Benutzer problematisch, der eine Ordnerhierarchie auf einem entfernten Server wünscht, auf den er von jedem Computer aus zugreifen kann. Mit POP3 ist das nicht möglich.

Um dieses und andere Probleme zu lösen, wurde das in RFC 2060 definierte IMAP (Internet Mail Access Protocol) entwickelt. Wie POP3 ist IMAP ein Mail-Zugangsprotokoll. Es hat deutlich mehr Features als POP3, ist aber auch viel komplexer. (Und demzufolge sind auch die client- und serverseitigen Implementierungen viel komplexer.) IMAP soll dem Benutzer die Manipulation entfernter Mailboxen ermöglichen, als wären sie auf dem lokalen Computer vorhanden. Insbesondere ermöglicht es IMAP, dass Bob mehrere Nachrichtenordner auf dem Mail-Server erstellen und verwalten kann. Bob kann Nachrichten in Ordnern ablegen und Nachrichten von einem Ordner in einen anderen verschieben. Außerdem bietet IMAP Befehle, mit denen Bob entfernte Ordner anhand spezifischer Kriterien nach Nachrichten durchsuchen kann. Ein Grund, warum eine IMAP-Implementierung viel komplizierter als eine POP3-Implementierung ist, ist der, dass der IMAP-Server für jeden seiner Benutzer eine Ordnerhierarchie verwalten muss. Diese Zustandsinformationen bestehen über aufeinander folgende Zugriffe eines bestimmten Benutzers auf den IMAP-Server hinaus fort. Wir erinnern uns, dass ein POP3-Server im Gegensatz dazu nichts über einen bestimmten Benutzer verwaltet, nachdem der Benutzer die POP3-Sitzung beendet hat.

Ein weiteres wichtiges Merkmal von IMAP ist, dass es Befehle bietet, mit denen ein User-Agent Komponenten einer Nachricht abrufen kann, beispielsweise nur den Nachrichten-Header einer Nachricht oder nur einen Teil einer MIME-Multipart-Nachricht. Dieses Merkmal ist nützlich, wenn der User-Agent über eine Verbindung mit niedriger Bandbreite auf seinen Mail-Server zugreift, z. B. eine drahtlose Verbindung oder eine über ein langsames Modem. Bei einer Verbindung mit niedriger Bandbreite möchte der Benutzer eventuell nicht alle Nachrichten in seine Mailbox herunterladen, insbesondere keine langen Nachrichten, die z. B. ein Audio- oder Videoclip enthalten.

Eine IMAP-Sitzung besteht aus dem Aufbau einer Verbindung zwischen dem Client (d. h. dem User-Agent) und dem IMAP-Server, einer Begrüßung durch den Server und Client/Server-Interaktionen. Die Client/Server-Interaktionen ähneln denen in POP3, sind aber reichhaltiger. Sie umfassen einen Client-Befehl, Server-Daten und eine Server-Antwort. Der IMAP-Server befindet sich immer in einem von vier Zuständen. Im *Nonauthenticated State*, dem bei Beginn der Verbindung vorherrschenden Zustand, muss der Benutzer einen Benutzernamen und ein Passwort eingeben, bevor irgendwelche Befehle zulässig sind. Im *Authenticated State* muss der Benutzer einen Ordner wählen, bevor er Befehle ausgeben kann, die sich auf Nachrichten auswirken. Im *Selected State* kann der Benutzer Befehle ausgeben, die sich auf Nachrichten auswirken (eine Nachricht oder einen Teil in einer Multipart-Nachricht öffnen, verschieben, löschen usw.). Im *Logout State* wird die Sitzung beendet. Die IMAP-Befehle sind nach dem Zustand organisiert, in dem der Befehl zulässig ist. IMAP wird ausführlich auf der offiziellen IMAP-Site [IMAP 1999] beschrieben.

HTTP

Immer mehr Benutzer verwenden heute browserbasierte E-Mail-Dienste, z. B. Hotmail oder Yahoo!. Bei diesen Servern ist der User-Agent ein gewöhnlicher Web-Browser und der Benutzer kommuniziert mit seiner Mailbox auf seinem Mail-Server über HTTP. Wenn ein Empfänger, z. B. Bob, auf die Nachrichten in seiner Mailbox zugreifen will, werden die Nachrichten von Bobs Mail-Server mit Hilfe des HTTP-Protokolls und nicht mit POP3 oder IMAP zu seinem Browser geschickt. Wenn ein Sender mit einem Konto auf einem HTTP-basierten E-Mail-Server, z. B. Alice, eine Nachricht senden möchte, wird die Nachricht von ihrem Browser mit Hilfe von HTTP und nicht SMTP an ihren Mail-Server geschickt. Der Mail-Server tauscht aber nach wie vor Nachrichten über SMTP mit anderen Mail-Servern aus. Diese Mail-Zugriffslösung ist für den reisenden Benutzer sehr praktisch. Er benötigt nur Zugriff auf einen Browser, um Nachrichten senden und empfangen zu können. Der Browser kann in einem Internet-Café, bei einem Freund, in einem Hotelzimmer mit Web-TV usw. sein. Wie bei IMAP können die Benutzer ihre Nachrichten in einer Ordnerhierarchie auf dem entfernten Server organisieren. Tatsächlich ist Web-basierte E-Mail so bequem, dass es in den nächsten Jahren vielleicht POP3 und IMAP ablösen könnte. Ihr größter Nachteil ist die häufig vorkommende Langsamkeit, weil sich der Server normalerweise weit vom Client entfernt befindet und die Interaktion mit dem Server über CGI-Skripte erfolgt.

FALLBEISPIEL

Hotmail

Im Dezember 1995 besuchten Sabeer Bhatia und Jack Smith den Internet-Risikokapitalanleger Draper Fisher Jurvetson und schlugen ihm die Entwicklung eines kostenlosen, auf dem Web basierenden E-Mail-Systems vor. Der Idee zufolge sollte jedem interessierten Benutzer ein kostenloses E-Mail-Konto eingerichtet und im Web zugänglich gemacht werden. Mit Web-basierter E-Mail würde jeder mit Zugang zum Web, z. B. in einer Schule oder Gemeindebibliothek, E-Mails lesen und senden können. Außerdem würde Web-basierte E-Mail ihren Benutzern große Mobilität ermöglichen. Im Austausch für 15% Firmenanteil finanzierte Draper Fisher Jurvetson die beiden Entwickler Bhatia und Smith, die eine Firma namens Hotmail gründeten. Mit drei Vollzeit- und 12 bis 14 Teilzeitmitarbeitern, die im Austausch für Aktienanteile arbeiteten, konnten sie den Dienst entwickeln und im Juli 1996 einführen. Innerhalb eines Monats nach dem Start hatten sie 100.000 Teilnehmer und diese Zahl wuchs ständig. Alle Hotmail-Benutzer mussten Werbe-Banner über sich ergehen lassen, während sie ihre E-Mails lasen. Im Dezember 1997 – nur weniger als 18 Monate nach dem Start des Dienstes – hatte Hotmail über 12 Millionen Teilnehmer und wurde – laut Pressemeldungen für $400 Millionen – von Microsoft übernommen.

Der Erfolg von Hotmail wird vorrangig dem Vorteil, der erste Dienst dieser Art auf dem Markt gewesen zu sein, und dem »viralen Marketing« von E-Mail zugeschrieben. Andere Firmen kopierten natürlich das Konzept, Hotmail hatte aber einen sechsmonatigen Vorsprung vor allen anderen. Dieser Vorteil lässt sich nur gewinnen, indem man eine originelle Idee hat und sie dann schnell und geheim entwickelt. Unter »viralem« Marketing versteht man, dass sich ein Dienst oder Produkt selbst vermarktet. E-Mail ist ein klassisches Beispiel eines Dienstes mit viralem Marketing: Der Sender schickt eine Nachricht an einen oder mehrere Empfänger; dadurch erfahren alle Empfänger von dem Dienst. Hotmail demonstrierte, dass die Kombination, der Erste auf dem Markt zu sein, mit viralem Marketing eine Killer-Anwendung produzieren kann. Vielleicht gehören einige der Studenten, die dieses Buch lesen, zu den neuen Unternehmern, die derartige Internet-Dienste entwerfen und entwickeln.

2.4.5 E-Mail mit kontinuierlichen Medien

E-Mail mit kontinuierlichen Medien ist E-Mail, die Audio oder Video beinhaltet. Diese Art von E-Mail ist für die asynchrone Kommunikation zwischen Freunden und Familienmitgliedern sehr attraktiv. Ein kleines Kind, das nicht schreiben kann, könnte z. B. eine Audionachricht an seine Großeltern senden. Auch in vielen unternehmerischen Zusammenhängen ergeben sich interessante Anwendungsmöglichkeiten. Beispielsweise kann ein Mitarbeiter in einem Büro eine Nachricht mit kontinuierlichen Medien viel schneller aufzeichnen als eine Textnachricht einzugeben. (Englisch wird im Durchschnitt in einer Geschwindigkeit von 180 Wörtern pro Minute gesprochen, während der durchschnittliche Büroangestellte in einer viel langsameren Rate tippt.) E-Mail mit kontinuierlichen Medien ähnelt in mancher Hinsicht gewöhnlichen Telefongesprächen, ist aber wesentlich leistungsstärker. Sie bietet dem Benutzer nicht nur eine grafische Benutzeroberfläche zu seiner Mailbox, sondern ermöglicht es ihm auch, kontinuierliche Medien an Nachrichten anzuhängen, auf Nachrichten mit kontinuierlichen Medien zu antworten und sie an zahlreiche Empfänger weiterzuleiten.

E-Mail mit kontinuierlichen Medien unterscheidet sich von gewöhnlicher Text-Mail in vielerlei Hinsicht. Die Nachrichten können viel größer sein, sie kann straffere Ende-zu-Ende-Verzögerungen erfordern und sie wird von Empfängern mit stark heterogenen Internet-Zugangsraten und lokalen Speichermöglichkeiten viel stärker auf- und wahrgenommen. Leider stehen einer breiten Nutzung von E-Mail mit kontinuierlichen Medien durch einige Unzulänglichkeiten der heutigen E-Mail-Infrastruktur mehrere Hindernisse im Weg [Turner 1999]. Erstens verfügen viele Mail-Server heute nicht über die Kapazität, um große kontinuierliche Medienobjekte speichern zu können; die Mail-Server der Empfänger verwerfen normalerweise solche Nachrichten, d. h., sie können an solche Empfänger nicht gesendet werden. Zweitens kann das bestehende Mail-Paradigma, dass nur *ganze* Nachrichten zum Mail-Server des Empfängers befördert werden, bevor die Ausgabe beim Empfänger möglich ist, zu übermäßiger Verschwendung von Bandbreite und Speicherplatz führen. Gespeicherte kontinuierliche Medien werden oft nicht komplett ausgegeben [Padhye 1999], so dass Bandbreite und Speicher beim Empfänger durch den Empfang von Daten, die nie wiedergegeben werden, verschwendet wird. (Beispielsweise möchte sich ein Empfänger die ersten 15 Sekunden einer langen E-Mail mit Audio von einem eher langatmigen Kollegen anhören und die restlichen 20 Minuten der Nachricht vielleicht gleich löschen, ohne sie sich anzuhören.) Drittens sind die derzeitigen Mail-Zugangsprotokolle (POP3, IMAP und HTTP) für Audio- und Video-Streaming zu Empfängern nicht geeignet. (Audio- und Video-Streaming wird in Kapitel 6 beschrieben.) Vor allem bieten sie keine Funktionalität, die es einem Benutzer ermöglicht, eine Nachricht zu stoppen und die Wiedergabe wieder aufzunehmen oder ein Clip innerhalb einer Nachricht an eine andere Stelle zu verschieben. Darüber hinaus führt Streaming über TCP oft zu schlechtem Empfang (siehe Kapitel 6). Diese Unzulänglichkeiten werden in den kommenden Jahren hoffentlich beseitigt. Mögliche Lösungen werden in der Literatur [Gay 1997; Hess 1998; Schurmann 1996; Turner 1999] diskutiert.

2.5 DNS – der Internet-Verzeichnisdienst

Wir Menschen können auf vielerlei Art identifiziert werden, beispielsweise anhand der Namen, die auf Geburtsurkunden stehen, oder durch alle Arten von Ausweisen. Jeder dieser Identitätsnachweise lässt sich verwenden, um eine Person zu identifizieren, manche sind je nach Zusammenhang aber besser geeignet als andere. Das IRS (die unbeliebte Steuerbehörde der USA) zieht es z. B. vor, die Steuerzahler nach Sozialversicherungsnummer mit einer festen Länge statt nach Namen aus Geburtsurkunden zu identifizieren. Andererseits zieht der Normalsterbliche die besser verständlichen (mnemonischen) Namen aus Geburtsurkunden einer Nummer vor. (Man stelle sich das einmal vor: »Hallo, mein Name ist 132-67-9875. Darf ich Ihnen meinen Mann, 178-87-1146, vorstellen.«)

Wie Menschen können auch Internet-Hosts auf vielerlei Art identifiziert werden. Ein Identifizierer für einen Host ist der **Hostname**. Hostnamen wie z. B. cnn.com, www.yahoo.com, gaia.cs.umass.edu und surf.eurecom.fr sind mnemonisch und werden deshalb von Menschen bevorzugt. Hostnamen bieten aber kaum, wenn überhaupt, Informationen über den Standort, an dem sich der Host innerhalb des Internets befindet. (Ein Hostname wie surf.eurecom.fr, der mit dem Landescode .fr endet, sagt uns, dass sich der Host wahrscheinlich in Frankreich befindet, aber nicht mehr.) Da sich Hostnamen aus alphanumerischen Zeichen mit variabler Länge zusammensetzen können, wären sie von Routern schwer zu verarbeiten. Aus diesen Gründen werden Hosts auch durch so genannte **IP-Adressen** identifiziert. Wir behandeln IP-Adressen ausführlicher in Kapitel 4. An dieser Stelle erscheinen aber ein paar Hinweise nützlich. Eine IP-Adresse besteht aus vier Bytes und hat eine straffe hierarchische Struktur, beispielsweise 121.7.106.83, wobei Punkte die jeweiligen in Dezimalnotation von 0 bis 255 ausgedrückten Bytes trennen. Eine IP-Adresse ist hierarchisch aufgebaut. Wenn man die Adresse von links nach rechts durchgeht, erhält man immer spezifischere Informationen darüber, wo (d. h. in welchem Netzwerk) sich der Host im Internet befindet. (Das ist etwa vergleichbar mit dem Leser einer Postanschrift von unten nach oben; wir erhalten immer spezifischere Informationen darüber, wo sich der Adressat befindet.)

2.5.1 Das DNS und seine Dienste

Sie haben gerade gesehen, dass sich ein Host auf zweierlei Art identifizieren lässt: durch einen Hostnamen oder eine IP-Adresse. Menschen ziehen den verständlicheren Hostnamen vor, während Router mit hierarchisch strukturierten IP-Adressen mit fester Länge besser zurechtkommen. Um diese beiden Präferenzen auf einen Nenner zu bringen, benötigt man einen Verzeichnisdienst, der Hostnamen in IP-Adressen übersetzt. Das ist die Hauptaufgabe des **Domain Name System** (**DNS**) im Internet. Das DNS ist (1) eine verteilte, in einer Hierarchie von **Name-Servern** implementierte Datenbank und (2) ein Protokoll der Anwendungsschicht, das es Hosts und Name-Servern ermöglicht, im Rahmen des Namensdienstes zu kommunizieren. Name-Server sind oft Unix-Maschinen, auf denen die BIND-Software (Berkeley Internet Name Domain) läuft. Das DNS-Protokoll setzt auf UDP auf und benutzt Port 53. Auf der Web-Site zu diesem Buch auf http://www.awl.com/kurose-ross bieten wir interaktive Links zu DNS-Programmen, mit denen Sie u. a. beliebige Hostnamen übersetzen können.

PRINZIPIEN IN DER PRAXIS

DNS: Kritische Netzwerkfunktionen mittels Client/Server-Paradigma

Wie HTTP, FTP und SMTP ist das DNS-Protokoll ein Protokoll der Anwendungsschicht, da es erstens zwischen kommunizierenden Endsystemen mit Hilfe des Client/Server-Paradigmas läuft und sich zweitens hinsichtlich der Übertragung von DNS-Nachrichten zwischen kommunizierenden Endsystemen auf ein zugrunde liegendes Ende-zu-Ende-Transportprotokoll verlässt. In einem anderen Sinn unterscheidet sich die Rolle von DNS stark von Web-, Filetransfer- und E-Mail-Anwendungen. Im Gegensatz zu diesen Anwendungen ist DNS keine Anwendung, mit der der Benutzer direkt interagiert. Vielmehr bietet DNS eine Internet-Kernfunktion, nämlich die Umwandlung von Hostnamen in die entsprechenden IP-Adressen für Benutzeranwendungen und andere Software im Internet. In Abschnitt 1.2 wurde festgestellt, dass sich ein Großteil der Komplexität in der Internet-Architektur an den Rändern des Netzwerks befindet. DNS implementiert den wichtigen Prozess der Umwandlung von Namen in Adressen mit Hilfe von Clients und Servern, die sich am Rand des Netzwerks befinden, und ist damit ein weiteres Beispiel für diese Designphilosophie.

2.5 DNS – der Internet-Verzeichnisdienst

DNS wird üblicherweise von anderen Protokollen der Anwendungsschicht, darunter HTTP, SMTP und FTP, benutzt, um die vom Benutzer eingegebenen Hostnamen in IP-Adressen umwandeln zu lassen. Als Beispiel betrachte man, was passiert, wenn ein Browser (d. h. ein HTTP-Client), der auf dem Computer eines Benutzers läuft, die URL www.someschool.edu/index.html anfordert. Damit der Computer des Benutzers eine HTTP-Anfragenachricht an den Web-Server www.someschool.edu senden kann, muss er zuerst die IP-Adresse dafür einholen. Dies wird wie folgt bewerkstelligt: Der Computer des Benutzers führt die Client-Seite der DNS-Anwendung aus. Der Browser extrahiert den Hostnamen www.someschool.edu aus der URL und gibt den Hostnamen an die Client-Seite der DNS-Anwendung weiter. Als Teil einer DNS-Anfragenachricht sendet der DNS-Client eine Anfrage mit dem Hostnamen an einen DNS-Server. Der DNS-Client erhält eine Antwort, in der die IP-Adresse für den Hostnamen steht. Der Browser öffnet eine TCP-Verbindung zum HTTP-Server-Prozess, der sich an dieser IP-Adresse befindet. Wir sehen an diesem Beispiel, dass DNS für die Internet-Anwendungen, die DNS nutzen, eine zusätzliche Verzögerung bedeutet, die manchmal beträchtlich sein kann. Zum Glück, wie wir weiter unten noch sehen werden, befindet sich die gewünschte IP-Adresse oft im Cache eines »nahegelegenen« DNS-Name-Servers, was zu einer Reduzierung des DNS-Netzwerkverkehrs und der durchschnittlichen DNS-Verzögerung führt.

DNS bietet abgesehen von der Umwandlung von Hostnamen in IP-Adressen weitere wichtige Dienste:

- **Host-Aliasing**: Ein Host mit einem komplizierten Hostnamen kann einen oder mehrere Aliasnamen haben. Beispielsweise hat ein Hostname wie relay1.west-coast.enterprise.com zwei Aliasnamen wie enterprise.com und www.enterprise.com. In diesem Fall ist der Hostname relay1.west-coast.enterprise.com ein **kanonischer Hostname**. Sofern vorhanden, sind Alias-Hostnamen normalerweise mnemonischer als ein kanonischer. Eine Anwendung kann DNS aufrufen, um den kanonischen Hostnamen für einen bestimmten Alias-Hostnamen sowie die IP-Adresse des Hosts einzuholen.

- **Mail-Server-Aliasing**: Aus offensichtlichen Gründen sollten E-Mail-Adressen mnemonisch sein. Hat Bob z. B. einen Hotmail-Account, kann seine E-Mail-Adresse einfach Bob@hotmail.com lauten. Der Hostname des Hotmail-Mail-Servers ist aber viel komplizierter und viel weniger mnemonisch als einfach hotmail.com (der kanonische Hostname lautet z. B. relay1.west-coast.hotmail.com). Eine Mail-Anwendung kann DNS aufrufen, um den kanonischen Hostnamen für einen bestimmten Alias-Hostnamen sowie die IP-Adresse dieses Hosts einzuholen. Aus Sicht von DNS ist es zulässig, dass der Mail-Server und der Web-Server einer Firma identische Hostnamen (Aliasnamen) haben, z. B. können beide enterprise.com lauten.

- **Lastverteilung**: Vermehrt wird DNS auch für die Durchführung einer Lastverteilung zwischen replizierten Servern, z. B. replizierten Web-Servern, verwendet. Sehr stark frequentierte Sites, wie z. B. cnn.com, werden auf mehrere Server repliziert, wobei jeder Server auf einem anderen Endsystem läuft und eine andere IP-Adresse hat. Für replizierte Web-Server wird eine Gruppe von IP-Adressen mit einem kanonischen Hostnamen assoziiert. Die DNS-Datenbank enthält diese Gruppe von IP-Adressen. Wenn Clients eine DNS-Anfrage für einen Namen stellen, der auf eine Gruppe von Adressen abgebildet ist, antwortet der Server mit der gesamten Gruppe der IP-Adressen, stellt aber die Reihenfolge der Adressen in jeder Antwort um. Da ein Client normalerweise seine HTTP-Anfragenachricht an die IP-Adresse sendet, die an erster Stelle in der Gruppe steht, wird der Verkehr durch die DNS-Rotation auf alle replizierten Server verteilt. Die DNS-Rotation wird auch für E-Mail benutzt, so dass mehrere Mail-Server den gleichen Aliasnamen haben können. Seit kurzem nutzen Firmen wie Akamai [Akamai 2000] DNS auf ausgeklügelte Weise, um Web-Inhalt zu verteilen.

DNS ist in RFC 1034 und RFC 1035 spezifiziert; es wird in mehreren weiteren RFCs aktualisiert. DNS ist ein komplexes System; wir behandeln hier nur die wichtigsten Aspekte. Dem interessierten Leser empfehlen wir die genannten RFCs und ein Buch von Abitz und Liu [Abitz 1993].

2.5.2 Übersicht über die DNS-Funktionsweise

Die folgenden Abschnitte bieten eine Übersicht über die Funktionsweise von DNS, wobei wir uns auf die Aufgabe der der Umwandlung von Hostnamen in IP-Adressen konzentrieren. Aus Sicht des Clients ist DNS eine Blackbox. Der Client sendet eine DNS-Anfragenachricht mit dem Hostnamen, der in eine IP-Adresse übersetzt werden muss, an die Blackbox. Auf vielen Unix-Maschinen ist `gethostbyname()` die Bibliotheksroutine, die eine Anwendung aufruft, um die Anfragenachricht auszugeben. In Abschnitt 2.7 präsentieren wir ein Java-Programm, das mit der Ausgabe einer DNS-Anfrage beginnt. Nach einer Verzögerung, die von Millisekunden bis Zehntelsekunden reichen kann, empfängt der Client eine DNS-Anfragenachricht mit der gewünschten Umwandlung. Aus Sicht des Clients ist DNS folglich ein einfacher unkomplizierter Umwandlungsdienst. In Wirklichkeit implementiert die Blackbox aber einen komplexen Dienst, der sich aus einer großen Zahl von Name-Servern zusammensetzt, die überall in der Welt verteilt sind, sowie aus einem Protokoll der Anwendungsschicht, das spezifiziert, wie die Name-Server und die anfragenden Hosts miteinander kommunizieren.

Ein einfaches DNS-Design würde einen Internet-Name-Server umfassen, in dem sich alle Übersetzungen befinden. Bei diesem zentralisierten Design richten die Clients einfach alle Anfragen an den einzigen Name-Server, und der Name-Server antwortet den anfragenden Clients direkt. Die Einfachheit dieses Designs ist zwar attraktiv, für das heutige Internet mit seiner riesigen (und ständig wachsenden) Anzahl von Hosts aber völlig unzulänglich. Bei einem zentralisierten Design würden sich u. a. folgende Probleme ergeben:

- **Ein einziger Ausfallpunkt**: Wenn der einzige Name-Server ausfällt, stürzt das ganze Internet ab!
- **Verkehrsvolumen**: Ein einziger Name-Server müsste alle DNS-Anfragen (für alle von Millionen von Hosts generierten HTTP-Anfragen und E-Mail-Nachrichten) handhaben.
- **Entfernung der zentralen Datenbank**: Ein einziger Name-Server kann nicht »in der Nähe« aller anfragenden Clients sein. Wenn wir den einzigen Name-Server z. B. in New York City installieren, müssten alle Abfragen von Australien – möglicherweise über langsame und überlastete Verbindungen – auf die andere Seite des Globus reisen. Dies kann zu erheblichen Verzögerungen führen (und dadurch das »World Wide Wait« für das Web und andere Anwendungen noch verstärken).
- **Wartung**: Der einzige Name-Server müsste Aufzeichnungen über alle Internet-Hosts verwalten. Diese zentralisierte Datenbank wäre nicht nur riesig, sondern

müsste auch oft auf jeden neuen Host fortgeschrieben werden. Außerdem würden Authentifikations- und Autorisationsprobleme in Bezug auf die Erlaubnis entstehen, einen Benutzer einen Host bei der zentralisierten Datenbank registrieren zu lassen.

Zusammenfassend kann man sagen, dass eine zentralisierte Datenbank in einem einzigen Name-Server einfach *nicht skaliert*. Folglich ist das DNS vom Design her verteilt. Tatsächlich ist das DNS ein ausgezeichnetes Beispiel dafür, wie eine verteilte Datenbank im Internet implementiert werden kann.

Um das Skalierungsproblem zu lösen, nutzt DNS eine große Anzahl von Name-Servern, die hierarchisch organisiert und über die ganze Welt verteilt sind. Kein einzelner Name-Server enthält alle Übersetzungen für alle Hosts im Internet. Vielmehr sind die Übersetzungen über die Name-Server verteilt. Grob unterscheidet man Name-Server nach drei Arten: lokale Name-Server, Root-Name-Server und autoritative Name-Server. Diese Name-Server interagieren wie folgt untereinander und mit dem anfragenden Host:

- **Lokale Name-Server**: Jeder ISP – z. B. eine Universität, eine akademische Fakultät, die Firma eines Mitarbeiters oder ein privater ISP – verfügt über einen lokalen Name-Server (den man auch als »Default-Name-Server« bezeichnet). Wenn ein Host eine DNS-Anfragenachricht ausgibt, wird die Nachricht zuerst an den lokalen Name-Server des Host gesendet. Die IP-Adresse des lokalen Name-Server wird normalerweise manuell in einem Host konfiguriert. (Unter Windows 95/98 können Sie die IP-Adresse des lokalen Name-Servers finden, den Ihr PC benutzt. Hierfür öffnen Sie das Menü *Systemsteuerung*, *Netzwerk*, dann wählen Sie eine installierte TCP/IP-Komponente, öffnen Sie *Eigenschaften* und anschließend das Register *DNS-Konfiguration*.) Der lokale Name-Server befindet sich normalerweise »in der Nähe« des Client; im Falle eines institutionellen ISP kann er sich im gleichen LAN wie der Client-Host befinden; bei einem privaten ISP ist der Name-Server normalerweise nicht mehr als ein paar Router vom Client-Host entfernt. Wenn ein Host eine Übersetzung für einen anderen Host anfordert, der zum gleichen lokalen ISP gehört, kann der lokale Name-Server die angeforderte IP-Adresse sofort bereitstellen. Wenn der Host surf.eurecom.fr z. B. die IP-Adresse von baie.eurecom.fr anfordert, kann der lokale Name-Server von Eurécom die angeforderte IP-Adresse direkt bereitstellen, ohne andere Name-Server kontaktieren zu müssen.

- **Root-Name-Server**: Im Internet gibt es etwa ein Dutzend Root-Name-Server, die größtenteils in Nordamerika stehen. Abbildung 2.18 zeigt eine Karte der Root-Server (Stand: Februar 1998). Wenn ein lokaler Name-Server eine Anfrage von einem Host nicht direkt beantworten kann (weil er keine Aufzeichnung für den angeforderten Hostnamen hat), verhält sich der lokale Name-Server als DNS-Client und fragt bei einem der Root-Name-Server an. Ist der betreffende Hostname bei dem Root-Name-Server verzeichnet, sendet er eine DNS-Antwortnachricht an den lokalen Name-Server und der lokale Name-Server sendet eine DNS-Antwort an den anfragenden Host. Möglicherweise verfügt der angefragte Root-Name-Server nicht über einen Eintrag des gesuchten Hostnamens. Er kennt aber die IP-Adresse eines »autoritativen Name-Servers«, bei dem sich ein Eintrag für den betreffenden Hostnamen befindet.

- **Autoritative Name-Server**: Jeder Host ist bei einem autoritativen Name-Server registriert. Normalerweise ist der autoritative Name-Server für einen Host ein

Name-Server beim lokalen ISP des Hosts. (Eigentlich muss jeder Host mindestens zwei autoritative Name-Server haben für den Fall, dass einer ausfällt.) Der Definition zufolge ist ein Name-Server der autoritative Name-Server für einen Host, wenn er ständig über einen DNS-Eintrag verfügt, der den Hostnamen dieses Hosts in seine IP-Adresse übersetzt. Erhält ein autoritativer Name-Server eine Anfrage von einem Root-Server, reagiert der autoritative Name-Server mit einer DNS-Antwort, in der sich die angeforderte Übersetzung befindet. Dann leitet der Root-Server die Übersetzung an den lokalen Name-Server weiter, der sie seinerseits an den anfragenden Host weiterleitet. Viele Name-Server fungieren als lokale und autoritative Name-Server.

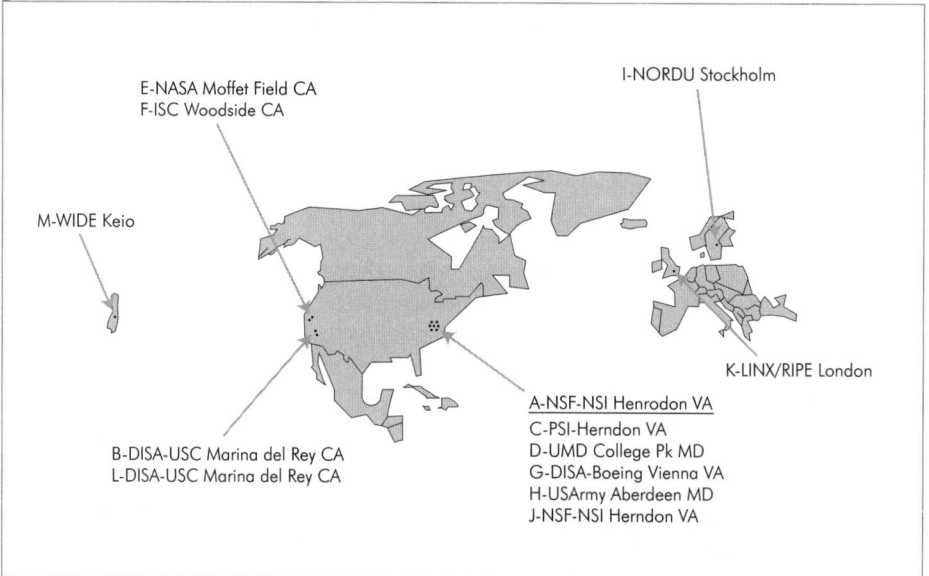

Abbildung 2.18 Karte der DNS-Root-Server zum Stand Februar 1998; aus der Web-Site der WIA Alliance (http://www.wia.org/)

Wir betrachten ein einfaches Beispiel: Der Host surf.eurecom.fr wünscht die IP-Adresse von gaia.cs.umass.edu. Es sei gegeben, dass Eurécoms lokaler Name-Server dns.eurecom.fr heißt und dns.umass.edu ein autoritativer Name-Server für gaia.cs.umass.edu ist. Wie in Abbildung 2.19 dargestellt, sendet der Host surf.eurecom.fr zuerst eine DNS-Anfragenachricht an seinen lokalen Name-Server, dns.eurecom.fr. Die Anfragenachricht enthält den zu übersetzenden Hostnamen, d. h. gaia.cs.umass.edu. Der lokale Name-Server leitet die Anfragenachricht an einen Root-Name-Server weiter. Der Root-Name-Server leitet die Anfragenachricht an den autoritativen Name-Server weiter, der für alle Hosts in der Domain umass.edu zuständig ist, z. B. an dns-umass.edu. Der autoritative Name-Server sendet dann die gewünschte Übersetzung über den Root-Name-Server und den lokalen Name-Server an den anfragenden Host. Man beachte, dass bei diesem Beispiel sechs DNS-Nachrichten versendet wurden, um die Übersetzung eines Hostnamens einzuholen: drei Anfrage- und drei Antwortnachrichten.

Abbildung 2.19 Rekursive Abfragen mit einem Name-Server zwischen Root- und autoritativen Name-Servern

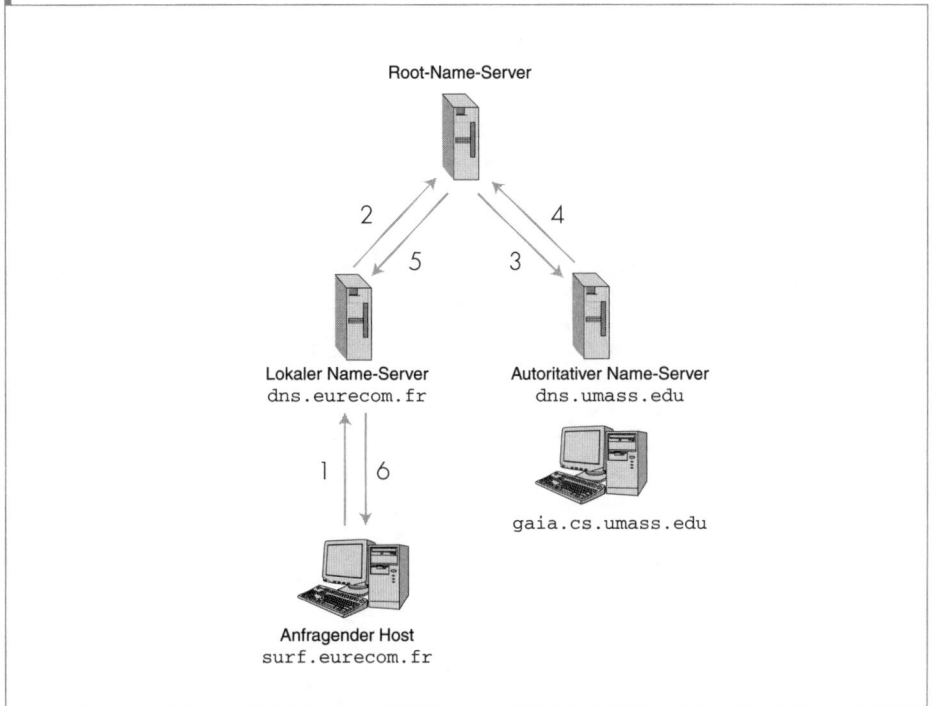

Wir sind in unserer bisherigen Diskussion davon ausgegangen, dass der Root-Name-Server die IP-Adresse eines autoritativen Name-Servers für *jeden* Hostnamen kennt. Diese Annahme muss nicht immer stimmen. Für einen bestimmten Hostnamen verfügt der Root-Name-Server möglicherweise nur über die IP-Adresse eines vermittelnden (auf der Strecke liegenden) Name-Servers, der seinerseits die IP-Adresse eines autoritativen Name-Servers für den Hostnamen kennt. Um dies zu verdeutlichen, betrachte man wiederum das obige Beispiel mit dem Host surf.eurecom.fr, der nach der IP-Adresse von gaia.cs.umass.edu fragt. Wir nehmen als Beispiel an, dass jede Fakultät der Universität von Massachusetts ihren eigenen Name-Server hat, der jeweils für alle Hosts seiner Fakultät autoritativ ist. Erhält der Root-Name-Server eine Anfrage für einen Host mit einem Hostnamen, der mit umass.edu endet, leitet er die Anfrage an den Name-Server dns.umass.edu weiter, wie in Abbildung 2.20 dargestellt ist. Dieser Name-Server leitet alle Anfragen für Hostnamen, die mit .cs.umass.edu enden, an den Name-Server dns.cs.umass.edu weiter, der für alle Hostnamen, die mit .cs.umass.edu enden, autoritativ ist. Der autoritative Name-Server sendet die gewünschte Übersetzung an den vermittelnden Name-Server dns.umass.edu weiter, der sie seinerseits an den Root-Name-Server weiterleitet, der sie wiederum an den lokalen Name-Server dns.eurecom.fr weiterleitet, von dem sie schließlich an den empfangenden Host weitergeleitet wird! Bei diesem Beispiel werden acht DNS-Nachrichten versendet. Eigentlich können noch mehr DNS-Nachrichten nötig sein, um einen einzigen Hostnamen zu übersetzen. In der Kette zwischen dem Root- und dem autoritativen Name-Server können zwei oder mehr Name-Server liegen!

Abbildung 2.20 Rekursive Abfragen für die Einholung der Übersetzung von gaia.cs.umass.edu

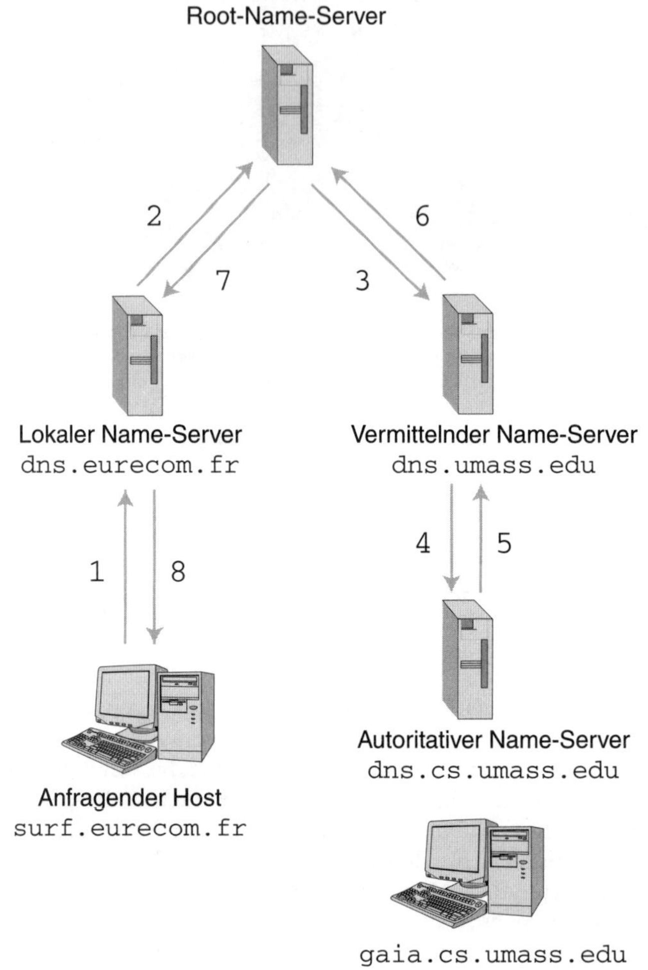

Wir sind bei unseren bisherigen Beispielen davon ausgegangen, dass es sich bei allen Anfragen um so genannte **rekursive Anfragen** handelt. Wenn ein Host oder Name-Server A eine rekursive Anfrage an einen Name-Server B stellt, holt der Name-Server B die angeforderte Übersetzung *für* A ein und leitet sie dann an A weiter. Das DNS-Protokoll erlaubt auch **iterative Anfragen** in jedem Schritt der Kette zwischen dem anfragenden Host und dem autoritativen Name-Server. Wenn ein Name-Server A eine iterative Anfrage an Name-Server B stellt, der die entsprechende Übersetzung nicht liefern kann, sendet er sofort eine DNS-Anfrage an A, der die IP-Adresse des nächsten Name-Servers in der Kette – z. B. Name-Server C – enthält. Anschließend sendet Name-Server A eine Anfrage direkt an Name-Server C.

In der Sequenz von Anfragen, die erforderlich sind, um einen Hostnamen zu übersetzen, können einige Anfragen iterativ und andere rekursiv sein. Eine solche

Kombination aus rekursiven und iterativen Anfragen ist in Abbildung 2.21 dargestellt. Im typischen Fall sind alle Anfragen in der Anfragekette rekursiv, mit Ausnahme derjenigen vom lokalen Name-Server zum Root-Name-Server, die iterativ sind. (Da Root-Server riesige Mengen von Anfragen abwickeln, ist es vorzuziehen, an Root-Server die weniger mühsamen iterativen Anfragen zu verwenden.)

Abbildung 2.21 Abfragekette mit rekursiven und iterativen Abfragen

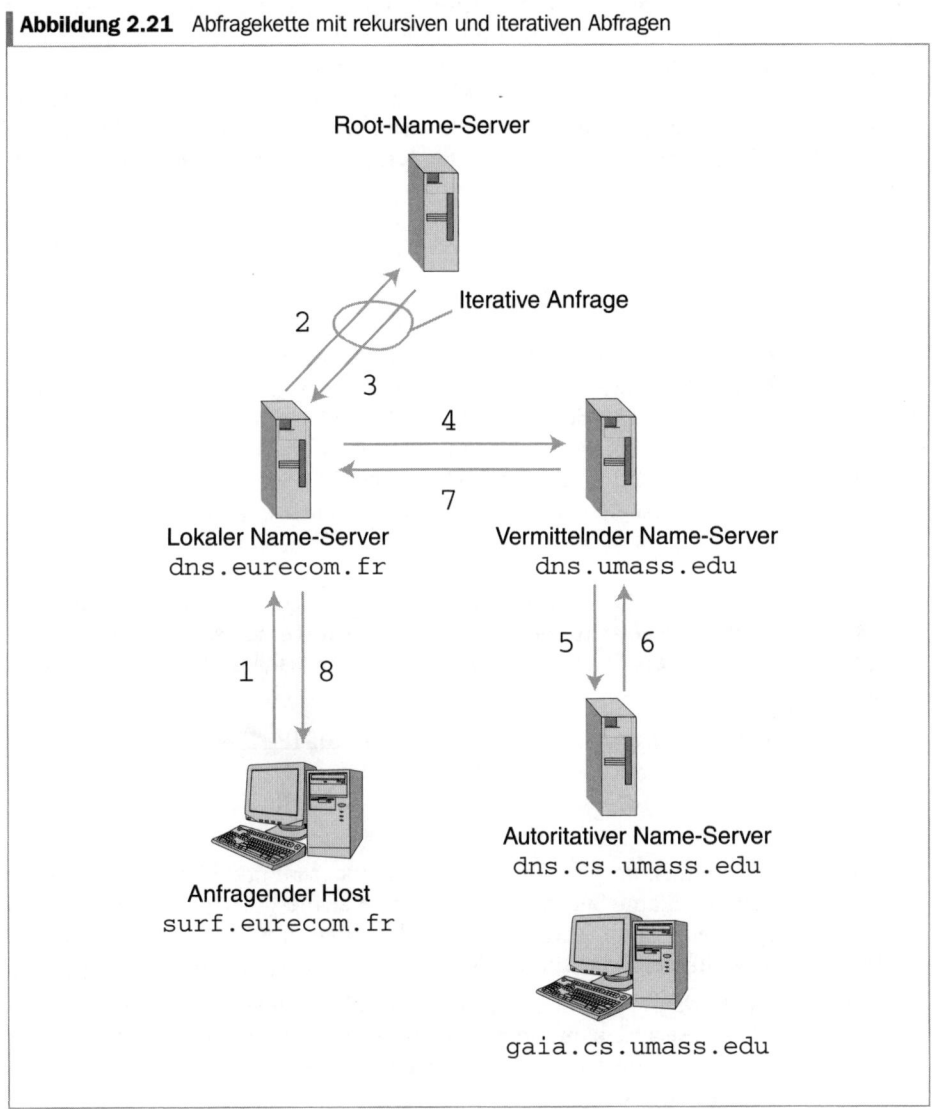

In unserer bisherigen Diskussion haben wir ein wichtiges Merkmal von DNS noch nicht angesprochen: **DNS-Caching**. In Wirklichkeit macht DNS umfangreichen Gebrauch von Caching, um die Verzögerungen zu verkürzen und die Anzahl von DNS-Nachrichten im Netzwerk zu reduzieren. Das Konzept ist sehr einfach. Wenn ein Name-Server eine DNS-Übersetzung für einen Hostnamen empfängt, speichert er die Übersetzung im lokalen Speicher (Festplatte oder RAM), während er die

Nachricht über die Name-Server-Kette weiterreicht. Wenn eine weitere Anfrage beim Name-Server für den gleichen Hostnamen ankommt, kann der Name-Server die gewünschte IP-Adresse aus seinem Cache holen, auch wenn er nicht der autoritative Name-Server für den betreffenden Hostnamen ist. Für die Behandlung ephemerischer Hosts wird ein im Cache gespeicherter Eintrag nach einer gewissen Zeit (meist nach zwei Tagen) weggeworfen. Als Beispiel nehmen wir an, dass surf.eurecom.fr das DNS nach der IP-Adresse für den Hostnamen cnn.com abfragt. Weiterhin nehmen wir an, dass ein anderer Eurécom-Host, z. B. baie.eurecom.fr, ein paar Stunden später beim DNS nach dem gleichen Hostnamen fragt. Aufgrund des Caching kann der lokale Name-Server bei Eurécom die IP-Adresse von cnn.com dem anfragenden Host direkt zurückgeben, ohne Name-Server auf einem anderen Kontinent zu bemühen. Jeder Name-Server kann DNS-Übersetzungen in einem Cache speichern.

2.5.3 DNS-Einträge

Die Name-Server, die zusammen die verteilte DNS-Datenbank implementieren, speichern so genannte **Resource-Records** (**RR**) für die Übersetzung von Hostnamen in IP-Adressen. Jede DNS-Antwortnachricht enthält einen oder mehrere Resource-Records. Dieser und die folgenden Unterabschnitte bieten eine kurze Übersicht über die Resource-Records und Nachrichten von DNS; ausführliche Einzelheiten findet der Leser in [Abitz 1993] und in den DNS-RFCs [RFC 1034; RFC 1035].

Ein Resource-Record ist ein 4-Tupel, das folgende Felder enthält:

(Name, Wert, Typ, TTL)

TTL (Time To Live) ist die »Lebenszeit« eines Resource-Record; sie bestimmt die Zeit, nach deren Ablauf ein Record aus einem Cache entfernt werden soll. In den Beispiel-Records ignorieren wir das TTL-Feld. Die Bedeutung von Name und Wert hängen vom Typ ab:

- Wenn Typ=A, dann ist Name ein Hostname und Wert die IP-Adresse für den Hostnamen. Folglich bietet ein Record vom Typ A die Übersetzung eines Standardhostnamens in die IP-Adresse. Ein A-Record ist z. B. (relay1.bar.foo.com, 145.37.93.126, A).
- Wenn Typ=NS, dann ist Name eine Domain (z. B. foo.com) und Wert der Hostname eines autoritativen Name-Servers, der weiß, wie er die IP-Adressen für Hosts in der Domain finden kann. Dieser Record wird benutzt, um DNS-Anfragen auf der Abfragekette weiterzuleiten. Ein NS-Record ist z. B. (foo.com, dns.foo.com, NS).
- Wenn Typ=CNAME, dann ist Wert ein kanonischer Hostname für den Alias-Hostnamen Name. Dieser Record kann anfragenden Hosts den kanonischen Namen für einen Hostnamen liefern. Ein CNAME-Record ist z. B. (foo.com, relay1.bar.foo.com, CNAME).
- Wenn Typ=MX, dann ist Wert der Hostname eines Mail-Servers, der einen Alias-Hostnamen Name hat. Beispielsweise ist (foo.com, mail.bar.foo.com, MX) ein MX-Record. MX-Records ermöglichen es, dass Hostnamen von Mail-Servern einfache Aliasnamen haben können.

Wenn ein Name-Server für einen bestimmten Hostnamen autoritativ ist, dann enthält der Name-Server einen A-Record für den Hostnamen. (Auch wenn der Name-Server nicht autoritativ ist, kann er in seinem Cache einen A-Record enthalten.) Ist ein Server für einen Hostnamen nicht autoritativ, enthält der Server einen NS-Record für die Domain, die den Hostnamen beinhaltet, und einen A-Record, der die IP-Adresse des Name-Servers im Feld Wert des NS-Records bereitstellt. Als Beispiel nehmen wir an, dass ein Root-Server für den Host gaia.cs.umass.edu nicht autoritativ ist. In diesem Fall enthält der Root-Server einen Record für eine Domain, die den Host cs.umass.edu beinhaltet, z. B. (umass.edu, dns.umass.edu, NS). Der Root-Server würde auch einen A-Record enthalten, der den Name-Server dns.umass.edu in eine IP-Adresse umwandelt, z. B. (dns.umass.edu, 128. 119.40,111, A).

2.5.4 DNS-Nachrichten

An früherer Stelle in diesem Abschnitt wurden DNS-Anfrage- und -Antwortnachrichten bereits erwähnt. Das sind die beiden einzigen Arten von DNS-Nachrichten. Außerdem haben Anfrage- und Antwortnachrichten das gleiche Format (siehe Abbildung 2.22).

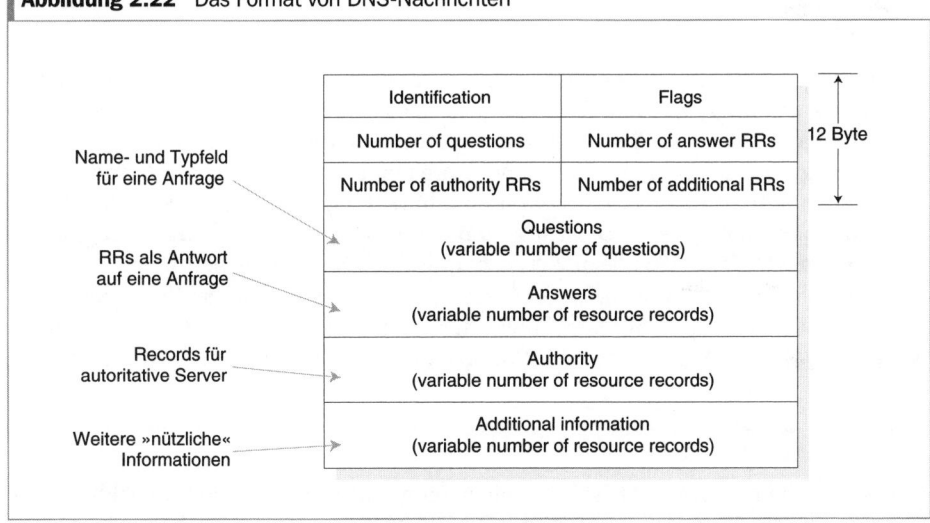

Abbildung 2.22 Das Format von DNS-Nachrichten

Die Semantik der verschiedenen Felder einer DNS-Nachricht sieht wie folgt aus:

- Die ersten 12 Byte bilden den *Header-Abschnitt*, der mehrere Felder umfasst. Das erste Feld ist eine 16-Bit-Nummer, die die Anfrage identifiziert. Dieser Identifizierer wird in die Antwortnachricht auf eine Anfrage kopiert, so dass der Client ankommende Antworten mit gesendeten Anfragen abstimmen kann. Im Flag-Feld stehen mehrere Flags. Ein 1-Bit-Flag *Query/Reply* informiert darüber, ob es sich bei der Nachricht um eine Anfrage (0) oder eine Antwort (1) handelt. Ein autoritatives 1-Bit-Flag wird in einer Antwortnachricht gesetzt, wenn ein Name-Server der autoritative Server für einen angefragten Namen ist. Ein 1-Bit-Flag *Recursion Desired* wird gesetzt, wenn ein Client (Host- oder Name-Server) wünscht, dass der Name-Server eine Rekursion ausführt, falls er keinen Record hat. Ein 1-Bit-Feld *Recursion Available* wird in einer Antwort gesetzt, wenn der

Name-Server Rekursion unterstützt. Ferner enthält der Header vier Felder *Number of...*. Diese Felder bezeichnen die Häufigkeit, in der die vier Typen von »Daten«-Abschnitten vorkommen, die dem Header folgen.

- Der *Question-Abschnitt* enthält Informationen über die gestellte Anfrage. Dieser Abschnitt beinhaltet (1) ein Namensfeld, in dem der angefragte Name steht, und (2) ein Typfeld, in dem die Art der Frage nach einem Namen identifiziert wird (z. B. Typ A für eine Hostadresse oder Typ MX für einen Mail-Server).
- In einer Antwort von einem Name-Server enthält der *Answer-Abschnitt* die Resource-Records des Namens, der ursprünglich angefragt wurde. Wie weiter oben erwähnt wurde, enthält jeder Resource-Record einen Typ (z. B. A, NS, CSNAME und MX), einen Wert und die TTL. Eine Antwort kann mehrere RRs ausgeben, weil ein Hostname mehrere IP-Adressen (z. B. für replizierte Web-Server) haben kann.
- Der *Authority-Abschnitt* enthält Records anderer autoritativer Server.
- Der *Additional-Abschnitt* enthält weitere »nützliche« Records. Das Antwort-Feld in einer Antwort auf eine MX-Anfrage enthält z. B. den Hostnamen eines Mail-Servers in Bezug zum Aliasnamen Name. In diesem Fall steht im Additional-Abschnitt ein A-Record, der die IP-Adresse für den kanonischen Hostnamen des Mail-Servers liefert.

In der obigen Diskussion konzentrierten wir uns darauf, wie Daten von der DNS-Datenbank abgefragt werden. Sie fragen sich vielleicht, wie die Daten überhaupt in die Datenbank gelangen? Bis vor kurzem wurden die Inhalte jedes DNS-Servers statisch konfiguriert, z. B. in einer vom Systemmanager erstellten Konfigurationsdatei. Neuerdings enthält das DNS-Protokoll eine UPDATE-Option, die es ermöglicht, dass Daten dynamisch mittels DNS-Nachrichten in die Datenbank eingefügt oder gelöscht werden können. RFC 2136 spezifiziert dynamische DNS-Aktualisierungen.

DNSNet bietet eine eindrucksvolle Sammlung von Dokumenten über DNS [DNSNet 1999]. Das Internet Software Consortium hält zahlreiche Ressourcen für **BIND** bereit, ein beliebter Name-Server im Public-Domain für Unix-Rechner [BIND 1999].

2.6 Socket-Programmierung mit TCP

Dieser und die folgenden Abschnitte bieten eine Einführung in die Entwicklung von Netzwerkanwendungen. Aus Abschnitt 2.1 ist bekannt, dass der Kern einer Netzwerkanwendung aus einem Programmpaar besteht: einem Client- und einem Server-Programm. Wenn diese beiden Programme ausgeführt werden, wird ein Client- und Server-Prozess erzeugt, und die beiden Prozesse kommunizieren über Sockets miteinander. Beim Erstellen einer Netzwerkanwendung besteht die Hauptaufgabe des Entwicklers im Schreiben von Code für das Client- und Server-Programm.

Wir unterscheiden zwischen zwei Arten von Client/Server-Anwendungen: Die erste Art ist eine *Implementierung* eines in einem RFC definierten Protokollstandards. Für eine solche Implementierung müssen die Client- und Server-Programme die vom RFC spezifizierten Regeln einhalten. Das Client-Programm könnte z. B. eine Implementierung des in RFC 959 definierten FTP-Clients und das Server-Programm eine Implementierung des im gleichen RFC definierten FTP-Servers sein. Wenn ein Entwickler Code für das Client-Programm und ein anderer unabhängig davon den Code für das Server-Programm schreibt, können die beiden Programme zusammenarbeiten, sofern beide Entwickler die Regeln des RFC eingehalten haben. Die meisten heutigen Netzwerkanwendungen basieren auf der Kommunikation zwischen Client- und Server-Programmen, die von verschiedenen Entwicklern unabhängig voneinander entwickelt wurden (beispielsweise ein Netscape-Browser, der mit einem Apache-Web-Server, oder ein FTP-Client auf einem PC, der mit einem FTP-Server auf einem Unix-Rechner kommuniziert). Wenn ein Client- oder Server-Programm ein in einem RFC definiertes Protokoll implementiert, sollte es die für dieses Protokoll bestimmte Portnummer verwenden. (Portnummern fanden in Abschnitt 2.1 kurz Erwähnung und werden ausführlicher im nächsten Kapitel beschrieben.)

Die zweite Art ist eine *proprietäre* Client/Server-Anwendung. In diesem Fall stimmen die Client- und Server-Programme nicht unbedingt mit einem bestehenden RFC überein. Ein Entwickler (oder ein Entwicklerteam) erstellt das Client- und das Server-Programm und hat die volle Kontrolle über den Code. Da der Code kein Public-Domain-Protokoll implementiert, können andere Entwickler unabhängig von ihm möglicherweise keinen Code schreiben, der mit der Anwendung interagieren kann. Bei der Entwicklung einer proprietären Anwendung muss der Entwickler außerdem darauf achten, dass er keine der wohlbekannten und in den RFCs definierten Portnummern benutzt.

Dieser und der nächste Abschnitt befassen sich mit den wichtigsten Fragen bei der Entwicklung einer proprietären Client/Server-Anwendung. Während der Entwicklungsphase muss der Entwickler bestimmen, ob die Anwendung über TCP oder UDP laufen soll. Wie an früherer Stelle erwähnt, ist TCP verbindungsorientiert und bietet einen *zuverlässigen Bytestromkanal*, durch den Daten zwischen zwei Endsystemen fließen. UDP ist verbindungslos und sendet *unabhängige Datenpakete* von einem Endsystem zu einem anderen ohne Zusicherungen über die Übertragung.

In diesem Abschnitt entwickeln wir eine einfache Client-Anwendung, die über TCP läuft. Im nächsten Abschnitt schreiben wir eine einfache Client-Anwendung, die über UDP läuft. Wir präsentieren diese einfache TCP- bzw. UDP-Anwendung in Java. Wir hätten den Code in C oder C++ schreiben können, haben uns aus mehreren Gründen jedoch für Java entschieden. Erstens können die Anwendungen in Java ordentlicher und sauberer geschrieben werden. In Java umfasst der Code weniger Zeilen und jede Zeile kann dem Programmierneuling ohne Schwierigkeit erklärt werden. Zweitens wird Client/Server-Programmierung in Java immer beliebter; vielleicht wird sie in den kommenden Jahren sogar die Norm. Java ist plattformunabhängig, verfügt über Ausnahmemechanismen zur robusten Behandlung von Problemen, die häufig in I/O- und Netzwerkoperationen vorkommen, und seine Threading-Fähigkeiten bieten eine Möglichkeit, leistungsstarke Server leicht zu implementieren. Für den, der Java nicht kennt, gibt es aber keinen Grund, davor zurückzuscheuen. Sie können dem Code sicherlich folgen, wenn Sie schon in einer anderen Sprache programmiert haben.

Für Leser, die an der Client/Server-Programmierung in C interessiert sind, gibt es mehrere gute Referenzen [Stevens 1997; Frost 1994; Kurose 1996].

2.6.1 Socket-Programmierung mit TCP

Wir wissen aus Abschnitt 2.1, dass Prozesse auf verschiedenen Maschinen laufen und miteinander kommunizieren, indem sie Nachrichten über Sockets austauschen. Jeder Prozess ist mit einem Haus und das Socket eines Prozesses mit einer Tür vergleichbar. Wie Abbildung 2.23 zeigt, stellt das Socket die Tür zwischen dem Anwendungsprozess und TCP dar. Der Anwendungsentwickler hat Kontrolle über alles auf der Seite der Anwendungsschicht des Socket, kontrolliert aber kaum die Seite der Transportschicht. (Er kann höchstens ein paar TCP-Parameter, z. B. die maximale Puffergröße und die maximalen Segmentgrößen, setzen).

Abbildung 2.23 Prozesse, die durch TCP-Sockets kommunizieren

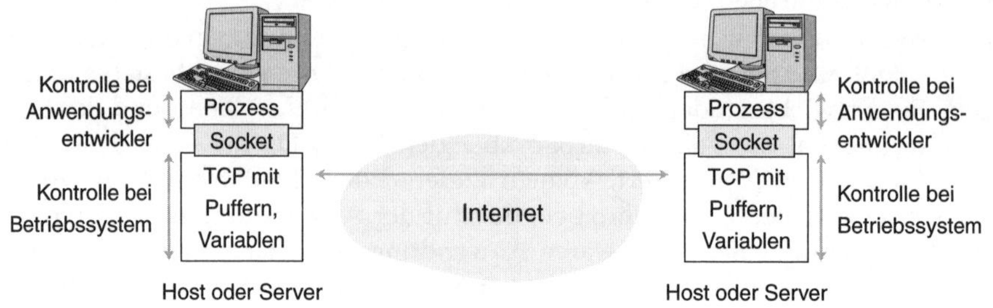

Wir befassen uns jetzt eingehender mit der Interaktion des Client- und Server-Programms. Der Client hat die Aufgabe, den Kontakt mit dem Server einzuleiten. Der Server muss auf die Kontaktaufnahme des Clients vorbereitet sein, um reagieren zu können. Dies impliziert zweierlei: Erstens darf das Server-Programm nicht schlafen; es muss als Prozess bereits laufen, bevor der Client eine Kontaktaufnahme versucht. Zweitens muss das Server-Programm eine Tür (d. h. Sokket) haben, die den kontaktierenden Client, der auf einer beliebigen Maschine laufen kann, einlässt. Unter Verwendung der Haus/Tür-Analogie für Prozess/Socket werden wir den Kontakt des Clients auch mit »an die Tür klopfen« bezeichnen.

Mit laufendem Server-Prozess kann der Client-Prozess eine TCP-Verbindung zum Server einleiten. Dies wird im Client-Programm dadurch bewerkstelligt, dass ein Socket-Objekt erzeugt wird. Wenn der Client ein Socket-Objekt erzeugt, gibt er die Adresse des Server-Prozesses, d. h. die IP-Adresse des Servers und die Portnummer des Prozesses an. Bei Erstellung des Socket-Objekts leitet TCP beim Client ein Drei-Wege-Handshake ein und baut eine TCP-Verbindung zum Server auf. Das Drei-Wege-Handshake ist für das Client- und Server-Programm völlig transparent.

Während des Drei-Wege-Handshake klopft der Client-Prozess an der Tür des Server-Prozesses an. Wenn der Server das Klopfen »hört«, erzeugt er eine neue Tür (d. h. ein neues Socket), das dediziert nur diesem Client zur Verfügung steht. In dem Beispiel weiter unten ist die Tür ein Objekt `ServerSocket`, das wir `welcomeSokket` nennen. Wenn ein Client an diese Tür klopft, ruft das Programm die Methode `accept()` von `welcomeSocket` auf, die eine neue Tür für den Client erzeugt. Am Ende der Handshake-Phase besteht eine TCP-Verbindung zwischen dem Socket des Clients und dem neuen Socket des Servers. Wir bezeichnen das neue Socket deshalb als das **Verbindungssocket** des Servers.

Aus Sicht der Anwendung ist die TCP-Verbindung eine direkte virtuelle Pipe zwischen dem Socket des Clients und dem des Servers. Der Client-Prozess kann beliebige Bytes an sein Socket senden; TCP bietet die Zusicherung, dass der Server-Prozess jedes Byte (über das Verbindungssocket) in der gesendeten Reihenfolge empfängt. Ebenso wie Menschen durch die gleiche Tür ein- und austreten können, kann der Client-Prozess außerdem Bytes von seinem Socket empfangen und der Server-Prozess kann Bytes an sein Verbindungssocket senden (siehe Abbildung 2.24).

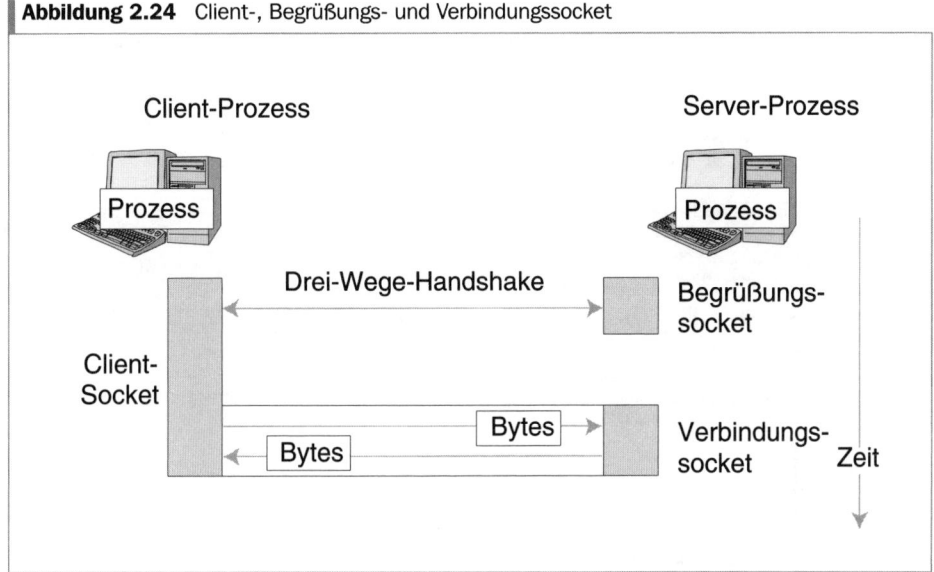

Abbildung 2.24 Client-, Begrüßungs- und Verbindungssocket

Da Sockets in Client/Server-Anwendungen eine zentrale Rolle spielen, wird die Entwicklung von Client/Server-Anwendungen auch als **Socket-Programmierung** bezeichnet. Bevor wir mit unserem Beispiel einer Client/Server-Anwendung beginnen, erscheint eine kurze Beschreibung dessen, was ein Datenstrom ist, nützlich. Ein **Datenstrom** (Stream) ist eine Sequenz von Zeichen, die in einen Prozess ein- und von einem anderen ausströmen. Jeder Datenstrom stellt für den Prozess entweder eine **Eingabe** oder eine **Ausgabe** dar. Handelt es sich um einen Eingabedatenstrom, ist er mit einer Eingabequelle für den Prozess verbunden, z. B. eine Standardeingabe (Tastatur) oder ein Socket, in das Daten vom Internet fließen. Handelt es sich um einen Ausgabedatenstrom, ist er mit einer Ausgabequelle für den Prozess verbunden, z. B. eine Standardausgabe (Monitor) oder ein Socket, aus dem Daten in das Internet fließen.

2.6.2 Beispiel einer Client/Server-Anwendung in Java

Wir werden die folgende einfache Client/Server-Anwendung benutzen, um Socket-Programmierung für TCP und UDP zu demonstrieren:

- Ein Client liest eine Zeile von seiner **Standardeingabe** (Tastatur) und sendet die Zeile über sein Socket an den Server.
- Der Server liest eine Zeile von seinem Verbindungssocket.
- Der Server konvertiert die Zeile in Großbuchstaben.
- Der Server sendet die modifizierte Zeile über sein Verbindungssokket an den Client.
- Der Client liest die modifizierte Zeile von seinem Socket und gibt sie auf seiner **Standardausgabe** (Monitor) aus.

Wir beginnen mit dem Fall, dass ein Client und ein Server über einen verbindungsorientierten Transportdienst (TCP) kommunizieren. Abbildung 2.25 zeigt die wichtigste socketspezifische Aktivität des Clients und des Servers.

Abbildung 2.25 Diese Client/Server-Anwendung nutzt verbindungsorientierte Transportdienste.

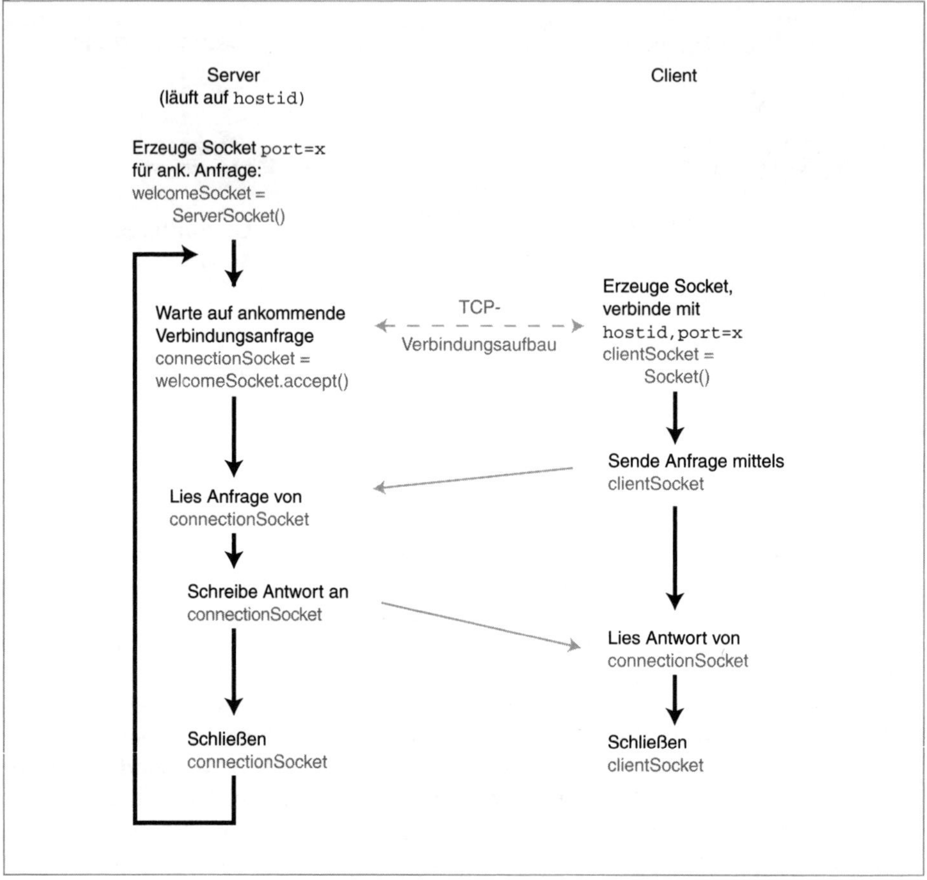

```
        Server                                           Client
    (läuft auf hostid)

Erzeuge Socket port=x
für ank. Anfrage:
welcomeSocket =
    ServerSocket()

                                                Erzeuge Socket,
                                                verbinde mit
Warte auf ankommende         TCP-               hostid,port=x
Verbindungsanfrage    <- - - - - - - - ->       clientSocket =
connectionSocket =       Verbindungsaufbau          Socket()
welcomeSocket.accept()

                                                Sende Anfrage mittels
                          <--------              clientSocket
Lies Anfrage von
connectionSocket

Schreibe Antwort an
connectionSocket          -------->
                                                Lies Antwort von
                                                connectionSocket

Schließen                                       Schließen
connectionSocket                                clientSocket
```

Als Nächstes schreiben wir das Client/Server-Programmpaar für eine TCP-Implementierung der Anwendung mit einer zeilenweisen Analyse nach jedem Programm. Wir nennen das Client-Programm TCPClient.java und das Server-Programm TCPServer.java. Um die wichtigsten Punkte hervorzuheben, ist unser Code absichtlich nicht bis auf den Punkt ganz perfekt. Ein »guter Code« würde sicherlich einige weitere Zeilen umfassen.

Nachdem die beiden Programme auf ihrem jeweiligen Host kompiliert wurden, wird zuerst das Server-Programm auf dem Server ausgeführt, wodurch ein Prozess auf dem Server erzeugt wird. Wie oben erwähnt, wartet der Server-Prozess auf einen Kontakt durch einen Client-Prozess. Wenn das Client-Programm ausgeführt wird, wird ein Prozess auf dem Client erzeugt, und dieser Prozess kontaktiert den Server und baut eine TCP-Verbindung zu ihm auf. Der Benutzer auf der Client-Seite kann dann die Anwendung »benutzen«, um eine Zeile zu senden und eine großgeschriebene Version der Zeile zu empfangen.

TCPClient.java

Nachfolgend der Code für die Client-Seite der Anwendung:

```java
import java.io.*;
import java.net.*;
class TCPClient {
    public static void main(String argv[]) throws Exception
    {
        String sentence;
        String modifiedSentence;
        BufferedReader inFromUser =
            new BufferedReader(
                new InputStreamReader(System.in));
        Socket clientSocket = new Socket ("hostname", 6789);
        DataOutputStream outToServer =
            new DataOutputStream(
                clientSocket.getOutputStream());
        BufferedReader inFromServer =
            new BufferedReader(new InputStreamReader(
                clientSocket.getInputStream()));
        sentence = inFromuser.readLine();
        outToServer.writeBytes(sentence + '\n');
        modifiedSentence = inFromServer.readLine();
        System.out.println("FROM SERVER: " +
                                    modifiedSentence);
        clientSocket.close();
    }
}
```

Das Programm TCPClient erzeugt drei Datenströme und ein Sokket (siehe Abbildung 2.26).

Abbildung 2.26 TCPClient hat drei Datenströme und ein Socket.

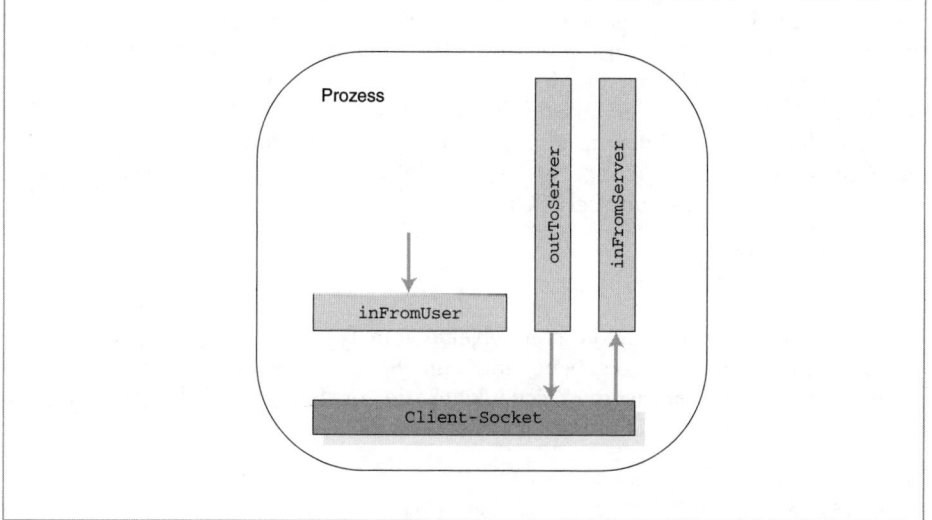

Das Socket nennen wir `clientSocket`. Der Datenstrom `inFromUser` ist ein Eingabedatenstrom in das Programm; es ist mit der Standardeingabe (Tastatur) verbunden. Wenn der Benutzer Zeichen auf der Tastatur eingibt, fließen die Zeichen in den Datenstrom `inFromUser`. Der Datenstrom `inFromServer` ist ein weiterer Eingabedatenstrom in das Programm; er ist mit dem Socket verbunden. Vom Netzwerk ankommende Zeichen fließen in den Datenstrom `inFromServer`. Schließlich ist der Datenstrom `outToServer` ein Ausgabedatenstrom vom Programm; er ist ebenfalls mit dem Socket verbunden. Zeichen, die der Client an das Netzwerk sendet, fließen in den Datenstrom `outToServer`. Wir betrachten im Folgenden verschiedene Codezeilen.

```
import java.io.*;
import java.net.*;
```

`java.io` und `java.net` sind Java-Pakete. Das Paket `java.io` enthält Klassen für Ein- und Ausgabedatenströme, darunter die Klassen `BufferedReader` und `DataOutputStream`, also Klassen, die das Programm benutzt, um die drei oben beschriebenen Datenströme zu erzeugen. Das Paket `java.net` enthält Klassen für die Netzwerkunterstützung, darunter die Klassen `Socket` und `ServerSocket`. Das Objekt `clientSocket` dieses Programms stammt aus der Klasse `Socket`.

```
class TCPClient {
  public static void main(String argv[]) throws Exception
    {......}
}
```

Was wir bisher gesehen haben, ist der Standard, wie fast jeder Java-Code beginnt. Die erste Zeile ist der Anfang eines Klassendefinitionsblocks. Die Klassendefinition für die Klasse `TCPClient` beginnt mit dem Schlüsselwort `class`. Eine Klasse enthält Variablen und Methoden. Die Variablen und Methoden der Klasse stehen zwischen geschweiften Klammern, die den Anfang und das Ende des Klassendefinitionsblocks kennzeichnen. Die Klasse `TCPClient` hat keine Klassenvariablen und nur eine Methode, nämlich `main()`. Methoden sind mit Funktionen oder Prozeduren in anderen Sprachen wie C vergleichbar; die Methode `main` in der Java-Sprache ähnelt der gleichnamigen Funktion in C und C++. Wenn der Java-Interpreter eine Anwendung ausführt (indem er durch die steuernde Klasse der Anwendung aufgerufen wird), startet er und ruft als Erstes die Methode `main` der Klasse auf. Die Methode `main` ruft dann alle übrigen Methoden auf, die für die Ausführung der Anwendung erforderlich sind. Für diese Einführung in die Socket-Programmierung mit Java können Sie die Schlüsselwörter `public`, `static`, `void`, `main` und `throws Exceptions` ignorieren (Sie müssen sie aber im Code berücksichtigen).

```
String sentence;
String modifiedSentence;
```

Die beiden obigen Zeilen deklarieren Objekte vom Typ `String`. Das Objekt `sentence` ist die vom Benutzer eingegebene und zum Server gesendete Zeichenkette. Das Objekt `modifiedSentence` ist die Zeichenkette, die vom Server zurückgegeben und an die Standardausgabe des Benutzers gesendet wird.

```
BufferedReader inFromUser =
new BufferedReader(new InputStreamReader(System.in));
```

Das obige Codestück erzeugt das Datenstromobjekt inFromUser vom Typ Buffered Reader. Der Eingabedatenstrom wird mit System.in initialisiert, wodurch der Datenstrom mit der Standardeingabe verbunden wird. Der Befehl erlaubt es dem Client, Text von seiner Tastatur einzulesen.

```
Socket clientSocket = new Socket("hostname", 6789);
```

Die obige Zeile erzeugt das Objekt clientSocket vom Typ Socket und initialisiert die TCP-Verbindung zwischen Client und Server. Die Zeichenkette "hostname" muss durch den Hostnamen des Servers (z. B. "fling.seas.upenn.edu") ersetzt werden. Vor der eigentlichen Initialisierung der TCP-Verbindung führt der Client eine DNS-Suche mit dem Hostnamen aus, um die IP-Adresse des Hosts einzuholen. Die Nummer 6789 ist die Portnummer. Sie können eine andere Portnummer benutzen, müssen aber sicherstellen, dass Sie dann für die Server-Seite der Anwendung die gleiche Nummer benutzen. Wie weiter oben erwähnt, identifiziert die IP-Adresse des Hosts zusammen mit der Portnummer der Anwendung den Server-Prozess.

```
DataOutputStream outToServer =
new DataOutputStream(clientSocket.getOutputStream());
BufferedReader inFromServer =
    new BufferedReader(new InputStreamReader(
      clientSocket.getInputStream()));
```

Die obigen Zeilen erzeugen Datenstromobjekte, die mit dem Socket verbunden werden. Der Datenstrom outToServer liefert die Prozessausgabe zum Socket, während der Datenstrom inFromServer die Prozesseingabe vom Socket liefert (siehe Abbildung 2.26).

```
sentence = inFromuser.readLine();
```

Die obige Zeile ist eine Benutzereingabe in die Zeichenkette sentence, die so lange Zeichen sammelt, bis der Benutzer die Zeile mit einem Return beendet. Die Zeile wird von der Standardeingabe durch den Datenstrom inFromUser zur Zeichenkette sentence weitergegeben.

```
outToServer.writeBytes(sentence + '\n');
```

Die obige Zeile sendet die um ein Return erweiterte Zeichenkette sentence zum Datenstrom outToServer. Der erweiterte Satz fließt durch das Socket des Clients in die TCP-Pipe. Dann wartet der Client auf den Empfang von Zeichen vom Server.

```
modifiedSentence = inFromServer.readLine();
```

Wenn Zeichen vom Server ankommen, fließen sie durch den Datenstrom inFromServer in die Zeichenkette modifiedSentence, in der so lange Zeichen aufgenommen werden, bis die Zeile mit einem Return endet.

```
System.out.println("FROM SERVER" + modifiedSentence);
```

Die obige Zeile gibt die vom Server zurückgegebene Zeichenkette modifiedSentence auf dem Monitor aus.

```
clientSocket.close();
```

Diese letzte Zeile schließt das Socket und damit die TCP-Verbindung zwischen dem Client und dem Server. Sie veranlasst TCP im Client, eine TCP-Nachricht an TCP im Server zu senden (siehe Abschnitt 3.5).

TCPServer.java

In diesem Abschnitt wird das Server-Programm beschrieben.

```java
import java.io.*;
import java.net.*;
class TCPServer {
   public static void main(String argv[]) throws Exception
      {
         String clientSentence;
         String capitalizedSentence;
         ServerSocket welcomeSocket = new ServerSocket (6789);

         while(true) {
            Socket connectionSocket = welcomeSocket.
            accept();
            BufferedReader inFromClient =
               new BufferedReader(new InputStreamReader (
                  connectionSocket.getInputStream())); 
            DataOutputStream outToClient =
               new DataOutputStream(
                  connectionSocket.getOutputStream());
            clientSentence = inFromClient.readLine();
            capitalizedSentence =
               clientSentence.toUpperCase() + '\n';
            outToClient.writeBytes(capitalizedSentence);
         }
      }
}
```

TCPServer weist viele Ähnlichkeiten mit TCPClient auf. Wir betrachten jetzt die Zeilen in TCPServer.java, wobei wir die Zeilen, die mit Befehlen in TCPClient.java identisch sind, hier nicht mehr kommentieren. Die erste Zeile in TCPServer unterscheidet sich erheblich von dem, was wir in TCPClient gesehen haben:

```
ServerSocket welcomeSocket = new ServerSocket(6789);
```

Diese Zeile erzeugt das Objekt welcomeSocket vom Typ ServerSocket. Wie weiter oben beschrieben wurde, ist welcomeSocket eine Tür, an der auf einen anklopfenden Client gewartet wird. Die Portnummer 6789 identifiziert den Prozess im Server.

```
Socket connectionSocket = welcomeSocket.accept();
```

Diese Zeile erzeugt ein neues Socket namens connectionSocket, wenn ein Client am welcomeSocket anklopft. Anschließend stellt TCP eine direkte virtuelle Pipe zwischen clientSocket im Client und connectionSocket im Server her. Client und Server können dann über diese Pipe Bytes austauschen; alle gesendeten Bytes kommen auf der anderen Seite in der richtigen Reihenfolge an. Bei aufgebautem `connectionSocket` kann der Server aktiv auf andere Anfragen von anderen Clients für die Anwendung, die `welcomeSocket` benutzt, warten. (Diese Version des Programms hört eigentlich nicht auf weitere Verbindungsanfragen, kann aber mit Threads zu diesem Zweck modifiziert werden.) Anschließend erzeugt das Programm mehrere Datenstromobjekte, ähnlich wie in `clientSokket`.

```
capitalizedSentence = clientSentence.toUpperCase() + '\n';
```

Der obige Befehl stellt den Kern der Anwendung dar. Er setzt die vom Client gesendete Zeile in Großbuchstaben um und fügt ein Return an. Er benutzt die Methode `toUpperCase()`. Alle weiteren Befehle im Programm haben nur eine Randbedeutung; sie werden für die Kommunikation mit dem Client verwendet.

Um das Programmpaar zu testen, installieren und kompilieren Sie `TCPClient.java` auf einem Host und `TCPServer.java` auf einem anderen. Achten Sie darauf, in `TCPClient.java` den richtigen Hostnamen des Servers einzugeben. Anschließend können Sie das kompilierte Server-Programm `TCPServer.class` auf dem Server ausführen. Dies erzeugt einen Prozess im Server, der so lange untätig ist, bis er von einem Client kontaktiert wird. Danach führen Sie das kompilierte Client-Programm `TCPClient.class` im Client aus. Dies erzeugt einen Prozess im Client und baut eine TCP-Verbindung zwischen dem Client- und dem Server-Prozess auf. Schließlich geben Sie einen Satz und ein Return ein, um die Anwendung auszuführen.

Wenn Sie Ihre eigene Client/Server-Anwendung erstellen wollen, können Sie damit beginnen, dass Sie die obigen Programme geringfügig modifizieren. Statt alle Buchstaben in Großbuchstaben zu konvertieren, können Sie z. B. den Server zählen und ausgeben lassen, wie oft der Buchstabe »s« vorkommt.

2.7 Socket-Programmierung mit UDP

Der vorherige Abschnitt hat gezeigt, dass zwei Prozesse, wenn sie über TCP kommunizieren, aus Sicht der Prozesse eine Pipe zwischen den beiden Prozessen herstellen. Diese Pipe steht so lange zur Verfügung, bis einer der beiden Prozesse sie schließt. Möchte einer der Prozesse Bytes an den anderen senden, speist er die Bytes einfach in die Pipe ein. Der sendende Prozess braucht keine Zieladresse mit den Bytes zu verbinden, weil die Pipe logisch mit dem Ziel verbunden ist. Außerdem bietet die Pipe einen zuverlässigen Bytestromkanal. Das heißt, der empfangende Prozess erhält die Bytes genau in der Bytesequenz, die der Sender in die Pipe eingefügt hat.

Auch UDP ermöglicht es zwei (oder mehr) Prozessen, die auf verschiedenen Hosts laufen, miteinander zu kommunizieren. Allerdings unterscheidet es sich von TCP in mehreren grundlegenden Aspekten. Erstens ist UDP ein verbindungsloser Dienst. Es gibt also keine anfängliche Handshake-Phase, in der zwischen den beiden Prozessen eine Pipe aufgebaut wird. Da UDP keine Pipe hat, muss der sendende Prozess die Zieladresse des Prozesses mit dem Byte-Batch verbinden, wenn ein Prozess einen Byte-Batch an einen anderen Prozess senden will. Dies muss für jeden Byte-Batch erfolgen, den der sendende Prozess schickt. UDP ist also in gewisser Hinsicht mit einem Taxidienst vergleichbar: Jedes Mal, wenn eine Gruppe in ein Taxi einsteigt, muss sie dem Fahrer die Zieladresse mitteilen. Wie bei TCP ist die Zieladresse ein Tupel, bestehend aus der IP-Adresse des Zielhosts und der Portnummer des Zielprozesses. Wir bezeichnen den Byte-Batch und die IP-Zieladresse sowie die Portnummer zusammen als »Paket«.

Nachdem wir ein Paket erstellt haben, schiebt der sendende Prozess das Paket durch ein Socket in das Netzwerk. Wenn wir wieder unsere Taxianalogie aufgreifen, ist die andere Seite des Socket die Stelle, an der ein Taxi auf das Paket wartet. Das Taxi befördert dann das Paket in Richtung seiner Zieladresse. Allerdings garantiert das Taxi nicht, dass es letztlich das Datagramm an sein endgültiges Ziel bringt; es könnte eine Panne haben. Anders ausgedrückt: *UDP bietet seinen kommunizierenden Prozessen einen unzuverlässigen Transportdienst*; es gibt keine Zusicherungen darüber, ob ein Datagramm sein endgültiges Ziel erreicht.

In diesem Abschnitt behandeln wir die obige Anwendung erneut, jedoch unter Verwendung von UDP. Wir werden auch sehen, dass sich der Java-Code für UDP in vielerlei Hinsicht von dem TCP-Code unterscheidet. Vor allem werden wir feststellen, dass es (1) kein anfängliches Handshake zwischen den beiden Prozessen und daher keine Notwendigkeit für ein Begrüßungssocket gibt, (2) keine Datenströme mit den Sockets verbunden sind, (3) die sendenden Hosts dadurch Pakete erzeugen, dass sie die IP-Zieladresse und Portnummer mit jedem gesendeten Byte-Batch verbinden und (4) der empfangende Prozess jedes ankommende Paket entwirren muss, um die Datenbytes des Pakets zu erhalten.

Abbildung 2.27 Diese Client/Server-Anwendung nutzt verbindungslose Transportdienste.

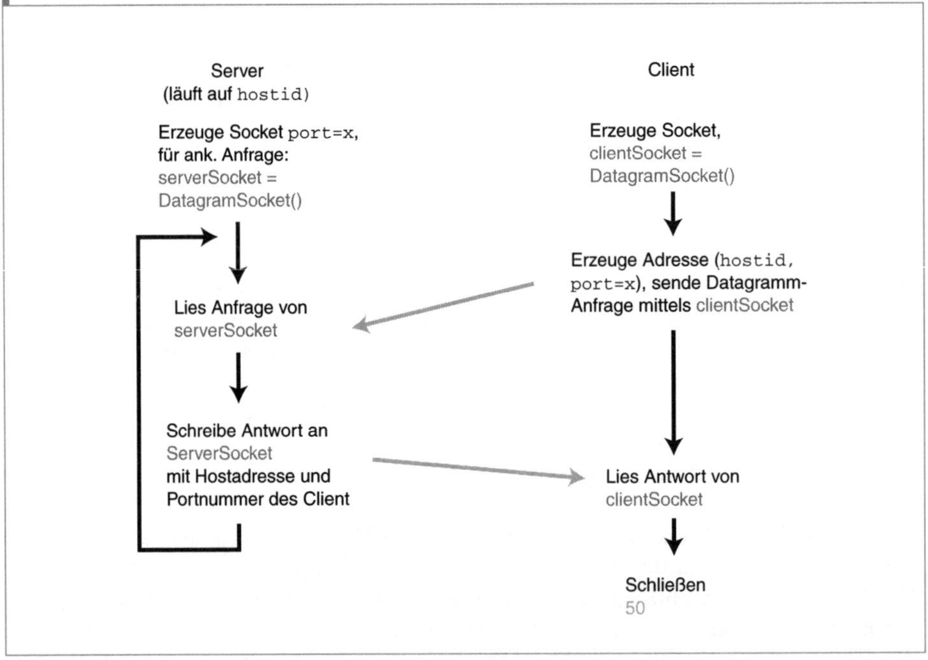

```
         Server                                    Client
    (läuft auf hostid)

Erzeuge Socket port=x,              Erzeuge Socket,
für ank. Anfrage:                   clientSocket =
serverSocket =                      DatagramSocket()
DatagramSocket()
       │                                     │
       │                                     ▼
       ▼                            Erzeuge Adresse (hostid,
  Lies Anfrage von  ◄────────       port=x), sende Datagramm-
  serverSocket                      Anfrage mittels clientSocket
       │                                     │
       ▼                                     │
  Schreibe Antwort an                        ▼
  ServerSocket
  mit Hostadresse und  ────────►    Lies Antwort von
  Portnummer des Client             clientSocket
       │                                     │
       └──────────────                        ▼
                                        Schließen
                                           50
```

Wir fassen diese einfache Anwendung noch einmal kurz zusammen: Ein Client liest eine Zeile von seiner Standardeingabe (Tastatur) und sendet die Zeile über sein Socket an den Server.

Der Server liest eine Zeile von seinem Socket.

Der Server konvertiert die Zeile in Großbuchstaben.

2.7 Socket-Programmierung mit UDP

Der Server sendet die modifizierte Zeile über sein Socket zum Client.

Der Client liest die modifizierte Zeile von seinem Socket ein und gibt sie auf seiner Standardausgabe (Monitor) aus.

Abbildung 2.27 zeigt die wichtigste socketspezifische Aktivität des Clients und des Servers, die über einen verbindungslosen Transportdienst (UDP) kommunizieren.

UDPClient.java

Nachfolgend sehen Sie den Code für die Client-Seite der Anwendung:

```java
import java.io.*;
import java.net.*;
class UDPClient {
   public static void main(String args[]) throws Exception
   {
      BufferedReader inFromUser =
         new BufferedReader(new InputStreamReader (System.in));
      DatagramSocket clientSocket = new DatagramSokket();
      InetAddress IPAdress =
                  InetAddress.getByName("hostname");
      byte[] sendData = new byte[1024];
      byte[] receiveData = new byte[1024];
      String sentence = inFromUser.readLine();
      sendData = sentence.getBytes();
      DatagramPacket sendPacket =
         new DatagramPacket(sendData, sendData.length, IPAddress, 9876);
      clientSocket.send(sendPacket);
      DatagramPacket receivePacket =
         newDatagramPacket(receiveData,
                  receiveData.length);
      clientSocket.receive(receivePacket);
      String modifiedSentence =
         new String(receivePacket.getData());
      System.out.println("FROM SERVER:" +
                  modifiedSentence);
      clientSocket.close();
   }
}
```

Das Programm UDPClient.java bildet einen Datenstrom und ein Socket (siehe Abbildung 2.28). Das Socket heißt clientSocket und ist vom Typ DatagramSocket. Man beachte, dass UDP im Client eine andere Socket-Art als TCP benutzt. Mit UDP nutzt unser Client ein DatagramSocket, während er in TCP ein Socket verwendet. Der Datenstrom inFromUser stellt einen Eingabedatenstrom in das Programm dar; es ist mit der Standardeingabe, d. h. der Tastatur, verbunden. Wir hatten in der TCP-Version des Programms einen entsprechenden Datenstrom. Wenn der Benutzer Zeichen auf der Tastatur eingibt, fließen die Zeichen in den Datenstrom inFromUser. Im Gegensatz zu TCP gibt es aber keine mit dem Socket verbundenen Datenströme (Ein- oder Ausgabe). Statt Bytes in den mit einem Sokket-Objekt verbundenen Datenstrom zu speisen, schiebt UDP einzelne Pakete durch das Objekt Datagram-Socket.

Abbildung 2.28 UDPClient.java hat einen Datenstrom und ein Socket.

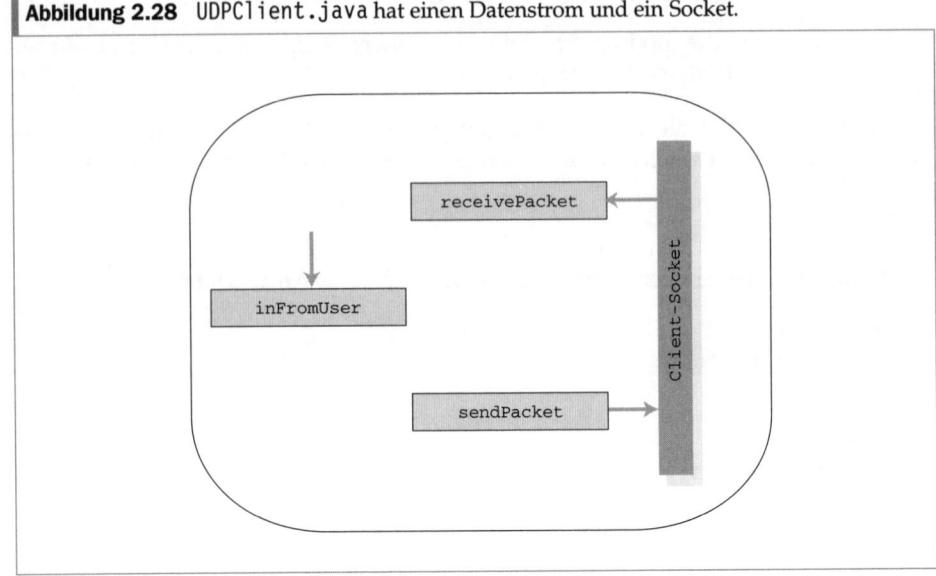

Wir betrachten jetzt die Codezeilen, die sich erheblich von TCPClient.java unterscheiden.

```
DatagramSocket clientSocket = new DatagramSocket();
```

Die obige Zeile erzeugt das Objekt clientSocket vom Typ DatagramSocket. Im Gegensatz zu TCPClient.java stellt diese Zeile keine TCP-Verbindung her. Der Client-Host kontaktiert den Server-Host nicht, wenn diese Zeile ausgeführt wird. Aus diesem Grund nimmt der Konstruktor DatagramSocket() keinen Server-Hostnamen oder eine Portnummer als Argumente an. In unserer Tür/Pipe-Analogie erzeugt die Ausführung der obigen Zeile eine Tür für den Client-Prozess, aber keine Pipe zwischen den beiden Prozessen.

```
InetAddress IPAddress = InetAddress.getByName("hostname");
```

Um Bytes an einen Zielprozess senden zu können, müssen wir uns die Adresse des Prozesses besorgen. Ein Teil dieser Adresse ist die IP-Adresse des Zielhosts. Die obige Zeile ruft eine DNS-Suche auf, die den Hostnamen (der vom Entwickler im Code bereitgestellt wird) in eine IP-Adresse übersetzt. DNS wurde auch in der TCP-Version des Clients aufgerufen, dort allerdings nicht explizit, sondern implizit. Die Methode getByName() nimmt als Argument den Hostnamen des Servers an und gibt die IP-Adresse dieses Servers zurück. Sie stellt diese Adresse in das Objekt IPAddress vom Typ InetAddress.

```
byte[] sendData = new byte[1024];
byte[] receiveData = new byte[1024];
```

Die Byte-Arrays sendData und receiveData nehmen die Daten auf, die der Client sendet bzw. empfängt.

```
sendData = sentence.getBytes();
```

Die obige Zeile führt im Wesentlichen eine Typkonvertierung durch. Sie nimmt die Zeichenkette sentence und benennt sie in das Byte-Array sendData um.

```
DatagramPacket sendPacket =
    new DatagramPacket(sendData, sendData.length, IPAddress, 9876);
```

Diese Zeile bildet das Paket `sendPacket`, das der Client durch sein Socket in das Netzwerk einspeist. Dieses Paket beinhaltet die Daten, die im Paket `sendData` enthalten sind, die Länge dieser Daten, die IP-Adresse des Servers und die Portnummer der Anwendung (die wir auf 9876 gesetzt haben). Man beachte, dass `sendPacket` vom Typ `DatagramPacket` ist.

```
clientSocket.send(sendPacket);
```

In der obigen Zeile nimmt die Methode `send()` des Objekts `clientSocket` das soeben erstellte Paket und schiebt es durch `clientSocket` in das Netzwerk. Beachten Sie auch hier, dass UDP die Zeichenzeile auf andere Weise als TCP versendet. TCP fügt die Zeile einfach in einen Datenstrom ein, der eine logische direkte Verbindung zum Server hat. UDP erstellt dagegen ein Paket, das die Adresse des Servers beinhaltet. Nach dem Versenden des Pakets wartet der Client, bis er ein Paket vom Server empfängt.

```
DatagramPacket receivePacket =
    new DatagramPacket(receiveData, receiveData.length);
```

In der obigen Zeile erstellt der Client einen Platzhalter für das Paket `receivePacket` – ein Objekt vom Typ `DatagramPacket` –, während er auf das Paket vom Server wartet.

```
clientSocket.receive(receivePacket);
```

Der Client ist untätig, bis er ein Paket empfängt; kommt ein Paket an, stellt er es in `receivePacket`.

```
String modifiedSentence =
    new String(receivePacket.getData());
```

Die obige Zeile extrahiert die Daten von `receivePacket` und führt eine Typumwandlung durch, d. h., ein Byte-Array wird in die Zeichenfolge `modifiedSentence` konvertiert.

```
System.out.println("FROM SERVER:" + modifiedSentence);
```

Diese Zeile, die auch in `TCPClient` enthalten ist, gibt die Zeichenkette `modifiedSentence` auf dem Monitor des Clients aus.

```
clientSocket.close();
```

Diese letzte Zeile schließt das Socket. Da UDP verbindungslos ist, veranlasst diese Zeile den Client (im Gegensatz zu `TCPClient`) nicht dazu, eine Nachricht auf der Transportschicht an den Server zu senden.

UDPServer.java

Wir betrachten in diesem Abschnitt die Server-Seite der Anwendung:

```
import java.io.*;
import java.net.*;
class UDPServer {
    public static void main(String args[]) throws Exception
        {
            DatagramSocket serverSocket = new DatagramSocket(9876);
            byte[] receiveData = new byte[1024];
            byte[] sendData = new byte[1024];
            while(true)
                {
                    DatagramPacket receivePacket =
                        new DatagramPacket(receiveData,
                                receiveData.length);
                    serverSocket.receive(receivePacket);
                    String sentence = new String(
                            receivePacket.getData());
                    InetAddress IPAddress =
                            receivePacket.getAddress();
                    int port = receivePacket.getPort();
                    String capitalizedSentence =
                            sentence.toUpperCase();
                    sendData = capitalizedSentence.getBytes();
                    DatagramPacket sendPacket =
                        new DatagramPacket(sendData, sendData.length,
                                IPAddress, port);
                    serverSocket.send(sendPacket);
                }
        }
}
```

Das Programm UDPServer.java bildet ein Socket (siehe Abbildung 2.29). Das Socket heißt serverSocket. Es ist ein Objekt vom Typ DatagramSocket, wie das Socket auf der Client-Seite der Anwendung. Wiederum werden keine Datenströme mit dem Socket verbunden. Wir betrachten jetzt die Codezeilen, die sich von TCPServer.java unterscheiden.

```
DatagramSocket serverSocket = new DatagramSocket(9876);
```

Die obige Zeile bildet das DatagramSocket serverSocket an Port 9876. Alle gesendeten und empfangenen Daten fließen durch dieses Socket. Da UDP verbindungslos ist, brauchen wir kein neues Socket und nicht auf neue Verbindungsanfragen wie in TCPServer.java zu warten. Wenn mehrere Clients auf diese Anwendung zugreifen, senden sie alle ihre Pakete durch diese einzige Tür, d. h. serverSocket.

```
String sentence = new String(receivePacket.getData());
InetAddress IPAddress = receivePacket.getAddress();
int port = receivePacket.getPort();
```

Abbildung 2.29 UDPServer.java hat ein Socket.

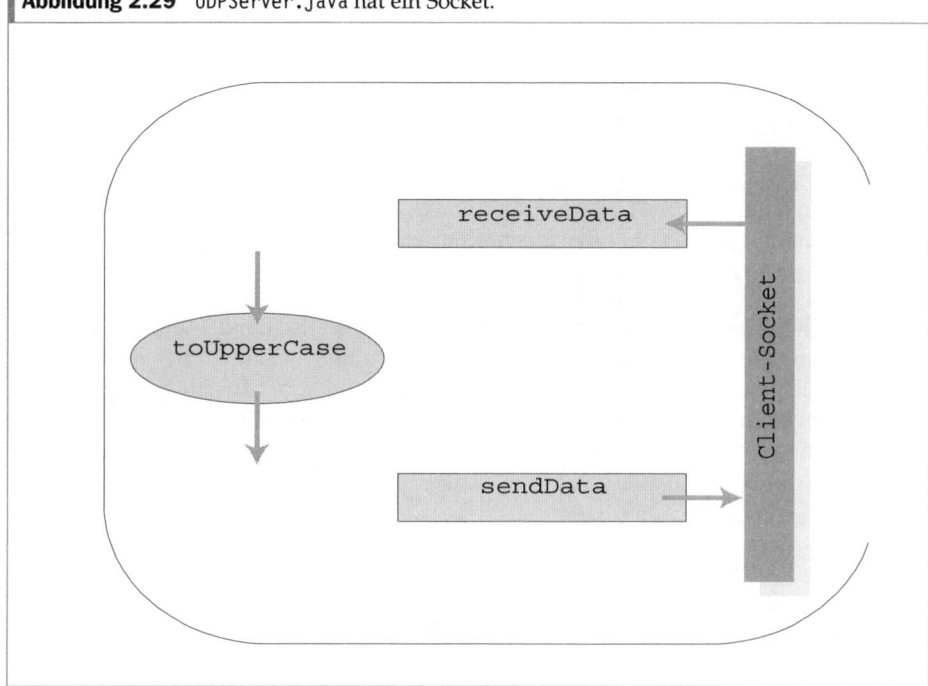

Die obigen Zeilen entwirren das Paket, das vom Client ankommt. Die erste Zeile extrahiert die Daten aus dem Paket und stellt sie in String sentence; eine ähnliche Zeile ist auch in UDPClient enthalten. Die zweite Zeile extrahiert die IP-Adresse; die dritte Zeile extrahiert die *Client-Portnummer*, die vom Client gewählt wird und sich von der Server-Portnummer 9876 unterscheidet. (Client-Portnummern werden ausführlich im nächsten Kapitel beschrieben.) Der Server muss die Adresse (IP-Adresse und Portnummer) des Clients einholen, damit er ihm den großgeschriebenen Satz zurücksenden kann.

Damit ist unsere Analyse des UDP-Programmpaars beendet. Um die Anwendung zu testen, installieren und kompilieren Sie UDPClient.java auf einem Host und UDPServer.java auf einem anderen. (Achten Sie darauf, den richtigen Hostnamen des Servers in UDPClient.java zu verwenden.) Anschließend führen Sie die beiden Programme auf dem jeweiligen Host aus. Im Gegensatz zu TCP können Sie zuerst die Client-Seite und dann die Server-Seite ausführen, weil der Client-Prozess bei der Ausführung der Client-Seite nicht versucht, eine Verbindung mit dem Server aufzubauen. Nachdem Sie das Client- und Server-Programm ausgeführt haben, können Sie eine Zeile eintippen und an den Client schicken, um die Anwendung auszuprobieren.

2.8 Aufbau eines einfachen Web-Servers

Nachdem wir nun einige Details über HTTP kennen gelernt haben und wissen, wie man Client/Server-Anwendungen in Java schreibt, kombinieren wir diese neu erworbenen Kenntnisse und erstellen einen einfachen Web-Server in Java. Sie werden sehen, dass dies erstaunlich leicht ist.

2.8.1 Funktionen des Web-Servers

Ziel ist es, einen Server zu erstellen, der folgende Funktionen erfüllt:

- Abarbeiten einer einzigen HTTP-Anfrage
- Annahme und Analyse der HTTP-Anfrage
- Einlesen der angeforderten Datei aus dem Dateisystem des Servers
- Erstellen einer HTTP-Antwortnachricht, die sich aus der angeforderten Datei und vorangestellten Header-Zeilen zusammensetzt
- Versenden der Antwort direkt an den Client

Wir versuchen, den Code so einfach wie möglich zu halten, damit er einen Einblick in die Netzwerkaspekte gewährt. Der von uns präsentierte Code ist bei weitem nicht perfekt! Beispielsweise haben wir jegliche Ausnahmenbehandlung weggelassen. Außerdem gehen wir davon aus, dass der Client nach einem Objekt fragt, das sich im Dateisystem des Servers befindet.

WebServer.java

Nachfolgend sehen Sie den Code für einen einfachen Web-Server:

```java
import java.io.*;
import java.net.*;
import java.util.*;
class WebServer {
    public static void main(String argv[]) throws Exception
    {
        String requestMessageLine;
        String fileName;
        ServerSocket listenSocket = new ServerSocket(6789);
        Socket connectionSocket = listenSocket.accept();
        BufferedReader inFromClient =
            new BufferedReader(new InputStreamReader(
                    connectionSocket.getInputStream()));
        DataOutputStream outToClient =
            new DataOutputStream(
                    connectionSocket.getOutputStream());
        requestMessageLine = inFromClient.readLine();
        StringTokenizer tokenizedLine =
            new StringTokenizer(requestMessageLine);
        if (tokenizedLine.nextToken().equals("GET")){
            fileName = tokenizedLine.nextToken();
            if (fileName.startsWith("/") == true )
                    fileName = fileName.substring(1);
            File file = new File(fileName);
            int numOfBytes = (int) file.length();
            FileInputStream inFile = new FileInputStream (fileName);
            byte[] fileInBytes = new byte[numOfBytes];
            inFile.read(fileInBytes);
            outToClient.writeBytes(
                    "HTTP/1.0 200 Document Follows\r\n");
            if (fileName.endsWith(".jpg"))
```

2.8 Aufbau eines einfachen Web-Servers

```
            outToClient.writeBytes("Content-Type:image/jpeg\r\n");
         if (fileName.endsWith(".gif"))
            outToClient.writeBytes("Content-Type:image/gif\r\n");
         outToClient.writeBytes("Content-Length: " +
            numOfBytes + "\r\n");
         outToClient.writeBytes("\r\n");
         outToClient.write(fileInBytes, 0, numOfBytes);
         connectionSocket.close();
         }
      else System.out.println("Bad Request Message");
      }
}
```

Wir sehen uns jetzt den Code genauer an. Die erste Hälfte des Programms ist fast identisch mit `TCPServer.java`. Wie bei `TCPServer.java` importieren wir die Pakete `java.io` und `java.net`. Darüber hinaus importieren wir auch `java.util`, das die Klasse `StringTokenizer` enthält, die für die Analyse von HTTP-Anfragenachrichten benutzt wird. Wenn wir uns die Zeilen in der Klasse `WebServer` ansehen, erkennen wir zwei String-Objekte:

```
String requestMessageLine;
String fileName;
```

Das Objekt `requestMessageLine` ist eine Zeichenkette, die die erste Zeile der HTTP-Anfragenachricht enthält. Das Objekt `fileName` ist eine Zeichenkette, die den Dateinamen der angeforderten Datei enthält. Die nächste Reihe von Befehlen ist mit der entsprechenden Reihe von Befehlen in `TCPServer.java` identisch.

```
ServerSocket listenSocket = new ServerSocket(6789);
Socket connectionSocket = listenSocket.accept();
BufferedReader inFromClient =
   new BufferedReader(new InputStreamReader(
         connectionSocket.getInputStream()));
DataOutputStream outToClient =
   new DataOutputStream(
         connectionSocket.getOutputStream());
```

Hier werden zwei socketähnliche Objekte erzeugt. Das erste dieser Objekte ist `listenSocket` vom Typ `ServerSocket`. Das Objekt `listenSocket` wird vom Server-Programm erstellt, bevor es eine Anfrage für eine TCP-Verbindung von einem Client empfängt. Es »hört« an Port 6789 und wartet auf eine Anfrage von einem Client, um eine TCP-Verbindung aufzubauen. Wenn eine solche Anfrage ankommt, erstellt die Methode `accept()` von `listenSocket` ein neues Objekt, `connectionSocket`, vom Typ `Socket`. Als Nächstes werden zwei Datenströme erzeugt: `BufferedReader inFromClient` und `DataOutputStreamoutToClient`. Die HTTP-Anfragenachricht fließt vom Netzwerk durch `connectionSocket` zu `inFromClient`; die HTTP-Antwortnachricht fließt zu `outToClient`, durch `connectionSocket` und in das Netzwerk. Der restliche Teil des Codes unterscheidet sich erheblich von `TCPServer.java`.

```
requestMessageLine = inFromClient.readLine();
```

Der obige Befehl liest die erste Zeile der HTTP-Anfragenachricht. Diese Zeile soll folgendes Format aufweisen:

```
GET file_name HTTP/1.0
```
Unser Server muss nun die Zeile analysieren, um den Dateinamen zu extrahieren.

```
StringTokenizer tokenizedLine =
      new StringTokenizer(requestMessageLine);
if (tokenizedLine.nextToken().equals("GET")){
      fileName = tokenizedLine.nextToken();
      if (fileName.startsWith("/") == true )
      fileName = fileName.substring(1);
```

Mit den obigen Befehlen wird die erste Zeile der Anfragenachricht analysiert, um den angeforderten Dateinamen zu erhalten. Das Objekt `tokenizedLine` kann man sich als die Originalanfragezeile vorstellen, wobei jedes einzelne der »Wörter« GET, file_name und HTTP/1.0 in einem getrennten Platzhalter, einem so genannten Token, abgestellt wird. Der Server weiß vom HTTP-RFC, dass der Dateiname für die angeforderte Datei in dem Token enthalten ist, das dem Token mit dem Inhalt GET folgt. Dieser Dateiname wird in eine Zeichenkette namens `fileName` gestellt. Die letzte `if`-Anweisung im obigen Codestück erfüllt den Zweck, den Backslash zu entfernen, der möglicherweise dem Dateinamen vorangestellt ist.

```
FileInputStream inFile = new FileInputStream (fileName);
```
Der obige Befehl verbindet den Datenstrom `inFile` mit der Datei `fileName`.

```
byte[] fileInBytes = new byte[numOfBytes];
inFile.read(fileInBytes);
```
Diese Befehle bestimmen die Größe der Datei und bilden ein entsprechend großes Byte-Array. Der Name des Arrays lautet `fileInBytes`. Der letzte Befehl liest aus dem Datenstrom `inFile` in das Byte-Array `fileInBytes`. Das Programm muss in Bytes konvertieren, weil der Ausgabedatenstrom `outToClient` nur mit Bytes gespeist werden darf.

Wir sind jetzt bereit, die HTTP-Antwortnachricht zu bilden. Hierfür müssen wir zuerst die Header-Zeilen der HTTP-Antwort in `DataOutputStream outToClient` senden:

```
outToClient.writeBytes("HTTP/1.0 200 Document
      Follows\r\n");
if (fileName.endsWith(".jpg"))
      outToClient.writeBytes("Content-Type:
      image/jpeg\r\n");
if (fileName.endsWith(".gif"))
      outToClient.writeBytes("Content-Type:
      image/gif\r\n");
outToClient.writeBytes("Content-Length: " + numOfBytes +
      "\r\n");
outToClient.writeBytes("\r\n");
```

Die obigen Befehle sind besonders interessant. Sie bereiten die Header-Zeilen für die HTTP-Antwortnachricht vor und senden die Header-Zeilen zum TCP-Sendepuffer. Der erste Befehl sendet die zwingende Statuszeile, HTTP/1.0 200 Document Follows, gefolgt von einem Return und einem neuen Zeilenanfang. Die nächsten beiden

Befehlszeilen bereiten eine einzige Header-Zeile `Content-Type` vor. Wenn der Server ein GIF-Bild übertragen soll, bereitet er die Header-Zeile `Content-Type: image/gif` vor. Für ein JPEG-Bild bereitet er die Header-Zeile `Content-Type: image/jpeg` vor. (Bei diesem einfachen Web-Server wird keine `Content`-Zeile gesendet, falls das Objekt weder ein GIF- noch ein JPEG-Bild ist.) Der Server sendet anschließend eine Header-Zeile `Content-Length` und eine zwingende Leerzeile vor dem zu sendenden Objekt. Wir müssen jetzt die Datei `FileName` an `DataOutputStream outToClient` senden.

Schließlich können wir die angeforderte Datei senden:

`outToClient.write(fileInBytes, 0, numOfBytes);`

Der obige Befehl sendet die angeforderte Datei `fileInBytes` an den TCP-Sendepuffer. TCP verkettet die Datei `fileInBytes` mit den zuvor erstellten Header-Zeilen, segmentiert die Verkettung, falls erforderlich, und sendet die TCP-Segmente an den Client.

`connectionSocket.close();`

Nachdem eine Anfrage für eine Datei bedient wurde, führt der Server Aufräumarbeiten (Housekeeping) durch: Er schließt das Socket `connectionSocket`.

Um diesen Web-Server zu testen, installieren Sie ihn auf einem Host. Auf dem Host sollten sich auch ein paar Dateien befinden. Anschließend benutzen Sie einen Browser auf irgendeinem Computer, um eine Datei vom Server anzufordern. Wenn Sie eine Datei anfordern, müssen Sie die Portnummer benutzen, die Sie im Server-Code berücksichtigt haben (z. B. 6789). Wenn sich Ihr Server also auf `somehost.somewhere.edu` befindet und die Datei `somefile.html` und die Portnummer 6789 lauten, sollte der Browser folgende Anfrage stellen:

`http://somehost.somewhere.edu:6789/somefile.html`

2.9 Zusammenfassung

In diesem Kapitel untersuchten wir sowohl konzeptionelle als auch Implementierungsaspekte von Netzwerkanwendungen. Wir haben das allgegenwärtige Client/Server-Paradigma kennen gelernt, auf dem Internet-Anwendungen basieren, und seine Verwendung in den Protokollen HTTP, FTP, SMTP, POP3 und DNS gesehen. Wir untersuchten ausführlich diese wichtigen Protokolle der Anwendungsschicht und die mit ihnen in Zusammenhang stehenden Anwendungen (Web, Filetransfer, E-Mail und DNS). Wir haben geprüft, wie das Socket-API benutzt werden kann, um Netzwerkanwendungen zu erstellen, und wir sind die einzelnen Schritte der Verwendung von Sockets über verbindungsorientierte (TCP) und verbindungslose (UDP) Ende-zu-Ende-Transportdienste durchgegangen. Außerdem schrieben wir mit diesem API einen einfachen Web-Server. Die erste Etappe auf unserer Reise »abwärts« durch die geschichtete Netzwerkarchitektur haben wir nun zurückgelegt.

Ganz zu Beginn dieses Buchs, in Abschnitt 1.2, erfolgte eine eher vage Definition dessen, was ein Protokoll ist. Wir haben es beschrieben als »das Format und die Reihenfolge von Nachrichten, die zwischen zwei kommunizierenden Einheiten ausgetauscht werden, und die Aktionen, die aufgrund der Übertragung und/oder des Empfangs einer Nachricht oder eines anderen Ereignisses ablaufen«. Das Material in diesem Kapitel, insbesondere unsere ausführliche Untersuchung des HTTP-, FTP-, SMTP-, POP3- und DNS-Protokolls verlieh dieser Definition nun beträchtliche Substanz. Protokolle sind ein wichtiges Konzept in der Vernetzung; unsere Untersuchung von Anwendungsprotokollen gab uns hier Gelegenheit, ein intuitiveres Gefühl dafür zu entwickeln, was es mit Protokollen eigentlich auf sich hat.

Abschnitt 2.1 beschrieb die Dienstmodelle, die TCP und UDP den Anwendungen bieten, die sie nutzen. In den Abschnitten 2.6 und 2.7 haben wir diese Dienstmodelle näher betrachtet, als wir einfache Anwendungen entwickelten, die über TCP und UDP laufen. Es wurde allerdings wenig darüber gesprochen, *wie* TCP und UDP diese Dienstmodelle bereitstellen. Beispielsweise haben wir wenig darüber gesagt, wie TCP seinen Anwendungen einen zuverlässigen Datentransferdienst bereitstellt. Im nächsten Kapitel werden wir das *Was*, *Wie* und *Warum* von Protokollen eingehend untersuchen.

Gewappnet mit einer gewissen Kenntnis der Struktur von Internet-Anwendungen und Protokollen der Anwendungsschicht sind wir nun bereit, in Kapitel 3 tiefer in den Protokollstack einzutauchen und die Transportschicht zu untersuchen.

WIEDERHOLUNGSFRAGEN

Abschnitt 2.1

1. Listen Sie fünf nicht proprietäre Internet-Anwendungen und die von ihnen benutzten Protokolle der Anwendungsschicht auf.
2. Welcher Host ist der Client und welcher der Server in einer Kommunikationssitzung zwischen zwei Hosts?
3. Welche Informationen werden von einem Prozess benutzt, der auf einem Host läuft, um einen Prozess zu identifizieren, der auf einem anderen Host läuft?
4. Listen Sie die verschiedenen User-Agents von Netzwerkanwendungen auf, die Sie mehr oder weniger täglich benutzen.
5. In Abbildung 2.4 hat keine der aufgeführten Anwendungen gleichzeitig die beiden Anforderungen »Kein Datenverlust« und »Zeitsensitiv«. Können Sie sich eine Anwendung vorstellen, die keinen Datenverlust voraussetzt und auch höchst zeitsensitiv ist?

Abschnitte 2.2 bis 2.5

6. Was versteht man unter einem Handshake-Protokoll?
7. Warum setzen HTTP, FTP, SMTP, POP3 und IMAP nicht auf UDP, sondern auf TCP auf?
8. Betrachten Sie eine E-Commerce-Site, die für jeden Kunden die Einkaufsaktivität verfolgen will. Beschreiben Sie, wie sich dies (1) mit einer HTTP-Authentifikation und (2) mit Cookies bewerkstelligen lässt.
9. Welcher Unterschied besteht zwischen persistentem HTTP mit und ohne Pipelining? Welche der beiden Formen wird in HTTP/1.1 benutzt?
10. Loggen Sie sich mit Telnet in einen Web-Server ein und senden Sie eine mehrzeilige Anfragenachricht. Binden Sie in die Anfragenachricht die Header-Zeile `If-modified-since:` ein, um eine Antwortnachricht mit dem Statuscode 304 `Not Modified` zu erzwingen.
11. Warum sagt man, dass FTP seine Steuerinformationen »Out-of-Band« sendet?
12. Angenommen, Alice sendet in einem Web-basierten E-Mail-Account (z. B. Yahoo! oder Hotmail) eine Nachricht an Bob, der seine Mail auf seinem Mail-Server über POP3 abruft. Erläutern Sie, wie die Nachricht vom Host von Alice zu dem von Bob gelangt. Achten Sie darauf, die Abfolge der Protokolle der Anwendungsschicht aufzulisten, die zur Übertragung der Nachricht zwischen den beiden Hosts genutzt werden.

13. Angenommen, Sie senden eine E-Mail-Nachricht, deren einzige Daten ein Microsoft-Excel-Attachment sind. Wie könnten die Header-Zeilen (einschließlich der MIME-Zeilen) aussehen?
14. Drucken Sie den Header einer kürzlich empfangenen Nachricht aus. Wie viele Header-Zeilen Received: enthält sie? Analysieren Sie jede der Header-Zeilen in der Nachricht.
15. Welcher Unterschied besteht aus Sicht des Benutzers zwischen dem Download-und-Löschen- und dem Download-und-Behalten-Modus in POP3?
16. Zeichnen Sie die Abbildung 2.21 neu für den Fall, dass alle Anfragen vom lokalen Name-Server iterativ sind.
17. Jeder Internet-Host hat mindestens einen lokalen und einen autoritativen Name-Server. Welche Rolle spielt jeder dieser Server in DNS?
18. Ist es möglich, dass der Web- und der Mail-Server einer Organisation genau den gleichen Aliasnamen für einen Hostnamen (z. B. foo.com) haben? Welcher RR-Typ würde den Hostnamen des Mail-Servers enthalten?
19. Benutzen Sie nslookup, um einen Web-Server mit mehreren IP-Adressen zu finden. Hat der Web-Server Ihrer Institution (Universität oder Unternehmen) mehrere IP-Adressen?

Abschnitte 2.6 bis 2.9

20. Der in Abschnitt 2.7 beschriebene UDP-Server benötigt nur ein Socket, während der in Abschnitt 2.6 beschriebene TCP-Server zwei braucht. Warum? Wenn der TCP-Server n gleichzeitige Verbindungen jeweils von einem anderen Client-Host unterstützen müsste, wie viele Sockets würde der TCP-Server dann benötigen?
21. Warum muss das Server-Programm in der Client/Server-Anwendung mit TCP von Abschnitt 2.6 vor dem Client-Programm ausgeführt werden? Warum kann das Client-Programm in der Client/Server-Anwendung mit UDP von Abschnitt 2.7 vor dem Server-Programm ausgeführt werden?

ÜBUNGEN

2.1 Richtig oder falsch?
   a. Angenommen, ein Benutzer fordert eine Web-Seite an, die Text und zwei Bilder enthält. Für diese Seite sendet der Client eine Anfragenachricht und empfängt drei Antwortnachrichten.
   b. Zwei unterschiedliche Web-Seiten (z. B. www.mit.edu/research.html und www.mit.edu/students.html) können über die gleiche persistente Verbindung gesendet werden.
   c. Mit nicht persistenten Verbindungen zwischen Browser und Ursprungsserver ist es möglich, dass ein einziges TCP-Segment zwei unterschiedliche HTTP-Anfragenachrichten befördert.
   d. Der Header Date: in der HTTP-Antwortnachricht gibt an, wann das in der Antwort befindliche Objekt zuletzt geändert wurde.

2.2 Lesen Sie RFC 959 für FTP. Listen Sie alle Client-Befehle auf, die von diesem RFC unterstützt werden.

2.3 Lesen Sie RFC 1700. Welche wohl bekannten Portnummern sind für SFTP (Simple File Transfer Protocol) und welche für NNTP (Network News Transfer Protocol) spezifiziert?

2.4 Angenommen, Sie klicken in Ihrem Web-Browser auf einen Link, um eine Web-Seite anzuzeigen. Wir nehmen weiter an, dass die IP-Adresse für die betreffende URL nicht im Cache Ihres lokalen Hosts gespeichert ist, so dass eine DNS-Suche erforderlich ist, um die IP-Adresse zu erhalten. Es sei gegeben, dass n DNS-Server besucht werden, bis Ihr Host die IP-Adresse vom DNS erhält; die aufeinander folgenden Besuche erfolgen in einer RTT von RTT_1, ..., RTT_n. Die betreffende Web-Seite enthält genau ein Objekt, eine kleine HTML-Textmenge. RTT_0 sei die RTT zwischen dem lokalen Host und dem Server, auf dem sich das Objekt befindet. Wenn wir von einer Übertragungszeit von Null für das Objekt ausgehen, wie viel Zeit verstreicht von dem Moment an, in dem der Client auf den Link klickt, bis der Client das Objekt empfängt?

2.5 Unter Bezugnahme auf Übung 4 nehmen wir an, dass die HTML-Datei drei sehr kleine Objekte auf dem gleichen Server indiziert. Ignorieren Sie die Übertragungszeiten. Wie viel Zeit verstreicht bei (a) nicht persistentem HTTP ohne parallele TCP-Verbindungen, (b) nicht persistentem HTTP mit parallelen Verbindungen, und (c) persistentem HTTP mit Pipelining?

2.6 Zwei HTTP-Anfragemethoden sind GET und POST. Gibt es weitere Methoden in HTTP/1.0? Falls ja, wofür werden sie benutzt? Wie steht es mit HTTP/1.1?

2.7 Schreiben Sie ein einfaches TCP-Programm für einen Server, der Eingabezeilen von einem Client annimmt und die Zeilen auf der Standardausgabe des Servers ausgibt. (Sie können hierfür das Programm TCPServer.java dieses Kapitels modifizieren.) Kompilieren Sie Ihr Programm und führen Sie es aus. Auf einem anderen Computer, auf dem ein Web-Browser läuft, setzen Sie den Proxy-Server im Browser auf den Computer, auf dem Ihr Server-Programm läuft; konfigurieren Sie auch die Portnummer entsprechend. Ihr Browser sollte nun seine GET-Anfragenachrichten an Ihren Server senden und Ihr Server sollte die Nachrichten auf seiner Standardausgabe anzeigen. Benutzen Sie diese Plattform, um festzustellen, ob Ihr Browser bedingte GET-Nachrichten für Objekte, die im lokalen Cache gespeichert sind, erzeugt.

2.8 Lesen Sie den POP3-RFC (RFC 1939). Welchen Zweck erfüllt der UIDL-POP3-Befehl?

2.9 Installieren und kompilieren Sie die Java-Programme TCPClient und UDPClient auf einem Host und TCPServer und UDPServer auf einem anderen.
   a. Angenommen, Sie führen TCPClient vor TCPServer aus. Was passiert? Warum?
   b. Angenommen, Sie führen UDPClient vor UDPServer aus. Was passiert? Warum?
   c. Was passiert, wenn Sie unterschiedliche Portnummern für die Client- und die Server-Seite verwenden?

2.10 Schreiben Sie TCPServer.java so um, dass es mehrere Verbindungen akzeptieren kann. (*Hinweis*: Sie müssen Threads verwenden.)

DISKUSSIONSFRAGEN

2.1 Was ist ein CGI-Skript? Führen Sie Beispiele von zwei beliebten Web-Sites auf, die CGI-Skripts verwenden. Erklären Sie, wie diese Sites CGI benutzen. In welchen Sprachen werden CGI-Skripts normalerweise geschrieben?

2.2 Wie können Sie Ihren Browser für lokales Caching konfigurieren? Welche Optionen stehen Ihnen zur Verfügung?

2.3 Können Sie Ihren Browser so konfigurieren, dass mehrere gleichzeitige Verbindungen zu einer Web-Site geöffnet werden? Welche Vor- und Nachteile hat eine große Anzahl gleichzeitiger TCP-Verbindungen?

2.4 Sind SMTP, POP3 und IMAP zustandslose Protokolle? Warum oder warum nicht?

2.5 Wir haben gesehen, dass TCP-Sockets die zu sendenden Daten als Byte-Datenstrom behandeln, während UDP-Sockets Nachrichtengrenzen erkennen. Nennen Sie einen Vorteil und einen Nachteil des byteorientierten API im Vergleich zu dem API, das die von der Anwendung definierten Nachrichtengrenzen explizit erkennt und einhält.

2.6 Was ist ein Servlet? In welcher Weise unterscheidet es sich von einem CGI-Skript?

2.7 Was ist ICQ? Beschreiben Sie IETF-Arbeiten für die Standardisierung von ICQ.

PROGRAMMIERAUFGABEN

Aufgabe 1

In dieser Programmieraufgabe entwickeln Sie einen Web-Server mit mehreren Threads, der mehrere Anfragen gleichzeitig bedienen kann. Sie schreiben den Web-Server in Java und implementieren HTTP-Version 1.0, wie in RFC 1945 definiert.

Sie erinnern sich, dass HTTP/1.0 für jedes Anfrage/Antwort-Paar eine getrennte TCP-Verbindung erstellt. Jede dieser Verbindungen wird von einem getrennten Thread behandelt. Außerdem gibt es einen Haupt-Thread, in dem der Server auf Clients wartet, die eine Verbindung aufbauen möchten. Um die Programmieraufgabe zu vereinfachen, entwickeln wir den Code in zwei Phasen. In der ersten Phase schreiben Sie einen Multithreaded Server, der einfach nur den Inhalt der empfangenen HTTP-Anfragenachricht anzeigt. Wenn dieses Programm einwandfrei läuft, schreiben Sie weiteren Code, um eine entsprechende Antwort zu erzeugen.

Während Sie den Code schreiben, können Sie Ihren Server in einem Web-Browser testen. Denken Sie aber daran, dass Sie nicht den Standardport 80 benutzen. Sie müssen deshalb die Portnummer, die Sie Ihrem Browser geben, in der URL angeben. Wenn der Name Ihres Hosts z. B. host.someschool.edu lautet, Ihr Server an Port 6789 wartet und Sie die Datei index.html abrufen möchten, würden Sie im Browser folgende URL eingeben:

    http://host.someschool.edu:6789/index.html

Falls in Ihrem Server ein Fehler vorkommt, sollte er eine Antwortnachricht mit der entsprechenden HTML-Quelle senden, so dass im Browser-Fenster die Fehlermeldung angezeigt wird.

Aufgabe 2

In dieser Aufgabe schreiben Sie einen Mail-User-Agenten in Java mit den folgenden Merkmalen:

- Bereitstellung einer grafischen Benutzungsoberfläche für den Sender mit Feldern für die E-Mail-Adresse des Senders, die E-Mail-Adresse des Empfängers, einem Betreff (Subject) und der Nachricht selbst.
- Aufbau einer direkten TCP-Verbindung zwischen dem Mail-User-Agenten und dem Mail-Server des Empfängers. Die Nachricht wird also nicht – wie normalerweise üblich – durch den Mail-Server des Senders weitergeleitet.
- Senden und Empfangen der SMTP-Befehle und Daten, um die Nachricht an den Mail-Server des Empfängers zu senden.

Ihre Benutzeroberfläche wird wie im folgenden Beispiel aussehen:

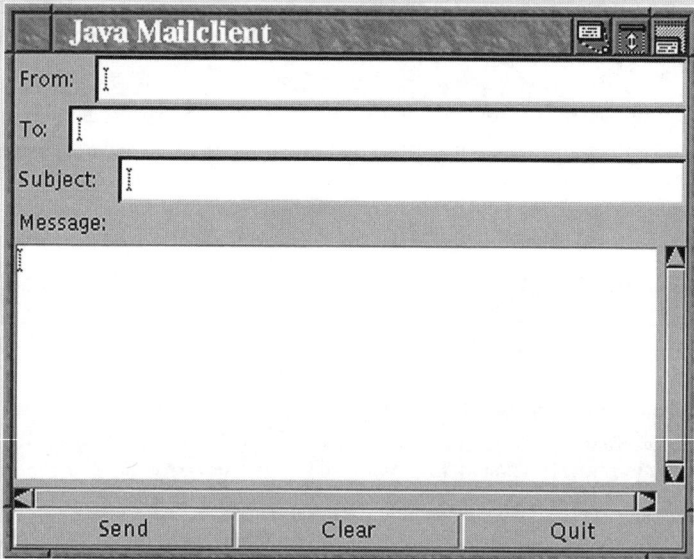

Sie entwickeln den User-Agent so, dass er E-Mail jeweils an höchstens einen Empfänger sendet. Außerdem nimmt der User-Agent an, dass der Domain-Teil der E-Mail-Adresse des Empfängers der Name des SMTP-Servers ist, der die ankommende E-Mail für diesen Empfänger handhabt. (Der User-Agent wird keine DNS-Suche nach einem MX-Record ausführen, so dass der Sender den tatsächlichen Namen des Mail-Servers angeben muss.)

Alle Einzelheiten zu dieser Programmieraufgabe sowie verschiedene Java-Codes finden Sie auf der Web-Site http://www.awl.com/kurose-ross.

INTERVIEW

Tim Berners-Lee

Tim Berners-Lee ist Vorsitzender des World Wide Web Consortium (W3C) und Principal Research Scientist des Laboratory for Computer Science am MIT. 1989, während seiner Tätigkeit am CERN (European Particle Physics Laboratory) erfand Tim ein Internet-basiertes Hypermedia für die globale gemeinsame Nutzung von Informationen, das heute als World Wide Web bekannt ist. Ein Jahr später schrieb er den ersten Client und Server für das Web. Tim erwarb 1976 sein Physikdiplom an der Oxford-Universität in England.

- Sie studierten ursprünglich Physik. Inwiefern lässt sich Vernetzung mit Physik vergleichen?

Wenn Sie Physik studieren, stellen Sie sich vor, welche Verhaltensregeln in einem sehr eng gesteckten Rahmen möglicherweise mit unserer globalen Sicht der Welt zusammenhängen. Wenn Sie ein globales System wie das Web entwerfen, versuchen Sie, Verhaltensregeln von Web-Seiten und Links und Dingen zu erfinden, die insgesamt unserer Sicht der Welt entsprechen. Das eine hat mit Analyse und das andere mit Synthese zu tun, die beiden ähneln sich aber sehr.

- Was hat Sie bewegt, sich auf Vernetzung zu spezialisieren?

Nach meinem Physikstudium schienen mir die Firmen, die sich mit Telekommunikationsforschung befassten, die interessantesten Stellen zu bieten. Der Mikroprozessor kam gerade erst heraus und Telekommunikation verlagerte sich sehr schnell von festverdrahteter Logik auf mikroprozessorbasierte Systeme. Ich fand das höchst interessant.

- Wie sieht ein typischer Arbeitstag für Sie aus?

Ich versuche, mich über das Web, E-Mail und Internet Relay Chat hinsichtlich der technischen Entwicklungen in allen Bereichen des W3C auf dem Laufenden zu halten, und wende für Bereiche, mit denen ich besonders zu tun habe, zusätzliche Zeit auf. Die Tage sind unterschiedlich. Ich treffe eine Menge Leute – oft persönlich, oft aber auch in einer Telefon- oder Videokonferenz. Einen Tag pro Woche arbeite ich von meinem Heimbüro aus, das genau wie mein Büro in der Arbeit ausgestattet ist. Dadurch spare ich viele Stunden für Fahrten zur Arbeit. Ich treffe mich mit Mitarbeitern und Leuten von der Presse.

- Was ist der interessanteste Teil Ihres Aufgabenbereichs?

Wenn zwei Gruppen über etwas stark gegensätzlicher Meinung sind, am Ende aber ein gemeinsames Ziel erreichen wollen, kann es sehr herausfordernd sein, herauszufinden, was genau sie meinen und wo die Missverständnisse liegen. Der Vorsitzende jeder Arbeitsgruppe kennt das nur zu gut. Das ist aber unerlässlich, wenn man einen breiten Konsens erreichen will.

- → • **Wie sieht Ihrer Meinung nach die Zukunft der Computernetzwerke/des Internets aus?**

  Ich hoffe, dass das Web für die Menschen ein viel kreativerer Raum werden wird, in dem jeder Hypertext als intuitive Form des Ausdrucks und der Zusammenarbeit erstellen und bearbeiten kann. Ich hoffe auch, dass Maschinen in der Lage sein werden, Daten so zu behandeln, dass sie die Bedeutungen unterschiedlicher Datenbanken verknüpfen können, so dass ein »semantisches Web« entsteht.

- • **Welche Leute haben Sie beruflich inspiriert?**

  Meine Eltern, die zu den ersten Computerwissenschaftlern der Welt zählen, vermittelten mir eine Faszination des gesamten Themas. Mike Sendall und Peggie Rimmer, für die ich verschiedentlich am CERN arbeitete, zählen zu denen, die mir viel beigebracht und mich ermutigt haben. Später bewunderte ich Leute wie Vannevar Bush, Doug Engelbart und Ted Nelson, die zu ihrer Zeit ähnliche Träume hatten, denen damals aber keine PCs und kein Internet zur Verfügung standen, um sie zu realisieren.

- • **Die Mission des W3C ist es, »das Web zu seinem vollen Potenzial zu führen«. Was ist Ihrer Meinung nach das volle Potenzial des Web? Auf welche Weise kann dieses Potenzial ausgeschöpft werden?**

  Wir versuchen, es in die beide Richtungen zu führen, die ich erwähnte, d. h. hin zu Zusammenarbeit und zum semantischen Web. Wir versuchen die ganze Zeit, die Universalität des Web zu erweitern – die Tatsache, dass es nur ein Web gibt, gleichgültig, welchen Browser Sie benutzen, und dass jeder darauf zugreifen kann, ungeachtet von Hardware und Software, geografischem Standort, körperlichen und geistigen Fähigkeiten oder Behinderungen, Sprache und Kultur.

KAPITEL 3

Transportschicht

3.1 Dienste und Prinzipien auf der Transportschicht

Zwischen der Anwendungs- und der Vermittlungsschicht angesiedelt, bildet die Transportschicht das Kernstück der geschichteten Netzwerkarchitektur. Sie erfüllt die wichtige Rolle der direkten Bereitstellung von Kommunikationsdiensten für die Anwendungsprozesse, die auf verschiedenen Hosts laufen. In diesem Kapitel beschreiben wir die Dienste, die von einem Protokoll der Transportschicht bereitgestellt werden können, und die verschiedenen, der Bereitstellung dieser Dienste zugrunde liegenden Prinzipien. Ferner wird beschrieben, wie diese Dienste in bestehenden Protokollen implementiert sind. Wie bisher, liegt die besondere Betonung auf den Internet-Protokollen, d. h. den TCP- und UDP-Protokollen auf der Transportschicht.

In den ersten beiden Kapiteln haben wir die Rolle der Transportschicht und die von ihr bereitgestellten Dienste kurz angesprochen. Hier folgt nun eine kurze Übersicht dessen, was Sie über die Transportschicht bisher erfahren haben.

Ein Protokoll der Transportschicht bietet eine **logische Kommunikation** zwischen Anwendungsprozessen, die auf unterschiedlichen Hosts laufen. Unter logischer Kommunikation verstehen wir, dass die kommunizierenden Anwendungsprozesse zwar *nicht physisch* miteinander verbunden sind (tatsächlich können sie sich an entgegengesetzten Stellen der Erde befinden und über zahlreiche Router und viele verschiedene Verbindungsleitungen verbunden sein), aus Sicht der Anwendung aber physikalisch verbunden erscheinen. Anwendungsprozesse verwenden die von der Transportschicht bereitgestellte logische Kommunikation, um Nachrichten miteinander auszutauschen, ohne sich um die Details der physikalischen Infrastruktur, über die diese Nachrichten fließen, kümmern zu müssen. Abbildung 3.1 stellt das Konzept der logischen Kommunikation dar.

Wie aus Abbildung 3.1 deutlich wird, werden Protokolle auf der Transportschicht in den Endsystemen und nicht in Netzwerk-Routern implementiert. Netzwerk-Router agieren lediglich in den Feldern der 3-PDUs der Vermittlungsschicht; sie agieren nicht als Felder der Transportschicht.

Auf der sendenden Seite konvertiert die Transportschicht die Nachrichten, die von einem sendenden Anwendungsprozess ankommen, in 4-PDUs (d. h. in Protokolldateneinheiten der Transportschicht). Dies wird (möglicherweise) dadurch bewerkstelligt, dass die Nachrichten einer Anwendung in kleinere Stücke aufgeteilt und jedem Stück ein Header der Transportschicht angehängt wird, um 4-PDUs zu erzeugen. Die Transportschicht gibt die 4-PDUs dann an die Vermittlungsschicht weiter, wo jede 4-PDU in einer 3-PDU verkapselt wird. Auf der empfangenden Seite

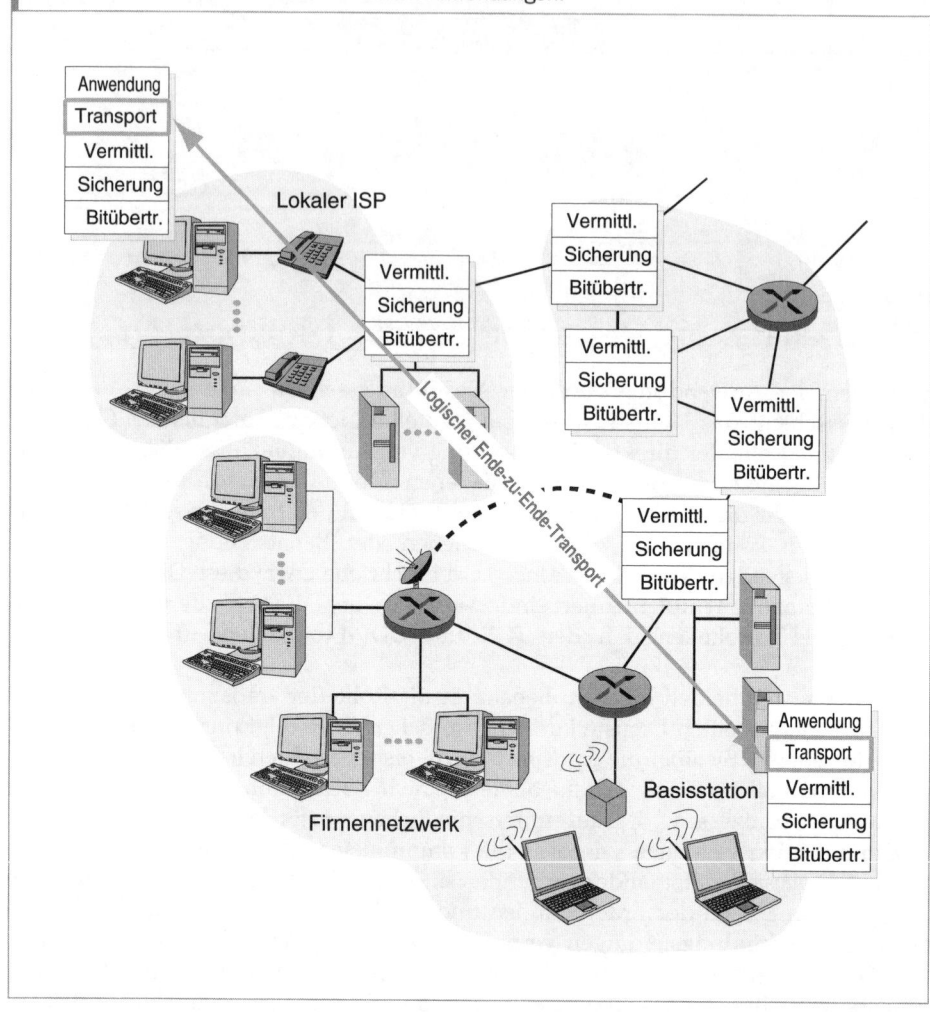

Abbildung 3.1 Die Transportschicht bietet eine logische und keine physikalische Kommunikation zwischen Anwendungen.

erhält die Transportschicht die 4-PDUs von der Vermittlungsschicht, entfernt den Transport-Header von den 4-PDUs, setzt die Nachrichten wieder zusammen und gibt sie an einen empfangenden Anwendungsprozess weiter.

Ein Computernetzwerk kann Netzwerkanwendungen mehr als ein Protokoll auf der Transportschicht zur Verfügung stellen. Das Internet hat beispielsweise zwei Protokolle: TCP und UDP. Jedes dieser Protokolle bietet andere Transportschichtdienste für die nutzende Anwendung.

Alle Protokolle der Transportschicht bieten einer Anwendung einen Multiplex/Demultiplex-Dienst. Dieser Dienst wird ausführlich im nächsten Abschnitt beschrieben. Wie in Abschnitt 2.1 erwähnt, kann ein Transportprotokoll abgesehen vom Multiplex/Demultiplex-Dienst auch weitere Dienste, z. B. zuverlässigen Datentransfer und Zusicherungen über Bandbreiten und Verzögerungen, bereitstellen.

3.1.1 Beziehung zwischen der Transport- und der Vermittlungsschicht

Die Transportschicht liegt unmittelbar oberhalb der Vermittlungsschicht im Protokollstack. Während ein Protokoll der Transportschicht eine *logische Kommunikation zwischen Prozessen* bietet, die auf unterschiedlichen Hosts laufen, stellt ein Protokoll der Vermittlungsschicht eine *logische Kommunikation zwischen Hosts* bereit. Dieser Unterschied ist subtil, aber sehr wichtig. Wir wollen ihn im Folgenden anhand einer Haushaltsanalogie erklären.

Man stelle sich zwei Häuser vor, von denen eines an der Ostküste und das andere an der Westküste (der USA) steht; in jedem der beiden Häuser wohnen ein Dutzend Kinder. Die Kids in dem Haushalt an der Ostküste sind Cousins der Kids im Haushalt an der Westküste. Die Kids der beiden Haushalte haben Spaß, sich gegenseitig zu schreiben; jedes Kind schreibt jedem Cousin jede Woche, wobei jeder Brief über die konventionelle gelbe Post in einem getrennten Umschlag befördert wird. Folglich verschickt jeder Haushalt pro Woche 144 Briefe an den anderen Haushalt. (Diese Kids würden viel Geld sparen, wenn sie E-Mail hätten!) In jedem Haushalt ist eines der Kinder – Ann im Haus an der Westküste und Bill in dem Haus an der Ostküste – für die Sammlung und die Verteilung der Post zuständig. Ann besucht jede Woche ihre Brüder und Schwestern, sammelt die Post ein und gibt sie dem Briefträger bei seiner täglichen Runde. Wenn Briefe im Haus an der Westküste ankommen, hat Ann auch die Aufgabe, die Post an ihre Brüder und Schwestern zu verteilen. An der Ostküste führt Bill diese Aufgabe aus.

In diesem Beispiel bietet der Postdienst eine logische Kommunikation zwischen den beiden Häusern: Er befördert Post von Haus zu Haus und nicht von Person zu Person. Andererseits bieten Ann und Bill eine logische Kommunikation unter den Cousins: Sie sammeln die Post von ihren Geschwistern ein und verteilen ankommende Post an sie. Aus Sicht der Cousins *sind* Ann und Bill der Postdienst, obwohl die beiden nur ein Teil (der Endsystemteil) des Ende-zu-Ende-Transportprozesses sind. Dieses Haushaltsbeispiel dient als Analogie, um den Zusammenhang zwischen der Transport- und der Vermittlungsschicht zu erklären:

Hosts (auch Endsysteme genannt) = Häuser

Prozesse = Cousins

Anwendungsnachrichten = Briefe in Umschlägen

Protokoll der Netzwerkschicht = Postdienst (mit Briefträgern)

Protokoll der Transportschicht = Ann und Bill

Wir fahren mit dieser Analogie fort und stellen fest, dass Ann und Bill ihre gesamte Arbeit innerhalb ihres jeweiligen Heims verrichten; sie haben z. B. nichts mit dem Sortieren von Post in einem Postamt oder der Beförderung von Post von einer Postverteilerstelle zu einer anderen zu tun. Ähnlich leben die Protokolle der Transportschicht in den Endsystemen. Innerhalb eines Endsystems verschiebt ein Transportprotokoll Nachrichten von Anwendungsprozessen zur Netzwerkperipherie (d. h. zur Vermittlungsschicht) und umgekehrt; es hat aber keinen Einfluss darauf, wie die Nachrichten innerhalb des Netzwerkkerns verschoben werden. Wie aus Abbildung 3.1 deutlich wird, wirken die dazwischen liegenden Router weder auf Informationen ein, die auf der Transportschicht möglicherweise an die Anwendungsnachrichten angehängt werden, noch erkennen sie solche.

Wir greifen wieder unsere Familiensaga auf und nehmen an, dass zwei andere Cousins, sagen wir Susan und Harvey, Ann und Bill ablösen, wenn diese in den Ferien sind. Zum Leidwesen der beiden Familien sammeln und verteilen Susan und Harvey die Post nicht genau auf die gleiche Weise wie Ann und Bill. Susan und Harvey sind kleinere Kinder und so passiert es schon mal, dass sie Post weniger regelmäßig abholen und verteilen und auch mal einige Briefe verlieren (die manchmal vom Haushund zerfetzt werden). Susan und Harvey bieten also nicht die gleichen Dienste (d. h. das gleiche Dienstmodell) wie Ann und Bill. Vergleichbar damit kann ein Computernetzwerk mehrere Transportprotokolle zur Verfügung stellen, die sich hinsichtlich ihres Dienstmodells für Anwendungen unterscheiden.

Die möglichen Dienste, die Ann und Bill bereitstellen können, sind deutlich auf die möglichen Dienste eingeschränkt, die der Postdienst bietet. Wenn der Postdienst beispielsweise keine Höchstgrenze festlegt, wie lange die Zustellung eines Briefs zwischen den beiden Häuser dauern darf (z. B. drei Tage), besteht für Ann und Bill keine Möglichkeit, eine maximale Verzögerung für die Postzustellung zwischen zwei Cousins zuzusichern. Ähnlich werden die Dienste, die ein Transportprotokoll bereitstellen kann, oft durch das Dienstmodell des zugrunde liegenden Protokolls auf der Vermittlungsschicht beschränkt. Wenn das Protokoll auf der Vermittlungsschicht keine Zusicherungen über Verzögerung oder Bandbreite für 4-PDUs, die zwischen zwei Hosts versendet werden, machen kann, dann kann das Protokoll auf der Transportschicht keine Zusicherungen über Verzögerung oder Bandbreite für die zwischen Prozessen ausgetauschten Nachrichten geben.

Dennoch *können* bestimmte Dienste von einem Transportprotokoll geboten werden, auch wenn das zugrunde liegende Netzwerkprotokoll auf der Vermittlungsschicht keinen entsprechenden Dienst bietet. Wie wir in diesem Kapitel noch sehen werden, kann ein Transportprotokoll einer Anwendung z. B. zuverlässigen Datentransferdienst bieten, auch wenn das zugrunde liegende Netzwerkprotokoll unzuverlässig ist, d. h. auch wenn das Netzwerkprotokoll Pakete verliert, verstümmelt und dupliziert. Als weiteres Beispiel (das wir umfassender in Kapitel 7 in Zusammenhang mit Netzwerksicherheit behandeln) kann ein Transportprotokoll Verschlüsselung anwenden, um zuzusichern, dass Nachrichten nicht von Eindringlingen gelesen werden, auch wenn die Vermittlungsschicht keine Vertraulichkeit von 4-PDUs zusichern kann.

3.1.2 Übersicht über die Transportschicht im Internet

Wir erinnern uns, dass das Internet, und allgemeiner ein TCP/IP-Netzwerk, der Anwendungsschicht zwei unterschiedliche Protokolle auf der Transportschicht zur Verfügung stellt. Eines dieser Protokolle ist **UDP** (User Datagram Protocol), das Anwendungen einen unzuverlässigen, verbindungslosen Dienst bereitstellt. Das zweite ist **TCP** (Transmission Control Protocol), das Anwendungen einen zuverlässigen, verbindungsorientierten Dienst bietet. Im Design einer Netzwerkanwendung muss der Anwendungsentwickler eines dieser beiden Transportprotokolle spezifizieren. Wir haben in den Abschnitten 2.6 und 2.7 gesehen, dass der Anwendungsentwickler entweder UDP oder TCP wählt, wenn er Sockets erstellt.

Um die Terminologie zu vereinfachen, sprechen wir in Zusammenhang mit dem Internet von einem **Segment**, um eine 4-PDU zu bezeichnen. In der Internet-Literatur (z. B. in RFCs) wird die PDU in Zusammenhang mit TCP oft als »Segment« und in Zusammenhang mit UDP als **Datagramm** bezeichnet. In der gleichen Literatur findet man aber auch den Begriff »Datagramm« für PDUs der Vermittlungsschicht! Wir sind der Ansicht, dass in einem Fachbuch über die Grundlagen im Vernetzungsbereich wie diesem keine Verwirrung mit Begriffen gestiftet werden soll, und verwenden daher den Begriff »Segment« für TCP- *und* UDP-PDUs, während wir den Begriff »Datagramm« nur für PDUs der Vermittlungsschicht verwenden.

Bevor wir mit unserer kurzen Einführung von UDP und TCP fortfahren, sind an dieser Stelle ein paar Worte über die Vermittlungsschicht des Internets nützlich. (Die Vermittlungsschicht ist Thema von Kapitel 4.) Das Protokoll der Internet-Vermittlungsschicht ist IP (Internet Protocol). IP bietet eine logische Kommunikation zwischen Hosts. Das IP-Dienstmodell ist der **Best-Effort-Dienst**. Das bedeutet, dass IP Segmente zwischen kommunizierenden Hosts nach »bestem Bemühen« überträgt, *allerdings keine Zusicherungen macht.* Insbesondere gibt es keine Zusicherung über die Ankunft von Segmenten, über deren Ankunft in der richtigen Reihenfolge und über die Integrität der Daten in den Segmenten. Folglich bietet IP einen **unzuverlässigen Dienst**. Jeder Host hat eine IP-Adresse. IP-Adressierung wird ausführlich in Kapitel 4 behandelt; vorläufig genügt es zu wissen, dass jeder Host eine *eindeutige* IP-Adresse hat.

Nachdem wir einen Blick auf das IP-Dienstmodell geworfen haben, fassen wir das Dienstmodell von UDP und TCP zusammen. Die grundlegende Verantwortung von UDP und TCP ist im Wesentlichen die Erweiterung des IP-Übertragungsdienstes zwischen zwei Endsystemen auf einen Übertragungsdienst zwischen zwei Prozessen, die auf zwei Endsystemen laufen. Diese Erweiterung der Host-zu-Host- auf die Prozess-zu-Prozess-Übertragung wird als **Anwendungsmultiplexen** und **-demultiplexen** bezeichnet (wird im nächsten Abschnitt beschrieben). UDP und TCP bieten auch Integritätsprüfung dadurch, dass Fehlererkennungsfelder in die Header einbezogen werden. Diese beiden minimalen Transportschichtdienste – Prozess-zu-Prozess-Datenübertragung und Fehlerprüfung – sind die einzigen Dienste, die UDP bereitstellt! Wie IP ist UDP ein unzuverlässiger Dienst; es gibt keine Zusicherung, dass die von einem Prozess gesendeten Daten beim Zielprozess intakt ankommen. UDP wird ausführlich in Abschnitt 3.3 behandelt.

TCP dagegen bietet Anwendungen mehrere zusätzliche Dienste. Vor allem bietet es **zuverlässigen Datentransfer**. Mit Hilfe von Flusskontrolle, Sequenznummern, Bestätigungen (ACKs) und Timern (Techniken, die in diesem Kapitel ausführlich behandelt werden) gewährleistet TCP, dass die Daten vom sendenden zum empfangenden Prozess korrekt und in der richtigen Reihenfolge übertragen werden. TCP konvertiert folglich den unzuverlässigen Dienst von IP zwischen Endsystemen in einen zuverlässigen Datentransportdienst zwischen Prozessen. TCP nutzt auch **Überlastkontrolle**. Dabei handelt es sich nicht so sehr um einen Dienst für die aufrufende Anwendung, als vielmehr um einen für das Internet insgesamt, also einen Dienst zum allgemeinen Nutzen. Grob gesagt, hindert die TCP-Überlastkontrolle eine TCP-Verbindung daran, die Verbindungsleitungen und Switches zwischen kommunizierenden Hosts mit übermäßigem Verkehrsvolumen zu überschwemmen. Im Prinzip können TCP-Verbindungen, die ein überlastetes Netzwerk überqueren, die Bandbreite der betreffenden Verbindungsleitung gemeinsam nutzen. Dies wird dadurch bewerkstelligt, dass die Rate, in der die sendende Seite Verkehr in das Netzwerk einspeisen kann, reguliert wird. Im Gegensatz dazu wird UDP-Verkehr nicht reguliert. Eine Anwendung, die UDP-Transport nutzt, kann in jeder beliebigen Rate senden, solange sie will.

Ein Protokoll, das zuverlässigen Datentransfer und Überlastkontrolle bietet, ist natürlich komplex. Wir müssen die Prinzipien von zuverlässigem Datentransfer und Überlastkontrolle in mehreren Abschnitten beschreiben und zusätzliche Abschnitte sind notwendig, um das TCP-Protokoll selbst abzudecken. Diese Themen werden in den Abschnitten 3.4 bis 3.8 behandelt. In diesem Kapitel wechseln wir zwischen einem bestimmten Basisprinzip und dem TCP-Protokoll. Beispielsweise behandeln wir zuerst den zuverlässigen Datentransfer im Allgemeinen und anschließend die Art, wie TCP im Besonderen zuverlässigen Datentransfer bereitstellt. Ebenso behandeln wir Überlastkontrolle zuerst im allgemeinen Umfeld und anschließend spezifisch in TCP. Bevor wir uns diesen Themen zuwenden, betrachten wir im nächsten Abschnitt zunächst das Multiplexen und Demultiplexen von Anwendungen.

3.2 Multiplexen und Demultiplexen von Anwendungen

Dieser Abschnitt befasst sich mit dem Multiplexen und Demultiplexen von Netzwerkanwendungen. Um eine konkrete Beschreibung sicherzustellen, befassen wir uns mit diesem grundlegenden Transportschichtdienst in Zusammenhang mit dem Internet. Wir betonen allerdings, dass für alle Computernetzwerke ein Multiplex/Demultiplex-Dienst erforderlich ist.

Der Multiplex/Demultiplex-Dienst zählt zwar nicht zu den interessantesten Diensten, die ein Protokoll der Transportschicht bereitstellen kann, er ist jedoch absolut wichtig. Um dies zu verstehen, bedenke man die Tatsache, dass IP Daten zwischen zwei Endsystemen überträgt, wobei jedes Endsystem mit einer eindeutigen IP-Adresse identifiziert wird. IP überträgt Daten *nicht* zwischen den Anwendungsprozessen, die auf diesen Endsystemen laufen. Die Erweiterung der Host-zu-Host- auf die Prozess-zu-Prozess-Übertragung wird durch Anwendungsmultiplexen und -demultiplexen erreicht.

Auf dem Zielhost empfängt die Transportschicht Segmente (d. h. PDUs der Transportschicht) von der unmittelbar darunter liegenden Vermittlungsschicht. Die Transportschicht ist für die Übertragung der Daten in diesen Segmenten an den entsprechenden Anwendungsprozess, der auf dem Host läuft, zuständig. Wir betrachten ein Beispiel. Angenommen, Sie sitzen vor Ihrem Computer und laden Web-Seiten herunter, während Sie eine FTP-Sitzung und zwei Telnet-Sitzungen ausführen. Das heißt, es laufen momentan vier Netzwerkanwendungsprozesse (zwei Telnet-Prozesse, ein FTP-Prozess und ein HTTP-Prozess). Wenn die Transportschicht in Ihrem Computer Daten von der darunter liegenden Vermittlungsschicht empfängt, muss sie die empfangenen Daten an einen dieser vier Prozesse weiterleiten. Wie geht sie dabei vor?

Jedes Transportschichtsegment umfasst eine Reihe von Feldern, die den Prozess bestimmen, an den die Daten des Segments zu übertragen sind. Am empfangenden Ende kann die Transportschicht dann diese Felder prüfen, um den empfangenden Prozess zu ermitteln und das Segment an diesen Prozess weiterzuleiten. Die Aufgabe der Übertragung der in einem Transportschichtsegment enthaltenen Daten an den richtigen Anwendungsprozess nennt man **Demultiplexen**. Die Aufgabe des Einsammelns von Daten im Quellhost aus verschiedenen Anwendungsprozessen, die Vervollständigung der Daten mit Header-Informationen (die später beim Demultiplexen benutzt werden), um Segmente zu bilden, und die Weiterleitung der Segmente an die Vermittlungsschicht wird als **Multiplexen** bezeichnet. Multiplexen und Demultiplexen sind in Abbildung 3.2 dargestellt.

Abbildung 3.2 Multiplexen und Demultiplexen

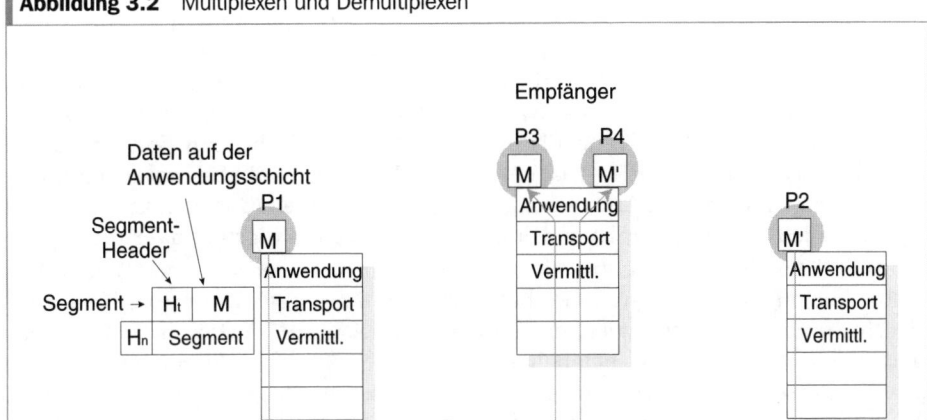

Um Demultiplexen besser zu verstehen, betrachten wir wieder unsere Haushaltssaga aus dem vorherigen Abschnitt. Jedes der Kids wird anhand seines Namens unterschieden. Wenn Bill einen Stapel Post vom Briefträger erhält, führt er eine Demultiplexoperation durch, indem er feststellt, an wen die Briefe adressiert sind, und die Post dann an seine Brüder und Schwestern verteilt. Ann führt eine Multiplexoperation durch, wenn sie Briefe von ihren Geschwistern einsammelt und die angesammelte Post dem Briefträger übergibt.

UDP und TCP führen die Demultiplex- und Multiplexaufgaben dadurch aus, dass sie zwei spezielle Felder in die Segment-Header einbeziehen: das Feld **Portnummer Quelle** und das Feld **Portnummer Ziel**. Diese beiden Felder sind in Abbildung 3.3 dargestellt. Zusammen identifizieren die beiden Felder eindeutig einen Anwendungsprozess, der auf dem Zielhost läuft. (UDP- und TCP-Segmente haben noch weitere Felder, die in den nächsten Abschnitten dieses Kapitels beschrieben werden.)

Abbildung 3.3 Felder für die Portnummer von Quelle und Ziel in einem Segment der Transportschicht

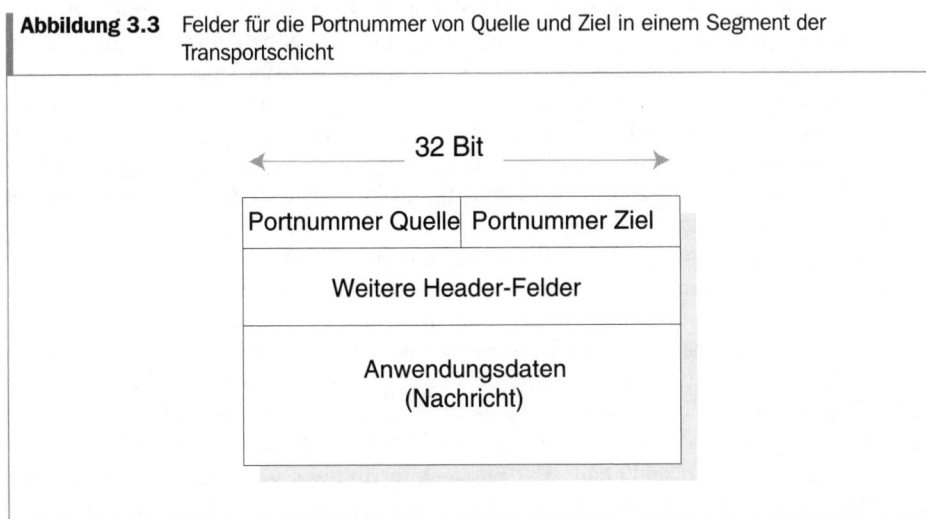

Das Konzept von Portnummern wurde in den Abschnitten 2.6 und 2.7 in Zusammenhang mit der Anwendungsentwicklung und der Socket-Programmierung kurz vorgestellt. Die Portnummer ist eine 16-Bit-Nummer von 0 bis 65535. Die Portnummern im Bereich von 0 bis 1023 werden als **wohl bekannte (well-known) Portnummern** bezeichnet und sind eingeschränkt, was bedeutet, dass sie für wohl bekannte Anwendungsprotokolle wie HTTP und FTP reserviert sind. HTTP benutzt Portnummer 80 und FTP Portnummer 21. RFC 1700 enthält eine Liste aller wohl bekannten Portnummern. Wenn wir eine neue Anwendung (z. B. eine der Anwendungen in den Abschnitten 2.6 bis 2.8) entwickeln, müssen wir der Anwendung eine Portnummer zuweisen.

Angesichts der Tatsache, dass jeder Anwendungs*typ*, der auf einem Endsystem läuft, eine eindeutige Portnummer hat, stellt sich die Frage, warum das Transportschichtsegment Felder für zwei Portnummern – eines für die Portnummer der Quelle und eines für die des Ziels – beinhaltet? Die Antwort ist einfach: Ein Endsystem kann zwei Prozesse des gleichen Typs gleichzeitig ausführen; deswegen genügt die Zielportnummer einer Anwendung nicht immer, um einen bestimmten Prozess zu identifizieren. Dies ist z. B. der Fall, wenn ein Web-Server für jede verarbeitete Anfrage einen neuen HTTP-Prozess startet. Jedes Mal, wenn dieser Web-Server mehr als eine Anfrage bedient (was keinesfalls ungewöhnlich ist), führt der Server mehr als einen Prozess mit Portnummer 80 aus. Um den Prozess, an den Daten gerichtet sind, eindeutig zu identifizieren, ist deshalb eine zweite Portnummer erforderlich.

Wie wird diese zweite Portnummer erzeugt? Welche Portnummer wird im Feld »Portnummer Quelle« eines Segments angegeben? Welche wird im Feld »Portnummer Ziel« eines Segments angegeben? Um diese Fragen zu beantworten, rufen wir uns aus Abschnitt 2.1 wieder ins Gedächtnis, dass Netzwerkanwendungen rund um das Client/Server-Modell organisiert sind. Normalerweise ist der Host, der die Anwendung einleitet, der Client, und der andere Host ist der Server. Wir betrachten ein spezifisches Beispiel. Angenommen, die Anwendung hat Portnummer 23 (diejenige für Telnet). Ein Transportschichtsegment verlässt den Client (d. h. den Host, der die Telnet-Sitzung gestartet hat) in Richtung Server. Wie lautet bei diesem Segment die Portnummer für die Quelle und das Ziel? Die Zielportnummer dieses Segments ist die der Anwendung, nämlich 23. Für die Quellportnummer benutzt der Client eine Nummer, die noch keinem anderen Hostprozess zugewiesen wurde. (Dies erfolgt automatisch durch die Transportschichtsoftware, die auf dem Client läuft, und ist für den Anwendungsentwickler transparent.) Es sei gegeben, dass der Client Portnummer x wählt. Jedes Segment, das dieser Prozess an den Telnet-Server sendet, enthält als Quellportnummer x und als Zielportnummer 23. Wenn das Segment beim Server ankommt, ermöglichen es die beiden Portnummern im Segment dem Serverhost, die Daten des Segments an den richtigen Anwendungsprozess weiterzuleiten. Die Zielportnummer 23 identifiziert einen Telnet-Prozess und die Quellportnummer x den spezifischen Telnet-Prozess.

Die Situation ist umgekehrt bei den Segmenten, die vom Server zum Client fließen. Die Quellportnummer ist jetzt die Anwendungsportnummer, also 23, und die Zielportnummer ist jetzt x (die *gleiche x*, die als Quellportnummer für die Segmente, die vom Client zum Server gesendet wurden, benutzt wird). Wenn ein Segment beim Client ankommt, ermöglichen es die Quell- und Zielportnummern im Segment dem Clienthost, die Daten des Segments an den richtigen Anwendungsprozess weiterzugeben, der durch das Portnummernpaar identifiziert wird (siehe Abbildung 3.4).

Sie fragen sich jetzt vielleicht, was passiert, wenn zwei verschiedene Clients eine Sitzung zu einem Server aufbauen und jeder der beiden Clients die gleiche Quellport-

Abbildung 3.4 Verwendung einer Quell- und Zielportnummer in einer Client/Server-Anwendung

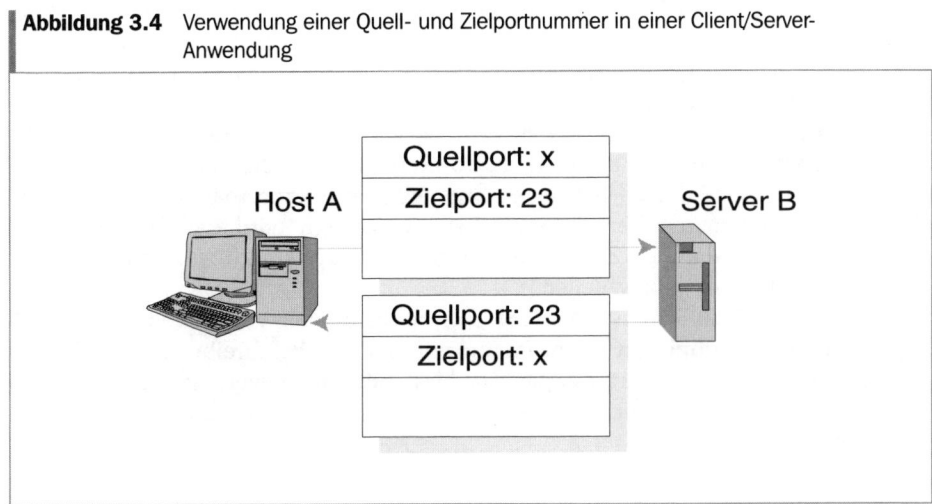

nummer x wählt? Dies kann auf einem stark frequentierten WWW-Server, der viele Web-Clients gleichzeitig bedient, tatsächlich passieren. Wie kann der Server die Segmente demultiplexen, wenn die beiden Sitzungen genau das gleiche Portnummernpaar haben? Die Antwort auf diese Frage lautet, dass der Server auch die IP-Adressen in den IP-Datagrammen, in denen diese Segmente befördert werden, heranzieht. (IP-Datagramme und Adressierung werden ausführlich in Kapitel 4 behandelt.) Diese Situation ist in Abbildung 3.5 dargestellt, bei der Host C zwei HTTP-Sitzungen zu Server B und Host A eine HTTP-Sitzung zu B einleitet.

Abbildung 3.5 Zwei Clients verwenden die gleichen Portnummern, um mit der gleichen Server-Anwendung zu kommunizieren.

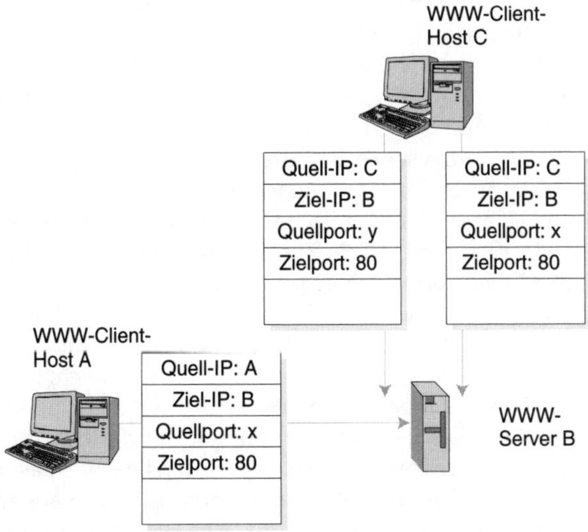

Die Hosts A und C und Server B haben jeweils eine eindeutige IP-Adresse – A, C bzw. B. Host C weist den beiden HTTP-Verbindungen, die von Host A ausgehen, jeweils eine unterschiedliche Quellportnummer (die SP-Nummer x bzw. y) zu. Da Host A die Quellportnummern aber unabhängig von C wählt, kann es passieren, dass er seiner HTTP-Verbindung ebenfalls SP = x zuweist. Server B wäre dennoch in der Lage, die beiden Verbindungen korrekt zu demultiplexen, weil die beiden Verbindungen je eine andere IP-Quelladresse haben. Zusammenfassend kann man sagen: Wenn ein Zielhost Daten von der Vermittlungsschicht empfängt, wird das Trio (IP-Quelladresse, Quellportnummer, Zielportnummer) verwendet, um die Daten an den entsprechenden Prozess weiterzuleiten.

Nachdem Sie jetzt wissen, wie die Transportschicht Netzwerkanwendungen multiplexen und demultiplexen kann, fahren wir mit der Beschreibung des Internet-Transportprotokolls UDP fort. Der nächste Abschnitt wird zeigen, dass UDP das Protokoll der Vermittlungsschicht um kaum mehr als einen Multiplex/Demultiplex-Dienst erweitert.

3.3 Verbindungsloser Transport: UDP

In diesem Abschnitt befassen wir uns mit den Merkmalen und der Funktionsweise von UDP. Wir empfehlen dem Leser, sich noch einmal Abschnitt 2.1 anzusehen, der eine Übersicht über das UDP-Dienstmodell beinhaltet, und Abschnitt 2.7, in dem Socket-Programmierung über UDP beschrieben wird.

Als Motivation für diese Beschreibung von UDP nehmen wir an, Sie sind daran interessiert, ein einfaches Transportprotokoll zu entwickeln. Wie können Sie vorgehen? Sie können sich zuerst die Verwendung eines hirnlosen Transportprotokolls überlegen. Insbesondere könnten Sie für die Sendeseite in Betracht ziehen, die Nachrichten von dem Anwendungsprozess entgegenzunehmen und sie direkt an die Vermittlungsschicht weiterzugeben. Auf der Empfangsseite können die von der Vermittlungsschicht ankommenden Nachrichten direkt an den Anwendungsprozess weitergegeben werden. Wie wir im vorherigen Abschnitt aber gelernt haben, müssen wir ein bisschen mehr als nichts tun. Zumindest muss die Transportschicht einen Multiplex/Demultiplex-Dienst bereitstellen, damit Daten zwischen der Vermittlungsschicht und dem richtigen Prozess weitergeleitet werden können.

Das in RFC 768 definierte UDP tut so wenig, wie man sich für ein Transportprotokoll nur vorstellen kann. Abgesehen von der Multiplex/Demultiplex-Funktion und einer geringen Fehlerprüfung fügt es nichts zu IP hinzu. Wenn sich der Anwendungsentwickler für UDP statt TCP entscheidet, spricht die Anwendung tatsächlich fast direkt mit IP. UDP nimmt Nachrichten vom Anwendungsprozess entgegen, hängt die Felder der Quell- und Zielportnummern für den Multiplex/Demultiplex-Dienst und einige kleinere Felder an und leitet das daraus resultierende Segment an die Vermittlungsschicht weiter. Die Vermittlungsschicht verkapselt das Segment in einem IP-Datagramm und macht dann einen Best-Effort-Versuch, um das Segment an den empfangenden Host zu übertragen. Wenn das Segment beim empfangenden Host ankommt, benutzt UDP die Zielportnummer, um die Daten des Segments an den richtigen Anwendungsprozess zu übertragen. Man beachte, dass es bei UDP kein Handshake zwischen den Einheiten der sendenden und empfangenden Transportschicht gibt, bevor ein Segment gesendet wird. Aus diesem Grund gilt UDP als *verbindungslos*.

DNS ist ein Beispiel für ein Protokoll der Anwendungsschicht, das UDP nutzt. Wenn die DNS-Anwendung auf einem Host eine Anfrage stellen will, konstruiert sie eine DNS-Anfragenachricht und leitet die Nachricht an ein UDP-Socket (siehe Abschnitt 2.7) weiter. Ohne ein Handshake durchzuführen, hängt UDP Header-Felder an die Nachricht an und leitet das resultierende Segment an die Vermittlungsschicht weiter. Die Vermittlungsschicht verkapselt das UDP-Segment in einem Datagramm und sendet das Datagramm an einen Name-Server. Die DNS-Anwendung auf dem anfragenden Host wartet dann auf eine Antwort. Erhält sie keine Antwort auf ihre Anfrage (möglicherweise, weil das zugrunde liegende Netzwerk die Anfrage oder die Antwort verloren hat), versucht sie entweder, die Anfrage an einen anderen Name-Server zu senden, oder sie informiert die anfragende Anwendung, dass sie keine Antwort bekommen kann. Man beachte, dass DNS laut DNS-Spezifikation über TCP statt UDP laufen kann; in der Praxis läuft DNS aber fast immer über UDP.

Sie wundern sich jetzt vielleicht, warum ein Anwendungsentwickler überhaupt eine Anwendung über UDP statt über TCP aufbauen mag. Sollte man nicht TCP immer den Vorzug vor UDP geben, weil TCP im Gegensatz zu UDP einen zuverlässigen Datentransferdienst bereitstellt? Die Antwort lautet »Nein«, weil sich UDP für viele Anwendungen aus folgenden Gründen besser eignet:

- *Kein Verbindungsaufbau*: Wie wir an späterer Stelle noch ausführen, nutzt TCP ein Drei-Wege-Handshake, bevor es mit dem Datentransfer beginnt. UDP legt einfach ohne jegliche Einleitungsformalitäten los. Folglich führt UDP keine Verzögerung für den Aufbau einer Verbindung ein. Dies ist wahrscheinlich der Hauptgrund, warum DNS über UDP und nicht über TCP läuft. DNS wäre über TCP viel langsamer. HTTP nutzt TCP statt UDP, weil Zuverlässigkeit für Web-Seiten mit Text wichtig ist. Wie in Abschnitt 2.2 aber erwähnt wurde, ist ein Großteil des »World Wide Wait« in HTTP der Verzögerung zuzuschreiben, die TCP durch den Verbindungsaufbau einführt.

- *Kein Verbindungszustand*: TCP verwaltet in den Endsystemen einen Verbindungszustand. Dies beinhaltet Empfangs- und Sendepuffer, Parameter für die Überlastkontrolle sowie für die Sequenz- und Bestätigungsnummern. In Abschnitt 3.5 wird beschrieben, dass diese Zustandsinformationen notwendig sind, um den zuverlässigen Datentransferdienst von TCP zu implementieren und Überlastkontrolle bereitzustellen. UDP verwaltet demgegenüber keinen Verbindungszustand und keinen dieser Parameter. Aus diesem Grund kann ein Server, der sich einer bestimmten Anwendung widmet, normalerweise viel mehr aktive Clients unterstützen, wenn die Anwendung über UDP und nicht über TCP läuft.

- *Geringer Overhead durch Paket-Header*: Das TCP-Segment umfasst einen Header-Overhead von 20 Byte im Gegensatz zu nur 8 Byte in UDP.

- *Unregulierte Senderate*: TCP verfügt über einen Überlastkontrollmechanismus, der den Sender drosselt, wenn eine oder mehrere Verbindungsleitungen zwischen Sender und Empfänger überlastet werden. Dieses Drosseln kann schwerwiegende Auswirkungen auf Echtzeitanwendungen haben, die einen gewissen Paketverlust tolerieren können, aber eine minimale Senderate voraussetzen. Demgegenüber ist die Geschwindigkeit, in der UDP Daten sendet, nur durch die Rate, in der die Anwendung Daten erzeugt, die Fähigkeiten der Quelle (CPU, Taktrate usw.) und die Zugangsbandbreite zum Internet beschränkt. Man beachte allerdings, dass der empfangende Host nicht unbedingt alle Daten empfängt. Wenn das Netzwerk überlastet ist, können einige Daten aufgrund eines Pufferüberlaufs im Router verloren gehen. Folglich kann die Empfangsrate durch Netzwerküberlast begrenzt werden, auch wenn die Senderate nicht beschränkt ist.

Abbildung 3.6 enthält eine Aufstellung beliebter Internet-Anwendungen und der von ihnen genutzten Transportprotokolle. Wie erwartet, laufen E-Mail, Remote-Login, das Web und Filetransfer über TCP. Alle diese Anwendungen benötigen den zuverlässigen Datentransferdienst von TCP. Dennoch laufen viele wichtige Anwendungen über UDP und nicht über TCP. UDP wird für die Aktualisierung von RIP-Routing-Tabellen (siehe Kapitel 4) benutzt, weil die Aktualisierungen periodisch (normalerweise alle fünf Minuten) gesendet werden, so dass verlorene Aktualisierungen durch neuere ersetzt werden. UDP kommt auch für das Netzwerkmanagement über SNMP (siehe Kapitel 8) zum Einsatz. UDP wird in diesem Fall gegenüber TCP bevorzugt, weil Netzwerkmanagementanwendungen oft laufen, wenn sich das Netzwerk in einem Stresszustand befindet, nämlich wenn zuverlässiger Datentransfer mit Überlastkontrolle kaum oder überhaupt nicht mehr möglich ist. Wie an früherer Stelle erwähnt, läuft auch DNS über UDP, um die durch den Verbindungsaufbau von TCP entstehenden Verzögerungen zu vermeiden.

Abbildung 3.6 Beliebte Internet-Anwendungen mit dem jeweils zugrunde liegenden Transportprotokoll

Anwendung	Protokoll der Anwendungsschicht	Zugrunde liegendes Transportprotokoll
E-Mail	SMTP	TCP
Remote-Login	Telnet	TCP
Web	HTTP	TCP
Filetransfer	FTP	TCP
Remote File Server	NFS	überwiegend UDP
Streaming Multimedia	proprietär	überwiegend UDP
Internet-Telefonie	proprietär	überwiegend UDP
Netzwerkmanagement	SNMP	überwiegend UDP
Routing-Protokoll	RIP	überwiegend UDP
Namensauflösung	DNS	überwiegend UDP

Wir sehen in Abbildung 3.6, dass UDP heute auch vorwiegend für Multimedia-Anwendungen, z. B. Internet-Phone, Echtzeit-Videokonferenzen und Audio-/Video-Streaming benutzt wird. Diese Anwendungen werden ausführlich in Kapitel 6 beschrieben. Vorläufig genügt es zu wissen, dass alle diese Anwendungen einen gewissen Umfang an Paketverlust tolerieren können, so dass zuverlässiger Datentransfer für den Erfolg der Anwendung nicht unbedingt entscheidend ist. Außerdem reagieren Echtzeitanwendungen wie Internet-Phone und Videokonferenzen sehr schlecht auf die Überlastkontrolle von TCP. Aus diesen Gründen wählen Entwickler von Multimedia-Anwendungen oft UDP statt TCP. Schließlich laufen auch Multicast-Anwendungen über UDP, weil TCP mit Multicast nicht benutzt werden kann.

Obwohl es heute üblich ist, Multimedia-Anwendungen über UDP auszuführen, wird dies doch auch recht kontrovers diskutiert, um es einmal vorsichtig auszudrücken. Wie weiter oben erwähnt wurde, hat UDP keine Überlastkontrolle. Überlastkontrolle ist aber notwendig, um zu verhindern, dass das Netzwerk in einen Zustand gerät, in dem kaum mehr nützliche Arbeit möglich ist. Wenn jeder mit dem Streaming von Video mit hoher Bitrate beginnen würde, ohne dass eine Überlastkontrolle angewandt wird, würde derart viel Paketüberlauf in den Routern entstehen, dass keiner mehr etwas zu sehen bekäme. Folglich ist der Mangel an Überlastkontrolle in UDP ein potenziell schwerwiegendes Problem [Floyd 1999]. Viele Wissenschaftler schlugen neue Mechanismen vor, um alle Quellen – auch UDP-Quellen – zur Durchführung einer adaptiven Überlastkontrolle zu zwingen [Mahdavi 1997; Floyd 2000].

Bevor wir die UDP-Segmentstruktur beschreiben, möchten wir darauf hinweisen, dass es für eine Anwendung auch unter UDP möglich ist, einen zuverlässigen Datentransfer zu erhalten. Dies lässt sich bewerkstelligen, indem die Anwendung selbst mit Zuverlässigkeit ausgestattet wird (z. B. durch Hinzufügen von Bestätigungs- und Neuübertragungsmechanismen wie diejenigen, die im nächsten Abschnitt beschrieben werden). Dies ist allerdings kein leichtes Unterfangen und kann einen Anwendungsentwickler viele Stunden an Debugging kosten. Dennoch ermöglicht es die Einbeziehung von Zuverlässigkeit direkt in die Anwendung, dass diese ebenfalls »ihr Stückchen Kuchen erhält und essen kann«. Das heißt, Anwendungsprozesse können zuverlässig miteinander kommunizieren, ohne sich den Einschränkungen hinsichtlich der Übertragungsrate, die vom TCP-Überlastkontrollmechanismus auferlegt werden, unterwerfen zu müssen. Viele der heutigen proprietären Streaming-Anwendungen tun genau dies – sie laufen über UDP, haben aber eingebaute Bestätigungs- und Neuübertragungsfunktionen, um Paketverlust zu reduzieren (siehe z. B. [Rhee 1998]).

3.3.1 UDP-Segmentstruktur

Die UDP-Segmentstruktur (siehe Abbildung 3.7) ist in RFC 768 definiert. Die Anwendungsdaten belegen das Datenfeld des UDP-Datagramms. Für DNS enthält das Datenfeld z. B. entweder eine Anfrage- oder eine Antwortnachricht. Für eine Streaming-Audioanwendung ist das Datenfeld mit Audio-Samples gefüllt. Der UDP-Header hat nur vier aus je zwei Byte bestehende Felder. Wie im vorherigen Abschnitt erwähnt, kann der Zielhost anhand der Portnummern die Anwendungsdaten an den richtigen Prozess auf dem Zielhost weiterleiten (das ist die Demultiplexfunktion). Die Prüfsumme wird vom empfangenden Host benutzt, um zu prüfen, ob Fehler in das Segment eingeführt wurden. In Wahrheit wird die Prüfsumme auch über mehrere Felder des IP-Headers und nicht nur über das UDP-Segment berechnet. Wir ignorieren dieses Detail aber, um den Wald vor lauter Bäumen nicht aus den Augen zu verlieren. Die Prüfsummenberechnung ist Inhalt des nächsten Abschnitts, während grundlegende Prinzipien der Fehlererkennung in Abschnitt 5.1 beschrieben werden. Das Längenfeld (Length) spezifiziert die Länge des UDP-Segments, einschließlich des Headers, in Byte.

Abbildung 3.7 Die UDP-Segmentstruktur

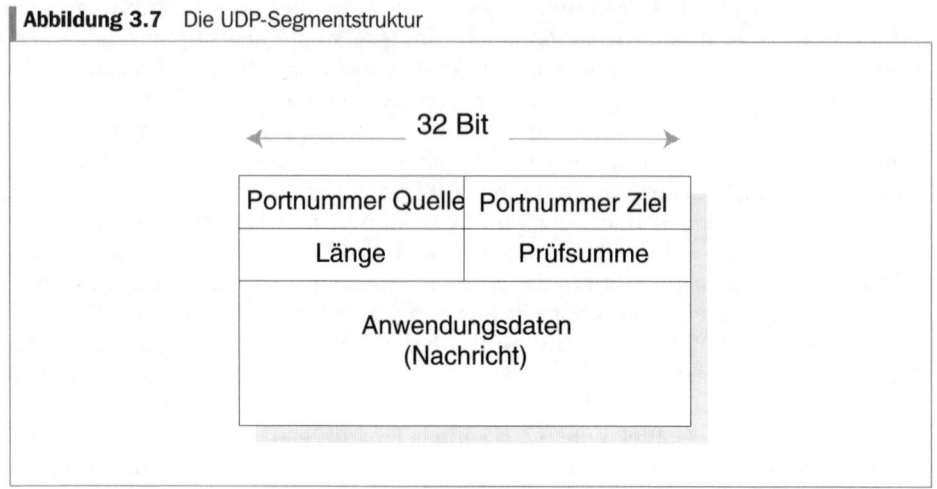

3.3.2 UDP-Prüfsumme

Die UDP-Prüfsumme dient der Fehlererkennung. Auf der Senderseite führt UDP das Einer-Komplement der Summe aller 16-Bit-Wörter im Segment durch. Dieses Ergebnis wird in das Prüfsummenfeld (Checksum) des UDP-Segments eingefügt. Wir geben hier ein einfaches Beispiel der Prüfsummenberechnung. Einzelheiten über die effiziente Implementierung der Berechnung findet der Leser in RFC 1071 und die Leistung bei Versendung echter Daten in [Stone 1998 und Stone 2000]. Als Beispiel gehen wir von den folgenden drei 16-Bit-Wörtern aus:

0110011001100110

0101010101010101

0000111100001111

Die Summe der ersten dieser 16-Bit-Wörter ist

0110011001100110

0101010101010101

1011101110111011

Wenn wir das dritte Wort zur obigen Summe addieren, erhalten wir

1011101110111011

0000111100001111

1100101011001010

Das Einer-Komplement wird ermittelt, indem man alle Nullen in Einsen und alle Einsen in Nullen konvertiert. Das Einer-Komplement der Summe 1100101011001010 ist somit 0011010100110101, was die Prüfsumme wird. Beim Empfänger werden alle vier 16-Bit-Wörter, einschließlich der Prüfsumme, addiert. Wenn sich keine Fehler in das Paket einschleichen, lautet die Summe beim Empfänger 1111111111111111. Ist eines der Bits eine Null, wissen wir, dass Fehler in das Paket eingeführt wurden.

Sie wundern sich vielleicht, warum UDP überhaupt eine Prüfsumme bereitstellt, da viele Protokolle auf der Sicherungsschicht (darunter das beliebte Ethernet-Protokoll) ebenfalls Fehlerprüfung bieten. Der Grund ist, dass es keine Zusicherung gibt, dass alle Verbindungsleitungen zwischen der Quelle und dem Ziel Fehlerprüfung bieten; eine Verbindungsleitung nutzt vielleicht ein Protokoll, das keine Fehlerprüfung bereitstellt. Da IP ja über praktisch jedes Schicht-2-Protokoll laufen soll, ist es sinnvoll, Fehlerprüfung als Sicherheitsmaßnahme auf der Transportschicht bereitzustellen. Obwohl UDP Fehlerprüfung bietet, unternimmt es nichts, um den Fehler zu beheben. Einige Implementierungen von UDP verwerfen das beschädigte Segment einfach, während andere es mit einer Warnung an die Anwendung weitergeben.

Damit beenden wir unsere Beschreibung von UDP. Sie werden bald sehen, dass TCP seinen Anwendungen zuverlässigen Datentransfer und weitere Dienste bietet, die UDP nicht bietet. Natürlich ist TCP auch komplexer als UDP. Bevor wir mit der Beschreibung von TCP beginnen, ist es an dieser Stelle hilfreich, einen Schritt zurück zu machen und zuerst die grundlegenden Prinzipien von zuverlässigem Datentransfer zu beschreiben (siehe nächsten Abschnitt). In Abschnitt 3.5 beginnen wir mit den Grundlagen von TCP, die auf diesen Prinzipien basieren.

3.4 Prinzipien des zuverlässigen Datentransfers

Dieser Abschnitt befasst sich mit dem zuverlässigen Datentransfer im Allgemeinen. Dies ist sinnvoll, weil das Problem der Implementierung eines zuverlässigen Datentransfers nicht nur auf der Transportschicht, sondern auch auf der Sicherungs- und Anwendungsschicht gelöst werden muss. Das allgemeine Problem ist folglich für Netzwerke von zentraler Bedeutung. Auf einer »Hitliste« der zehn wichtigsten Probleme im gesamten Vernetzungsbereich wäre dies einer der obersten Kandidaten. Im nächsten Abschnitt beschreiben wir TCP und zeigen insbesondere auf, dass TCP viele der hier beschriebenen Prinzipien nutzt.

Abbildung 3.8 zeigt das Rahmenwerk für unsere Untersuchung des zuverlässigen Datentransfers. Die Dienstabstraktion, die den Einheiten der höheren Schichten bereitgestellt wird, ist ein zuverlässiger Kanal, durch den Daten übertragen werden können. Auf einem zuverlässigen Kanal werden keine Bits verstümmelt (von 0 auf 1, oder umgekehrt, umgedreht) oder verloren und alle kommen in der Reihenfolge an, in der sie gesendet wurden. Dies entspricht genau dem Dienstmodell, das TCP den nutzenden Internet-Anwendungen bietet.

Es gehört zum Aufgabenbereich eines **zuverlässigen Datentransferprotokolls**, diese Dienstabstraktion zu implementieren. Diese Aufgabe wird durch die Tatsache erschwert, dass die Schicht *unter* dem zuverlässigen Datentransferprotokoll unzuverlässig sein kann. Beispielsweise ist TCP ein zuverlässiges Datentransferprotokoll, das auf einer unzuverlässigen (IP) Ende-zu-Ende-Netzwerkschicht aufsetzt. Allgemeiner ausgedrückt, kann die Schicht unter den beiden zuverlässig kommunizierenden Endpunkten aus einer einzigen physikalischen Verbindung (z. B. wie im Fall eines Datentransferprotokolls auf der Sicherungsschicht) oder aus einem globalen Internetwork (z. B. wie im Fall eines Protokolls der Transportschicht) bestehen. Für unsere Zwecke genügt es aber, diese untere Schicht einfach als unzuverlässigen Punkt-zu-Punkt-Kanal zu betrachten.

In diesem Abschnitt entwickeln wir stufenweise die Sender- und Empfängerseite eines zuverlässigen Datentransferprotokolls, wobei wir zunehmend komplexere Modelle des zugrunde liegenden Kanals betrachten. Abbildung 3.8 (b) zeigt die Schnittstellen des Datentransferprotokolls. Die Sendeseite des Datentransferprotokolls wird von oben durch einen Aufruf von rdt_send() aufgerufen. Dadurch werden die zu übertragenden Daten an die obere Schicht auf der Empfangsseite weiter-

Abbildung 3.8 Dienstmodell und -implementierung des zuverlässigen Datentransfers

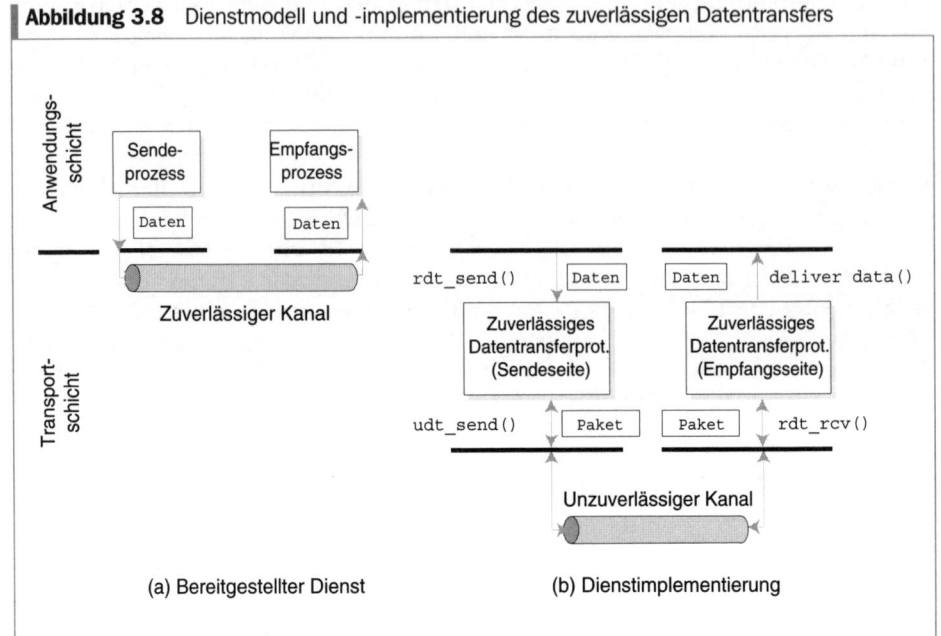

(a) Bereitgestellter Dienst (b) Dienstimplementierung

gegeben. (Hier steht rdt für »zuverlässiges Datentransferprotokoll« und _send für die Sendeseite, die rdt aufruft. Der erste Schritt in der Entwicklung eines jeden Protokolls ist die Auswahl eines guten Namens!) Auf der Empfangsseite wird rdt_rcv() aufgerufen, wenn ein Paket von der empfangenden Seite des Kanals ankommt. Wenn das rdt-Protokoll Daten an die obere Schicht übertragen will, bewirkt es dies durch Aufruf von deliver_data(). Im Folgenden verwenden wir für die PDU den Begriff »Paket« statt »Segment«. Da die in diesem Abschnitt behandelte Theorie auf Computernetzwerke im Allgemeinen und nicht nur auf die Internet-Transportschicht zutrifft, halten wir den generischen Begriff »Paket« für besser geeignet.

In diesem Abschnitt betrachten wir nur den Fall eines **unidirektionalen** Datentransfers, d. h. Datentransfer von der sendenden zur empfangenden Seite. Der Fall eines zuverlässigen **bidirektionalen** Datentransfers (d. h. Vollduplex) ist konzeptionell nicht schwieriger, aber viel umständlicher zu beschreiben. Obwohl wir uns nur mit dem unidirektionalen Datentransfer befassen, ist zu beachten, dass die sendende und die empfangende Seite des Protokolls dennoch Pakete in *beiden* Richtungen übertragen müssen, wie aus Abbildung 3.8 ersichtlich wird. Wir werden in Kürze sehen, dass zusätzlich zum Austausch von Paketen, die die zu übertragenden Daten enthalten, die sendende und empfangende Seite von rdt auch Steuerpakete in beide Richtungen austauschen müssen. Beide Seiten – Sender und Empfänger von rdt – senden Pakete an die jeweils andere Seite durch einen Aufruf von udt_send() (wobei udt für »unzuverlässiger Datentransfer« steht).

3.4.1 Aufbau eines zuverlässigen Datentransferprotokolls

Wir gehen im Folgenden eine Reihe von Protokollen durch, die schrittweise komplexer werden, und schließen mit der Beschreibung eines einwandfreien zuverlässigen Datentransferprotokolls.

Zuverlässiger Datentransfer über einen absolut zuverlässigen Kanal: rdt1.0

Wir betrachten zuerst den einfachsten Fall, bei dem der zugrunde liegende Kanal absolut zuverlässig ist. Das Protokoll, das wir rdt1.0 nennen, ist sehr einfach. Die **FSM**-Definitionen (**Finite-State Machine**) für Sender und Empfänger von rdt1.0 sind in Abbildung 3.9 dargestellt. Die Sender- und Empfänger-FSMs in Abbildung 3.9 haben jeweils nur einen Zustand. Die Pfeile in der FSM-Beschreibung bezeichnen den Übergang des Protokolls von einem Zustand in einen anderen. (Da jede FSM in Abbildung 3.9 nur einen Zustand hat, erfolgt ein Übergang natürlich von einem Zustand zurück in denselben; im weiteren Verlauf verwenden wir komplexere Zustandsdiagramme.) Das Ereignis, das den Übergang auslöst, ist oberhalb der horizontalen Linie dargestellt, die den Übergang beschriftet, und die Aktion(en), die unternommen werden, wenn das Ereignis eintritt, stehen unter der horizontalen Linie.

Abbildung 3.9 rdt1.0 – ein Protokoll für einen zuverlässigen Kanal

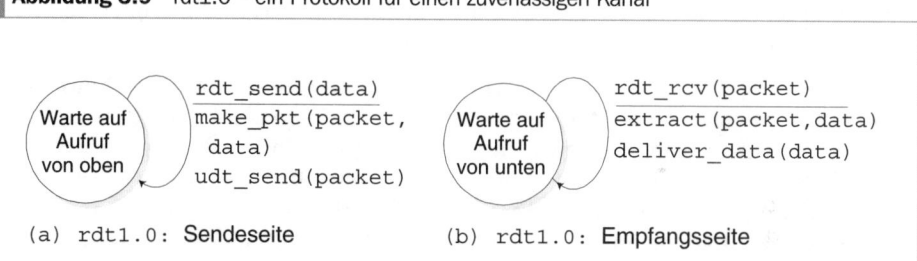

(a) rdt1.0: Sendeseite   (b) rdt1.0: Empfangsseite

Die Sendeseite von rdt nimmt einfach Daten von der oberen Schicht über das Ereignis rdt_send(data) an, gibt die Daten (über die Aktion make_pkt packet,data)) in ein Paket und schickt das Paket in den Kanal. In der Praxis würde das Ereignis rdt_send(data) aus einem Prozeduraufruf (z. B. von rdt_send()) durch die höherschichtige Anwendung resultieren.

Auf der Empfangsseite empfängt rdt über das Ereignis rdt_rcv(packet) ein Paket vom zugrunde liegenden Kanal, nimmt die Daten (über die Aktion extract(packet,data)) aus dem Paket und gibt sie an die obere Schicht weiter. In der Praxis würde das Ereignis rdt_rcv(packet) aus einem Prozeduraufruf (z. B. von rdt_rcv()) durch das niederschichtige Protokoll resultieren.

Bei diesem einfachen Protokoll besteht kein Unterschied zwischen einer Daten- und einer Paketeinheit. Außerdem fließen alle Pakete vom Sender zum Empfänger. Bei einem vollkommen zuverlässigen Kanal besteht auf der Empfängerseite keine Notwendigkeit, irgendeine Rückmeldung (Feedback) an den Sender zu schicken, da nichts schief gehen kann! Darüber hinaus sind wir davon ausgegangen, dass der Empfänger in der Lage ist, die Daten so schnell zu empfangen wie sie der Sender sendet. Folglich besteht für den Empfänger keine Notwendigkeit, den Sender zum »Verlangsamen« aufzufordern.

Zuverlässiger Datentransfer über einen Kanal mit Bitfehlern: rdt2.0

Bei einem realistischeren Modell des zugrunde liegenden Kanals können Bits in einem Paket beschädigt werden. Solche Bitfehler entstehen normalerweise in den physikalischen Komponenten eines Netzwerks, während ein Paket übertragen oder zwischengespeichert wird. Wir wollen vorläufig wieder davon ausgehen, dass alle übertragenen Pakete in der richtigen Reihenfolge ankommen (obwohl einige Bits beschädigt sein können).

Bevor wir ein Protokoll für die zuverlässige Kommunikation über einen solchen Kanal entwickeln, untersuchen wir zuerst, wie sich Menschen in einer solchen Situation verhalten würden. Angenommen, Sie diktieren eine lange Nachricht am Telefon. In einem typischen Szenario sagt die Person am anderen Ende vielleicht nach jedem Satz, den sie gehört, verstanden und aufgezeichnet hat, »OK«. Wenn die andere Person einen Satz nicht richtig versteht, werden Sie gebeten, ihn zu wiederholen. Dieses Nachrichtendiktierprotokoll benutzt sowohl **positive Bestätigungen** (»OK«) als auch **negative Bestätigungen** (»Bitte wiederholen Sie das.«) Diese Steuernachrichten ermöglichen es dem Empfänger, den Sender darüber zu informieren, was korrekt und was fehlerhaft empfangen wurde. In einem Computernetzwerk basieren zuverlässige Datentransferprotokolle auf solchen Neuübertragungen, die man als **ARQ-Protokolle** (Automatic Repeat reQuest) bezeichnet.

Grundsätzlich sind in ARQ-Protokollen drei weitere Protokollfähigkeiten erforderlich, um vorhandene Bitfehler zu behandeln:

- *Fehlererkennung*: Zunächst bedarf es eines Mechanismus, damit der Empfänger Bitfehler erkennen kann. Wir wissen aus dem vorherigen Abschnitt, dass UDP das Internet-Prüfsummenfeld genau für diesen Zweck benutzt. In Kapitel 5 werden Fehlererkennungs- und -korrekturtechniken ausführlicher beschrieben. Diese Techniken ermöglichen es dem Empfänger, Paketbitfehler zu erkennen und möglicherweise zu korrigieren. Vorläufig genügt es zu wissen, dass für diese Techniken zusätzliche Bits (abgesehen von den zu übertragenden Originaldatenbits) vom Sender zum Empfänger gesendet werden müssen. Diese Bits werden im Paketprüfsummenfeld des rdt2.0-Datenpakets erfasst.

- *Empfänger-Feedback*: Da Sender und Empfänger normalerweise auf unterschiedlichen Endsystemen ausgeführt werden, die möglicherweise Tausende von Kilometern auseinander liegen, erhält der Sender über die Lage auf der Empfängerseite (in diesem Fall, ob ein Paket korrekt empfangen wurde) nur dadurch Informationen, dass der Empfänger dem Sender ausdrücklich Rückmeldung macht. Die positive (ACK) und negative (NAK) Bestätigung in dem Nachrichtendiktierszenario sind Beispiele eines solchen Feedbacks. Das rdt2.0-Protokoll wird ebenfalls ACK- und NAK-Pakete vom Empfänger zum Sender zurücksenden. Im Prinzip brauchen diese Pakete nur ein Bit lang zu sein; beispielsweise könnte ein 0-Wert ein NAK und ein 1-Wert ein ACK bedeuten.

- *Neuübertragung*: Ein Paket, das fehlerhaft beim Empfänger ankommt, wird vom Sender erneut übertragen.

Abbildung 3.10 zeigt die FSM-Darstellung von rdt2.0, einem Datentransferprotokoll mit Fehlererkennung sowie positiven und negativen Bestätigungen.

Abbildung 3.10 rdt2.0 – ein Protokoll für einen Kanal mit Bitfehlern

```
rdt_send(data)
─────────────────────────────
compute checksum
make_pkt(sndpkt, data, checksum)
udt_send(sndpkt)
```

```
                                    rdt_rcv(rcvpkt)
                                    && isNAK(rcvpkt)
   ( Warte auf      Warte auf      ─────────────────
     Aufruf von     ACK oder        udt_send(sndpkt)
     oben      )    NAK      )

   rdt_rcv(rcvpkt) && isACK(rcvpkt)
   ─────────────────────────────
```

(a) `rdt2.0`: **Sendeseite**

```
rdt_rcv(rcvpkt) && corrupt(rcvpkt)
─────────────────────────────
udt_send(NAK)
```

```
   ( Warte auf
     Aufruf von
     unten    )
```

```
rdt_rcv(rcvpkt) && notcorrupt(rcvpkt)
─────────────────────────────
extract(rcvpkt,data)
deliver_data(data)
udt_send(ACK)
```

(b) `rdt2.0`: **Empfangsseite**

Die Sendeseite von `rdt2.0` hat zwei Zustände. In einem Zustand wartet das Protokoll auf der Sendeseite auf Daten, die von der höheren Schicht nach unten weitergereicht werden. Im zweiten Zustand wartet das Senderprotokoll auf ein ACK- oder NAK-Paket vom Empfänger. Wenn ein ACK-Paket ankommt (`rdt_rcv(rcvpkt) && isACK (rcvpkt)` in Abbildung 3.10 entspricht diesem Ereignis), weiß der Sender, dass das zuletzt übertragene Paket korrekt empfangen wurde. Folglich kehrt das Protokoll in den Zustand des Wartens auf Daten von der höheren Schicht zurück. Kommt ein NAK an, überträgt das Protokoll das letzte Paket erneut und wartet auf ein ACK oder NAK vom Empfänger als Reaktion auf das erneut übertragene Datenpaket. Wichtig ist hier, dass der Empfänger, wenn er sich im Wartezustand auf ein ACK oder NAK befindet, *keine* weiteren Daten von der höheren Schicht empfangen kann; dies ist erst wieder möglich, nachdem der Sender ein ACK empfangen hat und diesen Zustand verlässt. Folglich überträgt der Sender so lange keine neuen Daten, bis er sicher ist, dass der Empfänger das aktuelle Paket korrekt empfangen hat. Aufgrund dieses Verhaltens bezeichnet man Protokolle wie unser rdt2.0 als **Stop-and-Wait-Protokolle**.

Die empfängerseitige FSM für rdt2.0 hat wiederum nur einen einzigen Zustand. Bei Ankunft eines Pakets antwortet der Empfänger entweder mit einem ACK oder einem NAK, je nachdem, ob das empfangene Paket beschädigt ist. In Abbildung 3.10 entspricht die Notation rdt_rcv(rcvpkt) && corrupt(rcvpkt) dem Ereignis, bei dem ein Paket fehlerhaft angekommen ist.

Das Protokoll rdt2.0 scheint vielleicht zu funktionieren; leider hat es aber einen fatalen Fehler. Wir haben nicht die Möglichkeit berücksichtigt, dass auch das ACK- oder NAK-Paket beschädigt werden kann! (Bevor wir fortfahren, sollten Sie sich überlegen, wie man dieses Problem beheben kann.) Leider ist dies nicht so harmlos, wie es vielleicht scheint. Als Minimum müssen wir die ACK/NAK-Pakete um Prüfsummenbits erweitern, um solche Fehler erkennen zu können. Die schwierigere Frage betrifft die Wiederherstellung des Protokolls nach Fehlern in ACK- oder NAK-Paketen. Die Schwierigkeit ist hier, dass der Sender, wenn ein ACK oder NAK beschädigt ist, nicht wissen kann, ob der Empfänger die zuletzt übertragenen Daten korrekt empfangen hat. Wir betrachten die folgenden drei Möglichkeiten für die Behandlung beschädigter ACKs oder NAKs:

- Für die erste Variante betrachte man, was ein Mensch in dem Nachrichtendiktierszenario tun würde. Hat der Sprecher die Antwort »OK« oder »Bitte wiederholen Sie das« des Empfängers nicht verstanden, so fragt er vielleicht »Was haben Sie gesagt?« (womit ein neuer Typ von Sender-an-Empfänger-Paket in unser Protokoll eingeführt wird). Der Empfänger würde dann die Antwort wiederholen. Was aber, wenn das »Was haben Sie gesagt?« des Sprechers beschädigt wird? Da der Empfänger keine Ahnung hat, ob der verstümmelte Satz Teil des Diktats oder einer Bitte um Wiederholung der letzten Antwort ist, würde er wahrscheinlich mit »Was haben *Sie* gesagt?« antworten. Dann könnte natürlich auch diese Antwort beschädigt werden. Sie sehen, wir haben es hier mit einer kniffligen Angelegenheit zu tun.

- Bei der zweiten Möglichkeit werden ausreichend Prüfsummenbits hinzugefügt, damit der Sender Bitfehler nicht nur erkennen, sondern auch die Fehlersituation beheben kann. Dies löst das unmittelbare Problem eines Kanals, der Pakete zwar beschädigen, aber nicht verlieren kann.

- Bei der dritten Möglichkeit überträgt der Sender das aktuelle Datenpaket einfach noch einmal, wenn er ein beschädigtes ACK- oder NAK-Paket empfängt. Diese Möglichkeit führt aber zu **Duplikatpaketen** auf dem Kanal vom Sender zum Empfänger. Die grundlegende Schwierigkeit bei Duplikatpaketen ist, dass der Empfänger nicht weiß, ob das zuletzt gesendete ACK oder NAK vom Sender korrekt empfangen wurde. Somit kann er grundsätzlich nicht wissen, ob ein ankommendes Paket neue Daten enthält oder eine Neuübertragung darstellt!

Als einfache Lösung für dieses neue Problem (die in fast allen existierenden Datentransferprotokollen, auch TCP, angewandt wird) können wir ein neues Feld zum Datenpaket hinzufügen und den Sender seine Datenpakete nummerieren lassen. Hierfür setzt er eine **Sequenznummer** in dieses neue Feld. Der Empfänger muss dann nur diese Sequenznummer ansehen, um festzustellen, ob es sich bei dem empfangenen Paket um eine Neuübertragung handelt. Für diesen einfachen Fall eines Stop-and-Wait-Protokolls genügt eine 1-Bit-Sequenznummer, da der Empfänger dadurch feststellen kann, ob der Sender das zuvor übertragene Paket (das empfangene Paket hat die gleiche Sequenznummer wie das zuletzt angekommene Paket) oder ein neues Paket (die Sequenznummer ändert sich; sie wird in der Modulus-2-Arithmetik »nach vorn« geschoben) sendet. Da wir im Moment davon ausgehen, dass der Kanal keine Pakete verliert, müssen ACK- und NAK-Pakete selbst die Sequenznummer des Pakets, das sie bestätigen, nicht angeben. Der Sender weiß, dass ein empfangenes ACK- oder NAK-Paket (beschädigt oder nicht) als Reaktion auf sein zuletzt übertragenes Datenpaket erzeugt wurde.

Die Abbildungen 3.11 und 3.12 zeigen die FSM-Beschreibung für rdt2.1, unsere korrigierte Version von rdt2.0. In rdt2.1 haben die Sender- und Empfänger-FSM jeweils doppelt so viele Zustände wie vorher. Der Grund dafür ist, dass der Protokollzustand nun widerspiegeln muss, ob das momentan (vom Sender) übertragene oder (vom Empfänger) erwartete Paket die Folgenummer 0 oder 1 haben muss. Man beachte, dass die Aktionen in den Zuständen, in denen ein mit 0 nummeriertes Paket gesendet oder erwartet wird, Spiegelbilder derjenigen sind, in denen ein mit 1 nummeriertes Paket gesendet oder erwartet wird. Der einzige Unterschied ist die Behandlung der Sequenznummer.

Abbildung 3.11 Der Sender von rdt2.1

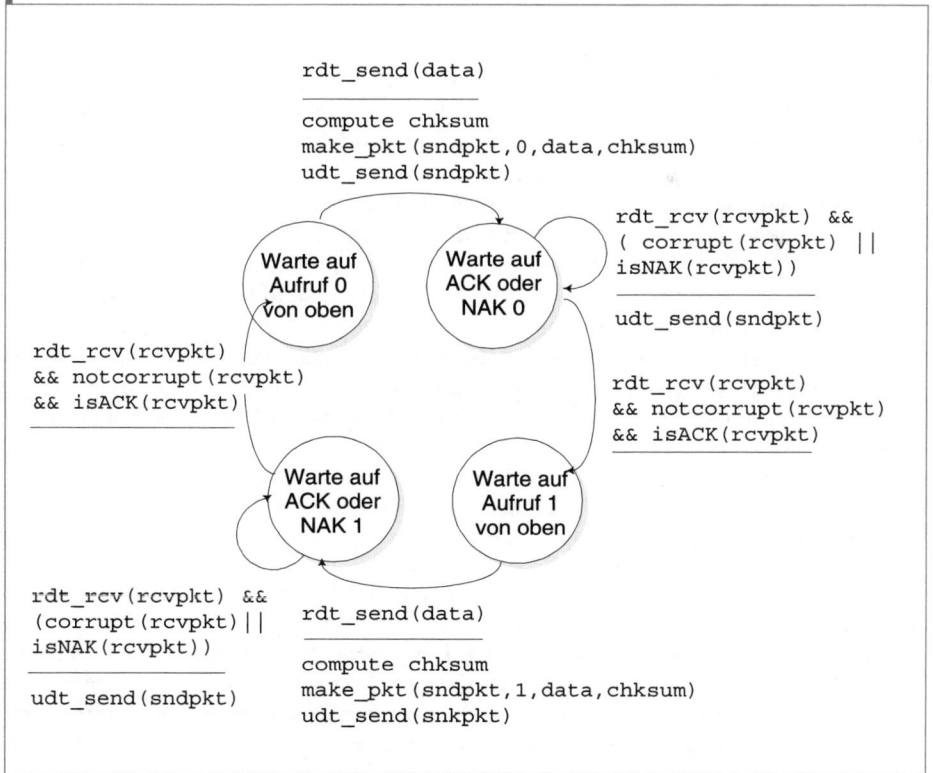

Abbildung 3.12 Der Empfänger von rdt2.1

```
                        rdt_rcv(rcvpkt)
                        && notcorrupt(rcvpkt)
                        && has_seq0(rcvpkt)
                        ─────────────────────
                        extract(rcvpkt,data)
                        deliver_data(data)
                        compute chksum
                        make_pkt(sendpkt,ACK,chksum)
   rdt_rcv(rcvpkt)      udt_send(sndpkt)            rdt_rcv(rcvpkt)
   && corrupt(rcvpkt)                               && corrupt(rcvpkt)
   ──────────────────                               ──────────────────
   compute chksum                                   compute chksum
   make_pkt(sndpkt,NAK,chksum)                      make_pkt(sndpkt,NAK,chksum)
   udt_send(sndpkt)                                 udt_send(sndpkt)
                      ╭─────────╮   ╭─────────╮
                      │ Warte auf│   │Warte auf│
                      │  0 von   │   │ 1 von   │
                      │  unten   │   │ unten   │
                      ╰─────────╯   ╰─────────╯
   rdt_rcv(rcvpkt)                                  rdt_rcv(rcvpkt)
   && notcorrupt(rcvpkt)                            && notcorrupt(rcvpkt)
   && has_seq1(rcvpkt)                              && has_seq0(rcvpkt)
   ─────────────────────                            ─────────────────────
   compute chksum        rdt_rcv(rcvpkt)            compute chksum
   make_pkt(sendpkt,ACK, && notcorrupt(rcvpkt)      make_pkt(sendpkt,ACK,
       chksum)           && has_seq1(rcvpkt)            chksum)
   udt_send(sndpkt)      ─────────────────────      udt_send(sndpkt)
                         extract(rcvpkt,data)
                         deliver_data(data)
                         compute chksum
                         make_pkt(sendpkt,ACK,chksum)
                         udt_send(sndpkt)
```

Das Protokoll `rdt2.1` benutzt positive (ACK) und negative (NAK) Bestätigungen vom Empfänger zum Sender. Wenn ein Paket außer der Reihe ankommt, sendet der Empfänger eine positive Bestätigung für das empfangene Paket. Wenn ein beschädigtes Paket ankommt, sendet der Empfänger eine negative Bestätigung. Wir können die gleiche Wirkung wie ein NAK erzielen, wenn wir statt eines NAK für das zuletzt korrekt empfangene Paket ein ACK senden. Ein Sender, der zwei ACKs für das gleiche Paket (d. h. **Duplikat-ACKs**) empfängt, weiß, dass der Empfänger das Paket nach demjenigen, das zweimal bestätigt wird, nicht korrekt empfangen hat. Viele TCP-Implementierungen nutzen den Empfang so genannter »dreifacher Duplikat-ACKs« (drei ACK-Pakete, die alle das gleiche, bereits bestätigte Paket bestätigen), um den Sender zu einer Neuübertragung zu veranlassen. Unser NAK-freies zuverlässiges Datentransferprotokoll für einen Kanal mit Bitfehlern ist `rdt2.2` (siehe Abbildungen 3.13 und 3.14).

Zuverlässiger Datentransfer über einen verlustbehafteten Kanal mit Bitfehlern: rdt3.0

Wir nehmen jetzt an, dass zusätzlich zu beschädigten Bits im zugrunde liegenden Kanal auch Pakete *verloren gehen* können, was in den heutigen Computernetzwerken (auch im Internet) recht häufig vorkommt. Das Protokoll muss nun zwei zusätzliche Fragen berücksichtigen: Wie ein Paketverlust erkannt wird und was unternommen werden kann, falls es zu einem solchen Verlust kommt. Die Verwendung von Prüfsummen, Sequenznummern, ACK-Paketen und Neuübertragungen – die in `rdt2.2` bereits entwickelten Techniken – ermöglichen es uns, die zweite Frage zu klären. Die Behandlung des ersten Problembereichs setzt einen neuen Protokollmechanismus voraus.

3.4 Prinzipien des zuverlässigen Datentransfers

Abbildung 3.13 Der Sender von rdt2.2

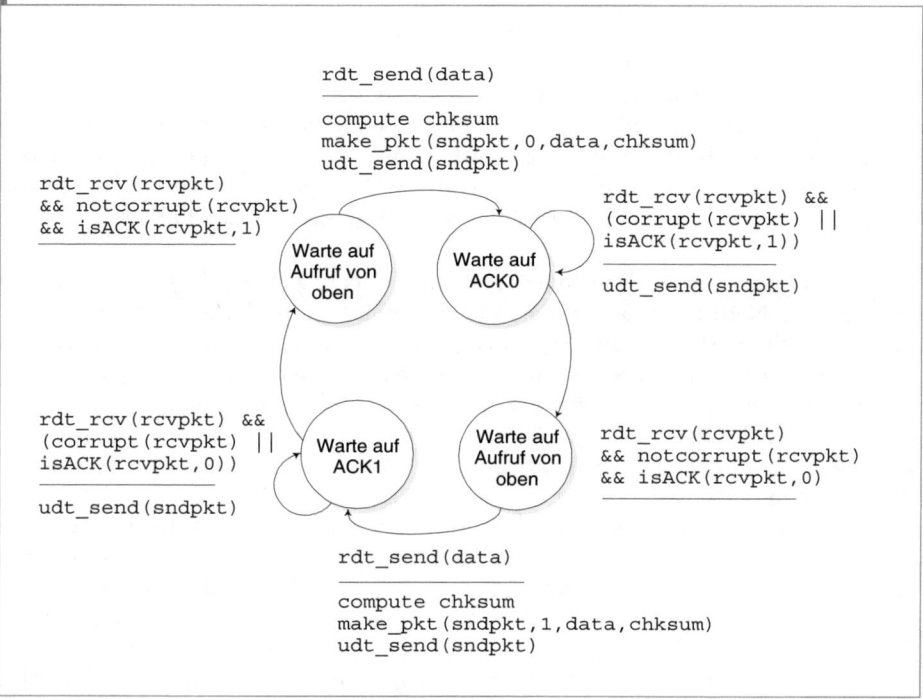

Abbildung 3.14 Der Empfänger von rdt2.2

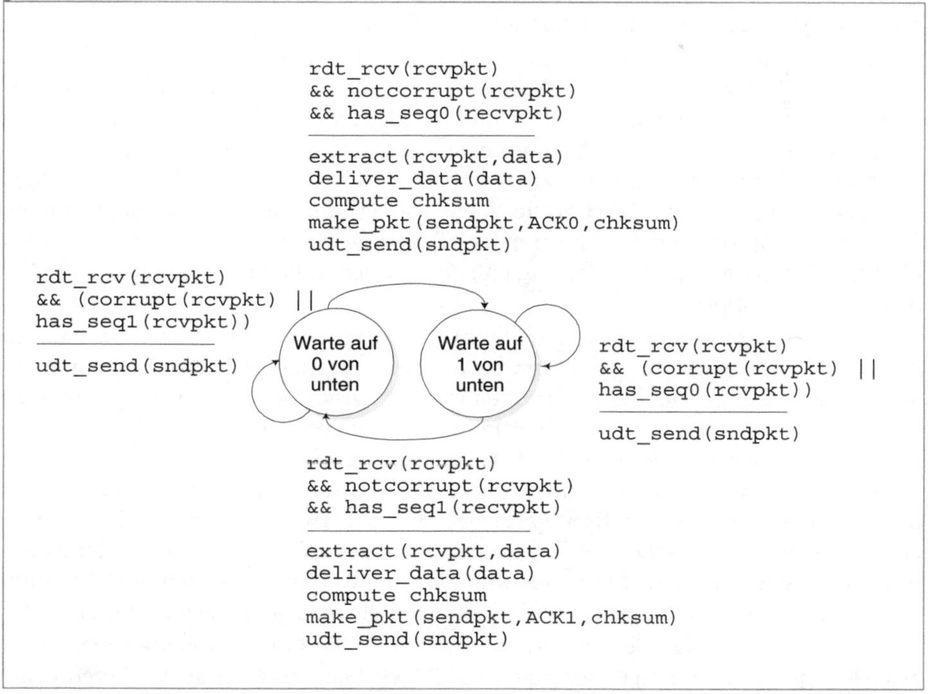

Für die Behandlung von Paketverlusten existieren viele mögliche Ansätze (mehrere weitere werden in den Übungen am Ende dieses Kapitels behandelt). Hier belasten wir den Sender mit der Aufgabe der Erkennung von verlorenen Paketen und der Wiederherstellung nach einem solchen Ereignis. Angenommen, der Sender überträgt ein Datenpaket und entweder dieses Paket oder das ACK des Empfängers für dieses Paket geht verloren. In beiden Fällen erhält der Sender keine Antwort vom Empfänger. Ist der Sender bereit, so lange zu warten, bis er *sicher* sein kann, dass das Paket verloren gegangen ist, kann er anschließend das Datenpaket einfach erneut übertragen. Sie sollten sich selbst davon überzeugen, dass dieses Protokoll tatsächlich funktioniert.

Doch wie lange muss der Sender warten, um sicher zu sein, dass etwas verloren gegangen ist? Natürlich muss er mindestens so lange warten, bis eine Roundtrip-Verzögerung zwischen Sender und Empfänger verstrichen ist (was die Zwischenspeicherung in Routern oder Gateways auf der Strecke beinhalten kann), zuzüglich der für die Verarbeitung eines Pakets beim Empfänger erforderlichen Zeit. In vielen Netzwerken lässt sich diese maximale Worst-Case-Verzögerung schwer schätzen, ganz zu schweigen von Gewissheit. Außerdem sollte das Protokoll einen Paketverlust so schnell wie möglich beheben. Das Warten auf eine Worst-Case-Verzögerung könnte eine lange Zeit bedeuten, bis ein Fehler-Recovery eingeleitet wird. Deshalb wird in der Praxis meist der Ansatz angewandt, dass der Sender einen Zeitwert »mit Bedacht« auswählt, ob ein Paketverlust wahrscheinlich, aber nicht mit Sicherheit eingetreten ist. Wenn innerhalb dieser Zeit kein ACK ankommt, wird das Paket erneut übertragen. Wenn sich bei einem Paket eine besonders große Verzögerung ergibt, kann der Sender das Paket erneut übertragen, auch wenn weder das Datenpaket noch sein ACK verloren gegangen ist. Dies führt die Möglichkeit von **Duplikatpaketen** in dem Kanal zwischen Sender und Empfänger ein. Zum Glück verfügt das Protokoll rdt2.2 bereits über ausreichend Funktionalität (d. h. Sequenznummern), um den Fall von Duplikatpaketen behandeln zu können.

Aus Sicht des Senders ist die Neuübertragung ein Allheilmittel. Der Sender weiß nicht, ob ein Datenpaket oder ein ACK verloren gegangen ist oder sich einfach übermäßig verzögert hat. In allen Fällen erfolgt die gleiche Aktion: Neuübertragung. Um einen auf Zeit basierten Neuübertragungsmechanismus zu implementieren, ist ein **Countdown-Timer** erforderlich, der den Sender nach Ablauf der Frist unterbrechen kann. Der Sender muss folglich in der Lage sein, (1) den Timer jedes Mal, wenn ein Paket (erstmalig oder erneut übertragenes Paket) gesendet wird, zu starten, (2) auf ein Timer-Interrupt (durch Einleitung entsprechender Aktionen) zu reagieren und (3) den Timer zu stoppen.

Der Verlust von sendererzeugten Duplikatpaketen und Daten- oder ACK-Paketen macht auch die Verarbeitung der vom Sender empfangenen ACK-Pakete komplizierter. Wie kann der Sender bei Ankunft eines ACK wissen, ob es vom Empfänger als Reaktion auf sein eigenes zuletzt übertragenes Paket gesendet wurde oder ob es sich um ein verzögertes ACK handelt, das als Reaktion auf eine frühere Übertragung eines anderen Datenpakets gesendet wurde? Als Ausweg aus diesem Dilemma wird das ACK-Paket um ein **Bestätigungsfeld** (ACK-Feld) erweitert. Wenn der Empfänger ein ACK erzeugt, kopiert er die Sequenznummer des zu bestätigenden Datenpakets in dieses Bestätigungsfeld. Durch Prüfung des Inhalts dieses Bestätigungsfelds kann der Sender die Sequenznummer des Pakets ermitteln, das tatsächlich bestätigt wird.

Abbildung 3.15 zeigt die Sender-FSM für rdt3.0. Dieses Protokoll überträgt Daten zuverlässig auf einem Kanal, der potenziell Pakete beschädigen oder verlieren kann.

3.4 Prinzipien des zuverlässigen Datentransfers

Abbildung 3.16 zeigt, wie das Protokoll arbeitet, wenn keine Pakete verloren gegangen sind oder verzögert wurden, und wie verlorene Datenpakete behandelt werden. In Abbildung 3.16 erfolgt der Zeitverlauf von oben nach unten im Diagramm. Man beachte, dass die Empfangszeit eines Pakets aufgrund von Übertragungs- und Ausbreitungsverzögerungen notwendigerweise später als die Sendezeit für ein Paket ist. In Abbildung 3.16 (a) bis (d) bedeuten die Klammern auf der Sendeseite die Zeiten, zu denen ein Timer gesetzt wird und später abläuft. In den Übungen am Ende dieses Kapitels werden mehrere weitere Aspekte dieses Protokolls behandelt. Da die Sequenznummern von Paketen zwischen 0 und 1 wechseln, wird ein Protokoll wie rdt3.0 auch als **Alternating-Bit-Protokoll** bezeichnet.

Abbildung 3.15 Der Sender von rdt3.0

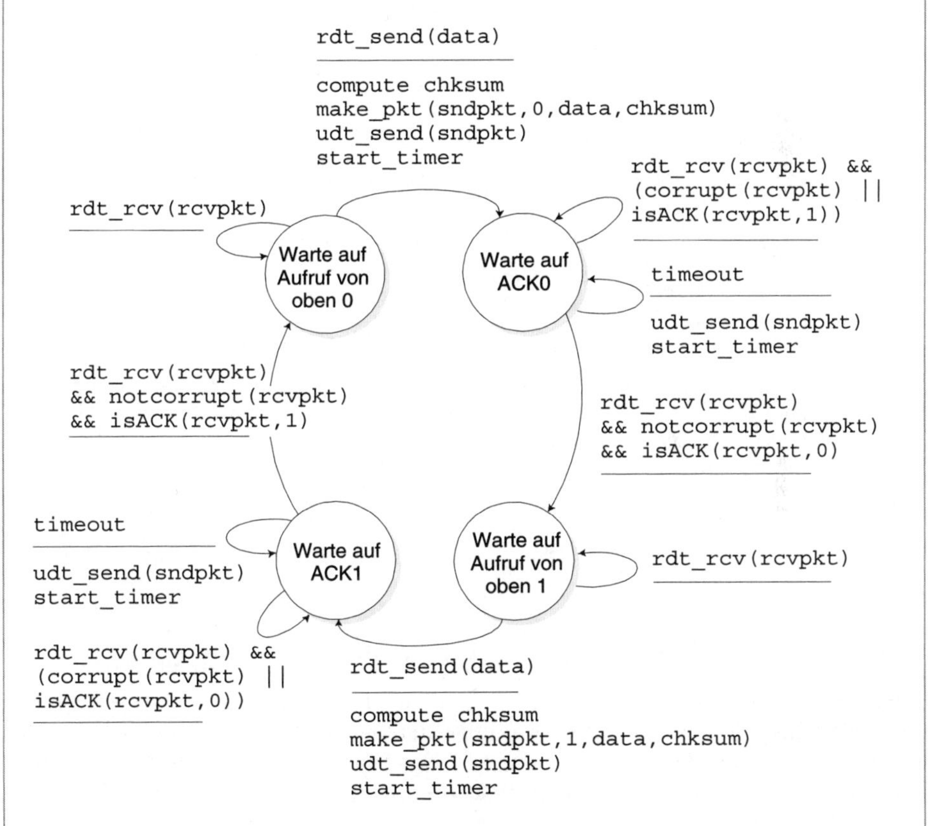

```
                        rdt_send(data)
                        ─────────────────────
                        compute chksum
                        make_pkt(sndpkt,0,data,chksum)
                        udt_send(sndpkt)
                        start_timer
                                                rdt_rcv(rcvpkt) &&
                                                (corrupt(rcvpkt) ||
                                                isACK(rcvpkt,1))
    rdt_rcv(rcvpkt)
    ─────────────────
                  ┌─────────┐      ┌─────────┐
                  │ Warte auf│      │Warte auf│    timeout
                  │ Aufruf von│      │  ACK0   │   ─────────────────
                  │  oben 0  │      │         │   udt_send(sndpkt)
                  └─────────┘      └─────────┘   start_timer

    rdt_rcv(rcvpkt)                   rdt_rcv(rcvpkt)
    && notcorrupt(rcvpkt)             && notcorrupt(rcvpkt)
    && isACK(rcvpkt,1)                && isACK(rcvpkt,0)

    timeout           ┌─────────┐      ┌─────────┐
    ─────────────     │Warte auf│      │Warte auf│    rdt_rcv(rcvpkt)
    udt_send(sndpkt)  │  ACK1   │      │Aufruf von│   ─────────────────
    start_timer       │         │      │  oben 1  │
                      └─────────┘      └─────────┘

    rdt_rcv(rcvpkt) &&
    (corrupt(rcvpkt) ||     rdt_send(data)
    isACK(rcvpkt,0))         ─────────────────────
                             compute chksum
                             make_pkt(sndpkt,1,data,chksum)
                             udt_send(sndpkt)
                             start_timer
```

Die wichtigsten Elemente eines Datentransferprotokolls sind nun zusammengestellt. Prüfsummen, Sequenznummern, Timer sowie positive und negative Bestätigungspakete spielen eine wichtige Rolle in der Operation des Protokolls. Wir haben jetzt ein funktionierendes zuverlässiges Datentransferprotokoll!

Abbildung 3.16 Operation von rdt3.0, dem Alternating-Bit-Protokoll

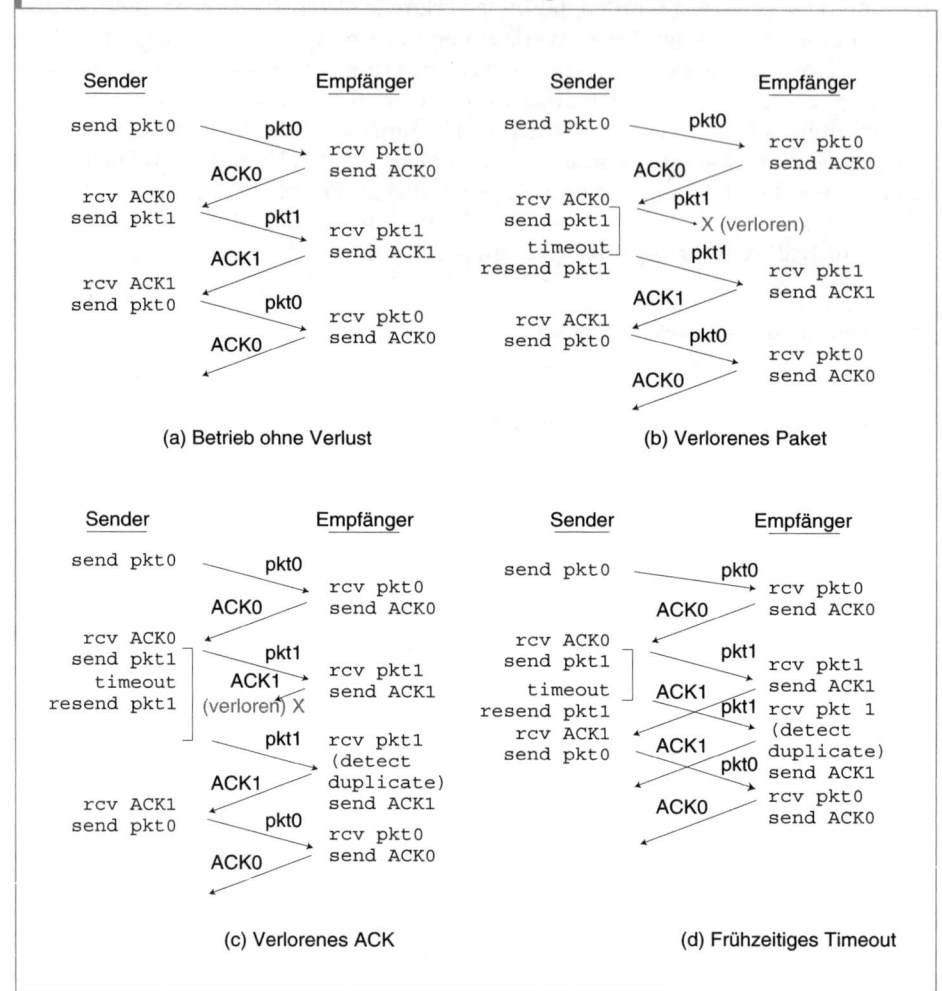

3.4.2 Zuverlässige Datentransferprotokolle mit Pipelining

Das Protokoll rdt3.0 ist funktionell ein korrektes Protokoll, dürfte aber hinsichtlich seiner Leistung kaum jemanden zufrieden stellen, insbesondere in den heutigen Hochgeschwindigkeitsnetzen. Das Leistungsproblem von rdt3.0 basiert vor allem auf der Tatsache, dass es ein Stop-and-Wait-Protokoll ist.

Um die Leistungsauswirkung dieses Stop-and-Wait-Verhaltens richtig einschätzen zu können, betrachten wir einen idealisierten Fall mit zwei Endhosts, von denen sich einer an der Westküste und der andere an der Ostküste der USA befindet. Die Ausbreitungsverzögerung in Lichtgeschwindigkeit, T_{prop}, zwischen diesen beiden Endsystemen beträgt ungefähr 15 Millisekunden. Es wird angenommen, dass sie über einen Kanal mit einer Kapazität C von 1 Gigabit (10^9 Bit) pro Sekunde verbunden sind. Bei einer Paketgröße SP von 1 KByte pro Paket, einschließlich der Header-Felder und Daten, ergibt sich die erforderliche Zeit, um das Paket tatsächlich über die 1-Gbps-Verbindungsleitung zu übertragen, wie folgt:

$$T_{\text{trans}} = \frac{SP}{C} = \frac{8\,\text{KBit/Paket}}{10^9 \text{Bit/s}} = 8\,\text{Mikrosekunden}$$

Wenn der Sender bei unserem Stop-and-Wait-Protokoll mit dem Senden des Pakets bei $t = 0$ beginnt, tritt das letzte Bit bei $t = 8$ Mikrosekunden auf der Senderseite in den Kanal ein. Das Paket legt dann seine 15-ms-Reise durch das Land zurück, wie in Abbildung 3.17 (a) dargestellt ist, wobei das letzte Bit des Pakets bei $t = 15{,}008$ ms beim Empfänger auftaucht. Geht man der Einfachheit halber davon aus, dass die ACK-Pakete die gleiche Größe wie die Datenpakete haben und der Empfänger mit dem Senden eines ACK-Pakets beginnen kann, sobald das letzte Bit eines Datenpakets empfangen wurde, taucht das letzte Bit des ACK-Pakets bei $t = 30{,}016$ ms wieder beim Sender auf. Über 30,016 ms hinweg war der Sender also tatsächlich nur 0,016 ms (mit dem Senden oder Empfangen) beschäftigt. Wenn wir die **Auslastung** (Utilization) des Senders (oder Kanals) als die Zeit definieren, in der der Sender tatsächlich mit dem Senden von Bits über den Kanal beschäftigt ist, erhalten wir eine eher magere Senderauslastung U_{Sender} von

$$U_{\text{Sender}} = \frac{0{,}008}{30{,}016} = 0{,}00015$$

Das heißt, dass der Sender nur 2,7 Hundertstel eines Prozents der Zeit beschäftigt war. Aus anderer Sicht betrachtet, konnte der Sender in 30,016 Millisekunden nur 1 Kilobyte senden, was einem effektiven Durchsatz von nur 33 Kilobyte pro Sekunde entspricht, obwohl eine Verbindungsleitung mit 1 Gigabit pro Sekunde verfügbar war! Man stelle sich den unglücklichen Netzwerkmanager vor, der gerade ein Vermögen für eine Verbindungsleitung mit Gigabit-Kapazität ausgegeben hat und einen Durchsatz von gerade einmal 33 Kilobyte pro Sekunde erhält! Dies ist ein anschauliches Beispiel dessen, wie Netzwerkprotokolle die von der zugrunde liegenden Netzwerkhardware zur Verfügung gestellten Kapazitäten einschränken können. Außerdem haben wir die Verarbeitungszeiten der niederschichtigen Protokolle beim Sender und Empfänger sowie die Verarbeitungs- und Warteschlangenverzögerungen, die bei dazwischen liegenden Routern entstehen, nicht berücksichtigt. Bezieht man diese Verzögerungen noch mit ein, würde sich das ohnehin schon schlechte Leistungsergebnis weiter verschlechtern.

Abbildung 3.17 Gegenüberstellung eines Stop-and-Wait- und eines Pipelining-Protokolls

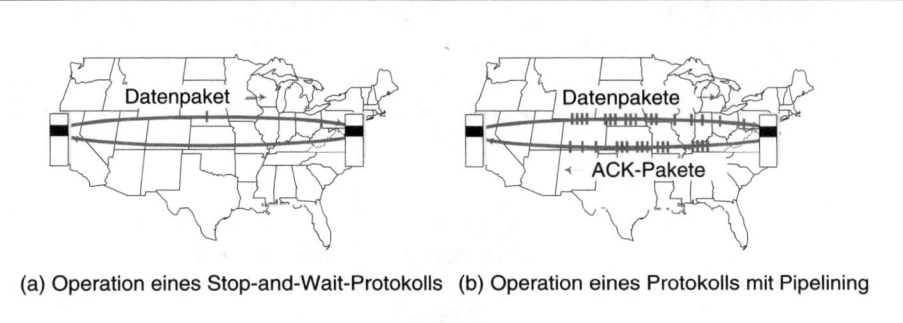

(a) Operation eines Stop-and-Wait-Protokolls   (b) Operation eines Protokolls mit Pipelining

Für dieses spezifische Leistungsproblem gibt es eine einfache Lösung: Statt im Stop-and-Wait-Betrieb zu arbeiten, lässt man den Sender mehrere Pakete senden, ohne dass er auf Bestätigungen warten muss; dieses Szenario ist in Abbildung 3.17 (b) dargestellt. Da die vielen zwischen dem Sender und dem Empfänger im Transit befindlichen Pakete als »Füllen einer Pipeline« betrachtet werden können, wird diese Technik als **Pipelining** bezeichnet. Durch Pipelining ergeben sich für zuverlässige Datentransferprotokolle mehrere Konsequenzen:

- Der Bereich der Sequenznummern muss vergrößert werden, weil jedes im Transit befindliche Paket (ohne Neuübertragungen mitzuzählen) eine eindeutige Sequenznummer haben muss und mehrere unbestätigte im Transit befindliche Pakete möglich sein müssen.
- Die Sender- und die Empfängerseite des Protokolls benötigen einen Puffer für mehr als ein Paket. Als Minimum muss der Sender die bereits übertragenen, aber noch nicht bestätigten Pakete zwischenspeichern. Außerdem müssen möglicherweise korrekt empfangene Pakete beim Empfänger zwischengespeichert werden (siehe Beschreibung weiter unten).

Der Bereich der benötigten Sequenznummern und die Pufferanforderungen werden von der Art abhängen, in der ein Datentransferprotokoll auf verlorene, beschädigte und übermäßig verzögerte Pakete reagiert. Für die Wiederherstellung nach Fehlern mit der Pipelining-Technik sind zwei grundlegende Ansätze bekannt: **Go-Back-N** und **Selective Repeat**.

3.4.3 Go-Back-N (GBN)

Bei einem GBN-Protokoll (Go-Back-N) ist es dem Sender gestattet, mehrere Pakete (sofern vorhanden) zu übertragen, ohne auf eine Bestätigung warten zu müssen. Insgesamt darf er aber nicht mehr als eine bestimmte Höchstzahl, N, an unbestätigten

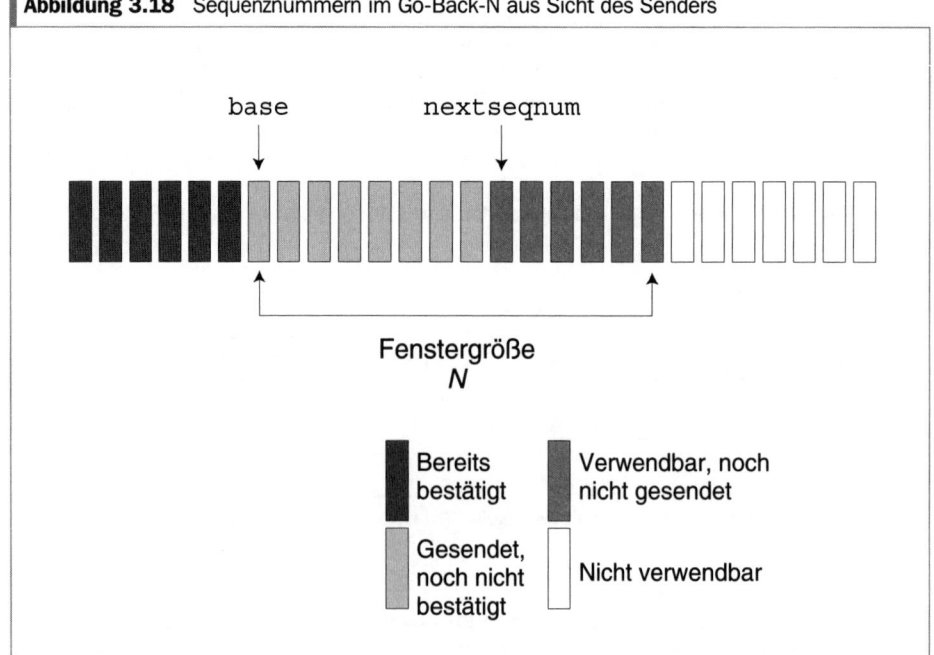

Abbildung 3.18 Sequenznummern im Go-Back-N aus Sicht des Senders

Paketen in die Pipeline geben. Abbildung 3.18 zeigt den Bereich der Sequenznummern in einem GBN-Protokoll aus Sicht des Senders. Wenn wir base als die Sequenznummer des ältesten unbestätigten Pakets und nextseqnum als die kleinste nicht benutzte Sequenznummer (d. h. die Sequenznummer des als Nächstes zu sendenden Pakets) definieren, dann erhalten wir vier Intervalle in dem Sequenznummernbereich. Das Intervall [0,base-1] entspricht Paketen, die bereits übertragen und bestätigt wurden. Das Intervall [base,nextseqnum-1] entspricht Paketen, die bereits gesendet, aber noch nicht bestätigt wurden. Sequenznummern im Intervall [nextseqnum, base+N-1] werden für Pakete benutzt, die sofort gesendet werden können, wenn Daten von der höheren Schicht ankommen. Schließlich können die Sequenznummern, die größer als oder gleich base+N sind, so lange nicht benutzt werden, bis ein momentan in der Pipeline befindliches, nicht bestätigtes Paket bestätigt wurde.

Wie aus Abbildung 3.18 deutlich wird, kann der Bereich der zulässigen Sequenznummern für übertragene, aber noch nicht bestätigte Pakete als »Fenster« mit Größe N über den Sequenznummernbereich betrachtet werden. Während der Operation des Protokolls schiebt sich dieses Fenster über den Sequenznummernbereich vorwärts. Aus diesem Grund wird N meist als **Fenstergröße** (Window Size) und das GBN-Protokoll als **Sliding-Window-Protokoll** bezeichnet. Sie wundern sich vielleicht, warum wir die Anzahl der schwebenden, nicht bestätigten Pakete überhaupt auf einen Wert von N einschränken. Warum nicht eine unbegrenzte Anzahl solcher Pakete zulassen? Abschnitt 3.5 wird zeigen, dass Flusskontrolle einer der Gründe ist, warum wir dem Sender eine Grenze auferlegen müssen. Ein weiterer Grund wird in Abschnitt 3.7 in Zusammenhang mit der TCP-Überlastkontrolle beschrieben.

Abbildung 3.19 Erweiterte FSM-Beschreibung des GBN-Senders

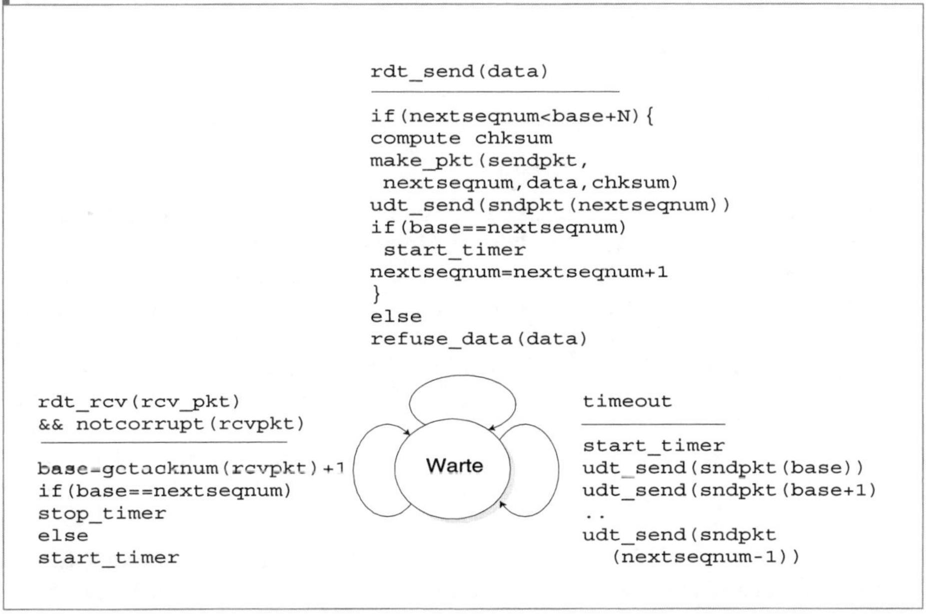

```
                        rdt_send(data)

                        if(nextseqnum<base+N){
                        compute chksum
                        make_pkt(sendpkt,
                          nextseqnum,data,chksum)
                        udt_send(sndpkt(nextseqnum))
                        if(base==nextseqnum)
                         start_timer
                        nextseqnum=nextseqnum+1
                        }
                        else
                        refuse_data(data)

 rdt_rcv(rcv_pkt)                            timeout
 && notcorrupt(rcvpkt)
                                             start_timer
 base=gctacknum(rcvpkt)+1      Warte         udt_send(sndpkt(base))
 if(base==nextseqnum)                        udt_send(sndpkt(base+1))
  stop_timer                                 ..
 else                                        udt_send(sndpkt
  start_timer                                  (nextseqnum-1))
```

In der Praxis ist die Sequenznummer eines Pakets in einem Feld mit fester Länge im Paket-Header enthalten. Wenn k die Anzahl der Bits im Sequenznummernfeld des

Pakets ist, lautet der Sequenznummernbereich $[0, 2^k-1]$. Mit einem endlichen Sequenznummernbereich muss sämtliche Arithmetik, die mit Sequenznummern zu tun hat, mit Hilfe der Modulus-2^k-Arithmetik erfolgen. (Das heißt, den Sequenznummernraum kann man sich als Ring mit der Größe 2^k vorstellen, wobei der Sequenznummer 2^k-1 unmittelbar die Sequenznummer 0 folgt.) Wir erinnern uns, dass rdt3.0 eine 1-Bit-Sequenznummer und einen Sequenznummernbereich von [0,1] hatte. In mehreren Übungen am Ende dieses Kapitels werden die Konsequenzen eines endlichen Sequenznummernbereichs untersucht. Wir werden in Abschnitt 3.5 noch sehen, dass TCP ein Feld für eine 32-Bit-Sequenznummer hat, wobei TCP-Sequenznummern anstelle von Paketen Bytes im Bytestrom zählen.

Die Abbildungen 3.19 und 3.20 zeigen eine erweiterte FSM-Beschreibung der Sender- und Empfängerseite eines GBN-Protokolls, das ACKs, jedoch keine NAKs benutzt. Wir bezeichnen diese FSM-Beschreibung als **erweiterte FSM**, weil wir Variablen (ähnlich Variablen in Programmiersprachen) für base und nextseqnum sowie Operationen und bedingte Aktionen für diese Variablen hinzugefügt haben. Man beachte, dass die erweiterte FSM-Spezifikation allmählich wie die Spezifikation einer Programmiersprache aussieht. In [Bochman 1984] finden Sie eine ausgezeichnete Untersuchung zusätzlicher Erweiterungen für FSM-Techniken sowie andere Techniken auf der Grundlage von Programmiersprachen für die Spezifikation von Protokollen.

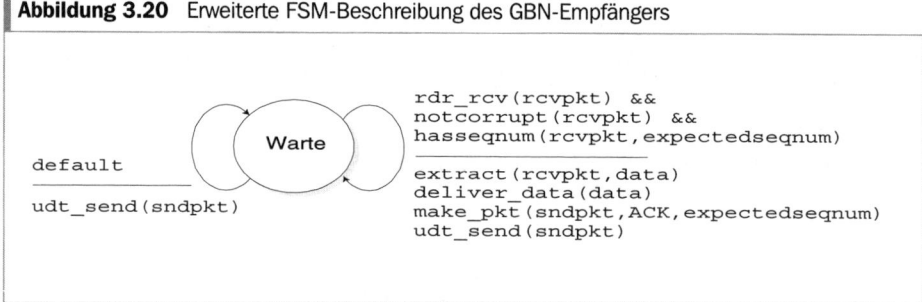

Abbildung 3.20 Erweiterte FSM-Beschreibung des GBN-Empfängers

Der GBN-Sender muss auf drei Ereignisarten reagieren:

- *Aufruf von oben*: Wenn rdt_send() von oben aufgerufen wird, prüft der Sender zuerst, ob das Fenster voll ist, d. h. ob N unbestätigte Pakete anstehen. Ist das Fenster nicht voll, wird ein Paket erzeugt und gesendet und die Variablen werden entsprechend aktualisiert. Ist das Fenster voll, gibt der Sender einfach die Daten an die höhere Schicht zurück; dies ist ein impliziter Hinweis darauf, dass das Fenster voll ist. Die höhere Schicht würde es dann vermutlich später erneut versuchen. In einer echten Implementierung hätte der Sender diese Daten eher zwischengespeichert (und nicht sofort gesendet) oder es wäre ein Synchronisationsmechanismus (z. B. eine Semaphore oder ein Flag) vorhanden, der es der höheren Schicht ermöglichen würde, rdt_send() nur aufzurufen, wenn das Fenster nicht voll ist.
- *Empfang eines ACK*: Bei unserem GBN-Protokoll wird eine Bestätigung für ein Paket mit der Sequenznummer n als **kumulative Bestätigung** betrachtet, was darauf hinweist, dass alle Pakete mit einer Sequenznummer bis einschließlich n korrekt beim Empfänger angekommen sind. Wir greifen dieses Thema wieder auf, wenn wir die Empfängerseite von GBN beschreiben.

- *Timeout-Ereignis*: Der Name des Protokolls, »Go-Back-N«, leitet sich aus dem Verhalten des Senders bei verlorenen oder übermäßig verzögerten Pakete ab. Wie beim Stop-and-Wait-Protokoll wird auch hier ein Timer benutzt, um den ordentlichen Betrieb nach einem Verlust von Daten- oder Bestätigungspaketen wieder herzustellen. Wenn der Timer abläuft, überträgt der Sender *alle* Pakete, die zuvor gesendet, aber noch nicht bestätigt wurden, noch einmal. Der Sender in Abbildung 3.19 benutzt nur einen einzigen Timer, den man sich als Timer für das älteste übertragene, aber noch nicht bestätigte Paket vorstellen kann. Wenn ein ACK empfangen wird, während immer noch übertragene und noch nicht bestätigte Pakete anstehen, wird der Timer neu gestartet. Falls keine unbestätigten Pakete anstehen, wird der Timer gestoppt.

Die Aktionen des Empfängers sind im GBN ebenfalls einfach. Wenn ein Paket mit Sequenznummer n korrekt und in der richtigen Reihenfolge ankommt (d. h., die zuletzt an die höhere Schicht übertragenen Daten kamen von einem Paket mit Sequenznummer $n-1$), sendet der Empfänger ein ACK für Paket n und überträgt den Datenteil des Pakets an die höhere Schicht. In allen übrigen Fällen verwirft der Empfänger das Paket und sendet ein weiteres ACK für das letzte, in der richtigen Reihenfolge empfangene Paket. Da Pakete einzeln an die höhere Schicht übertragen werden, wurden alle Pakete mit einer Sequenznummer, die kleiner als k ist, ebenfalls übertragen, wenn Paket k empfangen wurde. Folglich ist die Verwendung kumulativer Bestätigungen eine natürliche Wahl für GBN.

In unserem GBN-Protokoll verwirft der Empfänger außer der Reihe ankommende Pakete. Es mag zwar unsinnig und verschwenderisch erscheinen, ein korrekt (aber außer der Reihe) empfangenes Paket zu verwerfen, jedoch gibt es einen guten Grund für dieses Vorgehen. Wir erinnern uns, dass der Empfänger Daten in der richtigen Reihenfolge an die höhere Schicht weitergeben muss. Angenommen, es wird Paket n erwartet, während aber Paket $n+1$ ankommt. Da Daten in der richtigen Reihenfolge übergeben werden müssen, *könnte* der Empfänger Paket $n+1$ zwischenspeichern und es dann an die höhere Schicht weitergeben, nachdem er Paket n empfangen und weitergegeben hat. Geht Paket n aber verloren, müssen den GBN-Regeln zufolge Paket n und $n+1$ letztlich erneut übertragen werden. Deshalb lassen wir den Empfänger Paket $n+1$ einfach verwerfen. Der Vorteil ist dabei die Einfachheit der Zwischenspeicherung beim Empfänger: Dieser muss keine außer der Reihe ankommenden Pakete zwischenspeichern. Während der Sender also die obere und untere Grenze seines Fensters und die Position von nextseqnum innerhalb dieses Fensters einhalten muss, braucht der Empfänger als einzige Information nur die Sequenznummer des nächsten, in der richtigen Reihenfolge ankommenden Pakets zu verwalten. Dieser Wert befindet sich in der Variablen expectedseqnum (siehe Empfänger-FSM in Abbildung 3.20). Selbstverständlich hat das Wegwerfen eines korrekt empfangenen Pakets auch einen Nachteil: Die anschließende Neuübertragung dieses Pakets kann verloren gehen oder beschädigt werden, so dass unter Umständen noch mehr Neuübertragungen nötig sind.

Abbildung 3.21 zeigt die Operation des GBN-Protokolls mit einer Fenstergröße von vier Paketen. Aufgrund dieser Begrenzung der Fenstergröße überträgt der Sender die Pakete 0 bis 3 und muss dann warten, bis eines oder mehrere dieser Pakete bestätigt werden, bevor er fortfahren kann. Während aufeinander folgende ACKs (z. B. ACK0 und ACK1) empfangen werden, wird das Fenster vorwärts geschoben und der Sender kann ein neues Paket (pkt4 bzw. pkt5) übertragen. Auf der Empfängerseite geht Paket 2 verloren, so dass die Pakete 3, 4 und 5 nicht in der richtigen Reihenfolge sind und verworfen werden.

Abbildung 3.21 Go-Back-N in Operation

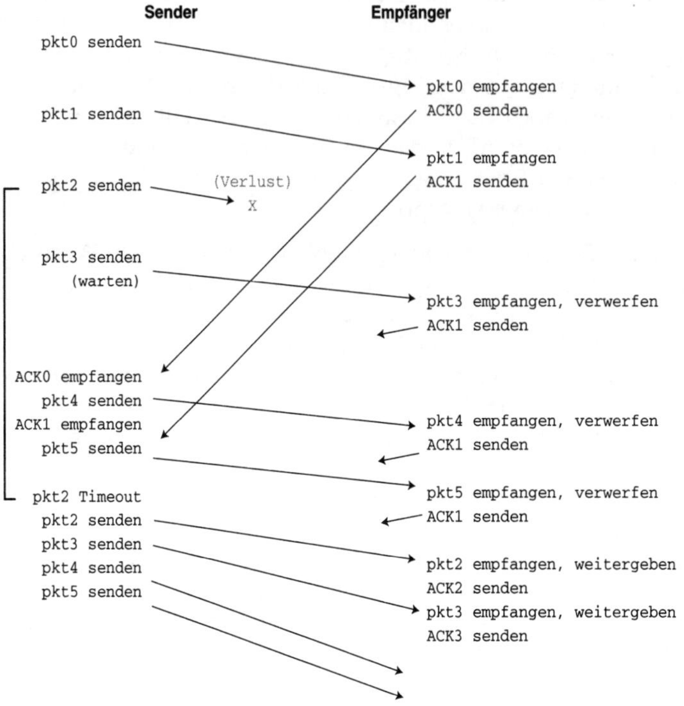

Bevor wir unsere GBN-Diskussion beenden, lohnt sich an dieser Stelle der Hinweis, dass eine Implementierung dieses Protokolls in einem Protokollstack wahrscheinlich ähnlich aussähe wie die der erweiterten FSM in Abbildung 3.19. Die Implementierung würde wahrscheinlich ebenfalls verschiedene Prozeduren umfassen, die die Aktionen implementieren, die als Reaktion auf die verschiedenen möglichen Ereignisse unternommen werden müssen. Bei einer derartigen **ereignisbasierten Programmierung** werden die verschiedenen Prozeduren entweder von anderen Prozeduren im Protokollstack oder als Ergebnis eines Interrupt aufgerufen. Im Sender wären diese Ereignisse (1) ein Aufruf von rdt_send() durch die Instanz der höheren Schicht, (2) ein Timer-Interrupt und (3) ein Aufruf von rdt_rcv() durch die höhere Schicht bei Ankunft eines Pakets. Die Programmierübungen am Ende dieses Kapitels geben Ihnen Gelegenheit, diese Routinen in einer simulierten, aber realistischen Netzwerkumgebung zu implementieren.

Man beachte, dass das GBN-Protokoll fast alle Techniken beinhaltet, denen wir bei der Untersuchung der zuverlässigen Datentransferkomponenten von TCP in Abschnitt 3.5 begegnen. Diese Techniken umfassen die Verwendung von Sequenznummern, kumulative Bestätigungen, Prüfsummen und eine Timeout/Neuübertragungsoperation. In diesem Sinne weist TCP verschiedene Elemente eines GBN-Protokolls auf. Zwischen GBN und TCP existieren aber einige Unterschiede. Viele TCP-Implementierungen speichern korrekt, jedoch außer der Reihenfolge empfangene

Segmente in einem Puffer [Stevens 1994]. Eine für TCP vorgeschlagene Modifikation, die sogenannte »selektive Bestätigung« [RFC 2581], wird es einem TCP-Empfänger auch ermöglichen, ein bestimmtes außer der Reihe angekommenes Paket selektiv zu bestätigen, statt kumulativ das zuletzt korrekt empfangene Paket bestätigen zu müssen. Das Konzept einer selektiven Bestätigung liegt im Kern der zweiten allgemeinen Klasse von Pipeline-Protokollen: die so genannten »Selective-Repeat-Protokolle« (siehe nächsten Abschnitt). TCP passt folglich scheinbar am besten in die Kategorie eines Hybridprotokolls, d. h. einer Mischung zwischen Go-Back-N- und Selective-Repeat-Protokollen.

3.4.4 Selective Repeat (SR)

Das GBN-Protokoll erlaubt es dem Sender, potenziell »die Pipeline in Abbildung 3.17 mit Paketen zu füllen« und daher die bei Stop-and-Wait-Protokollen auftretenden Probleme mit der Kanalauslastung zu vermeiden. Es gibt allerdings Szenarien, in denen GBN ebenfalls unter Leistungsproblemen leidet. Wenn die Fenstergröße und das Bandbreite/Verzögerung-Produkt groß sind, können sich viele Pakete in der Pipeline befinden. Ein einzelner Paketfehler kann GBN veranlassen, eine große Anzahl von Paketen erneut zu übertragen, von denen viele vielleicht unnötig sind.

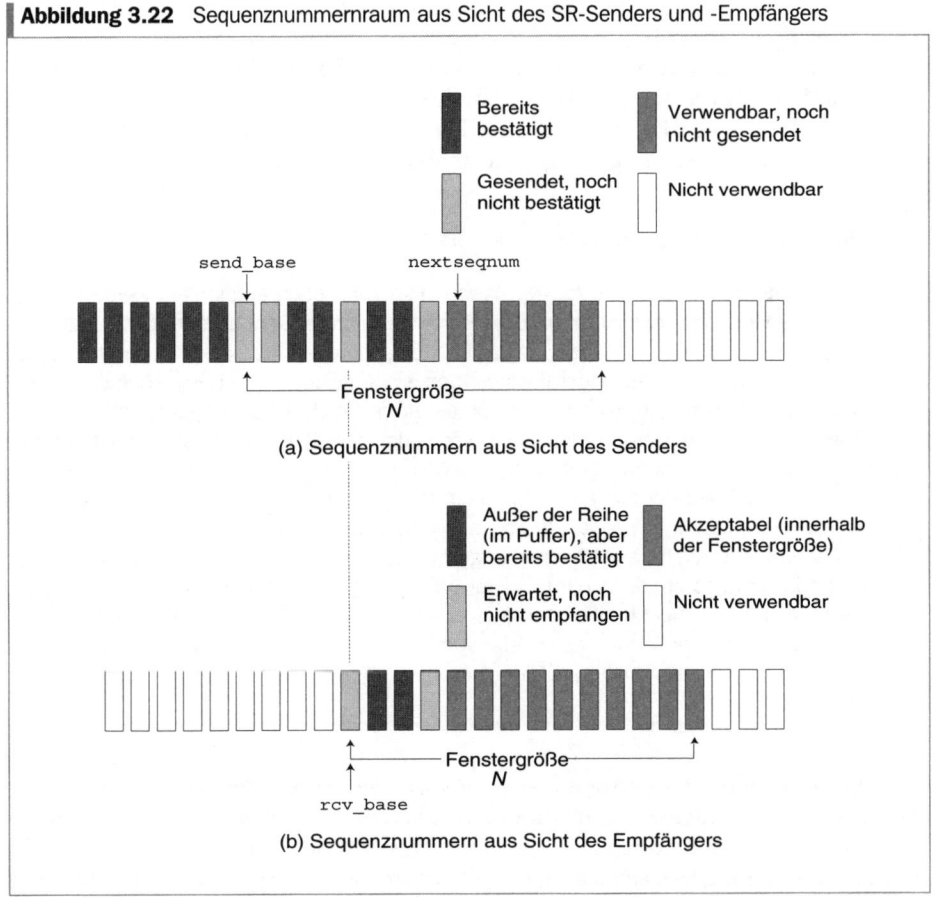

Abbildung 3.22 Sequenznummernraum aus Sicht des SR-Senders und -Empfängers

Mit zunehmender Wahrscheinlichkeit von Kanalfehlern füllt sich die Pipeline zunehmend mit solchen unnötigen Neuübertragungen. Man stelle sich in unserem Nachrichtendiktierszenario vor, dass jedes Mal, wenn ein Wort beschädigt wird, die umgebenden 1.000 Wörter (bei einer Fenstergröße von beispielsweise 1.000 Wörtern) wiederholt werden müssten. Das Diktat würde sich durch all die Wortwiederholungen sehr verlangsamen.

Wie die Bezeichnung bereits andeutet, vermeiden SR-Protokolle (Selective-Repeat) unnötige Neuübertragungen dadurch, dass der Sender nur jene Pakete erneut überträgt, bei denen er einen fehlerhaften Empfang (verloren oder beschädigt) auf Seiten des Empfängers vermutet. Diese selektive Neuübertragung setzt voraus, dass der Empfänger korrekt empfangene Pakete *individuell* bestätigt. Eine Fenstergröße von N wird wiederum benutzt, um die Anzahl der ausstehenden unbestätigten Pakete in der Pipeline zu begrenzen. Im Gegensatz zu GBN hat der Sender aber für einige der im Fenster stehenden Pakete bereits ACKs empfangen. Abbildung 3.22 zeigt den Sequenznummernraum aus Sicht des SR-Senders. Die verschiedenen, vom SR-Sender unternommenen Aktionen sehen Sie in Abbildung 3.23.

Der SR-Empfänger bestätigt ein korrekt empfangenes Paket ungeachtet dessen, ob es in der richtigen oder falschen Reihenfolge ankommt. Außer der Reihe ankommende Pakete werden so lange zwischengespeichert, bis eventuell fehlende Pakete (d. h. Pakete mit niedrigeren Sequenznummern) empfangen werden. An diesem Punkt kann eine Paketserie in der richtigen Reihenfolge an die höhere Schicht weitergegeben werden. Abbildung 3.24 beschreibt die Einzelheiten der verschiedenen, vom SR-Empfänger eingeleiteten Aktionen. Abbildung 3.25 zeigt ein Beispiel der SR-Operation für den Fall verlorener Pakete. Man beachte in Abbildung 3.25, dass der Empfänger die Pakete 3 und 4 zunächst zwischenspeichert und sie dann zusammen mit Paket 2, nachdem dieses eingegangen ist, an die höhere Schicht weitergibt.

Abbildung 3.23 Ereignisse und Aktionen des SR-Senders

1. *Daten werden von oben empfangen.* Wenn Daten von oben empfangen werden, prüft der SR-Sender die nächste, für das Paket verfügbare Sequenznummer. Liegt die Sequenznummer innerhalb des Senderfensters, werden die Daten in einem Paket gekapselt und gesendet; andernfalls werden sie entweder zwischengespeichert oder zur späteren Übertragung, wie in GBN, an die höhere Schicht zurückgegeben.
2. *Timeout.* Auch hier werden als Schutz vor verlorenen Paketen Timer benutzt. Jedes Paket braucht aber einen eigenen logischen Timer, weil bei einem Timeout nur jeweils ein einzelnes Paket übertragen wird. Ein einziger Hardware-Timer lässt sich verwenden, um mehrere logische Timer vorzutäuschen [Varghese 1997].
3. *ACK empfangen.* Wenn ein ACK empfangen wird, markiert der SR-Sender dieses Paket als empfangen, sofern es sich im Fenster befindet. Ist die Sequenznummer des Pakets gleich send-base, rückt die Fensterbasis zu dem unbestätigten Paket mit der kleinsten Sequenznummer vor. Wenn das Fenster vorrückt, während noch unübertragene Pakete mit Sequenznummern anstehen, die jetzt innerhalb des Fensters liegen, werden diese Pakete übertragen.

Wichtig ist in Schritt 2 von Abbildung 3.24, dass der Empfänger bereits empfangene Pakete mit bestimmten Sequenznummern *unter* der aktuellen Fensterbasis erneut bestätigt (statt sie zu ignorieren). Sie sollten sich selbst davon überzeugen, dass diese erneute Bestätigung tatsächlich nötig ist. Wenn sich beispielsweise im Fall des

Sequenznummernraums des Senders und des Empfängers in Abbildung 3.22 kein ACK für Paket send_base vom Empfänger zum Sender ausbreitet, überträgt der Sender letztlich das Paket send_base erneut, obwohl uns (nicht aber dem Sender!) klar ist, dass der Empfänger dieses Paket bereits empfangen hat. Wenn der Empfänger dieses Paket nicht bestätigen würde, würde das Fenster des Senders nie vorrücken! Dieses Beispiel zeigt einen wichtigen Aspekt von SR-Protokollen (und auch vieler anderer Protokolle). Sender und Empfänger haben nicht immer die gleiche Sicht dessen, was korrekt empfangen wurde. Für SR-Protokolle bedeutet das, dass das Sender- und das Empfängerfenster nicht immer übereinstimmen.

Abbildung 3.24 Ereignisse und Aktionen des SR-Empfängers

1. *Paket mit Sequenznummer in* [rcv_base, rcv_base+N–1] *korrekt empfangen:* In diesem Fall liegt das empfangene Paket innerhalb des Empfängerfensters und ein selektives ACK-Paket wird an den Sender zurückgegeben. Wenn das Paket nicht zuvor empfangen wurde, wird es zwischengespeichert. Hat dieses Paket eine Sequenznummer gleich der Basis des Empfangsfensters (rcv_base in Abbildung 3.22), dann werden dieses und eventuell zuvor zwischengespeicherte und (beginnend mit rcv_base) durchnummerierte Pakete an die höhere Schicht weitergereicht. Das Empfangsfenster wird dann um die Anzahl der an die höhere Schicht weitergereichten Pakete vorwärts geschoben. Als Beispiel betrachte man Abbildung 3.25. Wenn ein Paket mit einer Sequenznummer von rcv_base=2 empfangen wird, können dieses und die Pakete rcv_base+1 und rcv_base2 an die höhere Schicht weitergegeben werden.
2. *Paket mit Sequenznummer in* [rcv_base–N, rcv_base–1] *empfangen:* In diesem Fall muss ein ACK generiert werden, auch wenn dies ein Paket ist, das der Empfänger bereits bestätigt hat.
3. *Andernfalls:* Ignoriere das Paket.

Der Mangel an Synchronisation zwischen dem Sender- und Empfängerfenster hat wichtige Konsequenzen, wenn wir mit der Realität eines endlichen Sequenznummernbereichs konfrontiert sind. Man betrachte, was beispielsweise mit einem endlichen Bereich von vier Paketsequenznummern, 0, 1, 2 und 3, und einer Fenstergröße von 3 passiert. Angenommen, die Pakete 0 bis 2 werden übertragen, beim Empfänger korrekt empfangen und bestätigt. An diesem Punkt befindet sich das Empfängerfenster über dem vierten, fünften und sechsten Paket, die die Sequenznummern 3, 0 bzw. 1 haben. Nun betrachte man zwei Szenarien. Im ersten Szenario, das in Abbildung 3.26 (a) dargestellt ist, gehen die ACKs für die ersten drei Pakete verloren und der Sender überträgt diese Pakete erneut. Der Empfänger empfängt also als Nächstes ein Paket mit der Sequenznummer 0 – eine Kopie des ersten gesendeten Pakets.

Im zweiten Szenario, das in Abbildung 3.26 (b) dargestellt ist, wurden die ACKs für die ersten drei Pakete korrekt weitergegeben. Der Sender schiebt folglich sein Fenster weiter und sendet das vierte, fünfte und sechste Paket mit den Sequenznummern 3, 0 bzw. 1. Das Paket mit Sequenznummer 3 geht verloren, während jedoch dasjenige mit Sequenznummer 0 – ein Paket, das *neue* Daten enthält – ankommt.

Abbildung 3.26 zeigt die Situation aus Sicht des Empfängers; es wurde eine Art »Vorhang« zwischen Sender und Empfänger eingefügt, da der Empfänger die vom Sender eingeleiteten Aktionen nicht »sehen« kann. Alles, was der Empfänger mitbekommt, ist die Sequenz von Nachrichten, die er vom Kanal empfängt und in den Kanal sendet. Was ihn anbelangt, sind die beiden Szenarien in Abbildung 3.26 *iden-*

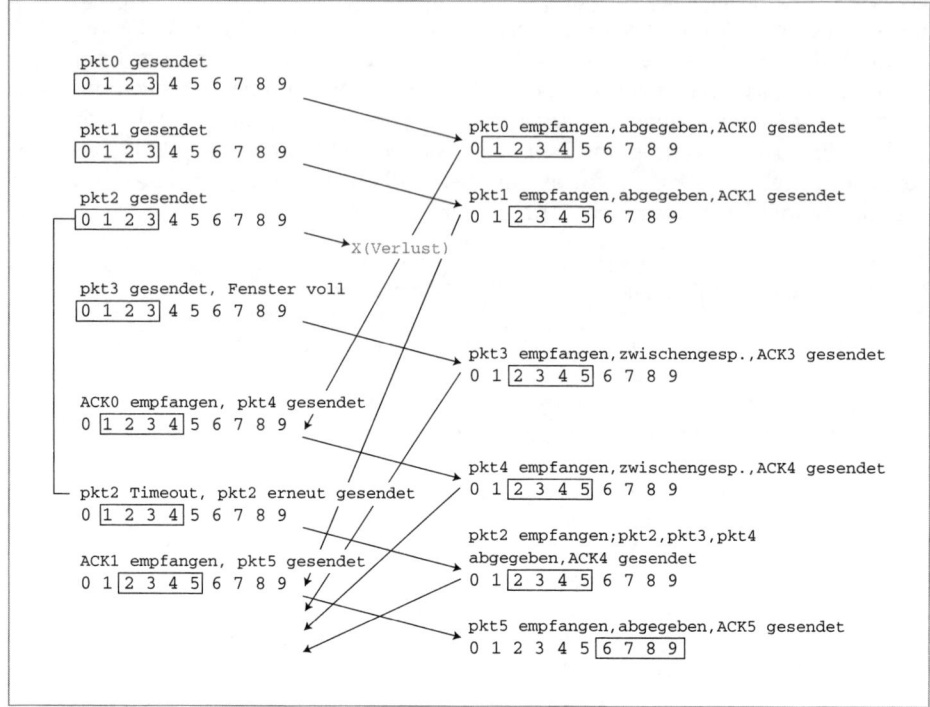

Abbildung 3.25 SR-Operation

tisch. Er hat keine Möglichkeit der Unterscheidung zwischen der Neuübertragung des ersten Pakets und der erstmaligen Übertragung des fünften Pakets. Natürlich kann eine Fenstergröße, die um 1 kleiner als die Größe des Sequenznummernraums ist, nicht funktionieren. Wie klein muss aber die Fenstergröße sein? In einer Übung am Ende dieses Kapitels sollen Sie aufzeigen, dass die Fenstergröße für SR-Protokolle kleiner als oder gleich die Hälfte der Größe des Sequenznummernraums sein muss.

Wir beenden unsere Diskussion zuverlässiger Datentransferprotokolle mit einer verbleibenden Annahme in unserem grundlegenden Kanalmodell. Wie Sie sich sicher erinnern, sind wir davon ausgegangen, dass Pakete innerhalb des Kanals zwischen Sender und Empfänger nicht umgeordnet werden können. Dies ist im Allgemeinen eine vernünftige Annahme, wenn der Sender und der Empfänger über eine einzige physikalische Leitung verbunden sind. Ist der »Kanal«, der die beiden verbindet, aber ein Netzwerk, kann eine Paketumstellung erfolgen. Eine Folge der Umordnung von Paketen ist, dass alte Kopien eines Pakets mit einer Sequenz- oder Bestätigungsnummer von x auftauchen können, auch wenn weder das Sender- noch das Empfängerfenster x enthält. Im Sinne der Paketumstellung kann man sich den Kanal so vorstellen, dass er im Wesentlichen Pakete zwischenspeichert und diese dann spontan *irgendwann* in der Zukunft ausgibt. Da Sequenznummern wiederverwendet werden können, bedarf es einiger Sorgfalt, um solche Duplikatpakete zu verhindern. Mit dem in der Praxis angewandten Ansatz wird sichergestellt, dass eine Sequenznummer erst wiederverwendet wird, wenn der Sender relativ »sicher« ist, dass zuvor gesendete Pakete mit Sequenznummer x nicht mehr im Netzwerk sind. Dies gründet auf der Annahme, dass ein Paket im Netzwerk nicht länger als eine bestimmte Höchstdauer »leben« kann. Eine maximale Lebensdauer für Pakete von ungefähr drei Minuten

Abbildung 3.26 Dilemma des SR-Empfängers mit zu großen Fenstern: ein neues Paket oder eine Neuübertragung?

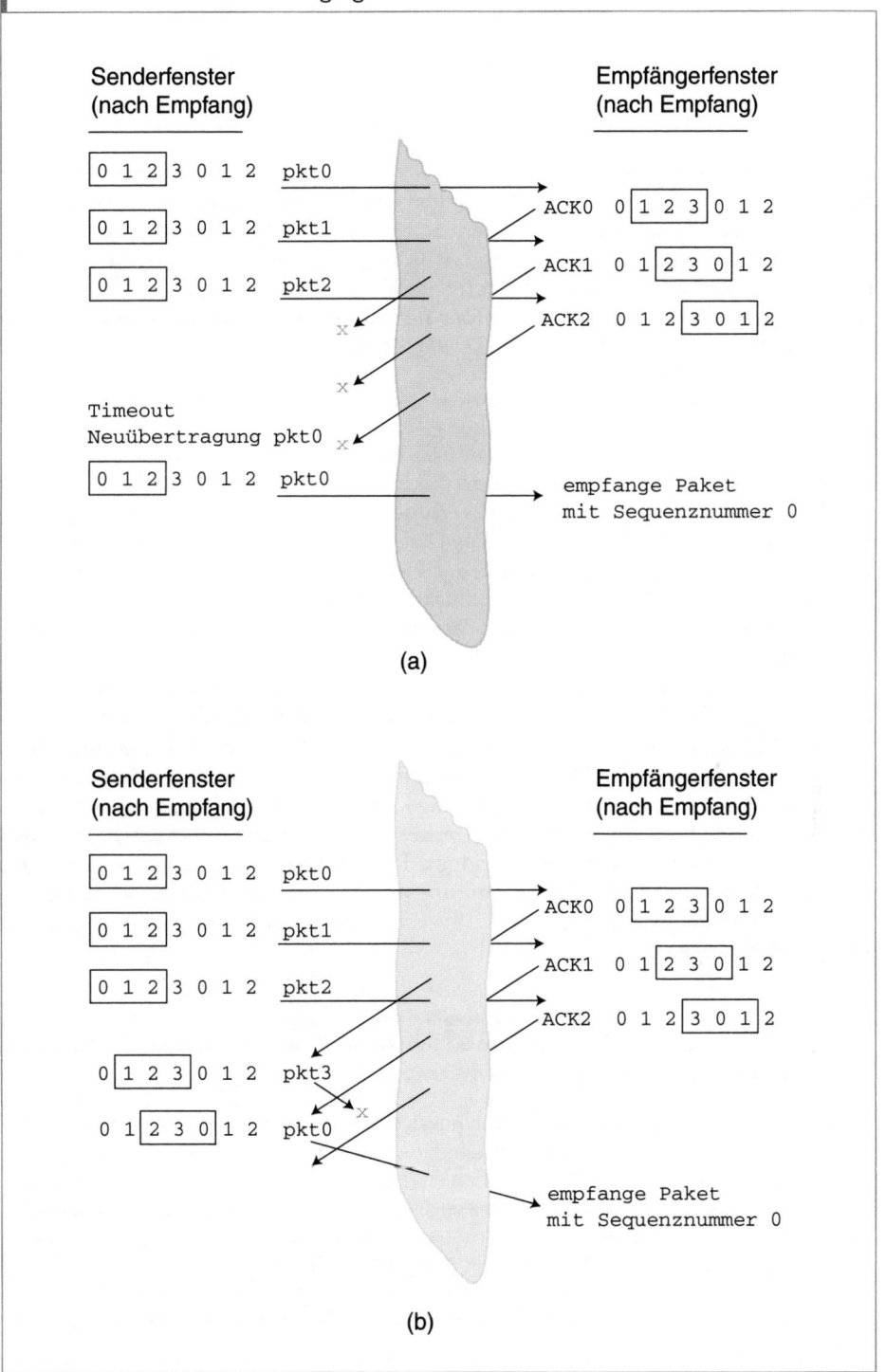

wird in den TCP-Erweiterungen für Hochgeschwindigkeitsnetze [RFC 1323] angenommen. In [Sunshine 1978] wird eine Methode für die Verwendung von Sequenznummern beschrieben, bei der Umordnungsprobleme völlig umgangen werden können.

3.5 Verbindungsorientierter Transport: TCP

Nachdem wir die grundlegenden Prinzipien von zuverlässigem Datentransfer untersucht haben, wenden wir uns nun TCP – dem verbindungsorientierten, zuverlässigen Internet-Transportprotokoll – zu. Um einen zuverlässigen Datentransfer bereitzustellen, nutzt TCP viele der grundlegenden Prinzipien, die im vorherigen Abschnitt beschrieben wurden, darunter Fehlererkennung, Neuübertragungen, kumulative Bestätigungen, Timer und Header-Felder für Sequenz- und Bestätigungsnummern. TCP ist in RFC 793, RFC 1122, RFC 1323, RFC 2018 und RFC 2581 definiert.

3.5.1 Die TCP-Verbindung

TCP bietet Multiplexen, Demultiplexen und Fehlererkennung auf genau die gleiche Weise wie UDP. Dennoch unterscheiden sich TCP und UDP auf vielerlei Art. Der wichtigste Unterschied ist, dass UDP **verbindungslos** und TCP **verbindungsorientiert** ist. UDP ist verbindungslos, weil es Daten sendet, ohne eine Verbindung aufzubauen. TCP ist verbindungsorientiert, weil zwei Prozesse zuerst ein »Handshake« durchführen müssen, bevor sie einander Daten senden können. Das heißt, sie müssen einige Segmente austauschen, um die Parameter für den anschließenden Datentransfer einzurichten. Als Teil des TCP-Verbindungsaufbaus initialisieren beide Seiten der Verbindung viele »TCP-Zustandsvariablen« (von denen viele in diesem Abschnitt und in Abschnitt 3.7 beschrieben werden) in Zusammenhang mit der TCP-Verbindung.

Die »TCP-Verbindung« ist keine Ende-zu-Ende-TDM- oder -FDM-Leitung wie in einem leitungsvermittelten Netzwerk. Sie ist auch kein virtueller Kanal (siehe Kapitel 1), weil der Verbindungszustand vollständig in den beiden Endsystemen residiert. Da das TCP-Protokoll nur in den Endsystemen und nicht in den dazwischen liegenden Netzwerkelementen (Routern und Bridges) läuft, führen die dazwischen liegenden Netzwerkelemente keinen TCP-Verbindungszustand. Tatsächlich haben die vermittelnden Router keine Ahnung von TCP-Verbindungen; sie sehen Datagramme, aber keine Verbindungen.

> **FALLBEISPIEL**
>
> **Vinton Cerf, Robert Kahn und TCP/IP**
>
> Anfang der siebziger Jahre begannen sich paketvermittelte Netzwerke zu verbreiten; ARPANET, der Vorläufer des Internets, war eines davon. Jedes dieser Netzwerke hatte sein eigenes Protokoll. Die beiden Wissenschaftler Vinton Cerf und Robert Kahn erkannten die Bedeutung des Zusammenschlusses dieser Netzwerke und erfanden ein netzwerkübergreifendes Protokoll namens »TCP/IP« (Transmission Control Protocol/Internet Protocol). Obwohl Cerf und Kahn das Protokoll anfangs als eine Einheit betrachteten, wurde es später in seine zwei Teile – TCP und IP – aufgeteilt, die getrennt arbeiten. Cerf und Kahn veröffentlichten im Mai 1974 in *IEEE Transactions on Communications Technology* eine Arbeit über TCP/IP.

> Das TCP/IP-Protokoll, das Brot und Salz im heutigen Internet, wurde entwickelt, bevor es PCs und Workstations, Ethernet- und andere LAN-Technologien, das Web, Streaming-Audio und Chat gab. Cerf und Kahn erkannten die Notwendigkeit für ein Netzwerkprotokoll, das einerseits breite Unterstützung für künftige Anwendungen und andererseits die Zusammenarbeit zwischen beliebigen Hosts und Protokollen der Sicherungsschicht ermöglicht.

Eine TCP-Verbindung bietet **Vollduplex**-Datentransfer. Existiert eine TCP-Verbindung zwischen Prozess A auf einem Host und Prozess B auf einem anderen, dann können die Daten der Anwendungsebene von A nach B und von B nach A gleichzeitig fließen. Eine TCP-Verbindung arbeitet auch immer **Punkt-zu-Punkt**, d. h. zwischen einem einzigen Sender und einem einzigen Empfänger. Das sogenannte »Multicasting« (siehe Abschnitt 4.8) – die Übertragung von Daten von einem Sender an viele Empfänger in einer einzigen Sendeoperation – ist in TCP nicht möglich. Für TCP sind zwei Hosts schon eine Firma und drei eine Masse!

Wir betrachten jetzt den Aufbau einer TCP-Verbindung. Angenommen, ein Prozess, der auf einem Host läuft, möchte eine Verbindung zu einem anderen Prozess auf einem anderen Host einleiten. Wir erinnern uns, dass der Prozess, der die Verbindung einleitet, als Client-Prozess und der andere als Server-Prozess bezeichnet wird. Der Client-Prozess informiert zuerst das clientseitige TCP darüber, dass er eine Verbindung zu einem Prozess im Server aufbauen will. Wie in Abschnitt 2.6 beschrieben, bewirkt dies ein Java-Client-Programm durch Abarbeitung des Befehls

```
Socket clientSocket = new Socket("hostname", port number);
```

Die Transportschicht im Client baut dann eine TCP-Verbindung zu TCP im Server auf. Wir beschreiben die Prozedur des Verbindungsaufbaus ausführlicher am Ende dieses Abschnitts. Vorläufig genügt es zu wissen, dass der Client zunächst ein spezielles TCP-Segment sendet; der Server antwortet mit einem zweiten speziellen TCP-Segment; schließlich antwortet der Client wieder mit einem dritten speziellen Segment. Die ersten beiden Segmente enthalten keine Nutzdaten, d. h. keine Anwendungsdaten; das dritte kann Nutzdaten enthalten. Da drei Segmente zwischen den beiden Hosts gesendet werden, nennt man diesen Verbindungsaufbau auch **Drei-Wege-Handshake**.

Nachdem eine TCP-Verbindung aufgebaut wurde, können die beiden Anwendungsprozesse einander Daten senden; dies ist die ganze Zeit möglich, weil TCP im Vollduplex läuft. Wir betrachten nun genauer, wie Daten vom Client- zum Server-Prozess gesendet werden. Der Client-Prozess gibt einen Datenstrom durch das Socket (die Tür des Prozesses) weiter, wie in Abschnitt 2.6 beschrieben. Nachdem die Daten durch die Tür geflossen sind, liegen sie in der Hand von TCP, das auf dem Client läuft. Wie in Abbildung 3.27 dargestellt ist, leitet TCP diese Daten an den **Sendepuffer** der Verbindung weiter. Das ist einer der Puffer, die während des anfänglichen Drei-Wege-Handshake vorbereitet werden. Von Zeit zu Zeit nimmt TCP Datenstücke aus dem Sendepuffer. Interessant ist, dass die TCP-Spezifikation [RFC 793] »sehr locker« dahingehend ist, wann TCP tatsächlich zwischengespeicherte Daten senden sollte. Es wird lediglich angegeben, dass TCP »Daten in Segmenten nach eigenem Ermessen senden« sollte. Die maximale Datenmenge, die aus dem Puffer genommen und in ein Segment gestellt werden kann, ist durch die **maximale Segmentgröße** (Maximum Segment Size, **MSS**) begrenzt. Die MSS hängt von der TCP-Implementierung (die vom Betriebssystem bestimmt wird) ab und kann häufig konfiguriert werden; übliche Werte sind 1.500, 536 und 512 Byte. (Diese Segmentgrößen werden oft gewählt, um IP-Fragmentierung (siehe nächstes Kapitel) zu vermeiden.) Man beachte, dass die MSS die maximale Menge von Anwendungsdaten im Segment und nicht die maximale Größe des TCP-Segments – einschließlich der Header – ist. (Diese Terminologie ist verwirrend, wir müssen aber damit leben, weil sie sich allgemein durchgesetzt hat.)

TCP kapselt jedes Client-Datenstück mit einem TCP-Header und formt damit **TCP-Segmente**. Die Segmente werden nach unten an die Vermittlungsschicht weitergereicht, wo sie getrennt in IP-Datagrammen der Vermittlungsschicht verkapselt werden. Anschließend werden die IP-Datagramme im Netzwerk versendet. Wenn TCP am anderen Ende ein Segment empfängt, stellt es die Daten des Segments in den **Empfangspuffer** der TCP-Verbindung. Die Anwendung liest den Datenstrom aus diesem Puffer. Jede Seite der Verbindung hat ihren eigenen Sendepuffer und ihren eigenen Empfangspuffer. Die Sende- und Empfangspuffer für Daten, die in eine Richtung fließen, sind in Abbildung 3.27 dargestellt.

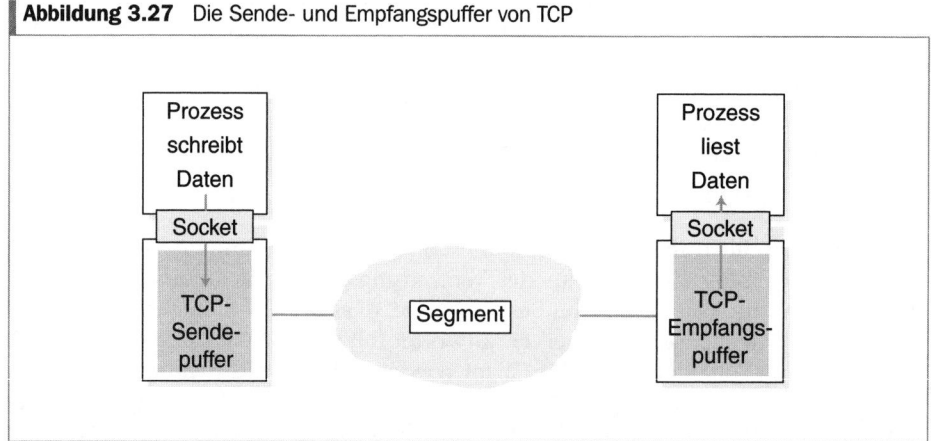

Abbildung 3.27 Die Sende- und Empfangspuffer von TCP

Eine TCP-Verbindung setzt sich also zusammen aus Puffern, Variablen und einer Socket-Verbindung zu einem Prozess in einem Host sowie einer weiteren Gruppe von Puffern, Variablen und einer Sokket-Verbindung zu einem Prozess auf einem anderen Host. Wie erwähnt, werden der Verbindung in den Netzwerkelementen (Router, Bridges und Repeater) zwischen den Hosts keine Puffer oder Variablen zugewiesen.

3.5.2 TCP-Segmentstruktur

Nach einem kurzen Überblick über die TCP-Verbindung betrachten wir nun die TCP-Segmentstruktur. Das TCP-Segment besteht aus Header-Feldern und einem Datenfeld. Das Datenfeld enthält einen Teil der Anwendungsdaten. Wie erwähnt, begrenzt die MSS die maximale Größe des Datenfelds eines Segments. Wenn TCP eine große Datei, z. B. ein kodiertes Bild als Teil einer Web-Seite, sendet, teilt es die Datei normalerweise in Stücke gemäß der MSS-Größe auf (mit Ausnahme des letzten Stücks, das meist kleiner als die MSS ist). Interaktive Anwendungen übertragen aber oft Datenstücke, die viel kleiner als die MSS sind; z. B. ist das Datenfeld im TCP-Segment bei

Remote-Login-Anwendungen wie Telnet oft nur ein Byte groß. Da der TCP-Header generell 20 Byte (12 Byte mehr als der UDP-Header) umfasst, sind die von Telnet gesendeten Segmente unter Umständen nur 21 Byte lang.

Abbildung 3.28 Die TCP-Segmentstruktur

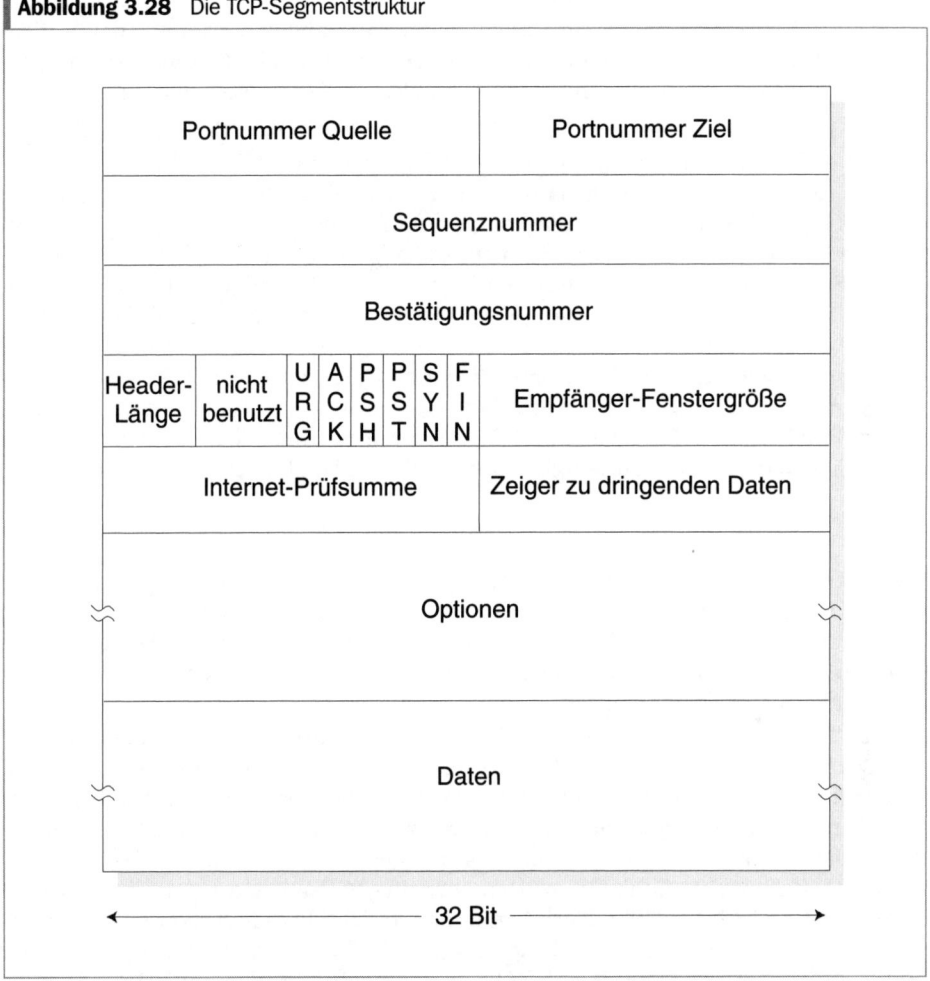

Abbildung 3.28 zeigt die Struktur des TCP-Segments. Wie bei UDP beinhaltet der Header die **Portnummer für Quelle und Ziel**, die für das Multiplexen/Demultiplexen von Daten von/zu Anwendungen der höheren Schicht benutzt werden. Ebenfalls wie bei UDP enthält der Header ein **Prüfsummenfeld**. Ein TCP-Segment-Header beinhaltet außerdem folgende Felder:

- Die beiden 32-Bit-Felder **Sequenznummer** und **Bestätigungsnummer** werden vom TCP-Sender und -Empfänger benutzt, um den weiter unten beschriebenen zuverlässigen Datentransferdienst zu implementieren.
- Das 16-Bit-Feld **Fenstergröße** dient der Flusskontrolle. Wir werden in Kürze sehen, dass es verwendet wird, um die Anzahl von Bytes anzugeben, die ein Empfänger anzunehmen bereit ist.

- Das 4-Bit-Feld **Header-Länge** spezifiziert die Länge des TCP-Headers in 32-Bit-Wörtern. Er kann aufgrund der weiter unten beschriebenen TCP-Optionen eine variable Länge haben. (Normalerweise ist das Feld »Optionen« leer, so dass die Länge des typischen TCP-Headers 20 Byte beträgt.)
- Das optionale Feld **Optionen** mit variabler Länge wird benutzt, wenn ein Sender und ein Empfänger die maximale Segmentgröße (MSS) vereinbaren, oder es dient in Hochgeschwindigkeitsnetzwerken als Fensterskalierfaktor. Ferner ist eine Zeitstempeloption definiert; siehe RFC 854 und RFC 1323 mit weiteren Einzelheiten.
- Das **Flag-Feld** enthält 6 Bit. Das **ACK**-Bit spezifiziert, dass der im Bestätigungsfeld enthaltene Wert gültig ist. Die Bits **RST**, **SYN** und **FIN** werden für den Auf- und Abbau der Verbindung benutzt. Ist das **PSH**-Bit gesetzt, weiß der Empfänger, dass er die Daten sofort an die höhere Schicht weiterreichen soll. Das **URG**-Bit spezifiziert, dass es in diesem Segment Daten gibt, die von der Instanz der höheren Schicht auf der Sendeseite als »dringend« (urgent) markiert wurden. Die Position des letzten Bytes dieser dringenden Daten wird durch einen 16-Bit-Datenzeiger gekennzeichnet. TCP muss die Instanz der höheren Schicht auf der Empfangsseite informieren, wenn dringende Daten vorliegen, und einen Zeiger (Pointer) zur Kennzeichnung des Endes der dringenden Daten bereitstellen. (In der Praxis werden PSH, URG und Zeiger auf dringende Daten nicht benutzt. Wir erwähnen die Felder hier lediglich der Vollständigkeit halber.)

3.5.3 Sequenz- und Bestätigungsnummern

Zwei der wichtigsten Felder im TCP-Segment-Header enthalten die Sequenz- und die Bestätigungsnummer. Diese beiden Felder sind ein wichtiger Teil des zuverlässigen Datentransferdienstes von TCP. Bevor wir die Verwendung dieser Felder für die Bereitstellung eines zuverlässigen Datentransfers beschreiben, erklären wir, was TCP eigentlich in diese Felder einfügt.

Für TCP sind Daten ein unstrukturierter, aber geordneter Bytestrom. Die Verwendung von Sequenznummern in TCP spiegelt dies dahingehend wider, dass Sequenznummern den übertragenen Bytestrom und *nicht* die Serie übertragener Segmente betreffen. Die **Sequenznummer eines Segments** ist die Bytestromnummer des ersten Bytes im Segment. Wir verdeutlichen dies an einem Beispiel. Angenommen, ein Prozess in Host A möchte einen Datenstrom über eine TCP-Verbindung an einen Prozess in Host B senden. Das TCP in Host A nummeriert jedes Byte im Datenstrom implizit. Wenn der Datenstrom aus einer Datei mit 500.000 Byte besteht, die MSS also 1.000 Byte beträgt, und das erste Byte des Datenstroms mit Null nummeriert wird, bildet TCP aus dem Datenstrom 500 Segmente (siehe Abbildung 3.29). Dem ersten Segment wird die Sequenznummer 0, dem zweiten die Sequenznummer 1.000, dem dritten die Sequenznummer 200 usw. zugewiesen. Jede Sequenznummer wird in das Sequenznummernfeld im Header des entsprechenden TCP-Segments eingefügt.

Wir untersuchen jetzt, was es mit den Bestätigungsnummern auf sich hat. Sie sind etwas kniffliger als Sequenznummern. Wie erwähnt, arbeitet TCP in Vollduplex, so dass Host A vielleicht Daten von Host B empfängt, während er (über die gleiche TCP-Verbindung) Daten an Host B sendet. Jedes Segment, das von Host B ankommt, hat eine Sequenznummer für die Daten, die von B nach A fließen. *Die Bestätigungsnummer, die Host A in sein Segment einfügt, ist die Sequenznummer des nächsten Bytes, das Host A von Host B erwartet.* Dies lässt sich leichter anhand einiger Beispiele verstehen. Angenommen, Host A hat alle von 0 bis 535 durchnummerierten Bytes von B emp-

3.5 Verbindungsorientierter Transport: TCP

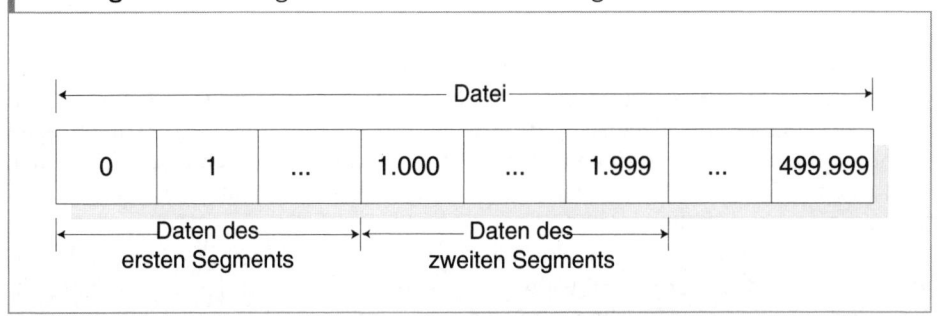

Abbildung 3.29 Aufteilung der Daten einer Datei in TCP-Segmente

fangen und sendet seinerseits gerade ein Segment an Host B. Anders ausgedrückt, Host A wartet auf Byte 536 und alle nachfolgenden Bytes im Datenstrom von Host B. Host A setzt also 536 in das Bestätigungsnummernfeld des Segments, das er an B sendet.

Als weiteres Beispiel nehmen wir an, dass Host A ein Segment, das die Bytes 0 bis 535 enthält, und ein weiteres mit den Bytes 900 bis 1.000, von Host B empfangen hat. Aus irgendeinem Grund sind die Bytes 536 bis 899 bei Host A noch nicht angekommen. In diesem Fall wartet Host A immer noch auf Byte 536 (und folgende), um den Datenstrom von B wiederherstellen zu können. Das nächste Segment von A an B wird also 536 im Bestätigungsnummernfeld enthalten. Da TCP Bytes nur bis zum ersten fehlenden Byte im Datenstrom bestätigt, sagt man, dass TCP **kumulative Bestätigungen** verwendet.

Das letzte Beispiel führt uns zu einem wichtigen und kniffligen Thema. Host A hat das dritte Segment (Bytes 900 bis 1.000) vor dem zweiten Segment (Bytes 536 bis 899) empfangen. Das dritte Segment ist also außerhalb der Reihenfolge angekommen. Das Knifflige daran ist: Was macht ein Host, wenn er Segmente in einer TCP-Verbindung außer der Reihe empfängt? Interessant ist, dass die TCP-RFCs hierfür keine Regeln aufstellen und die Entscheidung den Leuten überlassen, die eine TCP-Implementierung programmieren. Im Grunde bestehen zwei Möglichkeiten: Entweder verwirft der Empfänger die außer der Reihe befindlichen Bytes sofort oder er behält die außer der Reihe befindlichen Bytes und wartet auf die fehlenden Bytes, um die Lücken zu füllen. Natürlich ist die zweite Möglichkeit hinsichtlich der Netzwerkbandbreite effizienter, während die erste den TCP-Code vereinfacht. Im restlichen Teil dieser TCP-Einführung konzentrieren wir uns auf die erste Implementierung, d. h., wir gehen davon aus, dass der TCP-Empfänger außer der Reihe ankommende Segmente verwirft.

In Abbildung 3.29 sind wir davon ausgegangen, dass die anfängliche Sequenznummer Null ist. In Wirklichkeit wählen beide Seiten einer TCP-Verbindung zufällig eine Anfangssequenznummer aus. Dies geschieht, um möglichst auszuschließen, dass ein Segment, das noch von einer früheren, bereits beendeten Verbindung zwischen zwei Hosts im Netzwerk vorhanden ist und irrtümlich als gültiges Segment einer späteren Verbindung zwischen den beiden gleichen Hosts (die zufällig auch die gleichen Portnummern wie bei der alten Verbindung benutzen) betrachtet wird [Sunshine 1978].

3.5.4 Telnet: Eine Fallstudie für Sequenz- und Bestätigungsnummern

Das in RFC 854 definierte Telnet ist ein beliebtes Protokoll der Anwendungsschicht, das für Remote-Login benutzt wird. Es läuft über TCP und dem Design zufolge zwischen zwei Hosts. Im Gegensatz zu Anwendungen, die Massendaten übertragen (siehe Kapitel 2), ist Telnet eine interaktive Anwendung. Wir beschreiben Telnet hier, weil es ein nützliches Beispiel ist, um die Sequenz- und Bestätigungsnummern in TCP weiter auszuleuchten.

Angenommen, Host A leitet eine Telnet-Sitzung zu Host B ein. Da Host A die Sitzung einleitet, ist er der Client, während Host B der Server ist. Jedes vom Benutzer (am Client) eingegebene Zeichen wird an den entfernten Host gesendet. Der entfernte Host sendet dann eine Kopie jedes Zeichens zurück, das am Bildschirm des Telnet-Benutzers angezeigt wird. Dieses »Echo« wird benutzt, um sicherzustellen, dass die Zeichen, die der Telnet-Benutzer sieht, am entfernten Standort bereits empfangen und verarbeitet wurden. Jedes Zeichen überquert also das Netzwerk zweimal zwischen dem Moment, in dem der Benutzer die Taste drückt, und dem Moment, wenn das Zeichen auf dem Bildschirm des Benutzers angezeigt wird.

Wir nehmen jetzt an, dass der Benutzer einen einzigen Buchstaben, C, eintippt und sich einen Kaffee holt. Wir wollen die TCP-Segmente untersuchen, die zwischen dem Client und dem Server gesendet werden. Wie in Abbildung 3.30 dargestellt, gehen wir davon aus, dass die Anfangssequenznummern für den Client bzw. den Server 42 und 79 sind. Wir erinnern uns, dass die Sequenznummer eines Segments diejenige des ersten Bytes im Datenfeld ist. Folglich hat das erste, vom Client gesendete Segment die Sequenznummer 42 und das erste vom Server gesendete die Sequenznummer 79. Wir wissen, dass die Bestätigungsnummer die Sequenznummer des nächsten Datenbyte ist, auf das der Host wartet. Nach dem Aufbau der TCP-Verbindung, jedoch vor dem Versenden von Daten, wartet der Client auf Byte 79 und der Server auf Byte 42.

Wie Sie sehen, werden in Abbildung 3.30 drei Segmente gesendet. Das erste Segment wird vom Client zum Server gesendet; es enthält in seinem Datenfeld die 1-Byte-ASCII-Darstellung des Buchstabens ‚C'. Im ersten Segment steht auch 42 im Sequenznummernfeld, wie oben beschrieben. Da der Client noch keine Daten vom Server erhalten hat, steht im Bestätigungsnummernfeld dieses ersten Segments 79.

Das zweite Segment wird vom Server zum Client gesendet. Es dient einem doppelten Zweck. Erstens stellt es eine Bestätigung für die Daten dar, die der Server empfangen hat. Durch Angabe der Nummer 43 im Bestätigungsfeld teilt der Server dem Client mit, dass er alles bis einschließlich Byte 42 gut empfangen hat und nun auf Byte 43 und folgende wartet. Der zweite Zweck dieses Segments ist die Rücksendung von ‚C' als »Echo«. Folglich hat das zweite Segment in seinem Datenfeld die ASCII-Darstellung von ‚C'. Dieses zweite Segment trägt die Sequenznummer 79, also die Anfangssequenznummer des Datenflusses vom Server zum Client dieser TCP-Verbindung, weil es sich um das erste Datenbyte handelt, das der Server sendet. Man beachte, dass die Bestätigung für die Daten vom Client zum Server in einem Segment gesendet wird, das die Daten vom Server zum Client befördert. Aus diesem Grund wird dies als **Huckepack** (Piggyback) auf dem Datensegment vom Server zum Client bezeichnet.

Das dritte Segment wird vom Client zum Server gesendet. Es erfüllt den ausschließlichen Zweck, die vom Server empfangenen Daten zu bestätigen. (Das zweite

Abbildung 3.30 Sequenz- und Bestätigungsnummern in einer einfachen Telnet-Anwendung über TCP

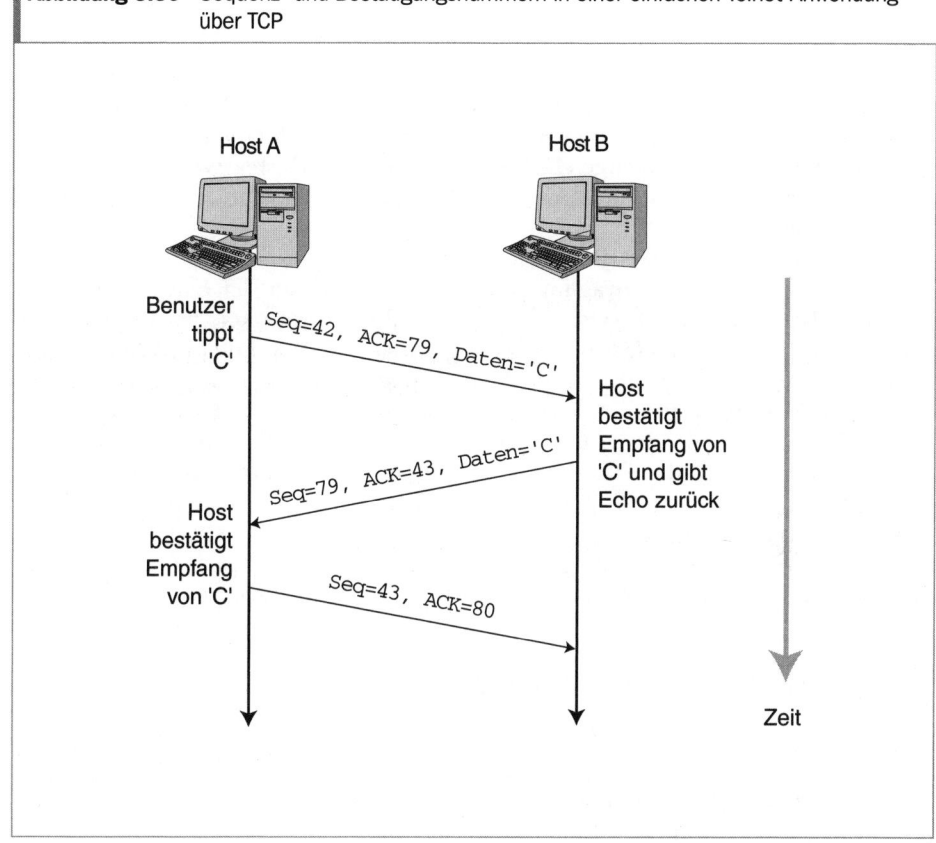

Segment enthält die Daten – den Buchstaben ‚C' – vom Server zum Client.) Dieses Segment enthält ein leeres Datenfeld (d. h., die Bestätigung wird nicht huckepack mit den Daten vom Client zum Server gesendet). Das Segment hat 80 in seinem Bestätigungsnummernfeld, weil der Client den Bytestrom bis einschließlich zur Sequenznummer 79 empfangen hat und jetzt auf Byte 80 und folgende wartet. Möglicherweise mutet es seltsam an, dass dieses Segment auch eine Sequenznummer hat, obwohl es keine Daten enthält. Da TCP aber ein Sequenznummernfeld beinhaltet, muss das Segment irgendeine Sequenznummer haben.

3.5.5 Zuverlässiger Datentransfer

Wie wir wissen, ist der Dienst auf der Internet-Vermittlungsschicht (IP-Dienst) unzuverlässig. IP sichert keine Übertragung von Datagrammen und auch keine geordnete Übertragung von Datagrammen und keine Integrität der Daten in den Datagrammen zu. Im IP-Dienst können Datagramme Router-Puffer zum Überlauf bringen und nie ihr Ziel erreichen, Datagramme können außer der Reihe ankommen und Bits im Datagramm können beschädigt (von 0 auf 1, und umgekehrt, umgedreht) werden. Da Segmente der Transportschicht mittels IP-Datagrammen in einem Netzwerk übertragen werden, können die Segmente der Transportschicht auch an diesen Problemen leiden.

TCP setzt einen **zuverlässigen Datentransferdienst** auf den unzuverlässigen Best-Effort-Dienst von IP auf. Der zuverlässige Datentransferdienst von TCP stellt sicher, dass der Datenstrom, den ein Prozess aus seinem TCP-Empfangspuffer liest, nicht beschädigt ist, keine Lücken hat, nicht dupliziert wurde und in der richtigen Sequenz vorliegt, d. h. mit dem vom Endsystem auf der anderen Seite der Verbindung gesendeten Bytestrom identisch ist. In diesem Abschnitt bieten wir eine Übersicht über die Bereitstellung eines zuverlässigen Datentransfers durch TCP. Wir werden sehen, dass der zuverlässige Datentransferdienst von TCP viele Prinzipien nutzt, die in Abschnitt 3.4 beschrieben wurden.

Abbildung 3.31 zeigt die drei wichtigsten Ereignisse in Zusammenhang mit der Datenübertragung/Neuübertragung bei einem vereinfachten TCP-Sender. Wir gehen von einer TCP-Verbindung zwischen Host A und B aus und konzentrieren uns auf den Datenstrom, der von Host A zu Host B gesendet wird. Auf dem sendenden Host (A) werden Anwendungsdaten an TCP weitergegeben, das diese in Segmente rahmt und sie dann an IP weitergibt. Die Weitergabe von Daten von der Anwendung an TCP und die anschließende Rahmung und Übertragung eines Segments ist das erste wichtige Ereignis, das der TCP-Sender bewältigen muss. Jedes Mal, wenn TCP ein Segment an IP freigibt, startet es einen Timer für dieses Segment. Wenn dieser Timer abläuft, wird ein Interrupt-Ereignis in Host A erzeugt. TCP antwortet auf das Timeout-Ereignis – das zweite wichtige Ereignis, das der TCP-Sender behandeln muss – dadurch, dass es das Segment, das das Timeout verursacht hat, erneut überträgt.

Abbildung 3.31 Vereinfachter TCP-Sender

```
/*Angenommen, der Sender ist nicht durch die Fluss- oder Überlastkontrolle
    von TCP eingeschränkt, die Daten von oben sind größenmäßig kleiner als
    die MSS, und der Datenverkehr fließt nur in eine Richtung.
*/
    sendbase=initial_sequence number /*siehe Abbildung 3.18*/
    nextseqnum=initial_sequence number
    loop (forever) {
        switch   (event)
          event: data received from application above
                 create TCP segment with sequence number
                 nextseqnum
                 start timer for segment nextseqnum
                 pass segment to IP
                 nextseqnum=nextseqnum+length(data)
                 break; /* Ende des Ereignisses "Daten von
                 oben empfangen" */
```

```
            event:  timer timeout for segment with sequence
                    number y

                    retransmit segment with sequence number y

                    compute new timeout interval for segment y

                    restart timer for sequence number y

                    break; /* Ende des Timeout-Ereignisses */
            event:  ACK received, with ACK field value of y

                    if (y > sendbase) {/* kumulative Bestätigung aller Daten
                        bis y */

                        cancel all timers for segments with sequence numbers < y

                        sendbase=y

                    }

                    else { /* Duplikatbestätigung für bereits bestätigtes
                        Segment */

                        increment number of duplicate ACKs received for y

                        if (number of duplicate ACKs received for y==3) {

                        /* TCP Fast-Retransmit */

                        resend segment with sequence number y

                        restart timer for segment y

                        }

                        break; /* Ende des Ereignisses "ACK empfangen" */
} /* Ende der Endlos-Schleife */
```

Das dritte wichtige Ereignis, das der TCP-Sender behandeln muss, ist die Ankunft eines Bestätigungssegments (ACK) vom Empfänger (genauer, ein Segment, das im ACK-Feld einen gültigen Wert enthält). Hier muss das senderseitige TCP ermitteln, ob das ACK ein **erstmaliges ACK** für ein Segment, für das der Sender noch eine Bestätigung erhalten muss, oder ein so genanntes **Duplikat-ACK** ist, das ein Segment, für das der Sender bereits eine Bestätigung erhalten hat, nochmals bestätigt. Im Fall der Ankunft eines erstmaligen ACK weiß der Sender jetzt, dass alle Daten bis zu dem Byte, das bestätigt wird, korrekt beim Empfänger angekommen sind. Der Sender kann somit seine TCP-Zustandsvariable, welche die Sequenznummer des letzten Bytes, das bekanntlich korrekt und in der richtigen Reihenfolge beim Empfänger angekommen ist, aktualisieren.

> **PRINZIPIEN IN DER PRAXIS**
>
> TCP bietet zuverlässigen Datenverkehr durch Verwendung positiver Bestätigungen und Timer mehr oder weniger auf die Art, die wir in Abschnitt 3.4 beschrieben haben. TCP bestätigt Daten, die korrekt empfangen wurden, und sendet Segmente erneut, wenn diese oder ihre jeweiligen Bestätigungen für verloren oder beschädigt gehalten werden. Bestimmte Versionen von TCP verfügen auch über einen impliziten NAK-Mechanismus. In Verbindung mit dem Fast-Retransmit-Mechanismus von TCP dient der Empfang dreier Duplikat-ACKs für ein bestimmtes Segment als implizites NAK für das anschließende Segment, wodurch die Neuübertragung dieses Segments vor dem Timeout ausgelöst wird. TCP verwendet Sequenznummern, damit der Empfänger verlorene oder duplizierte Segmente erkennen kann. Genauso wie im Fall unseres zuverlässigen Datentransferprotokolls, `rdt3.0`, kann TCP selbst nicht mit Sicherheit feststellen, ob ein Segment oder dessen ACK verloren gegangen ist, beschädigt wurde oder sich übermäßig verzögert hat. Beim Sender ist die TCP-Reaktion in jedem Fall gleich: Neuübertragung des fraglichen Segments.
>
> TCP wendet auch Pipelining an, so dass mehrere übertragene, aber noch nicht bestätigte Segmente zu irgendeinem Zeitpunkt beim Sender vorliegen können. Wir haben an früherer Stelle gesehen, dass sich der Durchsatz einer Sitzung durch Pipelining erheblich verbessern lässt, wenn das Verhältnis der Segmentgröße zur Roundtrip-Verzögerung klein ist. Die spezifische Anzahl anstehender unbestätigter Segmente beim Sender wird durch die Fluss- und Überlastkontrolle von TCP bestimmt. Die TCP-Flusskontrolle wird am Ende dieses Abschnitts und die TCP-Überlastkontrolle in Abschnitt 3.7 beschrieben. Vorläufig nehmen wir einfach zur Kenntnis, dass der TCP-Sender Pipelining nutzt.

Tabelle 3.1 TCP-Empfehlungen für die ACK-Erzeugung [RFC 1122, RFC 2581]

Ereignis	Aktion des TCP-Empfängers
Ankunft eines Segments in der richtigen Reihenfolge mit der erwarteten Sequenznummer. Alle Daten bis zur erwarteten Sequenznummer bereits bestätigt. Keine Lücken in den empfangenen Daten.	Verzögertes ACK; maximal 500 ms auf Ankunft eines weiteren Segments in der richtigen Reihenfolge warten. ACK senden, falls das nächste richtig nummerierte Segment innerhalb dieses Intervalls nicht ankommt.
Ankunft eines Segments in der richtigen Reihenfolge mit der erwarteten Sequenznummer. Ein weiteres Segment in der richtigen Reihenfolge wartet auf eine ACK-Übertragung. Keine Lücken in den empfangenen Daten.	Sofort einzelnes kumulatives ACK senden, um beide Segmente mit der richtigen Reihenfolge zu bestätigen.
Ankunft eines Segments außer der Reihe mit einer höheren als der erwarteten Sequenznummer. Lücke erkannt.	Sofort Duplikat-ACK mit Angabe der Sequenznummer des nächsten erwarteten Bytes senden.
Ankunft eines Segments, das die Lücke in den empfangenen Daten teilweise oder vollständig füllt.	Sofort ACK senden, sofern dieses Segment mit dem unteren Ende der Lücke beginnt.

Um die Reaktion des Senders auf ein Duplikat-ACK zu verstehen, muss man sich zuerst überlegen, warum der Empfänger überhaupt ein Duplikat-ACK sendet. Tabelle 3.1 enthält eine Übersicht über die TCP-Regeln für die ACK-Erzeugung durch Empfänger. Wenn ein TCP-Empfänger ein Segment mit einer Sequenznummer erhält, die größer als die nächste erwartete Sequenznummer in der richtigen Reihenfolge ist, erkennt er eine Lücke im Datenstrom, d. h. ein fehlendes Segment. Da TCP keine negativen Bestätigungen verwendet, kann der Empfänger keine explizite negative Bestätigung an den Sender zurückschicken. Vielmehr bestätigt er einfach das zuletzt in der richtigen Reihenfolge angekommene Datenbyte erneut (d. h., er erzeugt ein Duplikat-ACK dafür). Wenn der TCP-Sender drei Duplikat-ACKs für die gleichen Daten empfängt, geht er davon aus, dass das Segment, das dem dreimal bestätigten Segment folgt, verloren gegangen ist. In diesem Fall führt TCP ein **Fast Retransmit** [RFC 2581] durch, überträgt das fehlende Segment also schleunigst noch einmal, bevor der Timer dieses Segments abläuft.

Einige interessante Szenarien

Wir beenden diese Diskussion mit einem Blick auf ein paar einfache Szenarien. Bei dem Szenario in Abbildung 3.32 sendet Host A ein Segment an Host B. Es sei gegeben, dass dieses Segment die Sequenznummer 92 hat und 8 Datenbyte enthält. Nach dem Senden dieses Segments wartet Host A auf ein Segment von B mit der Bestäti-

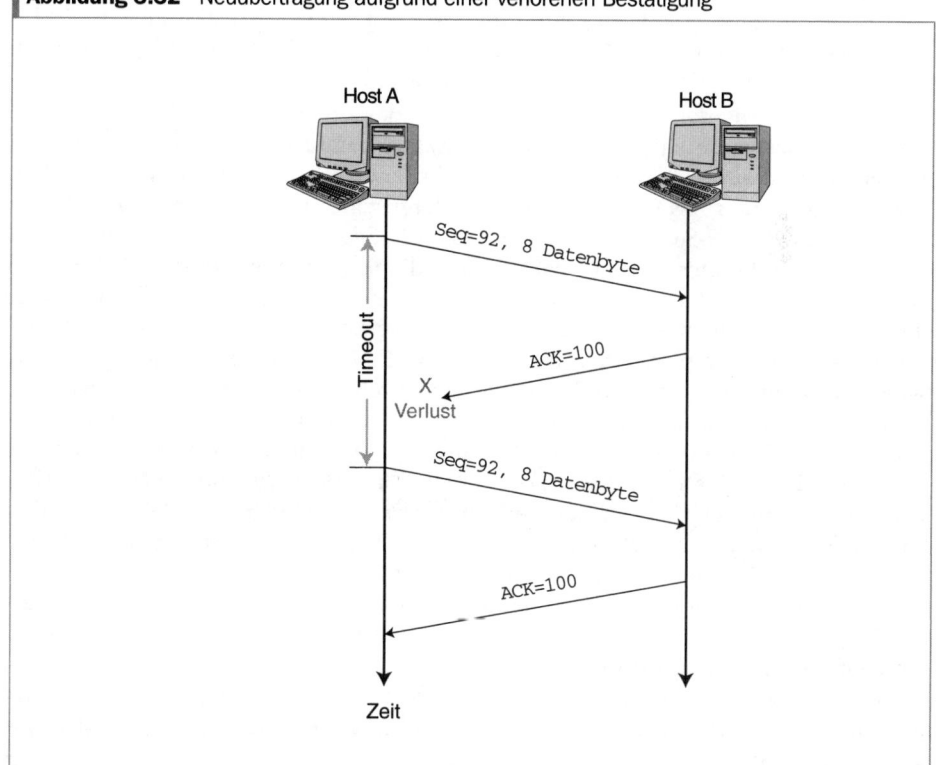

Abbildung 3.32 Neuübertragung aufgrund einer verlorenen Bestätigung

gungsnummer 100. Das Segment von A kommt bei B an, die Bestätigung von B nach A geht aber verloren. In diesem Fall läuft der Timer ab und Host A überträgt das gleiche Segment erneut. Wenn Host B die Neuübertragung empfängt, stellt er natürlich anhand der Sequenznummer fest, dass das Segment Daten enthält, die er bereits empfangen hat. Folglich verwirft TCP in Host B die Bytes im neu übertragenen Segment.

Beim zweiten Szenario sendet Host A zwei aufeinander folgende Segmente. Das erste Segment hat die Sequenznummer 92 und 8 Datenbyte und das zweite die Sequenznummer 100 und 20 Datenbyte. Es sei gegeben, dass beide Segmente intakt bei B ankommen und B zwei getrennte Bestätigungen für jedes dieser Segmente sendet. Die erste dieser Bestätigungen hat die Bestätigungsnummer 100 und die zweite 120. Wir nehmen weiter an, dass keine der Bestätigungen bei Host A vor dem Timeout des ersten Segments ankommt. Wenn der Timer abläuft, sendet Host A das erste Segment mit Sequenznummer 92 noch einmal. Nun stellt sich die Frage, ob A auch das zweite Segment erneut sendet? Laut den oben beschriebenen Regeln sendet Host A das Segment nur noch einmal, wenn der Timer abläuft, bevor eine Bestätigung mit einer Bestätigungsnummer von 120 oder höher ankommt. Falls die zweite Bestätigung nicht verloren geht und vor dem Timeout des zweiten Segments ankommt, sendet A das zweite Segment nicht noch einmal (siehe Abbildung 3.33).

Beim dritten und letzten Szenario nehmen wir an, dass Host A – wie im zweiten Beispiel – zwei Segmente sendet. Die Bestätigung des ersten Segments geht im Netzwerk verloren, doch genau vor dem Timeout des ersten Segments empfängt Host A eine Bestätigung mit Bestätigungsnummer 120. Host A weiß also, dass Host B *alles* bis Byte 119 empfangen hat. Host A sendet demnach keines der beiden Segmente noch einmal. Dieses Szenario ist in Abbildung 3.34 dargestellt.

Wir wissen aus dem vorherigen Abschnitt, dass TCP ein Protokoll im Stil Go-Back-N ist. Das ist deshalb so, weil Bestätigungen kumulativ sind und korrekt empfangene, jedoch außer der Reihe ankommende Segmente nicht einzeln vom Empfänger bestätigt werden. Wie in Abbildung 3.31 dargestellt (siehe hierzu auch Abbildung 3.18), muss der TCP-Sender also nur die kleinste Sequenznummer eines übertragenen, aber unbestätigten Bytes (sendbase) und die Sequenznummer des als Nächstes zu sendenden Bytes (nextseqnum) verfolgen. Man beachte aber, dass TCP ungeachtet der Ähnlichkeit seiner zuverlässigen Datentransferkomponente mit Go-Back-N keinesfalls eine reine Implementierung von Go-Back-N ist. Um einige wichtige Unterschiede zwischen TCP und Go-Back-N herauszustellen, betrachte man, was passiert, wenn der Sender eine Sequenz von Segmenten 1, 2, ..., N sendet und alle Segmente in der richtigen Reihenfolge ohne Fehler beim Empfänger ankommen. Weiter nehmen wir an, dass die Bestätigung für Paket $n < N$ verloren geht, die übrigen $N - 1$ Bestätigungen beim Sender aber vor dem jeweiligen Timeout ankommen. Bei diesem Beispiel würde Go-Back-N nicht nur Paket n, sondern auch alle nachfolgenden Pakete $n + 1, n + 2, ..., N$ erneut übertragen. TCP würde demgegenüber höchstens ein Segment, nämlich Segment n, noch einmal übertragen. Außerdem würde TCP nicht einmal Segment n erneut übertragen, wenn die Bestätigung für Segment $n + 1$ vor dem Timeout für Segment n ankäme.

In mehreren neueren Vorschlägen [RFC 2018; Fall 1996; Mathis 1996] für die Erweiterung des Bestätigungsschemas von TCP wird stärker auf ein Selective-Repeat-Protokoll gesetzt. Die Kernidee in diesen Vorschlägen ist die Bereitstellung expliziter Informationen für den Sender darüber, welche Segmente korrekt empfangen wurden und welche beim Empfänger noch fehlen.

Abbildung 3.33 Segment wird nicht erneut übertragen, weil seine Bestätigung vor dem Timeout ankommt.

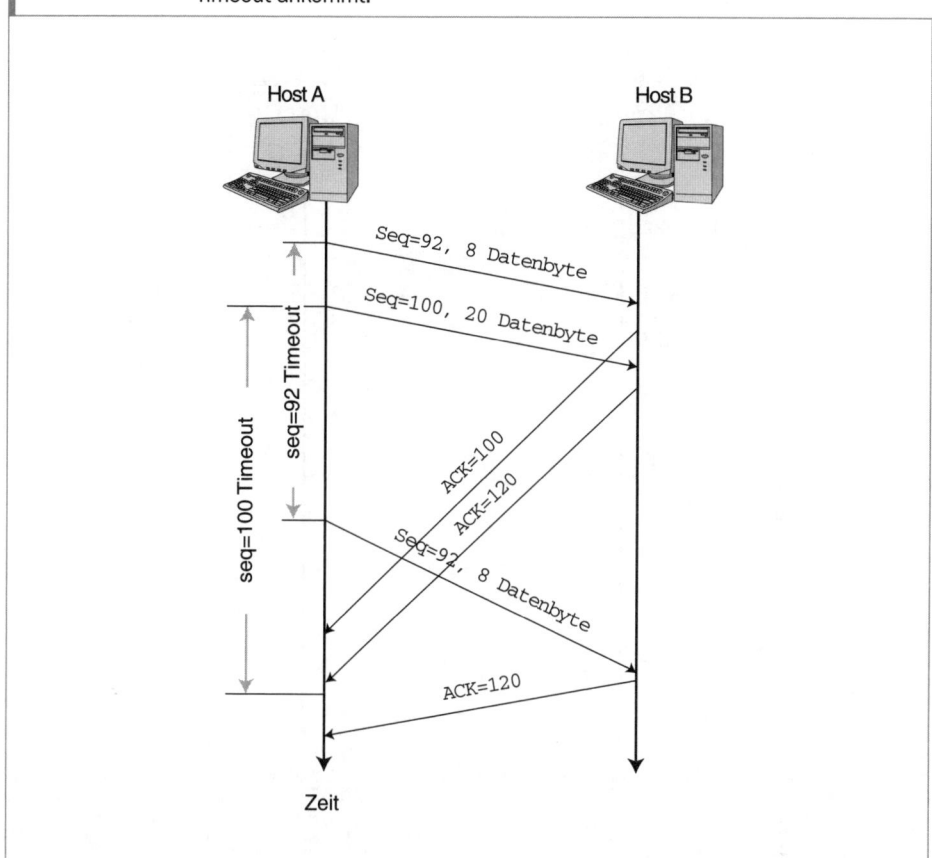

3.5.6 Flusskontrolle

Wir erinnern uns, dass die Hosts auf beiden Seiten einer TCP-Verbindung jeweils einen Empfangspuffer für die Verbindung vorhalten. Wenn die TCP-Verbindung Bytes korrekt und in der richtigen Sequenz empfängt, werden die Daten im Empfangspuffer abgestellt. Der damit verbundene Anwendungsprozess liest die Daten aus diesem Puffer, aber nicht unbedingt in dem Augenblick, in dem sie ankommen. Möglicherweise ist die empfangende Anwendung mit einer anderen Aufgabe beschäftigt und versucht erst lange Zeit nach Ankunft der Daten, diese zu lesen. Wenn die Anwendung die Daten relativ langsam liest, kann der Sender sehr leicht den Empfangspuffer der Verbindung zum Überlauf bringen, falls er zu viele Daten zu schnell sendet. TCP bietet seinen Anwendungen deshalb eine **Flusskontrolle**, um die Möglichkeit auszuschließen, dass der Sender den Puffer des Empfängers überschwemmt. Flusskontrolle ist folglich ein Dienst zur Abstimmung der Geschwindigkeit bzw. Anpassung der Rate, in der der Sender überträgt, auf die Rate, in der die empfangende Anwendung liest. Wie bereits erwähnt, kann ein TCP-Sender auch aufgrund einer Überlast im IP-Netzwerk gedrosselt werden. Diese Form der Senderkontrolle wird als **Überlastkontrolle** bezeichnet (siehe Abschnitte 3.6 und 3.7). Obwohl

Abbildung 3.34 Durch eine kumulative Bestätigung wird die Neuübertragung des ersten Segments vermieden.

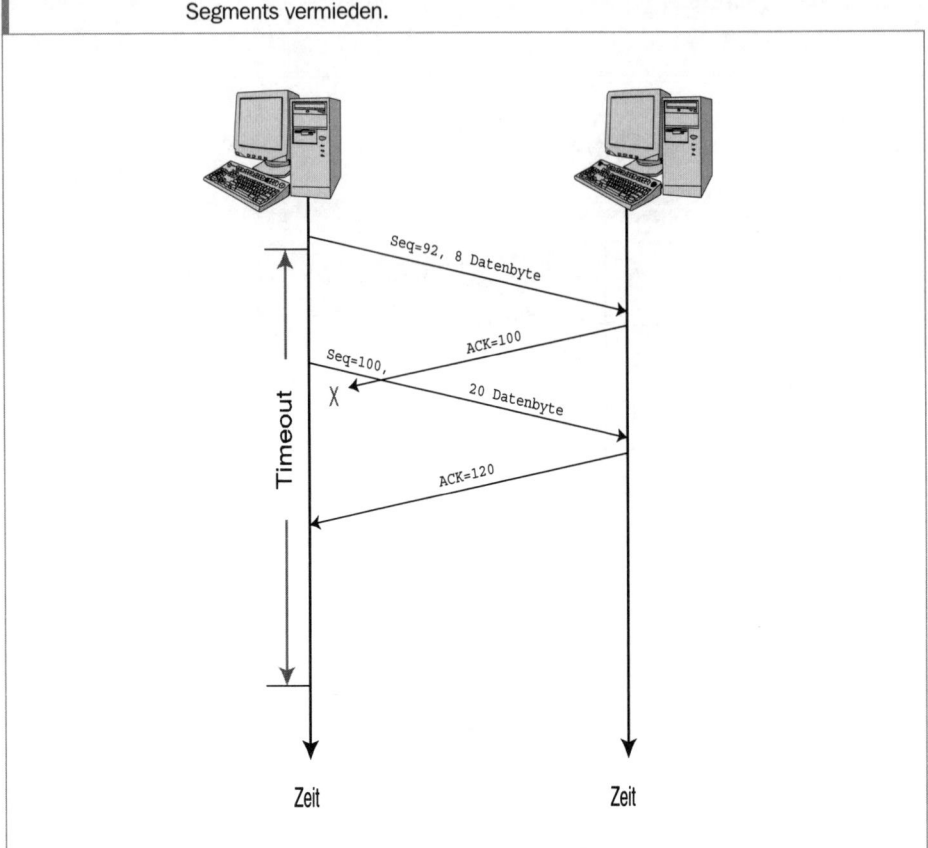

sich die von der Fluss- und Überlaufkontrolle unternommenen Aktionen (Drosseln des Senders) ähneln, dienen sie natürlich unterschiedlichen Zwekken. Leider verwenden viele Autoren die beiden Begriffe gleichbedeutend, so dass nur der sachkundige Leser mit viel Sorgfalt die beiden Fälle aus dem Zusammenhang heraus unterscheiden kann. Wir beschreiben im Folgenden zuerst die von TCP bereitgestellte Flusskontrolle.

TCP stellt Flusskontrolle dadurch bereit, dass es den Sender eine Variable verwalten lässt, die man als **Empfangsfenster** (Receive Window) bezeichnet. Informell wird das Empfangsfenster benutzt, um dem Sender eine Vorstellung davon zu vermitteln, wie viel freier Pufferplatz beim Empfänger zur Verfügung steht. In einer Vollduplexverbindung verwaltet der Sender auf jeder Seite der Verbindung ein eigenes Empfangsfenster. Das Empfangsfenster ist dynamisch, d. h., es ändert sich im Verlauf einer Verbindung. Wir untersuchen das Empfangsfenster in Zusammenhang mit einem Filetransfer als Beispiel. Angenommen, Host A sendet eine große Datei über eine TCP-Verbindung an Host B. Host B weist dieser Verbindung einen Empfangspuffer zu; dessen Größe sei durch RcvBuffer gegeben. Von Zeit zu Zeit liest der Anwendungsprozess in Host B aus dem Puffer. Wir definieren die folgenden Variablen:

- `LastByteRead` = Nummer des letzten Bytes im Datenstrom, das von dem Anwendungsprozess in B aus dem Puffer gelesen wird.
- `LastByteRcvd` = Nummer des letzten Bytes im Datenstrom, das vom Netzwerk angekommen ist und in den Empfangspuffer bei B gestellt wurde.

Da es TCP nicht gestattet ist, den zugeteilten Puffer zum Überlauf zu bringen, benötigen wir:

`LastByteRcvd - LastByteRead <= RcvBuffer`

Das als `RcvWindow` bezeichnete Empfangsfenster wird auf die Menge des freien Platzes im Puffer gesetzt:

`RcvWindow = RcvBuffer - [LastByteRcvd - LastByteRead]`

Da sich der freie Platz im Verlauf der Zeit ändert, ist `RcvWindow` dynamisch. Die Variable `RcvWindow` ist in Abbildung 3.35 dargestellt.

Abbildung 3.35 Das Empfangsfenster (`RcvWindow`) und der Empfangspuffer (`RcvBuffer`)

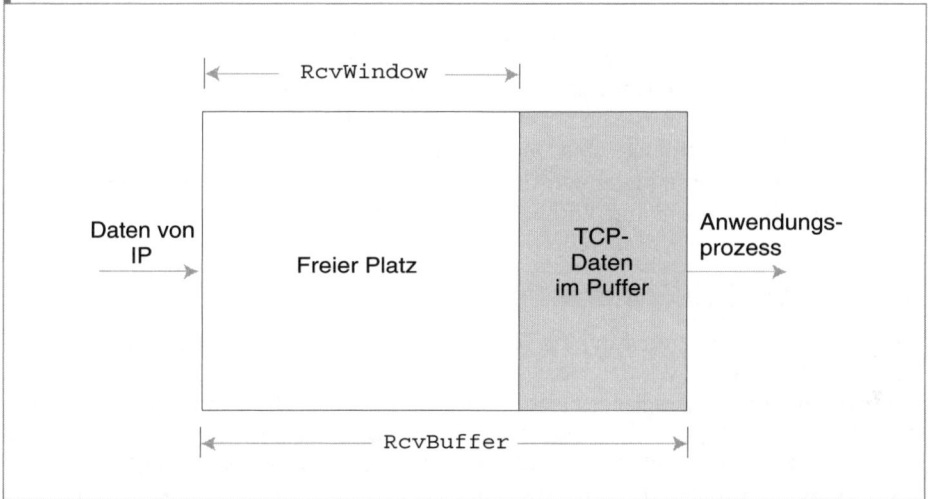

Wie benutzt die Verbindung die Variable `RcvWindow`, um den Flusskontrolldienst bereitzustellen? Host B teilt Host A mit, wie viel freier Platz sich im Verbindungspuffer befindet, indem er seinen aktuellen Wert von `RcvWindow` in das Fensterfeld jedes an A gesendeten Segments einfügt. Anfangs setzt Host B `RcvWindow = RcvBuffer`. Damit dies gelingt, muss Host B natürlich mehrere verbindungsspezifische Variablen verfolgen.

Host A verwaltet seinerseits die beiden Variablen `LastByteSent` (letztes gesendetes Byte) und `LastByteAcked` (letztes bestätigtes Byte). Der Unterschied zwischen diesen beiden Variablen ist die Menge der unbestätigten Daten, die A in die Verbindung gespeist hat. Dadurch, dass die Menge der unbestätigten Daten unter dem Wert von `RcvWindow` gehalten wird, kann Host A sicher sein, dass er den Empfangspuffer in Host B nicht zum Überlaufen bringt. Somit stellt Host A während der gesamten Lebensdauer der Verbindung Folgendes sicher:

`LastByteSent - LastByteAcked` $\leq$ `RcvWindow`

Bei diesem Schema ergibt sich ein kleines technisches Problem. Um es zu verdeutlichen, nehmen wir an, der Empfangspuffer von Host B füllt sich, so dass RcvWindow = 0. Nach dem Advertising von RcvWindow = 0 an Host A gehen wir ferner davon aus, dass B nichts an A zu senden hat. Während der Anwendungsprozess in B den Puffer leert, sendet TCP keine neuen Segmente mit neuen Empfangsfenstern an Host A. Das heißt, TCP sendet nur dann ein Segment an Host A, wenn Daten zum Senden anstehen oder wenn es eine Bestätigung senden muss. Deshalb wird Host A nie darüber informiert, dass im Empfangspuffer von Host B wieder Platz freigeworden ist: Host A ist blockiert und kann keine Daten mehr übertragen! Um dieses Problem zu lösen, verlangt die TCP-Spezifikation von Host A, das Senden von Segmenten mit jeweils einem Datenbyte fortzusetzen, wenn das Empfangsfenster von B Null ist. Diese Segmente werden vom Empfänger bestätigt. Letztendlich beginnt sich der Puffer zu leeren und die Bestätigungen werden einen RcvWindow-Wert von nicht Null enthalten.

Nach der Beschreibung der TCP-Flusskontrolle sei an dieser Stelle kurz erwähnt, dass UDP keine Flusskontrolle bietet. Um den Unterschied hier hervorzuheben, betrachte man das Senden einer Reihe von UDP-Segmenten von einem Prozess in Host A an einen Prozess in Host B. Bei einer typischen UDP-Implementierung hängt UDP die Segmente (bzw. genauer gesagt, die Daten in den Segmenten) an eine Warteschlange mit endlicher Größe an, die dem entsprechenden Socket (der Tür zum Prozess) »vorangestellt« ist. Der Prozess liest jeweils ein ganzes Segment aus der Warteschlange. Wenn der Prozess die Segmente nicht schnell genug aus der Warteschlange liest, läuft die Warteschlange über und Segmente gehen verloren.

Zu diesem Abschnitt bieten wir (in der Online-Version dieses Buchs) ein interaktives Java-Applet, das wichtige Einblicke in TCP-Empfangsfenster gewährt.

3.5.7 Roundtrip-Zeit und Timeout

Wenn ein Host ein Segment in eine TCP-Verbindung einspeist, startet er einen Timer. Läuft der Timer ab, bevor der Host eine Bestätigung für die im Segment gesendeten Daten empfängt, überträgt der Host das Segment erneut. Die Zeit vom Start bis zum Ablauf des Timers bezeichnet man als **Timeout**. Eine natürliche Frage ist, wie groß das Timeout sein soll. Selbstverständlich sollte es größer als die Roundtrip-Zeit der Verbindung sein, d. h. die Zeit zwischen dem Senden eines Segments und seiner Bestätigung. Andernfalls würden unnötige Neuübertragungen gesendet werden. Das Timeout sollte andererseits aber nicht viel größer als die Roundtrip-Zeit sein, sonst würde TCP beim Verlust eines Segments dieses nicht schnell genug erneut übertragen und dadurch beträchtliche Datentransferverzögerungen in die Anwendung einführen. Bevor wir das Timeout-Intervall ausführlicher beschreiben, befassen wir uns eingehender mit der Roundtrip-Zeit (RTT). Die folgende Beschreibung basiert auf einer TCP-Arbeit in [Jacobson 1988].

Abschätzung der durchschnittlichen Roundtrip-Zeit

Die als SampleRTT bezeichnete Muster-RTT für ein Segment ist die Zeit zwischen dem Senden des Segments (d. h. Weitergabe an IP) und dem Empfang einer Bestätigung für das Segment. Jedes gesendete Segment hat seine eigene SampleRTT. Natürlich schwanken die SampleRTT-Werte je nach Überlast in den Routern und verschiedenen Lasten in den Endsystemen von einem Segment zum anderen. Aufgrund dieser Schwankungen kann ein gegebener SampleRTT-Wert untypisch sein. Um eine typische RTT zu schätzen, ist es deshalb ganz natürlich, die eine oder andere Art von Durchschnitt der SampleRTT-Werte heranzuziehen. TCP verwendet eine Durchschnittszeit, EstimatedRTT, der SampleRTT-Werte. Beim Empfang einer Bestätigung und Erhalt einer neuen SampleRTT aktualisiert TCP die EstimatedRTT gemäß folgender Formel:

EstimatedRTT = (1 − x) · EstimatedRTT + x · SampleRTT

Die obige Formel ist in der Form einer Anweisung für Programmiersprachen geschrieben: Der neue Wert von EstimatedRTT ist eine gewichtete Kombination des vorherigen Werts von EstimatedRTT und des neuen Werts von SampleRTT. Ein typischer Wert von x ist x = 0,125 (d. h. 1/8); in diesem Fall lautet die obige Formel:

EstimatedRTT = 0,875 EstimatedRTT + 0,125 · SampleRTT

Man beachte, dass EstimatedRTT einen gewichteten Durchschnitt der SampleRTT-Werte darstellt. Wie wir in den Wiederholungsfragen am Ende des Kapitels sehen werden, legt dieser gewichtete Durchschnitt mehr Gewicht auf neuere statt ältere Muster. Das ist ganz natürlich, denn die neueren Muster spiegeln die aktuelle Überlast im Netzwerk besser wider. In der Statistik wird ein solcher Durchschnitt als **Exponential Weighted Moving Average** (EWMA) bezeichnet. Das Wort »exponentiell« erscheint in EWMA, weil das Gewicht einer bestimmten SampleRTT exponentiell schneller verfällt, als die Aktualisierungen erfolgen. In den Übungen am Ende dieses Kapitels werden Sie gebeten, den exponentiellen Term in EstimatedRTT abzuleiten.

Abbildung 3.36 zeigt die SampleRTT-Werte (gepunktete Linie) und die EstimatedRTT (durchgezogene Linie) für einen Wert von $x = 1/8$ für eine TCP-Verbindung zwischen void.cs.umass.edu (in Amherst, Massachusetts) und maria.wustl.edu (in St. Louis, Missouri). Die Schwankungen in der SampleRTT wurden in der Berechnung der EstimatedRTT geglättet.

Abbildung 3.36 RTT-Muster (Samples) und RTT-Durchschnitt (Average)

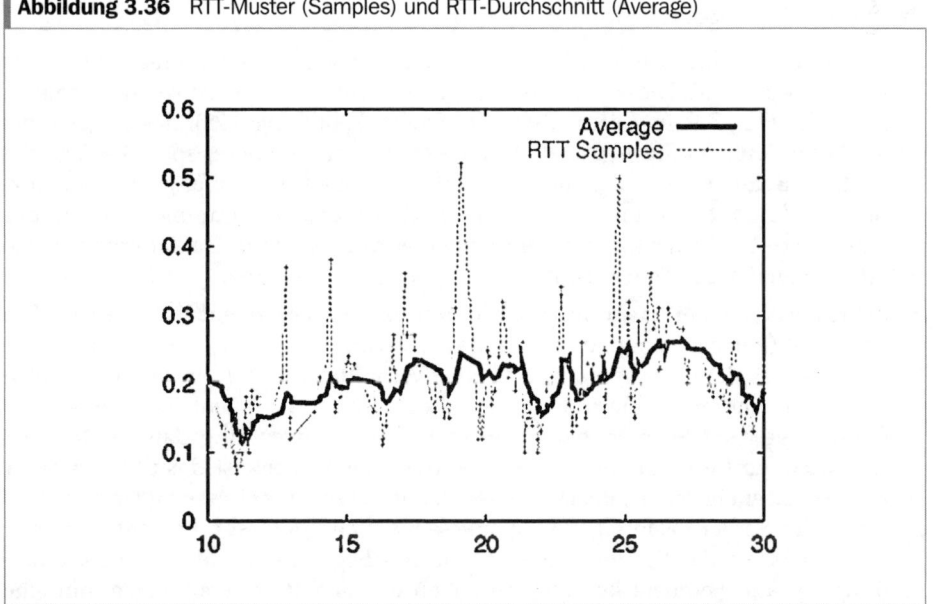

Setzen eines Timeout

Das Timeout sollte so gesetzt werden, dass ein Timer nur in seltenen Fällen früh vor der verzögerten Ankunft der Bestätigung eines Segments abläuft. Naturgemäß setzt man das Timeout gleich der EstimatedRTT zuzüglich eines gewissen Toleranzspielraums. Der Spielraum sollte ausreichend groß sein, wenn mit starker Fluktuation in den SampleRTT-Werten zu rechnen ist. Andererseits sollte er bei geringer Fluktuation klein sein. TCP verwendet die folgende Formel:

Timeout = EstimatedRTT + 4·Abweichung

wobei Abweichung eine Schätzung dessen ist, um wie viel SampleRTT normalerweise von EstimatedRTT abweicht:

Abweichung = (1 − x) · Abweichung + x · |SampleRTT − EstimatedRTT|

Man beachte, dass Abweichung ein EWMA dessen ist, um wie viel SampleRTT von EstimatedRTT abweicht. Wenn die SampleRTT-Werte wenig Fluktuation aufweisen, dann ist Abweichung klein und Timeout kaum größer als EstimatedRTT. Ist die Fluktuation dagegen groß, ist Abweichung groß und Timeout viel größer als EstimatedRTT. »A Quick Tour around TCP« [Cela 2000] enthält hervorragende interaktive Applets für Schätzungen der RTT-Varianz.

3.5.8 TCP-Verbindungsmanagement

In diesem Abschnitt beschreiben wir ausführlich den Auf- und Abbau einer TCP-Verbindung. Das Thema mag zwar nicht sonderlich aufregend erscheinen, ist aber wichtig, weil der Aufbau einer TCP-Verbindung die wahrgenommenen Verzögerungen (z. B. beim Surfen im Web) deutlich erhöhen kann. Wir nehmen als Beispiel an, dass ein Prozess in einem Host (Client) eine Verbindung zu einem anderen Prozess in einem anderen Host (Server) aufbauen möchte. Der Anwendungsprozess im Client informiert zuerst das Client-TCP, dass er eine Verbindung zu einem Prozess im Server aufbauen möchte. Das TCP im Client fährt dann mit dem Aufbau einer TCP-Verbindung zum TCP im Server wie folgt fort:

- **Schritt 1**: Das clientseitige TCP sendet zuerst ein spezielles TCP-Segment an das serverseitige TCP. Dieses spezielle Segment enthält keine Anwendungsdaten. Eines der Flag-Bits im Segment-Header (siehe Abbildung 3.28), das so genannte »SYN-Bit«, ist aber auf 1 gesetzt. Aus diesem Grund gilt dieses spezielle Segment als **SYN-Segment**. Darüber hinaus wählt der Client eine anfängliche Sequenznummer (client_isn) und setzt diese Nummer im Sequenznummernfeld auf das anfängliche SYN-Segment. Dieses Segment wird in einem IP-Datagramm verkapselt und an den Server gesendet.

- **Schritt 2**: Nachdem das IP-Datagramm mit dem SYN-Segment beim Server-Host ankommt (wir gehen einfach einmal davon aus!), extrahiert der Server das SYN-Segment aus dem Datagramm, weist der Verbindung TCP-Puffer und Variablen zu und sendet ein Verbindung-gewährt-Segment an das Client-TCP. Dieses Verbindung-gewährt-Segment enthält ebenfalls keine Anwendungsdaten, dafür aber drei wichtige Informationen im Segment-Header. Erstens ist das SYN-Bit auf 1 gesetzt. Zweitens ist das Bestätigungsfeld auf client_isn+1 gesetzt. Und drittens wählt der Server seine eigene Anfangssequenznummer (server_isn) und setzt diesen Wert in das Sequenznummernfeld des Segment-Headers. Dieses Verbindung-gewährt-Segment besagt: »Ich habe dein SYN-Paket empfangen, um eine

3.5 Verbindungsorientierter Transport: TCP

Verbindung mit deiner Anfangssequenznummer, client_isn, zu starten. Ich bin einverstanden, diese Verbindung aufzubauen. Meine eigene Anfangssequenznummer lautet server_isn.« Das Verbindung-gewährt-Segment wird als **SYN-ACK**-Segment bezeichnet.

- **Schritt 3**: Beim Empfang des SYNACK-Segments weist der Client seinerseits der Verbindung Puffer und Variablen zu. Anschließend sendet der Client-Host dem Server noch ein Segment, mit dem er das SYNACK-Segment des Servers bestätigt (hierfür setzt der Client den Wert server_isn+1 in das Bestätigungsfeld des TCP-Segment-Headers). Das SYN-Bit wird auf 0 gesetzt, weil die Verbindung inzwischen steht.

Sind diese Schritte vollzogen, können der Client- und der Server-Host einander Segmente mit Daten zusenden. In jedem dieser Segmente wird das SYN-Bit auf Null gesetzt. Für den Aufbau der Verbindung werden also drei Pakete zwischen zwei Hosts gesendet (siehe Abbildung 3.37). Aus diesem Grund wird dieser Verbindungsaufbau als **Drei-Wege-Handshake** bezeichnet. In den Übungen werden mehrere Aspekte des Drei-Wege-Handshake von TCP untersucht. (Warum sind Anfangssequenznummern erforderlich? Warum genügt kein Zwei-Wege-Handshake?)

Abbildung 3.37 Segmentaustausch im Drei-Wege-Handshake von TCP

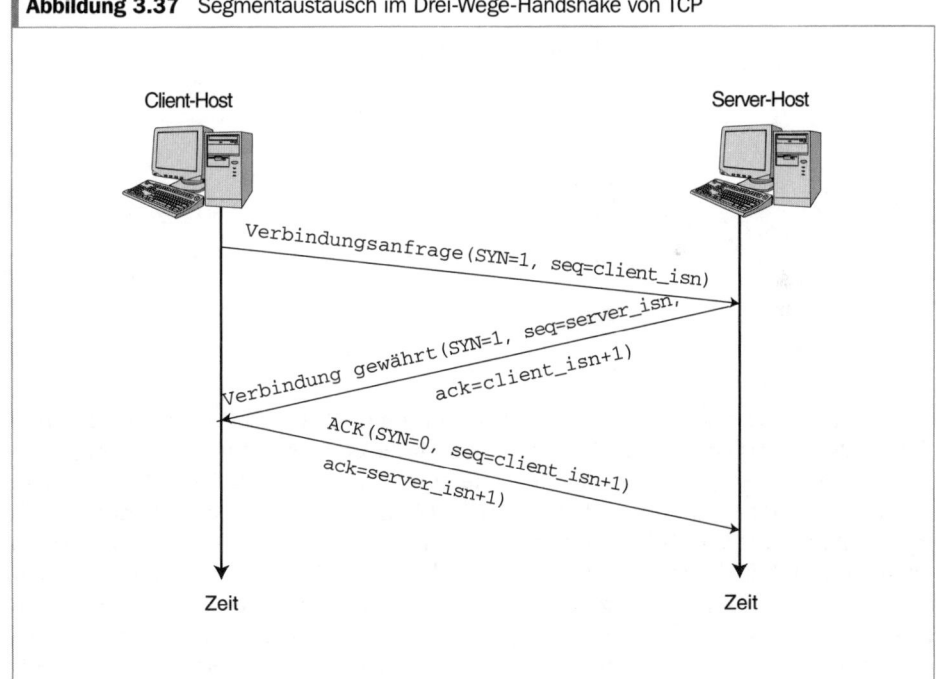

Was lange währt, muss schließlich auch einmal zu einem Ende kommen, und so ist es auch mit einer TCP-Verbindung. Beide an einer TCP-Verbindung teilnehmenden Prozesse können die Verbindung beenden. Bei Beendigung einer Verbindung wird die Zuweisung der »Ressourcen« (Puffer und Variablen) in den Hosts wieder aufgehoben. Als Beispiel nehmen wir an, dass der Client die Verbindung schließen möchte, wie in Abbildung 3.38 dargestellt. Der Anwendungsprozess des Clients gibt einen

Close-Befehl aus. Dies veranlasst das Client-TCP, ein spezielles TCP-Segment an den Server-Prozess zu senden. In diesem speziellen Segment ist das FIN-Bit im Segment-Header (siehe Abbildung 3.38) auf 1 gesetzt. Empfängt der Server dieses Segment, sendet er dem Client ein Bestätigungssegment. Anschließend sendet der Server sein eigenes Shutdown-Segment, in dem das FIN-Bit auf 1 gesetzt ist. Schließlich bestätigt der Client das Shutdown-Segment des Servers. An diesem Punkt werden sämtliche zugewiesenen Ressourcen in den beiden Hosts wieder freigegeben.

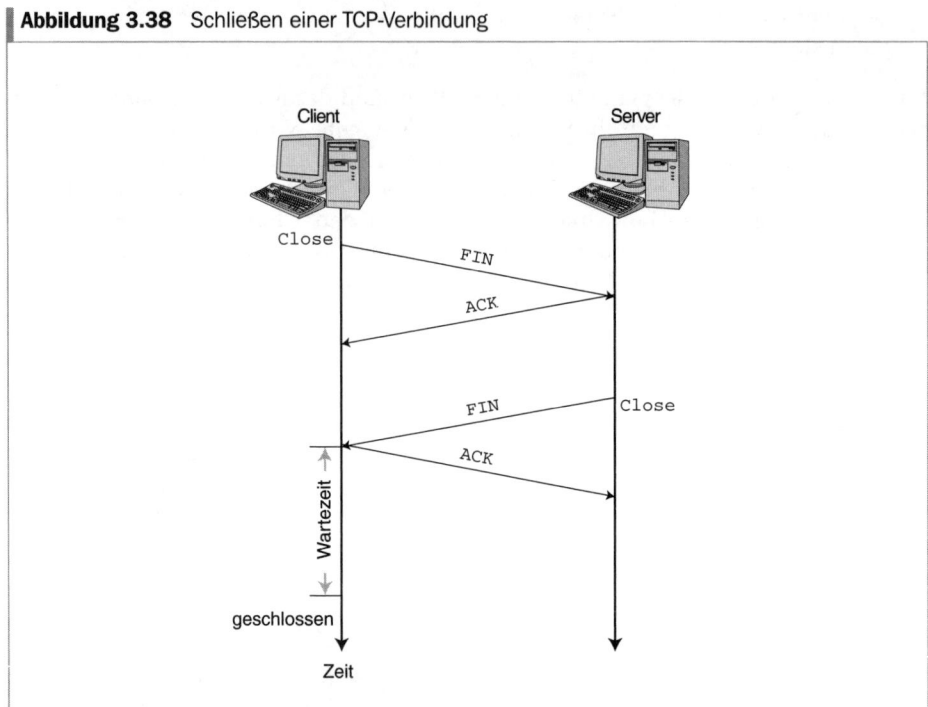

Abbildung 3.38 Schließen einer TCP-Verbindung

Während der Lebensdauer einer TCP-Verbindung geht das TCP-Protokoll in jedem der beiden Hosts in verschiedene **TCP-Zustände** über. Abbildung 3.39 zeigt eine typische Abfolge von TCP-Zuständen, die vom *Client*-TCP durchschritten werden. Das Client-TCP beginnt im Zustand CLOSED. Die Anwendung auf der Client-Seite leitet eine neue TCP-Verbindung (durch Erzeugen eines Socket-Objekts, wie in unseren Java-Beispielen in Kapitel 2) ein. Dies veranlasst das TCP im Client, ein SYN-Segment an das TCP im Server zu senden. Anschließend geht das Client-TCP in den Zustand SYN_SENT über. Es wartet auf ein Segment vom Server-TCP, das eine Bestätigung für das vorherige Segment des Clients mit dem auf 1 gesetzten SYN-Bit enthält. Nach dem Empfang eines solchen Segments geht das Client-TCP in den Zustand ESTABLISHED über. In diesem Zustand kann der TCP-Client TCP-Segmente senden und empfangen, die Nutzdaten (d. h. von der Anwendung erzeugte Daten) enthalten.

Angenommen, die Client-Anwendung möchte die Verbindung beenden. (Ebenso könnte das aber auch der Server sein.) Dies veranlasst das Client-TCP zum Versenden eines TCP-Segments, in dem das FIN-Bit auf 1 gesetzt ist, und zum Übergang in den

Abbildung 3.39 Typische Abfolge von TCP-Zuständen eines TCP-Clients

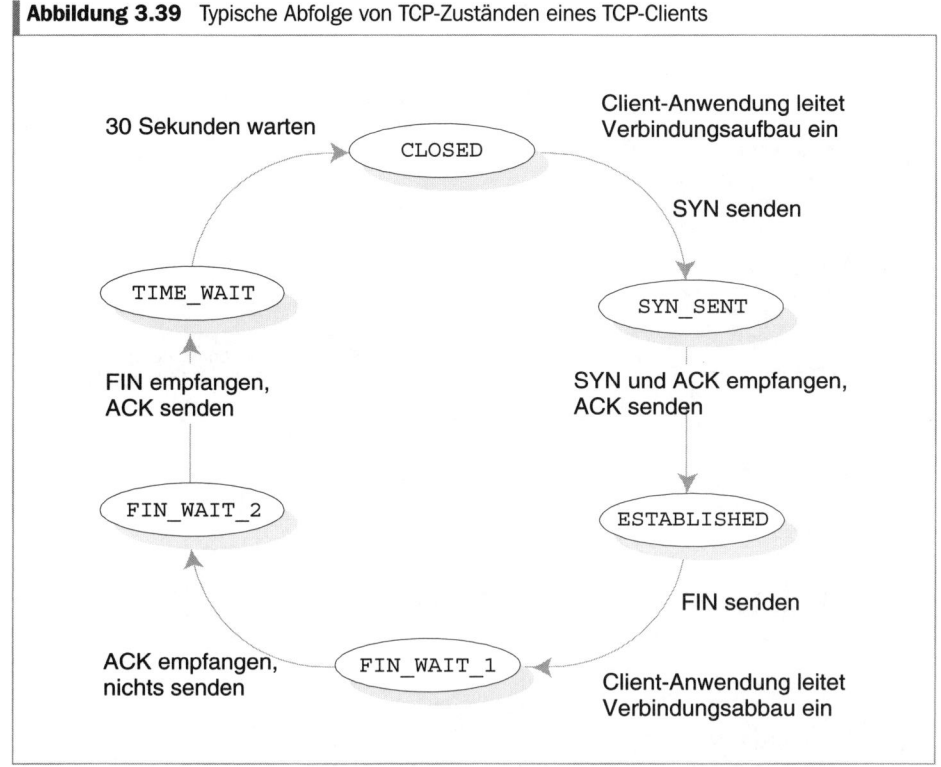

Zustand FIN_WAIT_1. In diesem Zustand wartet das Client-TCP auf ein TCP-Segment vom Server mit einer Bestätigung. Wenn das Client-TCP dieses Segment empfängt, wechselt es in den Zustand FIN_WAIT_2. In diesem Zustand wartet der Client auf ein weiteres Segment vom Server, in dem das FIN-Bit auf 1 gesetzt ist. Nach dem Empfang dieses Segments bestätigt das Client-TCP das Segment des Servers und wechselt in den Zustand TIME_WAIT. In diesem Zustand sendet der TCP-Client die letzte Bestätigung noch einmal, falls das ACK verloren geht. Die Dauer des Verharrens im Zustand TIME_WAIT hängt von der Implementierung ab; übliche Werte sind 30 Sekunden, 1 Minute und 2 Minuten. Nach Ablauf der Wartezeit wird die Verbindung formell geschlossen und alle Ressourcen auf der Client-Seite (einschließlich Portnummern) werden freigegeben.

Abbildung 3.40 zeigt den Ablauf der Zustände, die das serverseitige TCP im typischen Fall unter der Annahme durchläuft, dass der Client den Abbau der Verbindung einleitet. Die Übergänge sind selbst erklärend. In diesen beiden Zustandsübergangsdiagrammen stellen wir nur dar, wie eine TCP-Verbindung normalerweise auf- und abgebaut wird. Wir beschreiben nicht, was in bestimmten pathologischen Szenarien passiert, wenn beispielsweise beide Seiten einer Verbindung gleichzeitig beenden wollen. Wenn Sie daran interessiert sind, mehr darüber und zu weiteren Fragen in Zusammenhang mit TCP zu erfahren, empfiehlt sich Stevens Buch [Stevens 1994].

Dies beschließt unsere Einführung in TCP. In Abschnitt 3.7 werden wir zu TCP zurückkehren und die TCP-Kontrolle der Netzwerküberlastung eingehend behandeln. Zuvor jedoch gehen wir einen Schritt zurück und untersuchen Einzelheiten der Kontrolle der Netzwerküberlastung in einem breiteren Kontext.

Abbildung 3.40 Typische Sequenz von TCP-Zuständen, die ein serverseitiges TCP durchläuft

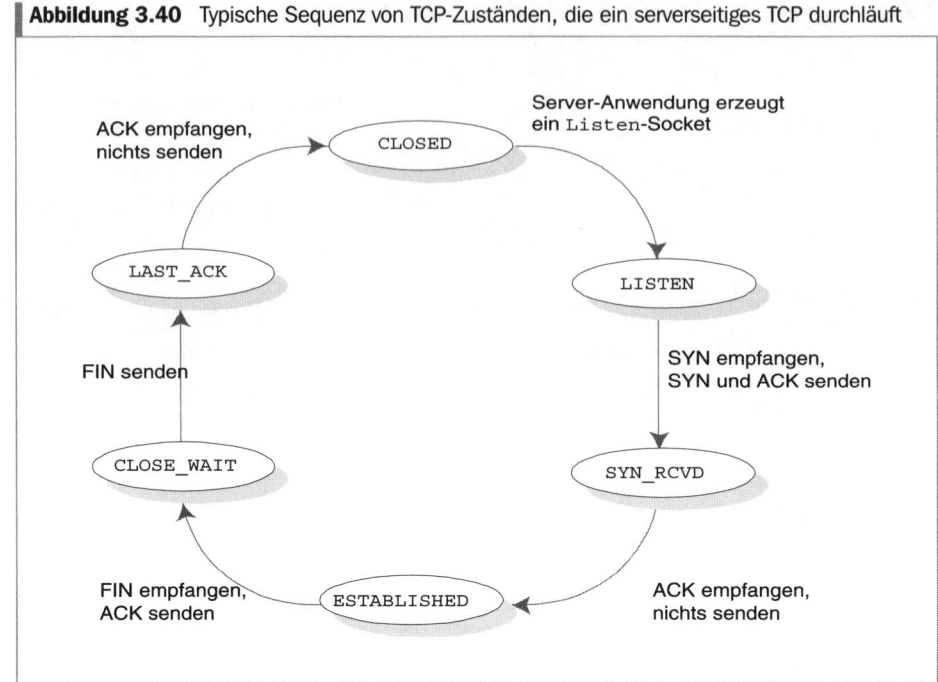

3.6 Grundlagen der Überlastkontrolle

In den vorherigen Abschnitten wurden die allgemeinen Prinzipien und spezifischen TCP-Mechanismen beschrieben, mit denen TCP im Fall eines Paketverlustes einen zuverlässigen Datentransferdienst bereitstellen kann. Wir erwähnten auch, dass ein solcher Verlust in der Praxis durch den Überlauf von Router-Puffern in einem überlasteten Netzwerk entsteht. Die Neuübertragung von Paketen behandelt somit ein Symptom (Verlust eines spezifischen Segments auf der Transportschicht), nicht aber die Ursache einer Netzwerküberlast – zu viele Quellen versuchen, Daten in einer zu hohen Rate zu senden. Für die Behandlung der *Ursache* einer Netzwerküberlast sind Mechanismen erforderlich, um Sender angesichts der Netzwerküberlast zu drosseln.

Dieser Abschnitt befasst sich mit dem Problem der Überlastkontrolle in einem allgemeinen Zusammenhang, wobei wir untersuchen, warum Überlast »schlecht« ist, wie sich Netzwerküberlast auf die Leistung für die höherschichtigen Anwendungen auswirkt und welche Ansätze umgesetzt werden können, um Netzwerküberlast zu vermeiden oder darauf zu reagieren. Diese eher allgemeine Untersuchung von Überlastkontrolle erscheint angemessen, weil sie beim zuverlässigen Datentransfer ganz oben auf der »Hitliste« der grundlegenden Netzwerkprobleme steht. Wir beenden diesen Abschnitt mit einer Diskussion der Überlastkontrolle im ABR-Dienst in ATM-Netzwerken (Asynchronous Transfer Mode). Der anschließende Abschnitt befasst sich ausführlich mit dem Überlastkontrollalgorithmus von TCP.

3.6.1 Ursachen und Kosten einer Überlast

Wir beginnen unsere allgemeine Untersuchung der Überlastkontrolle mit einer eingehenden Betrachtung dreier zunehmend komplexer Szenarien, in denen Überlast ent-

3.6 Grundlagen der Überlastkontrolle

steht. In jedem Fall untersuchen wir die Gründe für die Überlast und welche Kosten (hinsichtlich nicht voll ausgelasteter Ressourcen und schlechter Leistung aus Sicht der Endsysteme) dadurch entstehen.

Szenario 1: Zwei Sender, ein Router mit unendlichen Puffern

Dieses Szenario ist das wohl einfachste, das man sich vorstellen kann: Zwei Hosts (A und B) verfügen jeweils über eine Verbindung, die einen einzigen Hop zwischen Quelle und Ziel gemeinsam nutzt (siehe Abbildung 3.41).

Abbildung 3.41 Zwei Verbindungen nutzen einen einzigen Hop mit unendlichen Puffern gemeinsam.

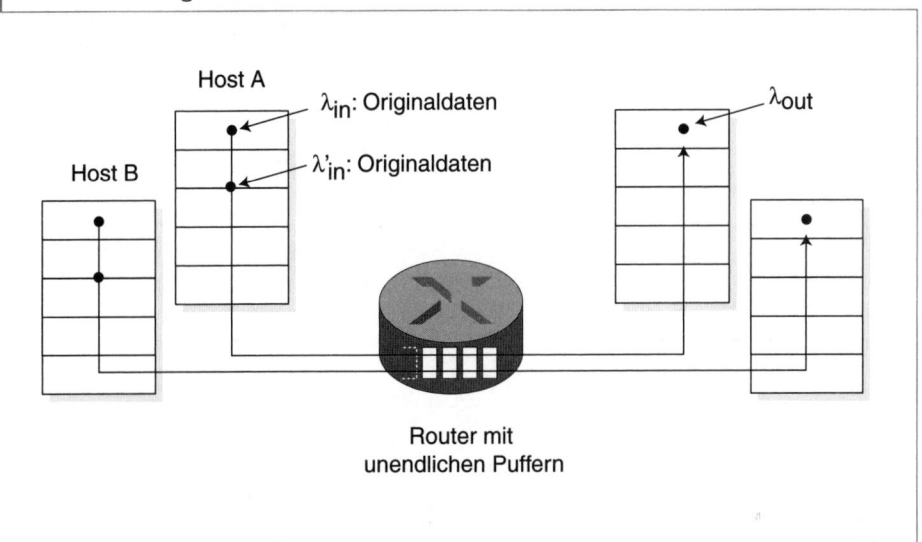

Angenommen, die Anwendung in Host A sendet Daten über die Verbindung (z. B. Weiterleitung von Daten über ein Socket an das Protokoll der Transportschicht) in einer durchschnittlichen Rate von λ_{in} Byte/s. Diese Daten sind in dem Sinn »Originale«, als jede Dateneinheit nur einmal in das Socket gespeist wird. Das zugrunde liegende Transportprotokoll ist sehr einfach. Die Daten werden verkapselt und gesendet; es wird keine Wiederherstellung nach einem Fehler (z. B. Neuübertragung), Flusskontrolle oder Überlastkontrolle durchgeführt. Host B arbeitet auf ähnliche Weise und wir nehmen der Einfachheit halber an, dass er ebenfalls in einer Rate von λ_{in} Byte/s sendet. Die Pakete von Host A und B fließen weiter an einen Router und über eine gemeinsam genutzte Ausgangsverbindung mit Kapazität R. Der Router verfügt über Puffer, in denen ankommende Pakete gespeichert werden können, wenn die Ankunftsrate der Pakete die Kapazität der Ausgangsverbindungsleitung übersteigt. In diesem ersten Szenario gehen wir davon aus, dass der Router einen unendlichen Pufferplatz hat.

Abbildung 3.42 zeigt die Leistung der Verbindung von Host A im ersten Szenario. Der linke Graph stellt den **per-Verbindung-Durchsatz** (Anzahl Byte pro Sekunde beim Empfänger) als Funktion der Senderate der Verbindung dar. Bei einer Senderate zwischen 0 und $R/2$ ist der Durchsatz beim Empfänger gleich der Senderate des Senders; alles, was der Sender sendet, wird beim Empfänger mit einer endlichen Verzögerung empfangen. Wenn die Senderate allerdings über $R/2$ liegt, beträgt der Durchsatz nur $R/2$. Diese Obergrenze des Durchsatzes ist eine Konsequenz der gemeinsamen Nutzung der Leitungskapazität durch zwei Verbindungen. Die Verbindungsleitung kann einfach keine Pakete in einer Dauerrate, die $R/2$ übersteigt, an einen Empfänger durchreichen. Gleichgültig, wie hoch die Rate ist, in der die Hosts A und B senden, sie werden jeweils nie einen Durchsatz von mehr als $R/2$ erleben.

Abbildung 3.42 Überlastszenario 1: Durchsatz und Verzögerung als Funktion der Host-Senderate

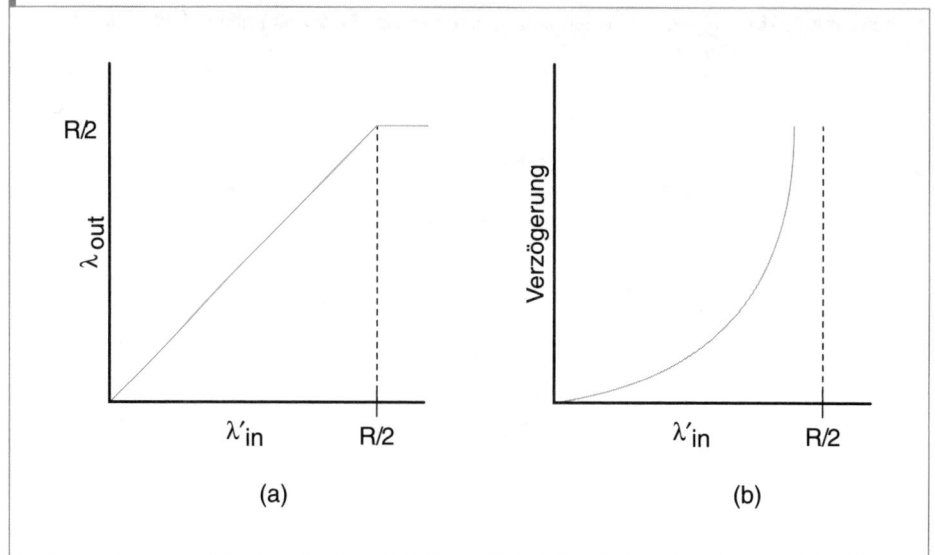

(a) (b)

Die Erreichung eines per-Verbindung-Durchsatzes von $R/2$ mag tatsächlich wie eine »gute Sache« erscheinen, da die Verbindungsleitung mit der Übertragung von Paketen an ihre Ziele voll ausgelastet ist. Der rechte Graph in Abbildung 3.42 zeigt allerdings die Konsequenzen des Betriebs nahe der Verbindungsleitungskapazität. Je mehr sich die Senderate $R/2$ (von links) nähert, desto höher liegt die durchschnittliche Verzögerung. Wenn die Senderate $R/2$ übersteigt, ist die durchschnittliche Anzahl der in der Warteschlange des Routers anstehenden Pakete unbegrenzt und die durchschnittliche Verzögerung zwischen Quelle und Ziel geht gegen unendlich (unter der Annahme, dass die Verbindungen über eine unendliche Dauer in diesen Senderaten laufen). Während also ein Gesamtdurchsatz von nahe R aus Sicht des Durchsatzes ideal sein mag, ist dies aus Sicht der Verzögerung weit davon entfernt. *Sogar bei diesem (extrem) idealisierten Szenario können wir einen Kostenfaktor eines überlasteten Netzwerks feststellen: Mit zunehmender Annäherung der Ankunftsrate von Paketen an die Verbindungsleitungskapazität erhöhen sich die Warteschlangenverzögerungen.*

Szenario 2: Zwei Sender, ein Router mit endlichen Puffern

Wir modifizieren jetzt Szenario 1 in zweierlei Hinsicht (siehe Abbildung 3.43): Erstens gehen wir davon aus, dass die Puffer in den Routern endlich sind. Zweitens nehmen wir an, dass jede Verbindung zuverlässig ist. Wenn ein Paket, in dem ein Segment der Transportschicht enthalten ist, beim Router verworfen wird, überträgt es der Sender irgendwann erneut. Da also Pakete erneut übertragen werden können, müssen wir jetzt mit dem Begriff »Senderate« sorgfältiger umgehen. Insbesondere ist die Rate, in der die Anwendung Originaldaten an das Socket sendet, als λ_{in} Byte/s gegeben. Die Rate, in der die Transportschicht Segmente (in denen sich Originaldaten *oder* erneut übertragene Daten befinden) in das Netzwerk einspeist, ist als λ'_{in} Byte/s gegeben. λ'_{in} wird auch als die dem Netzwerk **angebotene Last** (offered load) bezeichnet.

Abbildung 3.43 Szenario 2: zwei Hosts (mit Neuübertragungen) und ein Router mit endlichen Puffern

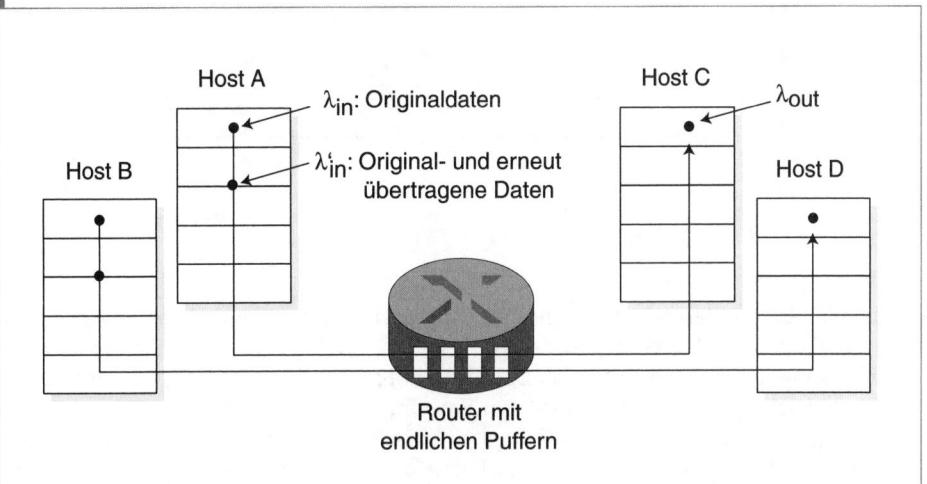

Die in Szenario 2 realisierbare Leistung hängt jetzt stark davon ab, wie die Neuübertragung ausgeführt wird. Erstens betrachte man den unrealistischen Fall, dass Host A irgendwie (magisch!) feststellen kann, ob im Router ein Puffer frei ist und folglich nur ein Paket sendet, falls einer frei ist. In diesem Fall würde kein Verlust entstehen, λ_{in} würde jetzt λ'_{in} entsprechen und der Durchsatz der Verbindung wäre gleich λ_{in}. Dieser Fall ist durch die obere Kurve in Abbildung 3.44 (a) dargestellt. Aus Sicht des Durchsatzes ist die Leistung ideal; alles, was gesendet wird, wird empfangen. Die durchschnittliche Senderate des Hosts kann in diesem Szenario aber $R/2$ nicht übersteigen, weil ja davon ausgegangen wird, dass nie ein Paket verloren geht.

Man betrachte nun den etwas realistischeren Fall, bei dem der Sender nur eine Neuübertragung durchführt, wenn mit Sicherheit feststeht, dass ein Paket verloren gegangen ist. (Wiederum ist diese Annahme ein bisschen weit hergeholt. Allerdings kann der sendende Host sein Timeout ausreichend hoch ansetzen, so dass praktisch mit Sicherheit feststeht, dass ein Paket, das nicht bestätigt wird, verloren gegangen ist.) In diesem Fall könnte die Leistung eher wie in Abbildung 3.44 (b) aussehen. Um zu verstehen, was hier passiert, betrachte man den Fall, bei dem die angebotene Last, λ'_{in} (die Rate der Originaldatenübertragung zuzüglich Neuübertragungen), $0,5R$ entspricht. Gemäß Abbildung 3.44 (b) ist die Rate, in der Daten zur Empfängeranwendung übertragen werden, bei dieser angebotenen Last $R/3$. Folglich sind von den insgesamt $0,5R$ übertragenen Dateneinheiten (im Durchschnitt) $0,333R$ Byte/s Originaldaten und $0,166R$ Byte/s neu übertragene Daten. *Wir sehen hier einen weiteren Kostenfaktor eines überlasteten Netzwerks: Der Sender muss Neuübertragungen durchführen, um verworfene (verlorene) Pakete aufgrund eines Pufferüberlaufs auszugleichen.*

Abbildung 3.44 Leistung in Szenario 2

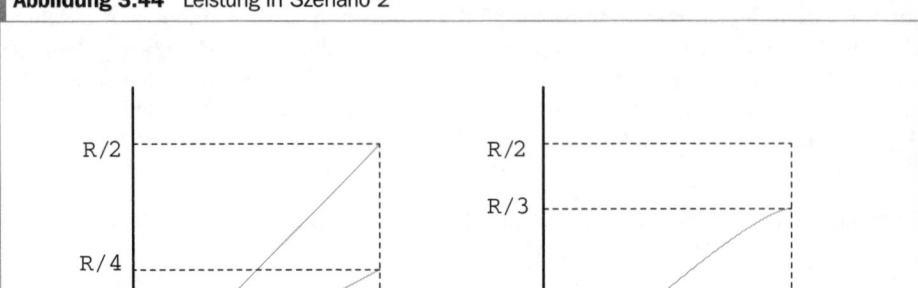

Schließlich betrachten wir den Fall, bei dem der Timer des Senders vorzeitig abläuft und der Sender ein Paket, das in der Warteschlange verzögert wurde, aber nicht verloren gegangen ist, erneut überträgt. In diesem Fall kann sowohl das Originaldatenpaket als auch die Neuübertragung den Empfänger erreichen. Natürlich braucht der Empfänger nur eine Kopie dieses Pakets, so dass er die Neuübertragung verwirft. Die vom Router durchgeführte »Arbeit« in Bezug auf die Weiterleitung des neu übertragenen Exemplars war also »umsonst«, weil der Empfänger das Originalexemplar des Pakets bereits erhalten hat. Der Router hätte die Übertragungskapazität der Verbindungsleitung besser für die Übertragung eines anderen Pakets genutzt. *Hier stellen wir einen weiteren Kostenfaktor eines überlasteten Netzwerks fest: Unnötige Neuübertragungen durch den Sender aufgrund von großen Verzögerungen können dazu führen, dass ein Router seine Leitungsbandbreite für die Weiterleitung unnötiger Paketexemplare verschwendet.* Die untere Kurve in Abbildung 3.44 (a) zeigt den Durchsatz im Vergleich zur angebotenen Last, wenn jedes Paket (im Durchschnitt) zweimal vom Router weitergeleitet wird. Da jedes Paket zweimal weitergeleitet wird, ist der in Abbildung 3.44 (a) durch das Liniensegment dargestellte erreichte Durchsatz mit einem asymptotischen Wert von $R/4$ gegeben.

Szenario 3: Vier Sender, Router mit endlichen Puffern und Multihop-Pfade

In unserem letzten Überlastszenario übertragen vier Hosts jeweils auf überlappenden Pfaden mit zwei Hops Pakete (siehe Abbildung 3.45). Wir nehmen wiederum an, dass jeder Host einen Timeout-/Neuübertragungsmechanismus anwendet, um einen zuverlässigen Datentransferdienst zu implementieren, und dass alle Hosts den gleichen Wert von λ_{in} und alle Router-Verbindungsleitungen eine Kapazität von R Byte/s haben.

Es sei gegeben, dass die Verbindung von Host A zu Host C durch die Router R1 und R2 führt. Die A-C-Verbindung teilt sich Router R1 mit der D-B-Verbindung und Router R2 mit der B-D-Verbindung. Bei extrem kleinen Werten von λ_{in} sind Pufferüberläufe selten (wie in den Überlastszenarien 1 und 2) und der Durchsatz entspricht

3.6 Grundlagen der Überlastkontrolle

Abbildung 3.45 Szenario 3: Vier Sender, Router mit endlichen Puffern und Multihop-Pfade

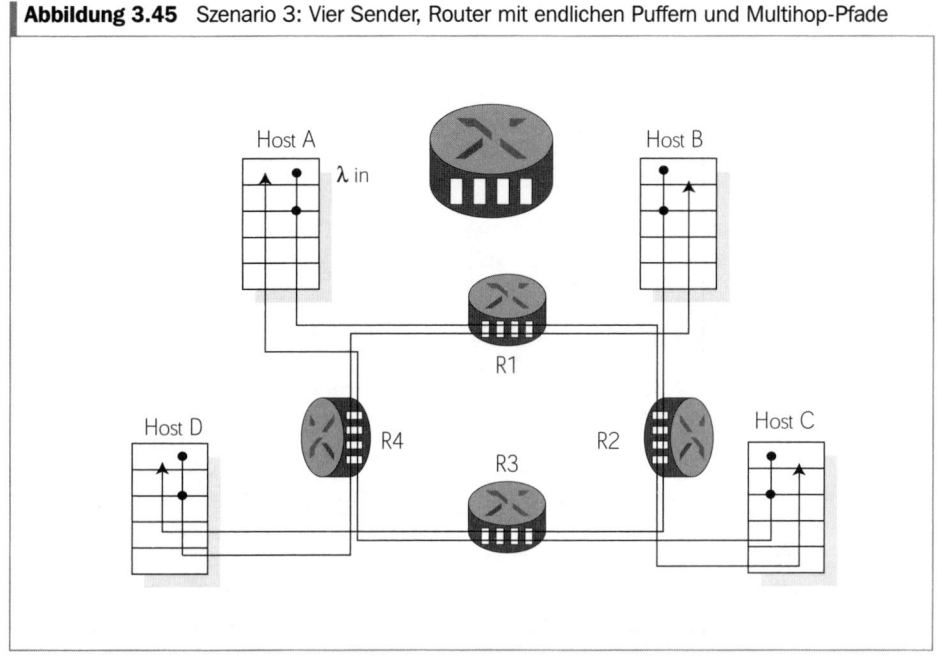

ungefähr der angebotenen Last. Bei geringfügig größeren Werten von λ_{in} ist auch der Durchsatz entsprechend größer, weil mehr Originaldaten über das Netzwerk zum Ziel übertragen werden und Überläufe immer noch selten sind. Folglich führt bei kleinen Werten von λ_{in} eine Erhöhung von λ_{in} zu einer Erhöhung von λ_{out}.

Nach diesem Fall mit extrem niedrigem Verkehr prüfen wir jetzt den Fall, bei dem λ_{in} (und folglich λ'_{in}) extrem groß ist. Man betrachte Router R2. Der bei Router R2 ankommende A-C-Verkehr (der bei R2 ankommt, nachdem er von R1 weitergeleitet wurde) kann bei R2 eine Ankunftsrate haben, die meist R – die Kapazität der Verbindungsleitung von R1 zu R2 – entspricht, und zwar ungeachtet des Werts von λ_{in}. Wenn λ'_{in} für alle Verbindungen (einschließlich der B-D-Verbindung) extrem groß ist, dann kann die Ankunftsrate des B-D-Verkehrs bei R2 viel größer als die des A-C-Verkehrs sein. Da der A-C- und der B-D-Verkehr bei Router R2 um begrenzten Pufferplatz konkurrieren müssen, wird der Umfang an A-C-Verkehr, der erfolgreich durch R2 hindurchkommt (d. h. nicht aufgrund von Pufferüberlauf verloren geht), immer kleiner, während die angebotene Last von B-D immer mehr wächst. Je mehr sich die angebotene Last Unendlich nähert, füllt sich ein leerer Puffer bei R2 sofort mit einem B-D-Paket und der Durchsatz der A-C-Verbindung bei R2 sinkt auf Null. *Dies impliziert, dass der Ende-zu-Ende-Durchsatz von A nach C im Extremfall starken Verkehrsaufkommens auf Null sinkt.* Diese Überlegungen führen zu dem in Abbildung 3.46 dargestellten Kompromiss zwischen der angebotenen Last und dem Durchsatz.

Der Grund für den eventuellen Abfall des Durchsatzes bei steigender angebotener Last wird deutlich, wenn man sich den Umfang an verschwendeter »Arbeit« durch das Netzwerk vor Augen hält. Wenn in dem oben beschriebenen Szenario mit hohem Verkehrsaufkommen ein Paket vom Router des zweiten Hops verworfen wird, war die »Arbeit« des Routers im ersten Hop, d. h. die Weiterleitung eines Pakets zum Router des zweiten Hops, regelrecht umsonst. Das Netzwerk wäre genauso gut (oder schlecht) dran, wenn der erste Router das Paket gleich verworfen hätte und untätig

Abbildung 3.46 Leistung in Szenario 3

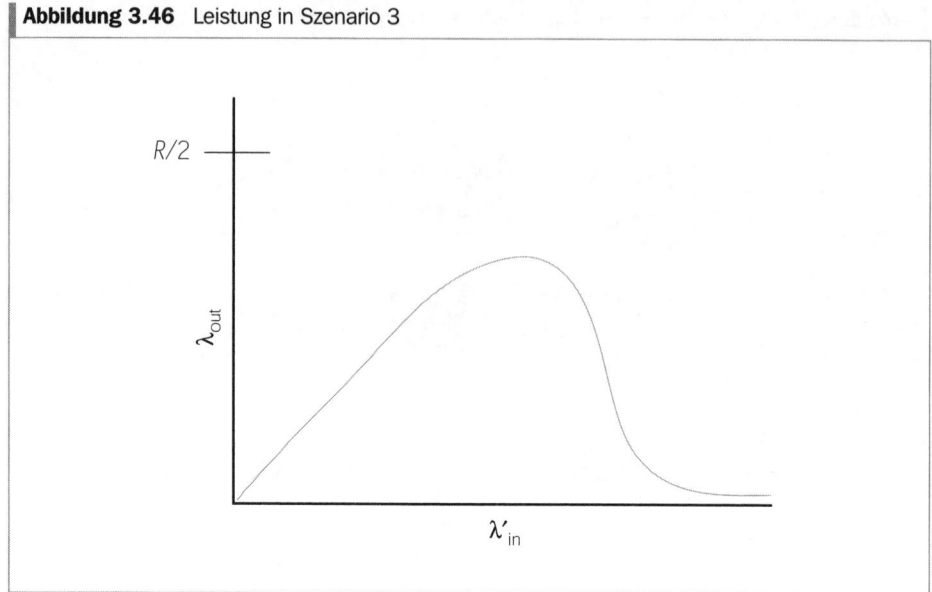

geblieben wäre. Genauer gesagt, die beim ersten Router für die Weiterleitung des Pakets zum zweiten Router verbrauchte Übertragungskapazität hätte sich für die Übertragung eines anderen Pakets viel nutzbringender verwenden lassen. Beispielsweise könnte es sich bei der Auswahl eines Pakets zur Übertragung für einen Router als besser erweisen, Paketen den Vorzug zu geben, die bereits einige Upstream-Router überquert haben.) *Wir sehen hier also einen weiteren Kostenfaktor, der durch das Verwerfen eines Pakets aufgrund von Überlast entsteht: Wenn ein Paket entlang eines Pfads verworfen wird, wurde die dafür aufgewendete Übertragungskapazität in den Upstream-Routern für die Weiterleitung dieses Pakets verschwendet.*

3.6.2 Ansätze für Überlastkontrolle

Abschnitt 3.7 befasst sich ausführlicher mit dem spezifischen Ansatz für Überlastkontrolle in TCP. An dieser Stelle identifizieren wir die beiden allgemeinen Ansätze, auf deren Grundlage in der Praxis Überlastkontrolle umgesetzt wird. Wir beschreiben spezifische Netzwerkarchitekturen und Überlastkontrollprotokolle, die auf diesen Ansätzen basieren.

Auf der allgemeinsten Ebene lassen sich die Ansätze für Überlastkontrolle danach unterscheiden, ob die Vermittlungsschicht der Transportschicht für Überlastkontrollzwecke explizit Unterstützung bietet:

- *Ende-zu-Ende-Überlastkontrolle*: Bei diesem Ansatz für Überlastkontrolle bietet die Vermittlungsschicht der Transportschicht *keine explizite Unterstützung* für Überlastkontrollzwecke. Hier muss sogar das Vorhandensein einer Überlast im Netzwerk von den Endsystemen allein auf der Grundlage des beobachteten Netzwerkverhaltens (z. B. Paketverlust und Verzögerung) hergeleitet werden. Wir werden in Abschnitt 3.7 sehen, dass TCP zwangsläufig diesen Ansatz für Überlastkontrolle anwenden muss, weil die IP-Schicht den Endsystemen hinsichtlich der Netzwerküberlast keinerlei Feedback liefert. Ein TCP-Segmentverlust (von dem nach einem Timeout oder einer dreifachen Duplikatbestätigung ausgegangen wird)

wird als Hinweis auf eine Netzwerküberlast betrachtet und TCP senkt seine Fenstergröße entsprechend. Wir werden auch noch sehen, dass neue Vorschläge für TCP zunehmend höhere Werte der Roundtrip-Verzögerung als Hinweise steigender Netzwerküberlast heranziehen.

- *Vom Netzwerk unterstützte Überlastkontrolle*: Bei diesem Ansatz bieten die Komponenten der Vermittlungsschicht (d. h. Router) dem Sender explizites Feedback über den Überlastzustand im Netzwerk. Dieses Feedback kann sehr einfach sein, z. B. ein einziges Bit, das auf eine Überlast in einer Verbindungsleitung hinweist. Dieser Ansatz wurde in den alten Architekturen von IBM-SNA [Schwartz 1982] und DECNET [Jain 1989; Ramakrishnan 1990] angewandt, kürzlich für TCP/IP-Netzwerke vorgeschlagen [Floyd TCP 1994; RFC 2481] und auch in der ABR-Überlastkontrolle (Available Bit Rate) von ATM (siehe weiter unten) benutzt. Ein umfangreicheres Netzwerk-Feedback ist auch möglich. Bei einer Form der ATM-ABR-Überlastkontrolle, die wir in einem der nächsten Abschnitte beschreiben, kann beispielsweise ein Router den Sender explizit über die Übertragungsrate informieren, die er auf einer abgehenden Verbindungsleitung unterstützen kann.

Bei der netzwerkunterstützten Überlastkontrolle werden Überlastinformationen normalerweise vom Netzwerk zum Sender auf eine von zwei Arten zurückgespeist (siehe Abbildung 3.47). Direktes Feedback kann von einem Netzwerk-Router zum Sender gesendet werden. Diese Form der Mitteilung ist normalerweise ein **Choke-Paket** (was im Grunde besagt: »Ich bin überlastet!«). Die zweite Form der Mitteilung erfolgt, wenn ein Router ein Feld in einem Paket, das vom Sender zum Empfänger fließt, markiert bzw. aktualisiert, um auf eine Überlast hinzuweisen. Beim Empfang eines so gekennzeichneten Pakets benachrichtigt der Empfänger dann den Sender über den Überlasthinweis. Man beachte, dass diese Form der Mitteilung mindestens eine volle Roundtrip-Zeit beansprucht.

Abbildung 3.47 Zwei Feedback-Pfade für Überlastinformationen vom Netzwerk

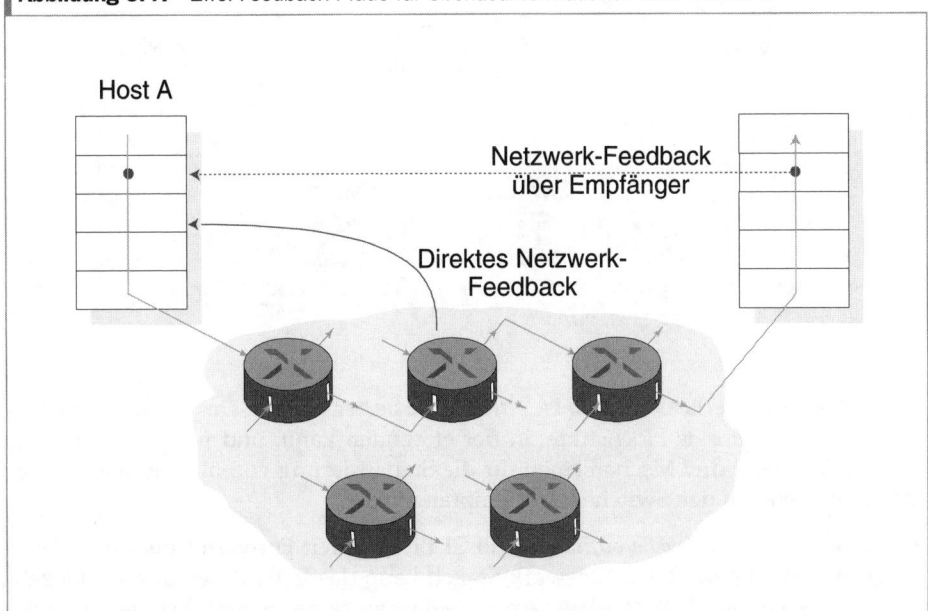

3.6.3 ABR-Überlastkontrolle in ATM

Die ausführliche Untersuchung der TCP-Überlastkontrolle in Abschnitt 3.7 enthält auch eine Fallstudie über einen Ende-zu-Ende-Ansatz für Überlastkontrolle. Wir beenden diesen Abschnitt mit einer kurzen Fallstudie der netzwerkunterstützten Überlastkontrollmechanismen, die im ATM-ABR-Dienst benutzt werden. ABR wurde als elastischer Datentransferdienst ausgelegt, der an TCP erinnert. Wenn das Netzwerk unterbelastet ist, sollte der ABR-Dienst in der Lage sein, die zusätzlich verfügbare Bandbreite zu nutzen. Ist das Netzwerk jedoch überlastet, sollte der ABR-Dienst seine Übertragungsrate auf eine im Voraus festgelegte minimale Übertragungsrate drosseln. Ein ausführlicher Lehrabschnitt über ATM-ABR-Überlastkontrolle und Verkehrsmanagement findet der Leser in [Jain 1996].

Abbildung 3.48 zeigt das Rahmenwerk der ATM-ABR-Überlastkontrolle. In unserer anschließenden Diskussion verwenden wir die ATM-Terminologie (z. B. den Begriff »Switch« statt »Router« und »Zelle« statt »Paket«). Beim ATM-ABR-Dienst werden Datenzellen von einer Quelle zu einem Ziel durch eine Reihe dazwischen liegender Switches übertragen. Mit den Datenzellen vermengt sind so genannte Ressourcenmanagement-Zellen (**RM-Zellen**). Wir werden bald sehen, dass diese RM-Zellen benutzt werden können, um überlastspezifische Informationen unter Hosts und Switches zu verteilen. Wenn eine RM-Zelle am Ziel ist, wird sie »umgedreht« und an den Sender zurückgeschickt (möglicherweise, nachdem das Ziel ihren Inhalt modifiziert hat). Es ist auch möglich, dass ein Switch eine RM-Zelle selbst erzeugt und sie direkt an eine Quelle sendet. RM-Zellen können also sowohl für das direkte Netzwerk-Feedback als auch für das Netzwerk-Feedback über den Empfänger benutzt werden (siehe Abbildung 3.48).

Abbildung 3.48 Überlastkontrolle im ATM-ABR-Dienst

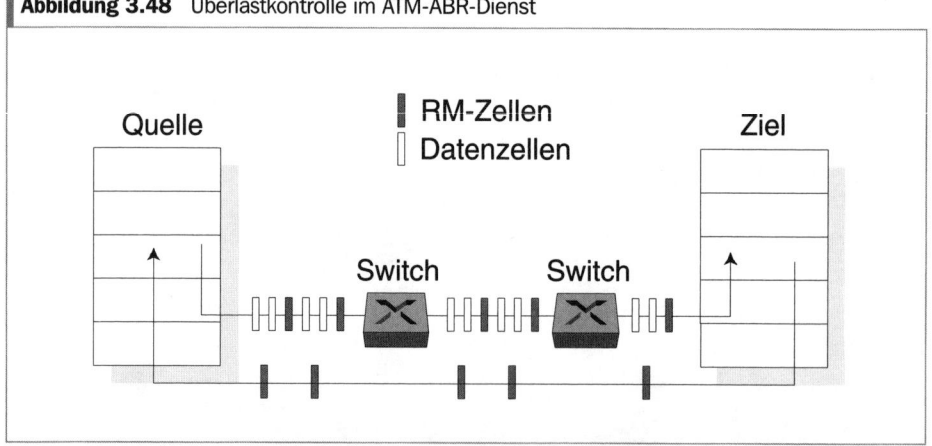

Die ATM-ABR-Überlastkontrolle ist ein ratenbasierter Ansatz. Das heißt, der Sender berechnet explizit eine Höchstrate, in der er senden kann, und reguliert sich dann selbst. ABR bietet drei Mechanismen für die Signalisierung von überlastspezifischen Informationen von den Switches zum Empfänger:

- *EFCI-Bit: Jede Datenzelle* enthält ein **EFCI**-Bit (**Explicit Forward Congestion Indication**). Ein überlasteter Netzwerk-Switch kann das EFCI-Bit in einer Datenzelle auf 1 setzen, um dem Ziel-Host eine Überlast zu signalisieren. Das Ziel muss das

EFCI-Bit in allen empfangenen Datenzellen prüfen. Wenn eine RM-Zelle am Ziel ankommt und in der zuletzt empfangenen Datenzelle das EFCI-Bit auf 1 gesetzt war, dann setzt das Ziel das CI-Bit (Congestion Indication) der RM-Zelle auf 1 und sendet die RM-Zelle an den Sender zurück. Durch Verwendung des EFCI-Bits in Datenzellen und des CI-Bits in RM-Zellen kann ein Sender also über eine Überlast in einem Netzwerk-Switch benachrichtigt werden.

- *CI- und NI-Bits*: Wie oben erwähnt, sind RM-Zellen vom Sender zum Empfänger mit Datenzellen vermengt. Die Rate der RM-Zellenvermengung ist ein einstellbarer Parameter; der Default-Wert ist eine RM-Zelle alle 32 Datenzellen. Diese RM-Zellen haben ein CI- (Congestion Indication) und ein NI-Bit (No Increase), die ein überlasteter Netzwerk-Switch benutzen kann. Das heißt, ein Switch kann das NI-Bit in einer vorbeifließenden RM-Zelle auf 1 setzen, wenn die Überlast gering ist, und unter starken Überlastbedingungen das CI-Bit auf 1 setzen. Wenn ein Ziel-Host eine RM-Zelle empfängt, sendet er sie mit den CI- und NI-Bits intakt an den Sender zurück (außer, dass das Ziel als Ergebnis des oben beschriebenen EFCI-Mechanismus CI möglicherweise auf 1 gesetzt hat).
- *ER-Feld*: Jede RM-Zelle enthält auch ein 2-Byte-**ER**-Feld (**Explicit Rate**). Ein überlasteter Switch kann den im ER-Feld enthaltenen Wert in einer vorbeifließenden RM-Zelle senken. Auf diese Weise wird das ER-Feld auf eine minimale Rate gesetzt, die von allen Switches auf dem Pfad von der Quelle zum Ziel unterstützt wird.

Eine ATM-ABR-Quelle berichtigt die Rate, in der sie Zellen senden kann, als eine Funktion der CI-, NI- und ER-Werte in einer zurückgegebenen RM-Zelle. Die Regeln für diese Ratenberichtigung sind eher kompliziert und ein bisschen mühsam. Wir empfehlen dem interessierten Leser [Jain 1996] das umfangreiche Details bereithält.

3.7 TCP-Überlastkontrolle

Dieser Abschnitt widmet sich wieder der Untersuchung von TCP. Wie wir aus Abschnitt 3.5 wissen, bietet TCP einen zuverlässigen Transportdienst zwischen zwei Prozessen, die auf unterschiedlichen Hosts laufen. Eine weitere sehr wichtige Komponente von TCP ist der Überlastkontrollmechanismus. Wie im vorherigen Abschnitt erwähnt, muss TCP eine Ende-zu-Ende- und keine netzwerkunterstützte Überlastkontrolle anwenden, weil die IP-Schicht ihren Endsystemen kein explizites Feedback hinsichtlich Netzwerküberlast bietet. Bevor wir auf die Details der TCP-Überlastkontrolle übergehen, geben wir einen Überblick über den Überlastkontrollmechanismus von TCP sowie über das allgemeine Ziel, das TCP anstrebt, wenn mehrere TCP-Verbindungen sich die Bandbreite einer überlasteten Verbindungsleitung teilen müssen.

Eine TCP-Verbindung steuert ihre Übertragungsrate durch Einschränkung der Anzahl von übertragenen, jedoch noch nicht bestätigten Segmenten. Wir nennen diese Anzahl von zulässigen unbestätigten Segmenten w, die meist als TCP-**Fenstergröße** bezeichnet wird. Im Idealfall sollte es TCP-Verbindungen gestattet sein, so schnell wie möglich (d. h. die größtmögliche Anzahl anstehender unbestätigter Segmente) zu übertragen, solange keine Segmente aufgrund von Überlast verloren gehen (bzw. von den Routern verworfen werden). In einem sehr allgemeinen Sinn beginnt eine TCP-Verbindung mit einem kleinen Wert von w und »tastet« dann die Verbindungsleitungen ihres Ende-zu-Ende-Pfads auf Vorhandensein unbenutzter Leitungsbandbreite durch stufenweise Erhöhung von w ab. Die TCP-Verbindung fährt mit der Erhöhung von w so lange fort, bis ein Segment verloren geht (was durch ein Timeout oder Duplikatbestätigungen erkannt wird). Im Fall eines Verlusts reduziert die TCP-Verbindung w auf ein »sicheres Maß« und beginnt anschließend erneut mit dem Abtasten auf eine mögliche unbenutzte Bandbreite, indem sie w langsam wieder erhöht.

Eine wichtige Messgröße der Leistung einer TCP-Verbindung ist ihr Durchsatz – die Rate, in der sie Daten vom Sender zum Empfänger überträgt. Natürlich hängt der Durchsatz von dem Wert von w ab. Wenn ein TCP-Sender alle w-Segmente nacheinander überträgt, muss er anschließend eine Roundtrip-Zeit (RTT) warten, bis er Bestätigungen für diese Segmente erhält. An diesem Punkt kann er w weitere Segmente senden. Wenn eine Verbindung w Segmente mit einer Größe von MSS Byte alle RTT Sekunden überträgt, dann beträgt der Durchsatz der Verbindung bzw. die Übertragungsrate ($w \cdot MSS)/RTT$ Bytes pro Sekunde.

Es sei gegeben, dass K TCP-Verbindungen eine Verbindungsleitung mit der Kapazität R benutzen, über diese Verbindungsleitung keine UDP-Pakete fließen, jede TCP-Verbindung eine sehr große Datenmenge überträgt und keine dieser TCP-Verbindungen eine andere überlastete Verbindungsleitung durchquert. Im Idealfall sollten die Fenstergrößen der TCP-Verbindungen, die diese Verbindungsleitung durchqueren, ausreichend groß sein, so dass jede Verbindung einen Durchsatz von R/K erreicht. Allgemeiner ausgedrückt: Wenn eine Verbindung durch N Verbindungsleitungen läuft und die Verbindungsleitung n eine Übertragungsrate von R_n hat und insgesamt K_n TCP-Verbindungen unterstützt, dann sollte diese Verbindung im Idealfall eine Rate von R_n/K_n auf der n-ten Verbindungsleitung erreichen. Die durchschnittliche Ende-zu-Ende-Rate dieser Verbindung kann aber die Mindestrate, die auf allen Verbindungsleitungen entlang des Ende-zu-Ende-Pfads erreicht wird, nicht übersteigen. Das heißt, die Übertragungsrate von Ende-zu-Ende für diese Verbindung beträgt $r = \min\{R_1/K_1, ..., R_N/K_N\}$. Wir können uns das Ziel von TCP so vorstellen, dass es dieser Verbindung eine Ende-zu-Ende-Rate r bereitstellt. (In Wirklichkeit ist die Formel für r komplizierter, weil man die Tatsache berücksichtigen muss, dass eine oder mehrere der nutzenden Verbindungen auf irgendeiner anderen Verbindungsleitung, die nicht auf diesem Ende-zu-Ende-Pfad liegt, auf einen Flaschenhals stößt und daher ihren Bandbreitenanteil R_n/K_n nicht nutzen kann. In diesem Fall wäre der Wert von r höher als $\min\{R_1/K_1, ..., R_N/K_N\}$; siehe [Bertsekas 1991].

3.7.1 Übersicht über die TCP-Überlastkontrolle

In Abschnitt 3.5 haben wir gesehen, dass sich jede Seite einer TCP-Verbindung aus einem Empfangs- und Sendepuffer und mehreren Variablen (`LastByteRead`, `RcvWin` usw.) zusammensetzt. Der Überlastkontrollmechanismus von TCP lässt jede Seite der Verbindung zwei zusätzliche Variablen verwalten: **Überlastfenster** (Congestion Window) und **Grenzwert** (Threshold). Das Überlastfenster, `CongWin`, bringt die zusätzliche Einschränkung, wie viel Verkehr ein Host in eine Verbindung einspeisen kann. Insbesondere darf die bei einem Host für eine TCP-Verbindung anstehende unbestätigte Datenmenge das Minimum von `CongWin` und `RcvWin` nicht übersteigen, d. h.:

```
LastByteSent - LastByteAcked ≤ min{CongWin, RcvWin}
```

Der Grenzwert, der weiter unten ausführlich beschrieben wird, ist eine Variable, die sich darauf auswirkt, wie `CongWin` wächst.

Wir untersuchen jetzt, wie sich das Überlastfenster im Verlauf der Lebensdauer einer TCP-Verbindung entwickelt. Um uns auf Überlastkontrolle (im Gegensatz zur

3.7 TCP-Überlastkontrolle

Flusskontrolle) zu konzentrieren, nehmen wir an, dass der TCP-Empfangspuffer so groß ist, dass die Einschränkung des Empfangsfensters ignoriert werden kann. In diesem Fall ist die unbestätigte Datenmenge, die ein Host für eine TCP-Verbindung vorhalten darf, höchstens durch CongWin begrenzt. Außerdem nehmen wir an, dass ein Sender eine sehr große Datenmenge an einen Empfänger senden muss.

Nachdem eine TCP-Verbindung zwischen den beiden Endsystemen aufgebaut wurde, schreibt der Anwendungsprozess beim Sender in den TCP-Sendepuffer. TCP entnimmt davon Stücke in der MSS-Größe, verkapselt jedes Stück in einem TCP-Segment und gibt die Segmente an die Vermittlungsschicht zur Übertragung im Netzwerk weiter. Das TCP-Überlastfenster reguliert die Zeiten, in denen die Segmente in das Netzwerk gespeist (d. h. an die Vermittlungsschicht weitergegeben) werden. Anfangs entspricht das Überlastfenster einer MSS. TCP sendet das erste Segment zum Netzwerk und wartet auf eine Bestätigung. Wird dieses Segment bestätigt, bevor sein Timer abläuft, erhöht der Sender das Überlastfenster um eine MSS und sendet zwei Segmente mit maximaler Größe. Wenn diese Segmente vor ihrem jeweiligen Timeout bestätigt werden, erhöht der Sender das Überlastfenster um eine MSS pro bestätigtem Segment, so dass das Überlastfenster jetzt vier MSS umfasst, und sendet vier Segmente mit maximaler Größe. Diese Prozedur wird fortgesetzt, (1) solange das Überlastfenster unter dem Grenzwert liegt und (2) die Bestätigungen vor ihrem jeweiligen Timeout ankommen.

Während dieser Phase der Überlastkontrollprozedur erhöht sich das Überlastfenster exponentiell sehr schnell. Das Überlastfenster wird auf eine MSS initialisiert; nach einer RTT wird das Fenster auf zwei Segmente erhöht; nach zwei Roundtrip-Zeiten wird das Fenster auf vier Segmente erhöht; nach drei Roundtrip-Zeiten wird das Fenster auf acht Segmente erhöht und so fort. Diese Phase des Algorithmus nennt man **Slow-Start** (Langsamstart), weil sie mit einem kleinen, einer MSS entsprechenden Überlastfenster beginnt. (Die Übertragungsrate der Verbindung startet langsam, beschleunigt aber schnell.)

Die Slow-Start-Phase endet, wenn die Fenstergröße den Wert von threshold (Grenzwert) übersteigt. Ist das Überlastfenster größer als der aktuelle Wert von threshold, wächst es linear und nicht mehr exponentiell. Wenn w der aktuelle Wert des Überlastfensters und größer als threshold ist, ersetzt TCP w nach Ankunft von w Bestätigungen durch $w + 1$. Als Auswirkung davon wird das Überlastfenster in jeder RTT, in der die Menge von Bestätigungen für ein ganzes Fenster ankommt, um 1 erhöht. Diese Phase des Algorithmus wird als **Überlastvermeidung** (Congestion Avoidance) bezeichnet.

Die Überlastvermeidungsphase wird fortgesetzt, solange die Bestätigungen vor ihrem jeweiligen Timeout ankommen. Die Fenstergröße und damit die Rate, in der der TCP-Sender senden kann, kann sich aber nicht ewig erhöhen. Irgendwann wird die TCP-Rate so sein, dass eine der Verbindungsleitungen auf dem Pfad gesättigt wird und ein Verlust (sowie ein daraus resultierendes Timeout beim Sender) eintritt. Wenn ein Timeout erfolgt, wird der Wert von threshold auf die Hälfte des Werts des aktuellen Überlastfensters gesetzt und das Überlastfenster auf eine MSS zurückgesetzt. Der Sender erhöht dann das Überlastfenster mit Hilfe der Slow-Start-Prozedur wieder exponentiell sehr schnell, bis das Überlastfenster an den Grenzwert stößt. Fazit:

- Solange das Überlastfenster unter dem Grenzwert liegt, wächst es exponentiell.
- Steigt das Überlastfenster über den Grenzwert, wächst es linear.
- Bei jedem Timeout wird der Grenzwert auf die Hälfte des aktuellen Überlastfensters zurückgesetzt und das Überlastfenster auf 1 gesetzt.

Wenn wir die Slow-Start-Phase ignorieren, sehen wir, dass TCP im Grunde seine Fenstergröße pro RTT um 1 (und damit seine Übertragungsrate um einen zusätzlichen Faktor) erhöht, wenn sein Netzwerkpfad nicht überlastet ist, und um einen Faktor von 2 pro RTT senkt, wenn der Pfad überlastet ist. Aus diesem Grund wird TCP oft als **AIMD**-Algorithmus (**Additive-Increase, Multiplicative-Decrease**) bezeichnet.

Die Evolution des TCP-Überlastfensters ist in Abbildung 3.49 dargestellt. In dieser Abbildung ist der Grenzwert anfangs gleich $8 \cdot MSS$. Das Überlastfenster steigt exponentiell recht schnell während des Slow-Starts und erreicht dann bei der dritten Übertragung den Grenzwert. Anschließend steigt das Überlastfenster linear, bis nach Übertragung 7 ein Verlust entsteht. Man beachte, dass das Überlastfenster $12 \cdot MSS$ ist, wenn der Verlust eintritt. Der Grenzwert wird dann auf $0{,}5 \cdot \text{CongWin} = 6 \cdot MSS$ und das Überlastfenster auf 1 gesetzt; anschließend wird der Prozess fortgesetzt. Dieser Überlastkontrollalgorithmus stammt von V. Jacobson [Jacobson 1988]; eine Reihe von Modifikationen zu Jacobsons erster Version des Algorithmus sind in Stevens (1994) und in RFC 2581 beschrieben.

Wir fügen an dieser Stelle an, dass die Beschreibung des TCP-Slow-Starts hier idealisiert wurde. Ein anfängliches Fenster von bis zu zwei MSS ist ein vorgeschlagener Standard [RFC 2581] und wird in einigen Implementierungen bereits angewandt.

Abbildung 3.49 Evolution des Überlastfensters von TCP

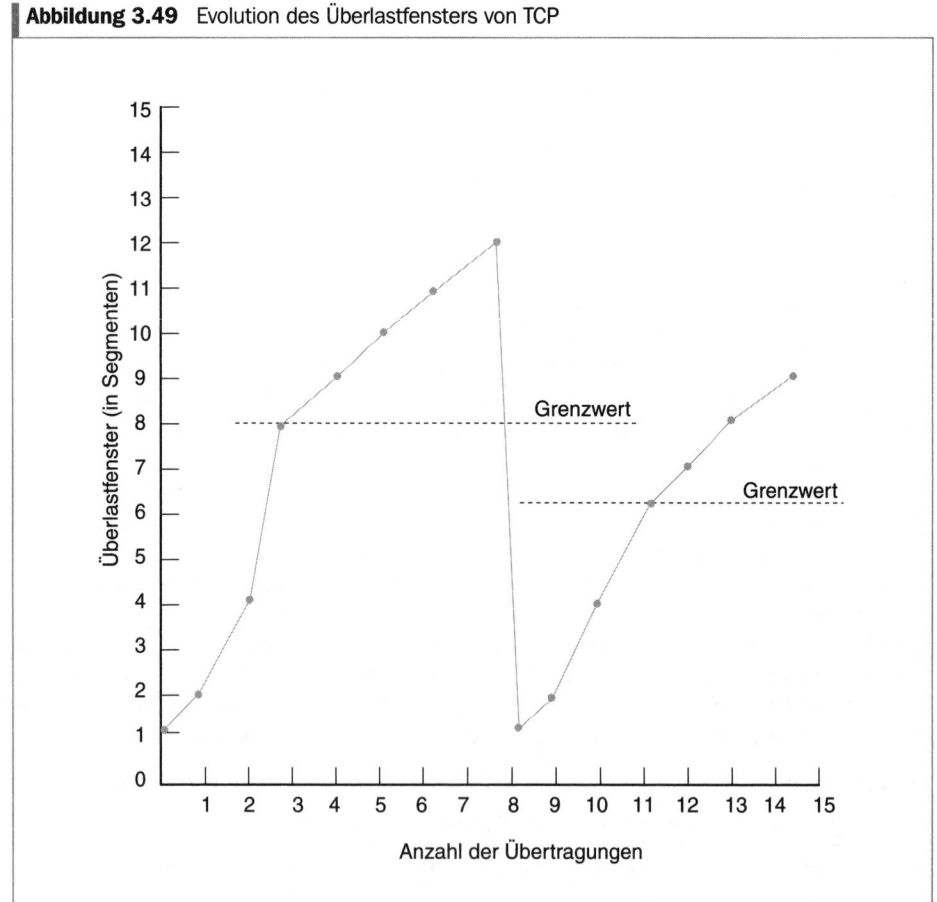

Reise nach Nevada: Tahoe, Reno und Vegas

Der soeben beschriebene TCP-Überlastkontrollalgorithmus wird auch als **Tahoe** bezeichnet. Ein Problem mit dem Tahoe-Algorithmus ist, dass die Senderseite der Anwendung, wenn ein Segment verloren geht, eventuell längere Zeit auf ein Timeout warten muss. Aus diesem Grund wird in den meisten Betriebssystemen eine Variante von Tahoe namens **Reno** implementiert. Wie Tahoe setzt Reno sein Überlastfenster beim Ablauf eines Timers auf ein Segment. Reno beinhaltet aber den Fast-Retransmit-Mechanismus, der in Abschnitt 3.5 beschrieben wurde. Wir erinnern uns, dass dieser Mechanismus die Übertragung eines verworfenen Segments auslöst, wenn vor dem Timeout des Segments drei Duplikat-ACKs für das Segment ankommen. Reno beinhaltet auch einen **Fast-Recovery**-Mechanismus, der im Grunde die Slow-Start-Phase nach einem Fast-Retransmit annulliert. Dem interessierten Leser empfehlen wir [Stevens 1994] und [RFC 2581]. In [Cela 2000] sind interaktive Animationen von Überlastvermeidung, Slow-Start, Fast-Retransmit und Fast-Recovery in TCP enthalten.

Die meisten heutigen TCP-Implementierungen verwenden den Reno-Algorithmus. In der Literatur wird aber noch ein weiterer – der **Vegas**-Algorithmus – beschrieben, der die Leistung von Reno verbessern kann. Während Tahoe und Reno auf Überlast (d. h. auf Überlauf von Router-Puffern) reagieren, versucht Vegas, Überlast durch Wahrung eines guten Durchsatzes zu vermeiden. Das Grundkonzept von Vegas ist (1) Überlast in den Routern zwischen Quelle und Ziel *vor* einem Paketverlust zu erkennen und (2) die Rate linear zu senken, wenn ein bevorstehender Paketverlust erkannt wird. Ob ein Paketverlust bevorsteht, wird durch Beobachtung der Roundtrip-Zeiten festgestellt. Je länger die Roundtrip-Zeiten der Pakete, um so größer ist die Überlast in den Routern. Der Vegas-Algorithmus wird ausführlich in [Brakmo 1995] behandelt; eine Untersuchung seiner Leistung findet sich in [Ahn 1995]. Zum Stand von 1999 wurde Vegas in den meisten gängigen TCP-Implementierungen nicht benutzt.

Wir betonen an dieser Stelle, dass sich die TCP-Überlastkontrolle im Laufe der Jahre entwickelt hat und noch weiterentwickelt wird. Was für das Internet gut war, als TCP-Verbindungen größtenteils SMTP-, FTP- und Telnet-Verkehr übertrugen, ist nicht unbedingt gut für das heutige, vom Web dominierte Internet oder für das Internet der Zukunft, das wer weiß welche Dienste unterstützen wird.

Gewährleistet TCP Fairness?

In der obigen Diskussion wurde deutlich, dass mit dem Überlastkontrollmechanismus von TCP unter anderem das Ziel verfolgt wird, die Bandbreite einer Flaschenhalsleitung gleichmäßig zwischen den TCP-Verbindungen aufzuteilen, die über diese Verbindungsleitung auf einen Flaschenhals stoßen. Warum sollte der AIMD-Algorithmus (Additive-Increase, Multiplicative-Decrease) von TCP dieses Ziel aber erreichen, insbesondere vor dem Hintergrund, dass verschiedene TCP-Verbindungen zu unterschiedlichen Zeiten starten können und somit zu einem bestimmten Zeitpunkt unterschiedliche Fenstergrößen haben? [Chiu 1989] bietet eine elegante und intuitive Erklärung, warum die TCP-Überlastkontrolle darauf hinausläuft, eine gleichmäßige Nutzung der Bandbreite einer Flaschenhalsleitung unter konkurrierenden TCP-Verbindungen bereitzustellen.

Wir betrachten den einfachen Fall zweier TCP-Verbindungen, die eine einzige Verbindungsleitung mit Übertragungsrate R gemeinsam nutzen (siehe Abbildung 3.50). Wir nehmen an, dass die beiden Verbindungen die gleiche MSS und RTT haben (so dass sie dann den gleichen Durchsatz haben, falls ihre Überlastfenstergröße gleich ist), dass sie eine große Datenmenge senden müssen und keine der übrigen TCP-Verbindungen oder UDP-Datagramme diese gemeinsame Verbindungsleitung durchqueren. Außerdem ignorieren wir die Slow-Start-Phase von TCP und nehmen an, dass die TCP-Verbindungen die ganze Zeit im Überlastvermeidungsmodus (Additive-Increase, Multiplicative-Decrease) laufen.

Abbildung 3.50 Zwei TCP-Verbindungen, die eine einzige Flaschenhalsverbindung gemeinsam nutzen

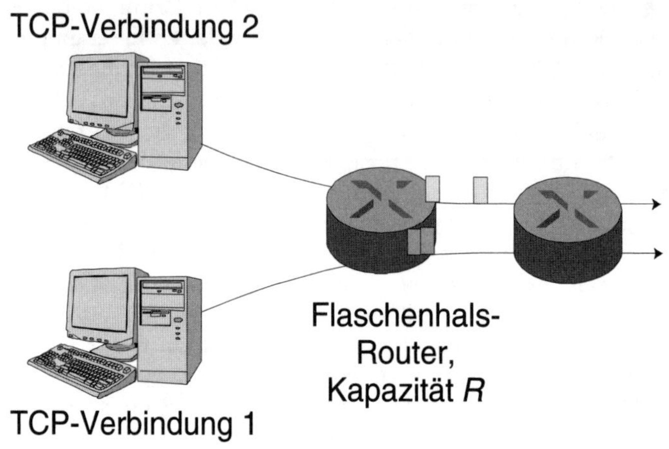

Abbildung 3.51 zeigt den von den beiden TCP-Verbindungen realisierten Durchsatz. Soll TCP die Bandbreite der Verbindungsleitungen zwischen den beiden Verbindungen gleichmäßig nutzen, dann müsste der realisierte Durchsatz auf der 45-Grad-Linie (»Nutzung der Bandbreite zu gleichen Anteilen«) liegen, die vom Ursprung ausgeht. Im Idealfall sollte die Summe der beiden Durchsätze R entsprechen. (Sicherlich ist es nicht wünschenswert, dass jede Verbindung zwar einen gleichen Anteil an der Leitungskapazität erhält, allerdings einen von Null!) Das Ziel sollte also sein, dass die erreichten Durchsätze irgendwo nahe des Schnittpunkts der Linien »Nutzung der Bandbreite zu gleichen Anteilen« und »Volle Bandbreitenauslastung« in Abbildung 3.51 liegen.

Angenommen, die TCP-Fenstergrößen sehen so aus, dass die Verbindungen 1 und 2 zu einem bestimmten Zeitpunkt die durch Punkt A in Abbildung 3.51 gekennzeichneten Durchsätze realisieren. Da die von den beiden Verbindungen gemeinsam verbrauchte Leitungsbandbreite kleiner als R ist, entsteht kein Verlust und beide Verbindungen werden ihr Fenster als Ergebnis des Überlastvermeidungsalgorithmus von TCP um 1 pro RTT erhöhen. Der gemeinsame Durchsatz der beiden Verbindungen verläuft also auf einer 45-Grad-Linie (bei gleicher Erhöhung für beide Verbindungen), ausgehend von Punkt A. Irgendwann wird die von den beiden Verbindungen gemeinsam verbrauchte Leitungsbandbreite größer als R sein und ein Paketverlust eintreten. Angenommen, dass die Verbindungen 1 und 2 einen Paketverlust erleiden, wenn sie die durch Punkt B gekennzeichneten Durchsätze realisieren. Die daraus resultierenden Durchsätze liegen also auf Punkt C, etwa auf halber Strecke entlang

Abbildung 3.51 Durchsatz zweier TCP-Verbindungen

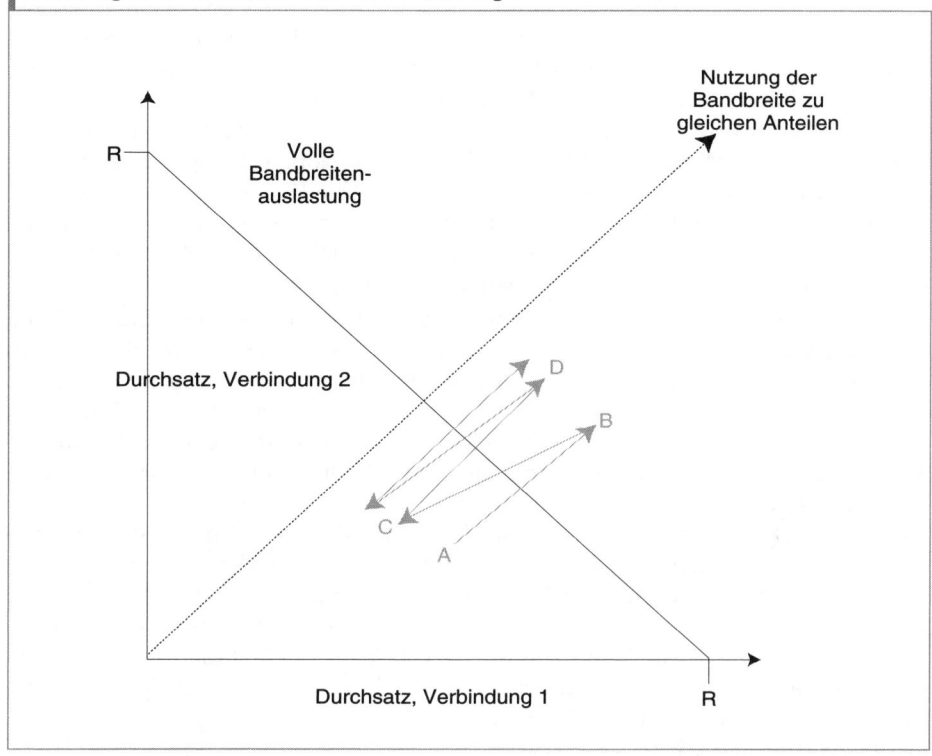

eines Vektors, der bei B beginnt und am Ursprung endet. Da die gemeinsame Bandbreitennutzung auf Punkt C unter R liegt, erhöhen die beiden Verbindungen wieder ihre Durchsätze entlang der bei C beginnenden 45-Grad-Linie. Schließlich ereignet sich noch ein Verlust, z. B. bei Punkt D, und die beiden Verbindungen senken ihre Fenstergrößen wieder um einen Faktor von Zwei und so weiter. Sie sollten sich selbst davon überzeugen, dass die von den beiden Verbindungen realisierte Bandbreite letztlich entlang der Linie »Nutzung der Bandbreite zu gleichen Anteilen« schwankt. Sie sollten sich auch selbst davon überzeugen, dass die beiden Verbindungen auf dieses Verhalten konvergieren, ungeachtet dessen, wo sie sich in dem zweidimensionalen Raum befinden! Obwohl dieses Szenario auf einer Reihe idealisierter Annahmen gründet, bietet es dennoch einen guten Eindruck darüber, warum TCP zu einer Bandbreitennutzung zu gleichen Anteilen zwischen Verbindungen führt.

In unserem idealisierten Szenario gingen wir davon aus, dass nur TCP-Verbindungen die Flaschenhalsleitung durchqueren und nur eine einzige TCP-Verbindung mit je einem Host/Ziel-Paar in Verbindung steht. In der Praxis sind diese beiden Bedingungen normalerweise nicht gegeben, so dass Client/Server-Anwendungen sehr ungleiche Anteile an der Bandbreite einer Verbindungsleitung erhalten können.

Viele Netzwerkanwendungen laufen über TCP statt über UDP, weil sie den zuverlässigen Transportdienst von TCP nutzen wollen. Ein Anwendungsentwickler, der TCP wählt, erhält aber nicht nur den zuverlässigen Datentransfer, sondern auch die TCP-Überlastkontrolle. Wie oben ausgeführt, reguliert die TCP-Überlastkontrolle die Übertragungsrate einer Anwendung mittels Überlastfenstermechanismus. Viele Multimedia-Anwendungen laufen genau aus diesem Grund nicht über TCP. Sie wollen nicht, dass man ihre Übertragungsrate drosselt, auch wenn das Netzwerk stark überlastet ist. Insbesondere laufen die meisten Internet-Phone- und Internet-Videokonferenzanwendungen über UDP. Diese Anwendungen pumpen ihre Audio- und Videodaten bevorzugt in einer konstanten Rate in das Netzwerk. Sie nehmen gelegentliche Paketverluste in Kauf, sind aber nicht bereit, ihre Raten zu Zeiten von Überlast auf einen »fairen« Umfang zu reduzieren und dafür keine Pakete zu verlieren. Aus Sicht von TCP sind die Multimedia-Anwendungen, die über UDP laufen, überhaupt nicht fair: Sie kooperieren nicht mit den anderen Verbindungen und passen ihre Übertragungsraten nicht entsprechend an. Eine der großen Herausforderungen in den nächsten Jahren wird es sein, Überlastkontrollmechanismen für das Internet zu entwickeln, die UDP-Verkehr daran hindern, den Internet-Durchsatz völlig lahm zu legen [Floyd 1999].

Doch auch wenn manr UDP-Verkehr zu fairem Verhalten zwingen könnte, hätte man das Problem mit der Fairness noch lange nicht gelöst. Der Grund dafür ist, dass nichts eine über TCP laufende Anwendung daran hindern kann, mehrere parallele Verbindungen zu verwenden. Beispielsweise nutzen Web-Browser oft mehrere parallele TCP-Verbindungen, um eine Web-Seite zu übertragen. (Die genaue Anzahl der gleichzeitigen Verbindungen ist in den meisten Browsern konfigurierbar.) Nutzt eine Anwendung mehrere parallele Verbindungen, erhält sie einen größeren Anteil an der Bandbreite einer überlasteten Verbindungsleitung. Als Beispiel betrachte man eine Verbindungsleitung mit der Rate R, die neun laufende Client/Server-Anwendungen unterstützt, wobei jede eine TCP-Verbindung benutzt. Gesellt sich eine weitere Anwendung dazu, die ebenfalls eine TCP-Verbindung benutzt, erhält jede Anwendung ungefähr die gleiche Übertragungsrate von $R/10$. Benutzt diese letzte Anwendung aber elf parallele TCP-Verbindungen, erhält sie eine unfaire Zuteilung von mehr als $R/2$. Da Web-Verkehr im Internet vorherrscht, sind mehrere parallele Verbindungen absolut üblich.

Makroskopische Beschreibung der TCP-Dynamik

Man stelle sich die Übersendung einer sehr großen Datei über eine TCP-Verbindung vor. Betrachtet man den von der Quelle gesendeten Verkehr aus makroskopischer Sicht, so kann man die Slow-Start-Phase ignorieren. Die Verbindung ist tatsächlich über eine relativ kurze Zeit in der Slow-Start-Phase, weil die Verbindung exponentiell schnell aus der Phase herauswächst. Wenn wir die Slow-Start-Phase ignorieren, wächst das Überlastfenster linear. Es wird bei Eintritt eines Verlusts halbiert, wächst linear, wird bei einem erneuten Verlust wieder halbiert und so fort. Dies war der Anlass für das Sägezahnverhalten von TCP [Stevens 1994], das in Abbildung 3.49 dargestellt ist.

Was ist der durchschnittliche Durchsatz einer TCP-Verbindung angesichts dieses Sägezahnverhaltens? Während eines bestimmten Roundtrip-Intervalls ist die Rate, in der TCP Daten sendet, eine Funktion des Überlastfensters und der aktuellen RTT. Wenn die Fenstergröße $w \cdot MSS$ und die aktuelle Roundtrip-Zeit RTT ist, dann beträgt die Übertragungsrate von TCP $(w \cdot MSS)/RTT$. Während der Überlastvermeidungsphase tastet TCP auf zusätzliche Bandbreite ab, indem es w pro RTT um Eins erhöht, bis ein Verlust eintritt. (W sei der Wert von w, wenn ein Verlust eintritt.) Wenn RTT und W über die Dauer der Verbindung ungefähr konstant sind, liegt die TCP-Übertragungsrate im Bereich von

$$\frac{W \cdot MSS}{2 RTT} \text{ bis } \frac{W \cdot MSS}{RTT}$$

Diese Annahmen führen zu einem höchst vereinfachten makroskopischen Modell für das Verhalten von TCP im Dauerzustand. Das Netzwerk verwirft ein von der Verbindung ankommendes Paket, wenn die Fenstergröße der Verbindung auf $W \cdot MSS$ steigt; das Überlastfenster wird dann halbiert und anschließend um eine MSS pro Roundtrip-Zeit erhöht, bis es wieder W erreicht. Dieser Prozess wiederholt sich immer wieder. Da der TCP-Durchsatz linear zwischen den beiden Extremwerten steigt, ergibt sich Folgendes:

$$\text{Durchschnittlicher Durchsatz einer Verbindung:} \quad \frac{0{,}75 \cdot W \cdot MSS}{RTT}$$

Mit diesem stark idealisierten Modell für die Dauerzustandsdynamik von TCP lässt sich auch ein interessanter Ausdruck herleiten, der die Verlustrate einer Verbindung mit ihrer verfügbaren Bandbreite in Bezug setzt [Mahdavi 1997]. Diese Herleitung ist Thema der Übungen am Ende dieses Kapitels.

3.7.2 Latenz-Modellierung: statisches Überlastfenster

Viele TCP-Verbindungen transportieren relativ kleine Dateien von einem Host zu einem anderen. Bei HTTP/1.0 wird beispielsweise jedes Objekt einer Web-Seite über eine getrennte TCP-Verbindung übertragen und viele dieser Objekte sind kleine Textdateien oder winzige Icons. Bei der Übertragung einer kleinen Datei können der Verbindungsaufbau und der Slow-Start von TCP eine beträchtliche Auswirkung auf die Latenz haben. In diesem Abschnitt präsentieren wir ein analytischen Modell, das die Auswirkung des Verbindungsaufbaus und Slow-Starts auf die Latenz quantifiziert. Für ein bestimmtes Objekt definieren wir **Latenz** als die Zeit von der Einleitung einer TCP-Verbindung durch den Client bis zum Empfang des gesamten angeforderten Objekts beim Client.

Die hier präsentierte Analyse gründet auf der Annahme, dass das Netzwerk nicht überlastet ist, d. h. dass die TCP-Verbindung, die das Objekt befördert, die Bandbreite der Verbindungsleitung nicht mit anderem TCP- oder UDP-Verkehr teilen muss. (Wir kommentieren diese Annahme weiter unten.) Um die zentralen Fragen nicht zu verwässern, führen wir die Analyse außerdem in Zusammenhang mit dem einfachen Netzwerk von Abbildung 3.52 durch, das nur über eine Verbindungsleitung verfügt. (Diese Verbindungsleitung könnte einen einzigen Flaschenhals auf einem Ende-zu-Ende-Pfad modellieren; siehe auch die Übungen bezüglich einer expliziten Erweiterung auf den Fall mit mehreren Verbindungsleitungen.)

Abbildung 3.52 Einfaches Netzwerk mit einer Verbindungsleitung, über die ein Client und ein Server verbunden sind

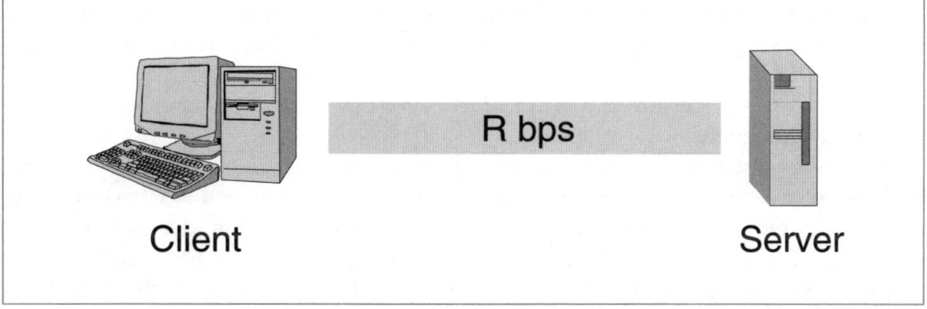

Wir gehen außerdem von folgenden vereinfachenden Annahmen aus:

- Die Datenmenge, die der Sender übertragen kann, ist ausschließlich durch das Überlastfenster des Senders begrenzt. (Folglich sind die TCP-Empfangspuffer groß.)
- Es werden keine Pakete beschädigt, noch gehen welche verloren, so dass es keine Neuübertragungen gibt.
- Der gesamte Overhead aller Protokoll-Header – TCP-, IP- und Sicherungsschicht-Header – ist verschwindend klein und kann ignoriert werden.
- Das zu übertragende Objekt (d. h. die Datei) besteht aus einer Ganzzahl von Segmenten mit der Größe MSS (maximale Segmentgröße).
- Die einzigen Pakete, die keine vernachlässigbaren Übertragungszeiten haben, sind diejenigen, die TCP-Segmente mit maximaler Größe befördern. Segmente für Anfragenachrichten, Bestätigungen und TCP-Verbindungsaufbau sind klein und haben vernachlässigbare Übertragungszeiten.
- Der anfängliche Grenzwert des TCP-Überlastkontrollmechanismus ist ein großer Wert, der vom Überlastfenster nie erreicht wird.

Wir führen darüber hinaus folgende Notation ein:

- Die Größe des zu übertragenden Objekts ist O Bit.
- Die MSS (maximale Segmentgröße) ist S Bit (z. B. 536 Byte).
- Die Übertragungsrate der Verbindungsleitung vom Server zum Client beträgt R bps.
- Die Roundtrip-Zeit wird als RTT bezeichnet.

In diesem Abschnitt definieren wir RTT als die Zeit, die verstreicht, bis ein kleines Paket vom Client zum Server und dann wieder zum Client zurück reist, *ausschließlich der Übertragungszeit des Pakets*. Enthalten sind die beiden Ausbreitungsverzögerungen von Ende zu Ende zwischen den beiden Endsystemen und die Verarbeitungszeiten in den beiden Endsystemen. Wir nehmen an, dass die RTT auch die Roundtrip-Zeit eines Pakets, beginnend beim Server, ist.

Obwohl die in diesem Abschnitt dargestellte Analyse von einem nicht überlasteten Netzwerk mit einer einzigen TCP-Verbindung ausgeht, bietet sie einen guten Einblick in den realistischeren Fall eines überlasteten Netzwerks mit mehreren Verbindungsleitungen. Bei einem überlasteten Netzwerk stellt R grob die Bandbreitenmenge dar, die im Dauerzustand in der Netzwerkverbindung von Ende zu Ende verfügbar ist, während RTT für eine Roundtrip-Verzögerung steht, die Warteschlangenverzögerungen in den Routern vor den überlasteten Verbindungsleitungen beinhaltet. Im Falle des überlasteten Netzwerks modellieren wir jede TCP-Verbindung als Verbindung mit einer konstanten Bitrate von R bps vor einer einzigen Slow-Start-Phase. (Dies entspricht ungefähr dem Verhalten von TCP-Tahoe, wenn Verluste durch dreifache Duplikatbestätigungen erkannt werden.) In unseren numerischen Beispielen verwenden wir Werte von R und RTT, die typische Werte eines überlasteten Netzwerk widerspiegeln.

Bevor wir mit der formellen Analyse beginnen, versuchen wir uns vorzustellen, welche Latenz bestünde, wenn es keine Einschränkung durch das Überlastfenster gäbe, d. h. wenn es dem Server gestattet wäre, Segmente nacheinander zu senden, bis das gesamte Objekt gesendet wurde. Um diese Frage zu beantworten, beachte man zuerst, dass eine RTT erforderlich ist, um die TCP-Verbindung einzuleiten. Nach einer RTT sendet der Client eine Anfrage für das Objekt (das huckepack auf dem dritten Segment im Drei-Wege-Handshake von TCP gesendet wird). Nach insgesamt zwei RTTs beginnt der Client, Daten vom Server zu empfangen. Der Client empfängt Daten vom Server über eine Zeitdauer O/R, die Zeit, bis der Server das gesamte Objekt übertragen hat. Folglich beläuft sich die Gesamtlatenz in dem Fall ohne Einschränkung durch das Überlastfenster auf 2 RTT + O/R. Dies stellt eine untere Grenze dar; die Slow-Start-Prozedur mit ihrem dynamischen Überlastfenster wird diese Latenz natürlich strecken.

Statisches Überlastfenster

Obwohl TCP ein dynamisches Überlastfenster nutzt, ist es lehrreich, zuerst den Fall eines statischen Überlastfensters zu analysieren. Angenommen, W ist eine positive Ganzzahl, die ein statisches Überlastfenster mit fester Größe bezeichnet. Bei einem statischen Überlastfenster sind dem Server nicht mehr als W unbestätigte ausstehende Segmente gestattet. Wenn der Server die Anfrage vom Client erhält, sendet der Server sofort W Segmente nacheinander an den Client. Der Server sendet dann für jede Bestätigung, die er vom Client empfängt, ein Segment zum Netzwerk. Der Ser-

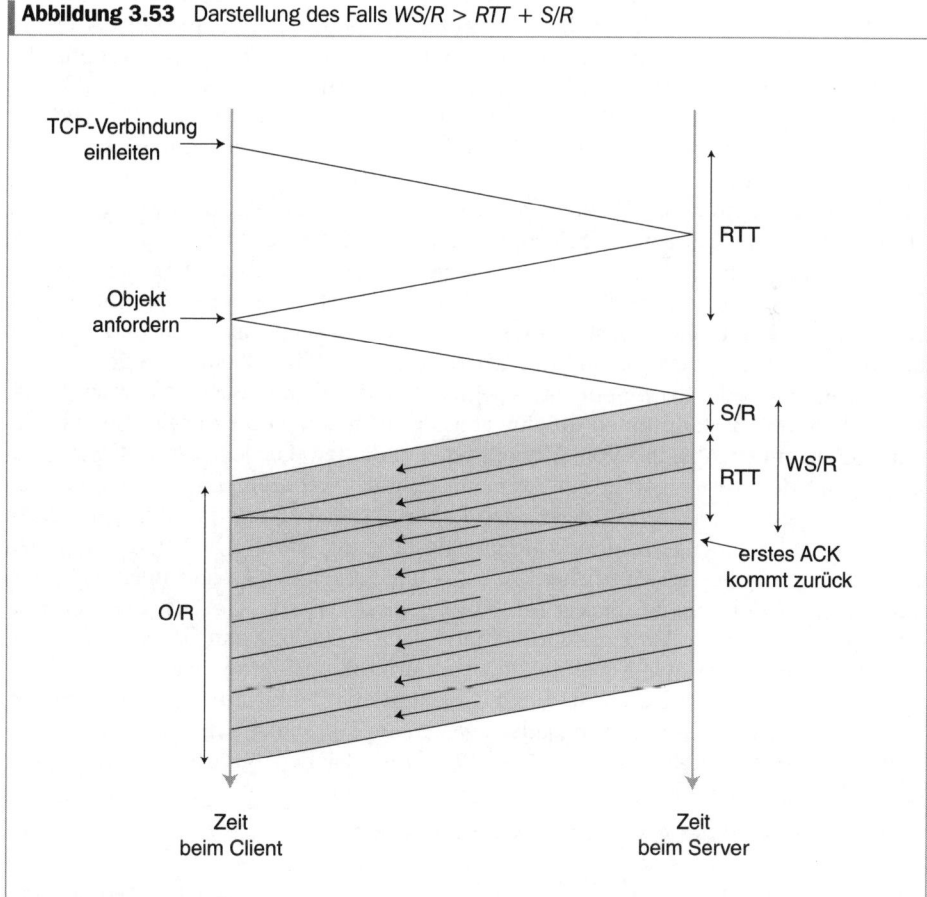

Abbildung 3.53 Darstellung des Falls WS/R > RTT + S/R

ver fährt mit dem Senden eines Segments pro Bestätigung fort, bis alle Segmente des Objekts gesendet wurden. Hier sind zwei Fälle zu berücksichtigen:

1. $WS/R > RTT + S/R$: In diesem Fall empfängt der Server eine Bestätigung für das erste Segment im ersten Fenster, bevor er die Übertragung des ersten Fensters abgeschlossen hat.
2. $WS/R < RTT + S/R$: In diesem Fall überträgt der Server die Segmentmenge des ersten Fensters, bevor er eine Bestätigung für das erste Segment im Fenster empfängt.

Wir betrachten zuerst Fall 1, der in Abbildung 3.53 dargestellt ist. In dieser Abbildung ist die Fenstergröße $W = 4$ Segmente.

Eine RTT ist erforderlich, um die TCP-Verbindung einzuleiten. Nach einer RTT sendet der Client eine Anfrage für das Objekt (das huckepack auf dem dritten Segment im Drei-Wege-Handshake von TCP gesendet wird). Nach insgesamt zwei RTTs beginnt der Client, Daten vom Server zu empfangen. Vom Server kommen periodisch alle S/R Sekunden Segmente an und der Client bestätigt jedes vom Server empfangene Segment. Da der Server die erste Bestätigung erhält, bevor er mit dem Senden der Segmentmenge eines Fensters fertig ist, fährt der Server mit der Übertragung von Segmenten fort, nachdem er die Segmentmenge des ersten Fensters übertragen hat. Und weil die Bestätigungen beim Server periodisch alle S/R Sekunden ab der ersten Bestätigung ankommen, überträgt der Server kontinuierlich Segmente, bis er das gesamte Objekt übertragen hat. Nachdem der Server also mit der Übertragung des Objekts in Rate R begonnen hat, fährt er mit der Übertragung des Objekts in Rate R fort, bis das gesamte Objekt übertragen ist. Die Latenz beträgt somit $2\ RTT + O/R$.

Jetzt betrachten wir Fall 2, der in Abbildung 3.54 dargestellt ist. In dieser Abbildung ist die Fenstergröße $W = 2$ Segmente.

Wiederum beginnt der Client nach insgesamt zwei RTTs, Segmente vom Server zu empfangen. Diese Segmente kommen periodisch alle S/R Sekunden an und der Client bestätigt jedes vom Server empfangene Segment. Jetzt beendet der Server aber die Übertragung des ersten Fensters, bevor die erste Bestätigung vom Client ankommt. Nach dem Senden eines Fensters muss der Server deshalb aufhören und auf eine Bestätigung warten, bevor er mit der Übertragung fortfährt. Wenn eine Bestätigung ankommt, sendet der Server ein neues Segment an den Client. Nach der ersten Bestätigung kommen Bestätigungen für eine Fenstermenge an, wobei die einzelnen Bestätigungen in einem Abstand von S/R Sekunden einlaufen. Für jede dieser Bestätigungen sendet der Server genau ein Segment. Folglich wechselt der Server zwischen zwei Zuständen: Im Übertragungszustand überträgt er W Segmente, während er im Wartezustand nichts überträgt und auf eine Bestätigung wartet. Die Latenz entspricht $2\ RTT$ zuzüglich der erforderlichen Zeit, bis der Server das Objekt überträgt, O/R, zuzüglich der Zeit, die der Server im Wartezustand verharrt. Um die Zeit zu ermitteln, die der Server im Wartezustand verharrt, sei $K = O/WS$; wenn O/WS keine Ganzzahl ist, dann runden wir K auf die nächste Ganzzahl auf. Man beachte, dass K die Anzahl der Fenster mit Daten ist, die im Objekt mit Größe O enthalten sind. Der Server ist zwischen der Übertragung jedes Fensters im Wartezustand, d. h. $K-1$ Zeitperioden, wobei jede Periode $RTT - (W-1)S/R$ dauert (siehe Abbildung 3.54). Folglich ergibt sich für Fall 2:

Latenz $= 2\ RTT + O/R + (K-1)\ [S/R + RTT - WS/R]$

Abbildung 3.54 Darstellung des Falls WS/R < RTT + S/R

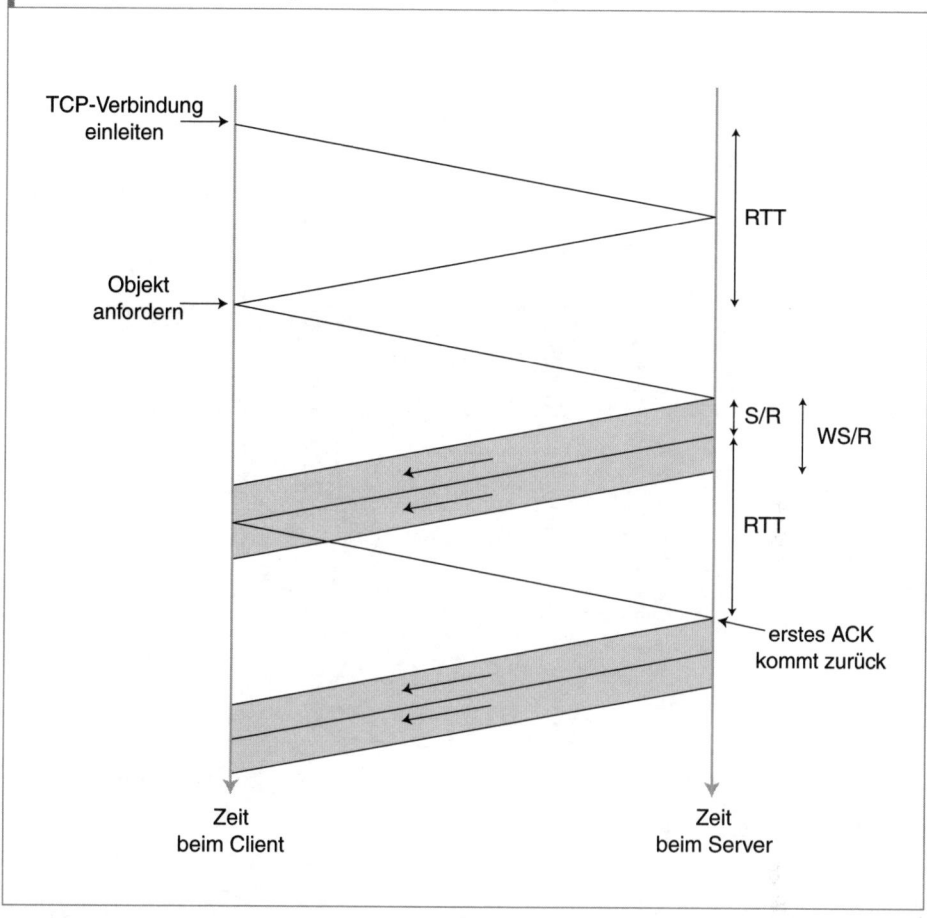

Kombiniert man die beiden Fälle, erhält man:

$$\text{Latenz} = 2\,RTT + O/R + (K-1)\,[S/R + RTT - WS/R]^+$$

wobei $[x]^+ = \max(x,0)$.

Damit ist unsere Analyse statischer Fenster beendet. Die folgende Analyse für dynamische Fenster ist komplizierter, verläuft aber genauso wie die für statische Fenster.

3.7.3 Latenz-Modellierung: dynamisches Überlastfenster

Wir untersuchen jetzt die Latenz für einen Dateitransfer, wenn das dynamische Überlastfenster von TCP in Kraft ist. Der Server beginnt zuerst mit einem Überlastfenster von einem Segment und sendet ein Segment an den Client. Wenn er eine Bestätigung für das Segment erhält, erhöht er sein Überlastfenster auf zwei Segmente und sendet (im Abstand von S/R Sekunden) zwei Segmente an den Client. Empfängt er die Bestätigungen für die beiden Segmente, erhöht er das Überlastfenster auf vier Segmente und sendet (wiederum im Abstand von S/R Sekunden) vier Segmente an den Client. Der Prozess wird dann fortgesetzt, wobei das Überlastfenster in jeder RTT verdoppelt wird. Abbildung 3.55 zeigt ein Zeitablaufdiagramm für TCP.

Abbildung 3.55 Zeitlicher Ablauf von TCP während des Slow-Starts

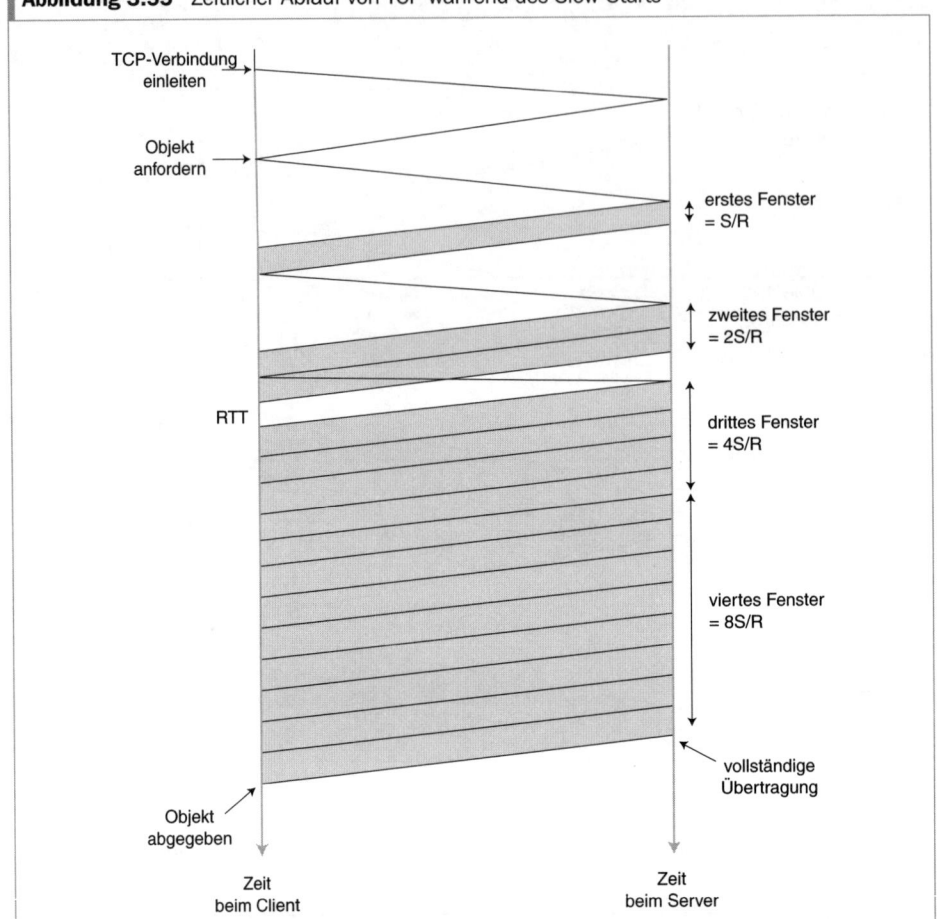

O/S ist die Anzahl der Segmente im Objekt; im obigen Diagramm ist $O/S = 15$. Man betrachte die Anzahl von Segmenten, die sich in jedem der Fenster befinden. Das erste Fenster enthält ein Segment, das zweite zwei und das dritte vier. Allgemeiner ausgedrückt, enthält das k-te Fenster 2^{k-1} Segmente. Es sei gegeben, dass K die Anzahl der Fenster ist, die das Objekt abdeckt; dann ist im obigen Diagramm $K = 4$. Im Allgemeinen können wir K in Bezug auf O/S wie folgt ausdrücken:

$$\begin{aligned}
K &= \min\left\{k : 2^0 + 2^1 + \ldots + 2^{k-1} \geq \frac{O}{S}\right\} \\
&= \min\left\{k : 2^k - 1 \geq \frac{O}{S}\right\} \\
&= \min\left\{k : k \geq \log_2\left(\frac{O}{S} + 1\right)\right\} \\
&= \left\lceil \log_2\left(\frac{O}{S} + 1\right) \right\rceil
\end{aligned}$$

Nach der Übertragung der Datenmenge eines Fensters kann der Server innehalten (d. h. die Übertragung stoppen), während er auf eine Bestätigung wartet. In Abbildung 3.55 wartet der Server nach der Übertragung des ersten und zweiten Fensters, jedoch nicht nach dem dritten. Wir berechnen jetzt die Wartezeit nach der Übertragung des k-ten Fensters. Der Zeitraum vom Beginn der Übertragung des k-ten Fensters durch den Server bis zu dem Zeitpunkt, wenn der Server eine Bestätigung für das erste Segment im Fenster empfängt, beträgt $S/R + RTT$. Die Übertragungszeit des k-ten Fensters ist $(S/R) 2^{k-1}$. Die Wartezeit ist der Unterschied dieser beiden Größen, d. h.

$$[S/R + RTT - 2^{k-1}(S/R)]^+$$

Der Server kann potenziell nach der Übertragung jedes der ersten $k - 1$ Fenster warten. (Der Server ist nach der Übertragung des k-ten Fensters fertig.) Wir können jetzt die Latenz für die Übertragung der Datei berechnen. Die Latenz hat drei Komponenten: $2\,RTT$ für die Einrichtung der TCP-Verbindung und Anforderung der Datei, O/R, die Übertragungszeit des Objekts und die Summe aller Wartezeiten. Folglich gilt:

$$\text{Latenz} = 2RTT + \frac{O}{R} + \sum_{k=1}^{K-1}\left[\frac{S}{R} + RTT - 2^{k-1}\frac{S}{R}\right]^+$$

Der Leser sollte die obige Gleichung mit der Latenzgleichung für statische Überlastfenster vergleichen; alle Terme sind genau gleich, außer dass der Term WS/R für dynamische Fenster durch $2^{k-1}(S/R)$ ersetzt wurde. Um einen kompakteren Ausdruck für die Latenz zu erhalten, sei Q die Zeit, in der der Server wartet, wenn das Objekt eine unendliche Anzahl von Segmenten enthält:

$$Q = \max\left\{k : RTT + \frac{S}{R} - \frac{S}{R}2^{k-1} \geq 0\right\}$$

$$= \max\left\{k : 2^{k-1} \leq 1 + \frac{RTT}{S/R}\right\}$$

$$= \max\left\{k : k \leq \log_2\left(1 + \frac{RTT}{S/R}\right) + 1\right\}$$

$$= \left[\log_2\left(1 + \frac{RTT}{S/R}\right)\right] + 1$$

Die tatsächliche Zeit, die der Server wartet, ist $P = \min\{Q, K - 1\}$. In Abbildung 3.55 ist das $P = Q = 2$. Wenn wir die beiden obigen Gleichungen kombinieren, erhalten wir:

$$\text{Latenz} = \frac{O}{R} + 2RTT + \sum_{k=1}^{P}\left(RTT + \frac{S}{R} - \frac{S}{R}2^{k-1}\right)$$

Wir können die obige Formel für Latenz weiter vereinfachen:

$$\sum_{k=1} 2^{k-1} = 2^P - 1$$

Kombiniert man die beiden obigen Gleichungen, erhält man folgenden Ausdruck für Latenz in geschlossener Form:

$$\text{Latenz} = 2RTT + \frac{O}{R} + P\left[RTT + \frac{S}{R}\right] - (2^P - 1)\frac{S}{R}$$

Um also die Latenz zu berechnen, müssen wir einfach K und Q berechnen, $P = \min\{Q, K-1\}$ setzen und P in die obige Formel einfügen.

Interessant ist ein Vergleich der TCP-Latenz mit der Latenz ohne Überlastkontrolle (d. h. ohne Einschränkung durch Überlastfenster). Ohne Überlastkontrolle ist die Latenz $2\,RTT + O/R$, was wir als *minimale Latenz* bezeichnen. Wir können dann Folgendes leicht aufzeigen:

$$\frac{\text{Latenz}}{\text{Minimale Latenz}} \leq 1 + \frac{P}{[(O/R)/(RTT)] + 2}$$

Die obige Formel zeigt, dass der Slow-Start von TCP die Latenz nicht erheblich erhöht, wenn $RTT \ll O/R$ ist, d. h. wenn die Roundtrip-Zeit viel geringer als die Übertragungszeit des Objekts ist. Wenn wir also ein relativ großes Objekt über eine nicht überlastete Hochgeschwindigkeitsleitung senden, hat der Slow-Start eine unbedeutende Auswirkung auf die Latenz. Im Web übertragen wir aber oft viele kleine Objekte auf überlasteten Verbindungsleitungen, so dass der Slow-Start die Latenz beträchtlich erhöhen kann (wie Sie im nächsten Unterabschnitt sehen werden).

Im Folgenden werden einige Beispielszenarien betrachtet. In allen Szenarien gilt $S = 536$ Byte; das ist ein üblicher Default-Wert für TCP. Wir verwenden eine RTT von 100 ms; dies ist ein typischer Wert für eine kontinentale oder interkontinentale Verzögerung über mäßig überlastete Verbindungsleitungen. Zuerst betrachten wir das Versenden eines eher großen Objekts mit der Größe $O = 100$ Kbyte. Die Anzahl der Fenster für dieses Objekt ist $K = 8$. Die folgende Tabelle listet die Auswirkung des Slow-Start-Mechanismus auf die Latenz bei mehreren Übertragungsraten auf.

R	O/R	P	Minimale Latenz: O/R + 2 RTT	Latenz mit Slow-Start
28 Kbps	28,6 s	1	28,8 s	28,9 s
100 Kbps	8 s	2	8,2 s	8,4 s
1 Mbps	800 ms	5	1 s	1,5 s
10 Mbps	80 ms	7	0,28 s	0,98 s

Die obige Aufstellung zeigt, dass der Slow-Start bei einem großen Objekt nur eine beträchtliche Verzögerung hinzufügt, wenn die Übertragungsrate hoch ist. Bei einer niedrigeren Übertragungsrate kommen die Bestätigungen relativ schnell zurück und

TCP erreicht rasch wieder seine maximale Rate. Wenn beispielsweise $R = 100$ Kbps ist, beträgt die gesamte Wartezeit $P = 2$, während die Anzahl der zu übertragenden Fenster $K = 8$ ist. Folglich wartet der Server nur jeweils nach den ersten beiden von insgesamt acht Fenstern. Ist andererseits $R = 10$ Mbps, wartet der Server nach jedem Fenster, was zu einer beträchtlichen Erhöhung der Verzögerung führt.

Als Nächstes betrachten wir das Versenden eines kleinen Objekts mit der Größe $O = 5$ Kbyte. Die Anzahl der Fenster für dieses Objekt ist $K = 4$. Die folgende Tabelle listet die Auswirkung des Slow-Start-Mechanismus auf die Latenz bei verschiedenen Übertragungsraten auf.

R	O/R	P	Minimale Latenz: O/R + 2 RTT	Latenz mit Slow-Start
28 Kbps	1,43 s	1	1,63 s	1,73 s
100 Kbps	0,4 s	2	0,6 s	0,757 s
1 Mbps	40 ms	3	0,24 s	0,52 s
10 Mbps	4 ms	3	0,20 s	0,50 s

Wiederum fügt der Slow-Start eine beträchtliche Verzögerung hinzu, wenn die Übertragungsrate hoch ist. Wenn beispielsweise $R = 1$ Mbps ist, wartet der Server nach jedem Fenster, so dass die Latenz mehr als das Doppelte der minimalen Latenz beträgt.

Bei einer größeren RTT wird die Auswirkung des Slow-Starts für kleine Objekte bei kleineren Übertragungsraten bedeutsam. Die folgende Tabelle enthält eine Aufstellung der Auswirkungen des Slow-Starts bei $RTT = 1$ Sekunde und $O = 5$ Kbyte ($K = 4$).

R	O/R	P	Minimale Latenz: O/R + 2 RTT	Latenz mit Slow-Start
28 Kbps	1,43 s	3	3,4 s	5,8 s
100 Kbps	0,4 s	3	2,4 s	5,2 s
1 Mbps	40 ms	3	2,0 s	5,0 s
10 Mbps	4 ms	3	2,0 s	5,0 s

Zusammenfassend kann man sagen, dass der Slow-Start die Latenz erheblich erhöhen kann, wenn die Objektgröße relativ klein und die RTT relativ groß ist. Leider ist dies ein häufiges Szenario, wenn Objekte über das World Wide Web gesendet werden.

Ein Beispiel: HTTP

Als eine Anwendung für unsere Analyse der Latenz berechnen wir die Reaktionszeit für eine Web-Seite, die über das nicht persistente HTTP gesendet wird. Angenommen, die Seite besteht aus einer HTML-Basisseite und M referenzierten Bildern. Der Einfachheit halber nehmen wir an, dass jedes der $M + 1$ Objekte genau O Bit enthält.

Beim nicht persistenten HTTP wird jedes Objekt unabhängig – eines nach dem anderen – übertragen. Die Reaktionszeit der Web-Seite ist daher die Summe der Latenzen für die einzelnen Objekte:

$$\text{Reaktionszeit} = (M + 1)\left\{2RTT + \frac{O}{R} + P\left[RTT + \frac{S}{R}\right] - (2^P - 1)\frac{S}{R}\right\}$$

Die Reaktionszeit für nicht persistentes HTTP nimmt folgende Form an:

Reaktionszeit = $(M + 1)O/R + 2M + 1)RTT +$ Latenz durch TCP-Slow-Start für jedes der $M + 1$ Objekte

Wenn die Web-Seite viele Objekte enthält und die RTT groß ist, hat nicht persistentes HTTP natürlich eine schlechte Reaktionszeit bzw. Leistung. In den Übungen wird die Reaktionszeit für andere HTTP-Transportschemata, darunter persistente und nicht persistente Verbindungen mit parallelen Verbindungen, behandelt. Dem Leser wird die Durchsicht einer damit zusammenhängenden Analyse in [Heidemann 1997] empfohlen.

3.8 Zusammenfassung

Wir haben dieses Kapitel mit einer Untersuchung der Dienste begonnen, die ein Protokoll der Transportschicht den Netzwerkanwendungen bereitstellen kann. In einem Extrem ist das Transportprotokoll sehr einfach und bietet den Anwendungen äußerst einfache Dienste, d. h. nur Multiplexen/Demultiplexen für Kommunikationsprozesse. Das UDP-Protokoll des Internets ist ein Beispiel für ein solches einfaches Transportprotokoll. Im anderen Extrem kann ein Transportprotokoll eine Vielzahl von Zusicherungen für Anwendungen bieten, z. B. zuverlässige Übertragung von Daten sowie zugesicherte Verzögerungen und Bandbreiten. Dennoch sind die Dienste, die ein Transportprotokoll bereitstellen kann, oft durch das Dienstmodell des Protokolls auf der zugrunde liegenden Vermittlungsschicht begrenzt. Wenn das Protokoll der Vermittlungsschicht für die Segmente der Transportschicht keine Verzögerungen oder Bandbreiten zusichern kann, dann kann das Protokoll der Transportschicht auch keine Verzögerungen oder Bandbreiten für die zwischen Prozessen ausgetauschten Nachrichten zusichern.

Abschnitt 3.4 hat gezeigt, dass ein Transportprotokoll zuverlässigen Datentransfer auch dann bereitstellen kann, wenn die zugrunde liegende Vermittlungsschicht unzuverlässig ist. Die Bereitstellung eines zuverlässigen Datentransfers umfasst viele komplexe Aspekte, lässt sich aber meistern, wenn man Bestätigungen, Timer, Neuübertragungen und Sequenznummern sorgfältig kombiniert.

Obwohl wir in diesem Kapitel zuverlässigen Datentransfer behandelt haben, sollte man bedenken, dass zuverlässiger Datentransfer grundsätzlich von Protokollen auf der Sicherungs-, Vermittlungs-, Transport- und Anwendungsschicht bereitgestellt werden kann. Jede der oberen vier Schichten des Protokollstacks kann Bestätigungen, Timer, Neuübertragungen und Sequenznummern implementieren und der jeweils darunter liegenden Schicht zuverlässigen Datentransfer bieten. Im Laufe der Jahre haben Techniker und Computerwissenschaftler unabhängig Protokolle für die Sicherungs-, Vermittlungs-, Transport- und Anwendungsschicht entwickelt, die zuverlässigen Datentransfer bereitstellen (allerdings sind viele dieser Protokolle still und leise wieder verschwunden).

In Abschnitt 3.5 wurde TCP, das verbindungsorientierte und zuverlässige Transportprotokoll des Internets, genauer untersucht. Sie haben erfahren, dass TCP komplex ist und Verbindungsmanagement, Flusskontrolle, Schätzungen der Roundtrip-Zeit sowie zuverlässigen Datentransfer umfasst. Tatsächlich ist TCP noch komplexer als in unserer Beschreibung: Wir haben absichtlich eine Vielzahl von TCP-Patches, -Fixes und Verbesserungen nicht erwähnt, die in vielen TCP-Versionen implementiert werden. Diese Komplexität wird allerdings vor der Netzwerkanwendung verborgen. Wenn ein Client auf einem Host Daten zuverlässig an einen Server auf einem anderen Host senden will, öffnet er einfach ein TCP-Socket zum Server und pumpt die Daten in dieses Socket. Die Client/Server-Anwendung hat von der ganzen TCP-Komplexität keine Kenntnis.

In Abschnitt 3.6 wurde Überlastkontrolle aus einer allgemeinen Perspektive behandelt, während in Abschnitt 3.7 beschrieben wurde, wie TCP Überlastkontrolle implementiert. Sie haben erfahren, dass Überlastkontrolle für ein gut funktionierendes Netzwerk unerlässlich ist. Ohne Überlastkontrolle kann ein Netzwerk schnell in einen Stau geraten, so dass kaum oder überhaupt keine Daten mehr von Ende zu Ende übertragen werden können. Abschnitt 3.7 hat gezeigt, dass TCP einen Überlastkontrollmechanismus von Ende zu Ende implementiert, der seine Übertragungsrate »additiv« erhöht, wenn der Pfad der TCP-Verbindung als nicht überlastet gilt, und sie »multiplikativ« senkt, wenn ein Datenverlust erkannt wird. Mit diesem als »Additive Increase / Multiplicative Decrease« bezeichneten Mechanismus wird auch angestrebt, jeder TCP-Verbindung auf einer überlasteten Verbindungsleitung einen fairen Anteil an der Leitungsbandbreite zukommen zu lassen. Außerdem wurde die Auswirkung des TCP-Verbindungsaufbaus und des Slow-Starts auf die Latenz geprüft. Wir haben festgestellt, dass Verbindungsaufbau und Slow-Start in vielen wichtigen Szenarien erheblich zur Ende-zu-Ende-Verzögerung beitragen. Außerdem wurde deutlich gemacht, dass die TCP-Überlastkontrolle immer noch einen Bereich intensiver Forschungsarbeiten darstellt und im Laufe der nächsten Jahre sicherlich weiterentwickelt wird.

In Kapitel 1 wurde gesagt, dass sich ein Computernetzwerk in die »Netzwerkperipherie« und den »Netzwerkkern« aufteilen lässt. Die Netzwerkperipherie deckt alles ab, was in den Endsystemen passiert. Nachdem wir die Anwendungs- und Transportschicht behandelt haben, ist unsere Diskussion der Netzwerkperipherie abgeschlossen. Nun ist es an der Zeit, den Netzwerkkern zu erforschen! Diese Reise beginnt im nächsten Kapitel mit der Vermittlungsschicht und wird in Kapitel 5 mit der Sicherungsschicht fortgeführt.

WIEDERHOLUNGSFRAGEN

Abschnitte 3.1 bis 3.3

1. Man betrachte eine TCP-Verbindung zwischen Host A und Host B. Angenommen, die TCP-Segmente von Host A nach Host B haben Quellportnummer x und Zielportnummer y. Wie lauten die Quell- und Zielportnummern für die Segmente von Host B nach Host A?
2. Beschreiben Sie, warum sich ein Anwendungsentwickler möglicherweise dafür entscheidet, eine Anwendung über UDP und nicht über TCP zu betreiben.
3. Kann eine Anwendung in den Genuss eines zuverlässigen Datentransfers kommen, auch wenn sie über UDP läuft? Falls ja, wie?

Abschnitt 3.5

4. Richtig oder falsch:
   a. Host A sendet Host B eine große Datei über eine TCP-Verbindung. Host B hat keine Daten an A zu senden. Host B sendet keine Bestätigungen an Host A, weil Host B die Bestätigungen nicht Huckepack auf den Daten senden kann.
   b. Die Größe des TCP-Empfangsfensters RcvWindow ändert sich nie während der gesamten Dauer der Verbindung.
   c. Host A sendet Host B eine große Datei über eine TCP-Verbindung. Die Anzahl der unbestätigten Bytes, die A sendet, darf die Größe des Empfangspuffers nicht übersteigen.
   d. Host A sendet eine große Datei an Host B über eine TCP-Verbindung. Wenn die Sequenznummer für ein Segment dieser Verbindung m ist, dann lautet die Sequenznummer für das anschließende Segment $m + 1$.
   e. Das TCP-Segment hat in seinem Header ein Feld für RcvWindow.
   f. Die letzte SampleRTT in einer TCP-Verbindung ist beispielsweise gleich 1 s. Dann wird Timeout für die Verbindung notwendigerweise auf einen Wert von $>= 1$ s gesetzt.
   g. Host A sendet Host B ein Segment mit Sequenznummer 38 und 4 Datenbyte. Die Bestätigungsnummer im gleichen Segment muss dann 42 sein.
5. Angenommen, A sendet zwei aufeinander folgende TCP-Segmente an B. Das erste Segment hat Sequenznummer 90 und das zweite 110.
   a. Wie viele Daten enthält das erste Segment?
   b. Wenn beispielsweise das erste Segment verloren geht, das zweite aber bei B ankommt, wie lautet dann die Bestätigungsnummer in der Bestätigung, die B an A sendet?
6. Man betrachte das Telnet-Beispiel in Abschnitt 3.5. Ein paar Sekunden, nachdem der Benutzer den Buchstaben ‚C' eingegeben hat, tippt er den Buchstaben ‚R'. Wie viele Segmente werden nach dem Eintippen des Buchstabens ‚R' gesendet und was wird in die Sequenznummern- und Bestätigungsfelder der Segmente eingefügt?

Abschnitt 3.7

7. Angenommen, zwei TCP-Verbindungen sind auf einer Flaschenhalsleitung mit Rate R bps aktiv. Beide Verbindungen müssen eine riesige Datei (in der gleichen Richtung über die Flaschenhalsleitung) senden. Die Übertragungen der Dateien beginnen zur gleichen Zeit. Welche Übertragungsrate kann TCP den beiden Verbindungen jeweils zur Verfügung stellen?
8. Richtig oder falsch: Wenn bei der Überlastkontrolle in TCP ein Timer beim Sender abläuft, wird der Grenzwert auf die Hälfte seines vorherigen Werts gesetzt.

ÜBUNGEN

3.1 Angenommen, Client A leitet eine Telnet-Sitzung zu Server S ein. Etwa zur gleichen Zeit leitet auch Client B eine Telnet-Sitzung zu Server S ein. Geben Sie die möglichen Quell- und Zielportnummern für:
a. die von A nach S gesendeten Segmente.
b. die von B nach S gesendeten Segmente.
c. die von S nach A gesendeten Segmente.
d. die von S nach B gesendeten Segmente.
e. Wenn A und B unterschiedliche Hosts sind, ist es dann möglich, dass die Quellportnummer in den Segmenten von A nach S die gleiche wie die von B nach S ist?
f. Was ist, wenn es sich bei A und B um den gleichen Host handelt?

3.2 UDP und TCP verwenden das Einer-Komplement für ihre Prüfsummen. Angenommen, Sie haben die folgenden drei 8-Bit-Wörter: 01010101, 01110000, 11001100. Wie lautet das Einer-Komplement für die Summe dieser Wörter? Zeigen Sie die ganze Berechnung. Warum nimmt UDP das Einer-Komplement der Summe; warum wird nicht einfach die Summe verwendet? Wie erkennt der Empfänger Fehler, wenn das Einer-Komplement-Schema angewandt wird? Ist es möglich, dass ein 1-Bit-Fehler unerkannt bleibt? Was ist mit einem 2-Bit-Fehler?

3.3 Betrachten Sie unsere Motivation für die Korrektur von Protokoll rdt2.1. Zeigen Sie, dass dieser Empfänger, wenn er mit dem Sender von Abbildung 3.11 läuft, dazu führen kann, dass Sender und Empfänger in eine Verklemmung geraten können, was bedeutet, dass beide auf ein Ereignis warten, das nie eintritt.

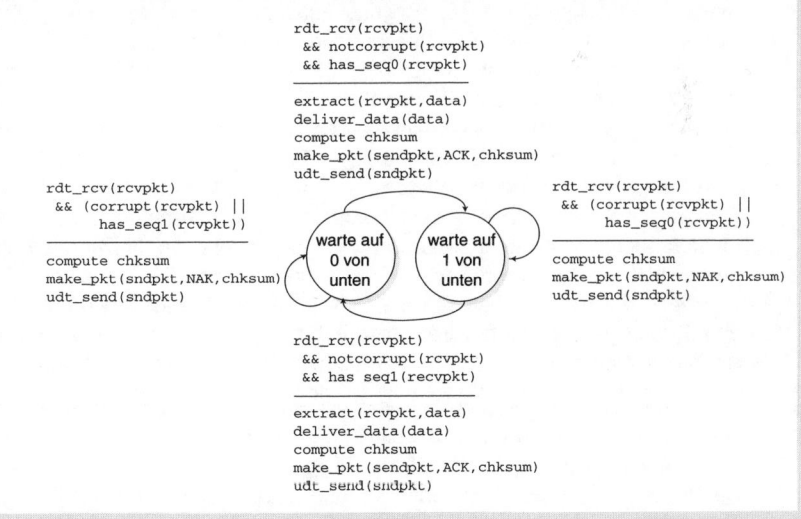

3.4 In Protokoll rdt3.0 haben die ACK-Pakete, die vom Empfänger zum Sender fließen, keine Sequenznummern (obwohl sie ein ACK-Feld haben, das die Sequenznummer des Pakets enthält, das sie bestätigen). Warum brauchen unsere ACK-Pakete keine Sequenznummern?

3.5 Zeichnen Sie die FSM für die Empfängerseite von Protokoll rdt3.0.

3.6 Beschreiben Sie kurz den Betrieb von Protokoll rdt3.0, wenn Daten- und Bestätigungspakete beschädigt werden. Ihre Kurzbeschreibung sollte derjenigen von Abbildung 3.16 ähneln.

3.7 Betrachten Sie einen Kanal, der Pakete verlieren kann, aber eine maximale bekannte Verzögerung hat. Modifizieren Sie das Protokoll rdt2.1, um ein Sender-Timeout und Retransmit einzubeziehen. Erklären Sie, warum Ihr Protokoll korrekt über diesen Kanal kommunizieren kann.

3.8 Die Senderseite von rdt3.0 ignoriert einfach alle empfangenen Pakete (d. h., sie unternimmt keine Aktion), die fehlerhaft sind oder – wenn es sich um ein Bestätigungsfeld handelt – im Bestätigungsnummernfeld einen falschen Wert haben. Wir nehmen beispielsweise an, dass rdt3.0 unter solchen Umständen das aktuelle Datenpaket einfach erneut überträgt. Würde das Protokoll immer noch funktionieren? (*Hinweis*: Überlegen Sie, was passiert, wenn nur Bitfehler auftreten würden; es gäbe keine Paketverluste, aber vorzeitige Timeouts. Überlegen Sie auch, wie oft das *n*-te Paket gesendet wird, wenn sich *n* Unendlich nähert.)

3.9 Betrachten Sie das Beispiel in Abbildung 3.17. Wie groß müsste die Fenstergröße sein, um eine Kanalauslastung von mehr als 90% zu erreichen?

3.10 Entwerfen Sie ein zuverlässiges Datentransferprotokoll mit Pipelining, das nur negative Bestätigungen verwendet. Wie schnell würde Ihr Protokoll auf verlorene Pakete reagieren, wenn die Ankunftsrate von Daten zum Sender niedrig ist? Und wenn sie hoch ist?

3.11 Bei dem generischen Selective-Repeat-Protokoll (SR), das in Abschnitt 3.4.4 beschrieben wurde, überträgt der Sender eine Nachricht, sobald sie verfügbar ist (falls sie sich im Fenster befindet), ohne auf eine Bestätigung zu warten. Angenommen, wir wünschen uns ein SR-Protokoll, das jeweils zwei Nachrichten gleichzeitig sendet. Das heißt, der Sender sendet zuerst zwei Nachrichten als Paar und das nächste Paar erst, wenn er weiß, dass die ersten beiden korrekt empfangen wurden. Wir nehmen an, dass der Kanal zwar Nachrichten verlieren kann, dass aber keine beschädigt oder umgeordnet werden. Entwerfen Sie ein Fehlerkontrollprotokoll für den unidirektionalen zuverlässigen Transfer von Nachrichten. Erstellen Sie eine FSM-Beschreibung des Senders und des Empfängers. Beschreiben Sie das Format der zwischen Sender und Empfänger ausgetauschten Pakete. Wenn Sie einen anderen als die in Abschnitt 3.4 beschriebenen Proceduraufrufe (z. B. udt_send(), start_timer(), rdt_rcv() usw.) verwenden, beschreiben Sie klar die jeweiligen Aktionen. Geben Sie ein Beispiel (eine Timeline-Übersicht für Sender und Empfänger), um aufzuzeigen, wie Ihr Protokoll nach einem verlorenen Paket fortfährt (Recovery).

3.12 Betrachten Sie ein Szenario, bei dem ein Host A gleichzeitig Nachrichten an die Hosts B und C senden will. A ist mit B und C über einen Broadcast-Kanal verbunden. Ein von A gesendetes Paket wird über den Kanal also an B und C befördert. Der Broadcast-Kanal, über den A, B und C verbunden sind, kann unabhängig Nachrichten verlieren und beschädigen (so dass z. B. eine Nachricht von A bei B korrekt ankommt, nicht aber bei C). Entwerfen Sie ein Stop-and-Wait-ähnliches Fehlerkontrollprotokoll für die zuverlässige Übertragung eines Pakets von A nach B und C, so dass A die Daten von der höheren Schicht erst erhält, wenn er weiß, dass sowohl B als auch C das aktuelle Paket korrekt empfangen haben. Erstellen Sie FSM-Beschreibungen von A und C. (*Hinweis*: Die FSM für B und C sollte im

Wesentlichen gleich sein.) Außerdem beschreiben Sie das bzw. die verwendeten Paketformate.

3.13 Betrachten Sie das Go-Back-N-Protokoll mit einer Senderfenstergröße von 3 und einem Sequenznummerbereich von 1.024. Angenommen, dass zum Zeitpunkt t das nächste Paket der Reihenfolge, das der Empfänger erwartet, eine Sequenznummer von k hat. Gehen Sie davon aus, dass das Medium die Reihenfolge der Nachrichten nicht verändert. Beantworten Sie folgende Fragen:
a. Welche Serien von Sequenznummern können sich zum Zeitpunkt t im Senderfenster befinden? Erklären Sie Ihre Antwort.
b. Welche Werte können sich im ACK-Feld der Nachricht befinden, die sich in Zeitpunkt t zum Sender zurück ausbreitet? Erklären Sie Ihre Antwort.

3.14 Gehen Sie von zwei Netzwerkeinheiten A und B aus. B hat Datnachrichten anstehen, die entsprechend den folgenden Konventionen an A gesendet werden. Wenn A eine Anfrage von der höheren Schicht erhält, die nächste Datenachricht (D) von B zu holen, muss A eine Anfragenachricht (R) auf dem Kanal von A nach B an B senden. Nur falls B eine R-Nachricht empfängt, kann sie eine Datenachricht (D) auf dem Kanal von B nach A an A zurücksenden. A sollte genau eine Kopie von jeder D-Nachricht an die höhere Schicht abgeben. R-Nachrichten können im Kanal von A nach B verloren gehen (aber nicht beschädigt werden). Einmal versendete D-Nachrichten werden immer korrekt zugestellt. Die Verzögerung auf beiden Kanälen ist unbekannt und variabel. Entwerfen Sie eine FSM-Beschreibung eines Protokolls, das die entsprechenden Mechanismen implementiert, um den verlustbehafteten Kanal von A nach B zu kompensieren, und das Nachrichten implementiert, die an die höhere Schicht in Einheit A weitergegeben werden. Verwenden Sie nur die Mechanismen, die absolut notwendig sind.

3.15 Betrachten Sie die Go-Back-N- und Selective-Repeat-Protokolle. Angenommen, der Sequenznummernraum hat Größe k. Welche maximal zulässige Größe kann das Senderfenster haben, so dass Probleme wie die in Abbildung 3.26 bei beiden Protokollen nicht vorkommen können?

3.16 Beantworten Sie folgende Fragen mit »Richtig« oder »Falsch« und erklären Sie kurz Ihre Antwort:
a. Beim Selective-Repeat-Protokoll ist es möglich, dass der Sender ein ACK für ein Paket empfängt, das außerhalb seines aktuellen Fensters liegt.
b. Bei Go-Back-N ist es möglich, dass der Sender ein ACK für ein Paket empfängt, das außerhalb seines aktuellen Fensters liegt.
c. Das Alternating-Bit-Protokoll ist das Gleiche wie das Selective-Repeat-Protokoll, mit einer Sender- und Empfängerfenstergröße von 1.
d. Das Alternating-Bit-Protokoll ist das Gleiche wie das Go-Back-N-Protokoll, mit einer Sender- und Empfängerfenstergröße von 1.

3.17 Denken Sie an die Übertragung einer sehr großen Datei mit L Byte von Host A an Host B. Gehen Sie von einer MSS von 1.460 Byte aus.
a. Welcher maximale Wert von L ist möglich, so dass TCP-Sequenznummern nicht erschöpft werden? Denken Sie daran, dass das Sequenznummernfeld in TCP vier Byte groß ist.
b. Für den in a. ermittelten L-Wert stellen Sie fest, wie lange es dauert, um die Datei zu übertragen. Gehen Sie davon aus, dass an jedes Segment ein Header der Transport-, Ver-mittlungs-, und Sicherungsschicht von insgesamt 66

Byte angefügt wird, bevor das resultierende Paket über eine 10-Mbps-Verbindungsleitung versendet wird. Ignorieren Sie Fluss- und Überlastkontrolle, was bedeutet, dass A die Segmente nacheinander und kontinuierlich herauspumpen kann.

3.18 Abbildung 3.31 zeigt, dass TCP wartet, bis es drei Duplikat-ACKs empfangen hat, bevor es ein Fast-Retransmit durchführt. Warum haben sich die TCP-Designer Ihrer Meinung nach dafür entschieden, nach dem ersten Duplikat-ACK für ein Segment kein Fast-Retransmit durchzuführen?

3.19 Betrachten Sie die TCP-Prozedur für die Schätzung der RTT. Angenommen, $x = 0{,}1$, SampleRTT$_1$ die letzte Muster-RTT, SampleRTT$_2$ die vorletzte Muster-RTT usw.
  c. Gehen Sie für eine bestimmte TCP-Verbindung davon aus, dass vier Bestätigungen mit entsprechenden Muster-RTTs – SampleRTT$_4$, SampleRTT$_3$, SampleRTT$_2$ und SampleRTT$_1$ – zurückgegeben wurden. Drücken Sie EstimatedRTT in Bezug zu den vier Muster-RTTs aus.
  d. Generalisieren Sie Ihre Formel für n Muster-Roundtrip-Zeiten.
  e. Es sei gegeben, dass n bei der Formel in Teil b. sich Unendlich nähert. Erklären Sie, warum man diese Art der Ermittlung des Durchschnitts als »Exponential Weighted Moving Average« (EWMA) bezeichnet.

3.20 In Abbildung 3.51 ist die Konvergenz des TCP-Algorithmus Additive-Increase/Multiplicative-Decrease dargestellt. Es wird angenommen, dass TCP statt eines Multiplicative-Decrease die Fenstergröße um einen konstanten Wert erhöht. Würde das resultierende Additive-Increase/Additive-Decrease auf einen anteilig gleichen Algorithmus konvergieren? Erklären Sie Ihre Antwort mit Hilfe eines Diagramms, ähnlich Abbildung 3.51.

3.21 Denken Sie an das idealisierte Modell für die Dauerzustandsdynamik von TCP. In der Zeitperiode, ab der die Fenstergröße der Verbindung von $(W \cdot MSS)/2$ bis $W \cdot MSS$ schwankt, geht nur ein Paket verloren (ganz am Ende der Periode).
  a. Weisen Sie nach, dass die Verlustrate wie folgt aussieht:

$$L = \text{Verlustrate} = \frac{1}{\frac{3}{8}w^2 + \frac{3}{4}w}$$

  b. Verwenden Sie das obige Ergebnis, um aufzuzeigen, dass bei einer Verlustrate L einer Verbindung die durchschnittliche Bandbreite dieser Verbindung ungefähr wie folgt angegeben werden kann:

  $\sim 1{,}22 \cdot MSS/[RTT \cdot \text{sqrt}(L)]$

3.22 Sie möchten ein Objekt mit der Größe $O = 100$ Kbyte vom Server zum Client senden. Seien $S = 536$ Byte und $RTT = 100$ ms. Gehen Sie davon aus, dass das Transportprotokoll statische Fenster mit der Fenstergröße W verwendet.
  a. Ermitteln Sie die mögliche minimale Latenz für eine Übertragungsrate von 28 Kbps. Bestimmen Sie die minimale Fenstergröße, die diese Latenz erreicht.
  b. Wiederholen Sie a. für 100 Kbps.
  c. Wiederholen Sie a. für 1 Mbps.
  d. Wiederholen Sie a. für 10 Mbps.

3.23 Angenommen, TCP würde sein Überlastfenster während des Slow-Starts um Zwei statt Eins für jede empfangene Bestätigung erhöhen. Folglich besteht das erste

Fenster aus einem Segment, das zweite aus drei Segmenten, das dritte aus neun Segmenten usw. Lösen Sie für diese Slow-Start-Prozedur folgende Aufgaben:
a. Drücken Sie K in Bezug zu O und S aus.
b. Drücken Sie Q in Bezug zu RTT, S und R aus.
c. Drücken Sie die Latenz in Bezug zu $P = \min(K - 1, Q)$, O, R und RTT aus.

3.24 Betrachten Sie den Fall von $RTT = 1$ Sekunde und $O = 100$ Kbyte. Arbeiten Sie ein Diagramm (ähnlich denen in Abschnitt 3.5.2) aus, das die minimale Latenz ($O/R + 2\ RTT$) mit der Latenz beim Slow-Start für R = 28 Kbps, 100 Kbps, 1 Mbps und 10 Mbps vergleicht.

3.25 Richtig oder falsch?
a. Wenn eine Web-Seite aus genau einem Objekt besteht, dann haben nicht persistente und persistente Verbindungen hinsichtlich der Reaktionszeit genau die gleiche Leistung.
b. Betrachten Sie das Senden eines Objekts mit der Größe O vom Server zu einem Browser über TCP. Wenn $O > S$, wobei S die maximale Segmentgröße (MSS) ist, dann wartet der Server mindestens einmal.
c. Angenommen, eine Web-Seite besteht aus zehn Objekten mit jeweils einer Größe von O Bit. Beim persistenten HTTP ist der RTT-Anteil an der Reaktionszeit 20 RTT.
d. Angenommen, eine Web-Seite besteht aus zehn Objekten mit jeweils einer Größe von O Bit. Beim nicht persistenten HTTP mit fünf parallelen Verbindungen ist der RTT-Anteil an der Reaktionszeit 12 RTT.

3.26 Die Analyse für dynamische Fenster im Textteil basiert auf der Annahme, dass es eine Verbindungsleitung zwischen Server und Client gibt. Erstellen Sie die Analyse neu für T Verbindungsleitungen zwischen Server und Client. Gehen Sie davon aus, dass das Netzwerk nicht überlastet ist, so dass Pakete keinen Warteschlangenverzögerungen ausgesetzt sind. Die Pakete müssen allerdings eine Store-and-Forward-Verzögerung über sich ergehen lassen. Die Definition von RTT entspricht der im Abschnitt über die TCP-Überlastkontrolle enthaltenen. (*Hinweis*: Die Zeit, die zwischen dem Absenden des ersten Segments durch den Server und dem Empfang der Bestätigung vegeht, ist $TS/R + RTT$.)

3.27 Erinnern Sie sich an die Diskussion über die Reaktionszeit für eine Web-Seite in Abschnitt 3.7.3. Ermitteln Sie für den Fall nicht persistenter Verbindungen einen allgemeinen Ausdruck für den *Anteil* an der Reaktionszeit, der auf den TCP-Slow-Start zurückzuführen ist.

3.28 Beim persistenten HTTP werden alle Objekte über die gleiche TCP-Verbindung gesendet. Wie in Kapitel 2 beschrieben wurde, ist eine der Motivationen für persistentes HTTP (mit Pipelining), die Auswirkungen des Verbindungsaufbaus und des Slow-Starts von TCP auf die Reaktionszeit für eine Web-Seite zu verringern. In dieser Übung untersuchen wir die Reaktionszeit für persistentes HTTP. Angenommen, der Client fordert alle Bilder gleichzeitig an, aber erst, wenn er die *ganze* HTML-Basisseite erhalten hat. Es seien $M + 1$ die Anzahl der Objekte und O die Größe jedes Objekts.
a. Erklären Sie, dass die Reaktionszeit aufgrund des Slow-Starts die Form $(M + 1)O/R + 3RTT +$ Latenz annimmt. Vergleichen Sie die Verteilung der RTTs in diesem Ausdruck mit der beim nicht persistenten HTTP.

b. Nehmen Sie an, dass $K = \log_2(O/S + 1)$ eine Ganzzahl ist; folglich überträgt das letzte Fenster der HTML-Basisdatei die Segmentmenge eines ganzen Fensters, d. h., Fenster K überträgt 2^{K-1} Segmente. $P' = \min\{Q, K' - 1\}$ und

$$K' = \left\lceil \log_2\left((M + 1)\frac{O}{S} + 1\right) \right\rceil$$

Beachten Sie, dass K' die Anzahl der Fenster ist, die ein Objekt mit der Größe $(M + 1)O$ abdeckt, während P' die Anzahl der Warteperioden ist, wenn das große Objekt über eine einzige TCP-Verbindung gesendet wird. Nehmen wir (falsch!) an, dass der Server die Bilder senden kann, ohne auf die formelle Anfrage für die Bilder vom Client warten zu müssen. Weisen Sie nach, dass die Reaktionszeit diejenige für das Senden eines großen Objekts mit der Größe $(M + 1)O$ ist:

Ungefähre Reaktionszeit $= 2RTT + \dfrac{(M + 1)O}{R} +$

$$P'\left[RTT + \frac{S}{R}\right] - (2^{P'} - 1)\frac{S}{R}$$

c. Die tatsächliche Reaktionszeit beim persistenten HTTP ist etwas größer als die Annäherung. Der Grund ist, dass der Server auf eine Anfrage für die Bilder warten muss, bevor er sie sendet. Die Wartezeit zwischen dem K-ten Fenster und Fenster $(K + 1)$ ist nicht $[S/R + 2^{K-1}(S/R)]^+$, sondern RTT. Beweisen Sie Folgendes:

Reaktionszeit $= 3RTT + \dfrac{(M + 1)O}{R} + P'\left[RTT + \dfrac{S}{R}\right] -$

$$(2^{P'} - 1)\frac{S}{R} - \left[\frac{S}{R} + RTT - \frac{S}{R}2^{K-1}\right]^+$$

3.29 Betrachten Sie das Szenario mit $RTT = 100$ ms, $O = 5$ Kbyte, $S = 536$ Byte und $M = 10$. Erstellen Sie ein Diagramm, das die Reaktionszeiten für nicht persistente und persistente Verbindungen mit 28 Kbps, 100 Kbps, 1 Mbps und 10 Mbps vergleicht. Beachten Sie, dass persistentes HTTP bei allen genannten Übertragungsraten außer 28 Kbps eine wesentlich niedrigere Reaktionszeit als nicht persistentes HTTP hat.

3.30 Wiederholen Sie die obige Übung für den Fall von $RTT = 1$ s, $O = 5$ Kbyte, $S = 536$ Byte und $M = 10$. Beachten Sie bei diesen Parametern, dass persistentes HTTP bei allen genannten Übertragungsraten eine beträchtlich niedrigere Reaktionszeit als nicht persistentes HTTP aufweist.

3.31 Betrachten Sie nicht persistentes HTTP mit parallelen TCP-Verbindungen. Browser arbeiten normalerweise in diesem Modus, wenn sie HTTP/1.0 verwenden. Sei X die maximale Anzahl an parallelen Verbindungen, die der Client (Browser) gleichzeitig öffnen kann. In diesem Modus benutzt der Client zuerst eine TCP-Verbindung, um die HTML-Basisdatei zu holen. Nach Empfang der HTML-Basisdatei baut der Client M/X Gruppen von TCP-Verbindungen auf, wobei jede Gruppe X parallele Verbindungen hat. Erklären Sie, dass die gesamte Reaktionszeit folgende Form annimmt:

→ Reaktionszeit = $(M + 1)O/R + 2(M/X + 1) \, RTT +$
Latenz aufgrund der Slow-Start-Wartezeit

Vergleichen Sie die Verteilung des Terms in Bezug zu RTT bei persistenten und nicht persistenten (nicht parallelen) Verbindungen.

DISKUSSIONSFRAGEN

3.1 Betrachten Sie Streaming von gespeichertem Audio. Ist es sinnvoller, die Anwendung über UDP oder TCP auszuführen? Welches der beiden Protokolle wird von RealNetworks benutzt? Warum? Sind Ihnen weitere Produkte für das Streaming von gespeichertem Audio bekannt? Welches Transportprotokoll verwenden sie und warum?

PROGRAMMIERAUFGABEN

In dieser Programmieraufgabe werden Sie Code für die Sende- und Empfangsseite auf Transportebene für die Implementierung eines einfachen zuverlässigen Datentransferprotokolls – entweder das Alternating-Bit-Protokoll oder ein Go-Back-N-Protokoll – schreiben. Dies sollte Spaß machen, weil sich Ihre Implementierung kaum davon unterscheiden wird, was für die wirkliche Welt nötig wäre.

Da Sie wahrscheinlich nicht über Standalone-Rechner (mit einem Betriebssystem, das Sie modifizieren können) verfügen, muss Ihr Code in einer simulierten Hardware/Software-Umgebung ausgeführt werden. Die für Ihre Routinen bereitgestellte Programmieroberfläche (d. h. der Code, der Ihre Instanzen von oben (von Schicht 5) und von unten (von Schicht 3) aufrufen würde), ähnelt stark einer echten Unix-Umgebung. (Tatsächlich sind die in dieser Programmieraufgabe beschriebenen Softwareoberflächen viel realistischer als die Sender und Empfänger mit unendlicher Schleife, die man in vielen Lehrbüchern findet.) Außerdem wird das Stoppen und Starten von Timern simuliert und Timer-Interrupts werden Ihre Timer-Behandlungsroutine aktivieren.

Ausführliche Einzelheiten zu dieser Programmierübung sowie einen C-Code, den Sie für das Erstellen der simulierten Hardware/Software-Umgebung benötigen, finden Sie auf http://www.awl.com/kurose-ross.

INTERVIEW
Sally Floyd

Sally Floyd ist Forscherin am AT&T Center for Internet Research am ICSI-Institut (ACIRI), das sich mit Internet- und Vernetzungsfragen beschäftigt. Sie ist in der Industrie durch ihre Internet-Protokolldesigns, insbesondere zuverlässiges Multicast, Überlastkontrolle (TCP), Paket-Scheduling (RED) sowie Protokollanalyse bekannt. Sally erhielt ihren B.A. in Soziologie und ihren M.S. und Ph.D. in Computerwissenschaft an der University of California, Berkeley.

- **Was hat Sie dazu bewegt, Computerwissenschaften zu studieren? Was hat Ihr Interesse an diesem Gebiet geweckt?**

Nach meinem Soziologiestudium musste ich mir Gedanken darüber machen, wie ich meinen Lebensunterhalt verdienen würde. Es ergab sich für mich eine zweijährige Assistententätigkeit im Elektronikforschungsbereich am örtlichen College, wonach ich dann schließlich zehn Jahre im Bereich der Elektronik und Computerwissenschaften tätig war. Das umfasste acht Jahre als Computer Systems Engineer für die Computer, die die BART-Züge (Bay Area Rapid Transit) steuern. Später entschloss ich mich zum Studium einer mehr formellen Computerwissenschaft und bewarb mich an der Graduate School beim Computer Science Department der UC Berkeley.

- **Was hat Sie dazu bewegt, sich auf Vernetzung zu spezialisieren?**

An der Graduate School entstand mein Interesse an theoretischer Computerwissenschaft. Ich arbeitete zuerst an der Wahrscheinlichkeitsanalyse von Algorithmen und später an Computerlerntheorie. Einen Tag im Monat arbeitete ich außerdem am LBL (Lawrence Berkeley Laboratory). Mein Büro befand sich genau gegenüber von dem von Van Jacobson, der zur damaligen Zeit an TCP-Überlastkontrollalgorithmen arbeitete. Van fragte mich, ob ich den Sommer über an Analysen von Algorithmen für ein netzwerkbezogenes Problem, das mit der unerwünschten Synchronisation periodischer Routing-Nachrichten zu tun hatte, arbeiten möchte. Ich fand das sehr interessant und nahm das Angebot an.

Nach meinem Diplom bot mir Van Jacobson eine Vollzeitbeschäftigung im Vernetzungsbereich an. Ich hatte eigentlich nicht vor, so lange im Vernetzungsbereich zu arbeiten. Ich finde Netzwerkforschung inzwischen aber erfüllender als theoretische Computerwissenschaft. Ich fühle mich wohler mit praxisnaher Arbeit, deren Ergebnisse greifbarer sind.

- **Was war Ihre erste Stelle in der Computerindustrie? Welches Aufgabengebiet hatten Sie?**

Mein erster Computerjob war bei BART (Bay Area Rapid Transit) von 1975 bis 1982. Ich arbeitete dort an den Computern, die die BART-Züge steuern. Ich begann als Wartungstechnikerin für die verschiedenen dezentralen Computersysteme des BART-Systems.

Dies umfasste ein zentrales Rechensystem und ein verteiltes Minicomputersystem für die Kontrolle der Zugbewegung, ein System aus DEC-Computern für die Anzeige von Werbungen und Fahrplänen sowie ein System aus Modcomp-Computern für die Erfassung von Informationen von den Fahrkartenschaltern. Meine letzten Jahre bei →

→ BART arbeitete ich an einem gemeinsamen BART/LBL-Projekt für die Ablösung der alternden BART-Computeranlagen.

- **Was ist der interessanteste Teil Ihres Aufgabenbereichs?**

Der interessanteste Teil ist sicherlich die eigentliche Forschungsarbeit. Derzeit bedeutet das die Entwicklung und Erforschung eines neuen Mechanismus für gleichungsbasierte Ende-zu-Ende-Überlastkontrolle. Damit soll TCP nicht etwa abgelöst werden. Vielmehr könnte man damit für Unicast-Verkehr, wie beispielsweise einen ratenadaptiven Echtzeitverkehr, hohe Ratenänderungen bzw. die Halbierung der Senderate aufgrund eines einzigen Paketverlusts vermeiden. Eine auf Gleichungen basierte Überlastkontrolle ist auch als potenzielle Grundlage für Multicast interessant. Weitere Informationen hierüber befinden sich auf der Web-Seite unter http://www.psc.edu/networking/tcp_friendly.html.

- **Wie sieht Ihrer Meinung nach die Zukunft der Computernetzwerke/ des Internets aus?**

Eine Möglichkeit ist, dass die im Internet-Verkehr häufig vorkommende Überlastung abgebaut werden kann, wenn gebührenbasierte Mechanismen eingeführt werden und die verfügbare Bandbreite schneller als die Nachfrage steigt. Meiner Meinung nach zeichnet sich ein Trend hin zu geringeren Überlastungen ab, wobei mittelfristig ein gelegentlicher Kollaps durch Überlastungen nicht auszuschließen ist.

Die Zukunft des Internets oder der Internet-Architektur ist mir überhaupt nicht klar. Es gibt viele Faktoren, die zu einem schnellen Wandel beitragen, so dass es schwierig ist vorauszusagen, wie sich das Internet oder die Internet-Architektur weiterentwickeln wird, und schon gar nicht, wie erfolgreich diese Weiterentwicklung angesichts der vielen potenziellen Fallen sein wird.

- **Durch welche Leute wurden Sie beruflich inspiriert?**

Richard Karp, mein Betreuer an der Graduate School, zeigte mir im Wesentlichen, wie man richtige Forschungsarbeit betreibt, Meinem »Gruppenleiter« bei LBL, Van Jacobson, verdanke ich mein Interesse an Vernetzung und meine Kenntnisse der Internet-Infrastruktur. Dave Clark inspirierte mich durch seine klare Sicht der Internet-Architektur und seine Rolle in der Entwicklung dieser Architektur im Rahmen von Forschungsarbeiten, Veröffentlichungen und Teilnahmen an der IETF und anderen öffentlichen Foren. Deborah Estrin hat mich durch ihren Weitblick und ihre Fähigkeit, kluge Entscheidungen über Projekte zu treffen, inspiriert.

Einer der Gründe, warum ich meinen Arbeitsbereich in den letzten zehn Jahren auf Netzwerkforschung verlagert habe, ist der, dass es so viele Leute gibt, die auf diesem Gebiet arbeiten, die ich mag und respektiere und die mich anregen. Sie sind klug, tüchtig und stark in der Entwicklung des Internets engagiert; sie leisten eindrucksvolle Arbeit und sind angenehme Kollegen und nette Kumpel, mit denen man auch mal ein Bier trinken kann, auch wenn man beruflich nicht unbedingt immer gleicher Meinung ist.

KAPITEL 4

Vermittlungsschicht und Routing

4.1 Einleitung und Netzwerkdienstmodelle

Wir haben im vorherigen Kapitel gesehen, dass die Transportschicht einen Kommunikationsdienst zwischen zwei Prozessen bereitstellt, die auf zwei unterschiedlichen Hosts laufen. Um diesen Dienst bereitzustellen, verlässt sich die Transportschicht auf die Dienste der Vermittlungsschicht, die einen Kommunikationsdienst zwischen Hosts bietet. Insbesondere bewegt die Vermittlungsschicht Segmente der Transportschicht von einem Host zu einem anderen. Im sendenden Host wird das Segment der Transportschicht an die Vermittlungsschicht weitergegeben. Anschließend ist es die Aufgabe der Vermittlungsschicht, das Segment an den Zielhost zu befördern und es im Protokollstack nach oben an die Transportschicht weiterzureichen. Die genaue Art und Weise, wie die Vermittlungsschicht ein Segment von der Transportschicht eines Ursprungshosts zur Transportschicht des Zielhosts bewegt, ist das Thema dieses Kapitels. Wir werden sehen, dass die Vermittlungsschicht im Gegensatz zur Transportschicht *jeden einzelnen Host und Router im Netzwerk involviert.* Aus diesem Grund zählen die Protokolle der Vermittlungsschicht zu den schwierigsten (und damit interessantesten!) im Protokollstack.

Abbildung 4.1 zeigt ein einfaches Netzwerk mit zwei Hosts (H1 und H2) und mehrere Router auf dem Pfad zwischen H1 und H2. Die Rolle der Vermittlungsschicht in einem sendenden Host ist der Beginn der Reise eines Pakets zum empfangenden Host. Wenn H1 beispielsweise an H2 sendet, transferiert die Vermittlungsschicht in Host H1 diese Pakete an den nahegelegenen Router R1. Im empfangenden Host (z. B. H2) empfängt die Vermittlungsschicht das Paket vom nahegelegenen Router (in diesem Fall R2) und befördert das Paket nach oben zur Transportschicht in H2. Die primäre Rolle der Router ist es, Pakete von Eingangs- an Ausgangsleitungen zu »vermitteln«. Man beachte, dass die Router in Abbildung 4.1 mit einem gekürzten Protokollstack, d. h. ohne höhere Schichten über der Vermittlungsschicht, dargestellt sind, weil Router (abgesehen von Kontrollzwecken) keine Protokolle der Transport- und Anwendungsschicht, die in Kapitel 2 und 3 beschrieben wurden, ausführen.

Die Rolle der Vermittlungsschicht ist also unglaublich einfach: Pakete von einem sendenden zu einem empfangenden Host transportieren. In diesem Zusammenhang übernimmt die Vermittlungsschicht drei wichtige Funktionen:

- *Pfadermittlung*: Die Vermittlungsschicht muss die Route bzw. den Pfad ermitteln, den Pakete von einem Sender zu einem Empfänger nehmen. Die Algorithmen zur

Abbildung 4.1 Die Vermittlungsschicht

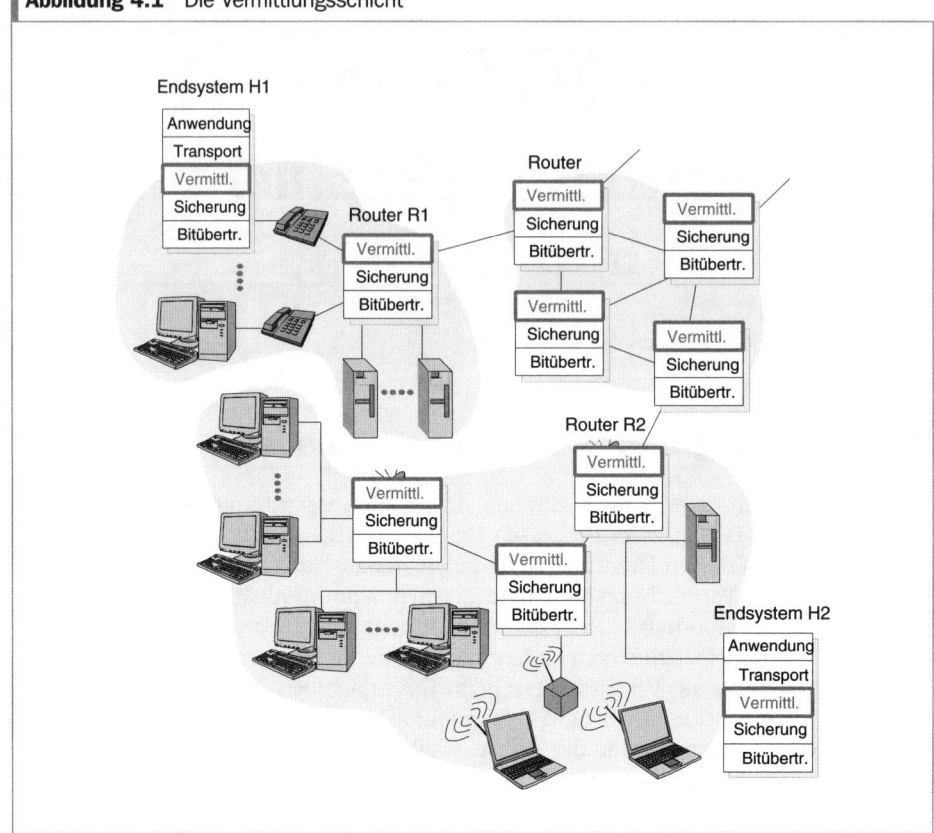

Berechnung dieser Pfade werden als **Routing-Algorithmen** bezeichnet. Ein Routing-Algorithmus kann z. B. den Pfad bestimmen, auf dem Pakete von H1 zu H2 fließen. Der Großteil dieses Kapitels konzentriert sich auf Routing-Algorithmen. In Abschnitt 4.2 wird die Theorie von Routing-Algorithmen beschrieben; Schwerpunkt sind dabei die beiden vorherrschenden Klassen von Routing-Algorithmen: Link-State-Routing und Distanzvektor-Routing. Wir werden sehen, dass die Komplexität von Routing-Algorithmen im gleichen Umfang zunimmt, in dem die Anzahl von Routern im Netzwerk steigt. Dies motiviert zur Nutzung von hierarchischem Routing, einem Thema, das in Abschnitt 4.3 behandelt wird. Abschnitt 4.8 beschreibt Multicast-Routing: die Routing-Algorithmen, Vermittlungsfunktionen und Call-Setup-Mechanismen, die es ermöglichen, dass ein Paket von einem Sender nur einmal gesendet, aber an mehrere Ziele ausgeliefert wird.

- *Vermittlung*: Wenn ein Paket am Eingang eines Routers ankommt, muss der Router es zur entsprechenden Ausgangsleitung bewegen. Ein Paket, das beispielsweise von Host H1 bei Router R2 ankommt, muss zum nächsten Router auf dem Pfad zu H2 weitergeleitet werden. In Abschnitt 4.6 betrachten wir das Innenleben eines Routers und untersuchen, wie ein Paket tatsächlich von einer Eingangsleitung an einem Router zu einer Ausgangsleitung vermittelt (bewegt) wird.
- *Call-Setup*: In TCP ist ein Drei-Wege-Handshake erforderlich, bevor die eigentlichen Daten zwischen Sender und Empfänger ausgetauscht werden können. Dies

ermöglicht es dem Sender und Empfänger, die erforderlichen Zustandsinformationen (z. B. Sequenznummer und anfängliche Größe des Flusskontrollfensters) einzurichten. Vergleichbar damit erfordern es einige Vermittlungsschichtarchitekturen (z. B. ATM), dass die Router auf dem gewählten Pfad von der Quelle zum Ziel ein Handshake durchführen, um den Zustand einzurichten, bevor die eigentlichen Daten fließen. Auf der Vermittlungsschicht nennt man diesen Prozess **Call-Setup**. Die Vermittlungsschicht der Internet-Architektur führt kein solches Call-Setup durch.

Bevor wir zu den Details über die Theorie und Implementierung der Vermittlungsschicht kommen, betrachten wir zunächst die unterschiedlichen Dienstarten, die von der Vermittlungsschicht geboten werden können, aus allgemeiner Perspektive.

4.1.1 Netzwerkdienstmodell

Wenn die Transportschicht in einem sendenden Host ein Paket zum Netzwerk überträgt (d. h. es im sendenden Host nach unten zur Vermittlungsschicht weitergibt), kann sich dann die Transportschicht darauf verlassen, dass die Vermittlungsschicht das Paket zum Ziel befördert? Kann man bei mehreren gesendeten Paketen sichergehen, dass sie im empfangenden Host in der Reihenfolge, in der sie gesendet wurden, weitergegeben werden? Ist die Zeit zwischen dem Versenden zweier aufeinander folgender Paketübertragungen gleich der Zeit zwischen ihrem Empfang? Bietet das Netzwerk irgendein Feedback über eine mögliche Überlast im Netzwerk? Welche Merkmale weist der Kanal auf, der die Transportschicht im sendenden und empfangenden Host verbindet? Die Antworten auf diese Fragen und weitere hängen von dem Dienstmodell ab, das die Vermittlungsschicht bereitstellt. Das **Netzwerkdienstmodell** definiert die Merkmale des Ende-zu-Ende-Transports von Daten zwischen einer »Außengrenze« des Netzwerks und der anderen, d. h. zwischen sendenden und empfangenden Endsystemen.

Datagramm oder virtueller Kanal?

Die vielleicht wichtigste Abstraktion, die von der Vermittlungsschicht den höheren Schichten bereitgestellt wird, betrifft die Frage, ob die Vermittlungsschicht **virtuelle Kanäle** (Virtual Circuits, **VCs**) benutzt. Aus Kapitel 1 ist bekannt, dass sich ein VC-Paketnetzwerk ähnlich verhält wie ein Telefonnetz, das »echte Leitungen« im Gegensatz zu »virtuellen Leitungen« benutzt. Bei einem virtuellen Kanal gibt es drei identifizierbare Phasen:

- *VC-Setup*: Während der Setup-Phase kontaktiert der Sender die Vermittlungsschicht, spezifiziert die Empfängeradresse und wartet, bis das Netzwerk den VC einrichtet. Die Vermittlungsschicht bestimmt den Pfad zwischen Sender und Empfänger, d. h. die Serie von Verbindungsleitungen und Paket-Switches, durch die alle Pakete des VC fließen werden. Wie in Kapitel 1 erwähnt, umfasst dies normalerweise die Aktualisierung von Tabellen in jedem Paket-Switch auf dem Pfad. Während des VC-Setup kann die Vermittlungsschicht auch Ressourcen (z. B. Bandbreite) auf dem Pfad des VC reservieren.
- *Datentransfer*: Nachdem der VC aufgebaut wurde, können Daten darüber fließen.
- *VC-Abbau*: Diese Phase wird eingeleitet, wenn der Sender (oder Empfänger) die Vermittlungsschicht darüber informiert, dass er den VC beenden möchte. Die Ver-

mittlungsschicht informiert dann normalerweise das Endsystem auf der anderen Seite des Netzwerks über die Beendigung der Verbindung und aktualisiert die Tabellen in jedem Paket-Switch auf dem Pfad, um darauf hinzuweisen, dass der VC nicht mehr existiert.

Zwischen dem VC-Aufbau auf der Vermittlungsschicht und dem Verbindungsaufbau auf der Transportschicht (z. B. das in Kapitel 3 beschriebene Drei-Wege-Handshake von TCP) gibt es einen feinen, aber wichtigen Unterschied. Der Verbindungsaufbau auf der Transportschicht involviert nur die beiden Endsysteme. Die beiden Endsysteme einigen sich auf die Kommunikation und bestimmen zusammen die Parameter (z. B. anfängliche Sequenznummer, Größe des Flusskontrollfensters) ihrer Verbindung auf der Transportschicht, bevor die eigentlichen Daten über die Verbindung auf der Transportebene fließen. Obwohl sich die beiden Endsysteme über die Verbindung auf der Transportschicht bewusst sind, haben die Switches im Netzwerk keine Kenntnis davon. Bei einem VC auf der Vermittlungsschicht sind dagegen die *Paket-Switches auf dem Pfad zwischen den beiden Endsystemen am VC-Setup beteiligt und jeder Paket-Switch hat volle Kenntnis über alle durch ihn durchführenden VCs.*

Die Nachrichten, die die Endsysteme an das Netzwerk senden, um den Auf- oder Abbau eines VC anzukündigen, und die Nachrichten, die zwischen den Switches weitergegeben werden, um einen VC einzurichten (d. h. die Switch-Tabellen zu modifizieren), werden als **Signalisierungsnachrichten** bezeichnet. Die Protokolle, die für den Austausch dieser Nachrichten benutzt werden, nennt man **Signalisierungsprotokolle**. Der VC-Setup ist in Abbildung 4.2 dargestellt, ATM, Frame-Relay und X.25, die in Kapitel 5 beschrieben werden, sind drei weitere Netzwerktechnologien, die virtuelle Kanäle benutzen.

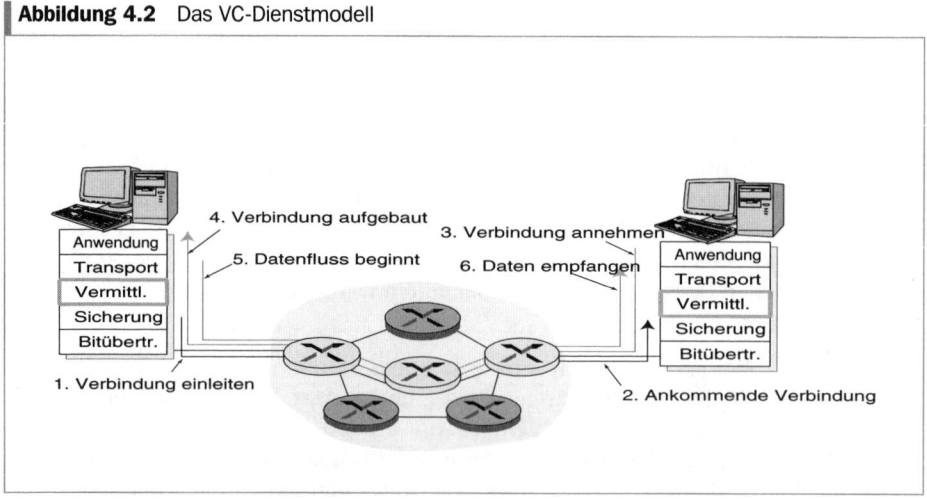

Abbildung 4.2 Das VC-Dienstmodell

Bei einer **Datagramm-Vermittlungsschicht** muss ein Endsystem jedes Mal, wenn es ein Paket senden will, das Paket mit der Adresse des Zielendsystems versehen und dann das Paket in das Netzwerk einspeisen. Abbildung 4.3 zeigt, dass dies ohne VC-Setup geschieht. Die Paket-Switches in einem Datagramm-Netzwerk (die man im Internet »Router« nennt) führen keinerlei Zustandsinformationen über VCs, weil es keine VCs gibt! Stattdessen leiten Paket-Switches ein Paket zum Ziel weiter, indem sie die Zieladresse des Pakets durchsehen, eine Routing-Tabelle mit der Zieladresse indizieren und das Paket in Richtung des Ziels weiterleiten. (Wie in Kapitel 1 erwähnt, ähnelt das Datagramm-Routing dem Weiterleitungssystem im konventionellen Postdienst.) Da Routing-Tabellen jederzeit modifiziert werden können, schlagen Pakete, die von einem Endsystem an ein anderes gesendet werden, unter Umständen unterschiedliche Pfade durch das Netzwerk ein und kommen möglicherweise außer der Reihenfolge an. Das Internet nutzt eine Datagramm-Vermittlungsschicht. [Paxson 1997] präsentiert eine interessante Messstudie über die Umstellung der Paketreihenfolge und andere Phänomene im öffentlichen Internet.

Abbildung 4.3 Das Datagramm-Dienstmodell

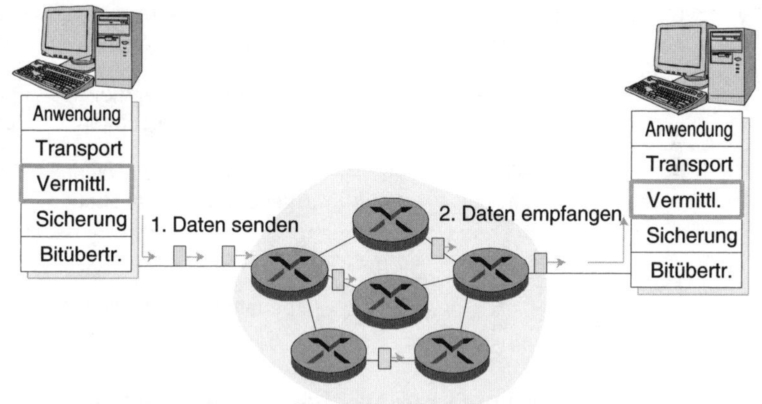

Wie in Kapitel 1 beschrieben wurde, bietet ein paketvermitteltes Netzwerk der Transportschicht normalerweise einen VC- oder Datagramm-Dienst, aber nicht beide Dienste. Kapitel 5 wird beispielsweise noch zeigen, dass ein ATM-Netzwerk der Transportschicht nur einen VC-Dienst bietet. Das Internet bietet der Transportschicht nur einen Datagramm-Dienst.

Alternative Begriffe für VC- und Datagramm-Dienst sind **verbindungsorientierter Dienst auf der Vermittlungsschicht** bzw. **verbindungsloser Dienst auf der Vermittlungsschicht**. Tatsächlich ist der VC-Dienst eine Art verbindungsorientierter Dienst, weil er den Auf- und Abbau einer verbindungsähnlichen Einheit und die Führung von Zustandsinformationen über Verbindungen in den Paket-Switches umfasst. Der Datagramm-Dienst ist eine Art verbindungsloser Dienst dahingehend, dass er keine verbindungsähnlichen Einheiten verwendet. Beide Begriffsgruppen haben Vor- und Nachteile und beide werden häufig in der Netzwerkliteratur verwendet. In diesem Buch verwenden wir die Begriffe »VC-Dienst« und »Datagramm-Dienst« für die Vermittlungsschicht und behalten uns die Begriffe »verbindungsorientierter Dienst« und »verbindungsloser Dienst« für die Transportschicht vor. Wir halten dies für sinnvoll, damit der Leser die von den beiden Schichten gebotenen Dienste besser unterscheiden kann.

Die wichtigen Aspekte des Dienstmodells der Internet- und ATM-Netzwerkarchitekturen sind in Tabelle 4.1 übersichtlich zusammengefasst. Wir möchten hier nicht auf die Einzelheiten der Dienstmodelle eingehen (dies kann ein recht »trockenes« Thema sein; außerdem finden sich ausführliche Beschreibungen in den Standards selbst [ATM Forum 1997]). Ein Vergleich der Internet- und ATM-Dienstmodelle ist allerdings recht lehrreich.

Tabelle 4.1 Die Dienstmodelle der Internet- und ATM-Netzwerke

Architektur	Dienstmodell	Bandbreitenzusicherung	Verlustfrei	Reihenfolge	Zeit	Überlasthinweis
Internet	Best-Effort	Keine	Nein	Jede Reihenfolge möglich	Keine Einhaltung	Nein
ATM	CBR	Konstante Rate	Ja	Wird eingehalten	Wird eingehalten	Keine Überlast
ATM	VBR	Zugesicherte Rate	Ja	Wird eingehalten	Wird eingehalten	Keine Überlast
ATM	ABR	Zugesichertes Minimum	Nein	Wird eingehalten	Wird nicht eingehalten	Ja
ATM	UBR	Keine	Nein	Wird eingehalten	Wird nicht eingehalten	Nein

Die heutige Internet-Architektur bietet nur ein Dienstmodell, den Datagramm-Dienst, den man auch als **Best-Effort-Dienst** bezeichnet. Tabelle 4.1 mag den Anschein erwecken, dass der Best-Effort-Dienst soviel wie »überhaupt kein Dienst« bedeutet. Beim Best-Effort-Dienst wird nicht zugesichert, dass die Zeit zwischen Paketen eingehalten wird, es wird nicht zugesichert, dass sie in der gesendeten Reihenfolge ankommen, und es wird nicht zugesichert, dass übertragene Pakete zugestellt werden. Angesichts dieser Definition würde ein Netzwerk, das dem Ziel *keine* Pakete zustellt, der Definition eines Best-Effort-Zustelldienstes genügen. (Tatsächlich mag das überlastete öffentliche Internet von heute manchmal wie ein gutes Beispiel dafür erscheinen!) Wie wir in Kürze näher ausführen werden, gibt es aber gute Gründe für ein derart minimalistisches Netzwerkdienstmodell. Der Best-Effort-Dienst als das einzige Dienstmodell des Internets wird derzeit um so genannte Integrated-Services und Differentiated-Services erweitert; diese noch in der Entwicklung befindlichen Dienstmodelle werden in Kapitel 6 beschrieben.

Wir wenden uns jetzt den ATM-Dienstmodellen zu und konzentrieren uns hier auf die Dienstmodellstandards, die im ATM-Forum [ATM Forum 1997] entwickelt werden. Die ATM-Architektur bietet mehrere Dienstmodelle (d. h., der ATM-Standard hat mehrere Dienstmodelle). Dies bedeutet, dass innerhalb des gleichen Netzwerks unterschiedliche Verbindungen mit verschiedenen Dienstklassen bereitgestellt werden können.

Der **CBR-Netzwerkdienst (Constant Bit Rate)** war das erste standardisierte ATM-Dienstmodell und spiegelt wahrscheinlich die Tatsache wider, dass Telefongesellschaften unter den ersten Förderen von ATM waren. Der CBR-Netzwerkdienst eignet sich sehr gut für die Übertragung von Echtzeitaudio in konstanter Bitrate (z. B. digitalisierte Telefongespräche) und Videoverkehr. Mit CBR wurde ein konzeptionell einfaches Ziel verfolgt: Die Netzwerkverbindung soll aussehen wie eine dedizierte Kupfer- oder Glasfaserverbindung zwischen dem Sender und dem Empfänger. Mit dem CBR-Dienst werden ATM-Pakete (die im ATM-Jargon als **Zellen** bezeichnet werden) so über das Netzwerk befördert, dass die von einer Zelle wahrgenommene Ende-zu-Ende-Verzögerung (Cell-Transfer-Delay, CTD), die potenzielle Schwankung in der Ende-zu-Ende-Verzögerung (die meist als »Jitter« oder Cell-Delay-Variation, CDV, bezeichnet wird) und der Anteil von Zellen, die verloren gehen oder spät zugestellt werden (die so genannte Cell-Loss-Rate, CLR) garantiert unter bestimmten spezifizierten Werten liegen. Außerdem wird eine zugeteilte Übertragungsrate (Peak-Cell-Rate, PCR) für die Verbindung definiert, und vom Sender wird erwartet, Daten in dieser Rate in das Netzwerk zu speisen. Die Werte für PCR, CTD, CDV und CLR werden zwischen dem sendenden Host und dem ATM-Netzwerk beim erstmaligen Aufbau der CBR-Verbindung vereinbart.

Die zweite, konzeptionell einfache ATM-Dienstklasse ist der **UBR-Netzwerkdienst** (**Unspecified Bit Rate**). Im Gegensatz zum CBR-Dienst, der Zusicherungen hinsichtlich Rate, Verzögerung, Jitter und Verlust macht, wird beim UBR-Dienst außer der Zustellung von Zellen in der richtigen Reihenfolge (d. h. Zellen, die das Glück haben, es bis zum Empfänger geschafft zu haben) keinerlei Zusicherung gegeben. Mit Ausnahme der Zustellung in der richtigen Reihenfolge entspricht der UBR-Dienst demnach dem Best-Effort-Dienstmodell des Internets. Wie beim Best-Effort-Dienstmodell im Internet bietet UBR auch kein Feedback zum Sender darüber, ob eine Zelle im Netzwerk verworfen wurde. Für die zuverlässige Übertragung von Daten über ein UBR-Netzwerk sind höherschichtige Protokolle nötig (z. B. diejenigen, die in Kapitel 3 beschrieben wurden). Der UBR-Dienst mag sich gut für Anwendungen mit nicht interaktivem Datentransfer, wie beispielsweise E-Mail und Newsgroups, eignen.

Wenn man sich UBR als »Best-Effort-Dienst« vorstellen kann, dann ist der **ABR-Netzwerkdienst** (**Available Bit Rate**) vergleichsweise ein »besseres« Best-Effort-Dienstmodell. Die beiden wichtigsten zusätzlichen Merkmale des ABR-Dienstes gegenüber dem UBR-Dienst sind:

- Einer Verbindung, die den ABR-Dienst benutzt, wird eine minimale Zellenübertragungsrate (Minimum Cell Rate, MCR) zugesichert. Verfügt das Netzwerk aber zu einem bestimmten Zeitpunkt über ausreichend freie Ressourcen, kann ein Sender tatsächlich erfolgreich Verkehr in einer *höheren* Rate als MCR senden.

- Überlast-Feedback vom Netzwerk: In Abschnitt 3.6.3 wurde erwähnt, dass ein ATM-Netzwerk dem Sender Feedback (in Form eines Überlasthinweisbits oder einer vorgeschlagenen niedrigeren Rate) bietet. Damit lässt sich steuern, wie der Sender seine Rate zwischen MCR und PCR (Peak Cell Rate) anpassen soll. ABR-Sender regeln ihre Übertragungsraten auf der Grundlage eines solchen Feedbacks.

ABR bietet die Zusicherung einer minimalen Bandbreite, versucht aber andererseits, Daten so schnell wie möglich zu übertragen (bis zu dem von PCR auferlegten Limit). Damit eignet sich ABR sehr gut für Datentransfer, bei dem es wünschenswert ist, die Transferverzögerungen niedrig zu halten (z. B. Web-Surfen).

Schließlich gibt es als weiteres ATM-Dienstmodell den **VBR-Netzwerkdienst** (**Variable Bit Rate**). Der VBR-Dienst wird in zwei Varianten implementiert (was vielleicht auf eine Dienstklasse mit einer Identitätskrise hinweist!). Im Echtzeit-VBR-Dienst werden die akzeptable Zellenverlustrate, die Verzögerung und das Jitter wie im CBR-Dienst spezifiziert. Die tatsächliche Quellrate darf aber entsprechend den vom Benutzer spezifizierten Parametern schwanken. Die deklarierte Schwankungsbreite der Rate kann vom Netzwerk (intern) benutzt werden, um seinen Verbindungen Ressourcen effizienter zuzuweisen; in Bezug auf Verlust, Verzögerung und Jitter ist der Dienst aus Sicht des Senders aber im Wesentlichen mit dem CBR-Dienst identisch. Während in anfänglichen Bemühungen ein VBR-Dienstmodell definiert wurde, das deutlich auf Echtzeitdienste abzielte (wie beispielsweise durch die PCR-, CTD-, CDV- und CLR-Parameter belegt), zielt jetzt eine zweite Variante des VBR-Dienstes auf Nicht-Echtzeitdienste ab und bietet die Zusicherung einer Zellenverlustrate. Ganz klar stellt sich bei VBR die Frage, welche Vorteile der Dienst im Vergleich zu CBR (für Echtzeitanwendungen) und im Vergleich zu UBR und ABR (für Nicht-Echtzeitanwendungen) bietet. Derzeit gibt es nicht genug (oder überhaupt?) Erfahrungen mit dem VBR-Dienst, um diese Fragen beantworten zu können.

Eine ausgezeichnete Diskussion der verschiedenen Aspekte der Traffic Management Specification 4.0 des ATM-Forums [ATM Forum 1996] für den CBR-, VBR-, ABR- und UBR-Dienst findet der Leser in [Garrett 1996].

4.1.2 Ursprünge des Datagramm- und VC-Dienstes

Die Evolution der Internet- und ATM-Netzwerkdienstmodelle spiegelt ihre Ursprünge wider. Mit dem Konzept eines virtuellen Kanals als zentrales Organisationsprinzip und früher Konzentration auf CBR-Dienste kann ATM seine Herkunft aus der Telefonie (in der »echte Leitungen« benutzt werden) nicht leugnen. Die spätere Definition der UBR- und ABR-Dienstklassen tragen der Bedeutung von Datenanwendungen Rechnung, die in der Datenvernetzungsgemeinde entwickelt wurden. Angesichts der VC-Architektur und einer Konzentration auf die Unterstützung von Echtzeitverkehr mit *Zusicherungen* über den Umfang an erhaltener Leistung (auch bei datenorientierten Diensten wie ABR) ist die Vermittlungsschicht *erheblich komplexer* als das Best-Effort-Internet. Auch dies lässt sich auf das Erbgut aus der ATM-Telefonie zurückführen. Telefonnetze hatten ihre »Komplexität« notgedrungen innerhalb des Netzwerks, weil sie »dumme« Endsystemgeräte, wie das Wählscheibentelefon, verbanden. (Für diejenigen, die zu jung sind, um das zu wissen: Das waren Telefone ohne Tasten zum Drücken; sie hatten einfach nur eine Wählscheibe.)

Das Internet wuchs dagegen aus der Notwendigkeit heraus, Computer (d. h. ausgeklügeltere Endgeräte) miteinander zu verbinden. Vor dem Hintergrund solcher Endgeräte entschlossen sich die Internet-Architekten, das Netzwerkdienstmodell (Best-Effort) so einfach wie möglich auszulegen und jede zusätzliche Funktionalität (z. B. zuverlässigen Datentransfer) sowie viele neue Netzwerkdienste auf Anwendungsebene auf den höheren Schichten bei den Endsystemen anzusiedeln. Dies kehrt das Modell des Telefonnetzes um und führt zu einigen interessanten Konsequenzen:

- Das resultierende Internet-Netzwerkdienstmodell, das minimale (nämlich keine!) Dienstzusicherungen gibt (und somit minimale Anforderungen an die Vermittlungsschicht stellt) vereinfachte auch den *Zusammenschluss* (Internetworking) von Netzwerken, die sehr unterschiedliche Technologien auf der Sicherungsschicht (z. B. Satelliten, Ethernet, Glasfaser oder Funk) nutzten und völlig andere Übertragungsraten und Verlustmerkmale aufwiesen. Der Zusammenschluss von IP-Netzwerken wird ausführlich in Abschnitt 4.4 beschrieben.

- Wie in Kapitel 2 beschrieben, werden Anwendungen wie E-Mail, das Web und sogar ein Dienst mit Schwerpunkt auf der Vermittlungsschicht wie DNS in Hosts (Servern) an der Peripherie des Netzwerks implementiert. Die Möglichkeit, einen neuen Dienst einfach dadurch hinzuzufügen, dass man einen Host an das Netzwerk anschließt und ein neues höherschichtiges Protokoll (z. B. HTTP) definiert, führte dazu, dass neue Dienste wie das WWW im Internet in atemberaubend kurzer Zeit eingeführt werden konnten.

Wie wir in Kapitel 6 sehen werden, herrscht in der Internet-Gemeinde allerdings eine intensive Debatte darüber, wie die Architektur der Vermittlungsschicht weiterentwickelt werden soll, um Echtzeitdienste wie Multimedia zu unterstützen. Ein interessanter Vergleich von ATM mit der vorgeschlagenen nächsten Generation der Internet-Architektur ist in [Crowcroft 1995] enthalten.

4.2 Routing-Prinzipien

Um Pakete von einem sendenden Host zu einem Zielhost transferieren zu können, muss die Vermittlungsschicht den *Pfad* bzw. die *Route* ermitteln, über die die Pakete fließen sollen. Die Vermittlungsschicht muss den Pfad für ein Paket auf jeden Fall bestimmen, ob sie nun einen Datagramm-Dienst (in diesem Fall können Pakete zwischen zwei bestimmten Hosts unterschiedliche Routen einschlagen) oder einen VC-Dienst (in diesem Fall schlagen alle Pakete zwischen einer bestimmten Quelle und einem Ziel den gleichen Pfad ein) bereitstellt. Dies ist die Aufgabe des **Routing-Protokolls** der Vermittlungsschicht.

Im Kern eines jeden Routing-Protokolls liegt der **Routing-Algorithmus**, der den Pfad für ein Paket bestimmt. Der Zweck eines Routing-Algorithmus ist einfach: Mit einer gegebenen Reihe von Routern und Verbindungsleitungen zwischen den Routern findet ein Routing-Algorithmus einen »guten« Pfad von der Quelle zum Ziel. Im typischen Fall ist ein »guter« Pfad ein solcher, der die »geringsten Kosten« verursacht. Wir werden aber noch sehen, dass Belange wie Policy-Fragen (z. B. eine Regel wie: »Router X gehört dem Unternehmen Y und sollte keine Pakete weiterleiten, die von dem Netzwerk stammen, das dem Unternehmen Z gehört«) in der Praxis ebenfalls eine Rolle bei der Komplexität der konzeptionell einfachen und eleganten Algorithmen spielen, deren Theorie dem gesamten Routing in den heutigen Netzwerken zugrunde liegt.

Die Graphenabstraktion für die Formulierung von Routing-Algorithmen ist in Abbildung 4.4 dargestellt. In [Dodge 1999] sind verschiedene Graphen enthalten, die echte Netzwerkkonstellationen darstellen; eine Diskussion darüber, wie gut die verschiedenen auf Graphen basierende Modelle das Internet modellieren, ist in [Zegura 1997] enthalten. Hier stellen die Knoten im Graphen Router dar. Das sind die Punkte, an denen Entscheidungen über das Paket-Routing getroffen werden. Die Linien (die man in der Graphentheorie »Kanten« nennt), die diese Knoten miteinander verbinden, stellen die physikalischen Verbindungsleitungen zwischen diesen Routern dar. Eine Verbindungsleitung hat auch einen Wert, der die »Kosten« für das Versenden eines Pakets über sie darstellt. Die Kosten können den Umfang an Überlast auf der Verbindungsleitung (z. B. die momentane durchschnittliche Verzögerung für ein Paket über diese Verbindungsleitung) oder die physische Entfernung, die diese Verbindungsleitung überbrückt (z. B. kann eine transatlantische Verbindungsleitung höhere Kosten als eine kurze terrestrische verursachen) darstellen. Für unsere momentanen Zwecke nehmen wir die Kosten der Verbindungsleitung einfach als gegeben und kümmern uns nicht darum, wie sie ermittelt werden.

Abbildung 4.4 Abstraktes Modell eines Netzwerks

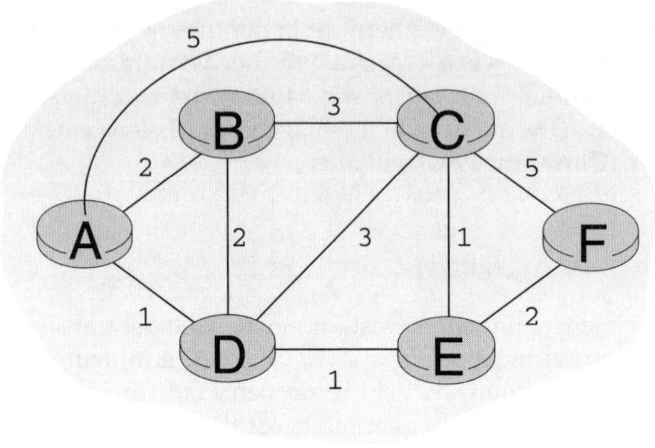

Angesichts der Graphenabstraktion setzt die Aufgabe, den Pfad mit den geringsten Kosten von einer Quelle zu einem Ziel zu finden, die Identifizierung einer Reihe von Verbindungsleitungen voraus:

- Die erste Verbindungsleitung auf dem Pfad ist mit der Quelle verbunden.
- Die letzte Verbindungsleitung auf dem Pfad ist mit dem Ziel verbunden.
- Für alle i sind die Verbindungsleitungen i und $i-1$ auf dem Pfad mit dem gleichen Knoten verbunden.
- Für den Pfad mit den **geringsten Kosten** (Least-Cost-Path) ist die Summe der Kosten der Verbindungsleitungen auf dem Pfad das Minimum aller möglichen Pfade zwischen der Quelle und dem Ziel. Wenn alle Verbindungsleitungskosten gleich sind, ist der Pfad mit den geringsten Kosten auch der **kürzeste Pfad** (Shortest Path, d. h. der Pfad, der die kleinste Anzahl von Verbindungsleitungen zwischen der Quelle und dem Ziel überquert).

In Abbildung 4.4 führt beispielsweise der Pfad mit den geringsten Kosten zwischen den Knoten A (Quelle) und C (Ziel) über den Pfad $ADEC$. (Wir finden es von der Notation her einfacher, den Pfad hinsichtlich der auf dem Pfad liegenden Knoten statt der auf dem Pfad liegenden Verbindungsleitungen zu bezeichnen.)

Als einfache Übung versuchen Sie, den Pfad mit den geringsten Kosten von Knoten A nach F herauszufinden; dann überlegen Sie einen Augenblick, wie Sie diesen Pfad berechnet haben. Wenn Sie wie die meisten Leute vorgegangen sind, haben Sie den Pfad von A nach F in Abbildung 4.4 dadurch gefunden, dass Sie ein paar Routen von A nach F gezogen und sich irgendwie selbst davon überzeugt haben, dass der von Ihnen gewählte Pfad von allen möglichen Pfaden die geringsten Kosten hat. (Haben Sie alle 17 möglichen Pfade zwischen A und F geprüft? Wahrscheinlich nicht!) Eine solche Berechnung ist ein Beispiel eines zentralisierten Routing-Algorithmus.

Der Routing-Algorithmus wurde an einer Stelle – in Ihrem Gehirn – mit vollständigen Informationen über das Netzwerk ausgeführt. Grob gesagt, hängen die Möglichkeiten der Klassifizierung von Routing-Algorithmen davon ab, ob sie global oder dezentral sind:

- Ein **globaler Routing-Algorithmus** berechnet den Pfad mit den geringsten Kosten zwischen einer Quelle und einem Ziel mittels vollständiger globaler Kenntnis über das Netzwerk. Das heißt, der Algorithmus nimmt die Konnektivität zwischen allen Knoten- und allen Verbindungsleitungskosten als Eingaben. Dies setzt natürlich voraus, dass der Algorithmus irgendwie an diese Informationen gelangt, bevor er die Berechnung durchführen kann. Die Berechnung selbst kann an einer Stelle (einem zentralisierten globalen Routing-Algorithmus) durchgeführt oder an mehrere Stellen repliziert werden. Das wichtigste Unterscheidungsmerkmal ist hier jedenfalls, dass ein globaler Algorithmus über vollständige Informationen über Konnektivitäts- und Verbindungsleitungskosten verfügt. In der Praxis werden Algorithmen mit globalen Zustandsinformationen oft als **Link-State-Algorithmen** bezeichnet, weil der Algorithmus die Kosten jeder Verbindungsleitung im Netzwerk kennen muss. In Abschnitt 4.2.1 wird ein globaler Link-State-Algorithmus untersucht.

- Bei einem **dezentralen Routing-Algorithmus** wird die Berechnung des Pfads mit den geringsten Kosten auf iterative, verteilte Weise ausgeführt. Kein Knoten verfügt über vollständige Informationen über die Kosten aller Netzwerkverbindungen. Stattdessen beginnt jeder Knoten nur mit der Kenntnis der Kosten seiner eigenen, direkt angeschlossenen Verbindungsleitungen. Im Verlauf eines iterativen Prozesses der Berechnung und des Austauschs von Informationen mit seinen benachbarten Knoten (d. h. Knoten, die sich am »anderen Ende« der Verbindungsleitungen befinden, an die sie selbst angeschlossen sind) berechnet ein Knoten schrittweise den Pfad mit den geringsten Kosten zu einem Ziel oder zu mehreren Zielen. In Abschnitt 4.2.2 wird ein als **Distanzvektor-Algorithmus** bezeichneter dezentraler Routing-Algorithmus untersucht. Die Bezeichnung ist darauf zurückzuführen, dass ein Knoten eigentlich nie einen vollständigen Pfad von einer Quelle zu einem Ziel kennt. Er kennt nur den Nachbarn, an den er ein Paket weiterleiten sollte, damit dieses ein bestimmtes Ziel auf dem Pfad mit den geringsten Kosten erreicht, und die Kosten dieses Pfads von sich selbst zum Ziel.

Routing-Algorithmen lassen sich allgemein auch danach klassifizieren, ob sie statisch oder dynamisch sind. Bei statischen Routing-Algorithmen ändern sich Routen sehr langsam im Verlauf der Zeit, oftmals als Ergebnis eines menschlichen Eingriffs (z. B. eine manuell editierte Weiterleitungstabelle in einem Router). Dynamische Routing-Algorithmen ändern die Routing-Pfade entsprechend der Netzwerkverkehrslast oder Änderungen der Netzwerktopologie. Ein dynamischer Algorithmus kann entweder periodisch oder als direkte Reaktion auf Änderungen der Topologie- oder Verbindungsleitungskosten ausgeführt werden. Dynamische Algorithmen reagieren zwar schneller auf Netzwerkänderungen, sind aber auch Problemen wie Routing-Schleifen und Routen-Schwankungen (Fragen, die in Abschnitt 4.2.2 behandelt werden) ausgesetzt.

In der Regel werden im Internet nur zwei Typen von Routing-Algorithmen benutzt: ein dynamischer globaler Link-State-Algorithmus und ein dynamischer dezentraler Distanzvektor-Algorithmus. Diese Algorithmen werden in Abschnitt 4.2.1 bzw. 4.2.2 beschrieben. In Abschnitt 4.2.3 werden weitere Routing-Algorithmen kurz vorgestellt.

4.2.1 Ein Link-State-Routing-Algorithmus

Bei einem Link-State-Algorithmus sind die Kosten der Netzwerktopologie und aller Verbindungsleitungen bekannt, d. h. als Eingabe in den Link-State-Algorithmus verfügbar. In der Praxis wird dies dadurch erreicht, dass man jeden Knoten die Identitäten und Kosten der an ihn angeschlossenen Verbindungsleitungen zu allen anderen Routern im Netzwerk **rundsenden** (Broadcast) lässt. Dieses **Link-State-Broadcast** [Perlman 1999] ist möglich, ohne dass die Knoten anfangs die Identitäten aller anderen Knoten im Netzwerk kennen müssen. Ein Knoten muss nur die Identitäten und Kosten seiner direkt angeschlossenen Nachbarn kennen. Er erfährt dann über die Topologie des restlichen Netzwerks durch den Empfang von Link-State-Broadcasts von anderen Knoten. (Kapitel 5 wird zeigen, wie ein Router die Identitäten seiner direkt angeschlossenen Nachbarn erfährt.) Das Ergebnis des Link-State-Broadcast der Knoten ist, dass alle Knoten eine identische und vollständige Sicht des Netzwerks haben. Jeder Knoten kann dann den Link-State-Algorithmus ausführen und die gleichen Pfade mit den geringsten Kosten wie jeder andere Knoten berechnen.

Der unten präsentierte Link-State-Algorithmus wird nach dem Namen seines Erfinders als **Dijkstra-Algorithmus** bezeichnet. Ein ähnlicher Algorithmus ist der Prim-Algorithmus; siehe [Corman 1990] mit einer allgemeinen Diskussion von Graphenalgorithmen. Der Dijkstra-Algorithmus berechnet den Pfad mit den geringsten Kosten von einem Knoten (der Quelle, A genannt) zu allen anderen Knoten im Netzwerk. Der Dijkstra-Algorithmus ist iterativ und hat die Eigenschaft, dass nach der k-ten Iteration des Algorithmus die Pfade mit den geringsten Kosten zu k Zielknoten bekannt sind. Unter den Pfaden mit den geringsten Kosten an alle Zielknoten haben diese k Pfade die k geringsten Kosten. Wir definieren folgende Notation:

- $c(i,j)$: Verbindungsleitungskosten von Knoten i zu Knoten j. Wenn die Knoten i und j nicht direkt verbunden sind, dann ist $c(i,j) = \infty$. Wir nehmen der Einfachheit halber an, dass $c(i,j)$ gleich $c(j,i)$ ist.

- $D(v)$: Kosten des Pfads vom Quellknoten zum Ziel v, das momentan (zum Stand dieser Iteration des Algorithmus) die geringsten Kosten hat.

- $p(v)$: Vorheriger Knoten (Nachbar von v) auf dem Pfad mit den momentan geringsten Kosten von der Quelle zu v.

- N: Die Knoten, deren Pfad mit den geringsten Kosten von der Quelle definitiv bekannt ist.

Der Link-State-Algorithmus besteht aus einem Initialisierungsschritt, gefolgt von einer Schleife. Wie oft die Schleife ausgeführt wird, entspricht der Anzahl von Knoten im Netzwerk. Bei Beendigung hat der Algorithmus die kürzesten Pfade vom Quellknoten zu jedem anderen Knoten im Netzwerk berechnet.

Link-State-Algorithmus (LS):

```
1  Initialization:
2    N = {A}
3    for all nodes v
4      if v adjacent to A
5        then D(v) = c(A,v)
6        else D(v) = ∞
7
```

```
 8  Loop
 9      find w not in N such that D(w) is a minimum
10      add w to N
11      update D(v) for all v adjacent to w and not in N:
12          D(v) = min( D(v), D(w) + c(w,v) )
13      /* Die neuen Kosten zu v sind entweder die
14             alten Kosten zu v oder die bekannten Kosten des kürzesten
15             Pfads zu w, zuzüglich der Kosten von w zu v */
16  until all nodes n N
```

Als Beispiel betrachten wir das Netzwerk in Abbildung 4.4 und berechnen die Pfade mit den geringsten Kosten von A zu allen möglichen Zielen. Tabelle 4.2 enthält eine tabellarische Übersicht der Berechnung des Algorithmus, wobei jede Zeile der Tabelle die Werte der Variablen des Algorithmus am Ende der Iteration enthält. Im Detail sehen die ersten Schritte wie folgt aus:

- **Initialisierungsschritt**: In diesem Schritt wird der momentan bekannte Pfad mit den geringsten Kosten von A zu seinen direkt verbundenen Nachbarn – B, C und D – auf 2, 5 bzw. 1 initialisiert. Man beachte insbesondere, dass die Kosten zu C auf 5 gesetzt werden (obwohl wir bald feststellen werden, dass es einen Pfad mit geringeren Kosten gibt), weil dies die Kosten der direkten Verbindungsleitung (ein Hop) von A nach C sind. Die Kosten zu E und F werden auf Unendlich gesetzt, weil die beiden nicht direkt mit A verbunden sind.

- **Erste Iteration**: In diesem Schritt suchen wir nach jenen Knoten, die noch nicht zur Menge N hinzugefügt wurden, und ermitteln den Knoten mit den geringsten Kosten zum Ende der vorherigen Iteration. Dieser Knoten ist D mit Kosten von 1; folglich wird D zur Menge N hinzugefügt. Zeile 12 des LS-Algorithmus wird dann ausgeführt, um D(v) für alle Knoten v zu aktualisieren. Das daraus ermittelte Ergebnis steht in der zweiten Zeile (Schritt 1) in Tabelle 4.2. Die Kosten des Pfads nach B bleiben unverändert. Die Kosten des Pfads zu C (die am Ende der Initialisierung 5 betrugen) durch Knoten D haben Kosten von 4, wie wir jetzt feststellen. Folglich wird dieser Pfad mit den niedrigeren Kosten gewählt und der Vorläufer von C auf dem kürzesten Pfad von A wird auf D gesetzt. Ebenso zeigt sich, dass die Kosten zu E (durch D) mit 2 berechnet wurden; anschließend wird die Tabelle entsprechend aktualisiert.

- **Zweite Iteration**: Wir stellen fest, dass die Knoten B und E die geringsten Pfadkosten (2) haben, und entscheiden uns willkürlich, E zur Menge N hinzuzufügen, so dass N nun A, D und E enthält. Die Kosten der übrigen, noch nicht in N befindlichen Knoten, d. h. Knoten B, C und F, werden über Zeile 12 des LS-Algorithmus aktualisiert und das Ergebnis steht in der dritten Zeile in Tabelle 4.2.

- Und so weiter …

Wenn der LS-Algorithmus endet, hat man für jeden Knoten seinen Vorläufer auf dem Pfad mit den geringsten Kosten vom Quellknoten. Für jeden Vorläufer haben wir auch *dessen* Vorläufer, so dass wir auf diese Weise den gesamten Pfad von der Quelle zu allen Zielen zusammenstellen können.

Wie steht es mit der rechnerischen Komplexität dieses Algorithmus? Das heißt, welcher Berechnungsumfang muss mit n Knoten (die Quelle nicht mitgezählt) im schlechtesten Fall (Worst-Case) durchgeführt werden, um die Pfade mit den gerings-

Tabelle 4.2 Ausführung des Link-State-Algorithmus für das Netzwerk von Abbildung 4.4

Schritt	N	D(B),p(B)	D(C),p(C)	D(D),p(D)	D(E),p(E)	D(F),p(F)
0	A	2,A	5,A	1,A	∞	∞
1	AD	2,A	4,D		2,D	∞
2	ADE	2,A	3,E			4,E
3	ADEB		3,E			4,E
4	ADEBC					4,E
5	ADEBCF					

ten Kosten von der Quelle zu allen Zielen zu finden? In der ersten Iteration müssen wir über alle n Knoten hinweg suchen, um den Knoten w zu ermitteln, der nicht in N ist und die minimalen Kosten hat. In der zweiten Iteration müssen wir $n-1$ Knoten prüfen, um die minimalen Kosten zu ermitteln. In der dritten Iteration müssen wir $n-2$ Knoten prüfen und so weiter. Insgesamt ist die Gesamtzahl der Knoten, die über alle Iterationen hinweg geprüft werden müssen, $n(n+1)/2$. Folglich können wir sagen, dass die obige Implementierung des Link-State-Algorithmus eine Worst-Case-Komplexität in der Größenordnung von n im Quadrat – $O(n^2)$ – hat. (Mit einer ausgefeilteren Implementierung dieses Algorithmus unter Verwendung einer Datenstruktur, die als »Heap« bezeichnet wird, kann man das Minimum von Zeile 9 in logarithmischer statt linearer Zeit finden, so dass sich die Komplexität reduziert.)

Bevor wir unsere Diskussion des LS-Algorithmus beenden, betrachten wir einen möglicherweise auftretenden pathologischen Fall. Abbildung 4.5 zeigt eine einfache Netzwerktopologie, bei der die Verbindungsleitungskosten gleich der auf der Verbindungsleitung geführten Last sind, z. B. als Widerspiegelung der beobachteten Verzögerung. Bei diesem Beispiel sind die Verbindungsleitungskosten nicht symmetrisch, d. h. $c(A,B)$ ist nur gleich $c(B,A)$, wenn die in beiden Richtungen auf der AB-Verbindungsleitung geführte Last gleich ist. In diesem Beispiel geht von Knoten D eine Verkehrseinheit mit dem Ziel A aus; von Knoten B geht auch eine Verkehrseinheit nach A aus und Knoten C speist eine Verkehrsmenge gleich e, ebenfalls für A, in das Netzwerk ein. Das anfängliche Routing ist in Abbildung 4.5 (a) dargestellt; die Verbindungsleitungskosten entsprechen der beförderten Verkehrsmenge.

Im nächsten Lauf des LS-Algorithmus bestimmt Knoten C (auf der Grundlage der in Abbildung 4.5 (a) dargestellten Verbindungsleitungskosten), dass der Pfad zu A im Uhrzeigersinn Kosten von 1 hat, während der Pfad zu A entgegen dem Uhrzeigersinn (den er benutzt hat) Kosten von $1+e$ hat. Folglich verläuft der Pfad mit den geringsten Kosten von C nach A jetzt im Uhrzeigersinn. Ebenso ermittelt B, dass sein neuer Pfad mit den geringsten Kosten zu A auch im Uhrzeigersinn verläuft, was die in Abbildung 4.5 (b) dargestellten Kosten ergibt. Wenn der LS-Algorithmus als Nächstes ausgeführt wird, erkennen die Knoten B, C und D einen Pfad mit Null Kosten zu A in Richtung entgegen dem Uhrzeigersinn und alle drei leiten ihren Verkehr auf die Routen entgegen dem Uhrzeigersinn. Das nächste Mal, wenn der LS-Algorithmus ausgeführt wird, leiten B, C und D ihren Verkehr auf die Routen im Uhrzeigersinn.

Was kann man unternehmen, um solche Oszillationen (die in jedem Algorithmus, der eine Verbindungsmetrik auf der Grundlage von Überlast oder Verzögerung ver-

Abbildung 4.5 Oszillationen im Link-State-Routing (LS)

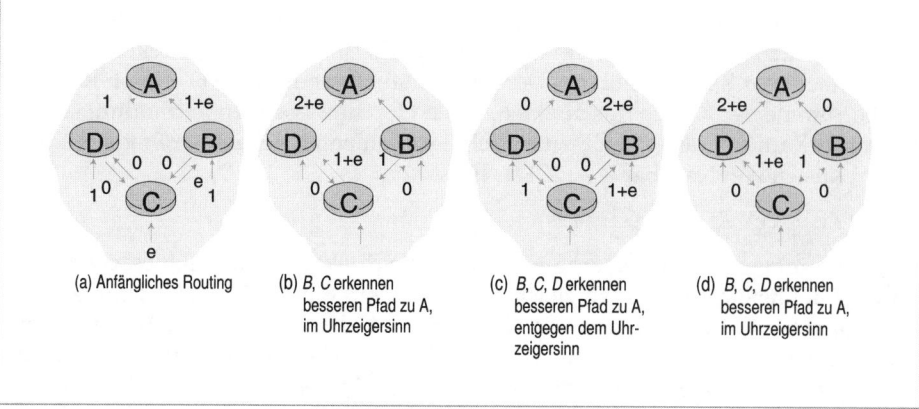

(a) Anfängliches Routing
(b) B, C erkennen besseren Pfad zu A, im Uhrzeigersinn
(c) B, C, D erkennen besseren Pfad zu A, entgegen dem Uhrzeigersinn
(d) B, C, D erkennen besseren Pfad zu A, im Uhrzeigersinn

wendet, auftreten können) zu verhindern? Eine Lösung wäre die Auflage, dass Verbindungsleitungskosten nicht von dem beförderten Verkehrsumfang abhängen dürfen. Diese Lösung ist aber nicht akzeptabel, weil Routing unter anderem das Ziel verfolgt, stark überlastete Verbindungsleitungen (z. B. hohe Verzögerungen) zu meiden. In einer weiteren Lösung wird sichergestellt, dass nicht alle Router den LS-Algorithmus gleichzeitig ausführen dürfen. Dies scheint die vernünftigere Lösung zu sein, weil sie hoffen lässt, dass die Ausführungsinstanz des Algorithmus, auch wenn mehrere Router den LS-Algorithmus mit der gleichen Periodizität ausführen, nicht in jedem Knoten gleich wäre. Wissenschaftler machten kürzlich die interessante Feststellung, dass Router im Internet sich selbst untereinander synchronisieren können [Floyd Synchronization 1994]. Das heißt, auch wenn sie anfangs den Algorithmus mit der gleichen Periode, jedoch zu unterschiedlichen Zeiten ausführen, kann die Ausführungsinstanz des Algorithmus letztlich in den Routern synchron werden und bleiben. Eine solche Selbstsynchronisation lässt sich vermeiden, wenn man zweckbezogen Randomisierung in die Periode zwischen den Ausführungsinstanzen des Algorithmus in jedem Knoten einführt.

Basierend auf dieser Untersuchung des Link-State-Algorithmus betrachten wir als Nächstes den anderen wichtigen Routing-Algorithmus, der heute in der Praxis verwendet wird – den Distanzvektor-Algorithmus.

4.2.2 Ein Distanzvektor-Routing-Algorithmus

Im Gegensatz zum LS-Algorithmus, der globale Informationen verwendet, ist der **Distanzvektor-Algorithmus** (DV) iterativ, *asynchron und verteilt*. Er ist dahingehend verteilt, als jeder Knoten bestimmte Informationen von einem oder mehreren seiner direkt verbundenen Nachbarn erhält, eine Berechnung durchführt und das Ergebnis seiner Berechnung dann an seine Nachbarn zurück verteilen kann. Er ist insofern iterativ, als dieser Prozess so lange fortgesetzt wird, bis zwischen den Nachbarn keine Informationen mehr ausgetauscht werden. (Interessant ist, dass der Algorithmus sich selbst beendet, wie wir noch sehen werden. Es gibt kein »Signal« für die Beendigung der Berechnung; sie hört einfach auf.) Der Algorithmus ist dahingehend asynchron, als er nicht voraussetzt, dass alle Knoten im Sperrschritt zueinander operieren. Wir werden noch sehen, dass ein asynchroner, iterativer, selbst endender verteilter Algorithmus viel interessanter ist als ein zentraler Algorithmus!

Die wichtigste Datenstruktur im DV-Algorithmus ist die in jedem Knoten verwaltete **Distanztabelle**. Die Distanztabelle eines Knotens enthält eine Zeile für jedes Ziel im Netzwerk und eine Spalte für jeden seiner direkt angeschlossenen Nachbarn. Man betrachte einen Knoten X, der am Routing zum Ziel Y über seinen direkt angeschlossenen Nachbarn Z interessiert ist. Der **Distanztabelleneintrag** $D^x(Y,Z)$ von Knoten X ist die Summe der Kosten der direkten, einen Hop umfassenden Verbindungsleitung zwischen X und Z, also $c(X,Z)$, zuzüglich des momentan bekannten Pfads mit minimalen Kosten von Nachbar Z zu Y. Das heißt:

$$D^x(Y,Z) = c(X,Z) + \min_w\{D^z(Y,w)\}$$

Der Term $\min_w$ in der Gleichung wird über alle direkt an Z angeschlossenen Nachbarn (einschließlich X, wie Sie gleich sehen werden) ermittelt. Die Gleichung deutet eine Form der Kommunikation von Nachbar zu Nachbar an, die im DV-Algorithmus erfolgen wird. Jeder Knoten muss die Kosten des Pfads mit minimalen Kosten jedes Nachbarn zu jedem Ziel kennen. Wenn also ein Knoten neue minimale Kosten zu einem Ziel berechnet, muss er seine Nachbarn über diese neuen minimalen Kosten informieren.

Bevor wir den DV-Algorithmus präsentieren, betrachten wir ein Beispiel, um die Bedeutung der Einträge der Distanztabelle besser zu verstehen. Man betrachte die Netzwerktopologie und die Distanztabelle für Knoten E in Abbildung 4.6. Dies ist die Distanztabelle in Knoten E nach der Konvergenz des DV-Algorithmus. Zuerst untersuchen wir die Zeile für Ziel A.

- Ganz klar sind die Kosten, um von E über die direkte Verbindung nach A zu gelangen, hier 1, also $D^E(A,A) = 1$.
- Jetzt betrachten wir den Wert von $D^E(A,D)$ – die Kosten, um von E nach A zu gelangen, wobei der erste Schritt über Pfad D führt. In diesem Fall enthält der Distanztabelleneintrag die Kosten, um von E nach D zu gelangen (Kosten von 2), zuzüglich der minimalen Kosten, um von D nach A zu gelangen. Man beachte, dass die minimalen Kosten von D nach A 3 betragen – ein Pfad, der direkt zu E zurückführt! Dennoch lässt sich feststellen, dass die minimalen Kosten von E nach A Kosten von 5 aufweisen, weil der erste Schritt über D führt. Es entsteht folglich das ungute Gefühl, dass wir später auf Probleme stoßen werden, weil der Pfad von E über D zu E zurückschleift!
- Ebenso stellen wir fest, dass der Distanztabelleneintrag über Nachbar B $D^E(A,B)$ = 14 ist. Man beachte, dass die Kosten *nicht* 15 sind. (Warum?)

Ein eingekreister Eintrag in der Distanztabelle von Abbildung 4.6 bezeichnet den Pfad mit den geringsten Kosten zum entsprechenden Ziel (Zeile). Die Spalte mit dem eingekreisten Eintrag identifiziert den nächsten Knoten auf dem Pfad mit den geringsten Kosten zum Ziel. Somit kann die **Routing-Tabelle** eines Knotens (die angibt, welche Ausgangsverbindung benutzt werden sollte, um Pakete an ein bestimmtes Ziel weiterzuleiten) leicht aus der Distanztabelle des Knotens erstellt werden.

In der obigen Diskussion der Distanztabelleneinträge für Knoten E sind wir informell von einer globalen Sicht ausgegangen, weil wir die Kosten aller Verbindungsleitungen im Netzwerk kennen. Der im Folgenden präsentierte Distanzvektor-Algorithmus ist *dezentral* und verfügt nicht über solche globalen Informationen.

Abbildung 4.6 Beispiel einer Distanztabelle

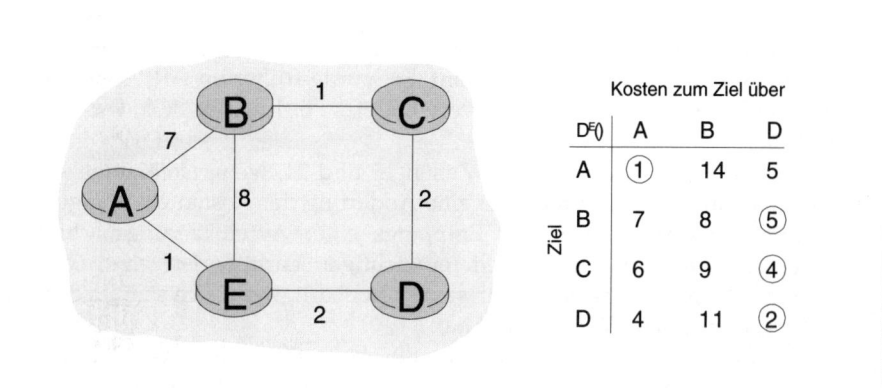

Distanzvektor-Algorithmus (DV)

In jedem Knoten, X:

```
1     Initialization:
2        for all adjacent nodes v:
3           Dˣ(*,v) = ∞  /* der Operator * bedeutet »für alle Zeilen« */
4           Dˣ(v,v) = c(X,v)
5        for all destinations, y
6           send min_w D(y,w) to each neighbor
7              /* w über alle Nachbarn von X */
8     loop
9        wait (until I see a link cost change to neighbor 10
              V or until I receive an update from neighbor V)
11
12       if (c(X,V) changes by d)
13          /* Kosten zu allen Zielen über Nachbar v um d ändern */
14          /* Anmerkung: d kann positiv oder negativ sein */
15          for all destinations y: Dˣ(y,V) = Dˣ(y,V) + d
16
17       else if (update received from V wrt destination Y)
18          /* der kürzeste Pfad von V zu Y hat sich geändert */
19          /* V hat einen neuen Wert für sein min_w Dᵛ(Y,w) gesendet */
20          /* Nenne diesen empfangenen neuen Wert »newval« */
21          for the single destination y: Dˣ(Y,U) =
                 c(X,V) = c(X,V) + newval
22
23       if we have a new min_w Dˣ(Y,w) for any destination Y
24          send new value of min_w Dˣ(Y,w) to all neighbors
25
26    forever
```

Tatsächlich sind die einzigen Informationen, über die ein Knoten verfügen wird, die Kosten der Verbindungsleitungen zu seinen direkt verbundenen Nachbarn, und die Informationen, die er von diesen direkt angeschlossenen Nachbarn erhält. Der Distanzvektor-Algorithmus, den wir untersuchen werden, wird nach seinen Erfindern auch Bellman-Ford-Algorithmus genannt. Er wurde früher im ARPANET und wird heute in vielen Routing-Protokollen verwendet, z. B. Internet BGP, ISO IDRP und Novell IPX.

Die wichtigsten Schritte sind die Zeilen 15 und 21, wenn ein Knoten seine Distanztabelleneinträge als Reaktion auf eine Änderung der Kosten einer angeschlossenen Verbindungsleitung oder des Empfangs einer Aktualisierungsnachricht von einem Nachbarn fortschreibt. Ein weiterer wichtiger Schritt findet sich in Zeile 24: Ein Knoten sendet eine Aktualisierung an seine Nachbarn, wenn sich sein Pfad mit minimalen Kosten zu einem Ziel geändert hat.

Abbildung 4.7 zeigt die Operation des DV-Algorithmus für das einfache, oben in der Abbildung dargestellte Netzwerk mit drei Knoten. Die Operation des Algorithmus ist auf synchrone Weise dargestellt, wobei alle Knoten gleichzeitig Nachrichten von ihren Nachbarn empfangen, neue Distanztabelleneinträge berechnen und ihre Nachbarn über eventuelle Änderungen ihrer neuesten günstigsten Pfadkosten informieren. Nach der Untersuchung dieses Beispiels sollten Sie sich selbst davon überzeugen, dass der Algorithmus auch auf asynchrone Weise korrekt funktioniert, wobei Knotenberechnungen sowie die Erzeugung und der Empfang von Aktualisierungen jederzeit erfolgen.

Die in Abbildung 4.7 eingekreisten Distanztabelleneinträge zeigen die momentan minimalen Pfadkosten zu einem Ziel. Ein doppelt eingekreister Eintrag bedeutet, dass (entweder in Zeile 4 des DV-Algorithmus (Initialisierung) oder in Zeile 21) neue Minimumkosten berechnet wurden. In solchen Fällen wird eine Aktualisierungsnachricht an die Nachbarn des Knotens (Zeile 24 des DV-Algorithmus) gesendet, was durch die Pfeile zwischen den Spalten in Abbildung 4.7 dargestellt wird.

Die ganz linke Spalte in Abbildung 4.7 zeigt die Distanztabelleneinträge für die Knoten X, Y und Z nach dem Initialisierungsschritt.

Wir betrachten jetzt, wie Knoten X die Distanztabelle in der mittleren Spalte von Abbildung 4.7 berechnet, nachdem er Aktualisierungen von den Knoten Y und Z erhalten hat. Als Ergebnis der von Y und Z erhaltenen Aktualisierungen führt X in Zeile 21 des DV-Algorithmus folgende Berechnung durch:

$D^x(Y,Z) = c(X,Z) + \min_w D^Z(Y,w)$
$\qquad = 7 + 1$
$\qquad = 8$
$D^x(Z,Y) = c(X,Y) + \min_w D^Y(Z,w)$
$\qquad = 2 + 1$
$\qquad = 3$

Wichtig ist hier die Feststellung, dass X von den Termen $\min_w D^Z(Y,w)$ und $\min_w D^Y(Z,w)$ nur deshalb Kenntnis hat, weil die Knoten Z und Y ihm diese Werte gesendet haben (und X sie in Zeile 10 des DV-Algorithmus empfangen hat). Als Übung überprüfen Sie die von Y und Z in der mittleren Spalte von Abbildung 4.7 berechneten Distanztabellen.

Der Wert $D^X(Z,Y) = 3$ bedeutet, dass die minimalen Kosten von X zu Z sich von 7 auf 3 geändert haben. Folglich sendet X Aktualisierungen an Y und Z, um sie über diese neuen Mindestkosten zu Z zu informieren. Man beachte, dass X keine Aktuali-

Abbildung 4.7 Ein Beispiel des Distanzvektor-Algorithmus (DV)

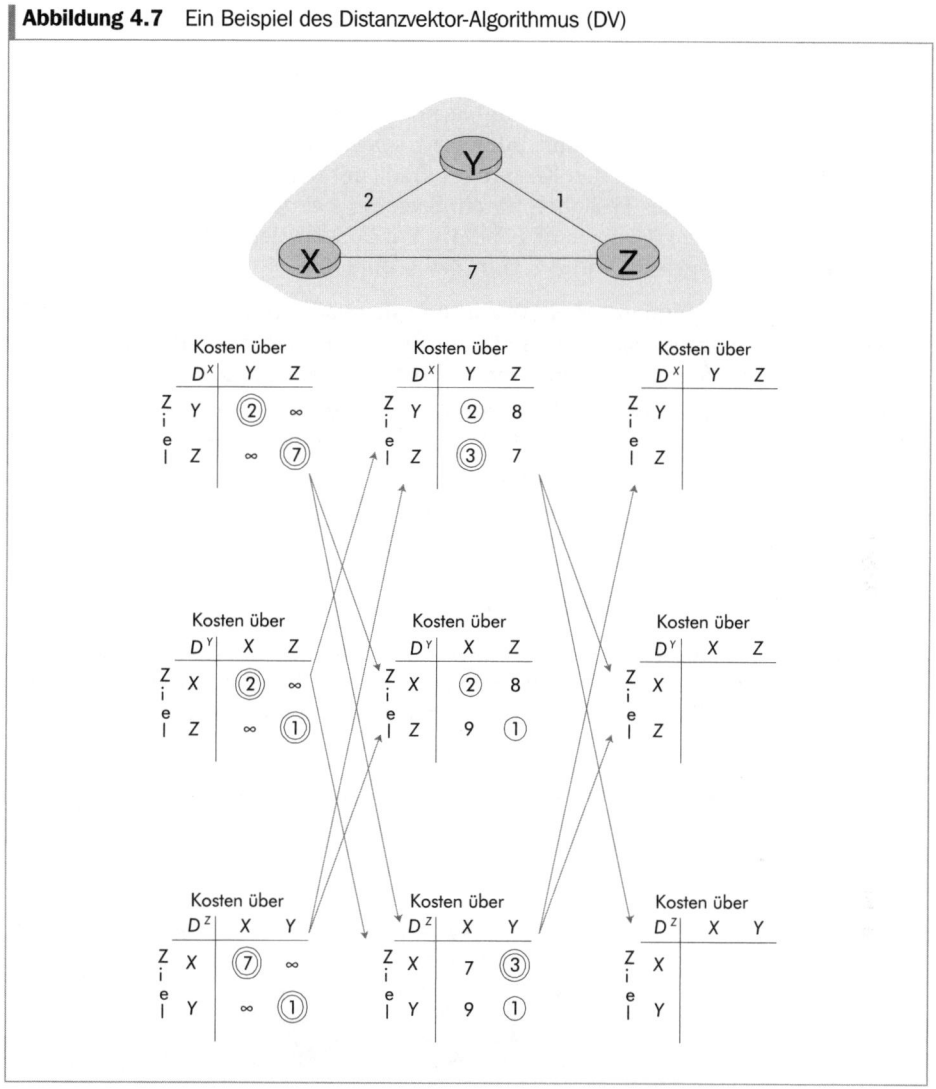

sierung an Y und Z über seine Kosten zu Y senden muss, weil sich diese nicht geändert haben. Außerdem beachte man, dass die Neuberechnung der Distanztabelle von Y in der mittleren Spalte von Abbildung 4.7 zwar zu neuen Distanzeinträgen, jedoch *nicht* zu einer Änderung des Pfads mit den geringsten Kosten von Y zu den Knoten X und Z führt. Folglich sendet Y keine Aktualisierungen an X und Z.

Der Prozess, d. h. das Empfangen aktualisierter Kosten von Nachbarn, die Neuberechnung von Distanztabelleneinträgen und Aktualisierungen von Nachbarn über geänderte Kosten des Pfads mit den geringsten Kosten zu einem Ziel, wird so lange fortgesetzt, bis keine Aktualisierungsnachrichten mehr gesendet werden. An diesem Punkt erfolgen keine weiteren Distanztabellenberechnungen mehr und der Algorithmus geht in einen Ruhezustand über, d. h., alle Knoten warten (Zeile 9 des DV-Algorithmus). Der Algorithmus bleibt im Ruhezustand, bis sich die Kosten einer Verbindungsleitung ändern, wie unten beschrieben.

Distanzvektor-Algorithmus: geänderte Kosten und Ausfall einer Verbindungsleitung

Wenn ein Knoten, der den DV-Algorithmus ausführt, eine Änderung der Verbindungsleitungskosten von sich zu einem Nachbarn (Zeile 12) erkennt, aktualisiert er seine Distanztabelle (Zeile 15) und informiert seine Nachbarn (Zeilen 23 und 24), sofern sich eine Änderung in den Kosten des Pfads mit den geringsten Kosten ergibt. Abbildung 4.8 zeigt dieses Verhalten für ein Szenario, bei dem sich die Verbindungsleitungskosten von Y zu X von 4 auf 1 ändern. Wir konzentrieren uns hier nur auf die Distanztabelleneinträge von Y und Z zum Ziel (Zeile) X.

- Zum Zeitpunkt t_0 erkennt Y die Änderung der Verbindungskosten (die Kosten haben sich von 4 auf 1 geändert) und informiert seine Nachbarn darüber, weil sich die Kosten des Pfads mit den minimalen Kosten geändert haben.
- Zum Zeitpunkt t_1 empfängt Z die Aktualisierung von Y und aktualisiert seine Tabelle. Da er neue minimale Kosten zu X berechnet (sie haben sich von 5 auf 2 reduziert), informiert er seine Nachbarn.
- Zum Zeitpunkt t_2 empfängt Y die Aktualisierung von Z und aktualisiert seine Distanztabelle. Die geringsten Kosten von Y haben sich nicht geändert (obwohl sich seine Kosten zu X über Z geändert haben); folglich sendet Y keine Nachricht an Z. Der Algorithmus geht in den Ruhezustand über.

In Abbildung 4.8 sind nur zwei Iterationen erforderlich, damit der DV-Algorithmus einen Ruhezustand erreicht. Die »guten Neuigkeiten« über die reduzierten Kosten zwischen X und Y haben sich schnell durch das Netzwerk ausgebreitet.

Abbildung 4.8 Änderung der Verbindungsleitungskosten: Gute Neuigkeiten verbreiten sich schnell.

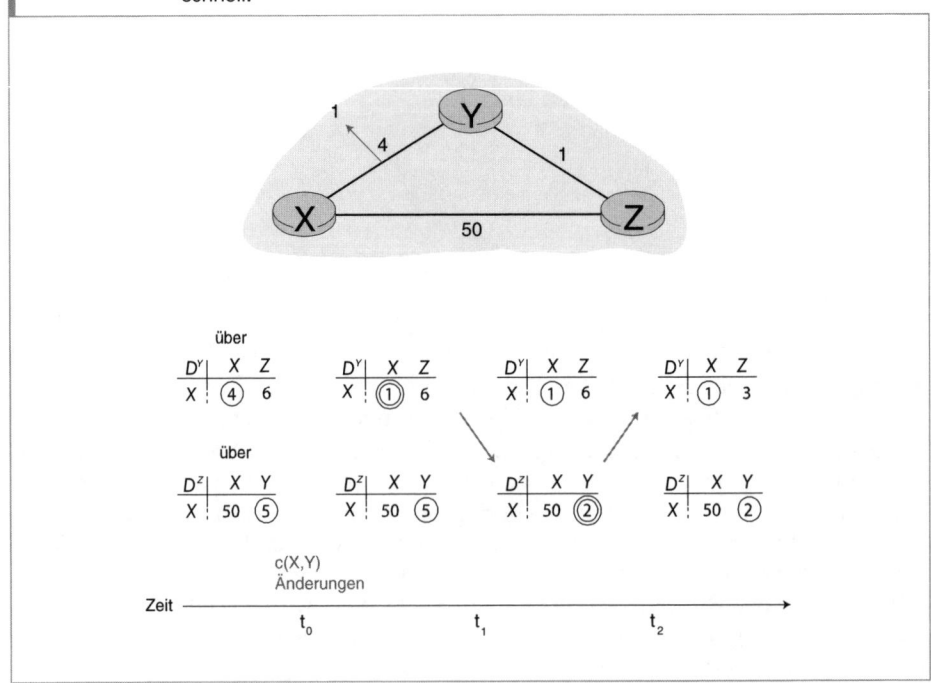

Im Folgenden untersuchen wir, was passiert, wenn sich die Kosten einer Verbindungsleitung *erhöhen*. Wir gehen davon aus, dass sich die Verbindungsleitungskosten zwischen X und Y von 4 auf 60 erhöhen (siehe Abbildung 4.9).

Abbildung 4.9 Änderung der Verbindungsleitungskosten: Schlechte Neuigkeiten verbreiten sich langsam und verursachen Schleifen

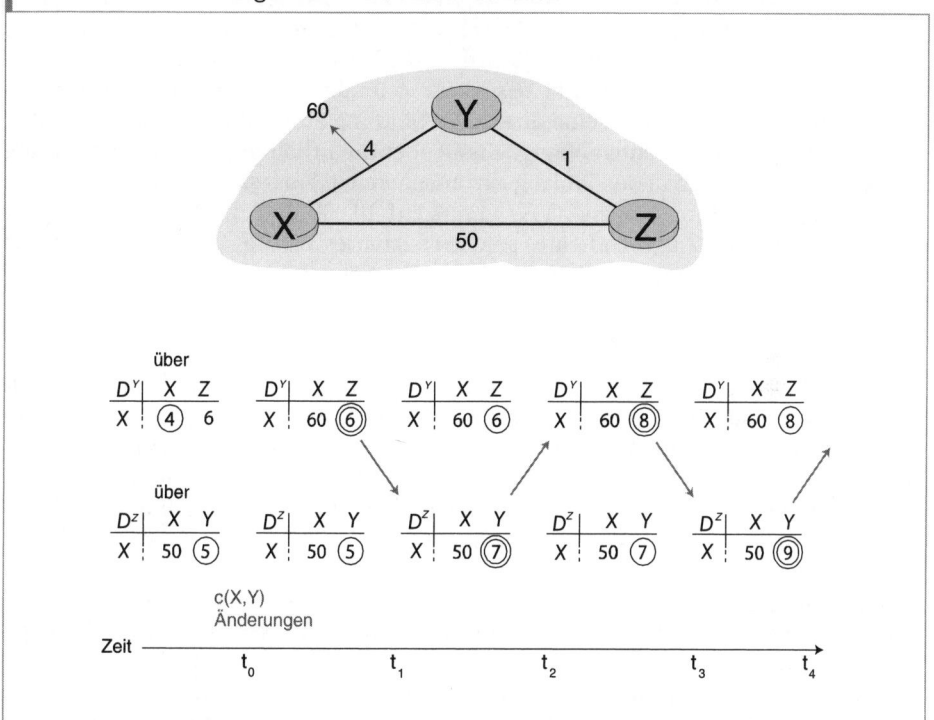

- Zum Zeitpunkt t_0 erkennt Y die Änderung der Verbindungsleitungskosten (Die Kosten sind von 4 auf 60 gestiegen). Y berechnet seinen neuen Pfad mit den minimalen Kosten zu X und ermittelt Kosten von 6 über Knoten Z. Aus unserer globalen Sicht des Netzwerks erkennen wir natürlich, dass diese neuen, über Z führenden Kosten *falsch* sind. Knoten Y jedoch weiß nur, dass seine direkten Kosten zu X 60 sind und dass Z ihm zuletzt mitgeteilt hat, dass er (Z) mit Kosten von 5 zu X gelangen kann. Um also zu X zu gelangen, würde Y nun durch Z weiterleiten und zuversichtlich erwarten, dass Z in der Lage ist, mit Kosten von 5 zu X zu gelangen. Zum Zeitpunkt t_1 entsteht eine **Routing-Schleife**: Um zu X zu gelangen, leitet Y durch Z und Z durch Y weiter. Eine Routing-Schleife ist wie ein schwarzes Loch: Ein Paket, das zum Zeitpunkt t_1 mit Ziel X bei Y oder Z ankommt, wird zwischen diesen beiden Knoten für immer (oder bis die Routing-Tabellen geändert werden) vor- und zurückgeleitet.
- Da Knoten Y neue minimale Kosten zu X berechnet hat, informiert er Z zum Zeitpunkt t_1 über diese Kosten.
- Irgendwann nach t_1 empfängt Z die neuen Mindestkosten zu X über Y (Y hat Z mitgeteilt, dass die neuen minimalen Kosten von Y 6 betragen). Z weiß, dass er mit Kosten von 1 zu Y gelangen kann, und berechnet somit (immer noch über Y)

neue Mindestkosten von 7 zu X. Da sich die Mindestkosten von Z zu X erhöht haben, informiert er Y zum Zeitpunkt t_2 über seine neuen Kosten.
- Auf ähnliche Weise aktualisiert Y dann seine Tabelle und informiert Z über neue Kosten von 8. Z aktualisiert anschließend seine Tabelle und informiert Y über neue Kosten von 9 und so weiter.

Wie lange setzt sich dieser Prozess fort? Sie sollten sich selbst davon überzeugen, dass die Schleife 44 Iterationen (die zwischen Y und Z ausgetauschten Nachrichten) lang andauert, bis Z schließlich ermittelt, dass die Kosten für seinen Pfad über Y größer als 50 sind. An diesem Punkt beschließt Z (endlich!), dass sein Pfad mit den geringsten Kosten zu X über seine direkte Verbindung zu X führt. Y leitet dann über Z an X weiter. Die »schlechten Neuigkeiten« über die Erhöhung der Verbindungsleitungskosten haben sich in der Tat langsam ausgebreitet! Was wäre passiert, wenn sich die Verbindungsleitungskosten $c(Y,X)$ von 4 auf 10.000 und die Kosten $c(Z,X)$ auf 9.999 erhöht hätten? Aufgrund eines solchen Szenarios wird das soeben aufgezeigte Problem auch als »Count-to-Infinity«-Problem bezeichnet.

Distanzvektor-Algorithmus: Erweiterung um Poisoned Reverse

Das in Abbildung 4.9 dargestellte Schleifenszenario lässt sich mit Hilfe einer als **Poisoned Reverse** (»giftige Antwort«) bezeichneten Technik vermeiden. Das Konzept ist einfach: Wenn Z durch Y weiterleitet, um zu Ziel X zu gelangen, dann wird er (Z) Y mitteilen, dass seine Entfernung zu X unendlich ist. Z wird Y gegenüber mit dieser kleinen »Notlüge« so lange fortfahren, solange er über Y an X weiterleitet. Da Y glaubt, dass Z keinen Pfad zu X hat, versucht er (Y) nie, über Z zu X weiterzuleiten, solange Z über Y an X weiterleitet (und weiterhin lügt).

Abbildung 4.10 zeigt, wie sich das spezifische Problem von Abbildung 4.9 mit Poisoned Reverse lösen lässt. Als Ergebnis des Poisoned Reverse weist die Distanztabelle von Y unendliche Kosten aus, wenn über Z zu X weitergeleitet wird (was daraus resultierte, dass Z Knoten Y informiert hat, dass die Kosten von Z zu X unendlich sind). Wenn sich die Kosten der XY-Verbindungsleitung zum Zeitpunkt t_0 von 4 auf 60 ändern, aktualisiert Y seine Tabelle und fährt mit dem direkten Routing zu X fort, allerdings zu den höheren Kosten von 60, und informiert Z über diese Änderung. Nach dem Empfang der Aktualisierung zum Zeitpunkt t_1 verlegt Z sofort seine Route nach X über die direkte ZX-Verbindungsleitung zu Kosten von 50. Da dies neue Mindestkosten zu X sind und der Pfad nicht mehr durch Y führt, wird Y von Z über diesen neuen Mindestkostenpfad zu X zum Zeitpunkt t_2 informiert. Nach dem Empfang der Aktualisierung von Z aktualisiert Y seine Distanztabelle auf die Route zu X über Z zu Mindestkosten von 51. Da Z jetzt auf dem Mindestkostenpfad von Y zu X liegt, wendet Y außerdem das Poisoned Reverse auf den Pfad von Z nach X an, indem er Z zum Zeitpunkt t_3 informiert, dass er (Y) unendliche Kosten hat, um zu X zu gelangen. Der Algorithmus tritt zum Zeitpunkt t_4 in den Ruhezustand ein und die Distanztabelleneinträge für Ziel X entsprechen nun der ganz rechten Spalte in Abbildung 4.10.

Löst Poisoned Reverse das allgemeine Count-to-Infinity-Problem? Nein. Sie sollten sich selbst davon überzeugen, dass Schleifen, die sich auf *drei* oder mehr Knoten (und nicht nur zwei unmittelbar benachbarte Knoten wie in Abbildung 4.10) auswirken, von der Poisoned Reverse-Technik nicht erkannt werden.

4.2 Routing-Prinzipien

Abbildung 4.10 Der um Poisoned Reverse erweiterte Distanzvektor-Algorithmus

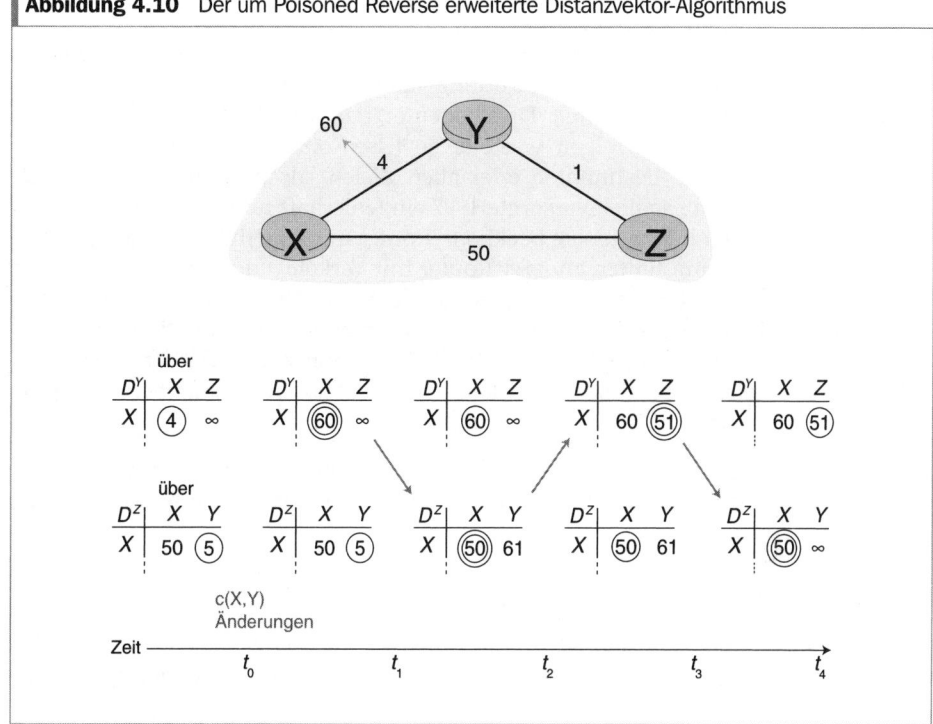

Vergleich der Link-State- und Distanzvektor-Routing-Algorithmen

Wir schließen unsere Untersuchung der Link-State- und Distanzvektor-Algorithmen mit einem kurzen Vergleich einiger wichtiger Attribute.

- *Nachrichtenkomplexität*: LS setzt voraus, dass jeder Knoten die Kosten jeder Verbindungsleitung im Netzwerk kennt. Dies erfordert die Übertragung von $O(nE)$ Nachrichten, wobei n die Anzahl der Knoten im Netzwerk und E die Anzahl der Verbindungsleitungen ist. Sobald sich die Kosten einer Verbindungsleitung ändern, muss auch diese Information an *alle* Knoten versendet werden. Der DV-Algorithmus erfordert den Austausch von Nachrichten zwischen direkt verbundenen Nachbarn in jeder Iteration. Die für die Konvergenz des Algorithmus erforderliche Zeit kann von vielen Faktoren abhängen. Wenn sich die Kosten einer Verbindungsleitung ändern, verbreitet der DV-Algorithmus die Ergebnisse der geänderten Verbindungsleitungskosten *nur* dann, wenn die neuen Kosten zu einer Änderung des Pfads mit den geringsten Kosten zu einem der Knoten, der an die betreffende Verbindungsleitung angeschlossen ist, führen.

- *Geschwindigkeit der Konvergenz*: Unsere Implementierung von LS ist ein $O(n^2)$-Algorithmus, der $O(nE)$ Nachrichten erfordert und potenziell an Schwankungen leidet. Der DV-Algorithmus kann langsam konvergieren (abhängig von den relativen Pfadkosten, wie wir in Abbildung 4.10 gesehen haben) und es können Routing-Schleifen entstehen, während der Algorithmus konvergiert. DV leidet auch an dem Count-to-Infinity-Problem.

- *Robustheit*: Was passiert, wenn ein Router ausfällt, Fehler macht oder sabotiert wird? Unter LS könnte ein Router eine falsche Kostenannahme für eine der an ihn angeschlossenen Verbindungsleitungen (aber keine anderen) im Broadcast bekannt geben. Ein Knoten könnte auch LS-Broadcast-Pakete, die er im Rahmen eines Link-State-Broadcast empfängt, beschädigen oder verwerfen. Ein LS-Knoten berechnet aber nur seine eigenen Routing-Tabellen; andere Knoten führen ähnliche Berechnungen selbst durch. Dies bedeutet, dass die Routenberechnungen in LS irgendwie getrennt erfolgen, was eine gewisse Robustheit bedeutet. Unter DV kann ein Knoten zu bestimmten oder allen Zielen falsche Mindestkostenpfade bekannt geben. (Tatsächlich versorgte 1997 ein fehlerhaft funktionierender Router bei einem kleinen ISP nationale Backbone-Router mit fehlerhaften Routing-Tabellen. Dies führte zum Fluten anderer Router mit Verkehr und zum Ausfall großer Teile des Internets über mehrere Stunden [Neumann 1997]). Allgemeiner ausgedrückt, wird in DV die Berechnung eines Knotens in jeder Iteration zu seinem Nachbar und dann indirekt in der nächsten Iteration zum Nachbarn des Nachbarn weitergeleitet. In diesem Sinn kann sich eine falsche Knotenberechnung in DV über das gesamte Netzwerk verbreiten.

Zusammenfassend kann man sagen, dass keiner der beiden Algorithmen besser als der andere ist. Wie in Abschnitt 4.4 beschrieben wird, werden beide Algorithmen im Internet eingesetzt.

4.2.3 Weitere Routing-Algorithmen

Die oben untersuchten LS- und DV-Algorithmen werden in der Praxis nicht nur häufig eingesetzt, sie sind im Wesentlichen die einzigen heute verwendeten Routing-Algorithmen.

Dennoch wurden von Wissenschaftlern in den letzten 30 Jahren viele weitere Routing-Algorithmen vorgeschlagen. Sie reichen von extrem einfachen bis zu sehr ausgefeilten und komplexen Algorithmen. Einer der einfachsten Routing-Algorithmen ist das **Hot-Potato-Routing**. Der Name dieses Algorithmus ist auf sein Verhalten zurückzuführen: Ein Router versucht, ein abgehendes Paket so schnell wie möglich loszuwerden (weiterzuleiten). Er bewerkstelligt dies, indem er es ungeachtet des Ziels über jede beliebige nicht überlastete Verbindungsleitung versendet.

Eine weitere allgemeine Klasse von Routing-Algorithmen basiert auf der Betrachtung des Paketverkehrs als Flüsse zwischen Quellen und Zielen in einem Netzwerk. Bei diesem Ansatz kann das Routing-Problem mathematisch als eingeschränktes Optimierungsproblem formuliert werden, das als Netzwerkflussproblem bekannt ist [Bertsekas 1991]. Man definiert λ_{ij} als Verkehrsmenge (z. B. in Paketen/Sekunde), die erstmals bei Knoten i in das Netzwerk eintritt und für Knoten j bestimmt ist. Die Flüsse $\{\lambda_{ij}\}$ für alle i,j werden auch als **Verkehrsmatrix** des Netzwerks bezeichnet. In einem Netzwerkflussproblem muss den Verkehrsflüssen eine Gruppe von Netzwerkverbindungen unter Vorbehalt von Einschränkungen zugewiesen werden, wie beispielsweise:

- Die Summe der Flüsse zwischen allen Quelle/Ziel-Paaren, die durch Verbindungsleitung m fließen, muss kleiner als die Kapazität von Verbindungsleitung m sein.
- Die Verkehrsmenge λ_{ij}, die in einen Router r (entweder von anderen Routern oder direkt von einem angeschlossenen Host) eintritt, muss gleich der Verkehrsmenge λ_{ij} sein, die den Router entweder über eine seiner Ausgangsleitungen oder einen an diesen Router angeschlossenen Host verlässt. Dies ist eine Einschränkung in Bezug auf die Flusserhaltung.

Es sei gegeben, dass $\lambda_{ij}{}^m$ die Verkehrsmenge von Quelle i an Ziel j über Verbindungsleitung m ist. Das Optimierungsproblem besteht dann darin, die Verbindungsleitungsflüsse $\{\lambda_{ij}{}^m\}$ für alle Verbindungsleitungen m und alle Quellen i und Ziele j zu finden, die die obigen Einschränkungen erfüllen und ein Leistungsmaß optimieren, das eine Funktion von $\{\lambda_{ij}{}^m\}$ ist. Die Lösung dieses Optimierungsproblems definiert dann das in dem Netzwerk angewandte Routing. Wenn die Lösung für das Optimierungsproblem z. B. so aussieht, dass $\lambda_{ij}{}^m = \lambda_{ij}$ für eine Verbindungsleitung m gilt, dann wird der gesamte Verkehr von i nach j über die Verbindungsleitung m geleitet. Wenn Verbindungsleitung m an Knoten i angeschlossen ist, dann ist m der erste Hop auf dem optimalen Pfad von der Quelle i zum Ziel j.

Doch welche Leistungsfunktion soll optimiert werden? Es gibt viele Möglichkeiten. Trifft man bestimmte Annahmen über die Größe von Paketen und die Art, in der Pakete bei den verschiedenen Routern ankommen, können wir die so genannte »M/M/1-Queuing Theory Formula« [Kleinrock 1975] anwenden, um die durchschnittliche Verzögerung auf Verbindungsleitung m wie folgt auszudrücken:

$$D_m = \frac{1}{R_m - \sum_i \sum_j \lambda_{ij}{}^m}$$

Dabei ist R_m die Kapazität von Verbindungsleitung m (gemessen als die durchschnittliche Anzahl von Paketen/Sekunde, die sie übertragen kann) und $\sum_i \sum_j \lambda_{ij}{}^m$ die gesamte Ankunftsrate von Paketen (in Paketen/s), die auf Verbindungsleitung m ankommen. Das gesamte netzwerkweite Leistungsmaß, das optimiert werden soll, könnte dann die Summe aller Verbindungsverzögerungen im Netzwerk oder eine andere geeignete Leistungsmetrik sein. Es gibt eine Reihe eleganter verteilter Algorithmen für die Berechnung der optimalen Verbindungsleitungsflüsse (und somit der Routing-Pfade, wie oben erwähnt). Der Leser findet in [Bertsekas 1991] eine ausführliche Untersuchung dieser Algorithmen.

Die letzte hier erwähnte Gruppe von Routing-Algorithmen stammt aus der Welt der Telefonie. Diese *leitungsvermittelten* Routing-Algorithmen sind für paketvermittelte Datennetzwerke in Fällen interessant, in denen Ressourcen pro Leitung (z. B. Puffer oder ein Anteil an der Leitungsbandbreite) für jede Verbindung, die über die Verbindungsleitung führt, reserviert werden müssen. Die Formulierung des Routing-Problems scheint zwar von der in diesem Kapitel beschriebenen Routing-Formulierung der geringsten Kosten stark abzuweichen, wir werden aber eine Reihe von Ähnlichkeiten feststellen, zumindest was den Routing-Algorithmus anbelangt. Unser Ziel ist hier eine kurze Einführung in diese Klasse der Routing-Algorithmen. Der Leser findet eine ausführliche Diskussion dieses aktiven Forschungsbereichs in [Ash 1998; Ross 1995; Girard 1990].

Die Formulierung des leitungsvermittelten Routing-Problems ist in Abbildung 4.11 dargestellt. Jede Verbindungsleitung verfügt über eine bestimmte Menge an Ressourcen (z. B. Bandbreite). Die einfachste (und recht genaue) Möglichkeit, sich dies bildhaft vorzustellen, ist die Betrachtung der Verbindungsleitung als Bündel von Kanälen, wobei jede über die Verbindungsleitung geführte Verbindung die dedizierte Nutzung eines Kanals der Verbindungsleitung erfordert. Eine Verbindungsleitung lässt sich somit sowohl durch ihre Gesamtanzahl an Kanälen als auch durch die Anzahl der momentan benutzten Kanäle charakterisieren. In Abbildung 4.11 haben alle Verbindungsleitungen außer *AB* und *BD* 20 Kanäle. Die Zahl links neben der Anzahl von Kanälen ist die Anzahl der momentan benutzten Kanäle.

Abbildung 4.11 Leitungsvermitteltes Routing

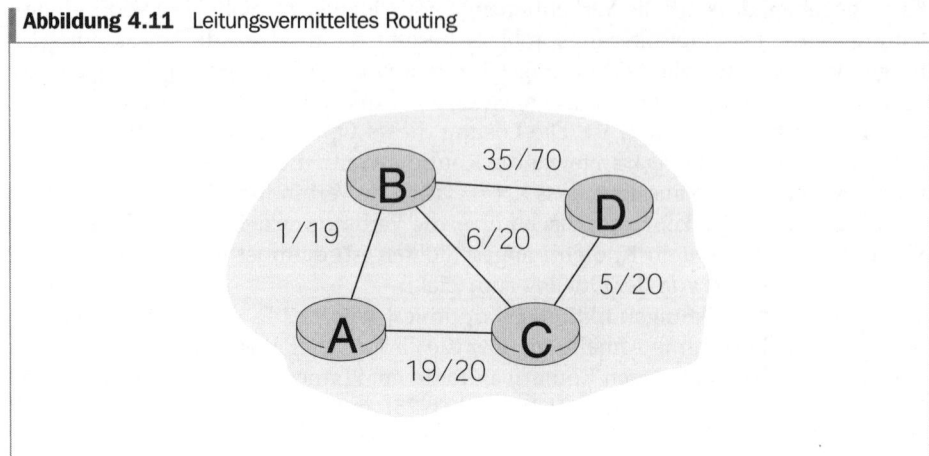

Angenommen, bei Knoten A kommt eine Verbindung mit Knoten D als Ziel an. Welcher Pfad sollte gewählt werden? Beim **SPF-Routing (Shortest Path First)** wird der kürzeste Pfad (die geringste Anzahl von überquerten Verbindungsleitungen) genommen. Wir haben bereits gesehen, wie sich mit Hilfe des Dijkstra-Algorithmus (LS) Routen auf dem kürzesten Pfad ermitteln lassen. In Abbildung 4.11 würde demzufolge der Pfad *ABD* oder *ACD* gewählt werden. Beim **LLP-Routing (Least Loaded Path)** wird die Last auf einer Verbindungsleitung als Verhältnis der Anzahl der benutzten Kanäle auf der Verbindungsleitung zur Gesamtzahl von Kanälen dieser Verbindungsleitung definiert. Die Pfadlast ist das Maximum der Belastungen aller Verbindungsleitungen auf dem Pfad. Das LLP-Routing wählt den Pfad mit der geringsten Last. In Abbildung 4.11 wäre *ABCD* der LLP-Pfad. Beim **MFC-Routing (Maximum Free Circuit)** ist die Anzahl der freien Kanäle auf einem Pfad das Minimum der Anzahl der freien Kanäle jeder Verbindungsleitung des Pfads. Das MFC-Routing wählt den Pfad mit der maximalen Anzahl an freien Kanälen. In Abbildung 4.11 wäre dies der *ABD*-Pfad.

Diese Beispiele aus der Welt der Leitungsvermittlung zeigen, dass die Wegewahlalgorithmen mehr oder weniger dem LS-Routing ähneln. Alle Knoten haben vollständige Informationen über die Verbindungsleitungszustände im Netzwerk. Man beachte aber, dass die potenziellen Konsequenzen alter oder unrichtiger Zustandsinformationen beim leitungsvermittelten Routing viel kritischer sind. Eine Verbindung wird möglicherweise über einen Pfad geleitet, obwohl die vermeintlich zugeteilten Kanäle gar nicht mehr verfügbar sind. In einem solchen Fall wird der Verbindungsaufbau blockiert und es muss ein anderer Pfad versucht werden. Dennoch liegen die Hauptunterschiede zwischen verbindungsorientiertem leitungsvermitteltem und verbindungslosem paketvermitteltem Routing nicht im Wegewahlmechanismus, sondern in den Aktionen, die durchgeführt werden müssen, wenn eine Verbindung zwischen Quelle und Ziel auf- oder abgebaut wird.

4.3 Hierarchisches Routing

Im vorherigen Abschnitt wurde das Netzwerk einfach als eine Sammlung von untereinander verbundenen Routern betrachtet. Ein Router wurde vom anderen insofern nicht unterschieden, als alle Router den gleichen Routing-Algorithmus ausführten, um Routing-Pfade durch das gesamte Netzwerk zu berechnen. In der Praxis ist dieses Modell und seine Sicht einer homogenen Gruppe von Routern, die alle den gleichen Routing-Algorithmus ausführen, aus mindestens zwei Gründen etwas vereinfachend:

- *Skalierung*: Mit wachsender Anzahl der Router steigt auch zunehmend der Overhead für die Berechnung, Speicherung und Übermittlung der Informationen in den Routing-Tabellen (z. B. Link-State-Aktualisierungen oder Änderungen des Mindestkostenpfads). Das heutige öffentliche Internet setzt sich aus Millionen von untereinander verbundenen Routern und mehr als 50 Millionen Hosts zusammen. Das Speichern der Routing-Tabelleneinträge in jedem dieser Hosts und Router würde natürlich enorme Speichermengen bedeuten. Der Overhead für die rundgesendeten Link-State-Aktualisierungen an Millionen von Routern würde keine Bandbreite mehr für das Senden von Datenpaketen übrig lassen! Ein Distanzvektor-Algorithmus mit Iterationen über Millionen von Routern würde sicherlich nie konvergieren! Natürlich muss etwas getan werden, um die Komplexität der Routen-Berechnung in Netzwerken vom Ausmaß des öffentlichen Internets zu reduzieren.

- *Administrative Autonomie*: Obwohl Ingenieure dazu neigen, Fragen wie den Wunsch einer Firma, ihre Router nach eigenem Ermessen zu betreiben (z. B. einen beliebigen Routing-Algorithmus auszuführen) oder Aspekte der internen Organisation des Netzwerks vor der Außenwelt zu »verbergen«, zu ignorieren, sind dies nichtsdestotrotz wichtige Überlegungen. Im Idealfall sollte eine Organisation in der Lage sein, ihr Netzwerk nach eigenem Ermessen zu betreiben und zu verwalten, und dennoch ihr Netzwerk mit anderen »externen« Netzwerken verbinden können.

Beide Probleme lassen sich dadurch lösen, dass man Router in Regionen bzw. **autonome Systeme (AS)** gruppiert. Router innerhalb des gleichen AS führen alle den gleichen Routing-Algorithmus (z. B. den LS- oder DV-Algorithmus) aus und haben Informationen über jeden anderen – genau wie im Fall unseres idealisierten Modells im vorherigen Abschnitt. Der Routing-Algorithmus, der innerhalb eines autonomen Systems läuft, wird als **Intra-AS-Routing-Protokoll** bezeichnet. Natürlich ist es dabei notwendig, autonome Systeme untereinander zu verbinden, so dass einer oder mehrere Router eines AS die zusätzliche Aufgabe übernehmen müssen, für das Routing von Paketen an Ziele außerhalb des AS zuständig zu sein. Router in einem AS, die für das Routing von Paketen außerhalb des AS zuständig sind, werden als **Gateway-Router** bezeichnet. Damit Gateway-Router Pakete von einem AS an ein anderes weiterleiten können (möglicherweise durch mehrere andere AS, bis das Ziel-AS erreicht wird), müssen die Gateways wissen, welche Wegewahl sie untereinander treffen (d. h. Routing-Pfade ermitteln) müssen. Der Routing-Algorithmus, den Gateways für das Routing zwischen verschiedenen AS verwenden, wird als **Inter-AS-Routing-Protokoll** bezeichnet.

Zusammenfassend kann man sagen, dass die Probleme der Skalierung und der administrativen Autorität durch die Definition autonomer Systeme gelöst werden. Innerhalb eines AS führen alle Router das gleiche Intra-AS-Routing-Protokoll aus. Spezielle Gateway-Router in den verschiedenen autonomen Systemen führen ein Inter-AS-Routing-Protokoll aus, das die Routing-Pfade zwischen den autonomen Systemen ermittelt. Das Problem der Skalierung wird gelöst, weil ein Intra-AS-Router nur über die Router seines AS und des bzw. der Gateway-Router in seinem AS

Bescheid wissen muss. Das Problem der administrativen Autorität wird gelöst, weil eine Organisation ein beliebiges Intra-AS-Routing-Protokoll wählen kann, solange das bzw. die Gateways des AS in der Lage sind, ein Inter-AS-Routing-Protokoll auszuführen, das das AS mit anderen autonomen Systemen verbindet.

Dieses Szenario ist in Abbildung 4.12 dargestellt. Hier gibt es drei Routing-AS A, B und C. Das autonome System A hat vier Router A.a, A.b, A.c und A.d, die das im AS A benutzte Intra-AS-Routing-Protokoll ausführen. Diese vier Router haben vollständige Informationen über die Routing-Pfade innerhalb von AS A. Die autonomen Systeme B und C haben drei bzw. zwei Router. Man beachte, dass die Intra-AS-Routing-Protokolle, die in A, B und C laufen, nicht unbedingt gleich sein müssen. Die Gateway-Router sind A.a, A.c, B.a und C.b. Zusätzlich zur Ausführung des Intra-AS-Routing-Protokolls in Verbindung mit anderen Routern in ihren eigenen autonomen Systemen benutzen diese vier Router untereinander ein Inter-AS-Routing-Protokoll. Die topologische Sicht, die sie für ihr Inter-AS-Routing-Protokoll benutzen, ist auf der höheren Ebene dargestellt; die »Verbindungsleitungen« sind in Blau hervorgehoben. Man beachte, dass eine »Verbindungsleitung« auf der höheren Schicht tatsächlich eine physikalische Leitung, z. B. die Leitung zwischen A.c und B.a, oder eine logische Leitung, wie z. B. zwischen A.c und A.a, sein kann. Abbildung 4.12 zeigt außerdem, dass der Gateway-Router A.c ein Intra-AS-Routing-Protokoll mit seinen Nachbarn A.b und A.d sowie ein Inter-AS-Protokoll mit dem Gateway-Router B.a ausführen muss.

Abbildung 4.12 Intra-AS- und Inter-AS-Routing

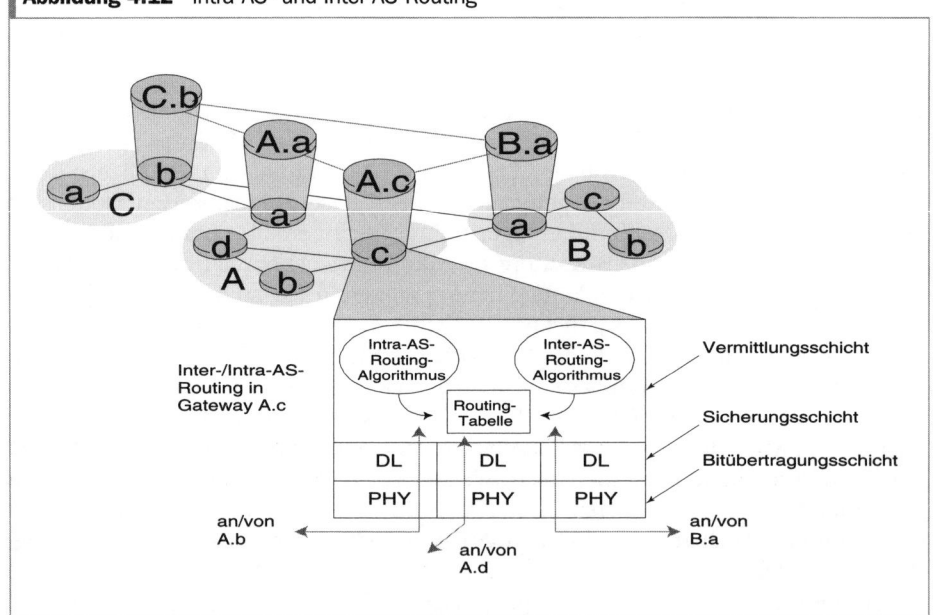

Angenommen, der an Router A.d angeschlossene Host h1 muss ein Paket an Ziel h2 im autonomen System B weiterleiten, wie in Abbildung 4.13 dargestellt ist. Wenn wir davon ausgehen, dass die Routing-Tabelle von A.d besagt, dass Router A.c für das Routing seiner (der von A.d) Pakete außerhalb des AS zuständig ist, wird das Paket zuerst mit Hilfe des Intra-AS-Routing-Protokolls in A von A.d zu A.c weitergeleitet.

Wichtig ist die Feststellung, dass Router A.d nichts von der internen Struktur der autonomen Systeme B und C weiß. Tatsächlich muss er nicht einmal die Topologie kennen, wie die autonomen Systeme A, B und C miteinander verbunden sind. Router A.c empfängt das Paket und sieht, dass es an ein autonomes System außerhalb von A gerichtet ist. Die Routing-Tabelle von A.c für das Inter-AS-Protokoll würde aussagen, dass ein Paket für das autonome System B über die Verbindungsleitung von A.c zu B.a weitergeleitet werden sollte. Wenn das Paket bei B.a ankommt, sieht das *Inter-AS*-Routing-Protokoll von B.a, dass das Paket für das autonome System B bestimmt ist. Das Paket wird also dem *Intra-AS*-Routing-Protokoll in B »übergeben«, das es an sein Endziel h2 weiterleitet. In Abbildung 4.13 ist der Teil des Pfads, für den das Intra-AS-Protokoll von A die Wegewahl trifft, in der unteren Ebene durch eine gestrichelte Linie dargestellt, während der Teil, für den das Inter-AS-Routing-Protokoll zuständig ist, in der oberen Ebene als durchzogene Linie dargestellt ist. Der Teil des Pfads, für den das Intra-AS-Protokoll von B die Wegewahl trifft, ist auf der unteren Ebene durch eine gepunktete Linie dargestellt. Eine Beschreibung spezifischer Inter-AS- und Intra-AS-Routing-Protokolle, die im Internet benutzt werden, folgt in Abschnitt 4.5.

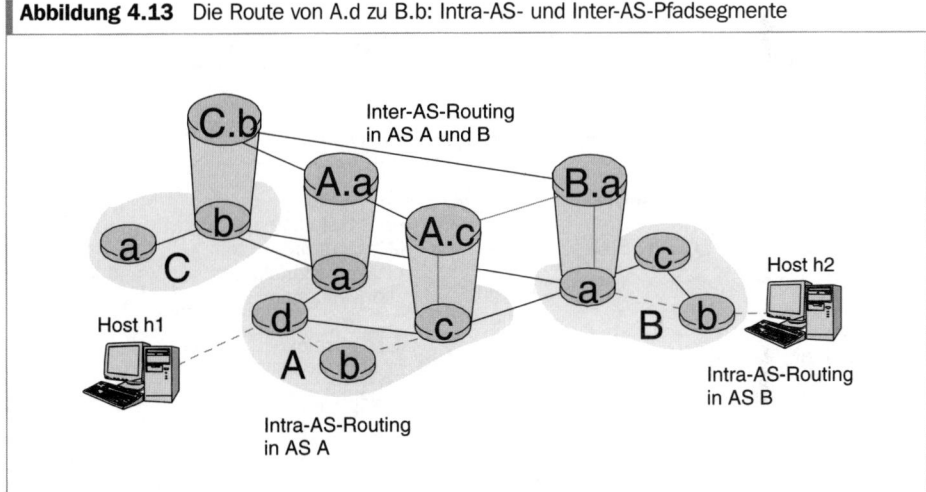

Abbildung 4.13 Die Route von A.d zu B.b: Intra-AS- und Inter-AS-Pfadsegmente

4.4 Das Internet-Protokoll (IP)

Bisher konzentrierten wir uns in diesem Kapitel auf die grundlegenden Prinzipien der Vermittlungsschicht, ohne eine spezifische Netzwerkarchitektur in Betracht zu ziehen. Wir haben verschiedene Dienstmodelle der Vermittlungsschicht sowie die häufig für die Wegewahl zwischen Quelle und Ziel benutzten Routing-Algorithmen und die Verwendung einer Hierarchie für die Lösung von Skalierungsproblemen beschrieben. Dieser Abschnitt befasst sich mit der Vermittlungsschicht des Internets, also den Komponenten, die oft insgesamt als IP-Schicht (nach dem IP-Protokoll des Internets benannt) bezeichnet werden. Wir werden allerdings sehen, dass das IP-Protokoll selbst nur ein (wenn auch ein sehr wichtiger) Teil der Vermittlungsschicht des Internets ist.

Wie in Abschnitt 4.1 erwähnt, bietet die Vermittlungsschicht des Internets einen verbindungslosen Datagramm-Dienst statt eines VC-Dienstes. Wenn die Vermittlungsschicht im sendenden Host ein Segment von der Transportschicht empfängt, verkapselt sie das Segment in einem IP-Datagramm, schreibt die Adresse des Zielhosts und weitere Felder in das Datagramm und sendet es an den ersten Router auf dem Pfad in Richtung Zielhost.

Entsprechend der Analogie aus Kapitel 1 wäre dieser Prozess vergleichbar damit, dass eine Person einen Brief schreibt, ihn in einen Umschlag steckt, die Zieladresse auf den Umschlag schreibt und ihn in einen Briefkasten einwirft. Weder die Vermittlungsschicht des Internets noch der Postdienst stellen im Voraus mit dem Ziel Kontakt her, bevor sie ihr »Päckchen« (Datagramm bzw. Brief) zum Ziel befördern. Wie in Abschnitt 4.1 erwähnt, bieten der Vermittlungsschichtdienst des Internets und der Postzustelldienst einen so genannten Best-Effort-Dienst: Sie sichern nicht zu, dass ein Päckchen innerhalb einer bestimmten Zeit am Ziel ankommt und auch nicht, dass eine Reihe von Päckchen in der richtigen Reihenfolge ankommt. Sie sichern nicht einmal zu, dass ein Päckchen überhaupt am Ziel ankommt!

Wie in Abbildung 4.14 dargestellt, setzt sich die Vermittlungsschicht in einem datagrammorientierten Netzwerk wie dem Internet aus drei wichtigen Komponenten zusammen.

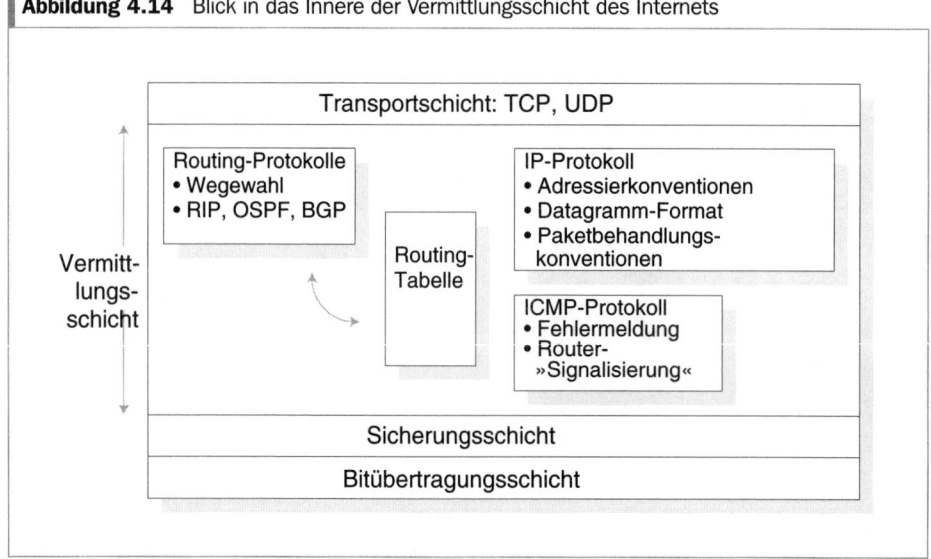

Abbildung 4.14 Blick in das Innere der Vermittlungsschicht des Internets

- Die erste Komponente ist das Netzwerkprotokoll, das die Adressierung der Vermittlungsschicht, die Felder im Datagramm (d. h. Vermittlungsschicht-PDU) und die von den Routern und Endsystemen auf der Grundlage von Werten in diesen Feldern durchgeführten Aktionen definiert. Das Netzwerkprotokoll des Internets ist das **IP-Protokoll** (Internet Protocol). Heute sind vom IP zwei Versionen im Einsatz. Wir werden die vorrangig installierte IP-Version 4, die als **IPv4** [RFC 791] bezeichnet wird, ausführlicher in den Abschnitten 4.4.1 bis 4.4.4 beschreiben. In Abschnitt 4.7 finden Sie eine Beschreibung der IP-Version 6 [RFC 2373; RFC 2460], die IPv4 in den nächsten Jahren ablösen soll.

- Die zweite wichtige Komponente der Vermittlungsschicht ist die Pfadbestimmungskomponente; sie bestimmt die Route, über die ein Datagramm von der

Quelle zum Ziel fließt. Abschnitt 4.2 hat gezeigt, dass Routing-Protokolle die Routing-Tabellen berechnen, die benutzt werden, um Pakete durch das Netzwerk zu befördern. Die Pfadbestimmungskomponente des Internets wird in Abschnitt 4.5 beschrieben.

- Die dritte Komponente der Vermittlungsschicht ist ein Tool für die Meldung von Fehlern in Datagrammen und die Beantwortung von Anfragen nach bestimmten Informationen der Vermittlungsschicht. Das für diese Zwecke benutzte ICMP-Protokoll der Vermittlungsschicht des Internets wird in Abschnitt 4.4.5 beschrieben.

4.4.1 IPv4-Adressierung

Wir beginnen die IPv4-Beschreibung mit der IPv4-Adressierung. Obwohl das Thema Adressierung logisch und vielleicht ein bisschen langweilig erscheinen mag, ist die Kopplung zwischen Adressierung und Routing auf der Vermittlungsschicht wichtig und auch interessanter, als es den Anschein hat. Die IPv4-Adressierung wird hervorragend in [Semeria 1996] und im ersten Kapitel von [Stewart 1999] erklärt.

Bevor wir die IP-Adressierung beschreiben, müssen wir ein paar Worte über die Verbindung von Hosts und Routern im Netzwerk verlieren. Ein Host hat normalerweise eine einzige Verbindungsleitung zum Netzwerk. Wenn IP im Host ein Datagramm senden will, benutzt es diese Verbindungsleitung. Die Grenze zwischen dem Host und der physikalischen Verbindungsleitung nennt man **Schnittstelle** (Interface). Ein Router unterscheidet sich demgegenüber grundsätzlich von einem Host. Da ein Router die Aufgabe hat, ein Datagramm auf einer »ankommenden« Verbindungsleitung zu empfangen und es auf irgendeiner »abgehenden« Verbindungsleitung weiterzuleiten, ist ein Router notgedrungen an zwei oder mehr Verbindungsleitungen angeschlossen. Die Grenze zwischen dem Router und einer seiner Verbindungsleitungen wird ebenfalls als »Schnittstelle« bezeichnet. Ein Router hat also mehrere Schnittstellen – eine für jede seiner Verbindungsleitungen. Da jeder Host und Router in der Lage ist, IP-Datagramme zu senden und zu empfangen, setzt IP voraus, dass jede Schnittstelle eine IP-Adresse hat. Folglich steht eine IP-Adresse technisch mit einer Schnittstelle und nicht mit dem Host oder Router, in dem sich die Schnittstelle befindet, in Verbindung.

Jede IP-Adresse ist 32 Bit (4 Byte) lang, so dass es insgesamt 2^{32} mögliche IP-Adressen gibt. Diese Adressen werden normalerweise in der so genannten **Punktdezimalnotation** (Dotted-Decimal Notation) geschrieben, bei der jedes Byte der Adresse in Dezimalform geschrieben und von den anderen Bytes der Adresse durch einen Punkt (»Dot«) getrennt ist. In der IP-Adresse 193.32.216.9 ist beispielsweise 193 das dezimale Gegenstück der ersten acht Bit der Adresse und 32 das dezimale Gegenstück der zweiten acht Bit der Adresse usw. In der Binärnotation sieht die Adresse 193.32.216.9 also wie folgt aus:

11000001 00100000 11011000 00001001

Jede Schnittstelle in jedem Host und Router muss im Internet eine global eindeutige IP-Adresse haben. Diese Adressen können nicht beliebig gewählt werden. Größtenteils wird die IP-Adresse einer Schnittstelle von dem »Netzwerk« bestimmt, an das sie angeschlossen ist. In diesem Zusammenhang bezieht sich der Begriff »Netzwerk« nicht auf die allgemeine Infrastruktur von Hosts, Routern und Verbindungsleitungen, aus denen sich ein Netzwerk zusammensetzt. Der Begriff hat für die IP-Adressierung vielmehr eine genaue Bedeutung, wie wir noch sehen werden. Abbildung 4.15 zeigt ein Beispiel mit IP-Adressierung und Schnittstellen. In dieser Abbildung wird ein Router (mit drei Schnittstellen) benutzt, um sieben Hosts zu verbinden. Sehen Sie sich die den Host- und Router-Schnittstellen zugewiesenen IP-Adressen genau an: Sie werden mehrere Dinge feststellen. Die drei Hosts oben links in Abbildung 4.15 und die Router-Schnittstelle, an die sie angeschlossen sind, haben eine IP-Adresse in der Form 223.1.1.xxx. Das heißt, die linken 24 Bit ihrer IP-Adresse sind gleich. Sie sind auch untereinander ohne dazwischen liegende Router über eine einzige physikalische Verbindungsleitung verbunden (in diesem Fall eine Broadcast-Verbindungsleitung wie beispielsweise ein Ethernet-Kabel, an das sie alle physisch angeschlossen sind).

Abbildung 4.15 Schnittstellenadressen

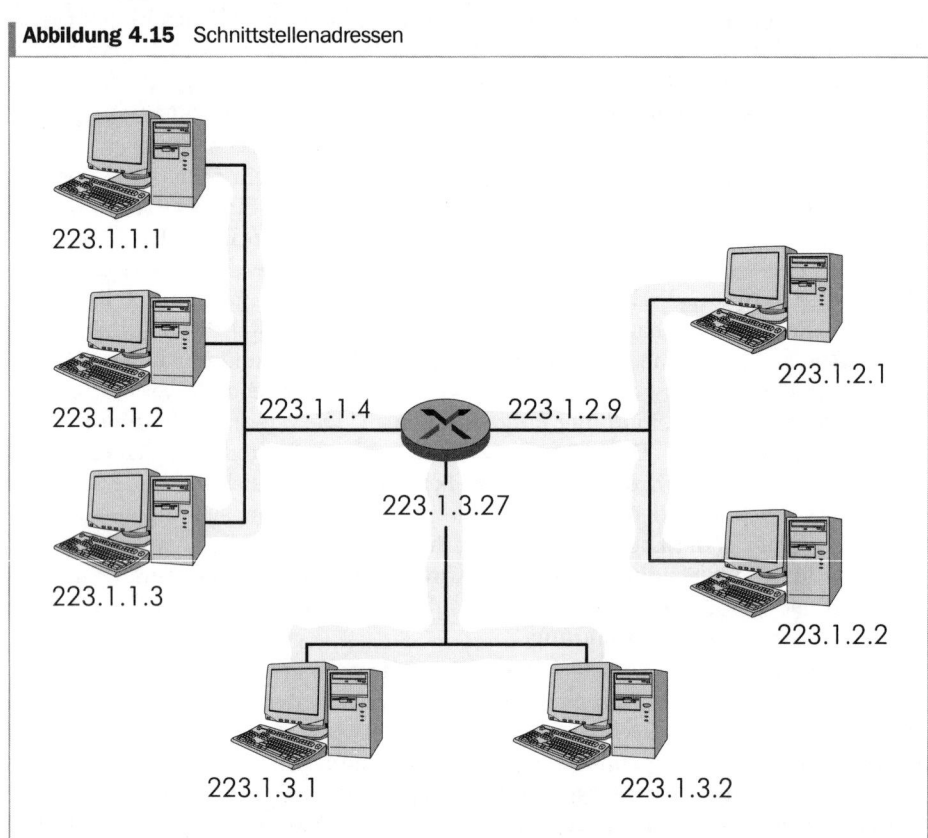

Dem IP-Jargon zufolge bilden die Schnittstellen in diesen Hosts und die obere linke Schnittstelle im Router ein **IP-Netzwerk** bzw. einfacher ausgedrückt, ein **Netzwerk**. Ihre gemeinsamen 24 Adressbit stellen den Netzwerkteil ihrer IP-Adresse dar. Die restlichen acht Bit sind der Host-Teil der IP-Adresse. (Wir würden den Begriff »Schnittstellenteil der Adresse« statt »Host-Teil der Adresse« vorziehen, weil eine IP-Adresse eigentlich für eine Schnittstelle und nicht für einen Host gilt. Der Begriff »Host-Teil« hat sich aber in der Praxis durchgesetzt, so dass wir uns an diese Konvention halten.) Das Netzwerk selbst hat ebenfalls eine Adresse: 223.1.1.0/24, wobei die Notation »/24«, die man auch als **Netzwerkmaske** bezeichnet, bedeutet, dass die 24 linken Bit der 32-Bit-Menge die Netzwerkadresse definieren und als **Netzwerkpräfix** bezeichnet werden. Das Netzwerk 223.1.1.0/24 besteht somit aus den drei Host-Schnittstellen (223.1.1.1, 223.1.1.2 und 223.1.1.3) und einer Router-Schnittstelle (223.1.1.4). Jeder weitere an das 223.1.1.0/24-Netzwerk angeschlossene Host müsste *unbedingt* eine Adresse in der Form 223.1.1.xxx haben. In Abbildung 4.15 sind zwei weitere Netzwerke dargestellt: 223.1.2.0/24 223.1.3.0/24. Abbildung 4.16 zeigt die drei IP-Netzwerke aus Abbildung 4.15.

Abbildung 4.16 Netzwerkadressen

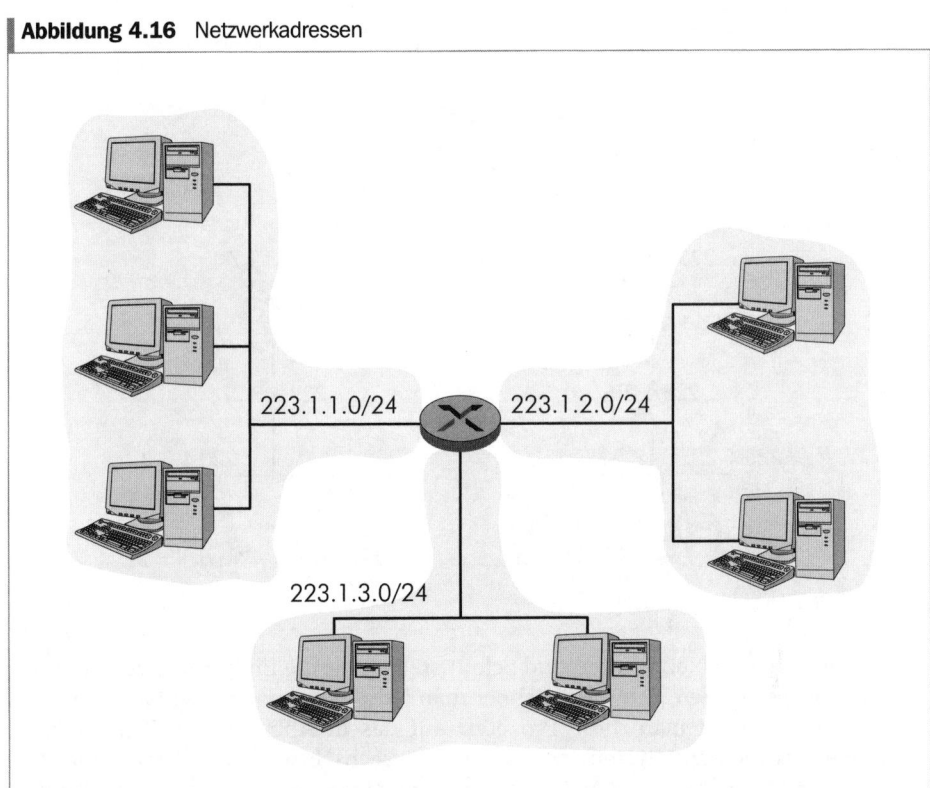

Die IP-Definition eines »Netzwerks« ist nicht auf Ethernet-Segmente begrenzt, die mehrere Hosts mit einer Router-Schnittstelle verbinden. Um hier einige Einblicke zu gewinnen, betrachte man Abbildung 4.17, in der drei Router dargestellt sind, die über Punkt-zu-Punkt-Leitungen miteinander verbunden sind. Jeder Router hat drei Schnittstellen (je eine pro Punkt-zu-Punkt-Leitung) und eine für die Broadcast-Leitung, mit der zwei Hosts an den Router angeschlossen sind). Was stellen die IP-Netzwerke hier dar? Die drei Netzwerke 223.1.1.0/24, 223.1.2.0/24 und 223.1.3.0/24 ähneln vom Prinzip her den Netzwerken von Abbildung 4.15. Bei diesem Beispiel gibt es aber drei weitere Netzwerke: 223.1.9.0/24 für die Schnittstellen, die Router R1 und R2 verbinden; 223.1.8.0/24 für die Schnittstellen, die Router R2 und R3 verbinden; und 223.1.7.0/24 für die Schnittstellen, die Router R3 und R1 verbinden.

Für ein allgemein untereinander verbundenes System aus Routern und Hosts lässt sich zur Definition der Netzwerke im System folgendes Rezept verwenden: Zuerst koppeln wir jede Schnittstelle vom Host oder Router ab. Dadurch entstehen

Abbildung 4.17 Drei Router, die sechs Hosts untereinander verbinden

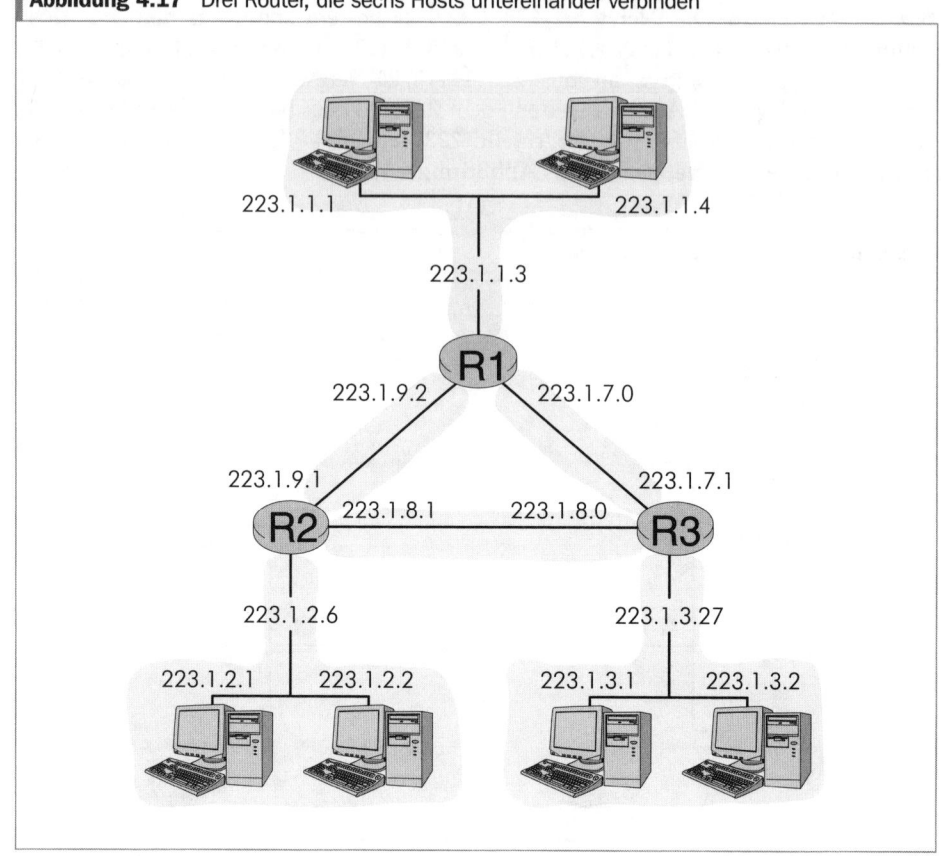

Inseln mit isolierten Netzwerken und Schnittstellen, die die Endpunkte der isolierten Netzwerke abschließen. Dann bezeichnet man jedes dieser isolierten Netzwerke als »Netzwerk«. Wendet man diese Prozedur auf das in Abbildung 4.17 dargestellte zusammengeschlossene System an, erhält man sechs Inseln bzw. Netzwerke. Das heutige Internet setzt sich aus Millionen solcher Netzwerke zusammen. Das Konzept eines Netzwerks und einer Netzwerkadresse ist sehr wichtig und spielt in der Routing-Architektur des Internets eine entscheidende Rolle.

Nachdem wir ein Netzwerk definiert haben, sind wir für die ausführlichere Behandlung der IP-Adressierung bereit. Für die ursprüngliche Adressierungsarchitektur des Internets wurden vier Adressklassen definiert (siehe Abbildung 4.18). Eine fünfte Adressklasse, beginnend mit 11110, wurde für die künftige Verwendung reserviert. In einer Adresse der Klasse A identifizieren die ersten acht Bit das Netzwerk und die letzten 24 Bit die Schnittstelle in diesem Netzwerk. Innerhalb der Klasse A sind also bis zu 2^7 Netzwerke (das erste der acht Bit ist auf 0 festgesetzt) mit jeweils bis zu 2^{24} Schnittstellen möglich. Der Adressraum der Klasse B ermöglicht 2^{14} Netzwerke mit jeweils bis zu 2^{16} Schnittstellen. Eine Adresse der Klasse C verwendet 24 Bit für die Identifizierung des Netzwerks und lässt nur acht Bit für den Schnittstellenidentifizierer übrig. Adressen der Klasse D sind für die so genannten Multicast-Adressen reserviert. Wir stellen die Beschreibung der Adressklasse D bis Abschnitt 4.7 zurück.

Abbildung 4.18 IPv4-Adressformate

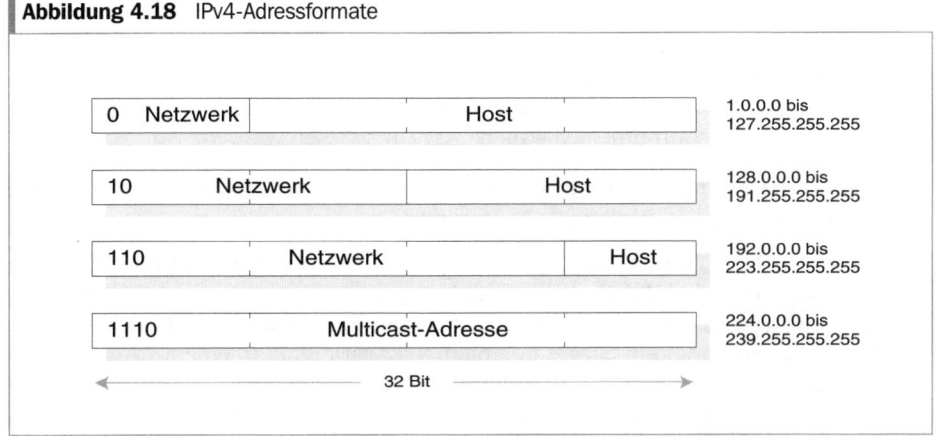

Die vier Adressklassen aus Abbildung 4.18 (die auch unter dem Begriff **klassenbezogene Adressierung** (Classful Addressing) zusammengefasst werden) sind formell nicht mehr Teil der IP-Adressierarchitektur. Die Anforderung, dass der Netzwerkteil einer IP-Adresse genau ein, zwei oder drei Byte lang sein muss, hat sich hinsichtlich der Unterstützung der rasch wachsenden Anzahl von Organisationen mit kleinen und mittleren Netzwerken als problematisch erwiesen. Ein Netzwerk der Klasse C (/24) könnte nur maximal $2^8 - 2 = 254$ Hosts unterbringen (zwei der $2^8 = 256$ Adressen sind für spezielle Verwendungen reserviert); für die meisten Organisationen ist diese Zahl viel zu klein. Eine Netzwerk der Klasse B (/16), das 65.634 Hosts unterstützt, ist für die meisten Organisationen wiederum zu groß. Im Rahmen der klassenbezogenen Adressierung wurde einer Organisation mit beispielsweise 2.000 Hosts normalerweise eine Netzwerkadresse der Klasse B (/16) zugewiesen. Dies führte zur raschen Erschöpfung des Adressraums der Klasse B und zur schlechten Nutzung des zugewiesenen Adressraums. Eine Organisation, die beispielsweise eine Adressklasse B für ihre 2.000 Hosts verwendet, erhielt damit Adressraum für bis zu 65.534 Schnittstellen, so dass in diesem Fall mehr als 63.000 unbenutzte Adressen brach lagen, die man anderen Organisationen hätte zuteilen können.

1993 wurde von der IETF das **Classless Interdomain Routing** (CIDR, sprich »Cider«; Englisch für »Apfelwein«) standardisiert [RFC 1519]. Mit CIDR-Netzwerkadressen kann der Netzwerkteil einer IP-Adresse beliebige Bits lang sein, er ist also nicht mehr auf 8, 16 oder 24 Bit eingeschränkt. Eine CIDR-Netzwerkadresse hat die Punktdezimalnotation *a.b.c.d/x*, wobei *x* die Anzahl der führenden Bits in der 32-Bit-Menge ist, die den Netzwerkteil der Adresse darstellt. Im obigen Beispiel könnte der Organisation mit 2.000 Hosts ein Block von 2.048 Hostadressen in der Form *a.b.c.d/21* zugewiesen werden, so dass im Gegensatz zur klassenbezogenen Adressierung ungefähr 63.000 Adressen anderen Organisationen zugeteilt werden können. In diesem Fall spezifizieren die ersten 21 Bit die Netzwerkadresse der Organisation; sie sind in den IP-Adressen aller Hosts der Organisation gleich. Die restlichen 11 Bit identifizieren den jeweiligen Host der Organisation. In der Praxis könnte die Organisation diese 11 rechten Bit mit Hilfe einer Prozedur, das so genannte **Subnetting** [RFC 950], weiter unterteilen und somit ihre eigenen internen Netzwerke innerhalb des *a.b.c.d/21*-Netzwerks bilden.

Zuweisung von Adressen

Nach unserer Einführung in die IP-Adressierung ist eine der ersten Fragen sicherlich, wie ein Host seine eigene IP-Adresse erhält. Sie haben gerade erfahren, dass eine IP-Adresse aus zwei Teilen – einem Netzwerk- und einem Host-Teil – besteht. Der Host-Teil der Adresse kann auf unterschiedliche Art zugewiesen werden:

- *Manuelle Konfiguration*: Die IP-Adresse wird im Host (normalerweise in einer Datei) vom Systemadministrator konfiguriert.

- *Dynamische Hostkonfiguration*: Hierfür wird ein Protokoll (**Dynamic Host Configuration Protocol, DHCP**) [RFC 2131] verwendet, das eine Erweiterung des BOOTP-Protokolls [RFC 1542] ist und auch als »Plug-and-Play« bezeichnet wird. Mit DHCP empfängt ein Server in einem Netzwerk (z. B. in einem LAN) DHCP-Anfragen von einem Client und gibt im Rahmen der dynamischen Adresszuweisung eine IP-Adresse an den anfragenden Client zurück. DHCP wird umfangreich in LANs und im Bereich des privaten Internet-Zugangs benutzt.

Die Einholung einer Netzwerkadresse ist nicht so einfach. Der Netzwerkadministrator einer Organisation muss möglicherweise zuerst seinen ISP kontaktieren, der ihm Adressen aus einem größeren Adressblock zur Verfügung stellt, die bereits dem ISP zugeteilt wurden. Der ISP hat z. B. den Adressblock 200.23.16.0/20 erhalten. Er kann seinen Adressblock dann in acht gleich große kleinere Adressblöcke aufteilen und diese – wie im folgenden Beispiel – je einer Organisation zuteilen. (Der Netzwerkteil dieser Adressen ist der besseren Übersicht halber unterstrichen.)

ISP-Block	11001000 00010111 00010000 00000000	200.23.16.0/20
Organisation 0	11001000 00010111 00010000 00000000	200.23.16.0/23
Organisation 1	11001000 00010111 00010010 00000000	200.23.18.0/23
Organisation 2	11001000 00010111 00010100 00000000	200.23.20.0/23
...		
Organisation 7	11001000 00010111 00011110 00000000	200.23.30.0/23

PRINZIPIEN IN DER PRAXIS

Dieses Beispiel eines ISP, der acht Organisationen an das Internet anschließt, zeigt auch deutlich, dass sorgfältig zugeteilte CIDR-unterstützte Adressen hierarchisches Routing vereinfachen. Angenommen, der ISP (den wir in Abbildung 4.19 »Fly-By-Night-ISP« nennen) gibt der Außenwelt bekannt, dass man ihm alle Datagramme zusenden soll, deren erste 20 Adressbits mit 200.23.16.0/20 übereinstimmen. Der Rest der Welt müsste nicht wissen, dass sich hinter dem Adressblock 200.23.16.0/20 tatsächlich acht weitere Organisationen mit jeweils einem eigenen Netzwerk verbergen. Diese Möglichkeit der Verwendung eines einzigen Netzwerkpräfix für die Bekanntgabe mehrerer Netzwerke wird oft als **Routen-Aggregation** bezeichnet.

Die Routen-Aggregation funktioniert besonders gut, wenn Adressen ISPs in Blöcken zugeteilt werden, die sie dann ihren Kunden zuweisen. Was passiert aber, wenn Adressen nicht auf eine solche hierarchische Weise zugewiesen werden? Was würde z. B. passieren, wenn Organisation 1 irgendwann mit dem Service des Fly-By-Night-ISP unzufrieden ist und sich entschließt, zu einem anderen ISP, z. B. ISPs-R-Us, überzuwechseln? Wie in Abbildung 4.19 dargestellt ist, besitzt ISPs-R-Us den Adressblock 199.31.0.0/16, die IP-

Adressen von Organisation 2 liegen aber leider außerhalb dieses Adressblocks. Was kann hier unternommen werden? Sicherlich könnte Organisation 1 alle ihre Router und Hosts auf Adressen des Adressblocks von ISPs-R-Us umstellen. Das ist aber eine teure Lösung und Organisation 1 wechselt vielleicht in der Zukunft vom ISPs-R-Us wieder zu einem anderen ISP. Die für Organisation 1 bessere Lösung wäre es, ihre IP-Adressen in 200.23.18.0/23 zu behalten. In diesem Fall (siehe Abbildung 4.20) fährt der ISP Fly-By-Night mit der Bekanntgabe des Adressblocks 200.23.16.0/20 und ISP-S-R-Us mit der Bekanntgabe von 199.31.0.0/16 fort. ISPs-R-Us gibt jetzt aber *auch* den Adressblock für Organisation 1, d. h. 200.23.18.0/23, bekannt. Wenn andere Router im Internet auf die Adressblöcke 200.23.16.0/20 (von Fly-By-Night-ISP) und 200.23.18.0/23 (von ISPs-R-Us) stoßen und eine Adresse im Block 200.23.18.0/23 weiterleiten wollen, würden sie die Regel **Longest Prefix Matching** anwenden und in Richtung ISP-s-R-Us weiterleiten, da dies das längste (spezifischste) Adresspräfix ist, das mit der Zieladresse übereinstimmt.

Abbildung 4.19 Hierarchische Adressierung und Routen-Aggregation

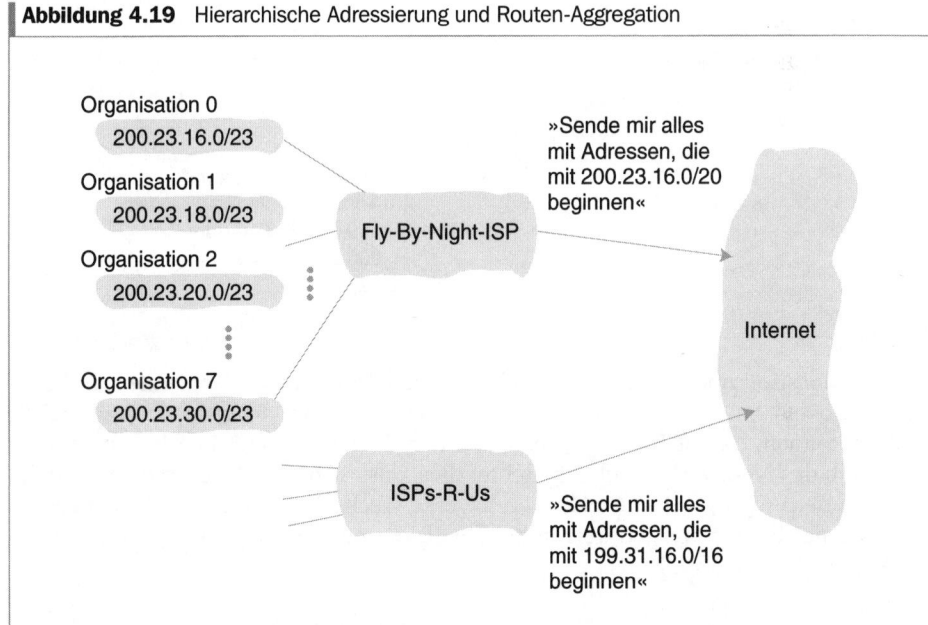

Wir beenden unsere Diskussion der Adressierung mit der Überlegung, wie ein ISP selbst einen Adressblock erhält. IP-Adressen werden unter der Autorität der Internet Corporation for Assigned Names and Numbers (ICANN) [ICANN 2000] auf der Grundlage von Richtlinien in RFC 2050 verwaltet. Die Rolle der gemeinnützigen ICANN-Organisation [NTIA 1998] ist es, nicht nur IP-Adressen zu vergeben, sondern auch die DNS-Root-Server zu verwalten. Sie hat auch die sehr umstrittene Aufgabe unter sich, Domain-Namen zuzuweisen und Streitigkeiten bezüglich Domain-Namen beizulegen. Die eigentliche Zuweisung von Adressen wird heute von regionalen Internet-Registries verwaltet. Mitte 2000 gab es drei solche regionalen Registries: die American Registry for Internet Number (ARIN, die für Registrierungen für Nord- und Südamerika sowie Teile Afrikas zuständig ist; ARIN hat kürzlich eine Reihe von

Funktionen übernommen, die vormals bei Network Solutions lagen), das Reseaux IP Européens (RIPE für Europa und nahegelegene Länder) und das Asia Pacific Network Information Center (APNIC).

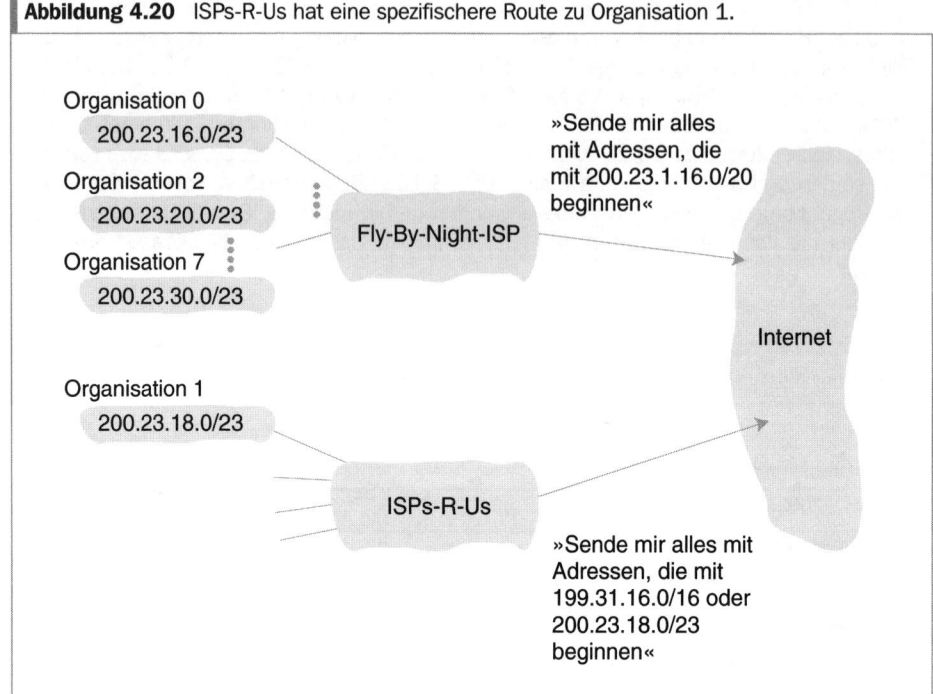

Abbildung 4.20 ISPs-R-Us hat eine spezifischere Route zu Organisation 1.

Zum Schluss soll noch erwähnt werden, dass mobile Hosts das Netzwerk, an das sie angeschlossen sind, entweder dynamisch während einer Reise oder längerfristig ändern können. Da das Routing zuerst zu einem Netzwerk und dann zu einem Host innerhalb des Netzwerks erfolgt, bedeutet dies, dass sich die IP-Adresse des mobilen Hosts ändern muss, wenn der Host Netzwerke wechselt. Techniken für die Behandlung solcher Fragen werden derzeit bei der IETF und der Forschungsgemeinde entwickelt [RFC 2002; RFC 2131].

4.4.2 Transport eines Datagramms von der Quelle zum Ziel: Adressierung und Routing

Nachdem wir Schnittstellen und Netzwerke definiert haben und über ein grundlegendes Verständnis der IP-Adressierung verfügen, gehen wir einen Schritt zurück und prüfen, wie Hosts und Router ein IP-Datagramm von der Quelle zum Ziel befördern. Für diesen Zweck zeigt Abbildung 4.21 die Komponenten eines IP-Datagramms. Jedes IP-Datagramm hat je ein Feld für die Quell- und eine Zieladresse. Der Quellhost füllt das Quelladressfeld eines Datagramms mit seiner eigenen 32-Bit-IP-Adresse. In das Zieladressfeld trägt er die 32-Bit-IP-Adresse des Zielhosts ein, an den das Datagramm gesendet werden soll. Das Datenfeld des Datagramms wird normalerweise mit einem TCP- oder UDP-Segment gefüllt. Die restlichen Felder eines IP-Datagramms werden später in diesem Abschnitt beschrieben.

Abbildung 4.21 Die wichtigsten Felder eines IP-Datagramms

| Verschiedene Felder | IP-Adresse der Quelle | IP-Adresse des Ziels | Daten |

Wie transportiert die Vermittlungsschicht das vom Quellhost erzeugte IP-Datagramm vom Quell- zum Zielhost? Die Antwort auf diese Frage hängt davon ab, ob Quelle und Ziel im gleichen Netzwerk residieren (wobei der Begriff »Netzwerk« hier in dem in Abschnitt 4.4.1 erklärten Adressierungssinn verwendet wird). Wir betrachten als Beispiel die Frage in Zusammenhang mit dem in Abbildung 4.22 dargestellten Netzwerk. Angenommen, Host A möchte ein IP-Datagramm an Host B senden, der im gleichen Netzwerk wie A – 223.1.1.0/24 – residiert. Dies wird wie folgt bewerkstelligt: In Host A sieht IP zuerst seine interne Routing-Tabelle (in Abbildung 4.22 oben) durch und findet den Eintrag 223.1.1.0/24 mit einer Netzwerkadresse, die mit den führenden Bits der IP-Adresse von Host B übereinstimmt. Aus der Routing-Tabelle geht hervor, dass die Anzahl von Hops zum Netzwerk 223.1.1.0 1 ist, was bedeutet, dass B an das gleiche Netzwerk wie A angeschlossen ist. Host A weiß also, dass der Zielhost B direkt über die abgehende Schnittstelle von A erreicht werden kann, ohne dazwischen liegende Router durchlaufen zu müssen. Host A gibt das IP-Datagramm an das Protokoll der Sicherungsschicht für die Schnittstelle weiter, die dann für den Transport des Datagramms an Host B zuständig ist. (Wie die Sicherungsschicht ein Datagramm zwischen zwei Schnittstellen im gleichen Netzwerk transportiert, wird in Kapitel 5 beschrieben.)

Wir betrachten als Nächstes den interessanteren Fall, bei dem Host A ein Datagramm an einen anderen Host – sagen wir E – senden will, der sich in einem anderen Netzwerk befindet. Host A sieht wieder in seiner Routing-Tabelle nach und findet den Eintrag 223.1.2.0/24 mit einer Netzwerkadresse, die mit den führenden Bits der IP-Adresse von Host E übereinstimmt. Da auf dem Weg zum Ziel zwei Hops liegen, weiß Host A, dass sich das Ziel in einem anderen Netzwerk befindet und daher irgendein vermittelnder Router durchlaufen werden muss. In der Routing-Tabelle sieht Host A, dass er das Datagramm zuerst an die IP-Adresse 223.1.1.4 – die Router-Schnittstelle, an die die Schnittstelle von A direkt angeschlossen ist – senden muss, um das Datagramm zu Host E zu befördern. IP in Host A leitet das Datagramm dann nach unten zur Sicherungsschicht weiter und gibt die Sicherungsschicht an, die das Datagramm an IP-Adresse 223.1.1.4 senden soll. Wichtig ist hier die Feststellung, dass das Datagramm zwar (über die Sicherungsschicht) an die Schnittstelle des Routers gesendet wird, die Zieladresse des Datagramms aber *nicht* die Router-Schnittstelle, sondern das endgültige Ziel (Host E) bezeichnet.

Das Datagramm befindet sich jetzt im Router, dessen Aufgabe darin besteht, es an sein endgültiges Ziel weiterzuleiten. Abbildung 4.23 zeigt, dass der Router in seiner Routing-Tabelle den Eintrag 223.1.2.0/24 mit einer Netzwerkadresse findet, die mit den führenden Bits der IP-Adresse von Host E übereinstimmt. Aus der Routing-Tabelle geht hervor, dass das Datagramm an die Router-Schnittstelle 223.1.2.9 weiterzuleiten ist. Die Anzahl der Hops zum Ziel ist 1, so dass der Router weiß, dass der Zielhost E im gleichen Netzwerk wie seine eigene Schnittstelle, nämlich 223.1.2.9,

Abbildung 4.22 Routing-Tabelle in Host A

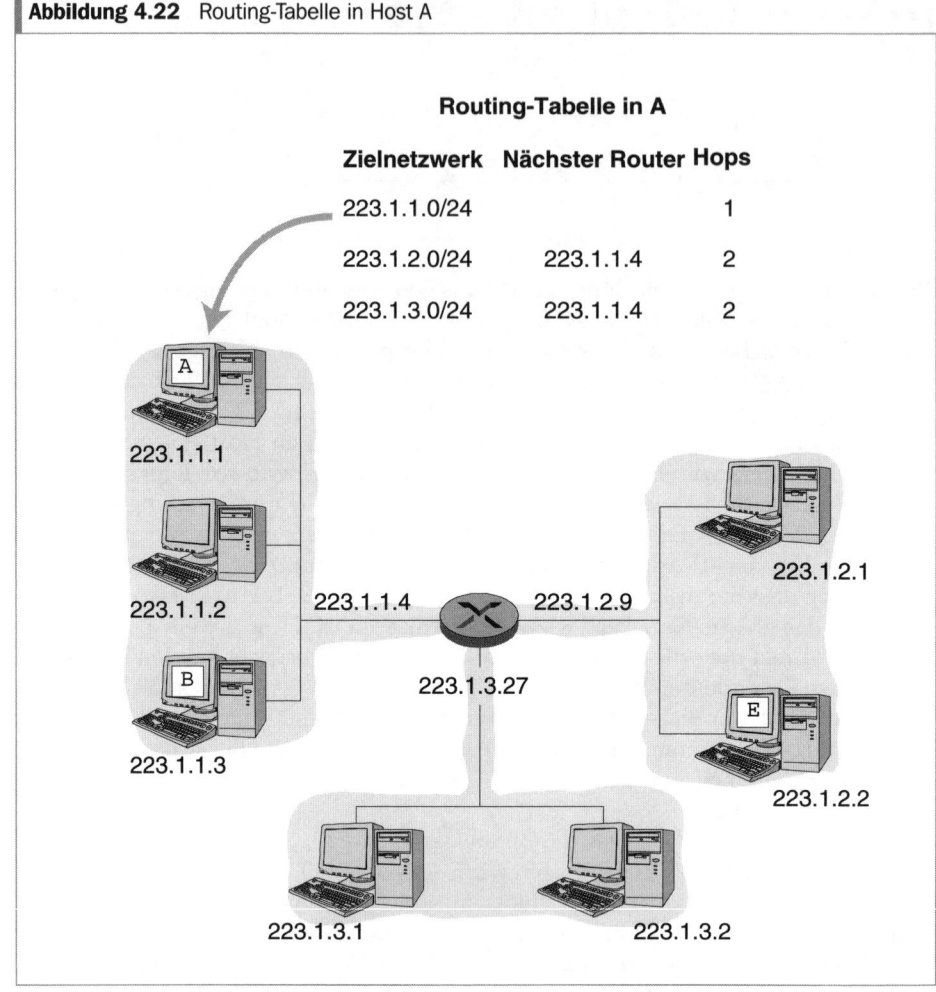

liegt. Der Router befördert das Datagramm also zu dieser Schnittstelle, die es schließlich an Host E abgibt.

Abbildung 4.23 zeigt, dass die Einträge in der Spalte »Nächster Router« leer sind, weil die Netzwerke (223.1.1.0/24, 223.1.2.0/24 und 223.1.3.0/24) direkt an den Router angeschlossen sind. In diesem Fall besteht keine Notwendigkeit, einen vermittelnden Router zu durchlaufen, um zu einem Zielhost zu gelangen. Wären Host A und Host E aber durch zwei Router getrennt, dann würden in der Routing-Tabelle des ersten Routers auf dem Pfad von A nach B in der entsprechenden Zeile zwei Hops zum Ziel und die IP-Adresse des zweiten Routers auf dem Pfad ausgewiesen werden. Der erste Router würde das Datagramm an den zweiten Router über das Sicherungsschichtprotokoll weiterleiten, das die beiden Router verbindet. Der zweite Router würde dann das Datagramm an den Zielhost über das Sicherungsschichtprotokoll weiterleiten, das den zweiten Router mit dem Zielhost verbindet.

In Kapitel 1 wurde erwähnt, dass das Routing eines Datagramms im Internet mit einer Person vergleichbar ist, die ein Auto lenkt und sich an jeder wichtigen Kreuzung bei einem Tankstellenwart erkundigt, wie sie zum endgültigen Ziel gelangt.

Abbildung 4.23 Routing-Tabelle eines Routers

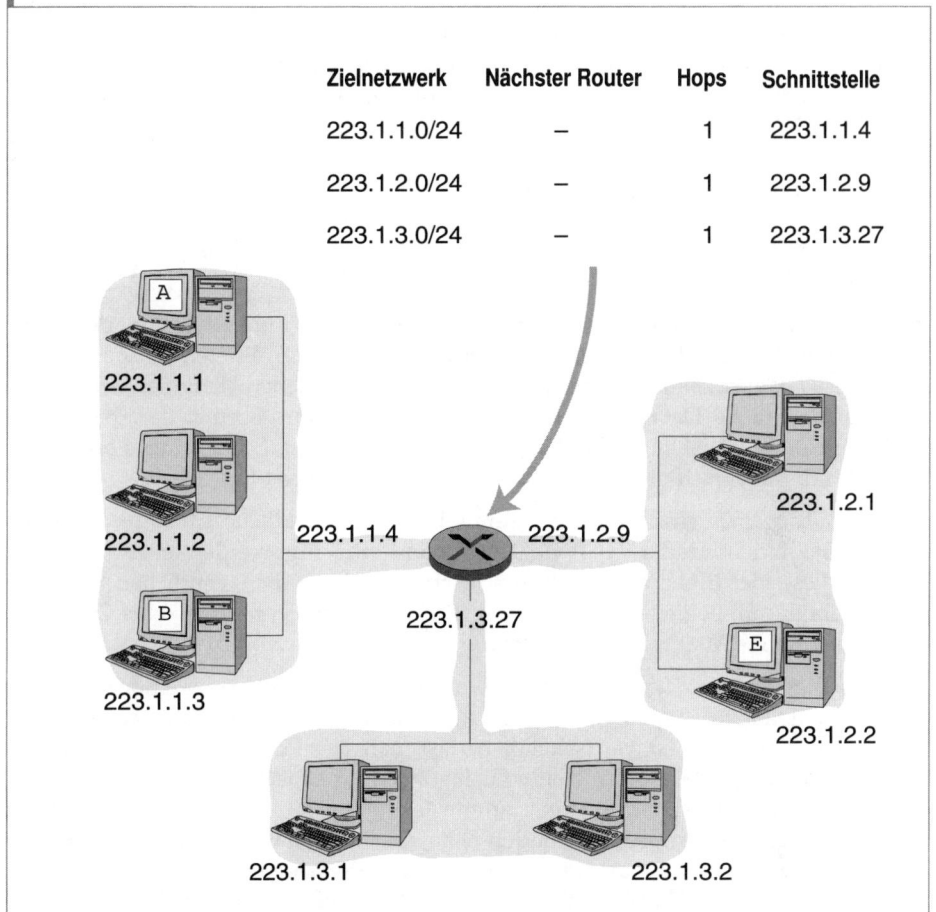

Inzwischen dürfte klar geworden sein, warum dies für das Routing im Internet eine treffende Analogie ist. Während ein Datagramm von der Quelle zum Ziel reist, besucht es eine Reihe von Routern. In jedem Router hält es an und fragt den Router, wie es zu seinem endgültigen Ziel kommt. Wenn sich der Router nicht im gleichen Netzwerk wie das endgültige Ziel befindet, sagt die Routing-Tabelle im Grunde dem Datagramm: »Ich weiß nicht genau, wie du an das endgültige Ziel kommst, weiß aber, dass das endgültige Ziel in Richtung der Verbindungsleitung (vergleichbar mit einer Straße) liegt, die an eine meiner Schnittstellen angeschlossen ist.« Das Datagramm macht sich dann über die an diese Schnittstelle angeschlossene Verbindungsleitung auf den Weg, kommt an einem weiteren Router an und fragt wieder nach dem Weg.

Aus der obigen Diskussion lässt sich entnehmen, dass die Routing-Tabellen in den Routern eine zentrale Rolle bei der Weiterleitung von Datagrammen durch das Internet spielen. Wie aber werden diese Routing-Tabellen konfiguriert und gepflegt, insbesondere für große Netzwerke mit mehreren Pfaden zwischen Quellen und Zielen (z. B. im Internet)? Natürlich sollte man diese Routing-Tabellen so konfigurieren, dass die Datagramme »guten« Routen von der Quelle zum Ziel folgen. Wie Sie wahrscheinlich erraten haben, ist es die Aufgabe von Routing-Algorithmen, wie demjenigen in Abschnitt 4.2, die Routing-Tabellen zu konfigurieren und zu pflegen. Die Routing-Algorithmen des Internets werden in Abschnitt 4.5 beschrieben. Bevor wir uns mit Routing-Algorithmen befassen, werden drei wichtige Themen über IP beschrieben: das Datagramm-Format, die Datagramm-Fragmentierung und das ICMP (Internet Control Message Protocol).

4.4.3 Das Datagramm-Format

Das Datagramm-Format von IPv4 ist in Abbildung 4.24 dargestellt. Die wichtigsten Felder im IPv4-Datagramm sind im Folgenden beschrieben:

- *Versionsnummer*: Diese vier Bit spezifizieren die IP-Protokollversion des Datagramms. Anhand der Versionsnummer kann der Router feststellen, wie der Rest des IP-Datagramms zu interpretieren ist. Die verschiedenen Versionen verwenden unterschiedliche Datagramm-Formate. Das Datagramm-Format der derzeitigen IP-Version IPv4 ist in Abbildung 4.24 dargestellt. Das Datagramm-Format der neuen IP-Version (IPv6) wird in Abschnitt 4.7 beschrieben.

- *Header-Länge*: Da ein IPv4-Datagramm eine unterschiedliche Anzahl von Optionen (die in den Header des IPv4-Datagramms eingefügt werden) enthalten kann, sind diese vier Bits erforderlich, um festzustellen, wo die eigentlichen Daten im IP-Datagramm beginnen. Die meisten IP-Datagramme enthalten keine Optionen, so dass ein IP-Datagramm normalerweise einen Header von 20 Byte hat.

- *TOS*: Die TOS-Bits (Type Of Service) wurden in den IPv4-Header einbezogen, um unterschiedliche »Typen« von IP-Datagrammen voneinander unterscheiden zu können. Der Grund ist wahrscheinlich, dass man sie zu Zeiten von Überlast unterschiedlich behandeln kann. Wenn das Netzwerk überlastet ist, wäre es z. B. nützlich, die Netzwerkkontroll-Datagramme (siehe z. B. die ICMP-Beschreibung in Abschnitt 4.4.5) von datenführenden Datagrammen (z. B. HTTP-Nachrichten) zu unterscheiden. Es wäre auch nützlich für die Unterscheidung zwischen Echtzeit-Datagrammen (z. B. von einer IP-Telefonie-Anwendung) und Nicht-Echtzeitverkehr (z. B. FTP). Seit Kurzem interpretiert ein großer Routing-Anbieter (Cisco) die ersten drei TOS-Bits als Definition unterschiedlicher Dienststufen, die vom Router bereitgestellt werden können. Die spezifische Dienststufe, die bereitgestellt werden soll, ist Sache der vom Administrator des Routers vorgegebenen Policy. Das Thema »Differentiated-Services« wird ausführlich in Kapitel 6 behandelt.

- *Datagramm-Länge*: Dies ist die Gesamtlänge des IP-Datagramms (Header zuzüglich Daten), gemessen in Byte. Da dieses Feld 16 Bit lang ist, kann ein IP-Datagramm theoretisch eine maximale Größe von 65.535 Byte haben. Datagramme sind allerdings selten größer als 1.500 Byte und meist auf 576 Byte begrenzt.

- *Identifizierer, Flags, Fragmentierungs-Offset*: Diese drei Felder haben mit der so genannten IP-Fragmentierung zu tun, die weiter unten ausführlich behandelt wird. Interessant ist, dass die neue IP-Version (IPv6) keine Fragmentierung in Routern zulässt.

- *Time-To-Live (TTL)*: Dieses Feld soll sicherstellen, dass Datagramme nicht für immer und ewig (z. B. aufgrund einer Router-Schleife) im Netzwerk kreisen. Das Feld wird jedes Mal um Eins erhöht, wenn das Datagramm in einem Router verarbeitet wird. Erreicht das TTL-Feld 0, muss das Datagramm weggeworfen werden.

- *Protokoll*: Dieses Feld wird nur benutzt, wenn ein IP-Datagramm sein Endziel erreicht. Der Wert dieses Feldes bezeichnet das Transportprotokoll am Ziel, an das der Datenteil des IP-Datagramms weiterzugeben ist. Ein Wert von 6 bedeutet zum Beispiel, dass der Datenteil an TCP abgegeben wird, während ein Wert von 17 UDP als Transportprotokoll bezeichnet. Die für die Spezifikation von Protokollen verwendeten Nummern sind in RFC 1700 aufgeführt. Man beachte, dass die Protokollnummer im IP-Datagramm eine Rolle spielt, die absolut der Rolle des Portnummernfeldes im Segment der Transportschicht entspricht. Die Protokollnummer ist der »Klebstoff«, der das Netzwerk und die Transportschichten bindet, während die Portnummer der »Klebstoff« ist, der die Transport- und Anwendungsschicht bindet. Wir werden in Kapitel 5 sehen, dass der Rahmen (Frame) auf der Sicherungsschicht ebenfalls ein spezielles Feld beinhaltet, das die Sicherungsmit der Vermittlungsschicht bindet.

- *Header-Prüfsumme*: Die Header-Prüfsumme hilft einem Router bei der Erkennung von Bitfehlern in einem empfangenen IP-Datagramm. Die Header-Prüfsumme wird berechnet, indem alle zwei Byte im Header als Nummer behandelt werden und diese Nummern mit Hilfe der Einerkomplement-Arithmetik summiert werden. Wie in Abschnitt 3.3 beschrieben wurde, ist das Einerkomplement dieser Summe als Internet-Prüfsumme bekannt, die im Prüfsummenfeld gespeichert wird. Ein Router berechnet die Internet-Prüfsumme für jedes empfangene IP-Datagramm und erkennt eine Fehlerbedingung, wenn die im Datagramm enthaltene Prüfsumme nicht der berechneten Prüfsumme entspricht. Router verwerfen normalerweise Datagramme, in denen ein Fehler erkannt wurde. Man beachte, dass die Prüfsumme bei jedem Router neu berechnet und erneut gespeichert werden muss, wenn sich das TTL-Feld und möglicherweise auch Optionsfelder ändern. Eine interessante Diskussion von schnellen Algorithmen für die Berechnung der Internet-Prüfsumme ist in RFC 1071 zu finden. Eine an diesem Punkt häufig gestellte Frage ist, warum TCP/IP sowohl auf der Transport- als auch auf der Vermittlungsschicht eine Fehlerkontrolle ausführt. Dafür gibt es mehrere Gründe: Erstens wird von Routern nicht verlangt, dass sie Fehlerprüfung durchführen, so dass die Transportschicht bezüglich dieser Aufgabe nicht auf die Vermittlungsschicht zählen kann. Zweitens müssen TCP/UDP und IP nicht unbedingt zum gleichen Protokollstack gehören. TCP kann im Prinzip über ein anderes Protokoll (z. B. ATM) laufen und IP kann Daten führen, die nicht an TCP/UDP weitergegeben werden.

- *IP-Adresse von Quelle und Ziel*: Diese Felder führen die 32-Bit-IP-Adresse der Quelle und des endgültigen Ziels eines IP-Datagramms. Die Verwendung und Bedeutung der Zieladresse ist klar. Wir wissen aus Abschnitt 3.2, dass die IP-Quelladresse (zusammen mit den Portnummern von Quelle und Ziel) im Ziel-Host benutzt wird, um die Anwendungsdaten an das entsprechende Socket weiterzuleiten.

- *Optionen*: Die Optionsfelder erlauben die Erweiterung eines IP-Headers. Header-Optionen sollen der Spezifikation zufolge selten benutzt werden. Deshalb wurde die Entscheidung getroffen, Overhead zu vermeiden, indem man die in Optionsfeldern enthaltenen Informationen nicht in jeden Datagramm-Header einbindet. Allerdings wird die Sache allein durch die Existenz von Optionen kompliziert: Da Datagramm-Header eine variable Länge haben können, kann man nicht *a priori* feststellen, wo das Datenfeld beginnt. Da einige Datagramme darüber hinaus möglicherweise die Verarbeitung von Optionen erfordern, andere aber nicht, kann die für die Verarbeitung eines IP-Datagramms in einem Router erforderliche Zeit stark schwanken. Diese Überlegungen sind besonders wichtig für die IP-Verarbeitung in Hochleistungsroutern und -hosts. Aus diesen und anderen Gründen wurden IP-Optionen im IPv6-Header ganz weggelassen.

- *Nutzdaten*: Das letzte und wichtigste Feld enthält die Nutzdaten, deretwegen ein Datagramm überhaupt existiert! In den meisten Fällen enthält das Datenfeld eines IP-Datagramms das an das Ziel zu übertragende Segment der Transportschicht (TCP oder UDP). Im Datenfeld können sich aber auch andere Datentypen befinden, z. B. ICMP-Nachrichten (siehe Abschnitt 4.4.5).

Abbildung 4.24 Format des IPv4-Datagramms

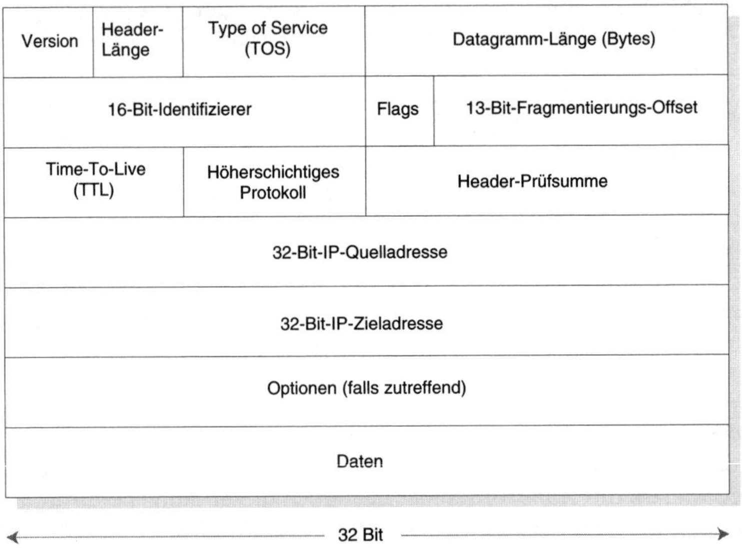

Version	Header-Länge	Type of Service (TOS)	Datagramm-Länge (Bytes)	
16-Bit-Identifizierer			Flags	13-Bit-Fragmentierungs-Offset
Time-To-Live (TTL)		Höherschichtiges Protokoll	Header-Prüfsumme	
32-Bit-IP-Quelladresse				
32-Bit-IP-Zieladresse				
Optionen (falls zutreffend)				
Daten				

← 32 Bit →

4.4.4 IP-Fragmentierung und -Reassemblierung

Kapitel 5 wird zeigen, dass nicht alle Protokolle der Sicherungsschicht Pakete der gleichen Größe befördern können. Einige Protokolle unterstützen »große« und andere »kleine« Pakete. Ethernet-Pakete können z. B. nicht mehr als 1.500 Datenbyte umfassen, während Pakete für viele Weitstreckenleitungen nicht mehr als 576 Byte unterstützen. Die maximale Datenmenge, die ein Paket der Sicherungsschicht befördern kann, wird als **maximale Transfereinheit** (Maximum Transfer Unit, **MTU**) bezeichnet. Da jedes IP-Datagramm in einem Paket der Sicherungsschicht verkapselt wird, um es von einem Router zum nächsten zu übertragen, wird der MTU des Sicherungsschichtprotokolls eine straffe Grenze hinsichtlich der Länge eines IP-Datagramms auferlegt. Die straffe Grenze der Größe eines IP-Datagramms ist dabei aber nicht das große Problem. Problematisch ist, dass jede Verbindungsleitung auf der Route zwischen Sender und Empfänger möglicherweise unterschiedliche Sicherungsschichtprotokolle verwendet und jedes dieser Protokolle eine andere MTU hat.

Um das Problem besser zu verstehen, stellen Sie sich vor, dass *Sie* ein Router sind, der mehrere Verbindungsleitungen verbindet, die jeweils andere Sicherungsschichtprotokolle mit unterschiedlicher MTU ausführen. Angenommen, Sie empfangen ein IP-Datagramm von einer Verbindungsleitung; Sie prüfen Ihre Routing-Tabelle, um die Ausgangsleitung zu ermitteln. Sie stellen fest, dass diese Ausgangsleitung eine MTU hat, die kleiner als die Länge des IP-Datagramms ist. Sie geraten in Panik! Wie sollen Sie dieses übergroße IP-Paket in das kleine Nutzdatenfeld des Sicherungsschichtpakets quetschen? Die Lösung dieses Problems ist die »Fragmentierung« der im IP-Datagramm befindlichen Daten, d. h. Aufteilung der Datenmenge in zwei oder mehr kleinere IP-Datagramme. Dann senden Sie diese kleineren Datagramme über die Ausgangsleitung ab. Jedes dieser kleineren Datagramme wird als **Fragment** bezeichnet.

Fragmente müssen wieder zusammengesetzt werden, bevor sie die Transportschicht am Ziel erreichen. Sowohl TCP als auch UDP erwarten komplette, unfragmentierte Segmente von der Vermittlungsschicht. Die Designer von IPv4 waren der Ansicht, dass die Reassemblierung (und möglicherweise eine erneute Fragmentierung) von Datagrammen in den Routern das Protokoll erheblich verkomplizieren und sich auf die Leistung der Router auswirken würde. (Wenn Sie ein Router wären, würden Sie zusätzlich zu all der anderen Arbeit Fragmente zusammensetzen wollen?) Die Designer von IPv4 hielten sich an das Prinzip, die Vermittlungsschicht einfach zu halten, und verlagerten folglich die Aufgabe der Datagramm-Reassemblierung von den Netzwerk-Routern auf die Endsysteme.

Wenn ein Zielhost eine Reihe von Datagrammen von der gleichen Quelle empfängt, muss er feststellen, ob es sich bei diesen Datagrammen um Fragmente eines ursprünglich größeren Datagramms handelt. Stellt er fest, dass einige Datagramme Fragmente sind, muss er als Nächstes herausfinden, wann er das letzte Fragment erhalten hat und wie die empfangenen Fragmente zusammengesetzt werden sollen, um das Original-Datagramm zu bilden. Damit der Zielhost diese Reassemblierung durchführen kann, haben die Designer von IP (Version 4) die Felder *Identification*, *Flag* und *Fragmentation* für IP-Datagramme spezifiziert. Wenn ein Datagramm erstellt wird, »stempelt« der sendende Host das Datagramm mit einer Identifizierungsnummer sowie einer Quell- und Zieladresse. Er erhöht die Identifizierungsnummer für jedes Datagramm, das er sendet. Wenn ein Router ein Datagramm fragmentieren muss, wird jedes resultierende Datagramm (d. h. »Fragment«) mit Quelladresse, Zieladresse und Identifizierungsnummer des Original-Datagramms versehen. Empfängt das Ziel eine Reihe von Datagrammen vom gleichen Host, kann es die Identifizierungsnummern der Datagramme prüfen, um zu ermitteln, welche Fragmente des gleichen größeren Datagramms sind. Da IP einen unzuverlässigen Dienst bietet, kommt eines oder mehrere Fragmente vielleicht nie am Ziel an. Aus diesem Grund wird im letzten Fragment ein Flag-Bit auf 0 gesetzt, während es bei allen anderen Fragmenten auf 1 gesetzt ist, damit der Zielhost absolut sicher sein kann, dass er das letzte Fragment des Original-Datagramms erhalten hat. Damit der Zielhost außerdem feststellen kann, ob ein Fragment fehlt (und die Fragmente in der richtigen Reihenfolge zusammensetzen kann), wird im Offset-Feld spezifiziert, wo das betreffende Fragment in das Original-Datagramm passt.

Abbildung 4.25 zeigt ein Beispiel. Ein Datagramm mit 4.000 Byte kommt bei einem Router an und muss auf eine Verbindungsleitung mit einer MTU von 1.500 Byte weitergeleitet werden. Dies bedeutet, dass die 4.000 Datenbyte des Original-Datagramms auf drei getrennte Fragmente (die ebenfalls IP-Datagramme sind) aufgeteilt werden müssen. Es wird angenommen, dass das Original-Datagramm mit einer Identifizierungsnummer von 777 gestempelt wird. Die Merkmale der drei Fragmente sind in Tabelle 4.3 aufgeführt.

Abbildung 4.25 IP-Fragmentierung und -Reassemblierung

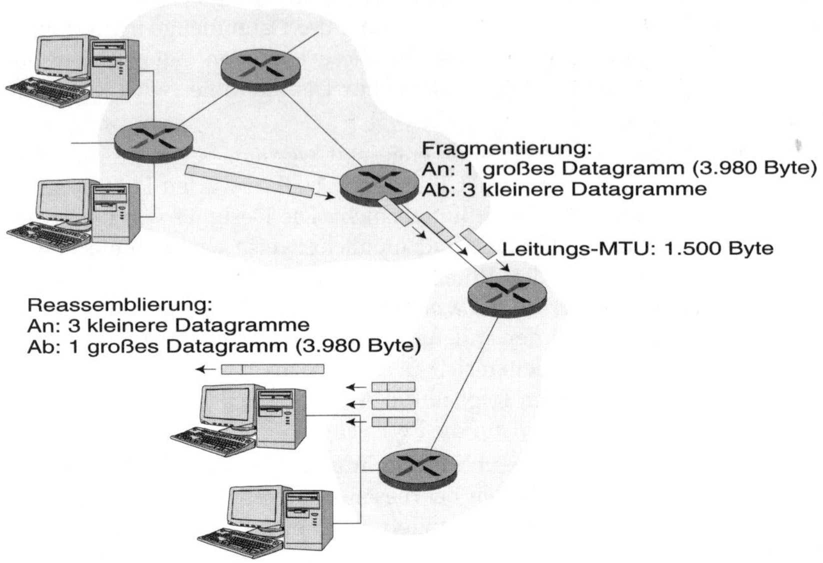

Die Nutzdaten des Datagramms werden erst an die Transportschicht des Ziels abgegeben, nachdem die IP-Schicht das Original-Datagramm vollständig rekonstruiert hat. Falls eines oder mehrere Fragmente nicht am Ziel ankommen, wird das Datagramm verworfen und nicht an die Transportschicht abgegeben. Wie aber aus dem vorherigen Kapitel bekannt, behebt TCP – sofern es auf der Transportschicht benutzt wird –, diesen Verlust, indem es die Quelle die Daten des Original-Datagramms erneut übertragen lässt.

Fragmentierung und Reassemblierung bedeuten eine zusätzliche Last für die Internet-Router (der zusätzliche Aufwand für die Erstellung von Fragmenten aus einem Datagramm) und für die Zielhosts (der zusätzliche Aufwand für die Reassemblierung der Fragmente). Aus diesem Grund ist es wünschenswert, Fragmentierung auf ein Minimum zu reduzieren. Dies geschieht oft dadurch, dass die TCP- und UDP-Segmente auf eine relativ kleine Größe begrenzt werden, so dass die Notwendigkeit einer Fragmentierung der entsprechenden Datagramme eher unwahrscheinlich ist. Da alle von IP unterstützten Protokolle auf der Sicherungsschicht MTUs von mindestens 576 Byte haben sollen, kann Fragmentierung durch Verwendung einer MSS von 536 Byte, 20 Byte für den TCP-Segment-Header und 20 Byte für den IP-Datagramm-Header völlig vermieden werden. Deshalb sind die meisten TCP-Segmente für Massendatentransfer (z. B. bei HTTP) 512 bis 536 Byte lang. (Sie haben beim Surfen im Web wahrscheinlich festgestellt, dass Daten oft in Schüben von ungefähr 500 Byte ankommen.)

Tabelle 4.3 IP-Fragmente

Fragment	Bytes	ID	Offset	Flag
1	1.480 Byte im Datenfeld des IP-Datagramms	777	0 (bedeutet, dass die Daten am Anfang bei Byte 0 eingefügt werden müssen)	1 (bedeutet, dass noch mehr kommt)
2	1.480 Byte (Informationsfeld)	777	1.480 (bedeutet, dass die Daten am Anfang bei Byte 1.480 eingefügt werden müssen)	1 (bedeutet, dass noch mehr kommt)
3	1.020 Byte (= 3.980 – 1.480 – 1.480), Informationsfeld	777	2.960 (bedeutet, dass die Daten am Anfang bei Byte 2.960 eingefügt werden müssen)	0 (bedeutet, dass dies das letzte Fragment ist)

Im Anschluss an diesen Abschnitt befindet sich in der Online-Version dieses Buchs ein Java-Applet, das Fragmente erzeugt. Sie geben die Größe (MTU) und die Identifizierung des ankommenden Datagramms ein. Das Applet erzeugt automatisch die Fragmente für Sie; siehe http://www.awl.com/kurose-ross.

4.4.5 ICMP: Internet Control Message Protocol

In diesem Abschnitt wird das Internet Control Message Protocol (ICMP) beschrieben, das von Hosts, Routern und Gateways benutzt wird, um Informationen auf der Vermittlungsschicht miteinander auszutauschen. ICMP ist in RFC 792 spezifiziert. ICMP wird in der Regel für Fehlermeldungen verwendet. Bei der Ausführung einer Telnet-, FTP- oder HTTP-Sitzung sind Sie beispielsweise schon auf eine Fehlermeldung wie »Destination network unreachable« gestoßen. Solche Meldungen stammen von ICMP. An einem bestimmten Punkt war ein IP-Router nicht in der Lage, den in Ihrer Telnet-, FTP- oder HTTP-Anwendung spezifizierten Host bzw. den Pfad dorthin zu finden. Der Router erstellte eine ICMP-Meldung vom Typ 3 und sandte sie an Ihren Host, um auf den Fehler hinzuweisen. Ihr Host hat die ICMP-Meldung empfangen und den Fehlercode als Reaktion auf den TCP-Code ausgegeben, der versuchte, mit dem entfernten Host eine Verbindung aufzunehmen. TCP hat seinerseits den Fehlercode an Ihre Anwendung zurückgegeben.

ICMP wird oft als Teil von IP betrachtet, ist von der Architektur her aber oberhalb von IP angesiedelt, denn ICMP-Meldungen werden in IP-Paketen befördert. Das heißt, ICMP-Meldungen werden genau wie TCP- oder UDP-Segmente als IP-Nutzdaten übertragen. Wenn ein Host ein IP-Paket mit ICMP als höherschichtigem Protokoll empfängt, demultiplext er das Paket in ICMP auf die gleiche Weise, wie er ein Paket in TCP oder UDP demultiplexen würde.

ICMP-Meldungen haben ein Typ- und ein Codefeld und enthalten außerdem die ersten acht Byte des IP-Datagramms, das zur Erzeugung der ICMP-Meldung führte (so dass der Sender feststellen kann, welches Paket den Fehler verursacht hat). Ausgewählte ICMP-Meldungen sind in Abbildung 4.26 aufgeführt. Man beachte, dass ICMP-Meldungen nur für die Signalisierung von Fehlerbedingungen benutzt werden. Das bekannte Ping-Programm sendet z. B. eine ICMP-Meldung 0 vom Typ 8 an den spezifizierten Host. Der Zielhost sendet nach Erhalt der Echoanfrage eine ICMP-

Echoantwort mit Code 0 vom Typ 0 zurück. Eine andere interessante ICMP-Meldung ist die so genannte »Quell-Quench-Meldung«; sie wird in der Praxis aber selten benutzt. Ihr ursprünglicher Zweck war die Ausführung von Überlastkontrolle. Einem überlasteten Router sollte es ermöglicht werden, eine Quell-Quench-Meldung mittels ICMP an einen Host zu senden, um diesen zu zwingen, seine Übertragungsrate zu reduzieren. Kapitel 3 hat gezeigt, dass TCP seinen eigenen Überlastkontrollmechanismus hat, der auf der Transportschicht greift, ohne Verwendung eines Feedback von der Vermittlungsschicht, wie dies beispielsweise bei einer ICMP-Quell-Quench-Meldung nötig ist.

Abbildung 4.26 ICMP-Meldungen

ICMP-Nachrichtentyp	Code	Beschreibung
0	0	Echo reply (on Ping)
3	0	Destination network unreachable
3	1	Destination host unreachable
3	2	Destination protocol unreachable
3	3	Destination port unreachable
3	6	Destination network unknown
3	7	Destination host unknown
4	0	Source quench (Überlastkontrolle)
8	0	Echo request
9	0	Router advertisement
10	0	Router discovery
11	0	TTL expired
12	0	IP header bad

In Kapitel 1 wurde das Traceroute-Programm vorgestellt, das es Ihnen ermöglicht, die Route von einem bestimmten Host zu einem anderen irgendwo in der Welt zu verfolgen. Interessant ist, dass Traceroute ebenfalls ICMP-Meldungen verwendet. Um die Namen und Adressen der Router zwischen Quelle und Ziel zu ermitteln, sendet Traceroute in der Quelle eine Reihe gewöhnlicher IP-Datagramme an das Ziel. Das erste dieser Datagramme hat eine TTL von 1, das zweite 2, das dritte 3 und so weiter. Die Quelle startet außerdem für jedes Datagramm einen Timer. Wenn das n-te Datagramm beim n-ten Router ankommt, stellt dieser Router fest, dass die TTL des Datagramms gerade abgelaufen ist. Entsprechend den Regeln des IP-Protokolls verwirft der Router das Datagramm und sendet eine ICMP-Warnmeldung an die Quelle (Typ 11, Code 0). Diese Warnmeldung beinhaltet den Namen des Routers und seine IP-Adresse. Wenn diese ICMP-Meldung bei der Quelle ankommt, ermittelt diese die Roundtrip-Zeit des Timers sowie den Namen und die IP-Adresse des n-ten Routers aus der ICMP-Meldung. Da Sie nun einen weiteren Einblick in die Möglichkeiten von Traceroute erhalten haben, schlagen wir vor, ein bisschen mit Traceroute zu experimentieren.

4.5 Routing im Internet

Nach der Beschreibung der Internet-Adressierung und des IP-Protokolls fahren wir mit den Routing-Protokollen des Internets fort. Die Aufgabe dieser Protokolle ist die Ermittlung des Pfads, den ein Datagramm zwischen der Quelle und dem Ziel durchläuft. Wir werden sehen, dass die Routing-Protokolle des Internets viele Prinzipien verkörpern, die früher in diesem Kapitel beschrieben wurden. Die in Abschnitt 4.2 beschriebenen Link-State- und Distanzvektor-Ansätze und das in Abschnitt 4.3 dargestellte Konzept autonomer Systeme (AS) stehen im Mittelpunkt des Routing im heutigen Internet.

Das Internet ist eine lockere Konföderation von zusammengeschlossenen »Netzwerken«, die lokalen, regionalen, nationalen und internationalen ISPs gehören. Wir müssen dieses Wissen jetzt angesichts dessen, dass das Konzept eines »Netzwerks« eine sehr präzise Bedeutung hinsichtlich der IP-Adressierung hat, ein wenig vertiefen. Aus Abschnitt 4.3 ist bekannt, dass eine Sammlung von Routern, die sich unter der gleichen administrativen und technischen Kontrolle befindet und das gleiche Routing-Protokoll untereinander ausführen, als autonomes System (AS) bezeichnet wird. Jedes AS setzt sich seinerseits normalerweise aus mehreren Netzwerken zusammen (wobei wir den Begriff »Netzwerk« in der genauen Bedeutung in Bezug auf Adressierung gemäß Abschnitt 4.4 verwenden). Die wichtigste Unterscheidung zwischen Routing-Protokollen im Internet basiert darauf, ob sie für das Routing von Datagrammen *innerhalb eines* AS oder *zwischen mehreren* AS benutzt werden. Wir betrachten die erste Protokollklasse als so genannte Intra-AS-Routing-Protokolle (Abschnitt 4.5.1) und die zweite Protokollklasse als so genannte Inter-AS-Routing-Protokolle (Abschnitt 4.5.2).

4.5.1 Intra-AS-Routing im Internet

Ein Intra-AS-Routing-Protokoll wird benutzt, um die Routing-Tabellen innerhalb eines autonomen Systems (AS) zu konfigurieren und zu pflegen. Intra-AS-Routing-Protokolle werden auch als **Interior-Gateway-Protokolle** bezeichnet. Historisch betrachtet, werden vorwiegend drei Routing-Protokolle für das Routing innerhalb eines autonomen Systems im Internet benutzt: RIP (Routing Information Protocol), OSPF (Open Shortest Path First) und EIGRP (das proprietäre Enhanced Interior Gateway Routing Protocol von Cisco).

RIP: Routing Information Protocol

RIP war eines der ersten Intra-AS-Routing-Protokolle im Internet und ist heute noch weit verbreitet. Seine Ursprünge und sein Name gehen auf die XNS-Architektur (Xerox Network Systems) zurück. Die weit verbreitete Installation von RIP ist größtenteils der Tatsache zuzuschreiben, dass es 1982 als TCP-unterstützendes Protokoll in die BSD-Version (Berkeley Software Distribution) von Unix eingebunden wurde. RIP-Version 1 ist in RFC 1058 definiert, die abwärts kompatible Version 2 in RFC 1723.

RIP ist ein Distanzvektor-Protokoll, das auf sehr ähnliche Weise wie das idealisierte Protokoll läuft, das in Abschnitt 4.2.3 untersucht wurde. Die in RFC 1058 spezifizierte Version von RIP verwendet die Hop-Anzahl als Kostenmetrik, was bedeutet, dass jede Verbindungsleitung Kosten von 1 hat. Die maximalen Kosten eines Pfad belaufen sich auf 15, womit die Verwendung von RIP auf autonome Systeme begrenzt wird, die weniger als 15 Hops im Diameter umfassen. Wie an früherer Stelle erwähnt wurde, tauschen bei Distanzvektor-Protokollen benachbarte Router Routing-Informationen untereinander aus. In RIP werden Routing-Tabellen zwischen Nachbarn etwa alle 30 Sekunden mit Hilfe einer **RIP-Antwortnachricht** (RIP Response Message) ausgetauscht. Die von einem Router oder Host gesendete Antwortnachricht enthält die Routing-Tabelleneinträge des Senders für bis zu 25 Zielnetzwerke innerhalb des AS. Antwortnachrichten werden auch als **RIP-Advertisements** bezeichnet.

Wir betrachten nun ein einfaches Beispiel, wie RIP-Advertisements funktionieren; Grundlage ist hierbei der Teil eines in Abbildung 4.27 dargestellten AS. In dieser Abbildung bedeuten die Verbindungslinien zwischen den Routern Netzwerke. Nur ausgewählte Router (A, B, C und D) und Netzwerke (w, x, y, z) sind der besseren Übersichtlichkeit halber beschriftet. Die gepunkteten Linien bedeuten, dass sich das AS fortsetzt. Folglich hat dieses autonome System viel mehr Router und Verbindungsleitungen, als in Abbildung 4.27 dargestellt sind.

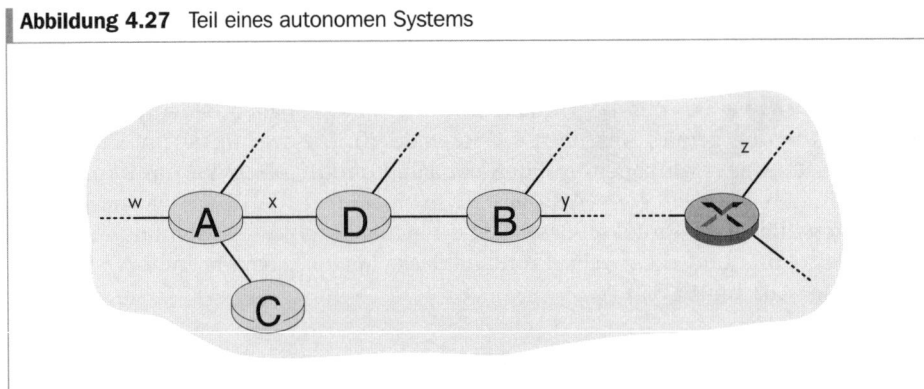

Abbildung 4.27 Teil eines autonomen Systems

Wir nehmen weiter an, dass die Routing-Tabelle für Router D so wie in Abbildung 4.28 aussieht. Die Routing-Tabelle hat drei Spalten. Die erste Spalte betrifft das Zielnetzwerk, die zweite die Identität des nächsten Routers auf dem kürzesten Pfad zum Zielnetzwerk und die dritte die Anzahl von Hops (d. h. die Anzahl von Netzwerken, die überquert wurden, einschließlich des Zielnetzwerks), um auf dem kürzesten Pfad zum Zielnetzwerk zu gelangen. In diesem Beispiel ist der Tabelle zu entnehmen, dass ein Datagramm, das von Router D an das Zielnetzwerk w zu senden ist, zuerst zum benachbarten Router A gesendet werden muss. Die Tabelle gibt auch an, dass das Zielnetzwerk w zwei Hops entfernt auf dem kürzesten Pfad liegt. Ebenso wird aus der Tabelle ersichtlich, dass Netzwerk z sieben Hops über Router B entfernt ist. Im Prinzip umfasst eine Routing-Tabelle für jedes Netzwerk im AS nur eine Zeile. Allerdings ermöglicht es RIP-Version 2, dass Routen-Aggregationstechniken, z. B. wie die in Abschnitt 4.4.1 beschriebenen, benutzt werden können, um Routen zu Netzwerken zu aggregieren. Die Routing-Tabelle enthält auch mindestens eine Zeile für das Routing zu Netzwerken, die sich außerhalb des AS befinden. Die Tabelle in Abbildung 4.28 und die folgenden Tabellen sind also nur teilweise vollständig.

Abbildung 4.28 Routing-Tabelle in Router D vor dem Empfang eines Advertisements von Router A

Zielnetzwerk	Nächster Router	Anzahl Hops zum Ziel
w	A	2
y	B	2
z	B	7
x	—	1
...	...	...

Jetzt nehmen wir an, dass Router D 30 Sekunden später das in Abbildung 4.29 dargestellte Advertisement von Router A erhält. Man beachte, dass dieses Advertisement nichts anderes als die Routing-Tabelle von Router A ist! Diese Routing-Tabelle besagt insbesondere, dass Netzwerk z nur vier Hops von Router A entfernt ist. Nach Empfang des Advertisements mischt Router D dieses (Abbildung 4.29) mit der »alten« Routing-Tabelle (Abbildung 4.28). Router D erfährt, dass es jetzt einen Pfad durch Router A zu Netzwerk z gibt, der kürzer als der Pfad durch Router B ist. Folglich schreibt Router D seine Routing-Tabelle auf den »kürzeren« kürzesten Pfad fort, wie in Abbildung 4.30 dargestellt ist. Wie kann es sein, so fragen Sie sich vielleicht, dass der kürzeste Pfad zu Netzwerk z kürzer werden kann? Möglicherweise war der dezentrale Distanzvektor-Algorithmus immer noch im Prozess des Konvergierens (siehe Abschnitt 4.2) oder das AS wurde um neue Verbindungsleitungen und/oder Router erweitert, so dass sich die kürzesten Pfade im Netzwerk geändert haben.

Abbildung 4.29 Das Advertisement von Router A

Zielnetzwerk	Nächster Router	Anzahl Hops zum Ziel
z	C	4
w	—	1
x	—	1
...	...	...

Abbildung 4.30 Routing-Tabelle in Router D nach Empfang des Advertisements von Router A

Zielnetzwerk	Nächster Router	Anzahl Hops zum Ziel
w	A	2
y	B	2
z	A	5
...	...	...

Als Nächstes untersuchen wir einige Implementierungsaspekte von RIP. Sie erinnern sich, dass RIP-Router ungefähr alle 30 Sekunden Advertisements austauschen. Wenn ein Router mindestens einmal alle 180 Sekunden nichts von seinem Nachbar hört, gilt dieser Nachbar als nicht mehr erreichbar. Das heißt, der Nachbar ist entweder gestorben oder die Verbindungsleitung ist ausgefallen. Wenn dies passiert, modifiziert RIP seine lokale Routing-Tabelle und propagiert diese Information dann, indem es Advertisements an die benachbarten Router (diejenigen, die immer noch erreichbar sind) sendet. Ein Router kann durch Verwendung einer RIP-Anfragenachricht auch Informationen über die Kosten seines Nachbars zu einem bestimmten Ziel anfordern. Router senden einander RIP-Anfrage- und -Antwortnachrichten über UDP und Portnummer 520 zu. Das UDP-Paket wird zwischen Routern in einem IP-Standardpaket übertragen. Die Tatsache, dass RIP ein Transportprotokoll (UDP) oberhalb eines Protokolls der Vermittlungsschicht (IP) benutzt, um eine Vermittlungsschichtfunktion (einen Routing-Algorithmus) zu implementieren, mag eher seltsam erscheinen (und ist es auch!). Dies klärt sich aber auf, wenn wir die Implementierung von RIP genauer untersuchen.

Abbildung 4.31 zeigt, wie RIP im typischen Fall in einem Unix-System implementiert wird, z. B. in einer als Router dienenden Unix-Workstation. Ein Prozess namens *routed* (ausgesprochen »route dee«) führt das RIP-Protokoll (d. h. die Routing-Tabelle) aus und tauscht Nachrichten mit *routed*-Prozessen aus, die auf benachbarten Routern laufen. Da RIP als Prozess der Anwendungsschicht (wenn auch als sehr besonderer, der in der Lage ist, die Routing-Tabellen innerhalb des Unix-Kernels zu manipulieren) implementiert wird, kann es Nachrichten über ein Standard-Socket senden und empfangen sowie ein Standardtransportprotokoll benutzen. Folglich ist RIP ein Protokoll der Anwendungsschicht (siehe Kapitel 2), das auf UDP aufsetzt.

Abbildung 4.31 Implementierung von RIP als routed-Daemon

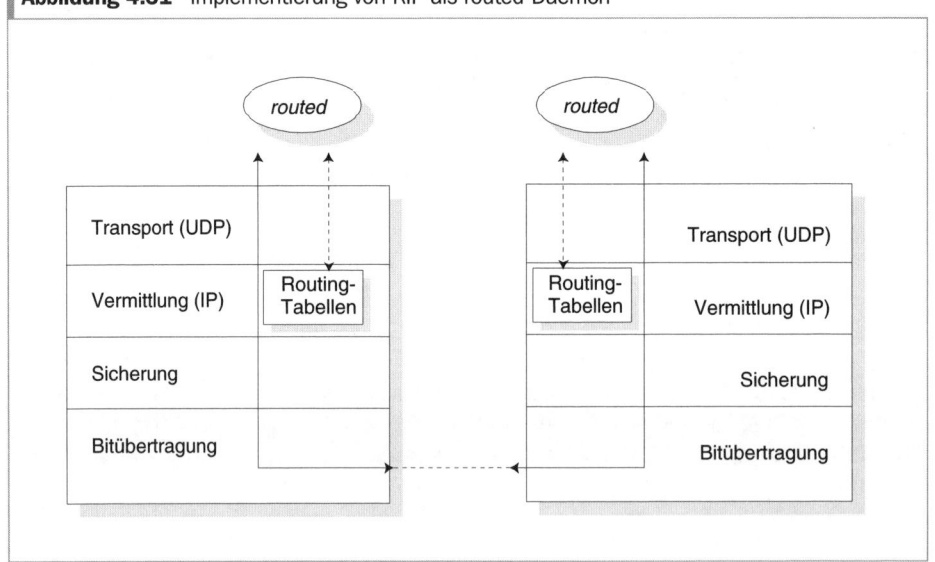

Schließlich werfen wir einen kurzen Blick auf eine RIP-Routing-Tabelle. Die RIP-Routing-Tabelle in Abbildung 4.32 stammt von einem Unix-Router auf giroflee.eurecom.fr. Wenn Sie den Befehl netstat -rn auf einem Unix-System eingeben, können

Sie sich die Routing-Tabelle für den betreffenden Host oder Router ansehen. Die Ausführung eines `netstat`-Befehls auf `giroflee.eurecom.fr` ergibt die Routing-Tabelle von Abbildung 4.32.

Abbildung 4.32 RIP-Routing-Tabelle von giroflee.eurecom.fr

Ziel	Gateway	Flags	Ref.	Verwendung	Schnittstelle
127.0.0.1	127.0.0.1	UH	0	26492	lo0
192.168.2.	192.168.2.5	U	2	13	fa0
193.55.144.	193.55.114.6	U	3	58503	le0
192.168.3.	192.168.3.5	U	2	25	qaa0
224.0.0.0	193.55.114.6	U	3	0	le0
Default	193.55.114.129	UG	0	143454	

Der Router `giroflee` ist an drei Netzwerke angeschlossen. Die zweite, dritte und vierte Zeile der Tabelle sagen aus, dass diese drei Netzwerke über die Netzwerkschnittstellen `fa0`, `le0` und `qaa0` mit `giroflee` verbunden sind. Diese `giroflee`-Schnittstellen haben die IP-Adressen 192.168.2.5, 193.55.114.6 bzw. 192.168.3.5. Um ein Paket an einen beliebigen Host zu übertragen, der zu einem dieser drei Netzwerke gehört, versendet `giroflee` das abgehende IP-Datagramm einfach über die entsprechende Schnittstelle. Von besonderem Interesse ist die **Default-Route**. Jedes IP-Datagramm, das nicht eines der Netzwerke, die ausdrücklich in der Routing-Tabelle aufgeführt sind, zum Ziel hat, wird automatisch an den Router mit der IP-Adresse 193.55.114.129 weitergeleitet. Dieser Router wird erreicht, indem das Datagramm über die Default-Netzwerkschnittstelle versendet wird. Der erste Eintrag in der Routing-Tabelle ist die so genannte »Loopback-Schnittstelle«. Wenn IP ein Datagramm an die Loopback-Schnittstelle sendet, wird das Paket einfach zu IP zurückgeschleift. Dies ist für Fehlerdiagnosezwecke nützlich. Die Adresse 224.0.0.0 ist eine spezielle Multicast-Adresse (der Klasse D). IP-Multicast wird ausführlich in Abschnitt 4.8 beschrieben.

OSPF: Open Shortest Path First

Wie RIP wird OSPF (Open Shortest Path First) für das Intra-AS-Routing verwendet. Das Wort »Open« (offen) in der Bezeichnung bedeutet, dass die Spezifikation des Routing-Protokolls öffentlich verfügbar ist (im Gegensatz z. B. zum EIGRP-Protokoll von Cisco). Die neueste Version von OSPF, Version 2, ist in dem – öffentlichen – RFC 2178 definiert.

OSPF wurde als Nachfolger von RIP entwickelt und weist als solches eine Reihe fortschrittlicher Features auf. Im Kern ist OSPF allerdings ein Link-State-Protokoll, das mit Fluten von Link-State-Informationen und einem Dijkstra-Algorithmus zur Ermittlung des Pfads mit den geringsten Kosten arbeitet. Bei OSPF konstruiert ein Router eine vollständige Abbildung der Topologie (d. h. ein gerichteter Graph) des gesamten autonomen Systems. Der Router führt dann lokal den Dijkstra-Algorithmus aus, um den kürzesten Pfadbaum zu allen Netzwerken mit sich selbst als dem

Root-Knoten zu ermitteln. Die Routing-Tabelle des Routers wird anschließend auf der Grundlage dieses Baums erstellt. Die einzelnen Leitungskosten werden vom Netzwerkadministrator konfiguriert.

Im Folgenden werden die von RIP und OSPF gesendeten Advertisements verglichen. Bei OSPF sendet ein Router periodisch Routing-Informationen an *alle* anderen Router des autonomen Systems und nicht nur an seine Nachbar-Router. Eine ausgezeichnete Beschreibung von Link-State-Algorithmen mit Broadcast-Advertisements findet der Leser in [Perlman 1999]. Diese von einem Router gesendete Routing-Information hat nur jeweils einen Eintrag für jeden Nachbar des Routers. Der Eintrag enthält die Entfernung (d. h. Link-State) vom Router zum Nachbarn. Dagegen enthält ein von einem Router gesendetes RIP-Advertisement Informationen über alle Netzwerke im autonomen System; allerdings werden diese Informationen nur an die Nachbar-Router gesendet. In gewissem Sinn sind die Advertising-Techniken von RIP und OSPF also Doppelgänger. Die wichtigsten Neuerungen von OSPF sind im Folgenden beschrieben:

- *Sicherheit*: Der gesamte Informationsaustausch zwischen OSPF-Routern (z. B. Link-State-Aktualisierungen) wird authentifiziert. Dies bedeutet, dass nur vertrauenswürdige Router im OSPF-Protokoll innerhalb einer Domain teilnehmen können, so dass böswillige Eindringlinge (oder Netzwerkstudenten, die sich mit ihren frisch erworbenen Kenntnissen auf eine Spritztour begeben) davon abgehalten werden, falsche Informationen in Router-Tabellen einzuschmuggeln.

- *Mehrere Pfade mit den gleichen Kosten*: Wenn mehrere Pfade zu einem Ziel die gleichen Kosten aufweisen, lässt OSPF die Verwendung mehrerer Pfade zu (d. h., es muss nicht unbedingt ein einziger Pfad für die Beförderung des gesamten Verkehrs gewählt werden, wenn mehrere Pfade mit den gleichen Kosten verfügbar sind).

- *Unterschiedliche Kostenmetrik für unterschiedlichen TOS-Verkehr*: In OSPF kann jede Verbindungsleitung je nach TOS (Type of Service) der IP-Pakete unterschiedliche Kosten haben. Beispielsweise kann eine Satellitenverbindung mit hoher Bandbreite so konfiguriert werden, dass die Kosten für nicht zeitkritischen Verkehr niedrig (und damit attraktiv) und für verzögerungssensitiven Verkehr sehr hoch sind. Im Wesentlichen gelten in OSPF unterschiedliche Netzwerktopologien für unterschiedliche Verkehrsklassen, so dass es verschiedene Routen für jeden Verkehrstyp berechnen kann.

- *Integrierte Unterstützung von Unicast- und Multicast-Routing*: Multicast-OSPF [RFC 1584] bietet einfache Erweiterungen für OSPF zur Bereitstellung von Multicast-Routing (dieses Thema wird in Abschnitt 4.8 ausführlich beschrieben). MOSPF verwendet die vorhandene OSPF-Link-Datenbank und bietet einen weiteren Typ von Link-State-Advertisements.

- *Unterstützung einer Hierarchie innerhalb einer Routing-Domain*: Der vielleicht wichtigste Fortschritt in OSPF ist die Möglichkeit, ein autonomes System hierarchisch zu strukturieren. In Abschnitt 4.3 wurden bereits viele Vorteile hierarchischer Routing-Strukturen beschrieben. Die Implementierung des hierarchischen Routing in OSPF wird im Folgenden beschrieben.

Unter OSPF kann ein autonomes System in »Bereichen« (Areas) konfiguriert werden. Jeder Bereich führt seinen eigenen Link-State-Algorithmus im Rahmen von OSPF aus, wobei jeder Router in einem Bereich sein Link-State an alle übrigen Router in diesem Bereich rundsendet. Die internen Details eines Bereichs sind für alle Router außerhalb des Bereichs unsichtbar. Das Routing innerhalb eines Bereichs betrifft also nur die Router des gleichen Bereichs.

Innerhalb eines jeden Bereichs ist mindestens ein **Area-Border-Router** für das Routing von Paketen mit Ziel außerhalb des Bereichs zuständig. Ein OSPF-Bereich im AS wird als **Backbone**-Bereich konfiguriert. Die primäre Rolle des Backbone-Bereichs ist es, Verkehr zwischen den anderen Bereichen im AS weiterzuleiten. Das Backbone enthält immer alle Area-Border-Router des AS und kann darüber hinaus auch außerhalb der AS-Grenzen liegende Router beinhalten. Das Routing innerhalb der Bereiche eines AS setzt voraus, dass ein Paket zuerst an einen Area-Border-Router (Intra-Area-Routing) und von dort durch das Backbone an den Area-Border-Router, der sich im Zielbereich befindet, weitergeleitet wird; von dort wird es schließlich an das Endziel weitergeleitet.

Das Diagramm in Abbildung 4.33 zeigt ein hierarchisch strukturiertes OSPF-Netzwerk. In dieser Abbildung identifizieren wir vier Typen von OSPF-Routern:

- *Interne Router*: Diese Router befinden sich nicht in Backbone-Bereichen und führen nur Intra-AS-Routing durch.
- *Area-Border-Router*: Diese Router gehören zu einem Bereich und zum Backbone.
- *Backbone-Router*: Diese Router führen das Routing innerhalb des Backbone durch, sind aber selbst keine Area-Border-Router. Innerhalb eines Bereichs, der kein Backbone-Bereich ist, erfahren interne Router von der Existenz von Routen zu anderen Bereichen aus den Informationen, die von den Backbone-Routern der jeweiligen Bereiche rundgesendet werden. (Im Wesentlichen sind das Link-State-Advertisements, jedoch werden nicht die Verbindungsleitungskosten, sondern die Kosten einer Route zu einem anderen Bereich bekannt gegeben.)

Abbildung 4.33 Hierarchisch strukturiertes OSPF-AS mit vier Bereichen

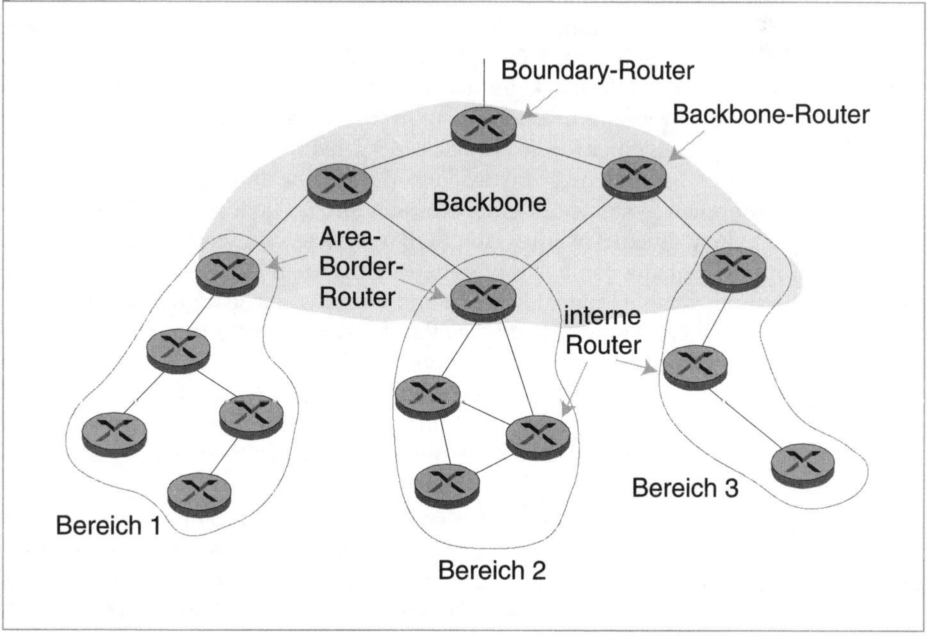

- *Boundary-Router*: Dieser Router tauscht Routing-Informationen mit Routern aus, die zu anderen autonomen Systemen gehören. Er kann beispielsweise BGP benutzen, um Inter-AS-Routing durchzuführen. Durch einen solchen Boundary-Router erfahren andere Router von Pfaden zu externen Netzwerken.

EIGRP: Enhanced Internal Gateway Routing Protocol

EIGRP (Enhanced Interior Gateway Routing Protocol) ist ein proprietärer Routing-Algorithmus, der von Cisco Systems Inc. als Nachfolger für RIP entwickelt wurde [Cisco IGRP 1997]. EIGRP ist ein Distanzvektor-Protokoll. Mehrere Kostenmetriken (einschließlich Verzögerung, Bandbreite, Zuverlässigkeit und Last) können für Routing-Entscheidungen herangezogen werden. Die Gewichtung jeder Metrik wird vom Netzwerkadministrator bestimmt. Diese Möglichkeit der Verwendung von Kosten, die vom Administrator definiert wurden, bei der Auswahl von Routen stellt einen wichtigen Unterschied zu RIP dar. Wir werden in Kürze sehen, dass die auf Policy basierten Inter-AS-Routing-Protokolle im Internet, wie beispielsweise BGP, ebenfalls administrativ definierte Routing-Entscheidungen unterstützen. Zu den weiteren wichtigen Unterschieden gegenüber RIP zählen die Verwendung eines zuverlässigen Transportprotokolls für den Austausch von Routing-Informationen, Aktualisierungsnachrichten, die nur gesendet werden, wenn sich Kosten in einer Routing-Tabelle ändern (statt periodisch), Routen-Aggregation und ein verteilter Routing-Aktualisierungsalgorithmus [Garcia-Luna 1993], um schleifenfreie Routing-Pfade schnell berechnen zu können.

4.5.2 Inter-AS-Routing

Die in RFC 1771 spezifizierte BGP-Version 4 (siehe auch RFC 1772; RFC 1773) ist der *De-facto*-Standard für das Interdomain-Routing im heutigen Internet. Es wird üblicherweise als BGP oder BGP4 bezeichnet. Als Inter-AS-Routing-Protokoll bietet es Routing zwischen autonomen Systemen (d. h. administrativen Domains).

Obwohl BGP dem in Abschnitt 4.2 beschriebenen Distanzvektor-Protokoll ähnelt, wäre seine Charakterisierung als **Pfadvektor-Protokoll** eher angebracht. Das liegt daran, dass BGP in einem Router keine Kosteninformationen (z. B. die Anzahl von Hops zu einem Ziel) propagiert, sondern Pfadinformationen, z. B. die Sequenz von autonomen Systemen auf einer Route zum Ziel-AS. Die Pfadinformationen werden in Kürze ausführlicher behandelt. Man beachte, dass diese Informationen zwar die Namen der autonomen Systeme auf einer Route zum Ziel, jedoch *keine* Kosteninformationen beinhalten. Ebenso wenig gibt BGP vor, wie eine bestimmte Route zu einem bestimmten Ziel aus den bekannt gegebenen Routen ausgewählt werden soll. Diese Entscheidung ist eine Frage der *Policy* und wird als solche dem Domain-Administrator überlassen. Jede Domain kann also ihre Routen nach eigenen Kriterien wählen (und muss nicht einmal ihre Nachbarn über ihre Policy informieren!), so dass viel Spielraum (Autonomie) bei der Routen-Auswahl besteht. Im Wesentlichen bietet BGP die *Mechanismen* für die Verteilung von Pfadinformationen an die untereinander verbundenen autonomen Systeme, überlässt die Policy hinsichtlich der tatsächlichen Routen-Auswahl aber dem Netzwerkadministrator.

Wir beginnen mit einer stark vereinfachten Beschreibung der Funktionsweise von BGP, damit wir den Wald vor lauter Bäumen noch sehen. Wie in Abschnitt 4.3 erwähnt, ist das gesamte Internet aus Sicht von BGP ein aus autonomen Systemen bestehender Graph, wobei jedes AS durch eine AS-Nummer identifiziert wird. Zu einem bestimmten Zeitpunkt kennt ein bestimmtes AS X möglicherweise einen Pfad zu autonomen Systemen, der zu einem bestimmten Ziel-AS Z führt. Als Beispiel sei gegeben, dass X in seiner BGP-Tabelle einen Pfad $XY_1Y_2Y_3Z$ zu Z stehen hat. X weiß also, dass er Datagramme über die autonomen Systeme X, Y_1, Y_2 und Y_3, Z an Z senden kann. Wenn X Aktualisierungen an seine BGP-Nachbarn (d. h. die Nachbarn im Graphen) sendet, lässt er ihnen die gesamten Pfadinformationen – $XY_1Y_2Y_3Z$ – (sowie andere Pfade an andere autonome Systeme) zukommen. Ist W z. B. ein Nachbar von X und empfängt er (W) ein Advertisement, das den Pfad $XY_1Y_2Y_3Z$ beinhaltet, kann er einen neuen Eintrag, nämlich $WXY_1Y_2Y_3Z$, in seine BGP-Tabelle einfügen. Hier gilt es allerdings zu berücksichtigen, dass W möglicherweise beschließt, diesen neuen Eintrag aus mehreren Gründen nicht anzulegen. W würde ihn beispielsweise nicht erstellen, wenn er etwa gleich Y_2 ist, wodurch eine unerwünschte Schleife im Routing entstehen würde, oder wenn in den Tabellen von W bereits ein Pfad zu Z vorhanden ist und dieser Pfad zu $WXY_1Y_2Y_3Z$ (aus Sicht der von BGP bei W benutzten Metrik) bevorzugt wird, oder wenn für W eine Policy-Regel besteht, Datagramme nicht durch Y_2 weiterzuleiten.

Im BGP-Jargon werden die unmittelbaren Nachbarn im Graphen von autonomen Systemen als **Peers** (Partner) bezeichnet. BGP-Informationen werden durch das Netzwerk propagiert, indem die Peers BGP-Nachrichten austauschen. Das BGP-Protokoll definiert die folgenden vier Nachrichtentypen:

- *OPEN*: BGP-Peers kommunizieren über das TCP-Protokoll und Portnummer 179. TCP bietet den Peers also zuverlässigen überlastkontrollierten Nachrichtenaustausch. Demgegenüber kommunizieren z. B. die beiden RIP-Partner in Abbildung 4.31 über unzuverlässiges UDP. Wenn ein BGP-Gateway erstmals mit einem BGP-Peer Verbindung aufnehmen will (nachdem beispielsweise das Gateway oder eine Verbindungsleitung gerade gebootet wurde), wird an den Partner eine OPEN-Nachricht gesendet. Anhand der OPEN-Nachricht kann ein BGP-Gateway sich selbst identifizieren, authentifizieren und Timer-Informationen bereitstellen. Ist das OPEN für den Partner akzeptabel, sendet er eine KEEPALIVE-Nachricht zurück.

- *UPDATE*: Ein BGP-Gateway benutzt die UPDATE-Nachricht, um dem BGP-Peer ein Advertisement über einen Pfad zu einem bestimmten Ziel (z. B. $XY_1Y_2Y_3Z$) zu senden. Die UPDATE-Nachricht kann auch benutzt werden, um zuvor bekannt gegebene Routen zu widerrufen (d. h. einem Peer mitzuteilen, dass die zuvor angekündigte Route nicht mehr gültig ist).

- *KEEPALIVE*: Mit dieser BGP-Nachricht wird einem Peer mitgeteilt, dass der Sender zwar am Leben ist, aber keine weiteren Informationen zu senden hat. Sie dient auch als Bestätigung einer empfangenen OPEN-Nachricht.

- *NOTIFICATION*: Diese BGP-Nachricht soll einen Peer informieren, dass (z. B. in einer zuvor übertragenen BGP-Nachricht) ein Fehler erkannt wurde oder der Sender die BGP-Sitzung schließen will.

Wie weiter oben erwähnt, bietet BGP Mechanismen zur Verteilung von Pfadinformationen, erzwingt aber keine Policies hinsichtlich der Auswahl einer aus mehreren verfügbaren Routen. Innerhalb dieses Rahmenwerks ist es somit möglich, dass ein AS, wie beispielsweise Hatfield.net, eine Policy, wie beispielsweise »der Verkehr von meinem AS darf nicht über das AS McCoy.net fließen«, implementiert, weil es die Identitäten aller autonomen Systeme auf dem Pfad kennt. (Die Hatfields und McCoys sind zwei berühmte, in Fehde liegende Familien in den USA.) Was ist aber mit einer Policy, die die McCoys daran hindern würde, Verkehr durch das Hatfield-Netzwerk zu senden? Die einzige Möglichkeit für ein AS, den Verkehr zu kontrollieren, den es durch sein AS weiterleitet (also »Transitverkehr«, der weder von dem Netzwerk ausgeht noch dorthin gerichtet ist, sondern einfach durchfließt), besteht in der Kontrolle der Pfade, die es bekannt gibt. Wenn beispielsweise die McCoys unmittelbare Nachbarn der Hatfields sind, könnten die Hatfields einfach keine Routen zu den McCoys bekannt geben, die das Hatfield-Netzwerk beinhalten. Die Einschränkung von Transitverkehr durch Kontrolle des Routen-Advertisements eines AS kann aber nur teilweise wirksam sein. Wenn die Joneses beispielsweise zwischen den Hatfields und den McCoys liegen und die Hatfields Routen zu den Joneses bekannt geben, die durch die Hatfields hindurchführen, dann können die Hatfields (mit Hilfe von BGP-Mechanismen) nicht verhindern, dass die Joneses den McCoys diese Routen bekannt geben.

Oftmals verfügt ein AS über mehrere Gateway-Router, die Verbindungen zu anderen autonomen Systemen bereitstellen. BGP ist zwar ein Inter-AS-Protokoll, kann aber trotzdem im Innern eines AS als Pipe für den Austausch von BGP-Aktualisierungen zwischen Gateway-Routern, die zum gleichen AS gehören, benutzt werden. BGP-Verbindungen im Innern eines AS nennt man **Internal-BGP** (**IBGP**), während solche zwischen autonomen Systemen als **External-BGP** (**EBGP**) bezeichnet werden.

Wie oben erwähnt, hat sich BGP zum De-facto-Standard für Inter-AS-Routing im öffentlichen Internet entwickelt. BGP wird beispielsweise in den wichtigen Netzwerkzugangspunkten (NAPs) benutzt, wo wichtige Internet-Betreiber untereinander verbunden werden und Verkehr austauschen. In [IPMA 2000] können Sie sich den Inhalt einer BGP-Routing-Tabelle (riesig!) des aktuellen Tages (weniger als vier Stunden alt) eines der großen NAPs in den USA (der Chicago und San Francisco umfasst) ansehen.

Damit schließen wir diese kurze Einführung in BGP. BGP ist zwar komplex, spielt im Internet aber eine wichtige Rolle. Weitere ausführliche Beschreibungen von BGP findet der Leser in [Stewart 1999; Labowitz 1997; Halabi 1997; Huitema 1995].

PRINZIPIEN IN DER PRAXIS

Warum gibt es unterschiedliche Inter- und Intra-AS-Routing-Protokolle?

Nach der Untersuchung der Details spezifischer Inter- und Intra-AS-Routing-Protokolle, die im heutigen Internet benutzt werden, schließen wir nun mit der Beantwortung der vielleicht grundlegendsten Frage über diese Protokolle. (Hoffentlich haben Sie sich die ganze Zeit über diese Frage gestellt und nicht den Wald vor lauter Bäumen übersehen!):

Warum werden unterschiedliche Inter- und Intra-AS-Routing-Protokolle verwendet?

Die Antwort auf diese Frage trifft den Kern der Unterschiede zwischen den Zielen des Routing innerhalb eines AS und zwischen mehreren autonomen Systemen:

- *Policy*: Zwischen mehreren autonomen Systemen herrschen Policy-Fragen vor. Es mag wohl wichtig sein, dass der von einem bestimmten AS ausgehende Verkehr aus gewissen Gründen nicht durch ein bestimmtes AS fließen soll. Ebenso kann es gut sein,

→

- dass ein bestimmtes AS kontrollieren möchte, welchen Transitverkehr es zwischen anderen autonomen Systemen befördert. Wir haben gesehen, dass BGP Pfadattribute mitführt und eine kontrollierte Verteilung von Routing-Informationen bereitstellt, so dass solche auf Policies basierende Routing-Entscheidungen getroffen werden können. Innerhalb eines AS unterliegt alles der gleichen administrativen Kontrolle, so dass Policy-Fragen bei der Auswahl von Routen innerhalb des AS eine geringere Rolle spielen.
- *Skalierung*: Die Fähigkeit eines Routing-Algorithmus und seiner Datenstrukturen, auf einen Umfang zu skalieren, dass Routing von und zu zahlreichen Netzwerken unterstützt werden kann, ist ein wichtiger Aspekt im Inter-AS-Routing. Innerhalb eines AS ist Skalierbarkeit von untergeordneter Bedeutung. Wenn eine einzelne administrative Domain zu groß wird, lässt sie sich immer in zwei autonome Systeme aufteilen und Inter-AS-Routing kann zwischen den beiden neuen autonomen Systemen implementiert werden. (Sie erinnern sich, dass OSPF den Aufbau einer solchen Hierarchie durch Aufteilung eines AS in »Bereiche« ermöglicht.)
- *Leistung*: Da Inter-AS-Routing stark auf Policies ausgerichtet ist, ist die Qualität (z. B. Leistung) der benutzten Routen oft von zweitrangiger Bedeutung (d. h., eine längere oder teurere Route, die bestimmte Policy-Kriterien erfüllt, wird möglicherweise gegenüber einer kürzeren Route, die diese Kriterien aber nicht erfüllt, bevorzugt). Wie oben beschrieben, besteht zwischen autonomen Systemen nicht einmal ein Konzept der Bevorzugung oder Kosten von Routen. Innerhalb eines einzigen AS können solche Policy-Belange aber ignoriert werden, so dass man sich beim Routing mehr auf die von einer Route gebotenen Leistung konzentrieren kann.

4.6 Was befindet sich im Inneren eines Routers?

In unserer bisherigen Untersuchung der Vermittlungsschicht konzentrierten wir uns auf die Dienstmodelle der Vermittlungsschicht, die Routing-Algorithmen, die von den Paketen durch das Netzwerk benutzten Routen kontrollieren, und die Protokolle, die diese Routing-Algorithmen umsetzen. Diese Themen sind aber nur ein Teil (wenn auch ein wichtiger) dessen, was auf der Vermittlungsschicht abläuft. Wir müssen noch die **Switching-Funktion** eines Routers – den tatsächlichen Transfer von Datagrammen von einer ankommenden Verbindungsleitung des Routers zur entsprechenden Ausgangsverbindungsleitung – berücksichtigen. Die alleinige Betrachtung der Kontroll- und Dienstaspekte der Vermittlungsschicht ist vergleichbar mit der Untersuchung einer Firma, bei der man nur deren Management (das die Firma zwar kontrolliert, normalerweise aber sehr wenig von der tatsächlichen »Knochenarbeit« in der Firma übernimmt) und ihre Public-Relations (»Unser Produkt bietet Ihnen diesen phantastischen Service!«) berücksichtigt. Um einen umfassenden Einblick darüber zu erhalten, was wirklich im Inneren einer Firma passiert, muss man die Mitarbeiter mit einbeziehen. Auf der Vermittlungsschicht besteht die wirkliche Arbeit (d. h. der Grund, warum die Vermittlungsschicht überhaupt existiert) aus der Weiterleitung von Datagrammen. Eine wichtige Komponente in diesem Weiterleitungsprozess ist der Transfer eines Datagramms von der Eingangs- zu einer Ausgangsverbindungsleitung eines Routers. Dieser Abschnitt beschreibt, wie dies bewerkstelligt wird. Diese Beschreibung ist notgedrungen kurz, weil ein kompletter Kurs notwendig wäre, um das Router-Design ausführlich zu beschreiben. Folglich enthält dieser Abschnitt zahlreiche Verweise auf Quellen mit weiterführendem Material.

Abbildung 4.34 zeigt einen Überblick über eine allgemeine Router-Architektur. Hier lassen sich vier Komponenten eines Routers identifizieren:

- *Eingangsports*: Der Eingangsport übernimmt mehrere Funktionen: die Funktionalität der Bitübertragungsschicht (die kleine Box ganz links im Eingangsport und die ganz rechts im Ausgangsport in Abbildung 4.34), d. h. den Abschluss einer ankommenden Verbindungsleitung in einem Router; die Funktionalität der Sicherungsschicht (die mittlere Box im Eingangs- und Ausgangsport, die für die Interoperation mit der Funktionalität der Sicherungsschicht (siehe Kapitel 5) auf der anderen Seite der ankommenden Verbindungsleitung erforderlich ist; eine Such- und Weiterleitungsfunktion (die rechte Box im Eingangsport und die linke im Ausgangsport), so dass ein in die Switching-Fabric (Vermittlungseinheit oder Schaltnetzwerk) des Routers eingespeistes Paket am entsprechenden Ausgangsport wieder auftaucht. Steuerpakete (z. B. Pakete, die Routing-Informationen für RIP, OSPF oder BGP enthalten) werden vom Eingangsport zum Routing-Prozessor weitergeleitet. In der Praxis werden mehrere Ports oft in einer einzigen im Router installierten **Leitungskarte** (Line-Card) zusammengefasst.
- *Switching-Fabric*: Die Switching-Fabric (Vermittlungseinheit oder Schaltnetzwerk) verbindet die Eingangsports mit den Ausgangsports eines Routers. Sie befindet sich vollständig im Router, entspricht also einem Netzwerk im Innern eines Routers!
- *Ausgangsports*: Ein Ausgangsport speichert die Pakete, die an ihn durch die Switching-Fabric weitergeleitet wurden. Anschließend überträgt er die Pakete an die abgehende Verbindungsleitung. Der Ausgangsport führt also die umgekehrte Funktionalität der Sicherungs- und Bitübertragungsschicht wie der Eingangsport aus.
- *Routing-Prozessor*: Der Routing-Prozessor führt die Routing-Protokolle (z. B. die in Abschnitt 4.5 beschriebenen Protokolle) aus, pflegt die Routing-Tabellen und führt Netzwerkmanagementfunktionen (siehe Kapitel 8) in einem Router aus. Diese Themen werden an anderen Stellen in diesem Buch beschrieben.

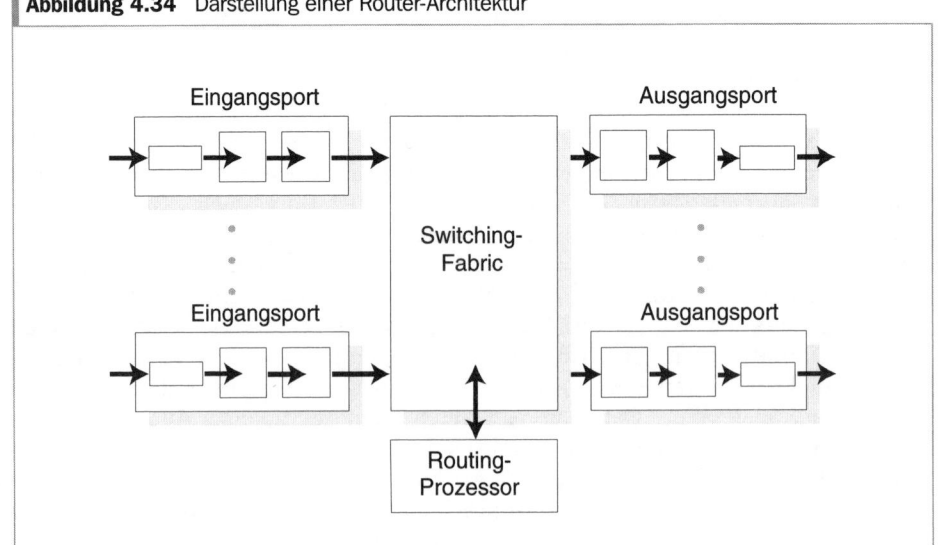

Abbildung 4.34 Darstellung einer Router-Architektur

In den folgenden Abschnitten werden die Eingangsports, die Switching-Fabric und die Ausgangsports ausführlich beschrieben. In [Turner 1988; Giacopelli 1990; McKeown 1997a; Partridge 1998] werden einige spezifische Router-Architekturen beschrieben. In [McKeown 1997b] finden Sie eine besonders leicht verständliche Übersicht über moderne Router-Architekturen mit dem Cisco-Router 12000 als praktischem Beispiel.

4.6.1 Eingangsports

Abbildung 4.35 zeigt eine Detailansicht der Funktionalität eines Eingangsports. Wie oben erwähnt, implementieren die Leitungsabschlussfunktion und die Sicherungsschichtverarbeitung des Eingangsports die Bitübertragungs- bzw. Sicherungsschicht in Zusammenhang mit einer bestimmten Eingangsleitung des Routers. Die Such-/Weiterleitungsfunktion des Eingangsports ist für die Switching-Funktion des Routers von zentraler Bedeutung. In vielen Routern ist dies die Stelle, an der der Router den Ausgangsport bestimmt, an den ein ankommendes Paket über die Switching-Fabric weiterzuleiten ist. Die Wahl des Ausgangsports erfolgt anhand von Informationen, die sich in der Routing-Tabelle befinden. Obwohl die Routing-Tabelle vom Routing-Prozessor berechnet wird, wird normalerweise in jedem Eingangsport eine Schattenkopie gespeichert und bei Bedarf vom Routing-Prozessor aktualisiert. Mit Hilfe dieser lokalen Kopien der Routing-Tabelle kann die Switching-Entscheidung lokal in jedem Eingangsport getroffen werden, ohne den zentralen Routing-Prozessor in Anspruch nehmen zu müssen. Dieses *dezentralisierte* Switching vermeidet die Entstehung eines Weiterleitungsflaschenhalses an einem bestimmten Punkt im Router.

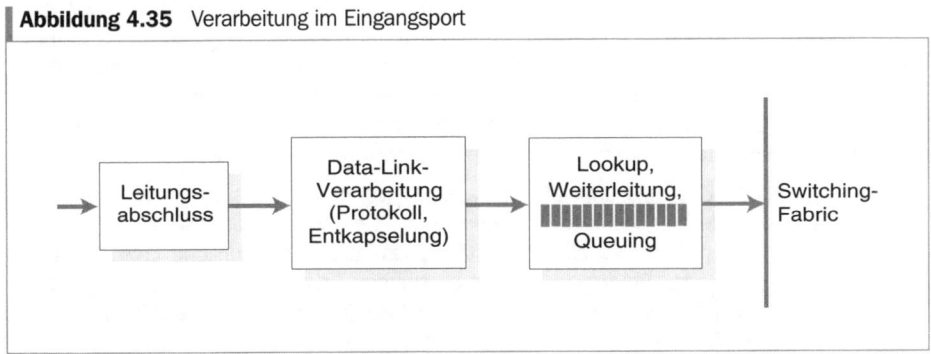

Abbildung 4.35 Verarbeitung im Eingangsport

In Routern mit begrenzten Verarbeitungsfähigkeiten am Eingangsport leitet der Eingangsport das Paket vielleicht einfach an den zentralen Routing-Prozessor weiter, der dann den Routing-Tabellen-Lookup durchführt und das Paket an den entsprechenden Ausgangsport weiterleitet. Dieser Ansatz wird angewandt, wenn eine Workstation oder ein Server als Router dient. Hier ist der Routing-Prozessor im Grunde lediglich die CPU der Workstation und der Eingangsport ist nur eine Netzschnittstellenkarte (z. B. eine Ethernet-Karte).

Angesichts der Existenz einer Routing-Tabelle ist der Tabellen-Lookup vom Konzept her einfach: Wir durchsuchen einfach die Routing-Tabelle und suchen dabei nach einem Zieleintrag, der der Zielnetzadresse des Pakets am nächsten kommt; andernfalls suchen wir eine Default-Route. (Sie erinnern sich an die Diskussion in Abschnitt 4.4.1, dass der beste Treffer (Match) der Routing-Tabelleneintrag mit dem längsten Netzwerkpräfix ist, der mit der Zieladresse des Pakets übereinstimmt.) In der Praxis ist das Leben aber nicht so einfach. Der wahrscheinlich komplizierteste Faktor ist, dass Backbone-Router in hohen Geschwindigkeiten arbeiten müssen, um Millionen von Lookups pro Sekunde durchführen zu können. Für die Verarbeitung im Eingangsport ist es tatsächlich wünschenswert, in der **Leitungsgeschwindigkeit** (Line-Speed) fortfahren zu können, d. h., dass ein Lookup in weniger als der Zeit durchgeführt werden kann, die erforderlich ist, um ein Paket am Eingangsport zu empfangen. In diesem Fall kann die Eingangsverarbeitung eines empfangenen Pakets vor Beendigung der nächsten Empfangsoperation vervollständigt werden. Um sich eine Vorstellung von den Leistungsanforderungen für ein Lookup zu machen, betrachte man eine so genannte OC48-Leitung mit 2,5 Gbps. Im Fall eines 256 Byte langen Pakets impliziert dies eine Lookup-Geschwindigkeit von ca. einer Million Suchläufen pro Sekunde.

FALLBEISPIEL

Cisco Systems dominiert den Netzwerkkern

Cisco ist eines der erfolgreichsten Computerunternehmen aller Zeiten und beherrscht heute den Markt für Internet-Router. Im Geschäftsjahr 2000 erwirtschaftete Cisco mit etwa 39.000 Mitarbeitern einen Umsatz von knapp 19 Milliarden US-Dollar. Cisco wurde 1984 von dem an der Stanford-Universität in San Francisco tätigen Wissenschaftler-Ehepaar Leonard Bosack und Sandy Lerner gegründet. Lerner betreute die Rechner der Business School, während Bosack für das Computersystem des Computer Science Department verantwortlich war. Die Computernetze der beiden Institute waren – wie damals üblich – vollständig voneinander getrennt. Im ARPANET, dem Vorläufer des Internets, gab es zwar vereinzelt Netzverbindungen, doch benötigte man hierfür spezielle, teure Knotenrechner, über die die Universität nicht verfügte. Da die beiden Wissenschaftler es leid waren, ihre Daten nicht austauschen zu können, setzten sie auf eine neue, kostengünstigere Technologie zur Verbindung unterschiedlicher Netze – den Router. Dadurch konnten sie nicht nur untereinander in Kontakt treten, sondern die gesamte Stanford-Universität vernetzen.

Diese unglaubliche Erfolgsgeschichte begann 1984 (vor erst 16 Jahren!) im Wohnzimmer, das als Sitz der jungen Technologie-Schmiede diente. Gemeinsam mit Kollegen und Freunden arbeiteten Lerner und Bosack dort beständig an Verbesserungen und Erweiterungen der Funktionalitäten ihres Routers – oft mehr als hundert Stunden pro Woche. Alle Investitionen der Anfangszeit bezahlte das Paar aus eigener Tasche. E-Mails an Freunde und Bekannte sowie Mund-zu-Mund-Propaganda waren ihre Marketing-Instrumente. Name und Logo ihres Unternehmens entstanden in Anlehnung an die Heimatstadt San Francisco und deren Wahrzeichen – die Golden-Gate-Brücke. 1986 gelang Cisco der Durchbruch: die Erfindung des Multiprotokoll-Routers, der erstmals Computernetze mit unterschiedlichen »Sprachen« verband. Diese revolutionäre Mischung aus Hardware und intelligenter Software sollte sich bald als Standard für Vernetzungsplattformen auf dem Markt entwickeln.

1987 wuchs die Konkurrenz im Netzwerkmarkt. Um den Marktanteil und die Wirtschaftlichkeit ihrer Firma zu sichern, entschieden sich Lerner und Bosack für eine Finanzierung über Risikokapital. Viele Kapitalgeber erklärten das Paar für verrückt. Nur Sequoia Systems erkannte das Potenzial von Netzwerktechnologien und war bereit, Cisco Systems 2,5 Millionen US-Dollar vorzuschießen. Die Unternehmensgründer Sandy Lerner und Leonard Bosack schieden Mitte 1990 aus dem Unternehmen aus – im gleichen Jahr, als Cisco seinen Börsengang unternahm.

Quelle: www.cisco.com

Angesichts der Notwendigkeit, mit den heutigen hohen Leitungsgeschwindigkeiten zu arbeiten, ist eine lineare Suche durch eine große Routing-Tabelle unmöglich. Eine geeignetere Technik besteht darin, die Routing-Tabelleneinträge als Baumdatenstruktur zu speichern. Jede Ebene des Baums kann man sich als Entsprechung eines Bits in der Zieladresse vorstellen. Um eine Adresse zu suchen, beginnt man einfach am Wurzelknoten des Baums. Ist das erste Adressbit eine Null, muss der linke Teilbaum (Subtree) den Routing-Tabelleneintrag für eine Zieladresse enthalten; andernfalls muss sie im rechten Teilbaum sein. Der entsprechende Teilbaum wird dann unter Verwendung der restlichen Adressbits durchschritten. Ist das nächste Adressbit eine Null, wird der linke Teilbaum des anfänglichen Teilbaums gewählt; andernfalls wird der rechte Teilbaum des anfänglichen Teilbaums gewählt. Auf diese Weise kann man den Routing-Tabelleneintrag in N Schritten nachsuchen, wobei N die Anzahl von Bits in der Adresse ist. (Der Leser wird bemerkt haben, dass dies im Wesentlichen eine Binärsuche durch einen Adressraum mit Größe 2^N ist.) Verfeinerungen dieses Ansatzes sind in [Doeringer 1996] beschrieben. Eine Verbesserung im Vergleich zu binären Suchtechniken befindet sich in [Srinivasan 1999].

Doch auch mit $N = 32$ Schritten (z. B. einer 32-Bit-IP-Adresse) ist die Lookup-Geschwindigkeit mittels der binären Suche für die heutigen Backbone-Routing-Anforderungen nicht schnell genug. Wenn man beispielsweise in jedem Schritt von einem Speicherzugriff ausgeht, können weniger als eine Million Adresssuchen/Sekunde bei Speicherzugriffszeiten von 40 ns durchgeführt werden. Deshalb wurden mehrere Techniken untersucht, um die Lookup-Geschwindigkeiten zu erhöhen. So genannte CAMs (Content Addressable Memories) ermöglichen es, dem CAM eine 32-Bit-IP-Adresse zu präsentieren, der dann den Inhalt des Routing-Tabelleneintrags für diese Adresse praktisch in konstanter Zeit zurückgibt. Der Cisco-Router der 8500-Serie [Cisco 8500 1999] hat einen 64K-CAM für jeden Eingangsport. Bei einer weiteren Technik für schnelle Lookups werden die Routing-Tabelleneinträge, auf die zuletzt zugegriffen wurde, in einem Cache vorgehalten [Feldmeier 1988]. Hier stellt die Größe des Cache ein potenzielles Problem dar. Messungen in [Thompson 1997] weisen darauf hin, dass sogar bei einer OC-3-Leitung ungefähr 256.000 Quelle/Ziel-Paare in einem Backbone-Router in einer Minute durchgesehen werden können. Später wurden noch schnellere Datenstrukturen vorgeschlagen, die es ermöglichen, dass Routing-Tabelleneinträge in $\log(N)$ Schritten gefunden werden [Waldvogel 1997], oder die Routing-Tabellen auf neuartige Weise komprimieren [Brodnik 1997]. Ein auf Hardware basierender Lookup-Ansatz, der für den üblichen Fall des Lookup einer Adresse optimiert wurde, hat 24 oder weniger signifikante Bits und wird in [Gupta 1998] beschrieben.

Nachdem der Ausgangsport für ein Paket über ein Lookup ermittelt wurde, kann das Paket zur Switching-Fabric weitergeleitet werden. Wie wir im nächsten Abschnitt sehen werden, kann ein Paket aber vorübergehend vor dem Eintritt in die Switching-Fabric (aufgrund der Tatsache, dass Pakete von anderen Eingangsports momentan die Vermittlungseinheit in Beschlag nehmen) blockiert werden. Ein blockiertes Paket muss am Eingangsport in die Warteschlange eingereiht und dann für die spätere Weiterleitung an die Switching-Fabric vorgemerkt werden. Blockierung, Queuing und Scheduling von Paketen (sowohl am Eingangs- als auch am Ausgangsport) werden in Abschnitt 4.6.4 beschrieben.

4.6.2 Switching-Fabrics

Die Switching-Fabric befindet sich im Kern eines Routers. Durch sie werden die Pakete von einem Eingangs- zu einem Ausgangsport bewegt. Das Switching lässt sich auf mehrere Arten durchführen, wie in Abbildung 4.36 zu sehen ist und im Folgenden näher beschrieben wird.

- *Switching über Speicher*: Die einfachsten ältesten Router waren meist herkömmliche Computer, in denen das Switching zwischen Eingangs- und Ausgangsport der direkten Kontrolle der CPU (Routing-Prozessor) unterlag. Die Ein- und Ausgangsports fungierten als traditionelle E/A-Geräte in einem traditionellen Betriebssystem. Ein Eingangsport, bei dem ein Paket ankam, signalisierte dies zuerst dem Routing-Prozessor über ein Interrupt. Dann wurde das Paket vom Eingangsport in den Prozessorspeicher kopiert. Anschließend extrahierte der Routing-Prozessor die Zieladresse aus dem Header, suchte den entsprechenden Ausgangsport in der Routing-Tabelle und kopierte das Paket in die Puffer des Ausgangsports. Wenn dabei die Speicherbandbreite so aussah, dass B Pakete/s in den und vom Speicher ein- bzw. ausgelesen werden konnten, dann musste der Switch-Durchsatz insgesamt (die Gesamtrate, in der Pakete von Ein- zu Ausgangsports übertragen werden konnten) weniger als $B/2$ betragen. Viele moderne Router vermitteln noch über Speicher. Ein entscheidender Unterschied zu den ersten Routern ist allerdings, dass der Lookup der Zieladresse und das Speichern (Switching) des Pakets in die entsprechende Speicherstelle von Prozessoren auf den Eingangsleitungskarten durchgeführt werden. In gewisser Weise ähneln Router, die über Speicher vermitteln, Multiprozessoren mit gemeinsamer Speichernutzung, wobei die Prozessoren auf einer Leitungskarte Pakete im Speicher des entsprechenden Ausgangsports speichern. Die Cisco-Switches der Serie Catalyst 8500 [Cisco 8500 1999] und die Router Accelar 1200 von Bay Networks vermitteln Pakete über einen gemeinsam genutzten Speicher.

- *Switching über einen Bus*: Bei diesem Ansatz transferieren die Eingangsports ein Paket ohne Intervention des Routing-Prozessors über einen gemeinsamen Bus direkt an den Ausgangsport. (Man beachte, dass das Paket beim Switching über Speicher auch den Systembus auf dem Weg von/zum Speicher überqueren muss.) Obwohl der Routing-Prozessor beim Bustransfer nicht beansprucht wird, kann nur jeweils ein Paket über den Bus übertragen werden, weil er gemeinsam genutzt wird. Ein Paket, das an einem Eingangsport ankommt und den Bus besetzt vorfindet, weil er gerade ein anderes Paket überträgt, ist am Durchgang zur Switching-Fabric blockiert und landet in der Warteschlange des Eingangsports. Da jedes Paket den einzigen Bus durchqueren muss, ist die Switching-Bandbreite des Routers auf die Busgeschwindigkeit begrenzt.
Da Busbandbreiten von über einem Gigabit/Sekunde mit den heutigen Technologien möglich sind, genügt das Switching über einen Bus oft für Router in Zugangs- und Unternehmensnetzwerken (z. B. LANs und Firmennetzwerke). Busbasiertes Switching wurde in einer Reihe von modernen Router-Produkten implementiert, darunter der Cisco 1900 [Cisco Switches 1999], der Pakete über einen 1-Gbps-Packet-Exchange-Bus vermittelt. Die CoreBuilder-5000-Systeme von 3Com [Kapoor 1997] verbinden Ports, die auf unterschiedlichen Switch-Modulen residieren, über den PacketChannel-Datenbus mit einer Bandbreite von 2 Gbps.

Abbildung 4.36 Drei Switching-Techniken

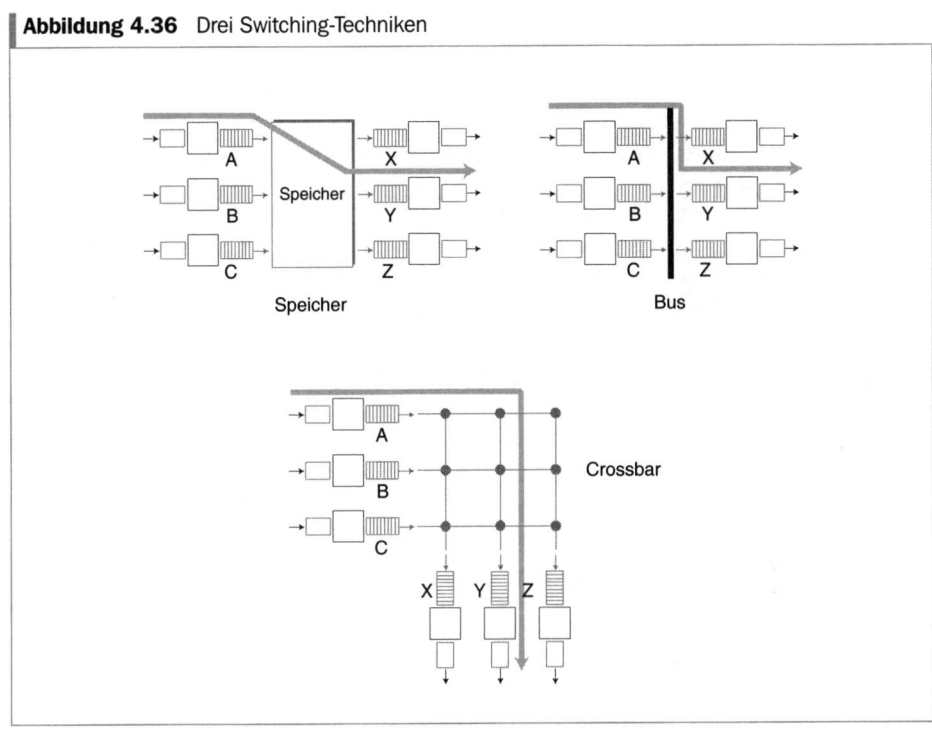

- *Switching über ein Schaltnetzwerk*: Eine Möglichkeit, die Bandbreitenbegrenzung eines einzigen, gemeinsam genutzten Bus zu überwinden, bietet die Verwendung eines ausgefeilteren Schaltnetzwerks. Das sind beispielsweise jene, die in der Vergangenheit benutzt wurden, um Prozessoren in einer Multiprozessor-Computerarchitektur miteinander zu verbinden. Ein Crossbar-Switch ist ein solches Schaltnetzwerk, das aus $2N$ Bussen besteht, die N Eingangsports mit N Ausgangsports verbinden, wie in Abbildung 4.36 dargestellt ist. Ein Paket, das an einem Eingangsport ankommt, fließt an dem horizontalen, am Eingangsport angeschlossenen Bus entlang, bis er sich mit dem vertikalen Bus überschneidet, der zu dem gewünschten Ausgangsport führt. Wenn der zum Ausgangsport führende vertikale Bus frei ist, wird das Paket an den Ausgangsport übertragen. Ist der zu benutzende vertikale Bus mit der Übertragung eines Pakets von einem anderen Eingangsport zum gleichen Ausgangsport beschäftigt, ist das ankommende Paket blockiert und muss in die Warteschlange des Eingangsports eingereiht werden.
Delta- und Omega-Switching-Fabrics wurden zusätzlich als Schaltnetzwerk zwischen Ein- und Ausgangsports vorgeschlagen. In [Tobagi 1990] findet der Leser eine Untersuchung von Switch-Architekturen. Die Cisco-Switches der Familie 12000 [Cisco 12000 1998] verwenden ein Schaltnetzwerk, das bis zu 60 Gbps durch die Switching-Fabric unterstützt. Ein neuerer Trend im Design von Schaltnetzwerken [Keshav 1998] ist die Fragmentierung eines IP-Datagramms mit variabler Länge in Zellen mit fester Länge. Anschließend werden diese Zellen gekennzeichnet und durch das Schaltnetzwerk vermittelt, um schließlich am Ausgangsport wieder zum Original-Datagramm zusammengesetzt zu werden. Durch die feste Zellengröße und die interne Kennzeichnung wird das Switching des Pakets durch das Schaltnetzwerk erheblich vereinfacht und beschleunigt.

4.6.3 Ausgangsports

Bei der in Abbildung 4.37 dargestellten Ausgangsportverarbeitung werden Datagramme, die im Speicher des Ausgangsport gespeichert wurden, über die Ausgangsleitung übertragen. Die Verarbeitung durch das Data-Link-Protokoll und der Leitungsabschluss gehören zur Funktionalität der Sicherungs- und Bitübertragungsschicht auf der Sendeseite, die mit dem Eingangsport am anderen Ende der Ausgangsleitung interagieren (siehe Abschnitt 4.6.1). Die Queuing- und Puffermanagement-Funktionen sind erforderlich, wenn die Switching-Fabric Pakete in einer Rate in den Ausgangsport speist, die die Rate der Ausgangsleitung übersteigt. Port-Queuing wird unten beschrieben.

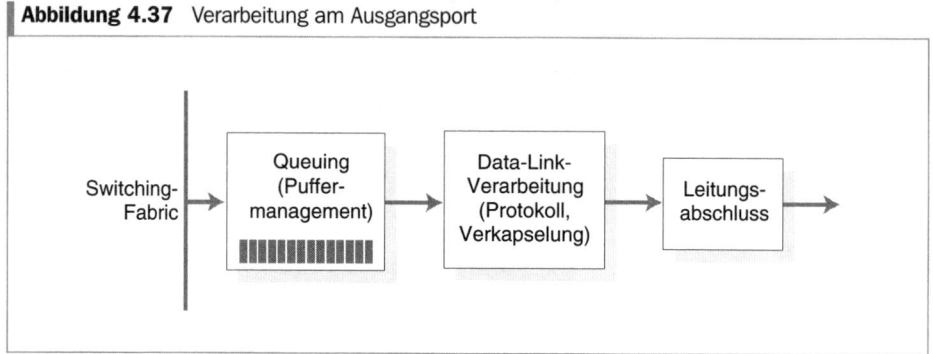

Abbildung 4.37 Verarbeitung am Ausgangsport

4.6.4 Wo findet Queuing statt?

Wenn wir uns die Funktionalität des Ein- und Ausgangsports und die Konfigurationen in Abbildung 4.36 ansehen, wird deutlich, dass an Eingangs- *und* Ausgangsports Paketwarteschlangen entstehen können. Wir müssen diese Warteschlangen (Queues) etwas ausführlicher behandeln, weil sich mit zunehmender Größe dieser Warteschlangen der Pufferraum des Routers erschöpft und es schließlich zu einem **Paketverlust** kommt. In früheren Abschnitten wurde vage angedeutet, dass Pakete »im Netzwerk« verloren gegangen sind oder »im Router verworfen« werden. Diese Warteschlangen in einem Router sind genau die Stellen, wo Pakete verloren gehen oder verworfen werden. Die tatsächliche Stelle eines Paketverlustes (in den Warteschlangen des Ein- oder Ausgangsports) hängt von der Verkehrslast, der relativen Geschwindigkeit der Switching-Fabric und der Leitungsgeschwindigkeit ab, wie weiter unten noch ausgeführt wird.

Angenommen, die Geschwindigkeiten der Ein- und Ausgangsleitungen sind alle identisch und es gibt n Eingangsports und n Ausgangsports. Wenn die Geschwindigkeit der Switching-Fabric mindestens n Mal höher als die der Eingangsleitung ist, kann sich in den Eingangsports keine Warteschlange bilden. Der Grund ist, dass sogar im schlechtesten Fall (Worst-Case) alle n Eingangsleitungen Pakete empfangen und der Switch n Pakete vom Ein- zum Ausgangsport in der Zeit befördern kann, die jeder n Eingangsport braucht, um ein *einzelnes* Paket (gleichzeitig) zu empfangen. Was kann aber an den Ausgangsports passieren? Wir gehen weiterhin davon aus, dass die Geschwindigkeit der Switching-Fabric mindestens n Mal höher als die Geschwindigkeit der Leitungen ist. Im schlechtesten Fall werden die Pakete, die an jedem der n Eingangsports ankommen, zum *gleichen* Ausgangsport geleitet. In diesem Fall werden in der Zeit, bis ein einzelnes Paket empfangen (oder gesendet) wird, n Pakete an diesem Ausgangsport ankommen. Da der Ausgangsport in einer Zeiteinheit (Paketübertragungszeit) nur ein einzelnes Paket übertragen kann, müssen n ankommende Pakete in die Warteschlange gestellt werden und auf die Übertragung über die Ausgangsleitung warten. Dann können möglicherweise n weitere Pakete in der Zeit ankommen, bis nur eines der n zuvor in die Warteschlange gestellten Pakete übertragen wurden und so weiter. Schließlich kann die Anzahl der Pakete in der Warteschlange anwachsen, bis der Speicherplatz im Ausgangsport erschöpft ist, so dass Pakete verworfen werden.

Abbildung 4.38 zeigt das Queuing im Ausgangsport. Zum Zeitpunkt t ist an jedem der ankommenden Eingangsports, die jeweils für den obersten Ausgangsport bestimmt sind, ein Paket angekommen. Unter der Annahme identischer Leitungsgeschwindigkeiten und einer Switch-Bearbeitung mit dem Dreifachen der Leitungsgeschwindigkeit wurden eine Zeiteinheit später (d. h. in der Zeit, bis ein Paket empfangen oder gesendet wurde) alle drei Originalpakete an den Ausgangsport befördert, um dort auf die Übertragung zu warten. In der nächsten Zeiteinheit wird eines dieser drei Pakete über die Ausgangsleitung übertragen. In unserem Beispiel sind zwei *neue* Pakete auf der ankommenden Seite des Switch angekommen; eines dieser Pakete hat den obersten Ausgangsport als Ziel.

Abbildung 4.38 Queuing am Ausgangsport

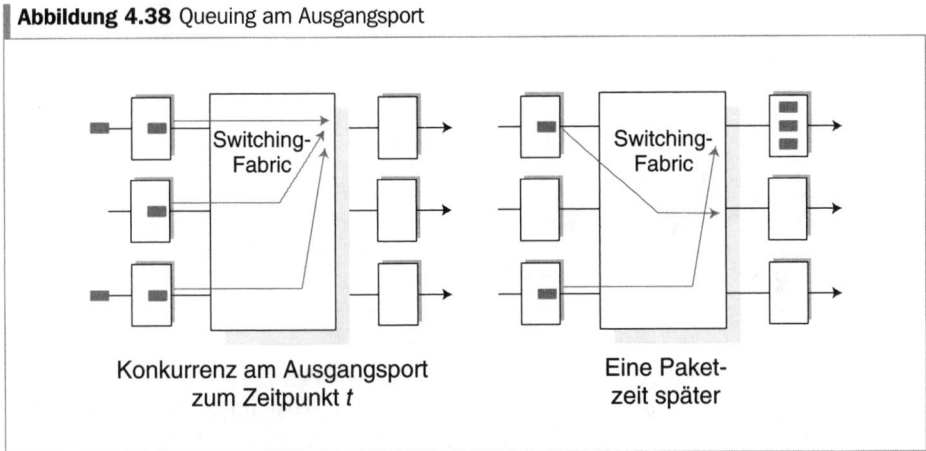

Konkurrenz am Ausgangsport zum Zeitpunkt t — Eine Paketzeit später

Eine Konsequenz des Queuing am Ausgangsport ist, dass ein **Paket-Scheduler** im Ausgangsport aus den in der Warteschlange stehenden Paketen eines für die Übertragung auswählen muss. Diese Auswahl kann auf einer einfachen Basis erfolgen, z. B. FCFS (First Come First Serve, was so viel bedeutet wie »Wer zuerst kommt, mahlt zuerst«) oder nach einer ausgefeilteren Scheduling-Disziplin wie WFQ (Weighted Fair Queuing), bei der die Ausgangsleitung »fair« von den verschiedenen Ende-zu-Ende-Verbindungen, die Pakete in der Warteschlange zur Übertragung anstehen haben, gemeinsam genutzt wird. Das Paket-Scheduling spielt in der Bereitstellung von **QoS-Zusicherungen** (Quality-of-Service) eine wichtige Rolle. Dieses Thema wird ausführlich in Abschnitt 6.6 behandelt. Paket-Scheduling am Ausgangsport in den heutigen Routern wird in [Cisco Queue 1995] beschrieben.

Wenn die Switching-Fabric (im Verhältnis zur Geschwindigkeit der Eingangsleitungen) nicht schnell genug ist, um *alle* ankommenden Pakete ohne Verzögerung durch sich hindurchzuschleusen, dann bilden sich auch an den Eingangsports Warteschlangen und Pakete müssen dort warten, bis sie durch die Switching-Fabric zum Ausgangsport übertragen werden können. Um eine wichtige Konsequenz dieses Queuing zu verdeutlichen, betrachten wir eine Crossbar-Switching-Fabric und nehmen an, dass (1) alle Leitungsgeschwindigkeiten identisch sind, (2) ein Paket von einem Eingangsport an einen bestimmten Ausgangsport in der gleichen Zeit übertragen werden kann, die es dauert, bis ein Paket an einer Eingangsleitung empfangen wird, und (3) Pakete von einer bestimmten Eingangswarteschlange im FCFS-Scheduling in die gewünschte Ausgangswarteschlange verschoben werden. Mehrere Pakete können gleichzeitig übertragen werden, solange sich ihre Ausgangsports unterscheiden. Wenn aber zwei Pakete vorn in den beiden Eingangswarteschlangen zur gleichen Ausgangswarteschlange befördert werden müssen, wird eines der Pakete blockiert. Es muss in der Eingangswarteschlange warten, weil die Switching-Fabric nur jeweils ein Paket zu einem bestimmten Ausgangsport transferieren kann.

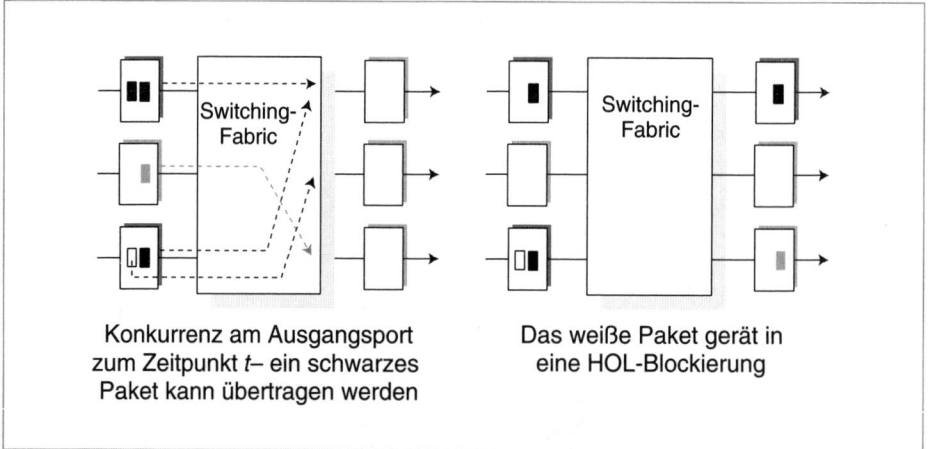

Abbildung 4.39 HOL-Blockierung an einer Eingangswarteschlange

In dem Beispiel in Abbildung 4.39 sind zwei (schwarz schattierte) Pakete vorn in der jeweiligen Eingangswarteschlange für den gleichen Ausgangsport (oben rechts) bestimmt. Wir nehmen an, dass die Switching-Fabric sich dazu entschließt, das vorn in der Warteschlange oben links anstehende Paket zu übertragen. In diesem Fall muss das schwarze Paket in der oberen linken Warteschlange warten. Aber nicht nur dieses schwarze Paket, sondern auch das weiße hinter ihm in der Warteschlange unten links muss warten, obwohl für den mittleren rechten Ausgangsport (das Ziel des weißen Pakets) *keine* Konkurrenz besteht. Dieses Phänomen nennt man bei einem Switch mit Eingangswarteschlangen **HOL-Blockierung** (Head-of-the-Line Blocking). Das heißt, ein in einer Eingangswarteschlange stehendes Paket muss auf den Transfer durch die Switching-Fabric warten (obwohl sein Ausgangsport frei ist), weil es durch ein anderes Paket am Anfang der Schlange blockiert wird. In [Karol 1987] wird beschrieben, dass die Eingangswarteschlange aufgrund der HOL-Blockierung unter bestimmten Annahmen unbegrenzt anwachsen kann (das bedeutet theoretisch, dass ein beträchtlicher Paketverlust entstehen kann), sobald die Paketankunftsrate an den Eingangsleitungen nur 58% ihrer Kapazität erreicht. Eine Reihe von Lösungen für die HOL-Blockierung werden in [McKeown 1997b] beschrieben.

4.7 IPv6

Anfang der neunziger Jahre begann die IETF mit der Entwicklung eines Nachfolgers für das IPv4-Protokoll. Eine vordergründige Motivation für diese Bemühung war die Erkenntnis, dass der 32-Bit-IP-Adressraum allmählich zu Neige ging, während in atemberaubendem Tempo neue Netzwerke und IP-Adressen an das Internet angeschlossen wurden (denen eindeutige IP-Adressen zugewiesen werden mussten). Um auf diesen Bedarf nach einem größeren IP-Adressraum zu reagieren, wurde ein neues IP-Protokoll (IPv6) entwickelt. Die Designer von IPv6 nutzten diese Gelegenheit auch, um auf der Grundlage der mit IPv4 gesammelten Erfahrungen verschiedene Aspekte des Protokolls zu verbessern.

Der Zeitpunkt, wann IPv4-Adressen vollständig aufgebraucht sein würden (und damit keine neuen Netzwerke mehr an das Internet angeschlossen werden können), war Gegenstand heftiger Debatten. Auf der Grundlage der damaligen Adresszuweisung wurde dieser Zeitpunkt von den beiden Leitern der IETF-Arbeitsgruppe »Address Lifetime Expectations« auf 2008 bzw. 2018 geschätzt [Solensky 1996]. 1996 meldet ARIN (American Registry for Internet Numbers), dass alle IPv4-Adressen der Klasse A, 62% der Klasse B und 37% der Klasse C vergeben seien [ARIN 1996]. Diese Schätzungen und Zahlen ließen zwar vermuten, dass noch viel Zeit wäre, bis der IPv4-Adressraum völlig erschöpft sein würde. Man erkannte aber auch, dass andererseits viel Zeit verstreichen würde, bis eine neue Technologie im erforderlichen Ausmaß bereitstehen würde. Folglich wurde mit dem Projekt »Next Generation IP« (IPng) begonnen [Bradner 1996; RFC 1752]. Eine ausgezeichnete Online-Quelle mit Informationen über IPv6 ist die IP Next Generation Homepage [Hinden 1999]. Ein sehr gutes Buch über das Thema ist [Huitema 1997].

4.7.1 Das IPv6-Paketformat

Abbildung 4.40 zeigt das Format des IPv6-Pakets. Die wichtigsten in IPv6 eingeführten Änderungen gehen aus dem Format hervor:

- *Erweiterte Adressierungsmöglichkeiten*: In IPv6 wurde die Größe der IP-Adresse von 32 auf 128 Bit erweitert. Dies stellt sicher, dass der Welt die IP-Adressen nicht ausgehen. Damit kann jedem Sandkörnchen auf der Erde eine IP-Adresse zugewiesen werden. Zusätzlich zu Unicast- und Multicast-Adressen wurde ein neuer Adresstyp mit der Bezeichnung **Anycast** eingeführt. Ein an eine Anycast-Adresse adressiertes Paket kann jedem beliebigen Mitglied einer bestimmten Hostgruppe zugestellt werden. (Dieses Merkmal lässt sich z. B. verwenden, um ein HTTP-GET an die nächste aus einer Reihe von Spiegel-Sites, die ein bestimmtes Dokument vorhalten, zu senden.)

- *Kompakter 40-Byte-Header*: Wie oben erwähnt, wurden mehrere IPv4-Felder weggelassen bzw. sie sind künftig als IPv6-Optionen vorhanden. Der resultierende Header mit einer Länge von 40 Byte ermöglicht eine schnellere Verarbeitung von IP-Datagrammen. Durch eine neue Kodierung von Optionen erfolgt in der neuen IP-Version die Optionsverarbeitung auch schneller.

- *Flusskennzeichnung und -Priorität*: IPv6 hat eine verschwommene Definition eines »**Flusses**« (flow). RFC 1752 und RFC 2460 beschreiben, dass es möglich ist, »Pakete, die zu bestimmten Flüssen gehören, für die der Sender spezielle Behandlung fordert, z. B. eine andere Dienstqualität als Default oder Echtzeitdienst, entsprechend zu kennzeichnen«. Beispielsweise würde Audio- und Videoübertragung wahrscheinlich als ein Fluss behandelt werden. Andererseits würden die traditionelleren Anwendungen wie Filetransfer und E-Mail nicht als Flüsse behandelt werden. Es ist möglich, dass der Verkehr eines Benutzers mit hoher Priorität (z. B. jemand, der für einen besseren Dienst bezahlt) ebenfalls als Fluss behandelt werden kann. Klar ist allerdings, dass die Designer von IPv6 einen künftigen Bedarf für die Differenzierung von »Flüssen« erwarten, auch wenn die genaue Bedeutung eines Flusses noch nicht feststeht. Der IPv6-Header hat auch ein 8-Bit-Feld mit der Bezeichnung »Traffic-Class« (Verkehrsklasse). Wie das TOS-Feld in IPv4 kann dieses Feld benutzt werden, um bestimmte Pakete innerhalb eines Flusses mit Priorität zu versehen oder Datagramme von bestimmten Anwendungen (z. B. ICMP-Pakete) gegenüber Datagrammen von anderen Anwendungen (z. B. Netzwerk-News) vorrangig zu behandeln.

Abbildung 4.40   Das IPv6-Paketformat

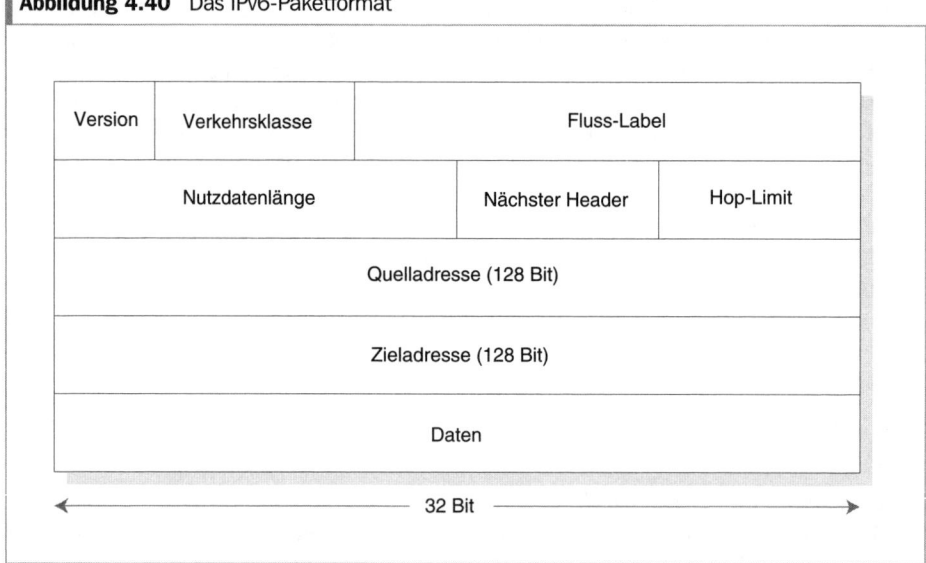

Ein Vergleich der Paketformate von IPv6 (Abbildung 4.40) mit IPv4 (Abbildung 4.24) verdeutlicht die einfachere, kompaktere Struktur des IPv6-Datagramms. In IPv6 sind folgende Felder definiert:

- *Version*: Dieses 4-Bit-Feld identifiziert die IP-Versionsnummer. Für IPv6 steht in diesem Feld der Wert »6«, während ein Wert von »4« in diesem Feld aber kein gültiges IPv4-Datagramm erzeugt. (Wenn es so wäre, wären die Dinge natürlich viel einfacher – siehe Beschreibung des Übergangs von IPv4 zu IPv6 weiter unten.)
- *Verkehrsklasse (Traffic-Class)*: Dieses 8-Bit-Feld ist mit dem TOS-Feld in IP-Version 4 vergleichbar.
- *Fluss-Label*: Dieses 20-Bit-Feld wird benutzt, um einen »Fluss« von Datagrammen zu identifizieren.
- *Nutzdatenlänge (Payload-Length)*: Dieser 16-Bit-Wert wird als vorzeichenlose Ganzzahl behandelt, die der Anzahl von Bytes im IPv6-Datagramm, gefolgt von einem 40-Byte-Header mit fester Länge, entspricht.

- *Nächster Header*: Dieses Feld identifiziert das Protokoll, an das der Inhalt (Datenfeld) dieses Datagramms weitergegeben wird (z. B. TCP oder UPD). Das Feld verwendet die gleichen Werte wie das Protokollfeld im IPv4-Header.
- *Hop-Limit*: Der Inhalt dieses Felds wird in jedem Router, der das Datagramm weitergibt, um Eins erhöht. Wenn das Hop-Limit Null erreicht, wird das Datagramm verworfen.
- *Quell- und Zieladresse*: Dies sind die verschiedenen Formate der 128-Bit-Adresse von IPv6, die in RFC 2373 beschrieben sind.
- *Daten*: In diesem Feld stehen die Nutzdaten des IPv6-Datagramms. Wenn das Datagramm sein Ziel erreicht, werden die Nutzdaten entnommen und an das im Feld »Nächster Header« bezeichnete Protokoll weitergegeben.

Die obige Beschreibung verdeutlicht den Zweck der im IPv6-Datagramm enthaltenen Felder. Ein Vergleich des Datagramm-Formats von IPv6 (Abbildung 4.40) mit dem von IPv4 (Abbildung 4.24) zeigt, dass mehrere Felder von IPv4 im IPv6-Datagrammformat nicht mehr vorhanden sind:

- *Fragmentierung/Reassemblierung*: IPv6 lässt keine Fragmentierung und Reassemblierung in vermittelnden Routern zu. Diese Operationen können nur von der Quelle und vom Ziel durchgeführt werden. Wenn ein bei einem Router ankommendes IPv6-Datagramm zu groß ist, um es über die Ausgangsleitung weiterleiten zu können, wirft der Router das Datagramm einfach weg und sendet eine ICMP-Fehlermeldung »Packet Too Big« (siehe unten) an den Sender zurück. Der Sender kann dann die Daten erneut mit einer kleineren IP-Datagrammgröße senden. Fragmentierung und Reassemblierung sind zeitaufwendig; die Verlagerung dieser Funktionalität von den Routern auf die Endsysteme bedeutet eine beträchtliche Beschleunigung des IP-Verkehrs im Netzwerk.
- *Prüfsumme*: Da die Protokolle der Transportschicht (z. B. TCP und UDP) und der Sicherungsschicht (z. B. Ethernet) in den Internet-Schichten Prüfsummen ausführen, waren die Designer von IP offensichtlich der Ansicht, dass diese Funktionalität auf der Vermittlungsschicht redundant ist und entfernt werden kann. Auch dabei stand die schnelle Verarbeitung von IP-Paketen im Mittelpunkt. Da der IPv4-Header, wie aus Abschnitt 4.4.1 bekannt, ein TTL-Feld (ähnlich dem Hop-Limit-Feld in IPv6) enthält, muss die Prüfsumme im IPv4-Header in jedem Router neu berechnet werden. Wie die Fragmentierung und Reassemblierung war dies eine übermäßig aufwändige Operation in IPv4.
- *Optionen*: Ein Optionsfeld ist zwar nicht mehr Teil des IP-Standard-Headers, aber nicht ganz verschwunden. In der neuen Version ist das Optionsfeld einer der möglichen »Nächsten Header«, auf den im IPv6-Header verwiesen wird. Das heißt, ein Optionsfeld kann genauso wie ein Header des TCP- oder UDP-Protokolls der nächste Header in einem IP-Paket sein. Die Entfernung des Optionsfelds führte zu einem 40-Byte-IP-Header mit fester Länge.

Neues ICMP für IPv6

Wie in Abschnitt 4.4 beschrieben, wird das ICMP-Protokoll von IP-Knoten benutzt, um Fehlerbedingungen zu melden und einem Endsystem begrenzte Informationen (z. B. die Echoantwort auf eine Ping-Nachricht) bereitzustellen. Für IPv6 wurde in RFC 2463 eine neue Version von ICMP definiert. Zusätzlich zur Reorganisation der bestehenden Typ- und Codedefinitionen von ICMP beinhaltet ICMPv6 auch neue

Typen und Codes, die für die neue IPv6-Funktionalität erforderlich sind. Diese beinhalten den Typ »Packet Too Big« und den Fehlercode »Unrecognized IPv6 Options«. Darüber hinaus subsummiert ICMPv6 die Funktionalität von IGMP (Internet Group Management Protocol), das in Abschnitt 4.8 beschrieben wird. IGMP, das für die Verwaltung von Hosts, die so genannten Multicast-Gruppen beitreten und verlassen, benutzt wird, war in IPv4 ein von ICMP getrenntes Protokoll.

4.7.2 Übergang von IPv4 auf IPv6

Nachdem wir nun einen Überblick über die technischen Details von IPv6 gewonnen haben, betrachten wir eine eher praktische Angelegenheit: Wie kann das öffentliche Internet, das auf IPv4 basiert, auf IPv6 umgestellt werden? Das Problem besteht darin, dass die neuen IPv6-fähigen Systeme zwar »abwärtskompatibel« ausgelegt werden, also IPv4-Datagramme senden, weiterleiten und empfangen, die bereits installierten IPv4-Systeme aber keine IPv6-Datagramme handhaben können. Als Lösung bieten sich mehrere Optionen an.

Eine Möglichkeit bestünde darin, einen »Stichtag« auszurufen, an dem alle Internet-Maschinen ausgeschaltet und von IPv4 auf IPv6 aufgerüstet werden würden. Der letzte große Technologieübergang (von NCP auf TCP für zuverlässigen Transportdienst) liegt fast 20 Jahre zurück. Sogar damals [RFC 801], als das Internet winzig war und noch von einer kleinen Zahl von »Hexenmeistern« verwaltet wurde, war man sich im Klaren, dass dies völlig unmöglich ist. Noch weniger denkbar wäre heute ein solcher Stichtag für die Abschaltung von zig Millionen von Maschinen mit Millionen von Netzwerkadministratoren und Benutzern. RFC 1933 beschreibt zwei Ansätze (die man entweder einzeln oder zusammen anwenden kann) für die stufenweise Integration von IPv6-Hosts und -Routern in eine IPv4-Welt (natürlich mit dem langfristigen Ziel, alle IPv4-Knoten letztendlich auf IPv6 umzustellen).

Der möglicherweise unkomplizierteste Weg zur Einführung von IPv6-fähigen Knoten ist ein so genannter **Dual-Stack**-Ansatz, bei dem IPv6-Knoten auch eine vollständige IPv4-Implementierung aufweisen. Ein solcher Knoten, der in RFC 1933 als IPv6/IPv4 bezeichnet wird, hat die Fähigkeit, sowohl IPv4- als auch IPv6-Datagramme zu senden und zu empfangen. Bei der Interoperation mit einem IPv4-Knoten kann ein IPv6/IPv4-Knoten IPv4-Datagramme verwenden, während er mit einem IPv6-Knoten IPv6 »sprechen« kann. IPv6/IPv4-Knoten müssen sowohl IPv6- als auch IPv4-Adressen haben. Sie müssen außerdem feststellen können, ob ein anderer Knoten IPv6- oder nur IPv4-fähig ist. Dieses Problem lässt sich mit Hilfe des DNS (siehe Kapitel 2) lösen, das eine IPv6-Adresse zurückgeben kann, wenn der aufzulösende Knotenname IPv6-fähig ist; andernfalls kann er eine IPv4-Adresse zurückgeben. Wenn der anfragende Knoten nur IPv4-fähig ist, gibt das DNS natürlich nur eine IPv4-Adresse zurück.

Wenn der Sender oder der Empfänger beim Dual-Stack-Ansatz nur IPv4-fähig ist, muss ein IPv4-Datagramm benutzt werden. Als Ergebnis ist es möglich, dass zwei IPv6-fähige Knoten im Wesentlichen einander zum Schluss IPv4-Datagramme zusenden. Dies ist in Abbildung 4.41 dargestellt. Angenommen, Knoten A ist IPv6-fähig und möchte ein IP-Datagramm an Knoten F senden, der ebenfalls IPv6-fähig ist. Die Knoten A und B können ein IPv6-Paket austauschen. Knoten B muss allerdings ein IPv4-Datagramm erzeugen, um es an C zu senden. Sicherlich kann das Datenfeld des IPv6-Pakets in das Datenfeld des IPv4-Datagramms kopiert und eine entsprechende Adressabbildung ausgeführt werden. Bei der Konvertierung von IPv6 in IPv4 gibt es im IPv6-Datagramm allerdings IPv6-spezifische Felder (z. B. das Feld »Fluss-Label«), für die in IPv4 kein Gegenstück existiert. Die in diesen Feldern enthaltenen Informationen gehen verloren. Das heißt, auch wenn E und F IPv6-Datagramme austauschen können, enthalten die von D bei E ankommenden IPv4-Datagramme nicht alle Felder, die sich in dem ursprünglichen, von A gesendeten IPv6-Datagramm befanden.

| Abbildung 4.41   Beispiel des Dual-Stack-Ansatzes

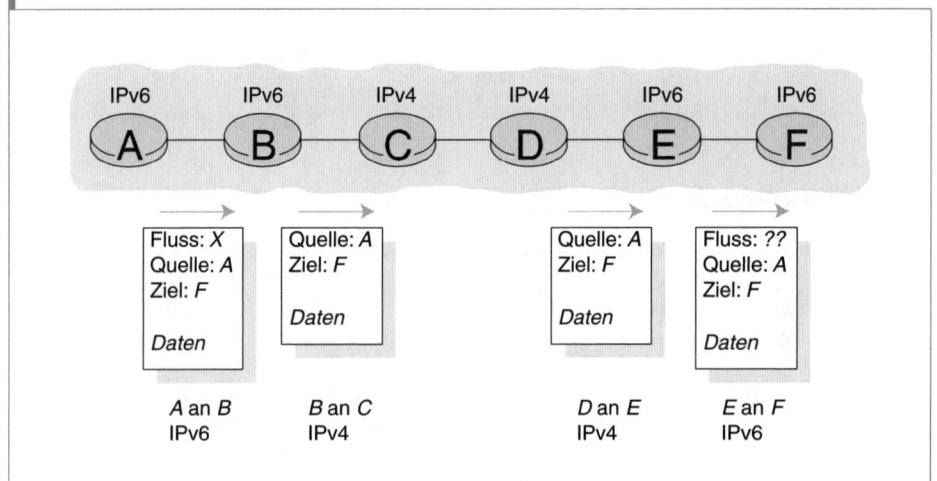

Eine Alternative zum Dual-Stack-Ansatz, die ebenfalls in RFC 1933 beschrieben ist, wird als **Tunneling** bezeichnet. Tunneling kann das oben erwähnte Problem lösen, indem es beispielsweise E ermöglicht, das von A gesendete IPv6-Datagramm zu empfangen. Das Grundkonzept des Tunneling sieht wie folgt aus: Angenommen, zwei IPv6-Knoten (z. B. B und E in Abbildung 4.41) möchten mittels IPv6-Datagrammen interagieren, sind aber über IPv4-Router miteinander verbunden. Wir bezeichnen die intervenierende Reihe von IPv4-Routern zwischen zwei IPv6-Routern als **Tunnel** (siehe Abbildung 4.42). Beim Tunneling fügt der IPv6-Knoten auf der sendenden Seite des Tunnels (z. B. B) das *ganze* IPv6-Datagramm in das Nutzdatenfeld eines IPv4-Datagramms ein. Dieses IPv4-Datagramm wird dann an den IPv6-Knoten auf der empfangenden Seite des Tunnels (z. B. E) adressiert und an den ersten Knoten im Tunnel (z. B. C) gesendet. Die intervenierenden IPv4-Router im Tunnel leiten dieses IPv4-Datagramm genau wie jedes andere Datagramm unter sich selbst weiter. Dabei haben sie keine Ahnung, dass das IPv4-Datagramm ein vollständiges IPv6-Datagramm enthält. Der IPv6-Knoten auf der empfangenden Seite des Tunnels empfängt schließlich das IPv4-Datagramm (er ist das Ziel des IPv4-Datagramms!), stellt fest, dass es ein IPv6-Datagramm enthält, extrahiert das IPv6-Datagramm und leitet dieses dann genauso weiter, als ob er von dem direkt verbundenen IPv6-Nachbarn das IPv6-Datagramm erhalten hätte.

Wir beenden diesen Abschnitt mit dem Hinweis auf derzeit vorherrschende Zweifel, ob IPv6 sich in naher Zukunft (2000–2002) oder überhaupt [Garber 1999] im Internet durchsetzen wird. Tatsächlich haben wir zum Zeitpunkt des Verfassens dieses Buchs von mehreren nordamerikanischen ISPs erfahren, dass sie nicht planen, IPv6-fähige Vernetzungsanlagen anzuschaffen. Sie wiesen darauf hin, dass kaum Kundennachfrage für IPv6-Fähigkeiten besteht, weil IPv4 mit einigen Patches (z. B. CIDR (siehe Abschnitt 4.4.1) und »network adress translation« [RFC 1631]) zufriedenstellend funktioniere. Demgegenüber scheint in Europa und Asien mehr Interesse für IPv6 zu bestehen.

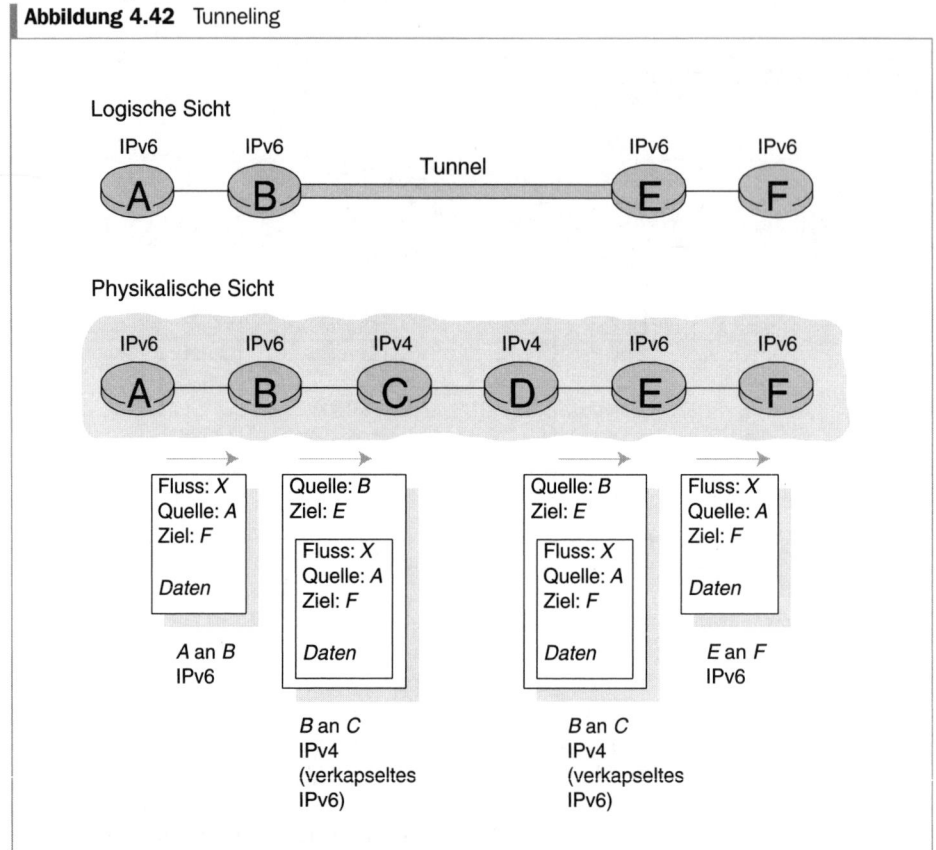

Abbildung 4.42 Tunneling

Aus den bisherigen Erfahrungen mit IPv6 lässt sich die wichtige Lektion gewinnen, dass es enorm schwierig ist, Protokolle der Vermittlungsschicht zu ändern. Seit Anfang der neunziger Jahre wurden zahlreiche neue Vermittlungsschichtprotokolle mit Pauken und Trompeten als große Revolution für das Internet angekündigt. Die meisten dieser Protokolle haben sich bis heute kaum durchgesetzt. Zu diesen Protokollen zählen IPv6, Multicast-Protokolle (Abschnitt 4.8) und Ressourcenreservierungsprotokolle (Abschnitt 6.9). Die Einführung neuer Protokolle auf der Vermittlungsschicht kommt ungefähr dem Austausch des Fundaments eines Hauses gleich – das Ganze lässt sich kaum bewältigen, ohne das ganze Haus abzureißen oder zumindest alle Bewohner vorübergehend zu evakuieren. Andererseits hat man im Internet schon die schnelle Verbreitung von neuen Protokollen auf der Anwendungsschicht erlebt. Die klassischen Beispiele sind natürlich HTTP und das Web. Weitere Beispiele sind Audio- und Video-Streaming sowie Chat. Die Einführung neuer Protokolle auf der Anwendungsschicht ist etwa vergleichbar mit dem neuen Anstrich eines Hauses. Es lässt sich relativ leicht bewerkstelligen und wenn man eine attraktive Farbe wählt, werden die Nachbarn diesem Beispiel sogar folgen. Zusammenfassend kann man sagen, dass wir in Zukunft Änderungen in der Vermittlungsschicht des Internets erwarten können, dass diese Änderungen aber wahrscheinlich in einem Zeitrahmen ablaufen werden, der viel langfristiger ist als alles, was wir an Neuem auf der Anwendungsschicht erlebt haben.

4.8 Multicast-Routing

Die bisher beschriebenen Protokolle der Transport- und Vermittlungsschicht bieten die Übertragung von Paketen von einer einzigen Quelle an ein einziges Ziel. Protokolle, die nur zwischen einem Sender und einem Empfänger operieren, werden als **Unicast-Protokolle** bezeichnet.

Eine Reihe neuer Netzwerkanwendungen setzt die Übertragung von Paketen von einem oder mehreren Sendern an eine *Gruppe von Empfängern* voraus. Zu diesen Anwendungen zählen Massendatentransfer (z. B. Transfer eines Softwareupgrade von einem Softwareanbieter zu den interessierten Benutzern), Streaming kontinuierlicher Medien (z. B. Transfer von Audio, Video und Text einer Live-Vorlesung an mehrere geografisch verteilte Teilnehmer), gemeinsame Datenanwendungen (z. B. eine Whiteboard- oder Telekonferenzanwendung, an der mehrere geografisch verteilte Teilnehmer gemeinsam arbeiten), Daten-Feeds (z. B. Aktienkurse), WWW-Cache-Aktualisierung und interaktive Spiele (z. B. verteilte interaktive virtuelle Umgebungen oder Multiplayer-Spiele wie Quake). Für diese Anwendungen ist das **Multicast**-Konzept extrem nützlich: Versendung eines Pakets von einem Sender an mehrere Empfänger in einer Send-Operation.

In diesem Abschnitt werden die Aspekte von Multicast auf der Vermittlungsschicht beschrieben. Wir konzentrieren uns hier wieder auf das Internet, weil Multicast im Internet viel reifer (allerdings immer noch in der Entwicklung befindlich) als in ATM-Netzwerken ist. Wir werden sehen, dass Routing-Algorithmen wie bei Unicast-Protokollen auch hier auf der Vermittlungsschicht eine wichtige Rolle spielen. Wir werden aber auch sehen, dass Internet-Multicast im Gegensatz zum Unicast *kein* verbindungsloser Dienst ist. Zustandsinformationen für eine Multicast-Verbindung müssen in Routern, die Multicast-Pakete behandeln, eingerichtet und gepflegt werden. Dies setzt wiederum eine Kombination aus Signalisierungs- und Routing-Protokollen voraus, damit der Verbindungszustand in den Routern aufgebaut, gepflegt und abgebaut werden kann.

4.8.1 Einführung: Multicast-Abstraktion und Multicast-Gruppen im Internet

Aus Vernetzungssicht kann die Multicast-Abstraktion – eine einzige Send-Operation, die Kopien der gesendeten Daten an viele Empfänger überträgt – auf vielerlei Art implementiert werden. Eine Möglichkeit ist, dass der Sender eine getrennte Unicast-Transportverbindung zu jedem Empfänger benutzt. Eine Dateneinheit auf Anwendungsebene, die an die Transportschicht weitergegeben wird, wird dann beim Sender dupliziert und über die einzelnen Verbindungen übertragen. Bei diesem Ansatz wird eine Multicast-Abstraktion von einem Sender an viele Empfänger mit Hilfe einer zugrunde liegenden Unicast-Vermittlungsschicht implementiert [Talpade 1997; Chu 2000]. Dabei wird keine explizite Multicast-Unterstützung von der Vermittlungsschicht vorausgesetzt, um die Multicast-Abstraktion zu implementieren; Multicast wird mit Hilfe von mehreren Punkt-zu-Punkt-Verbindungen emuliert. Dieses Szenario ist links in Abbildung 4.43 dargestellt, wobei die grau schattierten Netzwerk-Router bedeuten, dass sie nicht aktiv an der Unterstützung von Multicast beteiligt sind. Hier benutzt der Multicast-Sender drei *getrennte* Unicast-Verbindungen, um die drei Empfänger zu erreichen.

Abbildung 4.43 Zwei Ansätze für die Implementierung der Multicast-Abstraktion

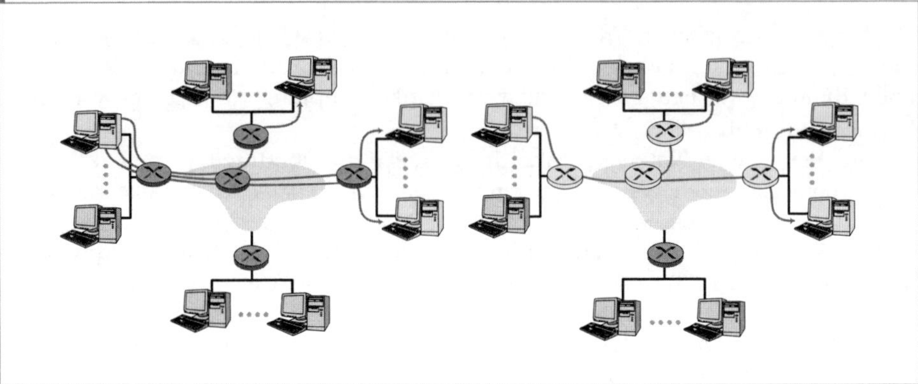

Eine zweite Alternative ist die ausdrückliche Multicast-Unterstützung auf der Vermittlungsschicht. Dabei wird ein *einziges* Datagramm vom sendenden Host übertragen. Dieses Datagramm (oder eine Kopie davon) wird dann im Netzwerk-Router jedes Mal repliziert, wenn es auf mehreren Ausgangsleitungen weitergeleitet werden muss, um die Empfänger zu erreichen. Dieser zweite Ansatz ist rechts in Abbildung 4.43 dargestellt, wobei bestimmte Router farblich hervorgehoben sind, was bedeutet, dass sie aktiv an der Multicast-Unterstützung beteiligt sind. Hier wird ein einziges Datagramm vom Sender übertragen. Dieses Datagramm wird dann vom Router innerhalb des Netzwerks dupliziert; eine Kopie wird an den obersten Empfänger und eine weitere zu dem Empfänger ganz rechts weitergeleitet. Beim rechten Router wird das Multicast-Datagramm über das Ethernet, das die beiden Empfänger mit dem rechten Router verbindet, rundgesendet (Broadcast). Natürlich wird bei diesem zweiten Multicast-Ansatz die Netzwerkbandbreite viel effizienter genutzt, weil nur *eine* Kopie eines Datagramms durch eine Verbindungsleitung fließt. Andererseits ist beträchtliche Unterstützung auf der Vermittlungsschicht erforderlich, um dies zu implementieren. Im Rest dieses Abschnitts konzentrieren wir uns auf eine solche multicastfähige Vermittlungsschicht, da dieser Ansatz im Internet implementiert ist und eine Reihe interessanter Herausforderungen birgt.

Bei der Multicast-Kommunikation stellen sich unmittelbar zwei Probleme, die im Vergleich zu Unicast viel komplizierter sind: Wie werden die Empfänger eines Multicast-Datagramms identifiziert und wie muss ein Datagramm an diese Empfänger adressiert werden?

Im Fall der Unicast-Kommunikation wird die IP-Adresse des Empfängers (Ziel) in jedem IP-Datagramm mitgeführt; sie identifiziert den einzigen Empfänger. Beim Multicast haben wir es aber mit mehreren Empfängern zu tun. Ist es sinnvoll, in jedes Multicast-Datagramm die IP-Adressen mehrerer Empfänger einzubeziehen? Dies mag zwar bei einer kleinen Anzahl von Empfängern funktionieren, würde sich aber bei Hunderten oder Tausenden von Empfängern nicht gut skalieren lassen. Der Umfang an Adressierinformationen im Datagramm würde die im Datagramm enthaltenen Nutzdaten überschwemmen. Die ausdrückliche Identifizierung der Empfänger durch den Sender setzt auch voraus, dass der Sender die Identitäten und Adressen aller Empfänger kennt. Wir werden in Kürze sehen, dass es Fälle gibt, in denen dies nicht wünschenswert ist.

Aus diesen Gründen wird in der Internet-Architektur (und auch in der ATM-Architektur) ein Multicast-Datagramm mit Hilfe der so genannten **Address-Indirection** adressiert. Das heißt, ein einziger Identifizierer wird für die gesamte Empfängergruppe benutzt und eine Kopie des mit diesem Identifizierer an die Gruppe adressierten Datagramms wird allen Empfängern der Gruppe zugestellt. Im Internet ist der einzige Identifizierer, der eine Gruppe von Empfängern darstellt, eine Multicast-Adresse der Klasse D, die wir in Abschnitt 4.4 bereits gesehen haben. Die Empfängergruppe in Verbindung mit einer Adresse der Klasse D wird als **Multicast-Gruppe** bezeichnet. Die Multicast-Gruppenabstraktion ist in Abbildung 4.44 dargestellt. Hier stehen vier (mit farblich hervorgehobenen Bildschirmen) Hosts mit der Multicast-Gruppenadresse 226.17.30.197 in Verbindung und empfangen alle Datagramme, die an diese Multicast-Adresse gerichtet sind. Eine noch zu lösende Schwierigkeit ist die Tatsache, dass jeder Host eine eindeutige IP-Unicast-Adresse hat, die von der Adresse der Multicast-Gruppe, an der er teilnimmt, völlig unabhängig ist.

Abbildung 4.44 Multicast-Gruppe: Ein an die Gruppe adressiertes Datagramm wird an alle Mitglieder der Multicast-Gruppe übertragen.

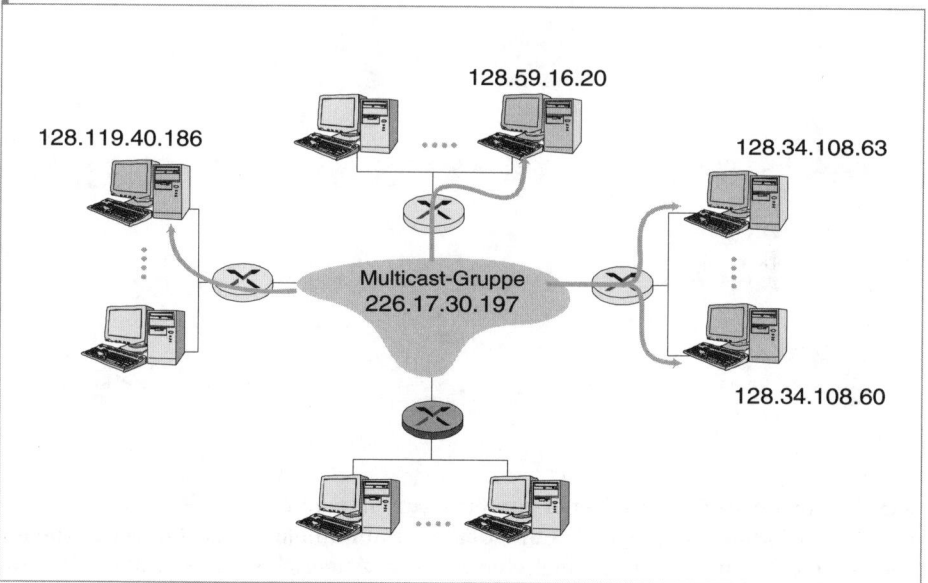

Die Multicast-Gruppenabstraktion ist zwar einfach, wirft aber eine Reihe von Fragen auf. Wie wird eine Gruppe gestartet und beendet? Wie wird die Gruppenadresse gewählt? Wie werden neue Hosts zu der Gruppe (entweder als Sender oder Empfänger) hinzugefügt? Kann jemand einer Gruppe beitreten (und an die Gruppe senden bzw. von ihr empfangen) oder ist die Gruppenmitgliedschaft eingeschränkt und, falls »ja«, von wem? Kennen die Mitglieder die Identitäten der anderen durch das Protokoll der Vermittlungsschicht? Wie interagieren Netzwerk-Router miteinander, wenn sie ein Multicast-Datagramm an alle Gruppenmitglieder übertragen? Was das Internet anbelangt, finden sich die Antworten auf alle diese Fragen im IGMP (Internet Group Management Protocol, [RFC 2236]). Wir beschreiben also als Nächstes das IGMP-Protokoll und wenden uns anschließend wieder diesen Fragen zu.

4.8.2 Das IGMP-Protokoll

IGMP-Version 2 (**Internet Group Management Protocol**, [RFC 2236]) operiert zwischen einem Host und einem direkt angeschlossenen Router. (Man stelle sich das so vor, dass der direkt angeschlossene Router der »erste Hop« ist, den der Host auf einem Pfad zu einem anderen Host außerhalb seines lokalen Netzwerks sieht, oder der »letzte Hop« auf irgendeinem Pfad zu diesem Host, den der Host sieht.) Abbildung 4.45 zeigt dies anhand eines Beispiels: Drei Multicast-Router, bei denen es sich jeweils um den ersten Hop handelt, sind über eine lokale Ausgangsschnittstelle mit ihren Hosts verbunden. Diese lokale Schnittstelle ist in diesem Beispiel an ein LAN angeschlossen. Während in jedem LAN normalerweise mehrere Hosts angeschlossen sind, gehören zu einem gegebenen Zeitpunkt meist nur ein paar davon zu einer bestimmten Multicast-Gruppe.

Abbildung 4.45 Die beiden Multicast-Komponenten auf der Vermittlungsschicht: das IGMP- und das Multicast-Routing-Protokoll

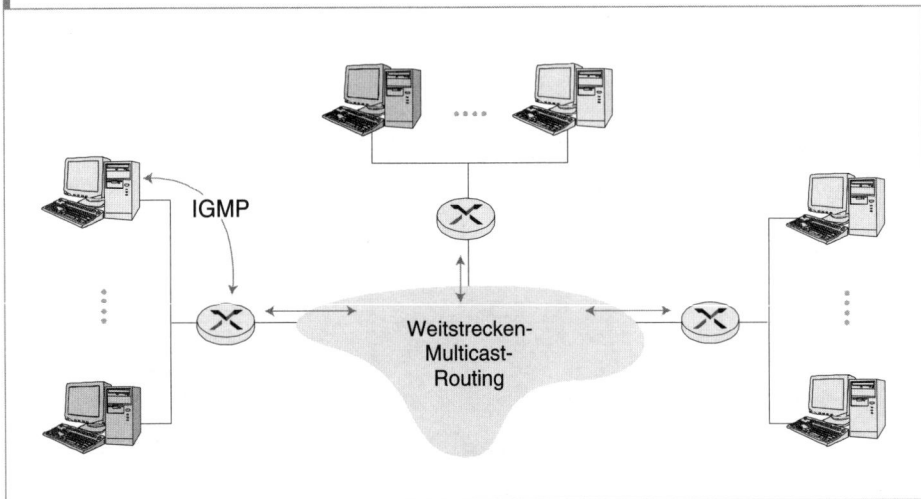

IGMP stellt einem Host die Mittel zur Verfügung, damit dieser seinen angeschlossenen Router darüber informieren kann, dass eine auf ihm laufende Anwendung einer bestimmten Multicast-Gruppe beitreten möchte. Angesichts der Tatsache, dass die IGMP-Interaktion auf einen Host und seinen angeschlossenen Router begrenzt ist, bedarf es natürlich eines weiteren Protokolls für die Koordination der Multicast-Router (einschließlich der angeschlossenen Router) durch das Internet, damit Multicast-Datagramme an ihre endgültigen Ziele weitergeleitet werden. Diese Funktionalität wird mit Hilfe von **Multicast-Routing-Algorithmen auf der Vermittlungsschicht**, z. B. PIM, DVMRP und MOSFP, erreicht. Multicast-Routing-Algorithmen werden in den Abschnitten 4.8.3 und 4.8.4 beschrieben. Multicast auf der Vermittlungsschicht im Internet setzt sich also aus zwei sich ergänzenden Komponenten zusammen: dem IGMP und dem Multicast-Routing-Protokoll.

4.8 Multicast-Routing

IGMP wird als »Gruppenmitgliedsprotokoll« bezeichnet. Dieser Begriff ist jedoch ein wenig irreführend, weil IGMP lokal zwischen einem Host und einem angeschlossenen Router operiert. Trotz der Bezeichnung ist IGMP *kein* Protokoll, das zwischen allen Hosts operiert, die Mitglied einer Multicast-Gruppe sind und überall in der Welt verstreut sein können. Im Grunde gibt es *kein* Multicast-Gruppenmitgliedsprotokoll auf der Vermittlungsschicht, das zwischen allen Internet-Hosts einer Gruppe operiert. Es gibt z. B. kein Protokoll auf der Vermittlungsschicht, das es einem Host erlaubt, die Identitäten aller übrigen Hosts, die der Multicast-Gruppe angehören, netzwerkweit zu ermitteln. (In den Übungen am Ende dieses Kapitels werden die Konsequenzen dieser Designentscheidung wieder aufgegriffen.)

IGMP-Version 2 [RFC 2236] hat nur drei Nachrichtentypen, die in Tabelle 4.4 aufgeführt sind. Eine allgemeine Nachricht membership_query wird von einem Router an alle Hosts an einer angeschlossenen Schnittstelle (z. B. an alle Hosts in einem LAN) gesendet, um die Zusammensetzung aller Multicast-Gruppen, denen Hosts an dieser Schnittstelle beigetreten sind, zu ermitteln. Mit einer spezifischen membership_query kann ein Router auch feststellen, ob Hosts an einer angeschlossenen Schnittstelle Mitglieder einer bestimmten Multicast-Gruppe sind. Die spezifische Anfrage (Query) beinhaltet die Multicast-Adresse der Gruppe, die im Feld Multicast-Gruppenadresse der IGMP-Nachricht membership_query steht (siehe Abbildung 4.47).

Tabelle 4.4 Nachrichtentypen in IGMP-Version 2

IGMP-Nachrichtentypen	Gesendet von	Zweck
Membership_query: allgemein	Router	Anfrage an Multicast-Gruppen, in denen angeschlossene Hosts Mitglieder sind.
Membership_query: spezifisch	Router	Anfrage, ob die spezifische Multicast-Gruppe angeschlossene Hosts als Mitglieder hat.
Membership_report	Host	Der sich meldende Host möchte einer bestimmten Multicast-Gruppe beitreten oder wird in eine Multicast-Gruppe aufgenommen.
Leave_group	Host	Der meldende Host möchte die betreffende Multicast-Gruppe verlassen.

Hosts reagieren auf eine membership_query-Nachricht mit einer IGMP-Nachricht membership_report (siehe Abbildung 4.46). Membership_report-Nachrichten können von einem Host auch erzeugt werden, wenn eine Anwendung erstmals einer Multicast-Gruppe beitritt, ohne auf eine membership_query-Nachricht vom Router zu warten. Membership_report-Nachrichten werden vom Router sowie allen Hosts an der angeschlossenen Schnittstelle (z. B. eines LAN) empfangen. Jede membership_report enthält die Multicast-Adresse einer einzigen Gruppe, der der antwortende Host beigetreten ist. Einen angeschlossenen Router kümmert es eigentlich nicht, *welche* Hosts einer bestimmten Multicast-Gruppe oder gar *wie viele* Hosts im gleichen LAN der gleichen Gruppe beigetreten sind. (In beiden Fällen hat der Router die gleiche Arbeit zu verrichten: Er muss ein Multicast-Routing-Protokoll zusammen mit anderen Routern ausführen, um sicherzustellen, dass er die Multicast-Datagramme für die entsprechenden Multicast-Gruppen erhält.) Da sich ein Router eigentlich nur dafür interessiert, ob einer oder mehrere der an ihn angeschlossenen Hosts zu einer bestimmten Multicast-Gruppe gehören, würde er im Idealfall gerne nur von einem der angeschlossenen Hosts hören, die zu jeder Gruppe gehören. (Wozu die Mühe, identische Antworten von mehreren Hosts zu empfangen?) IGMP bietet einen expliziten Mechanismus mit dem Ziel, die Anzahl von membership_report-Nachrichten zu verringern, die erzeugt werden, wenn mehrere angeschlossene Hosts zur gleichen Multicast-Gruppe gehören.

Abbildung 4.46 Beispiel mit IGMP-Nachrichten membership_query und membership_report

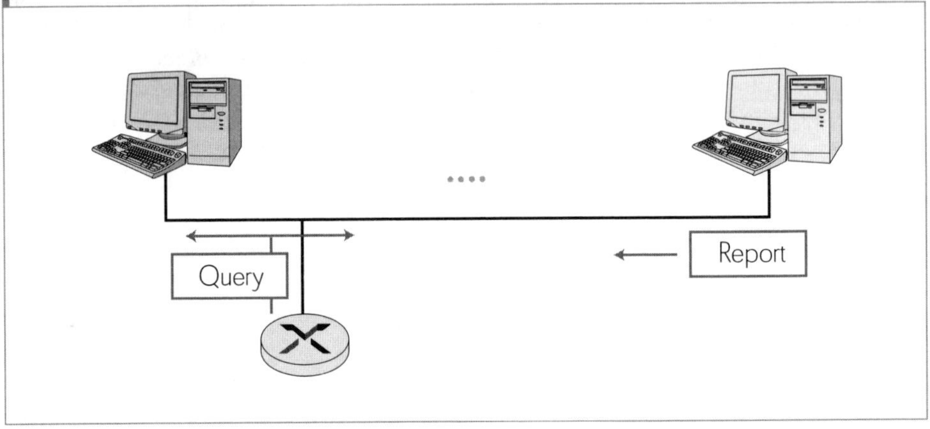

Jede von einem Router gesendete membership_query-Nachricht beinhaltet auch ein Feld »Maximale Antwortzeit« (Maximum Response Time; siehe Abbildung 4.47). Nach dem Empfang einer membership_query-Nachricht und vor dem Versenden einer membership_report-Nachricht für eine bestimmte Multicast-Gruppe wartet ein Host eine zufallsgesteuerte Zeit zwischen Null und dem Wert im Feld »Maximale Antwortzeit«. Wenn der Host eine membership_report-Nachricht eines *anderen* angeschlossenen Hosts für die betreffende Multicast-Gruppe beobachtet, *unterdrückt* (verwirft) er seine eigene schwebende membership_report-Nachricht, weil er nicht weiß, dass der angeschlossene Router bereits weiß, dass einer oder mehrere Hosts dieser Multicast-Gruppe beigetreten sind. Diese Form der **Feedback-Unterdrückung** (Feedback Suppression) stellt also eine Leistungsoptimierung dar. Sie vermeidet die Übertragung unnötiger membership_report-Nachrichten. Ähnliche Mechanismen zur Feedback-Unterdrückung werden in verschiedenen Internet-Protokollen, darunter zuverlässige Multicast-Transportprotokolle, verwendet [Floyd 1997].

Der letzte IGMP-Nachrichtentyp ist die leave_group-Nachricht. Interessant ist, dass diese Nachricht optional ist! Wie erkennt ein Router aber, dass keine Hosts an der angeschlossenen Schnittstelle mehr Mitglied einer bestimmten Multicast-Gruppe sind, wenn dieses Feld optional ist? Die Antwort auf diese Frage liegt in der Verwendung der IGMP-Nachricht membership_query. Der Router geht davon aus, dass keine Hosts zu einer bestimmten Multicast-Gruppe gehören, wenn kein Host auf eine membership_query-Nachricht mit der angegebenen Gruppenadresse reagiert. Dies ist ein Beispiel dessen, was manchmal in Bezug auf ein Internet-Protokoll **Soft-State** genannt wird. Bei einem Soft-State-Protokoll wird der Zustand (State; im Fall von IGMP ist dies die Tatsache, dass Hosts Mitglieder einer bestimmten Multicast-Gruppe sind) über ein Timeout-Ereignis (in diesem Fall über eine periodische membership_query-Nachricht vom Router) entfernt, wenn er nicht ausdrücklich aufgefrischt wird (in diesem Fall durch eine membership_report-Nachricht von einem angeschlossenen Host). Einige Fachleute sind der Ansicht, dass Soft-State-Protokolle im Vergleich zu Hard-State-Protokollen zu einer einfacheren Kontrolle führen. Letztere setzen nicht nur voraus, dass der Zustand explizit hinzugefügt und entfernt wird, sondern erfordern Mechanismen für die Rückkehr in den Normalbetrieb (Recovery) aus einer Situation, in der die für die Entfernung des Zustands zuständige Einheit vorzeitig beendet oder ausgefallen ist [Sharma 1997]. Soft-State wird sehr gut in [Raman 1999] beschrieben.

Das IGMP-Nachrichtenformat ist in Abbildung 4.47 dargestellt. Wie ICMP- werden auch IGMP-Nachrichten in einem IP-Datagramm verkapselt und erhalten die IP-Protokollnummer 2.

Abbildung 4.47 Das IGMP-Nachrichtenformat

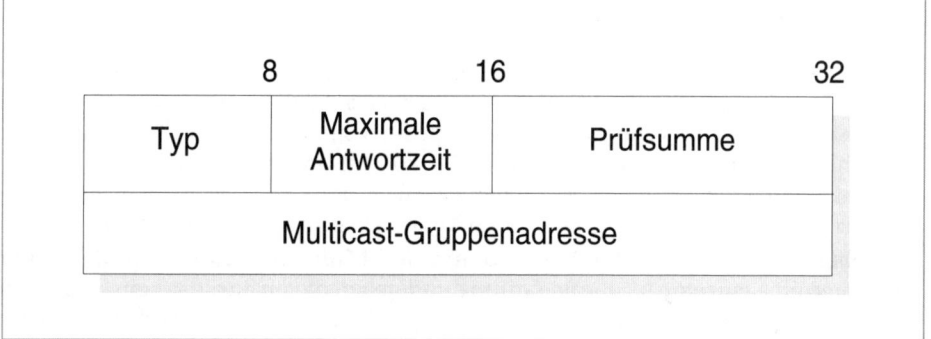

Nach der Beschreibung des Protokolls für den Ein- und Austritt in bzw. aus Multicast-Gruppen sind wir nun in einer besseren Ausgangslage, um über das derzeitige Multicast-Dienstmodell im Internet nachzudenken, das auf der Arbeit von Steve Deering [RFC 1112; Deering 1990] basiert. Bei diesem Multicast-Dienstmodell kann jeder Host auf der Vermittlungsschicht einer Multicast-Gruppe beitreten. Er gibt hierfür einfach eine IGMP-Nachricht vom Typ membership_report an seinen angeschlossenen Router aus. Dieser Router arbeitet mit anderen Internet-Routern zusammen und beginnt dann bald mit der Übertragung von Multicast-Datagrammen an den Host. Der Eintritt in eine Multicast-Gruppe ist also empfängergesteuert. Ein Sender muss sich nicht um das ausdrückliche Hinzufügen von Empfängern zu der Multicast-Gruppe kümmern, kann aber auch nicht kontrollieren, wer der Gruppe beitritt und folglich, wer die an die Gruppe gesendeten Datagramme erhält. Ebenso gibt es keine Kontrolle darüber, wer was an die Multicast-Gruppe sendet. Die von den verschiedenen Hosts gesendeten Datagramme können willkürlich bei verschiedenen Empfängern abgefangen werden, allerdings in unterschiedlichem Ausmaß. Ein böswilliger Sender kann z. B. Datagramme in den Datagramm-Fluss der Multicast-Gruppe einschleusen. Doch auch bei gutwilligen Sendern ist es möglich, dass zwei verschiedene Multicast-Gruppen die gleiche Multicast-Adresse wählen, da es auf der Vermittlungsschicht keine Koordination der Verwendung von Multicast-Adressen gibt. Aus

Sicht einer Multicast-Anwendung führt dies zum Einschleusen »fremden« Multicast-Verkehrs.

Diese Probleme mögen den Anschein erwecken, dass die Entwicklung von Multicast-Anwendungen unüberwindbare Nachteile hat. Die Lage ist aber nicht ganz hoffnungslos. Obwohl Filtern, Einhaltung der richtigen Reihenfolge oder Vertraulichkeit von Multicast-Datagrammen auf der Vermittlungsschicht nicht bereitgestellt werden, können alle diese Mechanismen auf der Anwendungsschicht implementiert werden. Derzeit sind außerdem Arbeiten im Gange mit dem Ziel, diese Funktionalität zumindest teilweise in die Vermittlungsschicht zu integrieren [Cain 1999]. Auf vielerlei Art spiegelt das heutige Multicast-Dienstmodell im Internet die gleiche Philosophie wie das Unicast-Dienstmodell wider: eine extrem einfache Vermittlungsschicht und Bereitstellung zusätzlicher Funktionalität durch die höherschichtigen Protokolle in den Hosts an den Netzwerkrändern. Diese Philosophie war im Unicast-Fall fraglos erfolgreich; ob die minimalistische Philosophie der Vermittlungsschicht gleichermaßen für das Multicast-Dienstmodell erfolgreich sein wird, bleibt noch abzuwarten. Eine interessante Beschreibung eines alternativen Multicast-Dienstmodells finden Sie in [Holbrook 1999].

4.8.3 Multicast-Routing: der allgemeine Fall

Der vorherige Abschnitt hat gezeigt, wie das IGMP-Protokoll an der Netzwerkperipherie zwischen einem Router und seinen angeschlossenen Hosts operiert, so dass ein Router feststellen kann, welchen Multicast-Gruppenverkehr er zur Weiterleitung an seine angeschlossenen Hosts empfangen muss. Wir können uns jetzt ausschließlich auf die Multicast-Router konzentrieren: Wie sollen sie Pakete unter sich weiterleiten, um sicherzustellen, dass jeder Router den benötigten Multicast-Gruppenverkehr empfängt?

Abbildung 4.48 zeigt ein Szenario für das **Multicast-Routing-Problem**. Wir betrachten eine einzelne Multicast-Gruppe und gehen davon aus, dass ein Router, an den Hosts angeschlossen sind, die dieser Gruppe beigetreten sind, Verkehr an diese Gruppe senden oder empfangen kann. In Abbildung 4.48 sind die Hosts, die der Multicast-Gruppe beigetreten sind, und der Router, an den sie unmittelbar angeschlossen sind, farblich hervorgehoben. Wir sehen in der Abbildung, dass nur ein Teil der Multicast-Router (diejenigen mit angeschlossenen Hosts, die der Multicast-Gruppe beigetreten sind) tatsächlich den Multicast-Verkehr empfangen müssen. In diesem Beispiel sind das die Router A, B, E und F. Da keiner der an Router D angeschlossenen Hosts der Multicast-Gruppe beigetreten ist und an Router C keine Hosts angeschlossen sind, müssen C und D den Multicast-Gruppenverkehr nicht empfangen.

Das Ziel von Multicast-Routing ist es dann, einen Baum von Verbindungsleitungen zu finden, die alle Router mit angeschlossenen Hosts verbinden, die Mitglieder der Multicast-Gruppe sind. Multicast-Pakete werden anschließend an diesem Baum entlang vom Sender zu allen Hosts, die zum Multicast-Baum gehören, weitergeleitet. Selbstverständlich kann der Baum auch Router enthalten, von denen kein angeschlossener Host zur Multicast-Gruppe gehört. (In Abbildung 4.48 ist es z. B. unmöglich, die Router A, B, E und F in einem Baum zu verbinden, ohne auch Router C und/oder D mit einzubeziehen.)

In der Praxis wurden zwei Ansätze für die Ermittlung des Multicast-Routing-Baums übernommen. Die beiden Ansätze unterscheiden sich danach, ob ein einzelner Baum benutzt wird, um den Verkehr für *alle* Sender der Gruppe zu verteilen, oder ob ein quellenspezifischer Routing-Baum für jeden einzelnen Sender gebildet wird:

Abbildung 4.48 Multicast-Hosts mit angeschlossenen und anderen Routern

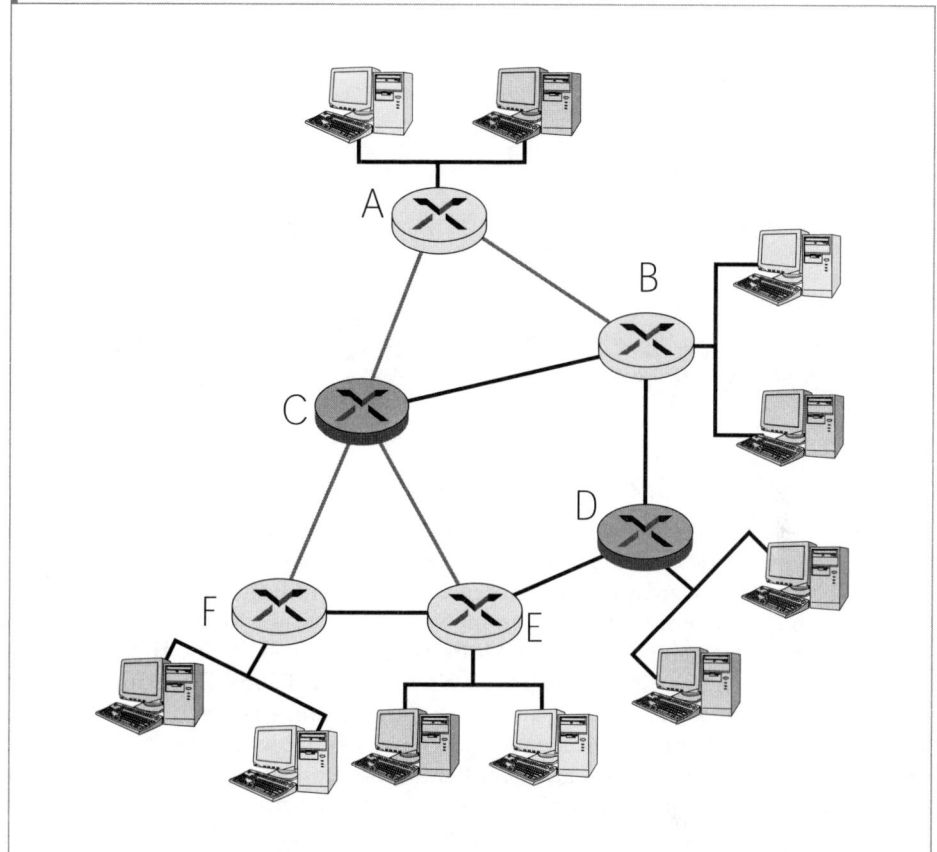

- *Gemeinsamer Gruppenbaum*: Bei diesem Ansatz wird nur *ein* Routing-Baum für die gesamte Multicast-Gruppe gebildet. Beispielsweise verbindet der einzige Multicast-Baum, der in Abbildung 4.49 durch fette Linien dargestellt ist, die Router A, B, C, E und F. (Laut unseren Konventionen von Abbildung 4.48 ist Router C nicht farblich hervorgehoben. Obwohl er am Multicast-Baum teilnimmt, ist keiner seiner angeschlossenen Hosts Mitglied in der Multicast-Gruppe.) Multicast-Pakete fließen nur über die fetten Linien. Man beachte, dass die Verbindungsleitungen bidirektional sind, weil Pakete in beiden Richtungen fließen können.
- *Quellenbasierte Bäume*: Bei diesem Ansatz wird für *jeden* Sender der Multicast-Gruppe ein getrennter Routing-Baum gebildet. In einer Multicast-Gruppe mit N Hosts werden also N verschiedene Routing-Bäume für diese *eine* Multicast-Gruppe gebildet. Pakete werden quellenspezifisch an die Mitglieder der Multicast-Gruppe weitergeleitet. Auf der rechten Seite in Abbildung 4.49 sind zwei quellenspezifische Multicast-Bäume dargestellt – einer geht von A und der andere von B aus. Man beachte, dass es hier nicht nur andere Verbindungsleitungen als beim gemeinsamen Gruppenbaum gibt (z. B. wird die von B ausgehende BC-Verbindungsleitung im quellenspezifischen Baum, jedoch nicht in dem gemeinsamen Gruppenbaum auf der linken Seite in Abbildung 4.49 benutzt), sondern dass einige Verbindungsleitungen auch in nur einer Richtung benutzt werden.

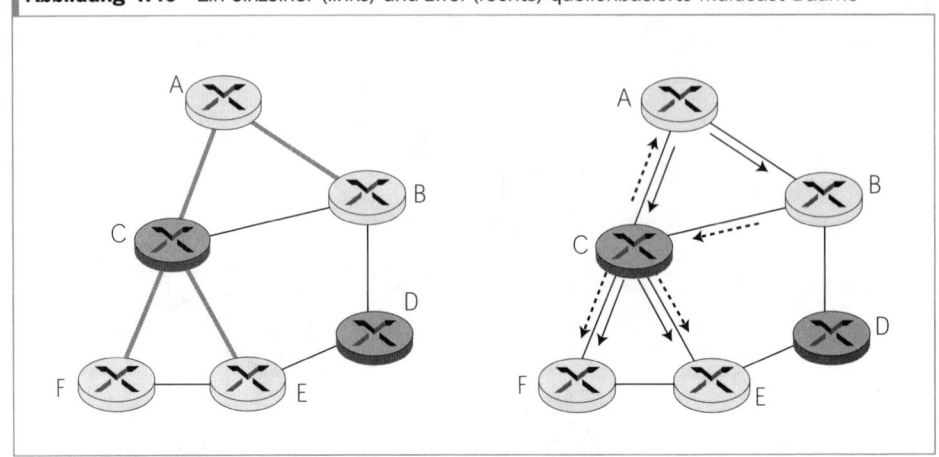

Abbildung 4.49 Ein einzelner (links) und zwei (rechts) quellenbasierte Multicast-Bäume

Multicast-Routing mit einem gemeinsamen Gruppenbaum

Wir betrachten zuerst den Fall, bei dem alle an eine Multicast-Gruppe gesendeten Pakete ungeachtet des Senders zunächst über den gleichen (einzigen) Multicast-Baum weitergeleitet werden. In diesem Fall scheint das Multicast-Routing-Problem recht einfach zu sein: Finde einen Baum im Netzwerk, der alle Router verbindet, von denen ein Host zu der betreffenden Multicast-Gruppe gehört. In Abbildung 4.49 (links) bilden die fetten Linien insgesamt einen solchen Baum. Der Baum umfasst Router mit angeschlossenen Hosts, die zur Multicast-Gruppe gehören (Router A, B, E und F), sowie Router, bei denen keine angeschlossenen Hosts zur Multicast-Gruppe gehören. Im Idealfall wäre dies auch ein Baum mit minimalen »Kosten«. Wenn wir jeder Verbindungsleitung »Kosten« zuweisen (was wir für das Unicast-Routing in Abschnitt 4.2 getan haben), dann ist der optimale Multicast-Routing-Baum derjenige mit der kleinsten Summe der Baumverbindungskosten. Bei den Verbindungsleitungskosten in Abbildung 4.50 ist der optimale Multicast-Baum (mit Kosten von 7) durch fette Linien hervorgehoben.

Die Ermittlung eines Baums mit minimalen Kosten wird als **Steiner-Baum-Problem** bezeichnet [Hakimi 1971]. Die Lösung dieses Problems wurde als NP-vollständig bewiesen [Garey 1978], der Approximationsalgorithmus in [Kou 1981] scheint aber innerhalb einer Konstanten der optimalen Lösung zu liegen. In anderen Untersuchungen wurde bewiesen, dass Approximationsalgorithmen für das Steiner-Baum-Problem in der Praxis im Allgemeinen zu guten Ergebnissen führen [Wall 1980; Waxman 1988; Wei 1993].

Obwohl für das Steiner-Baum-Problem gute Heuristiken vorliegen, gründet interessanterweise keiner der im Internet existierenden Multicast-Routing-Algorithmen auf diesem Ansatz. Warum? Ein Grund ist, dass Informationen über alle Verbindungsleitungen im Netzwerk erforderlich sind. Ein weiterer Grund ist, dass der Algorithmus bei jeder Änderung der Verbindungsleitungskosten erneut ausgeführt werden muss, um den Baum mit minimalen Kosten quasi aufzufrischen. Schließlich werden wir noch sehen, dass andere Überlegungen, z. B. die Fähigkeit zur Heranziehung der Routing-Tabellen, die für das Unicast-Routing bereits berechnet wurden, eine wichtige Rolle bei der Beurteilung der Eignung eines Multicast-Routing-Algorithmus spielen. Am Ende ist Leistung (und Optimalität) nur einer von vielen Aspekten.

Abbildung 4.50 Beispiel eines Multicast-Baums mit minimalen Kosten

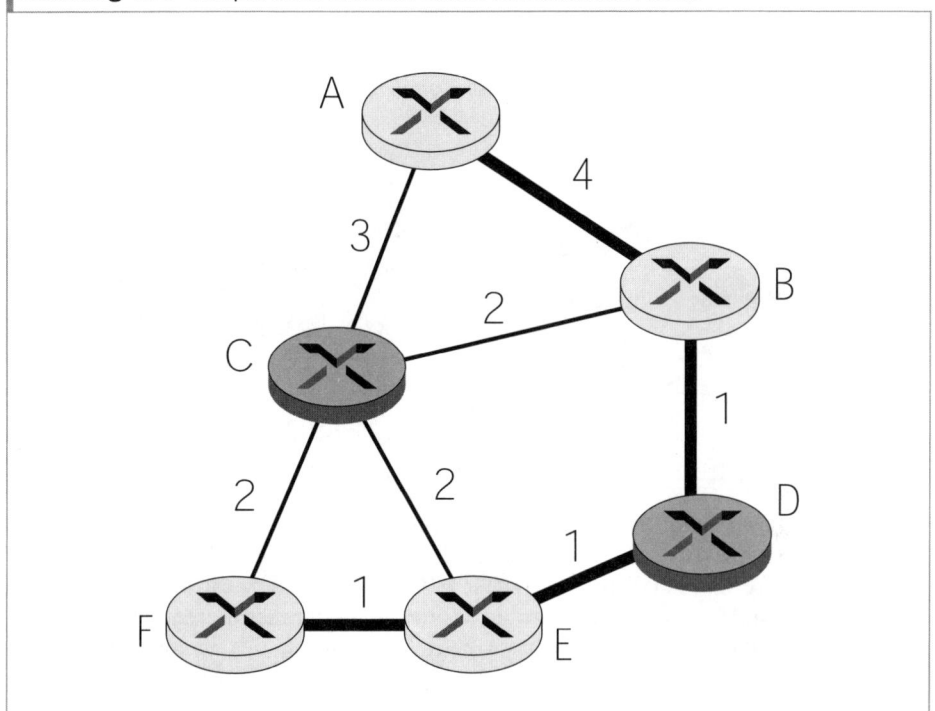

Ein alternativer Ansatz für die Ermittlung eines gemeinsamen Multicast-Gruppenbaums, der in der Praxis in mehreren Multicast-Routing-Algorithmen im Internet angewendet wird, basiert auf dem Konzept, einen Zentrumsknoten (der auch als **Rendezvouspunkt** oder **Kern** bezeichnet wird) in dem gemeinsamen Multicast-Routing-Baum zu finden. Bei diesem **zentrumsbasierten Ansatz** wird zuerst ein Zentrumsknoten für die Multicast-Gruppe gesucht. Router mit angeschlossenen Hosts, die zu dieser Multicast-Gruppe gehören, senden dann so genannte Join-Nachrichten, die an den Zentrumsknoten adressiert sind. Eine Join-Nachricht wird mittels Unicast-Routing zum Zentrum weitergeleitet, bis sie entweder bei einem Router, der bereits zum Multicast-Baum gehört, oder beim Zentrum ankommt. In beiden Fällen definiert der Pfad, über den die Join-Nachricht geflossen ist, den Zweig des Routing-Baums zwischen dem Grenz-Router, der die Join-Nachricht eingeleitet hat, und dem Zentrum. Man kann sich diesen neuen Pfad so vorstellen, als wäre er auf den bestehenden Multicast-Baum für die Gruppe aufgepfropft worden.

Abbildung 4.51 zeigt die Konstruktion eines zentrumsbasierten Multicast-Routing-Baums. Es sei gegeben, dass Router E als Zentrum des Baums gewählt wird. Knoten F tritt zuerst der Multicast-Gruppe bei und leitet eine Join Nachricht an E weiter. Die einzige EF-Verbindungsleitung wird zum anfänglichen Multicast-Baum. Knoten B tritt dann in den Multicast-Baum ein, indem er seine Join-Nachricht an E sendet. Angenommen, die Unicast-Pfadroute zu E führt von B über D. In diesem Fall ergibt sich aus der Join-Nachricht der Pfad BDE, der auf den Multicast-Baum aufgepfropft wird. Schließlich tritt Knoten A der Multicast-Gruppe bei, indem er seine Join-Nachricht an E weiterleitet. Wir nehmen an, dass der Unicast-Pfad von A nach E über B führt. Da B dem Multicast-Baum bereits beigetreten ist, resultiert die Ankunft der

Join-Nachricht von A bei B in der AB-Verbindungsleitung, die unmittelbar auf den Multicast-Baum aufgepfropft wird.

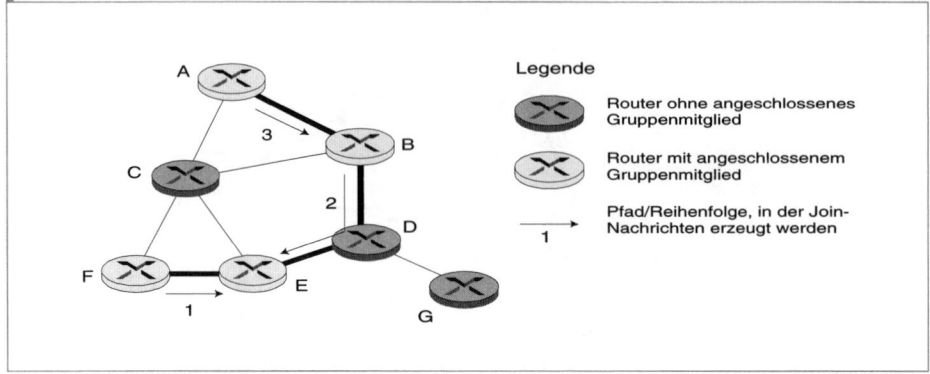

Abbildung 4.51 Konstruktion eines zentrumsbasierten Baums

Eine kritische Frage beim zentrumsbasierten Baum für Multicast-Routing betrifft den Prozess, der für die Auswahl des Zentrums benutzt wird. Algorithmen zur Auswahl des Zentrums werden in [Wall 1980; Thaler 1997; Estrin 1997] beschrieben. [Wall 1980] beweist, dass Zentren so gewählt werden können, dass der resultierende Baum innerhalb eines konstanten Optimumfaktors liegt (die Lösung des Steiner-Baum-Problems).

Multicast-Routing mit einem quellenbasierten Baum

Während die oben untersuchten Multicast-Routing-Algorithmen einen einzigen gemeinsamen Routing-Baum bilden, der für die Weiterleitung von Paketen von *allen* Sendern benutzt wird, konstruiert die zweite grobe Klasse von Multicast-Routing-Algorithmen einen Multicast-Routing-Baum für *jede* Quelle in der Multicast-Gruppe.

Wir haben bereits einen Algorithmus (den Link-State-Routing-Algorithmus von Dijkstra in Abschnitt 4.2.1) beschrieben, der die Unicast-Pfade berechnet, die jeweils einzeln die Pfade mit den geringsten Kosten von der Quelle zu allen Zielen darstellen. Die Vereinigung dieser Pfade kann man sich so vorstellen, dass ein **Unicast-Baum mit den geringsten Pfadkosten** (bzw. ein Unicast-Baum mit dem kürzesten Pfad, wenn alle Verbindungsleitungskosten identisch sind) gebildet wird. Abbildung 4.52 zeigt die Konstruktion eines Baums mit den geringsten Pfadkosten, der von A ausgeht. Ein Vergleich des Baums in Abbildung 4.52 mit dem aus Abbildung 4.50 zeigt, dass der Baum mit den geringsten Pfadkosten *nicht* gleich dem Baum mit den minimalen Gesamtkosten ist, der als Lösung für das Steiner-Baum-Problem berechnet wurde. Dieser Unterschied ist darauf zurückzuführen, dass die Ziele der beiden Algorithmen unterschiedlich sind: Der Unicast-Baum mit den geringsten Pfadkosten minimiert die Kosten von der Quelle zu jedem einzelnen Ziel (d. h., es gibt keinen weiteren Baum, der einen Pfad mit einer kürzeren Entfernung von der Quelle zu einem der Ziele aufweist), während der Steiner-Baum die Summe der Verbindungsleitungskosten im Baum minimiert. Sie können sich selbst davon überzeugen, dass der Unicast-Baum mit den geringsten Pfadkosten oft von einer Quelle zur anderen unterschiedlich ist (z. B. unterscheidet sich in Abbildung 4.52 der Quellenbaum mit Wurzel bei A von demjenigen mit Wurzel bei E).

Abbildung 4.52 Konstruktion eines Routing-Baums mit den geringsten Pfadkosten

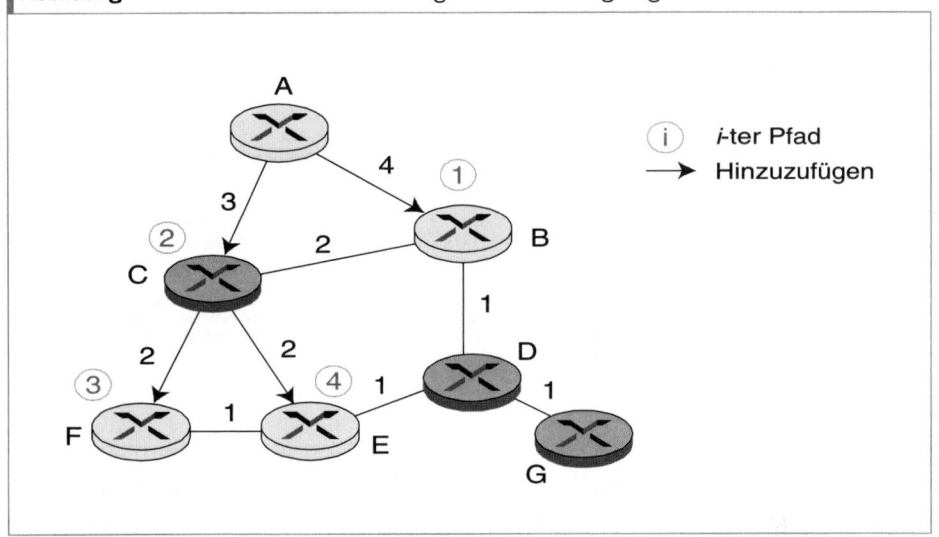

Der Multicast-Routing-Algorithmus mit den geringsten Pfadkosten ist ein Link-State-Algorithmus. Er setzt voraus, dass jeder Router den Zustand jeder Verbindungsleitung im Netzwerk kennt, um den Baum mit den geringsten Pfadkosten von der Quelle zu allen Zielen berechnen zu können. Ein einfacherer Multicast-Routing-Algorithmus, der weniger Zustandsinformationen als der Routing-Algorithmus für die geringsten Pfadkosten erfordert, ist der **RPF**-Algorithmus (**Reverse Path Forwarding**).

Das dem RPF-Algorithmus zugrunde liegende Konzept ist sehr einfach, dennoch aber elegant. Empfängt ein Router ein Multicast-Paket mit einer bestimmten Quelladresse, überträgt er das Paket nur dann auf allen seinen Ausgangsleitungen (außer derjenigen, über die er es empfangen hat), wenn das Paket auf der Verbindungsleitung angekommen ist, die auf seinem eigenen kürzesten Pfad zurück zum Sender liegt. Andernfalls verwirft der Router das ankommende Paket einfach, ohne es an eine seiner Ausgangsleitungen weiterzuleiten. Ein solches Paket kann getrost weggeworfen werden, weil der Router weiß, dass er eine Kopie davon auf der Leitung, die sein eigener kürzester Pfad zurück zum Sender ist, empfangen wird oder bereits empfangen hat. (Sie können sich selbst von dieser Tatsache überzeugen.) Man beachte, dass das Reverse-Path-Forwarding nicht voraussetzt, dass ein Router den vollständigen kürzesten Pfad von sich zur Quelle kennt; er muss nur den nächsten Hop auf seinem kürzesten Unicast-Pfad zum Sender wissen.

RPF ist in Abbildung 4.53 dargestellt. Angenommen, die Verbindungsleitungen (fette Linien) stellen die Pfade mit den geringsten Kosten von den Empfängern zur Quelle (A) dar. Router A sendet anfangs per Multicast ein Paket von Quelle S zu den Routern C und B. Router B leitet das Paket von Quelle S, das er von A empfangen hat (weil A auf seinem Pfad mit den geringsten Kosten zu A liegt), an C und D weiter. B ignoriert alle Pakete von Quelle S (verwirft sie ohne Weiterleitung), die er von einem anderen Router (z. B. C oder D) empfängt.

Router C empfängt ein Paket von Quelle S direkt von A sowie von B. Da B nicht auf dem kürzesten Pfad von C zurück zu A liegt, ignoriert (verwirft) C die Pakete von Quelle S, die er von B empfängt. Wenn C andererseits ein Paket von Quelle S direkt von A empfängt, leitet er es an die Router B, E und F weiter.

Abbildung 4.53 Beispiel des Reverse-Path-Forwarding (RPF)

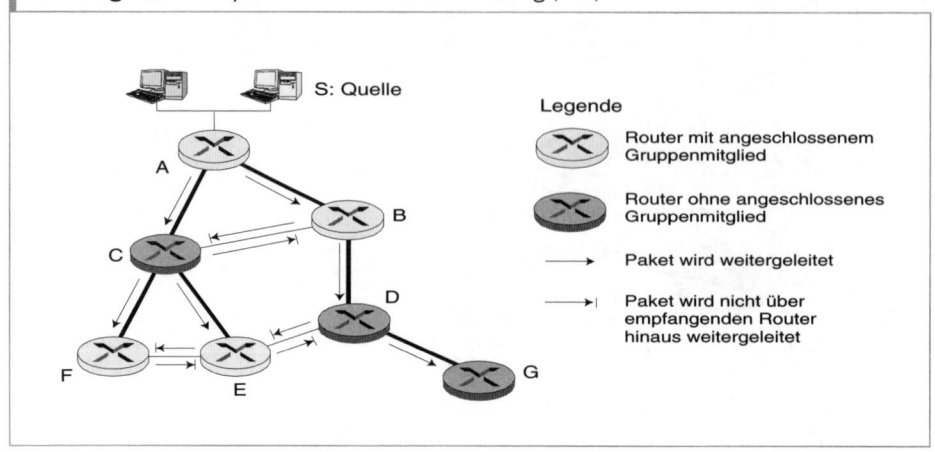

RPF ist ein gelungenes Konzept. Man überlege aber, was bei Router D in Abbildung 4.53 passiert. Er leitet Pakete an Router G weiter, obwohl keiner der an Router G angeschlossenen Hosts Mitglied der Multicast-Gruppe ist. Dies ist im vorliegenden Fall, bei dem D nur einen einzigen Downstream-Router (G) hat, zwar nicht so schlimm; man stelle sich aber vor, was passieren würde, wenn von D aus in Downstream-Richtung Tausende von Routern lägen! Jeder dieser Router würde unerwünschte Multicast-Pakete erhalten. (Dieses Szenario ist nicht so weit hergeholt, wie es scheinen mag. MBone [Casner 1992; Macedonia 1994] – das erste globale Multicast-Netzwerk – litt anfangs genau an diesem Problem!)

Die Lösung für das Problem des Empfangs unerwünschter Multicast-Pakete unter RPF wird als **Pruning** (Beschneidung von Ästen, Ausdünnung) bezeichnet. Ein Multicast-Router, der Multicast-Pakete empfängt, obwohl keine angeschlossenen Hosts zu der betreffenden Gruppe gehören, sendet eine Prune-Nachricht an seinen Upstream-Router. Wenn ein Router Prune-Nachrichten von jedem seiner Downstream-Router empfängt, kann er eine Prune-Nachricht upstream weiterleiten. Pruning ist in Abbildung 4.54 dargestellt.

Abbildung 4.54 Pruning (»Ausdünnung«) eines RPF-Baums

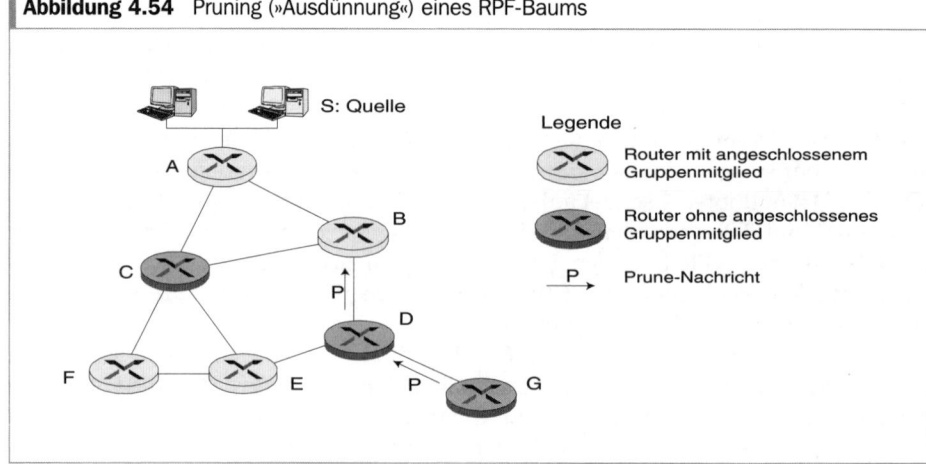

Pruning ist vom Konzept her unkompliziert und übersichtlich, wirft aber zwei knifflige Fragen auf. Erstens setzt Pruning voraus, dass ein Router weiß, welche Router in Downstream-Richtung in Bezug auf den Empfang ihrer Multicast-Pakete von ihm abhängen. Dies erfordert zusätzlich zu den RPF-spezifischen noch weitere Informationen. Die zweite Frage ist grundlegender Natur: Was müsste passieren, wenn ein Router eine Prune-Nachricht upstream sendet, irgendwann später aber dieser Multicast-Gruppe beitreten will? Wie bereits bekannt, werden Multicast-Pakete unter RPF im RPF-Baum zu allen Routern abwärts »geschoben«. Wenn eine Prune-Nachricht einen Ast von diesem Baum abschneidet, ist irgendein Mechanismus erforderlich, um diesen Ast wieder herzustellen. Eine Möglichkeit wäre das Hinzufügen einer Graft-Nachricht (»Aufpropfen«), mit der ein Router das Pruning eines Astes wieder rückgängig machen kann. Eine weitere Option sieht vor, abgeschnittene Äste einem Timeout zu unterziehen und sie später wieder in den Multicast-RPF-Baum einzufügen. Ein Router kann dann das Pruning erneut auf den hinzugefügten Ast ausführen, falls der Multicast-Verkehr nach wie vor nicht erwünscht ist.

4.8.4 Multicast-Routing im Internet

Nach unserer abstrakten Betrachtung von Multicast-Routing-Algorithmen untersuchen wir im Folgenden, wie diese Algorithmen in der Praxis im heutigen Internet umgesetzt werden. Wir beschreiben die derzeit im Internet standardisierten Multicast-Routing-Protokolle DVMRP, MOSPF, CBT und PIM.

DVMRP: Distance Vector Multicast Routing Protocol

Das erste im Internet benutzte Multicast-Routing-Protokoll und der vorrangig unterstützte Multicast-Routing-Algorithmus [IP Multicast Initiative 1998] ist DVMRP (Distance Vector Multicast Routing Protocol) [RFC 1075]. DVMRP implementiert quellenbasierte Bäume mit Reverse-Path-Forwarding (RPF), Pruning und Grafting. DVMRP benutzt einen Distanzvektor-Algorithmus (siehe Abschnitt 4.2), der es jedem Router ermöglicht, die Ausgangsverbindungsleitung (nächster Hop) zu berechnen, die den kürzesten Pfad zurück zu jeder möglichen Quelle darstellt. Diese Information wird dann – wie oben beschrieben – im RPF-Algorithmus verwendet. Eine öffentliche Kopie der DVMRP-Software ist in [mrouted 1996] verfügbar.

Abgesehen von der Berechnung der Information über den nächsten Hop berechnet DVMRP auch eine Liste mit abhängigen Downstream-Routern für Pruning-Zwecke. Wenn ein Router eine Prune-Nachricht von allen seinen abhängigen Downstream-Routern für eine bestimmte Gruppe empfangen hat, propagiert er eine Prune-Nachricht upstream zu dem Router, von dem er seinen Multicast-Verkehr für die betreffende Gruppe erhält. In DVMRP enthält eine Prune-Nachricht eine Prune-Lebenszeit (mit einem Default-Wert von zwei Stunden), die bestimmt, wie lange ein abgeschnittener Ast abgeschnitten bleibt, bis er automatisch wieder aufgepfropft wird. Graft-Nachrichten werden in DVMRP von einem Router an dessen Upstream-Nachbarn gesendet, um zu erzwingen, dass ein zuvor abgeschnittener Ast wieder in den Multicast-Baum eingefügt wird.

Vor der Beschreibung weiterer Multicast-Routing-Algorithmen untersuchen wir, wie sich Multicast-Routing im Internet umsetzen lässt. Kern des Problems ist, dass nur ein kleiner Teil der Internet-Router multicastfähig ist. Ist ein multicastfähiger Router unter Nachbarn, von denen keiner multicastfähig ist, als einsame Insel in einem Meer von Unicast-Routern nicht verloren? Absolut nicht! Die Tunneling-Technik, die in Zusammenhang mit IP-Version 6 in Abschnitt 4.7 beschrieben wurde, lässt sich verwenden, um ein virtuelles Netzwerk aus multicastfähigen Routern auf ein physikalisches Netzwerk aufzusetzen, das sich aus einem Mix aus Unicast- und Multicast-Routern zusammensetzt. Auf diesem Ansatz basiert Internet-MBone.

In Abbildung 4.55 sind Multicast-Tunnel dargestellt. Angenommen, Multicast-Router *A* möchte ein Multicast-Datagramm an Multicast-Router *B* weiterleiten. Weiter wird angenommen, dass *A* und *B* nicht physikalisch miteinander verbunden und die Router zwischen *A* und *B* nicht multicastfähig sind. Um Tunneling zu implementieren, verkapselt [RFC 2003] Router *A* das Multicast-Datagramm in einem Standard-Unicast-Datagramm. Das heißt, das gesamte Multicast-Datagramm (einschließlich der Felder für Quell- und Multicast-Adresse) wird in Form von Nutzdaten eines IP-Unicast-Datagramms übertragen. Wir haben also ein komplettes Multicast-IP-Datagramm im Innern eines Unicast-IP-Datagramms! Das Unicast-Datagramm wird dann an die Unicast-Adresse von Router *B* adressiert und von Router *A* in Richtung *B* weitergeleitet. Die Unicast-Router zwischen *A* und *B* leiten das Unicast-Paket pflichtbewusst an *B* weiter und haben dabei keine Ahnung, dass das Unicast-Datagramm ein Multicast-Datagramm enthält. Wenn das Unicast-Datagramm bei *B* ankommt, extrahiert er das Multicast-Datagramm. *B* kann das Multicast-Datagramm dann an einen seiner angeschlossenen Hosts oder an einen anderen logischen Multicast-Nachbarn bzw. das Paket an einen direkt angeschlossenen multicastfähigen Nachbar-Router über einen anderen Tunnel weiterleiten.

Abbildung 4.55 Beispiel mit Multicast-Tunneln

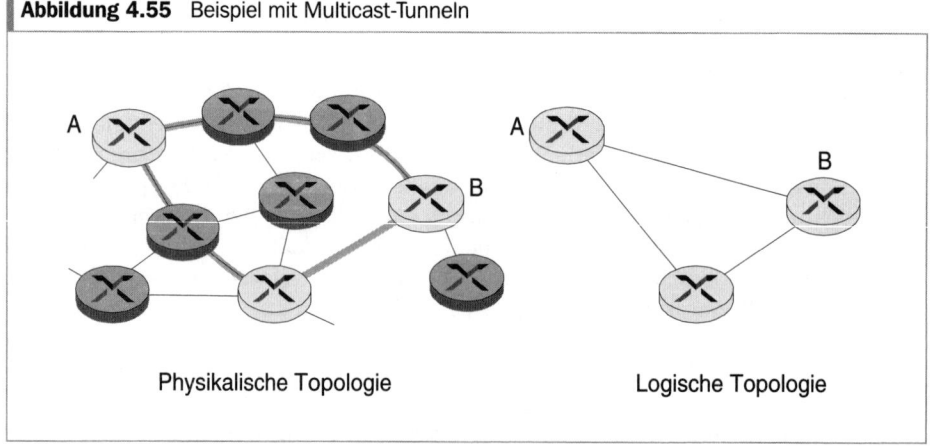

Physikalische Topologie Logische Topologie

MOSPF: Multicast Open Shortest Path First

MOSPF (Multicast Open Shortest Path First) [RFC 1584] wird in einem autonomen System (AS), in dem das OSPF-Protokoll (siehe Abschnitt 4.5) benutzt wird, für das Unicast-Routing eingesetzt. MOSPF erweitert OSPF dadurch, dass Router ihre Multicast-Gruppenmitgliedschaft in Link-State-Advertisements einfügen können, die von Routern im Rahmen des OSPF-Protokolls rundgesendet werden. Mit dieser Erweiterung verfügen alle Router nicht nur über vollständige Topologieinformationen, sondern sie wissen auch, an welche Grenz-Router Hosts angeschlossen sind, die zu verschiedenen Multicast-Gruppen gehören. Mit dieser Information können die Router in einem AS vor dem Pruning quellenspezifische Bäume mit dem kürzesten Pfad für jede Multicast-Gruppe aufbauen.

CBT: Core-Based Trees

CBT (Core-Based Trees) ist ein Multicast-Routing-Protokoll [RFC 2201; RFC 2189], das einen bidirektionalen gemeinsamen Gruppenbaum mit einem einzigen »Kern« (Zentrum) konstruiert. Unter CBT sendet ein Grenz-Router eine Unicast-Nachricht JOIN_REQUEST in Richtung Baumkern. Der Kern oder der erste Router, der diese Nachricht empfängt und selbst bereits erfolgreich in einem Baum aufgenommen wurde, antwortet dem Grenz-Router mit einer JOIN_ACK-Nachricht. Nach dem Aufbau eines Multicast-Routing-Baums wird dieser dadurch gewahrt, dass ein Downstream-Router »lebenserhaltende« Nachrichten (ECHO_REQUEST) an seinen unmittelbaren Upstream-Router sendet. Dieser Router antwortet mit einer ECHO_REPLY-Nachricht. Diese Nachrichten werden in einem Zeitintervall von Minuten ausgetauscht. Wenn ein Downstream-Router keine Antwort auf seine ECHO_REQUEST-Nachricht erhält, sendet er erneut einige Male ein ECHO_REQUEST. Kommt kein ECHO_REPLY an, sendet der Router eine FLUSH_TREE-Nachricht downstream, um den Downstream-Baum aufzulösen.

PIM: Protocol Independent Multicast

Das PIM-Routing-Protokoll (Protocol Independent Multicast) [Deering 1996; RFC 2362; Estrin 1998b] zielt ausdrücklich auf zwei unterschiedliche Multicast-Verteilungsszenarien ab. In dem so genannten **Dense-Mode** befinden sich die Multicast-Gruppenmitglieder dicht beieinander, d. h., viele oder die meisten Router im Bereich werden in das Routing von Multicast-Datagrammen mit einbezogen. Im **Sparse-Mode** ist die Anzahl der Router mit angeschlossenen Gruppenmitgliedern im Vergleich zur Gesamtzahl der Router gering und die Gruppenmitglieder sind weitflächig verteilt.

Die PIM-Designer haben aus der Sparse/Dense-Dichotomie mehrere Konsequenzen gezogen. Da die meisten Router im Dense-Mode in das Multicast einbezogen werden (z. B. angeschlossene Gruppenmitglieder haben), besteht ein Grund zu der Annahme, dass jeder einzelne Router in das Multicast mit einbezogen werden sollte. Folglich ist ein Ansatz wie RPF, das Datagramme an jeden Multicast-Router flutet (es sei denn, ein Router kappt sich selbst ausdrücklich ab), für dieses Szenario gut geeignet. Andererseits sind die Router, die in die Multicast-Weiterleitung einbezogen werden müssen, im Sparse-Mode gering an der Zahl und sie liegen weit auseinander. In diesem Fall ist eine datengesteuerte Multicast-Technik wie RPF, die einen Router *zwingt*, konstant zu arbeiten (Pruning auszuführen), nur um ankommenden Multicast-Verkehr zu vermeiden, viel weniger zufriedenstellend. Im Sparse-Mode sollte die Standardannahme getroffen werden, dass ein Router nicht in eine Multicast-Verteilung einbezogen wird; der Router sollte *keine* Arbeit ausführen müssen, es sei denn, er will einer Multicast-Gruppe beitreten. Dies spricht zugunsten eines zentrumsbasierten Ansatzes, bei dem Router explizit Join-Nachrichten senden, andernfalls aber mit der Multicast-Weiterleitung nichts zu tun haben. In gewissem Sinn ähnelt der Sparse-Mode einem empfängergesteuerten Ansatz (d. h. nichts passiert, bis ein Empfänger ausdrücklich einer Gruppe beitritt) im Gegensatz zum datengesteuerten Ansatz (d. h., dass Datagramme überall hin verteilt werden, sofern sie nicht ausdrücklich mittels Pruning gekappt werden) im Dense-Mode.

PIM bietet mit diesem Dense-Mode im Vergleich zum Sparse-Mode zwei explizite Betriebsmodi. Der Dense-Mode ist eine RPF-Technik mit Fluten und Pruning und ähnelt damit vom Konzept her DVMRP. Wie oben erwähnt, ist PIM protokollunabhängig (d. h. unabhängig vom zugrunde liegenden Unicast-Routing-Protokoll). Da

PIM keine Annahmen über das zugrunde liegende Routing-Protokoll trifft, ist sein RPF-Algorithmus etwas einfacher, aber auch weniger effizient als DVMRP.

Der PIM-Sparse-Mode ist ein zentrumsbasierter Ansatz. PIM-Router senden JOIN-Nachrichten an einen Rendezvouspunkt (Zentrum), um in den Baum aufgenommen zu werden. Wie bei CBT richten die auf der Strecke liegenden Router einen Multicast-Zustand ein und leiten die JOIN-Nachricht zum Rendezvouspunkt weiter. Im Gegensatz zu CBT wird aber als Reaktion auf eine JOIN-Nachricht keine Bestätigung (ACK) erzeugt. JOIN-Nachrichten werden periodisch upstream gesendet, um den PIM-Routing-Baum aufzufrischen (am Leben zu erhalten). Ein innovatives Merkmal von PIM ist die Fähigkeit, nach dem Erreichen des Rendezvouspunkts von einem gemeinsamen Gruppenbaum zu einem quellenspezifischen Baum überzuwechseln. Ein quellenspezifischer Baum mag sich aufgrund der geringeren Verkehrskonzentration, die sich ergibt, wenn mehrere quellenspezifische Bäume benutzt werden, besser eignen (siehe Übungen am Ende dieses Kapitels).

Im PIM-Sparse-Mode leitet der Router ein Datagramm, das er von einem seiner angeschlossenen Hosts zur Übertragung empfängt, mittels Unicast an den Rendezvouspunkt weiter. Der Rendezvouspunkt sendet das Datagramm dann mittels Multicast über den gemeinsamen Gruppenbaum. Ein Sender wird vom Rendezvouspunkt benachrichtigt, dass er mit dem Senden zu ihm aufhören muss, wenn sich keine Router im Baum befinden (d. h., wenn keiner zuhört!).

PIM wurde in zahlreichen Router-Plattformen [IP Multicast Initiative 1998] implementiert und wird im UUnet als Teil des Multimedia-Streaming-Projekts [LaPolla 1997] installiert.

Inter-AS-Multicast-Routing

In der obigen Diskussion sind wir implizit davon ausgegangen, dass alle Router das gleiche Multicast-Routing-Protokoll ausführen. Wie wir in Zusammenhang mit Unicast gesehen haben, ist dies normalerweise innerhalb eines einzelnen autonomen Systems (AS) der Fall. In unterschiedlichen autonomen Systemen werden möglicherweise aber verschiedene Multicast-Routing-Protokolle benutzt, z. B. PIM in einem AS und MOSPF in einem anderen. Vor diesem Hintergrund wurden Regeln für die Interoperabilität für alle wichtigen Multicast-Routing-Protokolle im Internet definiert. (Dies ist aufgrund der sehr unterschiedlichen Multicast-Routing-Ansätze für Sparse- und Dense-Mode-Protokolle eine besonders knifflige Angelegenheit.) Was allerdings immer noch fehlt, ist ein *Inter*-AS-Multicast-Routing-Protokoll, um Multicast-Datagramme zwischen verschiedenen autonomen Systemen weiterzuleiten.

DVMRP hat sich als *De-facto*-Protokoll für Inter-AS-Multicast-Routing durchgesetzt. Als Dense-Mode-Protokoll ist es für die eher wenigen weit verstreuten Router, die heute am Internet-MBone teilnehmen, allerdings nicht besonders gut geeignet. Die Entwicklung eines Inter-AS-Multicast-Protokolls ist ein aktiver Forschungs- und Entwicklungsbereich, an dem die Arbeitsgruppe *idmr* der IETF arbeitet [IDMR 1998].

Nach der Betrachtung des Multicast-Routing-Problems und einer Reihe von Multicast-Protokollen, die einen gemeinsamen Gruppenbaum bzw. einen quellenbasierten Baum implementieren, schließen wir mit der Auflistung einiger Faktoren für die Bewertung eines Multicast-Protokolls:

- *Skalierbarkeit*: Welcher Umfang an Zustandsinformationen ist für ein Multicast-Routing-Protokoll in den Routern erforderlich? In welchem Umfang ändern sich die Zustandsinformationen, wenn sich die Anzahl von Gruppen oder der Sender einer Gruppe ändert?

- *Abhängigkeit vom zugrunde liegenden Unicast-Routing*: In welchem Umfang hängt ein Multicast-Protokoll von Informationen ab, die von einem zugrunde liegenden Unicast-Routing-Protokoll geführt werden? Die von uns betrachteten Lösungen reichen von der Abhängigkeit von einem spezifischen zugrunde liegenden Unicast-Routing-Protokoll (MOSPF) über eine Lösung, die vom zugrunde liegenden Unicast-Routing völlig unabhängig ist (PIM), bis zu einer Lösung, die größtenteils die gleiche Distanzvektor-Funktionalität implementiert, die wir an früherer Stelle für Unicast beschrieben haben (DVMRP).

- *Unnötiger Nachrichtenverkehr*: Wir haben Lösungen betrachtet, bei denen ein Router nur Daten empfängt, wenn einer seiner angeschlossenen Hosts zu einer Multicast-Gruppe gehört (MOSPF, PIM-Sparse-Mode), und bei denen ein Router im Default-Modus den gesamten Verkehr für alle Multicast-Gruppen empfängt (DVMRP, PIM-Dense-Mode).

- *Verkehrskonzentration*: Der auf dem gemeinsamen Gruppenbaum basierende Ansatz neigt dazu, den Verkehr auf eine kleinere Anzahl von Verbindungsleitungen (diejenigen in dem einzigen Baum) zu konzentrieren, während quellenspezifische Bäume den Multicast-Verkehr eher gleichmäßig verteilen.

- *Optimale Weiterleitungspfade*: Wir haben gesehen, dass die Ermittlung des Multicast-Baums mit minimalen Kosten (d. h. die Lösung des Steiner-Problems) schwierig ist und dieser Ansatz in der Praxis nicht angewandt wird. Vielmehr wählt man heuristische Ansätze auf der Grundlage eines Baums mit kürzesten Pfaden oder die Einrichtung eines Zentrum-Routers, von dem aus der Multicast-Routing-Baum »wächst«.

4.9 Zusammenfassung

In diesem Kapitel begannen wir unsere Reise in den Netzwerkkern. Sie haben erfahren, dass jeder einzelne Host und Router des Netzwerks in die Vermittlungsschicht einbezogen ist. Aus diesem Grund zählen die Protokolle der Vermittlungsschicht zu den anspruchsvollsten im Protokollstack.

Eine der größten Herausforderungen auf der Vermittlungsschicht ist das Routing von Datagrammen durch ein aus Millionen von Hosts und Routern bestehendes Netzwerk. Dieses Skalierungsproblem wird dadurch gelöst, dass man große Netzwerke in unabhängige administrative Domains aufteilt, so genannte autonome Systeme (AS). Jedes AS leitet seine Datagramme unabhängig durch das AS, ebenso wie jedes Land unabhängig seine Briefpost durch das Land leitet. Im Internet sind RIP und OSPF derzeit die beiden am häufigsten verwendeten Protokolle für Intra-AS-Routing. Um Pakete zwischen mehreren autonomen Systemen weiterzuleiten, ist ein Inter-AS-Routing-Protokoll erforderlich. Das dominierende Inter-AS-Protokoll ist heute BGP4.

Die Durchführung des Routing auf zwei Ebenen – eine innerhalb eines autonomen Systems und eine zwischen verschiedenen autonomen Systemen – wird als hierarchisches Routing bezeichnet. Das Skalierungsproblem wird größtenteils durch eine hierarchische Organisation der Routing-Infrastruktur gelöst. Dies ist ein allgemeines Prinzip, das wir im Design von Protokollen – insbesondere Protokollen der Vermittlungsschicht – berücksichtigen sollten: Skalierungsprobleme können oft durch hierarchische Organisation gelöst werden. Interessant ist die Feststellung, dass dieses Prinzip durch alle Zeitalter hindurch auf viele andere Disziplinen außerhalb der Computervernetzung, z. B. unternehmerische, behördliche, religiöse und militärische Organisationen, angewandt wurde.

Dieses Kapitel befasste sich auch mit einem zweiten Skalierungsproblem: In größeren Computernetzwerken muss ein Router möglicherweise Millionen von Paketflüssen zwischen unterschiedlichen Quelle/Ziel-Paaren gleichzeitig verarbeiten. Damit ein Router eine derart große Zahl von Flüssen verarbeiten kann, kamen Netzwerkdesigner im Laufe der Jahre zu dem Schluss, dass die Aufgaben eines Routers so einfach wie möglich sein sollten. Zur Vereinfachung der Arbeit eines Routers bieten sich viele Maßnahmen an, darunter die Verwendung einer auf Datagrammen statt virtuellen Kanälen (VC) basierenden Vermittlungsschicht, die Verwendung eines kompakten Headers mit fester Größe (wie in IPv6), die Vermeidung von Fragmentierung (ebenfalls wie in IPv6) und die Bereitstellung des Best-Effort-Dienstes. Der vielleicht wichtigste Kniff ist hier, *nicht* einzelne Flüsse zu verfolgen, sondern Routing-Entscheidungen ausschließlich aufgrund hierarchisch strukturierter Zieladressen in den Paketen zu treffen.

In diesem Kapitel wurden außerdem Prinzipien beschrieben, die den Routing-Algorithmen zugrunde liegen. Sie haben erfahren, dass Designer von Routing-Algorithmen das Computernetzwerk als Graphen mit Knoten und Verbindungen abstrahieren. Anhang dieser Abstraktion lässt sich die reichhaltige Theorie des Routing mit dem kürzesten Pfad in Graphen untersuchen. Diese Technik hat sich im Laufe der letzten 40 Jahre in den Bereichen Operations-Research und Algorithmen weiterentwickelt. Wir haben zwei allgemeine Ansätze vorgestellt: einen zentralisierten, bei dem jeder Knoten eine komplette Abbildung des Netzwerks erhält und unabhängig einen Routing-Algorithmus des kürzesten Pfads anwendet, und einen dezentralisierten, bei dem einzelne Knoten nur über ein Teilbild des gesamten Netzwerks verfügen, die Knoten aber dennoch zusammenarbeiten, um Pakete über die kürzesten Routen zu übertragen. Routing-Algorithmen in Computernetzwerken sind seit Jahren ein aktiver Forschungsbereich und werden es zweifellos noch lange sein.

Den Abschluss dieses Kapitels bildeten zwei anspruchsvolle Themen, die den derzeitigen Trend in der Computervernetzung und im Internet widerspiegeln. Das erste Thema ist IPv6, das eine kompakte Vermittlungsschicht bereitstellt und das Problem mit dem IPv4-Adressraum löst. Das zweite Thema ist Multicast-Routing, das potenziell enorme Mengen von Ressourcen in Bezug auf Bandbreite, Router und Server in einem Computernetzwerk einsparen kann. Interessant wird künftig sicherlich sein, wie sich die Umsetzung von IPv6 und Multicast-Routing-Protokollen im Verlauf des nächsten Jahrzehnts vollziehen wird.

Nachdem wir die Untersuchung der Vermittlungsschicht beendet haben, führt uns unsere Reise im Protokollstack einen Schritt weiter nach unten, zur Sicherungsschicht. Wie die Vermittlungsschicht ist auch die Sicherungsschicht Teil des Netzwerkkerns. Das nächste Kapitel wird aber auch zeigen, dass die Sicherungsschicht die mehr lokale Aufgabe hat, Pakete zwischen Knoten auf der gleichen Verbindungsleitung oder im gleichen LAN zu bewegen. Diese Aufgabe mag auf den ersten Blick im Vergleich zu den Aufgaben der Vermittlungsschicht trivial erscheinen. Wie wir im nächsten Kapitel aber sehen werden, weist die Sicherungsschicht einige wichtige und faszinierende Aspekte auf, die uns lange Zeit beschäftigen können.

WIEDERHOLUNGSFRAGEN

Abschnitte 4.1 bis 4.4

1. Welches sind die beiden Hauptfunktionen einer auf Datagrammen basierenden Vermittlungsschicht? Welche zusätzlichen Funktionen hat eine auf virtuellen Kanälen (VC) basierende Vermittlungsschicht?
2. Listen Sie die Dienstmodelle von ATM-Netzwerken auf und beschreiben Sie jedes einzelne kurz.
3. Stellen Sie den Link-State- und den Distanzvektor-Routing-Algorithmus vergleichend gegenüber.
4. Diskutieren Sie, wie eine hierarchische Organisation des Internets geholfen hat, es auf Millionen von Benutzern zu skalieren.
5. Ist es nötig, dass jedes autonome System den gleichen Intra-AS-Routing-Algorithmus verwendet? Warum bzw. warum nicht?

Abschnitt 4.5

6. Was ist das binäre 32-Bit-Gegenstück zur IP-Adresse 223.1.3.27?
7. Betrachten Sie ein LAN, an das zehn Host- und drei Router-Schnittstellen angeschlossen sind. Angenommen, alle drei LANs verwenden Adressen der Klasse C. In welchen der ersten 32 Bit sind die IP-Adressen für die 13 Schnittstellen identisch?
8. Betrachten Sie einen Router mit drei Schnittstellen, die alle drei Adressen der Klasse C verwenden. Sind die ersten acht Bit in den IP-Adressen der drei Schnittstellen notwendigerweise gleich?
9. Gehen Sie als Beispiel von drei Routern zwischen Quell- und Zielhost aus; ignorieren Sie Fragmentierung. Über wie viele Schnittstellen wird ein IP-Segment vom Quell- zum Zielhost reisen? Wie viele Routing-Tabellen werden indiziert, um das Datagramm von der Quelle zum Ziel zu bewegen?
10. Angenommen, eine Anwendung erzeugt alle 20 ms 40 Byte große Datenstücke; jedes Datenstück wird in einem TCP-Segment und dann in einem IP-Datagramm verkapselt. Welcher prozentuale Anteil an jedem Datagramm ist Overhead und welcher sind Anwendungsdaten?
11. Wie möchten ein 3000-Byte-Datagramm auf einer Verbindungsleitung versenden, die eine MTU von 500 Byte hat. Das Original-Datagramm ist mit der Identifizierungsnummer 422 versehen. Wie viele Fragmente werden erzeugt? Welche Charakteristika haben sie?
12. Betrachten Sie Abbildung 4.27. Gehen Sie, beginnend mit der Originaltabelle in D, davon aus, dass D von A folgendes Advertisement empfängt:

Zielnetzwerk	Nächster Router	Hops zum Ziel
z	C	10
w	–	1
x	–	1
…	…	…

Wird sich die Tabelle in A ändern? Falls »ja«, wie?

13. Stellen Sie die von RIP und OSPF verwendeten Advertisements vergleichend gegenüber.
14. RIP-Advertisements kündigen normalerweise die Anzahl von Hops zu verschiedenen Zielen an. Demgegenüber kündigen BGP-Aktualisierungen _____ (Zutreffendes eintragen) zu verschiedenen Zielen an.
15. Warum werden im Internet unterschiedliche Inter- und Intra-AS-Protokolle benutzt?

Abschnitt 4.6

16. Beschreiben Sie die drei verschiedenen Typen von Switching-Fabrics, die in Paket-Switches üblich sind.
17. Warum werden an den Ausgangs- *und* Eingangsports von Switches Puffer benötigt?

Abschnitt 4.7

18. Stellen Sie die Header-Felder von IPv4 und IPv6 vergleichend gegenüber. Haben sie gemeinsame Felder?
19. Folgendes wurde gesagt: Wenn IPv6-Tunnel durch IPv4-Router führen, dann behandelt IPv6 die IPv4-Tunnel wie Protokolle der Sicherungsschicht. Stimmen Sie dieser Aussage zu? Warum oder warum nicht?

Abschnitt 4.8

20. Welcher wichtige Unterschied besteht zwischen der Implementierung des Multicast-Abstrakts über mehrere Unicasts und einer von einem Netzwerk (Router) unterstützten Multicast-Gruppe?
21. Richtig oder falsch: Wenn ein Host einer Multicast-Gruppe beitritt, muss er seine IP-Adresse auf diejenige der betreffenden Multicast-Gruppe umändern.
22. Welche Rolle spielt das IGMP-Protokoll und ein Multicast-Routing-Protokoll für Weitverkehrsnetze?
23. Welcher Unterschied besteht zwischen einem gemeinsamen Gruppenbaum und einem quellenbasierten Baum in Zusammenhang mit Multicast-Routing?
24. Richtig oder falsch: Beim Reverse-Path-Forwarding (RPF) empfängt ein Knoten mehrere Kopien des gleichen Pakets. Richtig oder falsch: Beim Reverse-Path-Forwarding (RPF) kann ein Knoten mehrere Kopien eines Pakets auf der gleichen Ausgangsleitung weiterleiten.
25. Klassifizieren Sie jeden der folgenden Multicast-Routing-Algorithmen als Ansatz mit quellenbasiertem Baum *oder* mit gemeinsamem Gruppenbaum: DVMRP, MOSPF, CBT, PIM-Sparse-Mode, PIM-Dense-Mode.

ÜBUNGEN

4.1 Wir wollen einige Vor- und Nachteile einer verbindungsorientierten im Vergleich zu einer verbindungslosen Architektur betrachten.

  a. Angenommen, dass Router auf der Vermittlungsschicht »stressigen« Situationen ausgesetzt sind, die dazu führen können, dass sie recht oft ausfallen. Welche Aktionen wären bei einem solchen Router-Ausfall auf hoher Ebene nötig? Spricht dies zugunsten einer verbindungsorientierten oder verbindungslosen Umgebung?

  b. Angenommen, das Netzwerk setzt voraus, dass ein Sender seine Spitzenverkehrsrate deklariert, um hinsichtlich des Leistungsumfangs (z. B. Verzögerung) auf einem Pfad von der Quelle zum Ziel eine *Zusicherung* zu geben. Wenn die deklarierte Spitzenverkehrsrate und die bestehenden deklarierten Verkehrsraten so aussehen, dass es keine Möglichkeit gibt, Verkehr von der Quelle zum Ziel zu befördern, der die geforderten Verzögerungsanforderungen erfüllt, wird der Quelle kein Zugriff auf das Netzwerk gewährt. Würde sich ein solcher Ansatz leichter mit einem verbindungsorientierten oder einem verbindungslosen Paradigma realisieren lassen?

4.2 Führen Sie in Abbildung 4.4 die Pfade von A zu F auf, die keine Schleifen enthalten.

4.3 Betrachten Sie folgendes Netzwerk: Mit den angegebenen Verbindungsleitungskosten verwenden Sie den Dijkstra-Algorithmus (Shortest Path), um den kürzesten Pfad von F zu allen Netzwerkknoten zu berechnen. Stellen Sie durch Berechnung einer mit Tabelle 4.2 vergleichbaren Tabelle dar, wie der Algorithmus funktioniert.

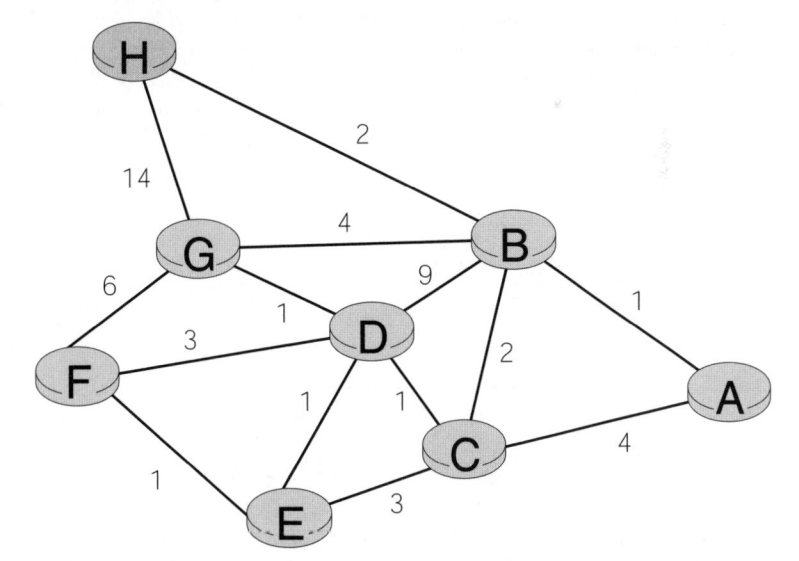

4.4 Betrachten Sie das unten abgebildete Netzwerk und gehen Sie davon aus, dass jeder Knoten anfangs die Kosten zu jedem seiner Nachbarn kennt. Legen Sie den Distanzvektor-Algorithmus zugrunde und erstellen Sie die Distanztabelleneinträge in Knoten E.

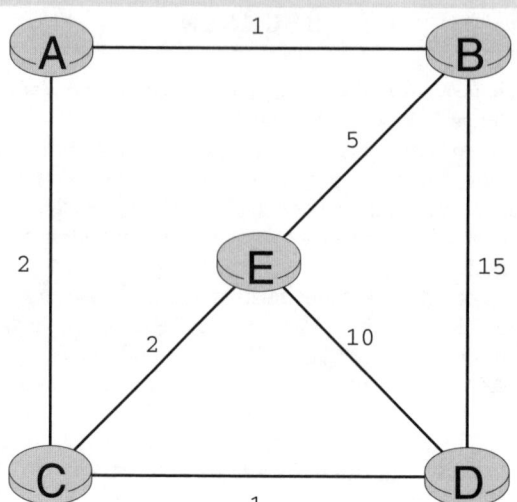

4.5 Betrachten Sie eine allgemeine Topologie (d. h. nicht das oben dargestellte spezifische Netzwerk) und eine synchrone Version des Distanzvektor-Algorithmus. Angenommen, ein Knoten tauscht in jeder Iteration seine Minimalkosten mit seinen Nachbarn aus und empfängt deren minimale Kosten. Gehen Sie davon aus, dass der Algorithmus, wenn er bei jedem Knoten beginnt, nur die Kosten zu seinen unmittelbaren Nachbarn kennt. Wie viele Iterationen sind maximal erforderlich, bis der verteilte Algorithmus konvergiert? Erklären Sie Ihre Antwort.

4.6 Betrachten Sie das unten dargestellte Fragment eines Netzwerks. X hat nur zwei angeschlossene Nachbarn, W und Y. W hat einen Pfad mit minimalen Kosten von 5 zu A und Y hat einen Pfad mit minimalen Kosten von 6 zu A. Die vollständigen Pfade von W und Y zu A (und zwischen W und Y) sind hier nicht dargestellt. Alle Verbindungsleitungskosten im Netzwerk haben strikt positive ganzzahlige Werte.

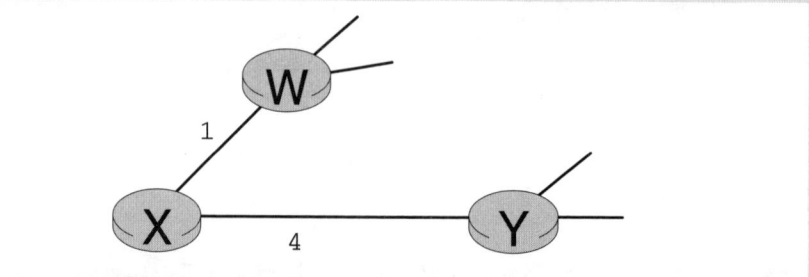

a. Erstellen Sie die Distanztabelleneinträge von X für die Ziele W, Y und A.
b. Nennen Sie eine Änderung der Verbindungsleitungskosten für entweder $c(X,W)$ oder $c(X,Y)$, so dass X seine Nachbarn über einen neuen Pfad mit minimalen Kosten zu A als Ergebnis der Ausführung der Zeilen 15 und 24 des Distanzvektor-Algorithmus informiert.
c. Nennen Sie eine Änderung der Verbindungsleitungskosten für entweder $c(X,W)$ oder $c(X,Y)$, so dass X seine Nachbarn als Ergebnis der Ausführung der Zeilen 15 und 24 des Distanzvektor-Algorithmus *nicht* über einen neuen Pfad mit minimalen Kosten zu A informiert.

4.7 Berechnen Sie die Distanztabellen für X, Y und Z, die in der rechten Spalte in Abbildung 4.7 stehen. Welche Knoten senden nun nach der Berechnung der neuen Distanztabellen aktualisierte Werte an welche Nachbarn?

4.8 Betrachten Sie die Topologie mit drei Knoten in Abbildung 4.7. Es sei gegeben, dass die Verbindungsleitungskosten nicht wie in Abbildung 4.7, sondern $c(X,Y) = 5$, $c(Y,Z) = 6$, $c(Z,X) = 2$ sind. Berechnen Sie die Distanztabellen nach dem Initialisierungsschritt und nach jeder Iteration einer synchronen Version des Distanzvektor-Algorithmus (wie wir dies in unserer früheren Diskussion von Abbildung 4.7 getan haben).

4.9 Betrachten Sie das obige Netzwerk mit acht Knoten (mit A bis H beschriftet). Erstellen Sie den Spanning-Tree mit den Minimalkosten, der in A wurzelt und die Knoten C, D, E und G (als Endhosts) umfasst. Erklären Sie kurz, warum Ihr Spanning-Tree ein Baum mit minimalen Kosten ist.

4.10 Wir haben in Abschnitt 4.8 gesehen, dass es kein Protokoll der Vermittlungsschicht gibt, das benutzt werden kann, um die Hosts zu identifizieren, die an einer Multicast-Gruppe teilnehmen. Wie können Multicast-Anwendungen angesichts dieser Aussage von den Identitäten der Hosts erfahren, die an einer Multicast-Gruppe teilnehmen?

4.11 Betrachten Sie die beiden grundlegenden Ansätze für die Umsetzung von Multicast: Unicast-Emulation und Multicast auf der Vermittlungsschicht. Denken Sie als Beispiel an einen einzigen Sender und 32 Empfänger. Angenommen, der Sender ist mit dem Empfänger durch einen binären Router-Baum verbunden. Wie hoch sind die Kosten für das Versenden eines Multicast-Pakets im Fall der Unicast-Emulation bzw. im Fall des Multicast auf der Vermittlungsschicht bei dieser Topologie? Hier gilt: Jedes Mal, wenn ein Paket (oder eine Kopie eines Pakets) auf einer einzigen Verbindungsleitung versendet wird, entsteht eine »Kosteneinheit«. Bei welcher Topologie für den Zusammenschluss des Senders, der Empfänger und der Router unterscheiden sich die Kosten bei der Unicast-Emulation und beim echten Multicast der Vermittlungsschicht am meisten? Sie können beliebig viele Router wählen.

4.12 Entwerfen Sie (in Form einer Pseudocode-Beschreibung) ein Protokoll der Anwendungsebene, das die Hostadressen aller Hosts führt, die an einer Multicast-Gruppe teilnehmen. Identifizieren Sie insbesondere den Netzwerkdienst (Unicast oder Multicast), der von Ihrem Protokoll benutzt wird, und geben Sie an, ob Ihr Protokoll In-Band- oder Out-of-Band-Nachrichten (in Bezug auf den Anwendungsdatenfluss zwischen den Teilnehmern der Multicast-Gruppe) verwendet. Nennen Sie den Grund dafür.

4.13 Betrachten Sie die Topologie in Abbildung 4.50. Angenommen, die Verbindungsleitungskosten von B zu D ändern sich von 1 auf 10. Ermitteln Sie den Steiner-Baum, der alle schattierten Router verbindet. (Hinweis: Sie sollen hier keine Lösung für das Steiner-Baumproblem programmieren. Vielmehr sollen Sie sich durch Überprüfung davon überzeugen, dass Sie einen Baum mit Minimalkosten erstellen können.) Wie würden Sie beweisen, dass Ihr Baum tatsächlich der mit den minimalen Kosten ist, falls man Sie fragen würde? (Sie werden nicht gefragt, es tatsächlich zu beweisen!)

4.14 Zum Thema zentrumsbasiertes Routing betrachten Sie die Topologie in Abbildung 4.50. Es sei gegeben, dass Knoten C als Zentrum in einem zentrumsbasierten

Multicast-Routing-Algorithmus gewählt wird. Jeder angeschlossene Router in der Multicast-Gruppe benutzt seinen Pfad der geringsten Kosten zu *C*, um Join-Nachrichten an *C* zu senden. Zeichnen Sie den resultierenden zentrumsbasierten Multicast-Routing-Baum. Ist es ein Steiner-Baum mit minimalen Kosten? Erläutern Sie Ihre Antwort.

4.15 Zum Thema Unicast-Routing auf dem Pfad mit den geringsten Kosten unter Zuhilfenahme von Abbildung 4.50 sei gegeben, dass Knoten *E* als Quelle gewählt wird. Berechnen Sie den Multicast-Routing-Baum mit den geringsten Unicast-Kosten von *E* zu den Multicast-Routern *A*, *B* und *F*.

4.16 Zum Thema Reverse-Path-Forwarding (RPF) betrachten Sie die Topologie und Verbindungsleitungskosten in Abbildung 4.50. Es sei gegeben, dass Knoten *E* die Multicast-Quelle ist. Kennzeichnen Sie die Verbindungsleitungen mit Hilfe von Pfeilen (wie die in Abbildung 4.53), über die Pakete mittels RPF weitergeleitet werden. Außerdem kennzeichnen Sie Verbindungsleitungen, über die angesichts dessen, dass Knoten *E* die Quelle ist, keine Pakete weitergeleitet werden.

4.17 Angenommen, die Kosten für die Übertragung eines Multicast-Pakets sind völlig unabhängig von den Kosten für die Übertragung eines Unicast-Pakets auf einer Verbindungsleitung. Würde Reverse-Path-Forwarding (RPF) in diesem Fall immer noch funktionieren? Erläutern Sie Ihre Antwort.

4.18 Zum Thema Verkehrskonzentration in zentrumsbasierten Bäumen betrachten Sie die einfache Topologie in Abbildung 4.50. Es sei gegeben, dass jeder der Multicast-Router eine Verkehrseinheit pro Zeiteinheit von einem angeschlossenen Host empfängt. Dieser Verkehr muss an die anderen drei Multicast-Router weitergeleitet werden. Knoten *C* sei der Zentrumsknoten in einem zentrumsbasierten Multicast-Routing-Protokoll (siehe obige Übung). Berechnen Sie aus dem resultierenden Routing-Baum die Verkehrsrate auf jeder Verbindungsleitung in der Topologie. (Berechnen Sie den Gesamtverkehr auf jeder Verbindungsleitung ungeachtet der Richtung des Verkehrsflusses.) Nehmen Sie dann an, dass RPF benutzt wird, um vier quellenspezifische Routing-Bäume aufzubauen, die jeweils in Router *A*, *B*, *E* und *F* wurzeln. Berechnen Sie die Verkehrsrate auf jeder Verbindungsleitung erneut für dieses zweite Szenario. Neigt bei diesem Beispiel ein zentrumsbasierter oder ein quellenspezifischer Baum dazu, Verkehr zu konzentrieren?

4.19 Es sei gegeben, dass ein Netzwerk *G* Multicast-Gruppen mit jeweils *S* Gruppenmitgliedern (Hosts) hat, von denen jeder ein Sender sein kann. Unter DVMRP muss jeder Router also bis zu *S* Routing-Informationen (die Ausgangsleitung auf dem kürzesten Umkehrpfad (Shortest Reverse Path) zum Sender für *S* Sender) pro Gruppe führen. Das heißt, dass jeder Router im schlechtesten Fall $S*G$ Routing-Informationen verwalten muss, wenn alle Gruppen berücksichtigt werden. Wie viele Routing-Informationen sind im schlechtesten Fall erforderlich, wenn MOSPF, PIM-Sparse-Mode bzw. PIM-Dense-Mode benutzt wird? Erläutern Sie Ihre Antworten.

4.20 Geburtstagsproblem: Ermitteln Sie, welche Größe der Multicast-Adressraum jetzt hat. Es sei nun gegeben, dass zwei verschiedene Multicast-Gruppen zufällig eine Multicast-Adresse auswählen. Wie groß ist die Wahrscheinlichkeit, dass beide die gleiche Adresse wählen? Nehmen Sie jetzt an, dass 1.000 Multicast-Gruppen gleichzeitig aktiv sind und ihre Multicast-Gruppenadressen zufällig wählen. Wie groß ist die Wahrscheinlichkeit, dass sie sich gegenseitig ins Gehege kommen?

4.21 In unserer Diskussion des Multicast-Tunneling wurde behauptet, dass ein IP-Multicast-Datagramm im Innern eines IP-Unicast-Datagramms befördert wird. Woher weiß der IP-Router am Ende des Multicast-Tunnels, dass das Unicast-Datagramm ein IP-Multicast-Datagramm enthält (im Gegensatz zu einem einfachen IP-Unicast-Datagramm, das mit übertragen werden soll)?

DISKUSSIONSFRAGEN

4.1 Angenommen, die autonomen Systeme X und Z sind nicht direkt, sondern über AS Y verbunden. Es sei gegeben, dass X eine Peer-Vereinbarung mit Y und Y eine Peer-Vereinbarung mit Z hat. Z möchte den gesamten Verkehr von Y, aber nicht den von X im Transit abwickeln. Kann Z diese Policy mit BGP implementieren?

4.2 In Abschnitt 4.7 wurde darauf hingewiesen, dass die Installation von IPv6 bisher recht langsam vonstatten geht. Was ist der Grund? Was ist nötig, um die Installation zu beschleunigen? (Siehe Artikel von L. Garber.)

4.3 Abschnitt 4.8.1 hat gezeigt, dass die Multicast-Abstraktion dadurch implementiert werden kann, dass man einen Sender eine einzelne Verbindung zu jedem der Empfänger öffnen lässt. Welche Nachteile hat ein solcher Ansatz im Vergleich zu dem Ansatz, der native Multicast-Unterstützung auf der Vermittlungsschicht bietet? Welche Vorteile hat der Ansatz?

4.4 In Abschnitt 4.8 wurden mehrere Multicast-Anwendungen genannt. Welche dieser Anwendungen eignet sich gut für das minimalistische Multicast-Dienstmodell im Internet? Warum? Welche Anwendungen eignen sich für dieses Dienstmodell nicht besonders gut?

4.5 Warum gibt es Ihrer Meinung nach im Soft-State-Mechanismus von CBT für die Erhaltung eines Baums eine getrennte FLUSH_TREE-Nachricht? Was würde passieren, wenn die FLUSH_TREE-Nachricht verloren ginge?

PROGRAMMIERAUFGABE

In dieser Programmierübung schreiben Sie eine »verteilte« Menge von Prozeduren für die Implementierung eines verteilten asynchronen Distanzvektor-Routing im unten dargestellten Netzwerk:

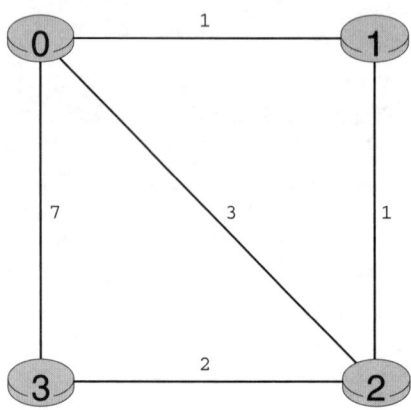

Sie schreiben außerdem folgende Routinen, die asynchron innerhalb der für diese Aufgabe bereitgestellten Umgebung »ausgeführt« werden. Für Knoten 0 schreiben Sie die folgenden Routinen:

- *rtinit0()*: Diese Routine wird einmal am Anfang der Emulation aufgerufen. *rtinit0()* hat keine Argumente. Sie müsste Ihre Distanztabelle in Knoten 0 auf die direkten Kosten von 1, 3 und 7 zu den Knoten 1, 2 bzw. 3 initialisieren. In der obigen Abbildung sind alle Verbindungsleitungen bidirektional und die Kosten in beiden Richtungen identisch. Nach der Initialisierung der Distanztabelle und möglicher anderer Datenstrukturen, die Ihre Routinen für Knoten 0 benötigen, sollte sie dann den direkt verbundenen Nachbarn (in diesem Fall 1, 2 und 3) die minimalen Kosten der Pfade zu allen anderen Netzwerkknoten senden. Diese Information über die minimalen Kosten wird an benachbarte Knoten in einem Routing-Aktualisierungspaket durch Aufruf der Routine *tolayer2()* gesendet, wie in der vollen Aufgabe beschrieben ist. Das Format des Routing-Aktualisierungspakets ist ebenfalls in der vollen Aufgabe beschrieben.

- *rtupdate0(struct rtpkt *rcvdpkt)*: Diese Routine wird aufgerufen, wenn Knoten 0 ein Routing-Paket empfängt, das von einem seiner direkt verbundenen Nachbarn gesendet wurde. Der Parameter *rcvdpkt* ist ein Zeiger (Pointer) zu einem empfangenen Paket. *rtupdate0()* ist der »Kern« des Distanzvektor-Algorithmus. Die Werte, die er in einem Routing-Aktualisierungspaket von einem anderen Knoten *i* empfängt, enthalten die aktuellen Kosten des kürzesten Pfads von *i* zu allen anderen Netzwerkknoten. *rtupdate0()* benutzt diese empfangenen Werte, um seine eigene Distanztabelle (wie vom Distanzvektor-Algorithmus spezifiziert) zu aktualisieren. Wenn sich seine eigenen minimalen Kosten zu einem anderen Knoten als Ergebnis der Aktualisierung ändern, informiert Knoten 0 seine direkt verbundenen Nachbarn über diese Änderung, indem er ihnen ein Routing-Paket sendet. Wie bereits bekannt, tauschen im Distanzvektor-Algorithmus nur direkt verbundene Knoten Routing-Pakete aus. Knoten 1 und 2 kommunizieren folglich miteinander, nicht aber Knoten 1 und 3.

Ähnliche Routinen werden für Knoten 1, 2 und 3 definiert. Folglich schreiben Sie insgesamt acht Prozeduren: *rtinit0()*, *rtinit1()*, *rtinit2()*, *rtinit3()*, *rtupdate0()*, *rtupdate1()*, *rtupdate2()* und *rtupdate3()*. Zusammengenommen implementieren diese Routinen eine verteilte asynchrone Berechnung der Distanztabellen für die Topologie und Kosten der obigen Abbildung.

Sie finden alle Details der Programmieraufgabe sowie den C-Code, den Sie benötigen, um die simulierte Hardware-/Softwareumgebung zu erstellen, unter http://www.awl.com/kurose-ross.

INTERVIEW

José Joaquin Garcia-Luna-Aceves

José Joaquin »J. J.« Garcia-Luna-Aceves ist Professor für Computer Engineering an der University of California in Santa Cruz. Neben seinen Vorlesungen an der UC von Santa Cruz leitet J. J. die Computer Communication Research Group (CCRG) – ein Studententeam der Fakultät, das sich mit neuen Algorithmen, Protokollen und Architekturen für drahtlose Netzwerke und Internetworks beschäftigt. Er erhielt seinen B.S. in Elektrotechnik an der Universidad Iberoamericana in Mexico City und seinen M.S. und Ph.D. in Elektrotechnik an der University of Hawaii, Manoa.

- **Was hat Sie dazu bewegt, sich auf Vernetzung zu spezialisieren?**

M. S. Luis Gutierrez Aja, einer der Dozenten der Universidad Iberoamericana, unterrichtete einen neuen Kurs über Computernetzwerke. Ich schrieb mich für den Kurs ein und beschloss anschließend, über das ALOHA-System meine Bachelor-Arbeit zu schreiben. Zu jener Zeit verstand ich die Technologie nicht sehr gut. Ich fand sie aber brandneu und hielt sie für einen interessanten Forschungsbereich in Zusammenhang mit Computern.

- **Wie sieht ein typischer Arbeitstag für Sie aus?**

Ich habe normalerweise mehrere Treffen mit Studenten, in denen wir über ihre Forschungsarbeiten sprechen. Ich versuche, zweimal in der Woche online von zu Hause aus an UC-Forschungs- oder Beratungsprojekten zu arbeiten. Zwischen Ausschuss-Meetings, Telefonaten und E-Mails arbeite ich an Forschungsarbeiten mit meinen Studenten. Normalerweise halte ich nachmittags Vorlesungen. Im letzten Semester verbrachte ich den Großteil meiner Zeit am UCSC mit der Überarbeitung meiner Präsentationen für die Computernetzwerkkurse der unteren Semester.

- **Was ist der interessanteste Teil Ihres Aufgabenbereichs?**

Die Sicherstellung, dass die von mir betreuten Studenten zu Fachleuten auf den Forschungsgebieten werden, in denen ich arbeite. Ich finde es schwierig, aus einem Studenten einen Dozenten zu machen. Einige haben anfangs zu wenig Selbstvertrauen; da finde ich es wichtig, für jeden Studenten die richtigen Themen zusammenzustellen. Ein weiterer herausfordernder Aspekt ist für mich, das Kursmaterial meiner Vorlesungen für ich selbst interessant zu halten. Oftmals wird das Material allein

→ dadurch interessant, dass sich die Studentengruppe meines Kurses völlig von derjenigen des Vorjahres unterscheidet.

- **Wie sieht Ihrer Meinung nach die Zukunft der Computernetzwerke/ des Internets aus?**

Ich nehme an, dass das Internet allgegenwärtig werden wird. Wir werden lernen, im Internet die Art zu sehen, wie wir kommunizieren, und die Straße, die alle Computer einschlagen werden, um zu kommunizieren und die Menschen in ihren Interaktionen zu unterstützen. In der Zukunft wird es sicherlich mehr sein als »das Netzwerk ist der Computer und der Computer ist das Netzwerk«.

- **Welche Leute haben Sie beruflich inspiriert?**

Frank Kuo, mein Doktorvater; er leitete das ALOHA-System an der Universität von Hawaii, und das war der Grund, warum ich dorthin ging. Er war ein großartiger Mentor und half mir, mich als Wissenschaftler weiterzuentwickeln. Er gab mir seine Unterstützung, als ich sie am meisten brauchte. Ohne Frank hätte ich das ganze Programm wahrscheinlich nicht durchgezogen.

- **Haben Sie einen Ratschlag für Studenten, die in das Gebiet der Computernetzwerke/des Internets einsteigen wollen?**

Nein; graduierte Studenten haben bis zu dem Punkt, an dem sie sich für Vernetzung entscheiden, bereits die wichtigsten Entscheidungen getroffen. Und für die unteren Semester ist das Internet überall. Ich kann mir für die Zukunft ein Studium auf diesem Gebiet ohne Internet als entscheidende Grundlage überhaupt nicht vorstellen.

- **Auf welche Weise lernen Sie von Ihren Studenten in der CCRG?**

Möglichkeiten, über Probleme auf unterschiedliche Art nachzudenken; Fragen zu stellen, auf die ich allein nicht gekommen wäre; Verbindungen zwischen Themen finden, die scheinbar nicht zusammenhängen; neue Probleme feststellen, während neue oder alte Konzepte implementiert werden; und natürlich die günstigsten Flugtickets oder die billigsten Computer im Internet finden.

- **Was ist der lohnendste Aspekt Ihrer Arbeit in der CCRG?**

Die Begleitung meiner Studenten zum Diplom; ich liebe es, diese jungen Köpfe in nur wenigen Jahren zu Spezialisten heranreifen zu sehen und begabten jungen Leuten zu helfen, mehr Selbstvertrauen zu erlangen und daran zu glauben, dass sie großartige Dinge erfinden und entwickeln können. Ich hoffe auch, dass sie in ferner Zukunft einmal so an mich zurückdenken, wie ich an Frank Kuo denke.

KAPITEL 5

Sicherungsschicht und LAN

5.1 Die Sicherungsschicht: Einführung, Dienste

Im vorherigen Kapitel haben Sie erfahren, dass die Vermittlungsschicht einen Kommunikationsdienst zwischen zwei Hosts bietet. Wie in Abbildung 5.1 dargestellt ist, beginnt dieser Kommunikationspfad beim Quellhost, führt durch eine Reihe von Routern und endet beim Zielhost. Wir finden es hier praktisch, die Hosts und Router einfach als **Knoten** zu bezeichnen (weil wir nicht besonders daran interessiert sind, ob ein Knoten ein Router oder Host ist, wie sich im weiteren Verlauf zeigen wird). Die Kommunikationskanäle, die benachbarte Knoten auf dem Kommunikationspfad miteinander verbinden, bezeichnen wir als **Verbindungsleitungen**. Um ein Datagramm vom Quell- zum Zielhost zu befördern, muss das Datagramm über jede der *einzelnen Verbindungsleitungen* auf dem Pfad übertragen werden. Dieses Kapitel konzentriert sich auf die **Sicherungsschicht** (Data-Link Layer), die dafür zuständig ist, ein Datagramm über eine einzelne Verbindungsleitung zu transferieren. Wir identifizieren und untersuchen zuerst die von der Sicherungsschicht bereitgestellten Dienste. In den Abschnitten 5.2 bis 5.4 beschreiben wir die wichtigen Prinzipien, die den Protokollen zugrunde liegen, die diese Dienste bereitstellen (einschließlich Themen wie Fehlererkennung und -korrektur, so genannte »Mehrfachzugriffsprotokolle«, die die gemeinsame Nutzung einer einzigen physikalischen Leitung durch mehrere Knoten ermöglichen, und Adressierung auf der Sicherungsschicht). Wie sich herausstellen wird, können viele unterschiedliche Technologien der Sicherungsschicht benutzt werden, um zwei Knoten miteinander zu verbinden. In den Abschnitten 5.5 bis 5.10 werden spezifische Architekturen und Protokolle der Sicherungsschicht ausführlich beschrieben.

5.1.1 Die Dienste der Sicherungsschicht

Ein Protokoll auf der Sicherungsschicht wird benutzt, um ein Datagramm über eine einzelne Verbindungsleitung zu befördern. Das **Sicherungsschichtprotokoll** definiert das Format der Dateneinheiten, die zwischen den Knoten an den Enden der Verbindungsleitung ausgetauscht werden, sowie die von diesen Knoten unternommenen Aktionen, wenn sie diese Dateneinheiten senden und empfangen. Aus Kapitel 1 ist bekannt, dass die von einem Sicherungsschichtprotokoll ausgetauschten Dateneinheiten als **Rahmen** (Frames) bezeichnet werden und dass jeder Rahmen auf der Sicherungsschicht normalerweise in einem Datagramm der Vermittlungsschicht verkapselt wird. Wie in Kürze zu erfahren, zählen zu den Aktionen, die ein Sicherungsschichtprotokoll beim Senden und Empfangen von Rahmen unternimmt, Fehlerer-

Abbildung 5.1 Die Sicherungsschicht

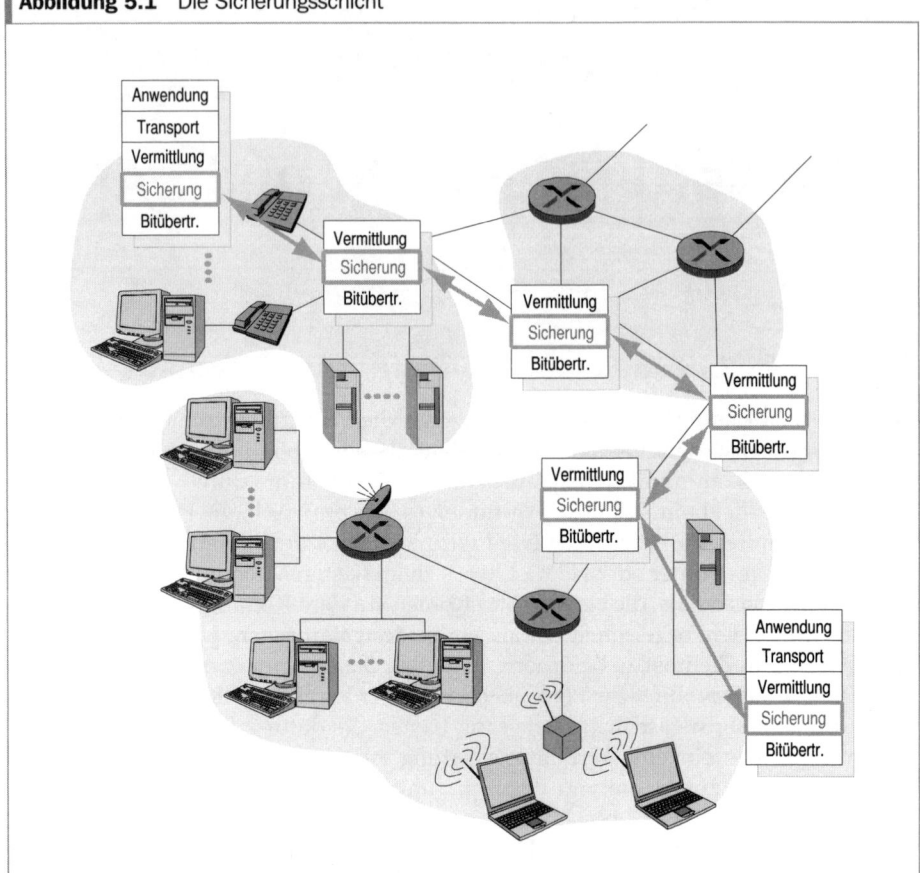

kennung, Neuübertragung, Flusskontrolle und Zufallszugriff. Beispiele von Sicherungsschichtprotokollen sind Ethernet, Token-Ring, FDDI und PPP; in vielen Zusammenhängen werden auch ATM und Frame-Relay als Protokolle der Sicherungsschicht betrachtet. Diese Protokolle werden ausführlich in der zweiten Hälfte dieses Kapitels beschrieben.

Während die Vermittlungsschicht die Ende-zu-Ende-Aufgabe hat, Segmente der Transportschicht vom Quell- zum Zielhost zu befördern, hat ein Protokoll der Sicherungsschicht die Knoten-zu-Knoten-Aufgabe, ein Datagramm der Vermittlungsschicht über eine *einzige Verbindungsleitung* auf dem Pfad zu befördern. Ein wichtiges Merkmal der Sicherungsschicht ist, dass ein Datagramm auf den verschiedenen Verbindungsleitungen des Pfads von unterschiedlichen Sicherungsschichtprotokollen behandelt werden kann. Beispielsweise kann ein Datagramm möglicherweise auf der ersten Verbindungsleitung von Ethernet, auf der letzten von PPP und auf allen dazwischen liegenden Verbindungsleitungen von Frame-Relay behandelt werden. Wichtig ist, dass sich die von den verschiedenen Protokollen der Sicherungsschicht bereitgestellten Dienste unterscheiden können. Ein Protokoll der Sicherungsschicht bietet z. B. eine zuverlässige Übertragung und ein anderes nicht. Folglich muss die Vermittlungsschicht in der Lage sein, ihre Ende-zu-Ende-Aufgabe angesichts der unterschiedlichen Dienste der Sicherungsschicht zu bewältigen.

Um einen Einblick in die Sicherungsschicht und ihren Bezug zur Vermittlungsschicht zu gewinnen, betrachten wir eine Analogie aus dem Reisebereich. Ein Reisebüro plant für einen Kunden eine Reise von Princeton in New Jersey nach Lausanne in der Schweiz. Das Reisebüro ermittelt die beste Reiseroute, die wie folgt aussieht: PKW-Zubringerdienst von Princeton zum JFK-Flughafen, Flug vom JFK-Flughafen nach Genf und Bahnfahrt vom Genfer Flughafen zum Bahnhof von Lausanne. Das Reisebüro nimmt die drei Reservierungen vor. Anschließend ist die Autovermietung in Princeton dafür zuständig, den Reisenden zum JFK-Flughafen zu befördern. Die Fluggesellschaft sorgt für die Beförderung des Reisenden vom JFK- zum Genfer Flughafen. Die Schweizer Bahn ist dafür zuständig, den Reisenden von Genf nach Lausanne zu befördern. Jedes dieser drei Segmente der Reise fließt »direkt« zwischen zwei »angrenzenden« Standorten. Die drei Transportsegmente werden aber von unterschiedlichen Firmen verwaltet und nutzen völlig unterschiedliche Transportmodi (Auto, Flugzeug und Zug). Obwohl sich die Transportmodi unterscheiden, bietet jeder einzelne einen grundlegenden Dienst der Beförderung von Passagieren von einem Standort zu einem angrenzenden Standort. Bei dieser Analogie entspricht der Reisende einem Datagramm, jedes Transportsegment entspricht einer Kommunikationsleitung, der Transportmodus findet sein Pendant im Sicherungsschichtprotokoll und das Reisebüro entspricht einem Routing-Protokoll.

Der grundlegende Dienst einer Sicherungsschicht ist zwar die »Beförderung« eines Datagramms von einem Knoten zu einem angrenzenden Knoten über eine einzige Kommunikationsleitung. Die Details des Dienstes hängen aber vom spezifischen Sicherungsschichtprotokoll ab, das auf der Verbindungsleitung verwendet wird. Ein Protokoll der Sicherungsschicht kann z. B. folgende Dienste bieten:

- *Framing und Leitungszugang*: Fast alle Sicherungsschichtprotokolle verkapseln jedes Datagramm der Vermittlungsschicht vor der Übertragung auf der Verbindungsleitung in einem Rahmen der Sicherungsschicht. Ein Rahmen besteht aus einem Datenfeld, in das das Datagramm der Vermittlungsschicht eingefügt wird, und einer Reihe von Header-Feldern. (Ein Rahmen kann auch Trailer-Felder enthalten, wir bezeichnen Header- und Trailer-Felder zusammenfassend aber als »Header-Felder«.) Ein Sicherungsprotokoll spezifiziert die Struktur des Rahmens und ein Kanalzugriffsprotokoll, das wiederum die Regeln festlegt, nach denen ein Rahmen auf der Verbindungsleitung übertragen wird. Bei Punkt-zu-Punkt-Leitungen mit nur einem Sender an einem und einem Empfänger am anderen Ende der Verbindungsleitung ist das Leitungszugriffsprotokoll einfach (oder nicht vorhanden) – der Sender kann einen Rahmen senden, wann immer die Verbindungsleitung frei ist. Der interessantere Fall ist, wenn mehrere Knoten sich eine einzige Broadcast-Leitung teilen – das so genannte Mehrfachzugriffsproblem. Hier dient das Kanalzugriffsprotokoll der Koordination der Rahmenübertragungen mehrerer Knoten. Mehrfachzugriffsprotokolle werden ausführlich in Abschnitt 5.3 behandelt. Unterschiedliche Rahmenformate werden in der zweiten Hälfte dieses Kapitels in Zusammenhang mit spezifischen Sicherungsschichtprotokollen beschrieben. Abschnitt 5.3 wird zeigen, dass Rahmen-Header oft auch Felder für die so genannte **physikalische Adresse** eines Knotens beinhalten, wobei es sich um eine *völlig andere* Adresse als die des Knotens auf der Vermittlungsschicht (z. B. IP) handelt.

- *Zuverlässige Übertragung*: Wenn ein Sicherungsschichtprotokoll einen zuverlässigen Übertragungsdienst bereitstellt, sichert es die Übertragung jedes Datagramms der Vermittlungsschicht über die Verbindungsleitung ohne Fehler zu. Wir erinnern uns, dass bestimmte Protokolle der Transportschicht (z. B. TCP) ebenfalls einen zuverlässigen Übertragungsdienst bereitstellen. Ähnlich wie auf der Transportschicht wird der zuverlässige Übertragungsdienst auch auf der Sicherungsschicht mit Bestätigungen und Neuübertragungen (siehe Abschnitt 3.4) erreicht. Ein zuverlässiger Übertragungsdienst auf der Sicherungsschicht wird oft für Verbindungsleitungen benutzt, die für hohe Fehlerraten anfällig sind, wie beispielsweise drahtlose Leitungen, um einen Fehler lokal zu korrigieren. Das heißt, es wird versucht, den Fehler auf der Verbindungsleitung zu korrigieren, auf der er aufgetreten ist, statt eine Neuübertragung der Daten von Ende zu Ende von einem Protokoll der Transport- oder Anwendungsschicht zu erzwingen. Die zuverlässige Übertragung der Sicherungsschicht kann man aber auf Verbindungsleitungen mit niedrigen Bitfehlern, wie z. B. Glasfaser-, Koaxial- und Kupferkabelleitungen, als unnötigen Overhead betrachten. Aus diesem Grund stellen viele bekannte Protokolle der Sicherungsschicht keinen zuverlässigen Übertragungsdienst bereit.

- *Flusskontrolle*: Die Knoten auf jeder Seite einer Verbindungsleitung haben eine Pufferkapazität für Rahmen. Dies ist ein potenzielles Problem, weil ein empfangender Knoten möglicherweise Rahmen in einer schnelleren Rate empfängt, als er in einem gewissen Zeitintervall verarbeiten kann. Ohne Flusskontrolle kann der Puffer des Empfängers überlaufen und Rahmen können verloren gehen. Ähnlich wie auf der Transportschicht kann ein Sicherungsschichtprotokoll Flusskontrolle bieten, um den sendenden Knoten auf einer Seite einer Verbindungsleitung daran zu hindern, den empfangenden Knoten auf der anderen Seite zu überschwemmen.

- *Fehlererkennung*: Der Empfänger eines Knotens kann die falsche Entscheidung treffen, dass ein Bit in einem Rahmen Null ist, während es als Eins übertragen wurde, und umgekehrt. Solche Bitfehler werden durch Signaldämpfung und elektromagnetisches Rauschen verursacht. Da keine Notwendigkeit besteht, ein fehlerhaftes Datagramm weiterzuleiten, bieten viele Sicherungsschichtprotokolle einen Mechanismus für die Erkennung eines oder mehrerer Fehler. Dies wird dadurch bewerkstelligt, dass man den übertragenden Knoten Fehlererkennungsbits im Rahmen setzen und den empfangenden Knoten eine Fehlerkontrolle ausführen lässt. Fehlererkennung ist ein für Protokolle der Sicherungsschicht üblicher Dienst. Aus den Kapiteln 3 und 4 ist bekannt, dass die Transport- und die Vermittlungsschicht im Internet auch eine begrenzte Form der Fehlererkennung bieten. Demgegenüber ist die Fehlererkennung auf der Sicherungsschicht normalerweise ausgefeilter und wird in Hardware implementiert.

- *Fehlerkorrektur*: Fehlerkorrektur ähnelt der Fehlererkennung, abgesehen davon, dass ein Empfänger nicht nur erkennen kann, ob ein Rahmen fehlerhaft ist, sondern auch genau ermitteln kann, wo Fehler im Rahmen aufgetreten sind (und diese Fehler somit korrigieren kann). Einige Protokolle (wie ATM) bieten Fehlerkorrektur auf der Sicherungsschicht für den Paket-Header und nicht für das ganze Paket. Fehlererkennung und -korrektur werden ausführlich in Abschnitt 5.2 beschrieben.

- *Halb- und Vollduplex*: Bei der Vollduplexübertragung können die Knoten an beiden Enden einer Verbindungsleitung gleichzeitig Pakete übertragen, während bei der Halbduplexübertragung ein Knoten nicht gleichzeitig senden und empfangen kann.

Wie oben erwähnt, weisen viele der von der Sicherungsschicht bereitgestellten Dienste starke Parallelen mit den auf der Transportschicht bereitgestellten Diensten auf. Beispielsweise bietet sowohl die Sicherungs- als auch die Transportschicht zuverlässige Übertragung. Obwohl die für die Bereitstellung einer zuverlässigen Übertragung benutzten Mechanismen auf den beiden Schichten ähnlich sind (siehe Abschnitt 3.4), unterscheiden sich die beiden zuverlässigen Übertragungsdienste. Ein Transportprotokoll bietet zuverlässige Übertragung zwischen zwei Prozessen auf Ende-zu-Ende-Basis; ein zuverlässiges Sicherungsschichtprotokoll bietet den zuverlässigen Übertragungsdienst zwischen zwei Knoten, die über eine einzige Verbindungsleitung verbunden sind. Ähnlich bieten die Protokolle auf beiden Schichten Flusskontrolle und Fehlererkennung. Doch auch in diesem Fall wird die Flusskontrolle von einem Protokoll der Transportschicht auf Ende-zu-Ende-Basis und von einem Protokoll der Sicherungsschicht von einem Knoten zu einem angrenzenden Knoten bereitgestellt.

5.1.2 Kommunizierende Adapter

Für eine bestimmte Kommunikationsleitung wird das Sicherungsschichtprotokoll größtenteils in einem **Adapter** implementiert. Ein Adapter ist eine Steckkarte (oder PCMCIA-Karte), die normalerweise RAM- und DSP-Chips sowie eine Host-Bus- und eine Leitungsschnittstelle beinhaltet. Ein solcher Adapter wird auch **Netzschnittstellenkarte** (Network Interface Card, **NIC**) genannt. Wie in Abbildung 5.2 dargestellt ist, leitet die Vermittlungsschicht im übertragenden Knoten (einem Host oder Router) ein Vermittlungsschicht-Datagramm an den Adapter weiter, der die sendende Seite der Kommunikationsleitung handhabt. Der Adapter verkapselt das Datagramm in einem Rahmen und überträgt den Rahmen auf der Kommunikationsleitung. Am anderen Ende empfängt der empfangende Adapter den gesamten Rahmen, extrahiert das Vermittlungsschicht-Datagramm und leitet es an die Vermittlungsschicht weiter. Falls das Protokoll der Sicherungsschicht Fehlererkennung unterstützt, setzt der sendende Adapter die Fehlererkennungsbits, und der empfangende Adapter führt eine Fehlerprüfung durch. Bietet das Protokoll der Sicherungsschicht zuverlässige Übertragung, dann sind die Mechanismen für zuverlässige Übertragung (z. B. Sequenznummer, Timer und Bestätigungen) gänzlich in den Adaptern implementiert. Wenn das Protokoll der Sicherungsschicht Zufallszugriff (siehe Abschnitt 5.3) bietet, wird das Zufallszugriffsprotokoll vollständig in den Adaptern implementiert.

Abbildung 5.2 Das Sicherungsschichtprotokoll für eine Kommunikationsleitung wird in den Adaptern der beiden Leitungsenden implementiert.

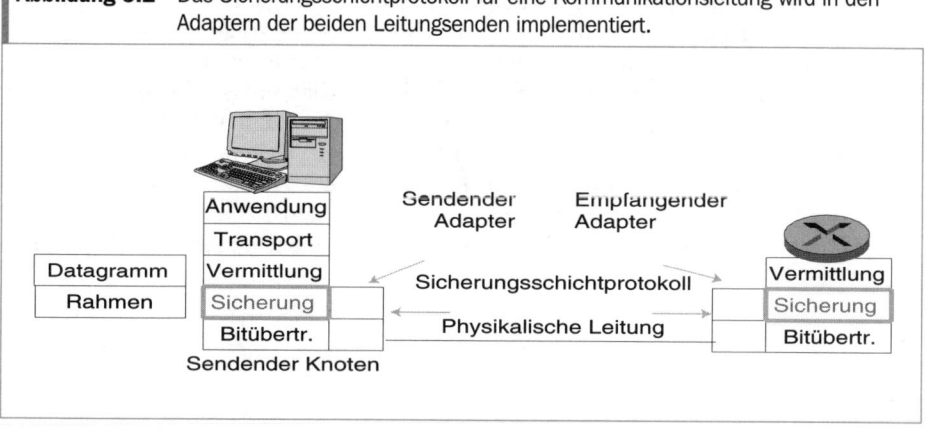

Ein Adapter ist eine halbautonome Einheit. Er kann beispielsweise einen Rahmen empfangen, feststellen, ob ein Rahmen fehlerhaft ist, und den Rahmen verwerfen, ohne seinen »Elternknoten« darüber zu informieren. Ein Adapter, der einen Rahmen empfängt, kontaktiert seinen Elternknoten nur, wenn er ein Vermittlungsschicht-Datagramm im Protokollstack nach oben weiterleiten will. Wenn ein Knoten ein Datagramm im Protokollstack nach unten zu einem Adapter weitergibt, delegiert der Knoten die volle Aufgabe der Übertragung des Datagramms über diese Verbindungsleitung an den Adapter. Andererseits ist ein Adapter keine vollständig autonome Einheit. Obwohl Abbildung 5.3 den Adapter als separate »Box« darstellt, ist er normalerweise in der gleichen physischen Box wie der Rest des Knotens untergebracht, teilt sich Netzversorgung und Busse mit dem Rest des Knotens und steht letztendlich unter dessen Kontrolle.

Abbildung 5.3 Der Adapter ist eine halbautonome Einheit.

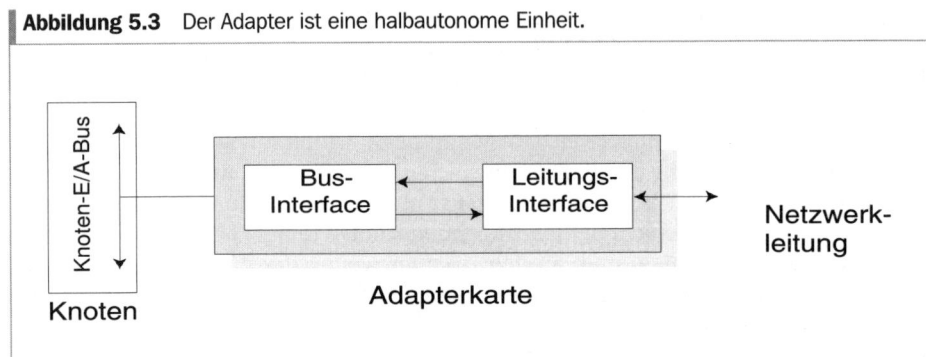

Wie in Abbildung 5.3 dargestellt, sind die Bus- und die Leitungsschnittstelle die Hauptkomponenten eines Adapters. Die Busschnittstelle ist für die Kommunikation mit dem Elternknoten des Adapters zuständig. Sie transferiert Daten und Steuerinformationen zwischen dem Knoten und der NIC. Die Leitungsschnittstelle ist für die Implementierung des Sicherungsschichtprotokolls verantwortlich. Zusätzlich zum Framing und Deframing von Datagrammen kann sie Fehlerkennung, Zufallszugriff und andere Funktionen der Sicherungsschicht bieten. Sie beinhaltet auch die Sende- und Empfangsschaltung. Bei beliebten Technologien der Sicherungsschicht, z. B. Ethernet, wird die Leitungsschnittstelle im Chip-Set implementiert, das im Handel erhältlich ist. Aus diesem Grund sind Ethernet-Adapter unglaublich preisgünstig; sie kosten oft weniger als $30 für 10-Mbps- und 100-Mbps-Übertragungsraten.

Das Adapterdesign wurde im Laufe der Jahre auf einen ausgereiften Stand weiterentwickelt. Eine der wichtigen Fragen bezüglich der Adapterleistung ist seit jeher, ob der Adapter Daten in der vollen Leitungsgeschwindigkeit, d. h. in der Übertragungsrate der Leitung, zum und vom Knoten befördern kann. Weitere Informationen über die Adapterarchitektur für 10-Mbps- und 100-Mbps-Ethernet sowie 155-Mbps-ATM findet der Leser auf der Adapter-Seite von 3Com [3Com 1999]. Das Magazin *Data Communications* enthält eine gute Einführung in Gbps-Ethernet-Adapter [GigaAdapter 1997].

5.2 Fehlererkennungs- und Fehlerkorrekturtechniken

Im vorherigen Abschnitt wurde festgestellt, dass die Fehlererkennung und -korrektur auf der Bitebene zwei Dienste sind, die oft auf der Sicherungsschicht bereitgestellt werden. Das heißt: Erkennung und Korrektur fehlerhafter Bits in einem Rahmen auf der Sicherungsschicht, der von einem Knoten zu einem anderen, direkt verbundenen Nachbarknoten gesendet wurde. Kapitel 3 hat gezeigt, dass Fehlererkennungs- und -korrekturdienste oft auch auf der Transportschicht angeboten werden. In diesem Abschnitt prüfen wir ein paar einfache Techniken, die benutzt werden können, um solche Bitfehler zu erkennen und in manchen Fällen zu korrigieren. Eine umfassende Beschreibung der Theorie und Implementierung dieser Techniken ist in vielen Fachbüchern (z. B. [Schwartz 1980]) enthalten; die Behandlung hier ist notwendigerweise kurz. Unser Ziel ist die Vermittlung eines grundlegenden Überblicks über die Fähigkeiten von Fehlererkennungs- und -korrekturtechniken und einiger einfacher Techniken, die in der Praxis auf der Sicherungsschicht angewandt werden.

Abbildung 5.4 zeigt das Umfeld unserer Untersuchung. Im sendenden Knoten werden die Daten D, die vor Bitfehlern zu schützen sind, um Fehlererkennungs- und -korrekturbits EDC erhöht. Normalerweise beinhalten die zu schützenden Daten nicht nur das von der Vermittlungsschicht zur Übertragung über die Verbindungsleitung weitergegebene Datagramm, sondern auch Adressinformationen der Sicherungsschicht sowie Sequenznummern und andere Felder des Rahmens der Sicherungsschicht. Sowohl D als auch EDC werden an den empfangenden Knoten in einem Rahmen der Sicherungsschicht gesendet. Im empfangenden Knoten wird eine Bitsequenz, D' und EDC', empfangen. Man beachte, dass D' und EDC' sich aufgrund der Bitumkehr während des Transits von den ursprünglichen D und EDC unterscheiden können.

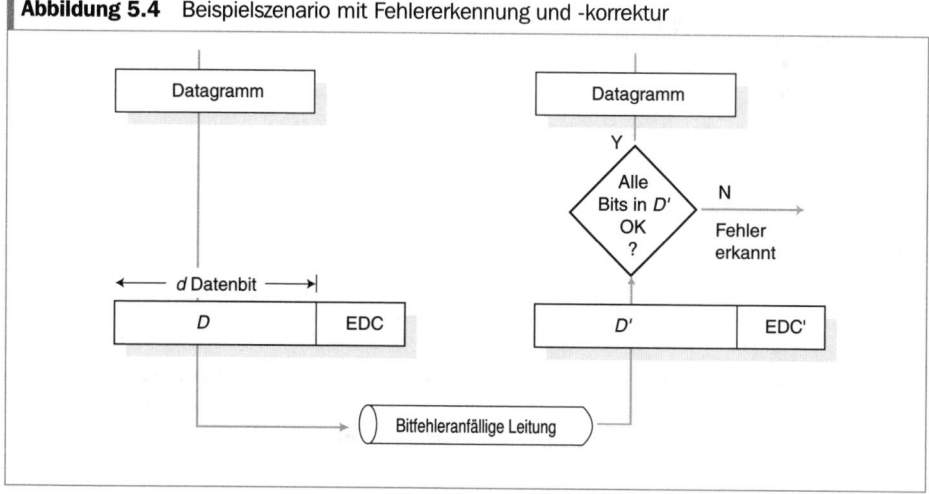

Abbildung 5.4 Beispielszenario mit Fehlererkennung und -korrektur

Der Empfänger muss angesichts dessen, dass er nur D' und EDC' empfangen hat, ermitteln, ob D' gleich D ist. Der genaue Wortlaut der Entscheidung des Empfängers in Abbildung 5.4 ist wichtig. (Wir fragen, ob ein Fehler erkannt wurde und nicht, ob er vorgekommen ist!) Durch Fehlererkennungs- und -korrekturtechniken kann der Empfänger manchmal – *aber nicht immer* – erkennen, dass Bitfehler aufgetreten sind.

Das heißt, auch mit Verwendung von Fehlererkennungsbits besteht immer eine Möglichkeit, dass **unerkannte Bitfehler** vorkommen, der Empfänger also nicht merkt, dass die empfangenen Informationen Bitfehler enthalten. Als Folge davon überträgt der Empfänger möglicherweise ein beschädigtes Datagramm an die Vermittlungsschicht oder er merkt nicht, dass der Inhalt eines anderen Felds im Rahmen-Header beschädigt wurde. Wir wollen also ein Fehlererkennungsschema so wählen, dass die Wahrscheinlichkeit solcher Vorkommen gering ist. Im Allgemeinen bedeuten ausgefeiltere Fehlererkennungs- und -korrekturtechniken (d. h. jene mit einer geringeren Wahrscheinlichkeit unerkannter Bitfehler) aber einen größeren Overhead – mehr Berechnung ist nötig, um eine größere Zahl von Fehlererkennungs- und -korrekturbits zu berechnen und zu übertragen.

Wir prüfen im Folgenden drei Techniken zur Erkennung von Fehlern in den übertragenen Daten – Paritätsprüfungen (um das grundlegende Konzept der Fehlererkennung und -korrektur aufzuzeigen), Prüfsummenmethoden (die vorwiegend auf der Transportschicht angewandt werden) und zyklische Redundanzprüfungen (die vorwiegend auf der Sicherungsschicht angewandt werden).

5.2.1 Paritätsprüfungen

Die wahrscheinlich einfachste Form der Fehlererkennung ist die Verwendung eines einzelnen **Paritätsbits**. Angenommen, die zu sendenden Informationen D in Abbildung 5.4 umfassen d Bit. Bei einem Schema mit gerader Parität bezieht der Sender einfach ein zusätzliches Bit ein und wählt seinen Wert so, dass die Gesamtzahl von Einsen in den $d + 1$ Bit (Originalinformationen plus ein Paritätsbit) ungerade ist. Bei ungeraden Paritätsschemata wird der Paritätsbitwert so gewählt, dass es eine ungerade Zahl von Einsen gibt. Abbildung 5.5 zeigt ein gerades Paritätsschema, bei dem das einzige Paritätsbit in einem getrennten Feld gespeichert wird.

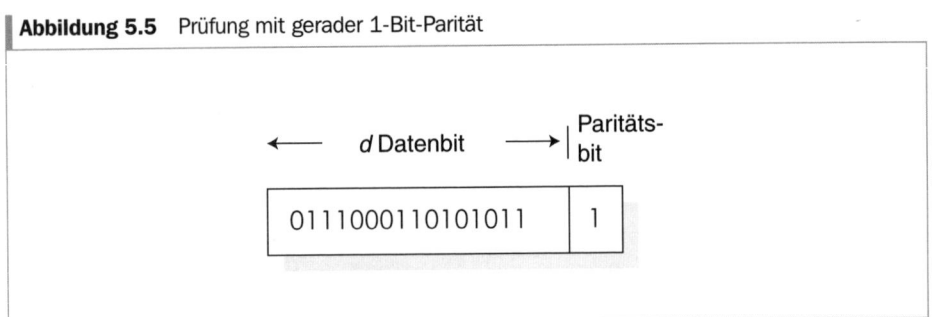

Abbildung 5.5 Prüfung mit gerader 1-Bit-Parität

Die Empfängeroperation ist bei diesem Schema mit einem Paritätsbit ebenfalls einfach. Der Empfänger muss nur die Einsen in den empfangenen $d + 1$ Bit zählen. Ist die Zahl von 1-Bits in einem geraden Paritätsschema ungerade, weiß der Empfänger, dass mindestens ein Bitfehler vorgekommen ist. Genauer gesagt, er weiß, dass eine *ungerade* Zahl von Bitfehlern vorgekommen ist.

Was aber passiert, wenn eine gerade Zahl von Bitfehlern vorkommt? Sie sollten sich selbst davon überzeugen, dass dies zu einem unerkannten Fehler führt. Wenn die Wahrscheinlichkeit von Bitfehlern gering ist und man davon ausgehen kann, dass Fehler unabhängig von einem Bit zum nächsten vorkommen können, ist die Wahrscheinlichkeit mehrerer Bitfehler in einem Paket extrem gering. In diesem Fall kann ein einzelnes Paritätsbit genügen. Messungen haben aber gezeigt, dass Fehler nicht einzeln, sondern in »Haufen« – so genannten »Bursts« – auftreten. Im Fall von Burst-Fehlerbedingungen kann die Wahrscheinlichkeit unerkannter Fehler in einem mit Einzelbitparität geschützten Rahmen 50% erreichen [Spragins 1991]. Natürlich ist hier ein robusteres Fehlererkennungsschema erforderlich (und es wird zum Glück in der Praxis angewandt!). Bevor wir zu den Fehlererkennungsschemata übergehen, die in der Praxis benutzt werden, betrachten wir eine einfache Generalisierung der 1-Bit-parität, die uns einen Einblick in Fehlerkorrekturtechniken liefert.

Abbildung 5.6 zeigt eine zweidimensionale Generalisierung des Einzelbitparitäts-schemas. Hier werden die d Bit in D in i Zeilen und j Spalten aufgeteilt. Ein Paritätswert wird für jede Zeile und jede Spalte berechnet. Die resultierenden $i + j + 1$ Paritätsbits umfassen die Fehlererkennungsbits des Rahmens der Sicherungsschicht.

Abbildung 5.6 Zweidimensionale gerade Parität

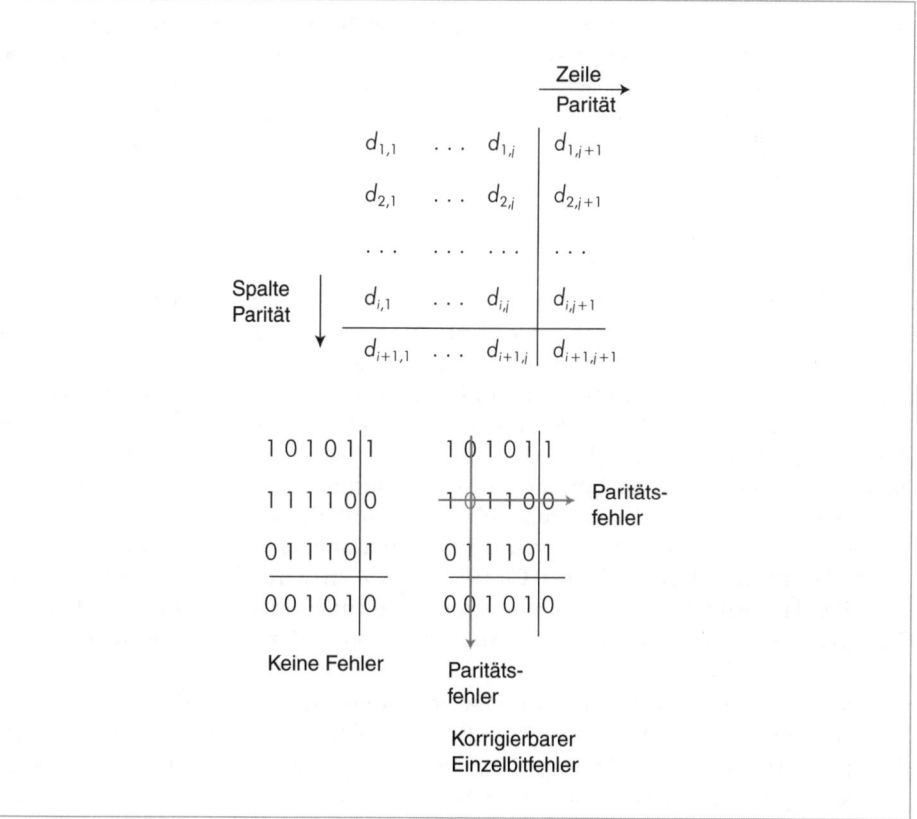

Wir nehmen jetzt an, dass ein einzelner Bitfehler in den d Bit der Originaldaten vorkommt. Bei diesem Schema mit **zweidimensionaler Parität** ist die Parität der Spalte und Zeile, in denen sich das verdrehte Bit befindet, fehlerhaft. Der Empfänger kann somit die Tatsache, dass ein einzelner Bitfehler vorgekommen ist, nicht nur *erkennen*, sondern die Spalten- und Zeilenindizes der Spalte und Zeile mit Paritätsfehlern benutzen, um genau festzustellen, welches Bit beschädigt wurde, und den Fehler *korrigieren*! Abbildung 5.6 zeigt ein Beispiel, bei dem das 1-Bit in Position (2,2) beschädigt und in eine 0 verdreht wurde – ein Fehler, den der Empfänger erkennen und korrigieren kann. Obwohl sich unsere Diskussion auf die d Bit der Originaldaten konzentriert, lässt sich auch ein einzelner Fehler in den Paritätsbits selbst erkennen und korrigieren. Die zweidimensionale Parität kann also jede Kombination von zwei Fehlern in einem Paket erkennen (aber nicht korrigieren!). Weitere Merkmale des zweidimensionalen Paritätsschemas werden in den Übungen am Ende des Kapitels untersucht.

Die Fähigkeit des Empfängers, Fehler sowohl zu erkennen als auch zu korrigieren, wird als **Forward Error Correction** (**FEC**) bezeichnet. Diese Techniken werden üblicherweise in Audiospeicher- und -wiedergabegeräten wie Audio-CDs angewandt. In einer Netzwerkumgebung können FEC-Techniken allein oder in Verbindung mit den in Kapitel beschriebenen ARQ-Techniken angewandt werden. FEC-Techniken sind nützlich, weil sie die Anzahl der erforderlichen Neuübertragungen durch den Sender verringern. Noch wichtiger ist allerdings, dass sie die sofortige Korrektur von Fehlern im Empfänger ermöglichen. Dies bedeutet, dass man nicht auf die Roundtrip-Ausbreitungsverzögerung warten muss, bis der Sender ein NAK-Paket empfängt und sich das neu übertragene Paket zum Empfänger zurück ausbreitet. Dies ist ein potenziell wichtiger Vorteil für Echtzeit-Netzwerkanwendungen [Rubenstein 1998]. In neueren Arbeiten wird die Verwendung von FEC in Fehlerprüfprotokollen geprüft; siehe z. B. [Biersack 1992; Nonnenmacher 1998; Byers 1998; Shacham 1990].

5.2.2 Prüfsummenmethoden

Bei Prüfsummentechniken werden die d Datenbit in Abbildung 5.4 als Sequenz von k-Bit-Ganzzahlen behandelt. Bei einer einfachen Prüfsummenmethode werden diese k-Bit-Ganzzahlen einfach summiert und die resultierende Summe bildet die Fehlererkennungsbits. Die so genannte **Internet-Prüfsumme** (Internet Checksum) basiert auf diesem Ansatz. Die Datenbytes werden als 16-Bit-Ganzzahlen behandelt und ihre Einerkomplementsumme bildet die Internet-Prüfsumme. Wie in Abschnitt 3.3.2 beschrieben, berechnet der Empfänger die Prüfsumme aus den empfangenen Daten und prüft, ob sie mit der Prüfsumme übereinstimmt, die sich im empfangenen Paket befindet. RFC 1071 spezifiziert den Internet-Prüfsummenalgorithmus und seine Implementierung im Detail. In den TCP/IP-Protokollen wird die Internet-Prüfsumme aus allen Feldern (Header- und Datenfelder) berechnet. In anderen Protokollen, z. B. XTP [Strayer 1992], wird eine Prüfsumme aus dem Header und eine weitere aus dem gesamten Paket berechnet.

McAuley [McAuley 1994] beschreibt verbesserte gewichtete Prüfsummencodes, die sich für Hochgeschwindigkeitssoftware-Implementierungen eignen, während Feldmeier [Feldmeier 1995] schnelle Softwareimplementierungstechniken für gewichtete Prüfsummencodes und CRC (siehe unten) sowie weitere Codes präsentiert.

5.2.3 Cyclic Redundancy Check (CRC)

Eine in den heutigen Computernetzwerken häufig angewandte Fehlererkennungstechnik basiert auf **CRC-Codes** (**Cyclic Redundancy Check**). Man nennt sie auch **Polynomcodes**, weil es möglich ist, die zu sendende Bitkette als Polynom zu betrachten, dessen Koeffizienten die 0- und 1-Werte in der Bitkette sind. Dabei werden die auf die Bitkette ausgeführten Operationen als Polynomarithmetik interpretiert.

CRC-Codes funktionieren wie folgt: Man betrachte das d-Bit-Datenstück D, das der sendende an den empfangenden Knoten übertragen möchte. Sender und Empfänger müssen sich zuerst auf ein Bitmuster der Länge $r + 1$ einigen, das als **Generator** bezeichnet wird, den wir hier G nennen. Das werthöchste (ganz linke) Bit von G muss 1 sein. Das Grundkonzept von CRC-Codes ist in Abbildung 5.7 dargestellt. Für ein bestimmtes Datenstück D wählt der Sender r zusätzliche Bit R und hängt sie an D an, so dass das resultierende Bitmuster $d + r$ (als Binärzahl interpretiert) mit der Modulo-2-Arithmetik genau durch G teilbar ist. Der Prozess der Fehlerprüfung mit CRCs ist also einfach: Der Empfänger teilt die $d + r$ empfangenen Bit durch G. Ist der Rest ungleich Null, weiß der Empfänger, dass ein Fehler aufgetreten ist; andernfalls werden die Daten als korrekt angenommen.

Abbildung 5.7 CRC-Codes

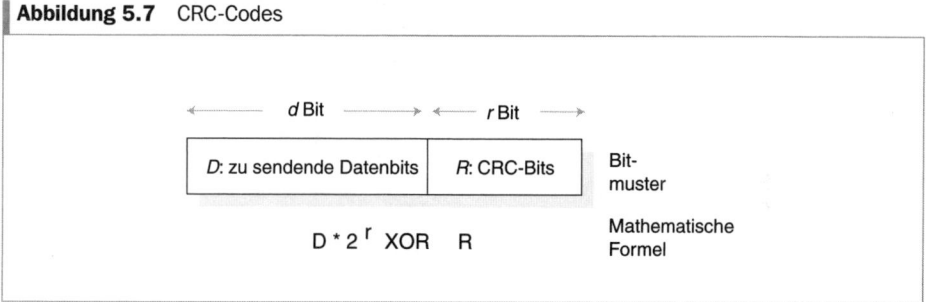

Alle CRC-Berechnungen werden in der Modulo-2-Arithmetik ohne Überträge in der Addition oder Borgen in der Subtraktion durchgeführt. Dies bedeutet, dass Addition und Subtraktion identisch sind und beide dem bitweisen EXCLUSIVE-OR (XOR) der Operanden entsprechen. Folglich gilt beispielsweise:

```
1011 XOR 0101 = 1110
1001 XOR 1101 = 0100
```

Außerdem haben wir:

```
1011 - 0101 = 1110
1001 - 1101 = 0100
```

Multiplikation und Division sind das Gleiche wie in der Basis-2-Arithmetik, außer dass eine erforderliche Addition oder Subtraktion ohne Überträge oder Borgen ausgeführt wird. Wie in der üblichen Binärarithmetik verschiebt die Multiplikation mit 2^k ein Bitmuster um k Stellen nach links. Mit bestimmten D und R ergibt die Menge $D \cdot 2^r$ XOR R also das in Abbildung 5.7 dargestellte Bitmuster $d + r$. Wir verwenden diese algebraische Charakterisierung des Bitmusters $d + r$ aus Abbildung 5.7 in der folgenden Diskussion.

Wir wenden uns nun der entscheidenden Frage zu, wie der Sender R berechnet. Wir müssen R so ermitteln, dass es ein n gibt, so dass

$$D \cdot 2^r \text{ XOR } R = nG$$

Das heißt, R soll so gewählt werden, dass G in $D \cdot 2^r$ XOR R ohne Rest teilbar ist. Wenn wir auf beiden Seiten der obigen Gleichung XOR auf R ausführen (d. h. Modulo 2 ohne Übertrag addieren), erhalten wir

$$D \cdot 2^r = nG \text{ XOR } R$$

Die Gleichung besagt Folgendes: Wenn man $D \cdot 2^r$ durch G teilt, ist der Wert des Rests genau R. Anders ausgedrückt, lässt sich R wie folgt berechnen:

$$R = \text{Rest } \frac{D \cdot 2^r}{G}$$

Abbildung 5.8 zeigt diese Berechnung für den Fall von D = 101110, d = 6 und G = 1001, r = 3. Die neun in diesem Fall übertragenen Bit sind 101110 011. Sie sollten diese Berechnungen nachprüfen und sich auch vergewissern, ob das Ergebnis $D \cdot 2^r$ = 101011 · G XOR R tatsächlich stimmt.

Abbildung 5.8 Beispiel einer CRC-Berechnung

```
                        1 0 1 0 1 1
              1 0 0 1 ) 1 0 1 1 1 0 0 0 0
         G ←            1 0 0 1              → D
                          1 0 1
                          0 0 0
                          1 0 1 0
                          1 0 0 1
                            1 1 0
                            0 0 0
                            1 1 0 0
                            1 0 0 1
                              1 0 1 0
                              1 0 0 1
                                0 1 1
                        R ←
```

Internationale Standards wurden für 8-, 12-, 16- und 32-Bit-Generatoren G definiert. Ein 8-Bit-CRC wird benutzt, um den 5-Byte-Header in ATM-Zellen zu schützen. Der 32-Bit-Standard CRC-32 wurde in einer Reihe von IEEE-Protokollen der Sicherungsschicht implementiert und verwendet einen Generator von

G_{CRC-32} = 100000100110000010001110110110111

Jeder CRC-Standard kann Burst-Fehler von weniger als $r + 1$ Bit und jede ungerade Bitfehlerzahl erkennen. Des Weiteren wird unter bestimmten Annahmen ein Burst mit einer Länge von mehr als $r + 1$ Bit mit einer Wahrscheinlichkeit von $1 - 0{,}5^r$ erkannt. Die den CRC-Codes und noch leistungsstärkeren Codes zugrunde liegende Theorie geht über Zweck und Umfang dieses Buchs hinaus. In dem Fachbuch [Schwartz 1980] findet der Leser eine ausgezeichnete Einführung in dieses Thema.

5.3 Mehrfachzugriffsprotokolle und LANs

In der Einführung dieses Kapitels haben wir festgestellt, dass es zwei Typen von Netzwerkleitungen gibt: Punkt-zu-Punkt- und Broadcast-Leitungen. Eine **Punkt-zu-Punkt-Leitung** besteht aus einem Sender am einen und einem einzigen Empfänger am anderen Ende der Leitung. Viele Sicherungsschichtprotokolle wurden für Punkt-zu-Punkt-Leitungen entwickelt, z. B. PPP (Point-to-Point Protocol) und HDLC, die beide später in diesem Kapitel beschrieben werden. Beim zweiten Leitungstyp, der **Broadcast-Leitung**, können mehrere sendende und empfangende Knoten über den gleichen gemeinsam genutzten Broadcast-Kanal verbunden sein. Der Begriff *Broadcast* wird hier aus folgendem Grund verwendet: Wenn ein Knoten einen Rahmen überträgt, sendet der Kanal den Rahmen im Broadcast rundum und jeder Knoten empfängt eine Kopie. Die wohl bekannteste Broadcast-Leitungstechnologie ist Ethernet (siehe Abschnitt 5.5). In diesem Abschnitt gehen wir von spezifischen Sicherungsschichtprotokollen einen Schritt zurück und prüfen zuerst ein Problem von zentraler Bedeutung auf der Sicherungsschicht: Wie wird der Zugriff mehrerer sendender und empfangender Knoten auf einen gemeinsamen Broadcast-Kanal koordiniert? Dies ist das so genannte **Mehrfachzugriffsproblem**. Broadcast-Kanäle werden oft in **lokalen Netzwerken** (Local Area Networks, **LAN**) benutzt, die sich geografisch konzentriert in einem einzigen Gebäude (oder auf einem Unternehmens- oder Universitätsgelände) befinden. Folglich werden wir am Ende dieses Abschnitts auch untersuchen, wie Mehrfachzugriffskanäle in LANs benutzt werden.

Seit der Erfindung des Fernsehens sind wir alle mit dem Konzept des Broadcasting (Rundsenden, Ausstrahlen) vertraut. Das traditionelle Fernsehen ist aber Broadcast in eine Richtung (d. h., ein bestimmter fester Knoten überträgt an viele empfangende Knoten), während Knoten in einem Computernetzwerk über einen Broadcast-Kanal sowohl senden als auch empfangen können. Eine vielleicht bessere Analogie aus dem täglichen Leben zu einem Broadcast-Kanal ist eine Cocktail-Party, auf der viele Leute in einem großen Raum zusammenkommen (und die Luft das Broadcast-Medium bereitstellt), um sich zu unterhalten. Eine zweite gute Analogie ist etwas, mit dem viele Leser vertraut sind: ein Klassenzimmer, in dem Lehrer und Schüler auf ähnliche Weise das gleiche, einzige Broadcast-Medium teilen. Ein zentrales Problem ist in beiden Szenarien die Feststellung, wer sprechen (d. h. in den Kanal übertragen) kann und wann. Wir Menschen haben eine ausgeklügelte Reihe von Protokollen für die gemeinsame Nutzung des Broadcast-Kanals entwickelt:

»Gib jedem Gelegenheit zu sprechen.«
»Rede erst, wenn du angesprochen wirst.«
»Nimm nicht das Gespräch in Beschlag.«
»Hebe die Hand, wenn du eine Frage hast.«
»Unterbrich eine andere Person nicht, die gerade spricht.«
»Schlafe nicht ein, wenn eine andere Person spricht.«

Computernetzwerke haben ähnliche Protokolle – die so genannten **Mehrfachzugriffsprotokolle** –, über die Knoten ihre Übertragung auf dem gemeinsamen Broadcast-Kanal regeln. Wie in Abbildung 5.9 dargestellt ist, sind Mehrfachzugriffsprotokolle in einer Vielzahl von Netzwerkkonstellationen, darunter feste und drahtlose lokale Netzwerke und Satellitennetzwerke, erforderlich. Abbildung 5.10 zeigt eine abstraktere Sicht des Broadcast-Kanals und der Knoten, die diesen Kanal gemeinsam nutzen. Obwohl jeder Knoten aus technischer Sicht durch seinen Adapter auf den Broadcast-Kanal zugreift, beziehen wir uns in diesem Abschnitt auf *Knoten* als sendendes und empfangendes Gerät. In der Praxis können Hunderte oder gar Tausende von Knoten über einen Broadcast-Kanal direkt miteinander kommunizieren.

Da alle Knoten in der Lage sind, Rahmen zu senden, können mehr als zwei Knoten gleichzeitig Rahmen übertragen. Wenn dies geschieht, empfangen alle Knoten

Abbildung 5.9 Verschiedene Mehrfachzugriffskanäle

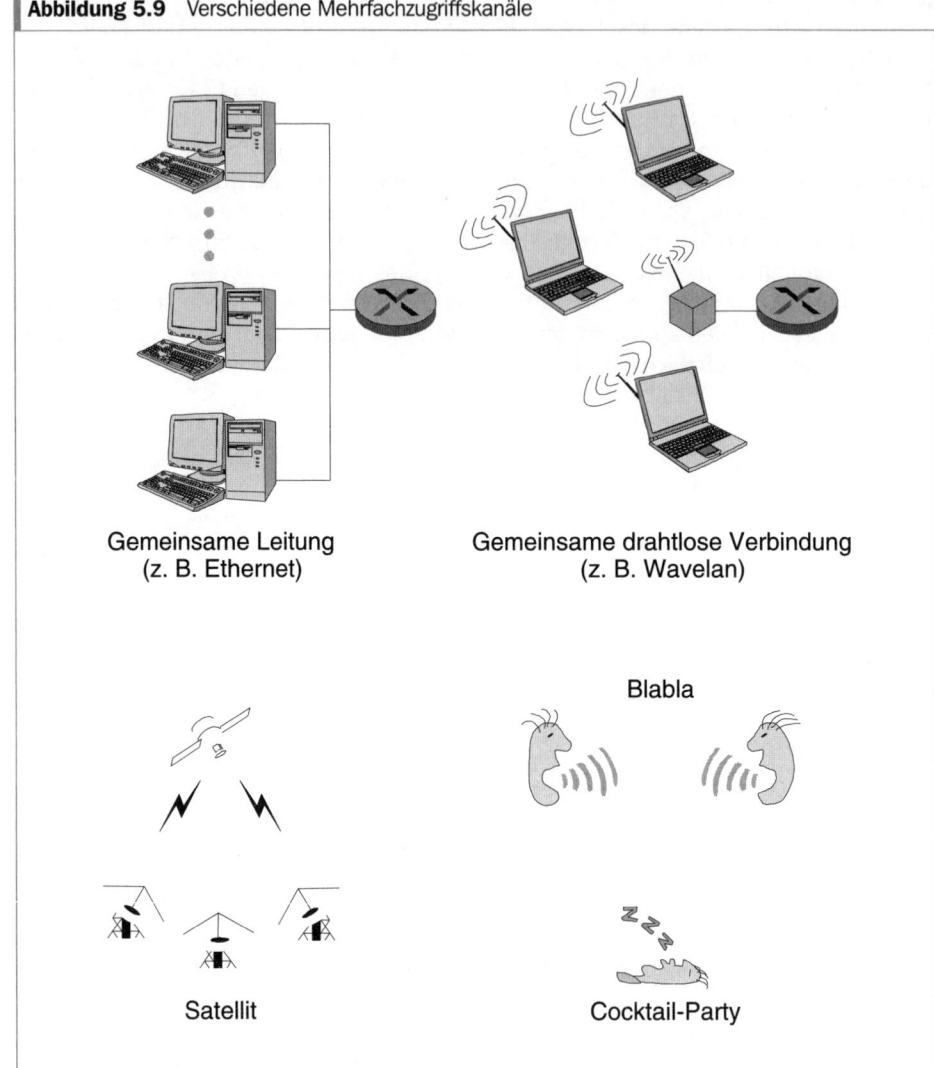

gleichzeitig Rahmen, d. h., die übertragenen Rahmen **kollidieren** in allen Empfängern. Wenn eine solche Kollision eintritt, kann normalerweise keiner der Knoten mehr mit den übertragenen Rahmen etwas Sinnvolles anfangen. In gewissem Sinn verheddern sich die Signale der kollidierenden Rahmen. Alle von einer Kollision betroffenen Rahmen gehen folglich verloren und der Broadcast-Kanal wird während des Kollisionsintervalls verschwendet. Wenn viele Knoten häufig Rahmen übertragen möchten, führen natürlich viele Übertragungen zu Kollisionen und ein Großteil der Bandbreite des Broadcast-Kanals wird verschwendet.

Um sicherzustellen, dass der Broadcast-Kanal nützliche Arbeit verrichtet, wenn mehrere Knoten aktiv sind, müssen die Übertragungen der aktiven Knoten auf die eine oder andere Art koordiniert werden. Für diese Koordination ist das Mehrfachzugriffsprotokoll zuständig. Im Verlauf der letzten dreißig Jahre wurden Tausende von Arbeiten und Dissertationen über Mehrfachzugriffsprotokolle geschrieben. Eine

Abbildung 5.10 Vier Knoten sind über einen Broadcast-Kanal verbunden.

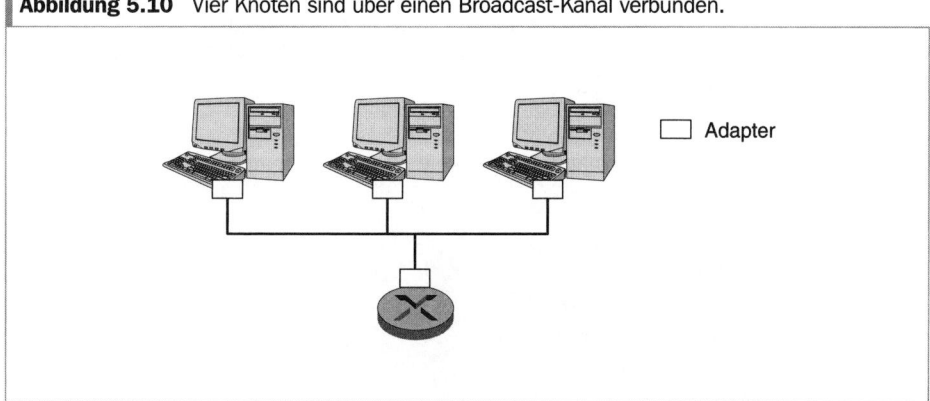

umfassende Erhebung dieser Arbeiten befindet sich in [Rom 1990]. Des Weiteren wurden Dutzende verschiedener Protokolle in einer Reihe von Sicherungsschichttechnologien implementiert. Dennoch können wir im Grunde jedes Mehrfachzugriffsprotokoll in eine von drei Kategorien einordnen: **Kanalaufteilungs-**, **Zufallszugriffs-** und **Rotationsprotokolle**. Diese drei Kategorien von Mehrfachzugriffsprotokollen werden in den folgenden drei Unterabschnitten beschrieben. Wir beenden diese Übersicht mit dem Hinweis, dass ein Mehrfachzugriffsprotokoll für einen Broadcast-Kanal mit einer Rate von R Bit pro Sekunde im Idealfall folgende wünschenswerte Merkmale aufweist:

1. Wenn nur ein Knoten Daten zu senden hat, hat dieser Knoten einen Durchsatz von R bps.
2. Wenn M Knoten Daten zu senden haben, hat jeder dieser Knoten einen Durchsatz von R/M bps. Diese Anforderung impliziert nicht unbedingt, dass jeder der M Knoten immer eine sofortige Rate von R/M hat, sondern dass jeder Knoten eine durchschnittliche Übertragungsrate von R/M über einen angemessen definierten Zeitraum haben sollte.
3. Das Protokoll ist dezentral, d. h., es gibt keine Master-Knoten, die ausfallen und das ganze System zum Absturz bringen können.
4. Das Protokoll ist einfach, so dass es sich kostengünstig implementieren lässt.

5.3.1 Kanalaufteilungsprotokolle

In Abschnitt 1.4 wurde erwähnt, dass Zeit- (TDM) und Frequenzmultiplexen (FDM) zwei Techniken sind, die benutzt werden können, um die Bandbreite eines Broadcast-Kanals auf alle Knoten aufzuteilen, die diesen Kanal gemeinsam nutzen. Als Beispiel sei gegeben, dass der Kanal N Knoten unterstützt und die Übertragungsrate des Kanals R bps beträgt. TDM teilt die Zeit in **Zeitrahmen** (nicht zu verwechseln mit Rahmen als Dateneinheit auf der Sicherungsschicht) und weiterhin jeden Zeitrahmen in N Zeitschlitze auf. Jeder Zeitschlitz wird dann einem der N Knoten zugewiesen. Wenn ein Knoten einen Rahmen zu senden hat, überträgt er die Bits des Rahmens während des ihm zugewiesenen Zeitschlitzes in dem umlaufenden TDM-Rahmen. Normalerweise werden die Rahmengrößen so gewählt, dass ein einzelner Rahmen in einem Zeitschlitz übertragen werden kann. Abbildung 5.11 zeigt ein einfaches TDM-Beispiel mit vier Knoten. Wenn wir wieder unsere Analogie mit der Cocktail-Party aufnehmen, würde ein Besucher auf einer TDM-regulierten Cocktail-Party über eine feste Zeitdauer sprechen können und dann andere Besucher über die gleiche Zeitdauer sprechen lassen. Nachdem jeder Gelegenheit zum Sprechen gehabt hat, wird das Muster von vorn wiederholt.

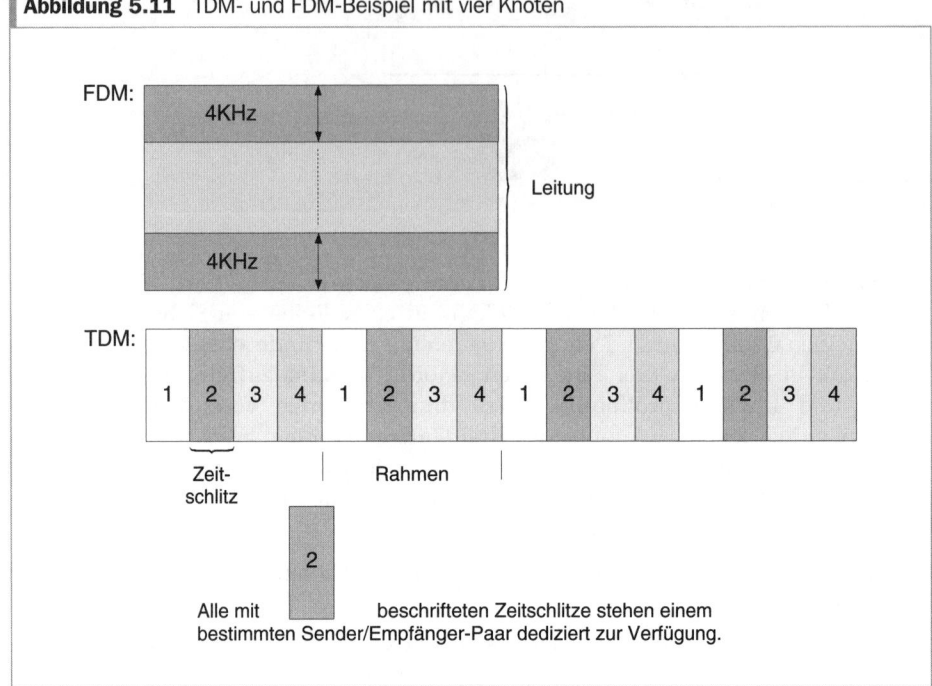

Abbildung 5.11 TDM- und FDM-Beispiel mit vier Knoten

TDM ist attraktiv, weil es Kollisionen beseitigt und absolut fair ist: Jeder Knoten erhält eine dedizierte Übertragungsrate von R/N bps in jeder Rahmenzeit. Es hat aber zwei große Nachteile. Erstens wird ein Knoten auf eine Durchschnittsrate von R/N bps eingeschränkt, auch wenn er der einzige Knoten ist, der Rahmen zu übertragen hat. Zweitens muss ein Knoten immer warten, bis er in der Übertragungssequenz an die Reihe kommt, auch wenn er wiederum der einzige Knoten ist, der einen Rahmen zu senden hat. Man stelle sich einen Partybesucher vor, der als einziger etwas zu sagen hat (und stelle sich auch den noch selteneren Umstand vor, dass jeder auf der Party hören will, was diese eine Person zu sagen hat). Natürlich wäre TDM als Mehrfachzugriffsprotokoll für diese Party eine schlechte Wahl.

Während TDM den Broadcast-Kanal in Bezug auf die Zeit aufteilt, werden die R bps des Kanals bei FDM in unterschiedliche Frequenzen (mit jeweils einer Bandbreite von R/N) aufgeteilt und jedem der N Knoten wird eine Frequenz zugewiesen. FDM erzeugt folglich N kleinere Kanäle mit R/N bps aus einem größeren Kanal mit R bps. FDM weist die gleichen Vor- und Nachteile wie TDM auf. Es vermeidet Kollisionen und teilt die Bandbreite fair auf die N Knoten auf. FDM hat aber auch den gleichen großen Nachteil wie TDM: Ein Knoten wird auf eine Bandbreite von R/N eingeschränkt, auch wenn er der einzige Knoten ist, der Rahmen zu senden hat.

Ein drittes Kanalaufteilungsprotokoll ist **CDMA** (**Code Division Multiple Access**). Während bei TDM und FDM den Knoten Zeitschlitze bzw. Frequenzen zugeteilt werden, wird unter CDMA jedem Knoten ein unterschiedlicher *Code* zugewiesen. Jeder Knoten benutzt dann seinen eindeutigen Code, um die zu sendenden Datenbits zu kodieren (siehe weiter unten). Wir werden sehen, dass CDMA es mehreren Knoten ermöglicht, *gleichzeitig* zu übertragen. Die Empfänger erhalten dabei dennoch die vom Sender kodierten Datenbits korrekt (unter der Annahme, dass der Empfänger den Code des Senders kennt), trotz der möglicherweise aktiven Übertragungen anderer Knoten. CDMA wird seit einiger Zeit (vor allem aufgrund seiner Störungen verhindernden Merkmale) in Militärsystemen benutzt und setzt sich heute vermehrt im Zivilbereich durch, insbesondere für drahtlose Mehrfachzugriffskanäle.

Unter einem CDMA-Protokoll wird jedes vom Sender übertragene Bit dadurch kodiert, dass das Bit mit einem Signal (dem Code) multipliziert wird, das sich viel schneller als die Originalsequenz der Datenbits ändert (was man als **Chipping-Rate** bezeichnet). Abbildung 5.12 zeigt ein einfaches idealisiertes Szenario mit CDMA-Kodierung/-Dekodierung. Angenommen, die Rate, in der die Originaldatenbits den CDMA-Encoder erreichen, definiert die Zeiteinheit, d. h., jedes zu übertragende Originaldatenbit erfordert einen Bitzeitschlitz. Es sei d_i der Wert des Datenbits für den i-ten Bitschlitz. Der mathematischen Einfachheit halber stellen wir ein Datenbit mit einem 0-Wert als -1 dar. Jeder Bitschlitz wird außerdem in M Minischlitze aufgeteilt. In Abbildung 5.12 gilt $M = 8$, obwohl M in der Praxis viel größer ist. Der vom Sender benutzte CDMA-Code besteht aus einer Sequenz von M Werten, c_m, $m = 1, \ldots, M$, mit jeweils einem Wert von +1 oder -1. In dem Beispiel aus Abbildung 5.12 ist der vom Sender zu benutzende M-Bit-CDMA-Code (1, 1, 1, -1, 1, -1, -1, -1).

Um aufzuzeigen, wie CDMA funktioniert, konzentrieren wir uns auf das i-te Datenbit d_i. Für den m-ten Minischlitz der Bitübertragungszeit d_i hat die Ausgabe des CDMA-Encoders $Z_{i,m}$ den Wert d_i, multipliziert mit dem m-ten Bit im zugewiesenen CDMA-Code c_m:

$$Z_{i,m} = d_i \cdot d_m \quad (5.1)$$

In einer einfachen Welt ohne sich gegenseitig in die Quere kommende Sender würde der Empfänger die kodierten Bits $Z_{i,m}$ empfangen und das Originaldatenbit d_i durch folgende Berechnung zurückgewinnen:

$$d_i = \frac{1}{M} \sum_{m=1}^{M} Z_{i,m} \cdot c_m \quad (5.2)$$

Der Leser möchte vielleicht die Details in dem Beispiel aus Abbildung 5.12 durcharbeiten, um sich davon zu überzeugen, dass die Originaldatenbits mit Hilfe der Gleichung 5.2 tatsächlich beim Empfänger korrekt wiedergewonnen werden.

Die Welt ist allerdings weit davon entfernt, ideal zu sein, so dass CDMA unter der Anwesenheit von sich gegenseitig störenden Sendern arbeiten muss, die ihre Daten mit einem anders zugewiesenen Code kodieren und übertragen. Wie kann ein CDMA-Empfänger die Originaldatenbits eines Sender wiedergewinnen, wenn sich diese Datenbits mit den von anderen Sendern übertragenen Bits verheddern? CDMA funktioniert unter der Annahme, dass die störenden übertragenen Bitsignale additiv sind. Wenn beispielsweise drei Sender einen 1-Wert senden und ein vierter einen -1-Wert im gleichen Minischlitz sendet, dann ist das empfangene Signal bei allen Empfängern in diesem Minischlitz 2 (weil 1 + 1 + 1 – 1 = 2). Bei Vorhandensein mehrerer aktiver Sender berechnet Sender s seine kodierten Übertragungen auf genau die gleiche Weise wie in Gleichung 5.1. Der beim Empfänger im m-ten Minischlitz des i-

Abbildung 5.12 Einfaches CDMA-Beispiel mit Kodierung beim Sender und Dekodierung beim Empfänger

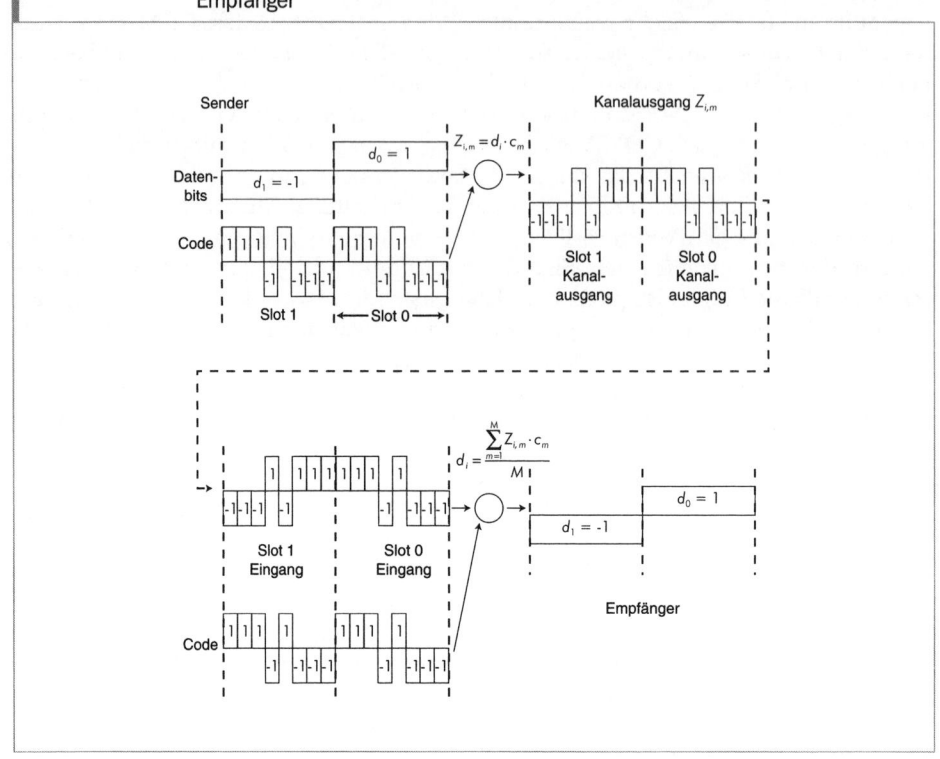

ten Bitschlitzes empfangene Wert ist jetzt aber die Summe der übertragenen Bits von allen N Sendern während dieses Minischlitzes:

$$Z^*_{i,m} = \sum_{s=1}^{M} Z^s_{i,m}$$

Erstaunlich ist dabei: Wenn die Codes der Sender sorgfältig gewählt werden, kann jeder Empfänger die von einem bestimmten Sender übertragenen Daten aus einem Gesamtsignal einfach dadurch wiedergewinnen, dass er den Code des Senders auf genau die gleiche Weise wie in Gleichung 5.2 benutzt:

$$d_i = \frac{1}{M} \sum_{m=1}^{M} Z^*_{i,m} \cdot c_m \qquad (5.3)$$

Abbildung 5.13 zeigt ein CDMA-Beispiel mit zwei Sendern. Der obere Sender benutzt den M-Bit-CDMA-Code (1, 1, 1, -1, -1, -1, -1, -1) und der untere (1, -1, 1, 1, 1, -1, 1, 1). Wenn wir zu unserer Analogie mit der Cocktail-Party zurückkehren, lässt sich ein CDMA-Protokoll damit vergleichen, dass die Partygäste unterschiedliche Sprachen sprechen. Unter solchen Umständen mischen sich Menschen meist nur in Gespräche ein, die in einer Sprache geführt werden, die sie verstehen. Die restlichen Gespräche werden herausgefiltert. Wir sehen hier, dass CDMA dahingehend ein Aufteilungsprotokoll ist, dass es den Coderaum (statt Zeit oder Frequenz) aufteilt und jedem Knoten ein dediziertes Stück des Coderaums zuweist.

Abbildung 5.13 CDMA-Beispiel mit zwei Sendern

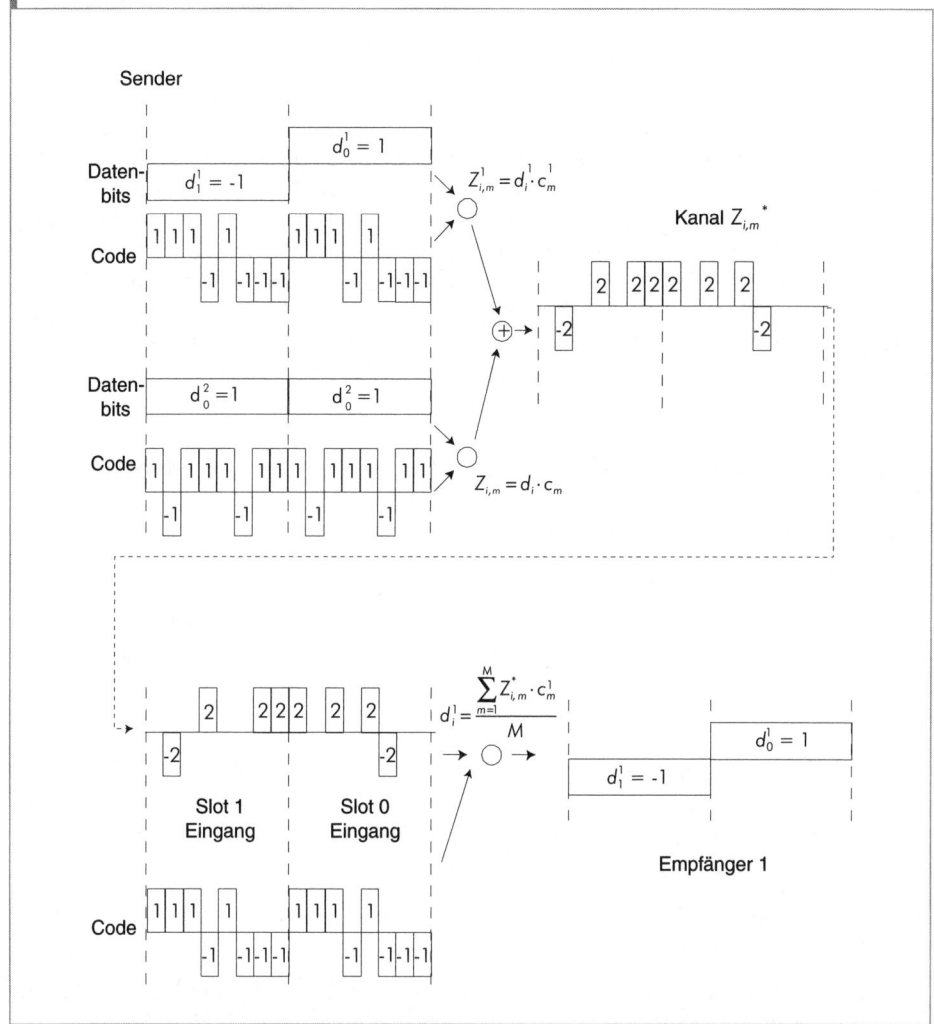

Unsere Beschreibung von CDMA ist notwendigerweise kurz und lässt eine Reihe schwieriger Fragen, die in der Praxis geklärt werden müssen, außer Acht. Damit die CDMA-Empfänger beispielsweise das Signal eines bestimmten Senders extrahieren können, müssen die CDMA-Codes sorgfältig gewählt werden. Zweitens sind wir davon ausgegangen, dass die Stärke der von verschiedenen Sendern gesendeten Signale beim Empfänger gleich empfangen werden. Dies kann sich in der Praxis als sehr schwierig erweisen. Die Einzelheiten dieser und weiterer Fragen in Zusammenhang mit CDMA werden z. B. in [Pickholtz 1982; Viterbi 1995] ausführlich beschrieben.

5.3.2 Zufallszugriffsprotokolle

Die zweite allgemeine Klasse von Mehrfachzugriffsprotokollen sind die so genannten »Zufallszugriffsprotokolle«. Bei einem Zufallszugriffsprotokoll überträgt ein sendender Knoten immer in der vollen Kanalrate, d. h. R bps. Tritt eine Kollision auf, überträgt jeder von der Kollision betroffene Knoten seinen Rahmen so oft erneut, bis der Rahmen kollisionsfrei durchkommt. Wenn ein Knoten aber an einer Kollision leidet, überträgt er nicht unbedingt den gleichen Rahmen sofort noch einmal. *Vielmehr wartet er eine zufällige Verzögerung, bevor er den Rahmen erneut überträgt.* Jeder von einer Kollision betroffene Knoten wählt unabhängig zufällige Verzögerungen. Aus diesem Grund ist es möglich, dass einer der Knoten eine Verzögerung aussucht, die wesentlich kürzer als die Verzögerungen der anderen kollidierenden Knoten ist, so dass es ihm gelingt, seinen Rahmen kollisionsfrei durch den Kanal zu schleusen.

Es gibt Dutzende, wenn nicht gar Hunderte von Zufallszugriffsprotokollen, die in der Literatur [Rom 1990; Bertsekas 1991] beschrieben werden. In diesem Abschnitt beschreiben wir ein paar häufig benutzte Zufallszugriffsprotokolle – die ALOHA- [Abramson 1970; Abramson 1985] und die CSMA-Protokolle (Carrier Sense Multiple Access) [Kleinrock 1975b]. In Abschnitt 5.5 wird Ethernet [Metcalfe 1976] als beliebtes und sehr häufig installiertes CSMA-Protokoll ausführlich beschrieben.

Slotted-ALOHA

Wir beginnen unsere Untersuchung von Zufallszugriffsprotokollen mit einer der einfachsten Versionen, dem so genannten »Slotted-ALOHA-Protokoll«. In unserer Beschreibung gehen wir von folgenden Annahmen aus:

- Alle Rahmen umfassen genau L Bit.
- Die Zeit wird in Schlitze mit einer Größe von L/R Sekunden aufgeteilt (d. h., ein Schlitz entspricht der Zeit, die es dauert, um einen Rahmen zu übertragen).
- Die Knoten beginnen nur an den Anfängen von Schlitzen mit der Übertragung von Rahmen.
- Die Knoten sind synchronisiert, so dass jeder Knoten weiß, wann die Schlitze beginnen.
- Wenn zwei oder mehr Rahmen in einem Schlitz kollidieren, dann erkennen alle Knoten die Kollision, bevor der Schlitz endet.

Sei p eine Wahrscheinlichkeit, d. h. eine Zahl zwischen 0 und 1. Die Operation des Slotted-ALOHA in jedem Knoten ist einfach:

- Wenn der Knoten einen neuen Rahmen zu senden hat, wartet er auf den Anfang des nächsten Schlitzes und überträgt den gesamten Rahmen in dem Schlitz.
- Wenn keine Kollision entsteht, hat der Knoten seinen Rahmen erfolgreich übertragen und muss folglich keine Neuübertragung des Rahmens in Betracht ziehen. (Der Knoten kann einen neuen Rahmen für die Übertragung vorbereiten, falls ein weiterer ansteht.)
- Entsteht eine Kollision, wird diese vor dem Ende des Schlitzes vom Knoten erkannt. Der Knoten überträgt seinen Rahmen erneut im nächsten Schlitz mit Wahrscheinlichkeit p, bis der Rahmen kollisionsfrei übertragen wird.

Unter Neuübertragung mit Wahrscheinlichkeit p verstehen wir, dass der Knoten effektiv eine Münze wirft: Kopf entspricht der Neuübertragung, die mit Wahrscheinlichkeit p erfolgt. Zahl entspricht dem Motto »überspringe den Schlitz und wirf die Münze erneut im nächsten Schlitz«; dies erfolgt mit einer Wahrscheinlichkeit von $(1 - p)$. Alle an einer Kollision beteiligten Knoten werfen ihre Münzen unabhängig voneinander.

Slotted-ALOHA ist ein extrem einfaches Protokoll und scheint auf den ersten Blick viele Vorteile zu haben. Im Gegensatz zur Kanalaufteilung wird es einem einzigen aktiven Knoten (d. h. einem, der einen Rahmen zu senden hat) ermöglicht, kontinuierlich in der vollen Kanalrate Rahmen zu übertragen. Slotted-ALOHA ist auch stark dezentralisiert, weil jeder Knoten Kollisionen erkennt und unabhängig über eine Neuübertragung entscheidet. (Slotted-ALOHA setzt aber voraus, dass die Schlitze in den Knoten synchronisiert werden.) Im nächsten Unterabschnitt wird eine andere Version des ALOHA-Protokolls beschrieben. Anschließend werden CSMA-Protokolle behandelt. Beide setzen keine solche Synchronisation voraus und sind daher vollständig dezentral.

Slotted-ALOHA funktioniert gut, wenn nur ein Knoten aktiv ist. Wie effizient ist es aber, wenn mehrere Knoten aktiv sind? Hier gibt es zwei mögliche Effizienzfaktoren: Erstens entstehen in einem bestimmten Anteil der Schlitze *Kollisionen*, wenn mehrere Knoten aktiv sind (wie in Abbildung 5.14), so dass sie »verschwendet« werden. Zweitens ist ein anderer Anteil der Schlitze *leer*, weil alle aktiven Knoten aufgrund der probabilistischen Übertragungsregel mit der Übertragung aufhören. Die einzigen »unverschwendeten« Schlitze sind dann diejenigen, in denen genau ein Knoten gerade überträgt. Ein Schlitz, in dem genau ein Knoten überträgt, wird als **erfolgreicher Schlitz** bezeichnet. Die **Effizienz** eines auf Schlitzen basierenden Mehrfachzugriffsprotokolls ist der Definition zufolge der langfristige Anteil erfolgreicher Schlitze in dem Fall, in dem es zahlreiche aktive Knoten gibt, die jeweils immer viele Rahmen zu senden haben. Wenn keine Form der Zugriffskontrolle angewandt und jeder Knoten nach jeder Kollision sofort erneut übertragen würde, wäre die Effizienz Null. Das bedeutet, dass Slotted-ALOHA die Effizienz über Null hinaus steigert; es fragt sich nur, um wie viel.

Abbildung 5.14 Die Knoten 1, 2 und 3 kollidieren im ersten Schlitz. Schließlich ist Knoten 2 im vierten, Knoten 1 im achten und Knoten 3 im neunten Schlitz erfolgreich. Die Buchstaben K, L und E bedeuten »Kollisionsschlitz« (K), »leerer Schlitz« (L) bzw. »erfolgreicher Schlitz« (E).

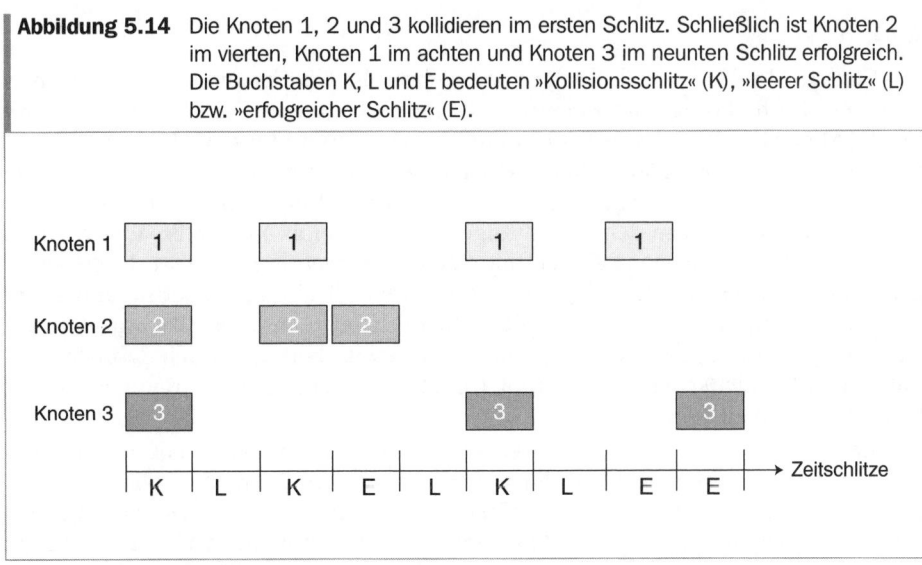

Wir fahren mit unserer Herleitung der maximalen Effizienz von Slotted-ALOHA fort. Der Einfachheit halber modifizieren wir das Protokoll ein wenig und nehmen an, dass jeder Knoten versucht, in jedem Schlitz mit Wahrscheinlichkeit p einen Rahmen zu übertragen. (Das heißt, wir gehen davon aus, dass jeder Knoten immer einen Rahmen zu senden hat und mit Wahrscheinlichkeit p einen neuen Rahmen sowie einen bereits kollidierten Rahmen überträgt.) Es seien N Knoten gegeben, dann ist die Wahrscheinlichkeit, dass ein bestimmter Schlitz erfolgreich ist, die Wahrscheinlichkeit, dass einer der Knoten überträgt und die übrigen $N-1$ nicht übertragen. Die Wahrscheinlichkeit, dass ein bestimmter Knoten überträgt, ist p und diejenige, dass die übrigen Knoten nicht übertragen, ist $(1-p)^{N-1}$. Deshalb ist die Wahrscheinlichkeit, dass ein bestimmter Knoten erfolgreich ist, $p(1-p)^{N-1}$. Da es N Knoten gibt, ist die Wahrscheinlichkeit, dass ein beliebiger dieser Knoten erfolgreich ist, $Np(1-p)^{N-1}$.

Wenn also N Knoten aktiv sind, erzielen wir mit Slotted-ALOHA eine Effizienz von $Np(1-p)^{N-1}$. Um die *maximale* Effizienz für N aktive Knoten zu erreichen, müssen wir das p^* finden, das diesen Ausdruck maximiert. (Diese Herleitung wird im Übungsteil allgemein ausgeführt.) Und um die maximale Effizienz für eine große Zahl aktiver Knoten zu erreichen, nehmen wir den Grenzwert von $Np^*(1-p^*)^{N-1}$, wenn sich N Unendlich nähert (siehe wiederum den Übungsteil). Nach der Durchführung dieser Berechnungen stellen wir fest, dass die maximale Effizienz des Protokolls durch $1/e = 0,37$ gegeben ist. Das heißt, wenn viele Knoten viele Rahmen zu übertragen haben, dann verrichten (bestenfalls) nur 37% der Schlitze nützliche Arbeit. Folglich ist die effektive Übertragungsrate des Kanals nicht R bps, sondern nur $0,37 R$ bps! Eine ähnliche Analyse zeigt außerdem, dass 37% der Schlitze leer verstreichen und in 26% Kollisionen auftreten. Man stelle sich den armen Netzwerkadministrator vor, der ein 100-Mbps-Slotted-ALOHA-System in der Erwartung angeschafft hat, dass er das Netzwerk benutzen kann, um Daten einer großen Zahl von Benutzern in einer Gesamtrate von, sagen wir, 80 Mbps zu übertragen! Obwohl der Kanal einen bestimmten Rahmen in der vollen Kanalrate von 100 Mbps übertragen kann, beträgt der erfolgreiche Durchsatz dieses Kanals langfristig weniger als 37 Mbps.

ALOHA

Das Slotted-ALOHA-Protokoll setzt voraus, dass alle Knoten ihre Übertragungen so synchronisieren, dass sie am Anfang eines Schlitzes beginnen. Das erste ALOHA-Protokoll [Abramson 1970] basierte nicht auf Zeitschlitzen und war voll dezentralisiert. Wenn in dem so genannten »reinen ALOHA« ein Rahmen erstmals ankommt (d. h. ein Datagramm am sendenden Knoten von der Vermittlungsschicht heruntergereicht wird), schickt der Knoten den vollständigen Rahmen sofort auf den Broadcast-Kanal. Kollidiert ein übertragener Rahmen mit einem oder mehreren anderen Übertragungen, sendet der Knoten den Rahmen sofort (nach vollständiger Übertragung seines kollidierten Rahmens) erneut mit Wahrscheinlichkeit p. Andernfalls wartet er auf eine Rahmenübertragungszeit. Nach dieser Wartezeit überträgt er den Rahmen dann mit Wahrscheinlichkeit p oder wartet (untätig) auf eine weitere Rahmenzeit mit Wahrscheinlichkeit $1-p$.

Um die maximale Effizienz des reinen ALOHA zu ermitteln, konzentrieren wir uns auf einen einzelnen Knoten. Wir treffen die gleichen Annahmen wie in unserer Analyse des Slotted-ALOHA und gehen davon aus, dass die Rahmenübertragungszeit die Zeiteinheit ist. Zu einem bestimmten Zeitpunkt ist die Wahrscheinlichkeit, dass ein Knoten einen Rahmen überträgt, p. Es sei gegeben, dass die Übertragung dieses Rahmens zum Zeitpunkt t_0 beginnt. Damit dieser Rahmen erfolgreich übertragen werden kann, dürfen im Zeitintervall $[t_0-1, t_0]$ keine anderen Knoten mit ihrer Übertragung beginnen (siehe Abbildung 5.15). Eine solche Übertragung würde sich mit dem Anfang der Übertragung des Rahmens von Knoten i überlappen. Die Wahrscheinlichkeit, dass alle anderen Knoten in diesem Intervall keine Übertragung starten, ist $(1-p)^{N-1}$. Ebenso kann kein anderer Knoten eine Übertragung starten, während Knoten i überträgt, weil sich eine solche Übertragung mit dem letzten Teil der Übertragung von Knoten i überlappen würde. Die Wahrscheinlichkeit, dass in diesem Intervall keine anderen Knoten mit einer Übertragung beginnen, beträgt auch $(1-p)^{N-1}$. Folglich ist die Wahrscheinlichkeit, dass ein bestimmter Knoten erfolgreich übertragen kann, $p(1-p)^{2(N-1)}$. Wenn wir Grenzwerte wie im Fall des Slotted-ALOHA nehmen, stellen wir fest, dass die maximale Effizienz des reinen ALOHA nur $1/(2e)$, also genau die Hälfte des Slotted-ALOHA beträgt. Dies ist der Preis, den die volle Dezentralisierung des ALOHA-Protokolls fordert.

Abbildung 5.15 Überlappende Übertragungen im reinen ALOHA

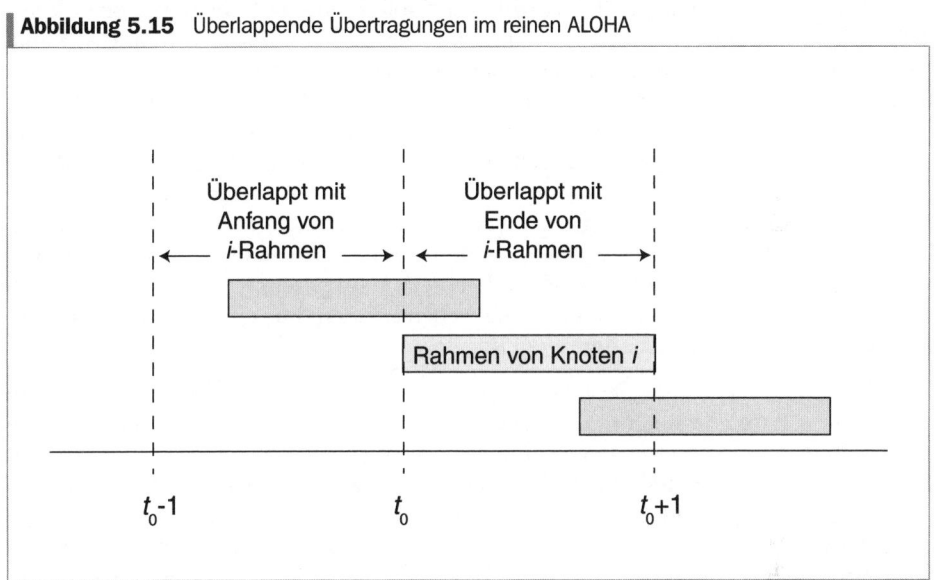

FALLBEISPIEL

Norm Abramson und das ALOHAnet

Der promovierte Ingenieur Prof. Dr. Norman Abramson war leidenschaftlicher Surfer und hatte ein starkes Interesse an Paketvermittlung. Diese Kombination brachte ihn 1969 an die Universität von Hawaii. Hawaii besteht aus zahlreichen bergigen Inseln, so dass es schwierig ist, Überlandnetzwerke zu installieren und zu betreiben. Wenn er gerade nicht surfte, dachte Abramson darüber nach, wie man ein Netzwerk entwerfen könnte, das auf Paketvermittlung über Funk basierte. Das von ihm entworfene Netzwerk umfasste einen zentralen Host und mehrere Satellitenknoten, die über die Inseln von Hawaii verteilt waren. Das Netzwerk hatte zwei Kanäle, die jeweils ein anderes Frequenzband nutzten. Der Downstream-Kanal sendete Pakete vom zentralen Host zu den Satellitenhosts, während der Upstream-Kanal Pakete von den Satellitenhosts zum zentralen Host sendete. Abgesehen von Datenpaketen sendete der zentrale Host auf dem Downstream-Kanal auch eine Bestätigung für jedes erfolgreich von den Satellitenhosts empfangene Paket.

→

→ Da die Satellitenhosts Pakete dezentral übertrugen, traten auf dem Upstream-Kanal unvermeidbar Kollisionen auf. Diese Beobachtung führte Abramson zur Entwicklung des reinen ALOHA-Protokolls, das in diesem Kapitel beschrieben wird. Mit Zuschüssen von der ARPA schloss Abramson sein ALOHAnet 1970 an das ARPANET an. Abramsons Arbeit ist aus zweierlei Gründen wichtig: Sie war nicht nur das erste Beispiel eines drahtlosen Paketnetzwerks, sondern inspirierte auch Bob Metcalfe. Ein paar Jahre nach Abramsons Erfindung modifizierte Metcalfe das ALOHA-Protokoll und entwickelte das CSMA/CD-Protokoll und das Ethernet-LAN.

CSMA – Carrier Sense Multiple Access

Im Slotted- und im reinen ALOHA trifft ein Knoten seine Entscheidung, ob er übertragen kann, unabhängig von der Aktivität der übrigen, an den Broadcast-Kanal angeschlossenen Knoten. Kein Knoten achtet darauf, ob ein anderer gerade überträgt, wenn er mit einer Übertragung beginnt, und unterbricht seine Übertragung auch nicht, wenn ein anderer Knoten seinerseits zu übertragen beginnt. Bei unserer Analogie mit der Cocktail-Party sind ALOHA-Protokolle mit einem ungehobelten Partygast vergleichbar, der einfach weiterplappert, ungeachtet dessen, ob andere Leute sprechen. Als Menschen folgen wir menschlichen Protokollen, die es uns erlauben, uns nicht nur zivilisiert zu verhalten, sondern auch den Zeitanteil, in dem einer mit dem anderen in einem Gespräch »kollidiert«, zu reduzieren, so dass wir in unseren Gesprächen größere Datenmengen austauschen können. Für ein höfliches menschliches Gespräch sind insbesondere zwei Regeln wichtig:

- *Wenn ein anderer spricht, höre zu und beginne erst zu sprechen, wenn dieser aufhört*: In der Vernetzungswelt nennt man diese Regel **Carrier-Sensing**. Das heißt, ein Knoten hört dem Kanal zu, bevor er überträgt. Wenn momentan ein Rahmen von einem anderen Knoten auf dem Kanal übertragen wird, wartet ein Knoten eine zufällige Zeit (»er zieht sich zurück«), um den Kanal dann erneut abzutasten. Findet er den Kanal frei vor, beginnt er mit der Übertragung seines Rahmens. Andernfalls wartet er eine weitere zufällige Zeitdauer und wiederholt diesen Prozess.

- *Höre auf zu sprechen, wenn ein anderer gleichzeitig zu sprechen beginnt*: In der Vernetzungswelt nennt man diese Regel **Collision-Detection** (Kollisionserkennung). Ein übertragender Knoten tastet während der Übertragung den Kanal ab. Stellt er fest, dass ein anderer Knoten ein mit seinem in Konflikt stehenden Rahmen überträgt, stoppt er mit der Übertragung und benutzt ein Protokoll, um festzustellen, wann er es erneut wieder versuchen kann.

Diese beiden Regeln sind in der Protokollfamilie **CSMA** (Carrier Sense Multiple Access) und **CSMA/CD** (CSMA mit Collision-Detection) verkörpert [Kleinrock 1975b; Metcalfe 1976; Lam 1980; Rom 1990]. CSMA und CSMA/CD wurden in vielen Varianten vorgeschlagen, wobei die Unterschiede hauptsächlich damit zu tun haben, auf welche Weise sich die Knoten zurückziehen. Die Einzelheiten dieser Protokolle werden in der genannten Literatur beschrieben. Das in Ethernet angewandte CSMA/CD-Schema wird ausführlich in Abschnitt 5.5 beschrieben. Hier betrachten wir ein paar wichtige, grundsätzliche Merkmale von CSMA und CSMA/CD.

Die erste Frage, die man sich bezüglich CSMA möglicherweise stellt, ist, warum Kollisionen überhaupt entstehen können, wenn alle Knoten Carrier-Sensing beachten? Schließlich zieht sich ein Knoten ja von der Übertragung zurück, sobald er erkennt, dass ein anderer Knoten überträgt. Die Antwort auf diese Frage lässt sich am besten mit Hilfe von Raum/Zeit-Diagrammen erklären [Molle 1987]. Abbildung 5.16 zeigt ein Raum/Zeit-Diagramm mit vier Knoten (A, B, C, D), die an einen linearen Broadcast-Bus angeschlossen sind. Die horizontale Achse zeigt die Position jedes Knotens in der Raumdimension und die vertikale Achse diejenige in der Zeitdimension.

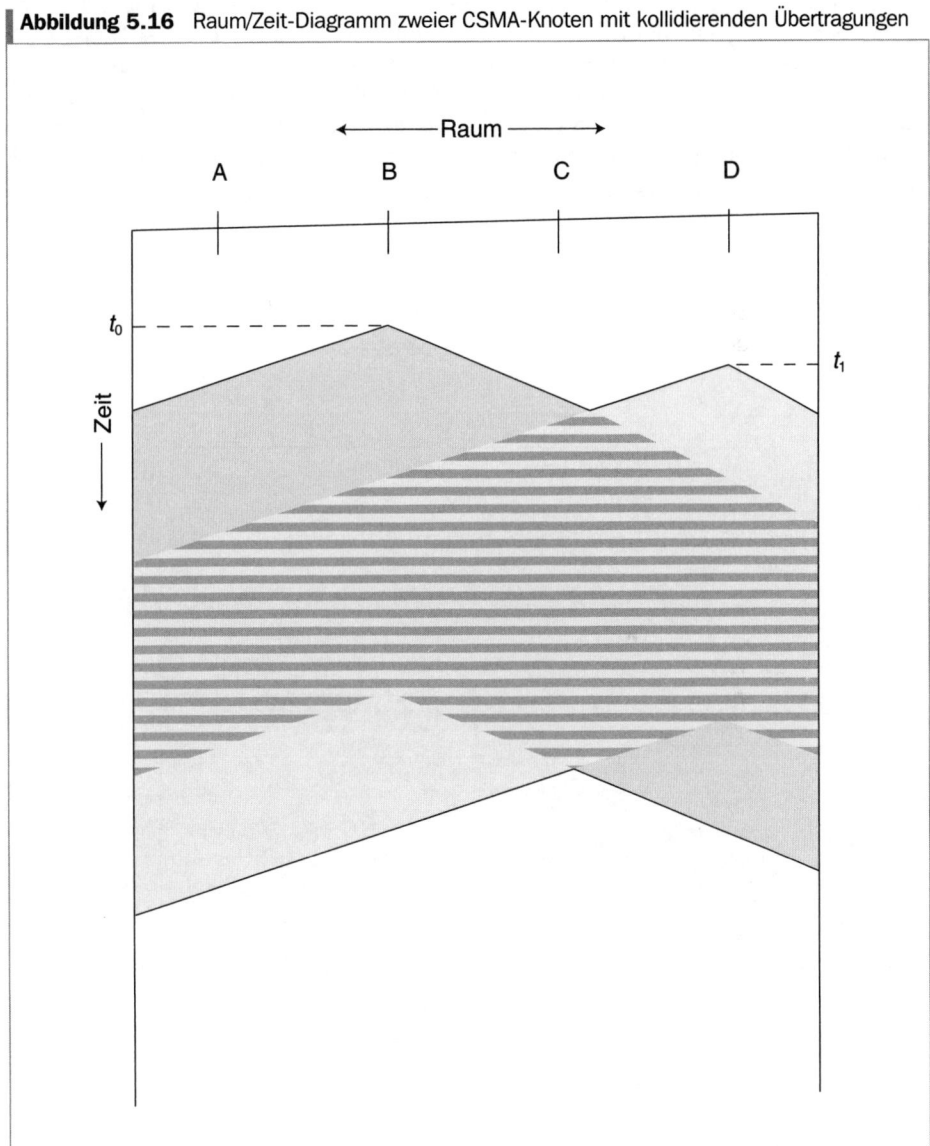

Abbildung 5.16 Raum/Zeit-Diagramm zweier CSMA-Knoten mit kollidierenden Übertragungen

Bei Zeitpunkt t_0 stellt Knoten B fest, dass der Kanal frei ist, weil keiner der anderen Knoten momentan überträgt. Knoten B beginnt also mit der Übertragung; seine Bits breiten sich auf dem Broadcast-Medium in beiden Richtungen aus. Die Abwärtsausbreitung der Bits von B in Abbildung 5.16 mit fortschreitender Zeit bedeutet, dass eine Zeit ungleich Null erforderlich ist, damit sich die Bits von B tatsächlich (fast in Lichtgeschwindigkeit) auf dem Broadcast-Medium ausbreiten können. Zum Zeitpunkt t_1 ($t_1 > t_0$) muss Knoten D einen Rahmen senden. Obwohl Knoten B zum Zeitpunkt t_1 gerade überträgt, haben seine Bits aber D noch nicht erreicht, so dass D feststellt, dass der Kanal um t_1 untätig ist. In Übereinstimmung mit dem CSMA-Protokoll beginnt D mit der Übertragung seines Rahmens. Kurze Zeit später gerät die Übertragung von B mit der von D in Konflikt. Aus Abbildung 5.16 wird deutlich, dass die **Kanalausbreitungsverzögerung** von Ende zu Ende auf einem Broadcast-Kanal – die Zeit, die es dauert, bis sich ein Signal von einem Kanal auf einen anderen ausbreitet – bei der Ermittlung seiner Leistung eine wichtige Rolle spielt. Je länger diese Ausbreitungsverzögerung dauert, umso größer ist die Wahrscheinlichkeit, dass ein Knoten beim Carrier-Sensing nicht feststellen kann, ob ein anderer Knoten im Netzwerk bereits mit einer Übertragung begonnen hat.

Abbildung 5.17 CSMA mit Kollisionserkennung

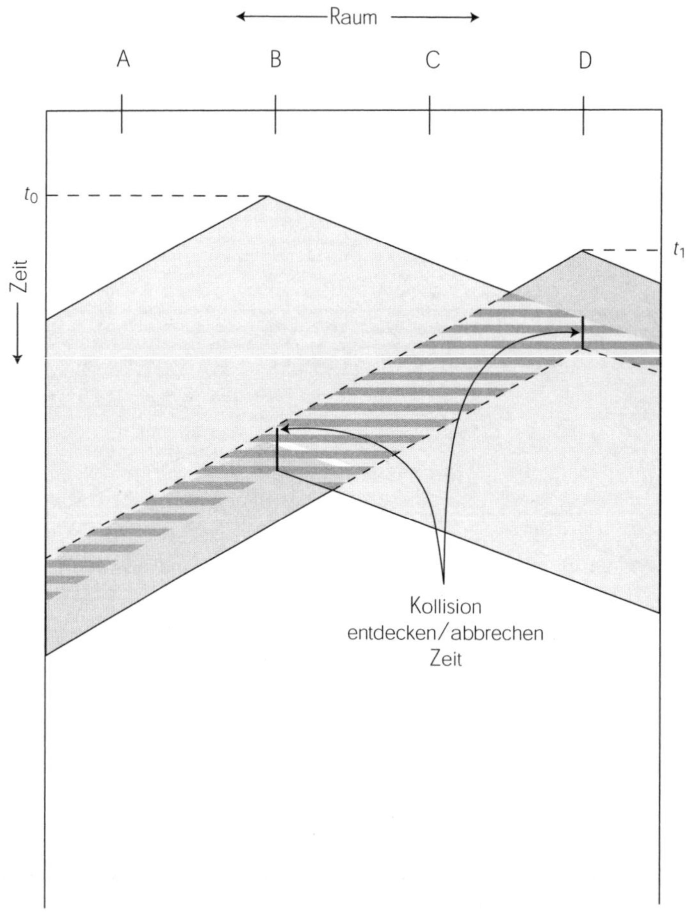

In Abbildung 5.16 führen die Knoten keine Kollisionserkennung aus; B und D fahren mit der Übertragung ihrer Rahmen fort, obwohl eine Kollision entstanden ist. Wenn ein Knoten Kollisionserkennung durchführt, hört er mit der Übertragung auf, sobald er eine Kollision feststellt. Abbildung 5.17 zeigt das gleiche Szenario wie in Abbildung 5.16, jedoch brechen hier die beiden Knoten ihre Übertragung kurze Zeit nach der Feststellung einer Kollision ab. Dies verdeutlicht, dass die Erweiterung eines Mehrfachzugriffsprotokolls um Kollisionserkennung die Leistung des Protokolls verbessert, da keine (durch Kollision mit dem Rahmen eines anderen Knotens) beschädigten und damit unbrauchbaren Rahmen übertragen werden. In Abschnitt 5.5 wird ein CSMA-Protokoll beschrieben, das Kollisionserkennung anwendet.

5.3.3 Rotationsprotokolle

Wie weiter oben erwähnt, sehen zwei wünschenswerte Merkmale eines Mehrfachzugriffsprotokolls wie folgt aus: (1) Wenn nur ein Knoten aktiv ist, hat der aktive Knoten einen Durchsatz von R bps. (2) Wenn M Knoten aktiv sind, hat jeder aktive Knoten einen Durchsatz von fast R/M bps. Die ALOHA- und CSMA-Protokolle weisen das erste, nicht aber das zweite Merkmal auf. Dies veranlasste Wissenschaftler, eine weitere Protokollklasse – die **Rotationsprotokolle** (Taking-turns Protocols) – zu entwickeln. Wie bei den Zufallszugriffsprotokollen gibt es Dutzende von Rotationsprotokollen in unterschiedlichen Varianten. Wir beschreiben hier kurz die beiden wichtigeren Protokolle dieser Klasse. Das erste ist das **Polling-Protokoll**. Es setzt voraus, dass einer der Knoten als Master-Knoten fungiert. Der Master-Knoten **pollt** die einzelnen Knoten rundum ab. Das heißt, er sendet zuerst eine Nachricht an Knoten 1, in der er ihm mitteilt, dass er bis zur maximalen Rahmenanzahl übertragen kann. Nachdem Knoten 1 einige Rahmen übertragen hat, teilt der Master-Knoten Knoten 2 mit, dass er bis zur maximalen Rahmenanzahl übertragen kann. (Der Master-Knoten weiß, dass ein Knoten mit der Übertragung seiner Rahmen fertig ist, wenn er feststellt, dass auf dem Kanal kein Signal mehr anliegt.) Die Prozedur wird auf diese Weise fortgesetzt, indem der Master-Knoten jeden einzelnen Knoten im Rundumverfahren pollt.

Das Polling-Protokoll vermeidet die Kollisionen und die leeren Schlitze, an denen die Zufallszugriffsprotokolle leiden, so dass eine viel höhere Effizienz erreicht wird. Es hat aber auch ein paar Nachteile. Erstens führt das Protokoll eine Polling-Verzögerung ein, d. h. die erforderliche Zeit für die Benachrichtigung eines Knotens, dass er übertragen kann. Ist beispielsweise nur ein Knoten aktiv, überträgt dieser Knoten in einer geringeren Rate als R bps, weil der Master-Knoten alle inaktiven Knoten nacheinander jedes Mal pollen muss, wenn der aktive Knoten mit der Übertragung einer maximalen Rahmenanzahl fertig ist. Der zweite Nachteil ist gravierender: Wenn der Master-Knoten ausfällt, bricht der Betrieb des gesamten Kanals zusammen.

Das zweite Rotationsprotokoll ist das **Token-Passing-Protokoll**. Bei diesem Protokoll gibt es keinen Master-Knoten. Vielmehr wird ein kleiner spezieller Rahmen, den man als **Token** bezeichnet, zwischen den Knoten in einer festgelegten Reihenfolge ausgetauscht. Beispielsweise darf Knoten 1 das Token immer an Knoten 2, Knoten 2 an Knoten 3 und Knoten N an Knoten 1 senden. Wenn ein Knoten das Token empfängt, behält er es nur, falls er Rahmen übertragen muss; andernfalls gibt er es sofort an den nächsten Knoten weiter. Hat ein Knoten Rahmen zu übertragen, wenn er das Token empfängt, sendet er bis zur maximalen Rahmenanzahl und gibt das Token dann an den nächsten Knoten ab. Token-Passing ist dezentral und sehr effizient. Es ist aber auch nicht ganz frei von Problemen. Der Ausfall eines Knotens kann z. B. den gesamten Kanal zum Absturz bringen. Und wenn ein Knoten versehentlich das Token nicht mehr freigibt, muss eine Wiederherstellungsprozedur (Recovery) aktiviert werden, um das Token wieder in Umlauf zu bringen. Im Laufe der Jahre wurden viele Token-Passing-Produkte entwickkelt, bei denen diese und weitere knifflige Fragen gelöst werden mussten.

5.3.4 Lokale Netzwerke (LANs)

Mehrfachzugriffsprotokolle kommen in Verbindung mit vielen verschiedenen Typen von Broadcast-Kanälen zum Einsatz. Sie wurden auch in Satelliten- und drahtlosen Kanälen eingesetzt, deren Knoten über ein gemeinsames Frequenzspektrum übertragen. Heute werden sie im Upstream-Kanal für den Internet-Zugang über Kabel (siehe Abschnitt 1.5) und vor allem in lokalen Netzwerken (LANs) eingesetzt.

Wie an früherer Stelle erwähnt, ist ein **LAN** ein Rechnernetzwerk, das sich über einen begrenzten geografischen Bereich, z. B. ein Gebäude oder einen Universitätscampus, erstreckt. Wenn ein Benutzer von einem Universitäts- oder Firmengelände aus auf das Internet zugreift, erfolgt der Zugang fast immer über ein LAN. Bei dieser Internet-Zugangsart ist der Host des Benutzers ein Knoten im LAN und das LAN bietet durch einen Router Zugang zum Internet (siehe Abbildung 5.18). Das LAN ist eine einzelne »Verbindungsleitung« zwischen jedem Benutzerhost und dem Router. Es nutzt deshalb ein Protokoll der Sicherungsschicht, das ein Mehrfachzugriffsprotokoll beinhaltet. Die Übertragungsrate R der meisten LANs ist sehr hoch. Schon Anfang der achtziger Jahre waren 10-Mbps-LANs üblich; heute sind 100-Mbps-LANs üblich und 1-Gbps-LANs verfügbar.

Abbildung 5.18 Benutzerhosts greifen über ein LAN auf einen Internet-Web-Server zu. Der Broadcast-Kanal zwischen einem Benutzerhost und dem Router besteht aus einer »Verbindungsleitung«.

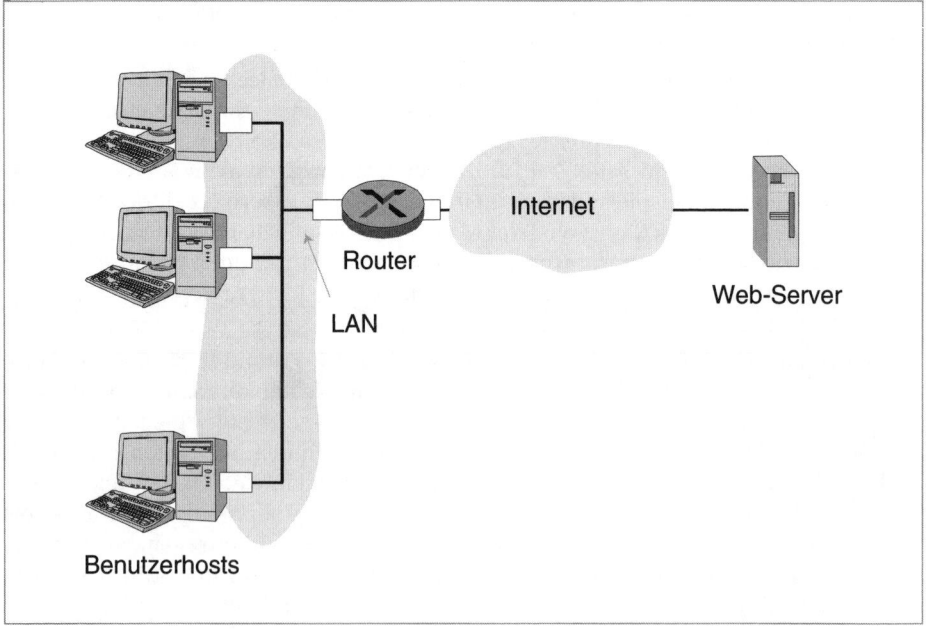

In den achtziger und Anfang der neunziger Jahre waren zwei Klassen von LAN-Technologien in Arbeitsplatzumgebungen populär: auf Zufallszugriff basierende Ethernet-LANs (die auch als 802.3-LANs [IEEE 802.3 1998; Spurgeon 1999] bekannt sind) und auf Token-Passing-Technologien basierende LANs, darunter Token-Ring (das auch als IEEE 802.5 [IEEE 802.5 1998] bekannt ist) und **FDDI** (Fiber Distributed Data Interface [Jain 1994]). Da Ethernet-Technologien ausführlich in Abschnitt 5.4 beschrieben werden, konzentrieren wir uns hier auf die Token-Passing-LANs. Unsere Diskussion der Token-Passing-Technologien ist absichtlich kurz gehalten, weil diese Technologien heute angesichts der starken Ethernet-Konkurrenz eine untergeordnete Rolle spielen. Die folgenden Abschnitte enthalten einige Beispiele von Token-Passing-Technologien und einen kurzen historischen Rückblick.

In einem Token-Ring-LAN werden die N Knoten des LAN (Hosts und Router) über direkte Leitungen in einem Ring verbunden. Die Token-Ring-Topologie definiert die Reihenfolge, in der das Token herumgereicht wird. Wenn ein Knoten das Token erhält und einen Rahmen sendet, breitet sich der Rahmen rundum im gesamten Ring aus, so dass ein virtueller Broadcast-Kanal entsteht. Der jeweils sendende Knoten ist für die Entnahme des Rahmens aus dem Ring zuständig. FDDI wurde für geografisch größere LANs ausgelegt, darunter so genannte MANs (Metropolitan Area Networks). Für geografisch große LANs (die sich über mehrere Kilometer ausdehnen) ist es ineffizient, einen Rahmen zum sendenden Knoten zurück ausbreiten zu lassen, nachdem der Rahmen den Zielknoten passiert hat. FDDI lässt den Rahmen durch den Zielknoten aus dem Ring nehmen. (Genauer gesagt, ist FDDI kein reiner Broadcast-Kanal, weil nicht jeder Knoten jeden übertragenen Rahmen empfängt.) Ausführliche Informationen über Token-Ring und FDDI finden Sie auf der Adapter-Seite von 3Com [3Com 1999].

5.4 LAN-Adressen und ARP

Der vorherige Abschnitt hat gezeigt, dass Knoten in LANs einander Rahmen über einen Broadcast-Kanal zusenden. Das heißt, wenn ein Knoten in einem LAN einen Rahmen überträgt, empfängt jeder andere im LAN angeschlossene Knoten diesen Rahmen. Normalerweise möchte ein Knoten in einem LAN einen Rahmen aber nicht unbedingt an *alle* anderen LAN-Knoten, sondern nur an einen *bestimmten* senden. Um diese Funktionalität bereitzustellen, müssen die Knoten im LAN in der Lage sein, sich beim Versenden von Rahmen zu adressieren. Das heißt, die Knoten brauchen LAN-Adressen und der Rahmen der Sicherungsschicht benötigt ein Feld für die Aufnahme einer solchen Zieladresse. Wenn dann ein Knoten einen Rahmen empfängt, kann er feststellen, ob er an ihn oder an einen anderen Knoten im LAN adressiert ist:

- Wenn die Zieladresse des Rahmens mit der LAN-Adresse des empfangenden Knotens übereinstimmt, nimmt der Knoten das Vermittlungsschicht-Datagramm aus dem Rahmen der Sicherungsschicht und reicht es im Protokollstack nach oben weiter.

- Wenn die Zieladresse nicht mit der Adresse des empfangenden Knotens übereinstimmt, verwirft der Knoten den Rahmen.

5.4.1 LAN-Adressen

In Wirklichkeit hat nicht der Knoten, sondern sein Adapter eine LAN-Adresse (siehe Abbildung 5.19). Eine **LAN-Adresse** wird auch als **physikalische**, **Ethernet-** oder

MAC-Adresse (Media Access Control) bezeichnet. Bei den meisten LANs (einschließlich Ethernet- und Token-Passing-LANs) ist die LAN-Adresse sechs Byte lang, so dass 2^{48} mögliche LAN-Adressen zur Verfügung stehen. Diese 6-Byte-Adressen werden normalerweise in hexadezimaler Notation ausgedrückt, wobei jedes Adressbyte als hexadezimales Zahlenpaar ausgedrückt wird. Die LAN-Adresse eines Adapters ist permanent. Sie wird bei der Herstellung in das ROM des Adapters eingebrannt.

Abbildung 5.19 Jeder an ein LAN angeschlossener Adapter hat eine eindeutige LAN-Adresse.

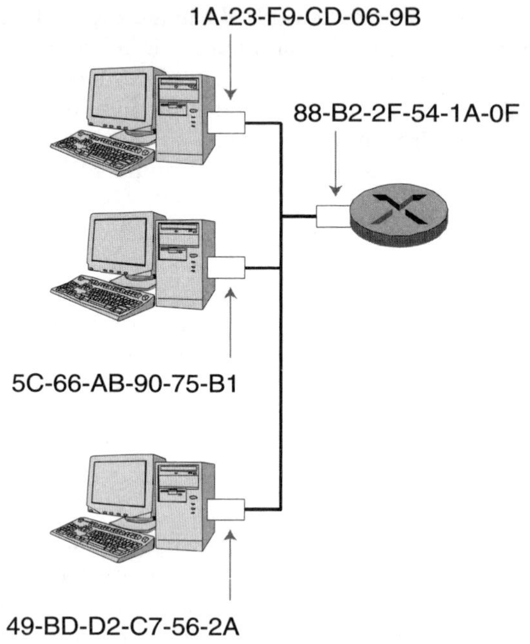

Eine interessante Eigenschaft von LAN-Adressen ist, dass nie zwei Adapter die gleiche Adresse haben. Dies mag angesichts der Tatsache, dass Adapter in vielen verschiedenen Ländern von unterschiedlichen Firmen hergestellt werden, überraschen. Wie kann ein Adapterhersteller in Taiwan sicherstellen, dass er andere Adressen als ein Hersteller beispielsweise in Belgien verwendet? Die Antwort ist, dass IEEE den physikalischen Adressraum verwaltet. Wenn eine Firma Adapter herstellen möchte, kauft sie einen Teil des aus 2^{24} Adressen bestehenden Adressraums gegen eine geringe Gebühr. IEEE weist die ersten 24 Bit einer physikalischen Adresse zu und überlässt es der Firma, mit den letzten 24 Bit für jeden Adapter eindeutige Kombinationen zu bilden.

Die LAN-Adresse eines Adapters hat eine flache Struktur (im Gegensatz zu einer hierarchischen) und ändert sich nie, ganz egal, wohin der Adapter ausgeliefert wird. Ein tragbarer Computer mit einer Ethernet-Karte hat immer die gleiche LAN-Adresse, gleichgültig, wohin er auf die Reise geht. Im Gegensatz dazu haben IP-Adressen eine hierarchische Struktur (d. h. einen Netzwerk- und einen Host-Teil). Die

IP-Adresse eines Knotens muss geändert werden, wenn der Host woanders aufgestellt wird. Die LAN-Adresse eines Adapters ist vergleichbar mit der Sozialversicherungsnummer einer Person, die ebenfalls eine flache Adressierstruktur aufweist; sie ändert sich nie, egal, wohin die Person geht. Eine IP-Adresse ist mit der Postanschrift einer Person vergleichbar; sie ist hierarchisch und ändert sich, wenn die Person umzieht.

Wenn ein Adapter einen Rahmen an einen Zieladapter im gleichen LAN senden möchte, fügt der sendende Adapter die LAN-Adresse des Ziels in den Rahmen ein. Empfängt der Zieladapter den Rahmen, extrahiert er das darin befindliche Datagramm und gibt es im Protokollstack nach oben weiter. Alle übrigen Adapter im LAN empfangen den Rahmen ebenfalls. Sie verwerfen ihn aber, ohne das Datagramm der Vermittlungsschicht im Protokollstack nach oben weiterzureichen. Folglich müssen diese anderen Adapter ihren Hostknoten nicht darauf aufmerksam machen, wenn sie Datagramme empfangen, die für andere Knoten bestimmt sind. Manchmal möchte ein sendender Adapter aber, dass *alle* anderen Adapter im LAN einen Rahmen empfangen und *verarbeiten*. In diesem Fall fügt der sendende Adapter eine spezielle **LAN-Broadcast-Adresse** in das Zieladressfeld des Rahmens ein. In LANs, die 6-Byte-Adressen verwenden (z. B. Ethernet- und Token-Passing-LANs), ist die Broadcast-Adresse eine Kette mit 48 aufeinander folgenden Einsen (d. h. FF-FF-FF-FF-FF-FF in der hexadezimalen Notation).

PRINZIPIEN IN DER PRAXIS

Trennung der Schichten

Es gibt mehrere Gründe, warum Knoten zusätzlich zu Vermittlungsschichtadressen auch LAN-Adressen haben. Erstens sind LANs für beliebige Protokolle der Vermittlungsschicht – nicht nur IP und das Internet – ausgelegt. Wenn man Adaptern IP-Adressen statt der »neutralen« LAN-Adressen zuweisen würde, könnten Adapter kaum andere Protokolle der Vermittlungsschicht (z. B. IPX oder DECNet) unterstützen. Zweitens müsste man die Vermittlungsschichtadressen im Adapter-RAM speichern und sie jedes Mal ändern, wenn der Adapter bewegt (oder eingeschaltet) wird. Eine weitere Option wäre es, in den Adaptern überhaupt keine Adressen zu verwenden und jeden Adapter die Daten (normalerweise ein IP-Datagramm) jedes Rahmens, den er empfängt, an seinen Elternknoten weitergeben zu lassen. Der Elternknoten könnte dann auf eine passende Adresse der Vermittlungsschicht prüfen. Ein Problem ist bei dieser Option, dass der Elternknoten bei jedem im LAN gesendeten Rahmen und auch von Rahmen, die für andere Knoten im gleichen Broadcast-LAN bestimmt sind, kontaktiert wird. Zusammenfassend kann man sagen, dass viele Schichten ihr eigenes Adressierschema brauchen, um weitgehend unabhängige Bausteine in einer Netzwerkarchitektur zu bilden. Bisher wurden drei verschiedene Adresstypen beschrieben: Hostnamen für die Anwendungsschicht, IP-Adressen für die Vermittlungsschicht und LAN-Adressen für die Sicherungsschicht.

5.4.2 Adressauflösungsprotokoll (ARP)

Da es sowohl Adressen der Vermittlungsschicht (z. B. IP-Adressen im Internet) und der Sicherungsschicht (d. h. LAN-Adressen) gibt, besteht eine Notwendigkeit der Übersetzung bzw. Konvertierung zwischen diesen Adressen. Im Internet übernimmt das ARP (Address Resolution Protocol) [RFC 826] diese Aufgabe. Jeder Host und Router im Internet hat ein **ARP-Modul**.

Um die Motivation für ARP zu verstehen, betrachte man Abbildung 5.20. In diesem einfachen Beispiel hat jeder Knoten eine IP-Adresse und der Adapter jedes Knotens eine LAN-Adresse. Wie gewöhnlich sind die IP-Adressen in Punktdezimalnotation und die LAN-Adressen in hexadezimaler Notation dargestellt. Wir nehmen als Beispiel an, dass der Knoten mit IP-Adresse 222.222.222.220 ein IP-Datagramm an Knoten 222.222.222.222 senden möchte. Hierfür muss der sendende Knoten seinem Adapter nicht nur das IP-Datagramm, sondern auch die LAN-Adresse für Knoten 222.222.222.222 geben. Wenn das IP-Datagramm und die LAN-Adresse weitergegeben werden, konstruiert der Adapter des sendenden Knotens einen Rahmen der Sicherungsschicht, der die LAN-Adresse des empfangenden Knotens enthält, und sendet den Rahmen in das LAN. Wie ermittelt der sendende Knoten aber die LAN-Adresse für den Knoten mit IP-Adresse 222.222.222.222? Er bewerkstelligt dies dadurch, dass er seinem ARP-Modul die IP-Adresse 222.222.222.222 vorsetzt. ARP antwortet dann mit der entsprechenden LAN-Adresse, in diesem Fall 49-BD-D2-C7-56-2A.

Abbildung 5.20 Jeder Knoten in einem LAN hat eine IP-Adresse und der Adapter jedes Knotens eine LAN-Adresse.

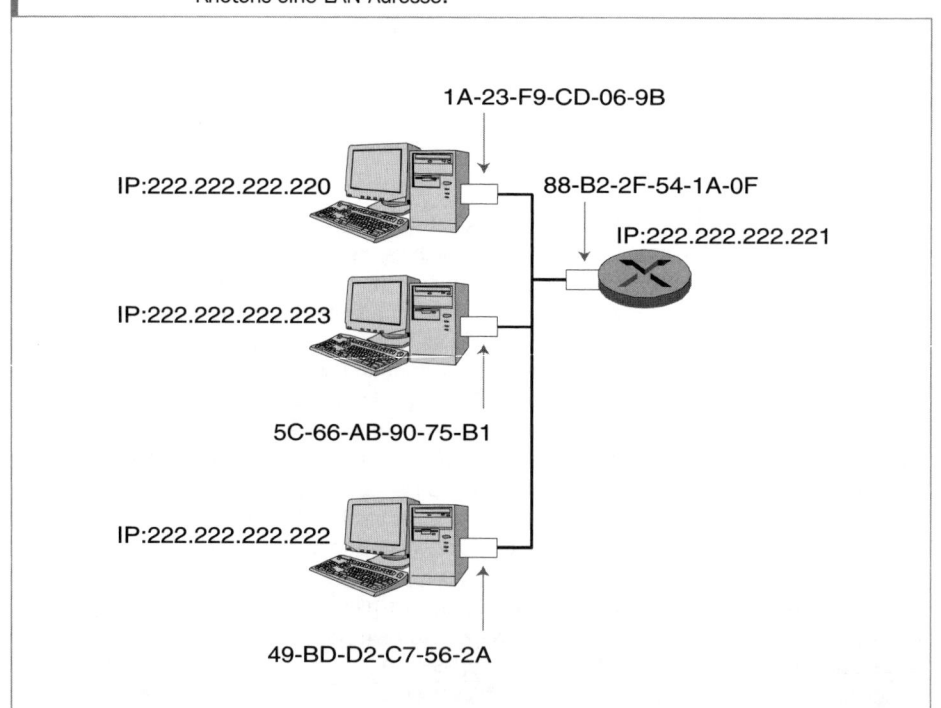

Wir sehen also, dass ARP eine IP- in eine LAN-Adresse auflöst. Auf vielerlei Art ist dies mit DNS (siehe Abschnitt 2.5) vergleichbar, das Hostnamen in IP-Adressen auflöst. Zwischen den beiden Namenskonvertern besteht aber ein wichtiger Unterschied: DNS löst Hostnamen für Hosts irgendwo im Internet auf, während ARP nur IP-Adressen für Knoten im gleichen LAN auflöst. Wenn ein Knoten in Kalifornien versuchen würde, mit Hilfe von ARP die IP-Adresse eines Knotens in Mississippi aufzulösen, würde ARP eine Fehlermeldung zurückgeben.

Nachdem die Aufgabe von ARP nun geklärt ist, beschreiben wir, wie es diese erfüllt. Im RAM des ARP-Moduls in jedem Knoten befindet sich eine so genannte **ARP-Tabelle**. Diese Tabelle enthält die Abbildungen von IP- in LAN-Adressen. Abbildung 5.21 zeigt, wie die ARP-Tabelle von Knoten 222.222.222.220 aussehen könnte. Zu jeder Adressabbildung enthält die Tabelle auch einen TTL-Eintrag (Time-To-Live), aus dem hervorgeht, wann der Eintrag aus der Tabelle gelöscht wird. Die Tabelle enthält nicht unbedingt einen Eintrag für jeden Knoten im LAN. Die Einträge einiger Knoten sind möglicherweise im Laufe der Zeit abgelaufen, während andere vielleicht nie in die Tabelle eingetragen wurden. Eine typische Ablaufzeit für einen Eintrag ist 20 Minuten ab der Zeit, in der der Eintrag in eine ARP-Tabelle eingefügt wurde.

Abbildung 5.21 Mögliche ARP-Tabelle in Knoten 222.222.222.220

IP-Adresse	LAN-Adresse	TTL
222.222.222.221	88-B2-2F-54-1A-0F	13:45:00
222.222.222.223	5C-66-AB-90-75-B1	13:52:00

Jetzt nehmen wir an, dass Knoten 222.222.222.220 ein Datagramm senden möchte, das die IP-Adresse eines anderen Knotens im LAN trägt. Der sendende Knoten muss die LAN-Adresse des Zielknotens anhand der IP-Adresse des Knotens einholen. Diese Aufgabe ist einfach, wenn die ARP-Tabelle des sendenden Knotens einen Eintrag für den Zielknoten hat. Was aber, wenn die ARP-Tabelle momentan keinen Eintrag für den Zielknoten enthält? Wir nehmen als Beispiel an, dass Knoten 222.222.222.220 ein Datagramm an Knoten 222.222.222.222 senden will. In diesem Fall benutzt der sendende Knoten das ARP-Protokoll, um die Adresse aufzulösen. Zuerst erstellt der sendende Knoten ein spezielles Paket, das so genannte **ARP-Paket**. Ein ARP-Paket hat mehrere Felder, einschließlich der IP- und LAN-Adressen des Senders und Empfängers. Die Anfrage- und Antwortpakete in ARP haben das gleiche Format. Mit einem ARP-Anfragepaket werden alle anderen Knoten im LAN aufgefordert, die LAN-Adresse der aufzulösenden IP-Adresse zu ermitteln.

Wir kehren wieder zu unserem Beispiel zurück: Knoten 222.222.222.220 leitet ein ARP-Anfragepaket mit einem Hinweis, das Paket an die LAN-Broadcast-Adresse FF-FF-FF-FF-FF-FF zu senden, an den Adapter weiter. Der Adapter verkapselt das ARP-Paket in einem Sicherungsschichtrahmen, benutzt die Broadcast-Adresse als Zieladresse des Rahmens und schickt den Rahmen zum LAN. Gemäß der Analogie mit der Sozialversicherungsnummer bzw. der Postanschrift wäre eine ARP-Anfrage vergleichbar damit, dass eine Person in einem überfüllten Großraumbüro bei irgendeiner Firma (z. B. AnyCorp) brüllt: »Wie lautet die Sozialversicherungsnummer der Person mit Postanschrift Platz 13, Zimmer 112, AnyCorp, Palo Alto, Kalifornien?«. Der Rahmen, in dem sich die ARP-Anfrage befindet, wird von allen anderen Adaptern im LAN empfangen und jeder Adapter gibt das ARP-Paket (wegen der Broadcast-Adresse) an seinen Knoten weiter. Jeder Knoten prüft, ob seine IP-Adresse mit der IP-Zieladresse im ARP-Paket übereinstimmt. Der Knoten, bei dem dies zutrifft, sendet ein ARP-Antwortpaket mit der gewünschten Übersetzung an den anfragenden Knoten. Der anfragende Knoten (222.222.222.220) kann dann seine ARP-Tabelle aktualisieren und sein IP-Datagramm senden.

Am ARP-Protokoll lassen sich eine Reihe interessanter Punkte feststellen. Erstens wird die ARP-Anfragenachricht in einem Broadcast-Rahmen gesendet, während die ARP-Antwortnachricht in einem Standardrahmen gesendet wird. Bevor Sie weiterlesen, sollten Sie sich Gedanken machen, warum das so ist. Zweitens ist ARP ein Plug-and-Play-Protokoll, d. h., die ARP-Tabelle eines Knotens wird automatisch aufgebaut; sie muss nicht von einem Systemadministrator konfiguriert werden. Und wenn ein Knoten vom LAN abgekoppelt wird, wird sein Eintrag aus der Tabelle entfernt.

Übertragung eines Datagramms an einen Knoten außerhalb des LAN

Im obigen Abschnitt wurde erklärt, wie ARP funktioniert, wenn ein Knoten ein Datagramm an einen anderen Knoten *im gleichen LAN* senden möchte. In diesem Abschnitt wird die kompliziertere Situation beschrieben, wenn ein Knoten in einem LAN ein Datagramm der Vermittlungsschicht an einen Knoten *außerhalb seines LAN* senden möchte. Wir erklären dies anhand von Abbildung 5.22, in der ein einfaches Netzwerk dargestellt ist, das sich aus zwei über einen Router verbundenen LANs zusammensetzt.

Abbildung 5.22 Zwei über einen Router verbundene LANs

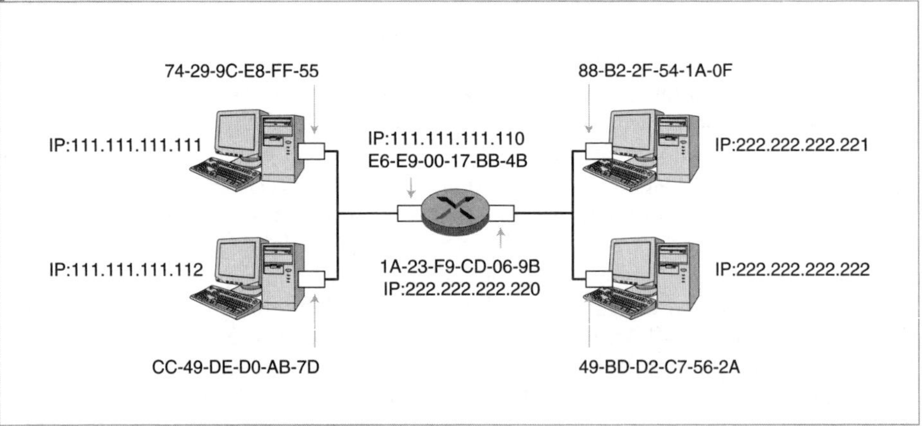

74-29-9C-E8-FF-55

IP:111.111.111.111

IP:111.111.111.110
E6-E9-00-17-BB-4B

88-B2-2F-54-1A-0F

IP:222.222.222.221

IP:111.111.111.112

1A-23-F9-CD-06-9B
IP:222.222.222.220

IP:222.222.222.222

CC-49-DE-D0-AB-7D

49-BD-D2-C7-56-2A

Abbildung 5.22 zeigt mehrere interessante Details. Erstens gibt es zwei Knotentypen: Hosts und Router. Jeder Host hat eine IP-Adresse und einen Adapter. Wie in Abschnitt 4.4 erwähnt, hat ein Router aber eine IP-Adresse für *jede* seiner Schnittstellen. Jede Router-Schnittstelle verfügt auch über ihr eigenes ARP-Modul (im Router) und ihren eigenen Adapter. Der Router in Abbildung 5.22 hat zwei Schnittstellen, besitzt also zwei IP-Adressen, zwei ARP-Module und zwei Adapter. Natürlich hat jeder Adapter im Netzwerk seine eigene LAN-Adresse.

Man beachte auch, dass alle an LAN 1 angeschlossenen Schnittstellen Adressen in der Form 111.111.111.xxx und alle an LAN 2 angeschlossenen Schnittstellen Adressen der Form 222.222.222.xxx haben. In diesem Beispiel spezifizieren die ersten drei Bytes der IP-Adresse das »Netzwerk«, während das letzte Byte die jeweilige Schnittstelle im Netzwerk spezifiziert.

Angenommen, Host 111.111.111.111 möchte ein IP-Datagramm an Host 222.222.222.222 senden. Der sendende Host gibt das Datagramm zuerst wie gewöhnlich an seinen Adapter weiter. Er muss seinem Adapter aber auch eine entsprechende LAN-Zieladresse bekannt geben. Welche LAN-Adresse soll der Adapter verwenden? Auf den ersten Blick möchte man annehmen, dass dies die LAN-Adresse des Adapters von Host 222.222.222.222, also 49-BD-D2-C7-56-2A, ist. Diese Annahme ist aber falsch. Wenn der sendende Adapter diese LAN-Adresse benutzen würde, würde keiner der Adapter in LAN 1 das IP-Datagramm an seine Vermittlungsschicht weitergeben, weil die Zieladresse des Rahmens nicht mit der LAN-Adresse eines Adapters in LAN 1 übereinstimmt. Das Datagramm würde einfach sterben und in den Datagramm-Himmel eingehen.

Bei genauerer Betrachtung von Abbildung 5.22 erkennt man, dass das Datagramm, um von 111.111.111.111 zu einem Knoten in LAN 2 zu gelangen, zuerst an die Router-Schnittstelle 111.111.111.110 gesendet werden muss. Wie in Abschnitt 4.4 beschrieben, würde die Routing-Tabelle in Host 111.111.111.111 darauf hinweisen, dass das Datagramm zuerst an die Router-Schnittstelle 111.111.111.110 gesendet werden muss, um Host 222.222.222.222 zu erreichen. Die entsprechende LAN-Adresse für den Rahmen ist also die Adresse des Adapters für Router-Schnittstelle 111.111.111.110, nämlich E6-E9-00-17-BB-4B. Wie erwirbt der sendende Host die LAN-Adresse 111.111.111.110? Natürlich durch Verwendung von ARP! Nachdem der sendende Adapter über diese LAN-Adresse verfügt, erzeugt er einen Rahmen und sendet ihn an LAN 1. Der Router-Adapter in LAN 1 sieht, dass der Sicherungsschichtrahmen an ihn adressiert ist und gibt ihn daher an die Vermittlungsschicht des Routers weiter. Hurra, das IP-Datagramm wurde erfolgreich vom Quellhost zum Router befördert! Wir sind aber noch nicht fertig. Wir müssen das Datagramm noch vom Router zum Ziel befördern! Der Router muss jetzt die richtige Schnittstelle ermitteln, über die er das Datagramm weiterleiten muss. Wie in Abschnitt 4.4 beschrieben, wird dies mit Hilfe einer Routing-Tabelle im Router bewerkstelligt. Die Routing-Tabelle sagt dem Router, dass das Datagramm über Router-Schnittstelle 222.222.222.220 weiterzuleiten ist. Diese Schnittstelle gibt das Datagramm dann an ihren Adapter ab, der es in einem neuen Rahmen verkapselt und an LAN 2 sendet. Diesmal ist die LAN-Zieladresse des Rahmens tatsächlich die LAN-Adresse des endgültigen Ziels. Und wie erhält der Router diese LAN-Zieladresse? Natürlich von ARP!

ARP für Ethernet ist in RFC 826 definiert. Eine gute Einführung in ARP befindet sich im TCP/IP-Tutorial, RFC 1180. ARP wird auch in den Übungen am Ende dieses Kapitels behandelt.

5.5 Ethernet

Ethernet beherrscht heute den LAN-Markt. Noch in den achtziger und Anfang der neunziger Jahre war Ethernet starker Konkurrenz durch andere LAN-Technologien, darunter Token-Ring, FDDI und ATM, ausgesetzt. Einige dieser Technologien konnten erfolgreich über Jahre einen bestimmten Marktanteil behaupten. Seit seiner Erfindung Mitte der siebziger Jahre hat sich Ethernet aber stark weiterentwickelt und seinen großen Marktanteil halten können. Heute ist Ethernet die bei weitem vorherrschende LAN-Technologie und dürfte dies in absehbarer Zukunft auch bleiben. Man könnte sagen, dass Ethernet im LAN-Bereich das ist, was das Internet in der globalen Vernetzung ist.

FALLBEISPIEL

Bob Metcalfe und Ethernet

Anfang der siebziger Jahre arbeitete Bob Metcalfe, damals noch Doktorand an der Harvard-Universität, am ARPANET im MIT. Während seines Studiums kam er auch mit Abramsons Arbeit an ALOHA und Zufallszugriffsprotokollen in Berührung. Nach seiner Promotion und kurz vor Antritt eines Jobs am Xerox Palo Alto Research Center (Xerox PARC) besuchte er Abramson und dessen Kollegen an der Universität von Hawaii und machte sich bei seinem dreimonatigen Aufenthalt mit ALOHAnet vertraut. Am Xerox PARC kam Metcalfe mit Alto-Computern in Berührung, die auf vielerlei Art die Vorläufer der Personalcomputer der achtziger Jahre waren. Metcalfe erkannte die Notwendigkeit, diese Computer preisgünstig zu vernetzen. Ausgerüstet mit seinen Kenntnissen über ARPANET, ALOHAnet und Zufallszugriffsprotokollen erfand Metcalfe zusammen mit seinem Kollegen David Boggs das Ethernet.

Das ursprüngliche Ethernet von Metcalfe und Boggs lief mit 2,94 Mbps und verband bis zu 256 Hosts, die maximal 1,5 Kilometer voneinander entfernt waren. Metcalfe und Boggs gelang es, die meisten Wissenschaftler am Xerox PARC dazu zu überreden, über ihre Alto-Computer miteinander zu kommunizieren. Metcalfe schmiedete dann ein Bündnis zwischen Xerox, Digital und Intel, um Ethernet als 10-Mbps-Ethernet-Standard zu etablieren, der vom IEEE ratifiziert wurde. Xerox zeigte allerdings nicht viel Interesse an der Kommerzialisierung von Ethernet. 1979 gründete Metcalfe seine eigene Firma, 3Com, für die Entwicklung und Vermarktung von Vernetzungstechnologien, einschließlich der Ethernet-Technologie. Anfang der achtziger Jahre entwickelte und vertrieb 3Com Ethernet-Karten für die damals sehr beliebten IBM-PCs. Metcalfe verließ 3Com 1990, als die Firma mit etwa 2.000 Mitarbeitern einen Umsatz von $400 Millionen erwirtschaftete. Im Januar 2000 hatte 3Com einen Marktwert von $15 Milliarden und 13.000 Mitarbeiter.

Der enorme Erfolg von Ethernet lässt sich mehreren Gründen zuschreiben. Erstens war Ethernet das erste umfangreich installierte Hochgeschwindigkeits-LAN. Da es relativ früh installiert wurde, waren viele Netzwerkadministratoren mit Ethernet – seinen Wundern und Eigenarten – gut vertraut und wenig geneigt, auf andere LAN-Technologien umzusteigen, als diese verfügbar wurden. Zweitens sind Token-Ring, FDDI und ATM viel komplexer und teurer als Ethernet, was die meisten Netzwerkadministratoren zusätzlich darin bestärkte, nicht auf eine andere neuere Technologie umzustellen. Drittens bedeutete die Umstellung auf eine andere LAN-Technologie (z. B. FDDI oder ATM) zwar meist eine höhere Datenrate. Ethernet reagierte jedoch immer mit neuen Versionen, die mit diesen Datenraten gleichzogen oder sie gar übertrumpften. Anfang der neunziger Jahre wurde Switched-Ethernet mit einer weiteren Erhöhung der effektiven Datenraten eingeführt. Schließlich ist Ethernet seit Jahren derart beliebt, dass Ethernet-Hardware (insbesondere Netzschnittstellenkarten) sehr preisgünstig angeboten wird. Diese geringen Kosten sind auch der Tatsache zuzuschreiben, dass CSMA/CD, das Mehrfachzugriffsprotokoll von Ethernet, vollständig dezentral ist, was ebenfalls zu dem einfachen Design der Technologie beitrug.

Abbildung 5.23 zeigt das von den Erfindern Bob Metcalfe und David Boggs gezeichnete erste Ethernet-LAN Mitte der siebziger Jahre. Eine hervorragende Quelle mit Online-Informationen über Ethernet ist die Ethernet-Web-Site von Spurgeon [Spurgeon 1999].

Abbildung 5.23 Das Originaldesign des 10Base5-Ethernet-Standards von Metcalfe, das ein Schnittstellenkabel beinhaltete, über das der Ethernet-Adapter (Interface) mit einem externen Transceiver verbunden war

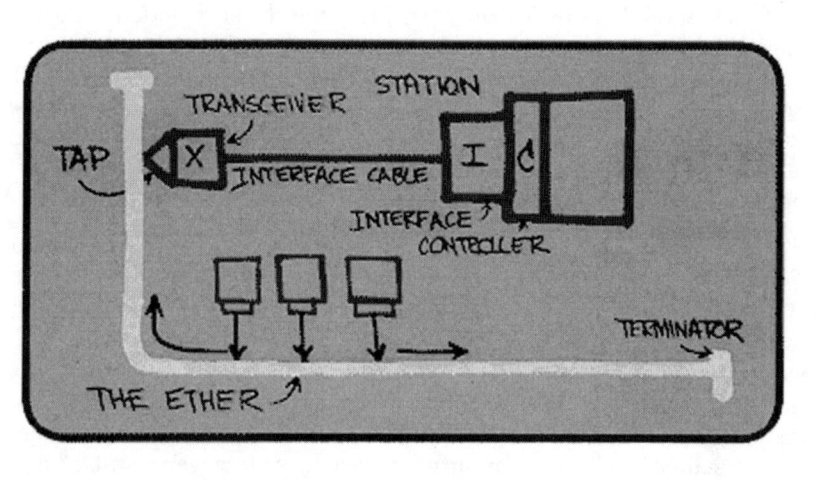

5.5.1 Ethernet-Grundlagen

Heute wird Ethernet in vielerlei Gestalt angeboten. Ein Ethernet-LAN kann eine Bus- oder Sterntopologie aufweisen. Es kann über Koaxialkabel, TP-Kabel oder Glasfaser laufen. Es kann Daten in unterschiedlichen Raten – 10 Mbps, 100 Mbps, 1 Gbps – übertragen. Doch trotz der zahlreichen Varianten weisen alle Ethernet-Technologien einige charakteristische Merkmale auf, die wir im Folgenden beschreiben, bevor wir die einzelnen Technologien behandeln.

Die Ethernet-Rahmenstruktur

Was vereint die zahlreichen unterschiedlichen Ethernet-Technologien, die heute auf dem Markt angeboten werden, unter dem gleichen Namen? Vor allen Dingen ist es die Ethernet-Rahmenstruktur. Alle Ethernet-Technologien nutzen die gleiche Rahmenstruktur, ungeachtet dessen, ob sie Koaxial- oder Kupferkabel verwenden und 10 Mbps, 100 Mbps oder 1 Gbps unterstützen.

Abbildung 5.24 Struktur des Ethernet-Rahmens

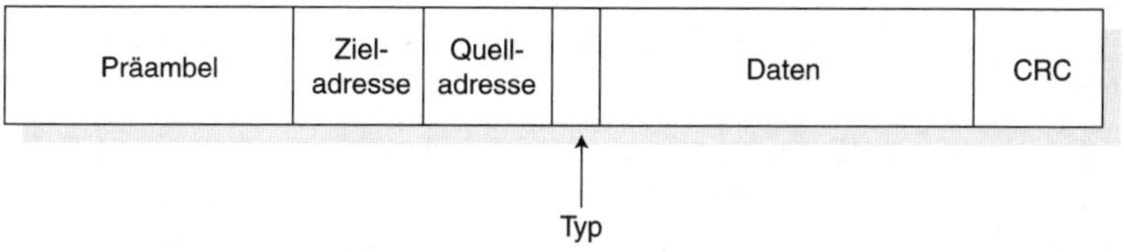

Präambel	Ziel-adresse	Quell-adresse		Daten	CRC
			↑ Typ		

Die Ethernet-Rahmenstruktur ist in Abbildung 5.24 dargestellt. Wenn man einmal den Ethernet-Rahmen verstanden hat, weiß man schon sehr viel über Ethernet. Der Übersichtlichkeit halber beschreiben wir den Ethernet-Rahmen anhand eines Beispiels, bei dem ein IP-Datagramm von einem Host zu einem anderen im gleichen LAN übertragen wird. (Man beachte aber, dass Ethernet auch andere Pakete der Vermittlungsschicht befördern kann.) Es sei gegeben, dass der sendende Adapter A die physikalische Adresse AA-AA-AA-AA-AA-AA und der empfangende Adapter B die physikalische Adresse BB-BB-BB-BB-BB-BB haben. Der sendende Adapter verkapselt das IP-Datagramm in einem Ethernet-Rahmen und gibt ihn an die Sicherungsschicht weiter. Der empfangende Adapter erhält den Rahmen von der Bitübertragungsschicht, extrahiert das IP-Datagramm und leitet es an die Vermittlungsschicht weiter. An dieser Stelle interessieren uns die sechs Felder des Ethernet-Rahmens:

- *Datenfeld (46 bis 1500 Byte)*: In diesem Feld wird das IP-Datagramm befördert. Die MTU (Maximum Transfer Unit) von Ethernet beträgt 1500 Byte. Das heißt, wenn das IP-Datagramm 1500 Byte überschreitet, muss der Host das Datagramm fragmentieren (siehe Abschnitt 4.4.4). Die minimale Größe des Datenfelds ist 46 Byte. Das heißt, wenn ein IP-Datagramm weniger als 46 Byte umfasst, muss es »gestopft« werden, um es auf diese Größe aufzufüllen. Wenn Stopfen angewandt wird, enthalten die an die Vermittlungsschicht weitergegebenen Daten die Füllbytes und das IP-Datagramm. Die Vermittlungsschicht verwendet das Längenfeld im Header des IP-Datagramms, um die Füllbytes zu entfernen.

- *Zieladresse (6 Byte)*: Dieses Feld enthält die LAN-Adresse des Zieladapters, nämlich BB-BB-BB-BB-BB-BB in unserem Beispiel. Wenn Adapter B einen Ethernet-Rahmen mit einer *anderen* Zieladresse als seiner physikalischen Adresse oder mit der LAN-Broadcast-Adresse empfängt, verwirft er den Rahmen. Andernfalls gibt er den Inhalt des Datenfelds an die Vermittlungsschicht weiter.

- *Quelladresse (6 Byte)*: Dieses Feld enthält die LAN-Adresse des Adapters, der den Rahmen zum LAN überträgt, nämlich AA-AA-AA-AA-AA-AA in unserem Beispiel.

- *Typfeld (2 Byte)*: Mit Hilfe dieses Felds kann Ethernet Vermittlungsschichtprotokolle »multiplexen«. Um das Konzept zu verstehen, müssen wir berücksichtigen, dass Hosts neben IP auch andere Vermittlungsschichtprotokolle verwenden können. Ein bestimmter Host kann beispielsweise mehrere Vermittlungsschichtprotokolle und unterschiedliche Protokolle für verschiedene Anwendungen benutzen. Wenn also der Ethernet-Rahmen bei Adapter B ankommt, muss Adapter B wissen, an welches Vermittlungsschichtprotokoll er den Inhalt des Datenfelds weitergeben (d. h. demultiplexen) muss. IP und andere Protokolle der Sicherungsschicht (z. B. Novell IPX oder AppleTalk) haben jeweils eine eigene, standardisierte Typnummer. Außerdem hat das (im vorherigen Abschnitt beschriebene) ARP-Protokoll seine eigene Typnummer. Man beachte, dass das Typfeld dem Protokollfeld in Datagrammen der Vermittlungsschicht und den Portnummernfeldern in Segmenten der Transportschicht entspricht. Alle diese Felder dienen dem Zusammenhalt eines Protokolls auf einer Schicht mit einem Protokoll auf der nächsthöheren Schicht.

- *CRC-Feld (4 Byte)*: Wie in Abschnitt 5.2.3 beschrieben, erfüllt das CRC-Feld den Zweck, dass der empfangende Adapter, hier Adapter B, erkennen kann, ob der Rahmen fehlerhaft ist, d. h. ob Bits im Rahmen verdreht wurden. Ursachen von Bitfehlern können Dämpfung der Signalstärke und elektromagnetische Umgebungsstörungen sein, die auf die Ethernet-Kabel und Schnittstellenkarten einwirken. Die Fehlererkennung wird wie folgt durchgeführt: Wenn Host A einen Ethernet-Rahmen zusammenstellt, berechnet er ein CRC-Feld, das er aus einer Abbildung der übrigen Bits im Rahmen (ausschließlich der Präambelbits) erhält. Wenn Host B den Rahmen empfängt, wendet er die gleiche Abbildung auf den Rahmen an und prüft, ob das Ergebnis der Abbildung dem Inhalt des CRC-Felds entspricht. Diese Operation wird beim empfangenden Host als **CRC-Prüfung** bezeichnet. Wenn die CRC-Prüfung fehlschlägt (d. h., wenn das Ergebnis der Abbildung nicht mit dem Inhalt des CRC-Felds übereinstimmt), weiß Host B, dass der Rahmen einen Fehler enthält.

- *Präambel (8 Byte)*: Der Ethernet-Rahmen beginnt mit einem acht Byte langen Präambelfeld. Die ersten sieben Byte der Präambel haben jeweils einen Wert von 10101010 und das letzte Byte ist 10101011. Die ersten sieben Byte der Präambel dienen auch zum »Aufwecken« der empfangenden Adapter und zur Synchronisation ihres Takts auf denjenigen des Senders. Warum sollten die Takte nicht synchron sein? Man bedenke, dass Adapter A beabsichtigt, den Rahmen in 10 Mbps, 100 Mbps oder 1 Gbps zu übertragen, je nach Typ des Ethernet-LAN. Da aber nicht alles perfekt ist, wird Adapter A den Rahmen nicht genau in der Sollrate übertragen; irgendein Abdriften von der Sollrate tritt immer auf und die anderen Adapter im LAN können nicht im Voraus wissen, um wie viel die Rate abweichen wird. Ein empfangender Adapter kann sich auf den Takt von Adapter A einfach dadurch synchronisieren, dass er sich auf die Bits in den ersten sieben Byte der Präambel festlegt. Die letzten beiden Bit der acht Byte der Präambel (die ersten beiden aufeinander folgenden Einsen) warnen Adapter B, dass gleich »wichtiges Zeug« ankommt. Wenn Host B zwei aufeinander folgende Einsen sieht, weiß er, dass die nächsten sechs Byte die Zieladresse darstellen. Ein Adapter kann leicht erkennen, wo ein Rahmen endet, wenn er feststellt, dass kein Strom mehr anliegt.

Unzuverlässiger verbindungsloser Dienst

Alle Ethernet-Technologien bieten der Vermittlungsschicht einen **verbindungslosen Dienst**. Das heißt, wenn Adapter A ein Datagramm an Adapter B senden möchte, verkapselt Adapter A das Datagramm in einem Ethernet-Rahmen und sendet den Rahmen zum LAN, ohne zuerst ein »Handshake« mit Adapter B durchzuführen. Dieser verbindungslose Dienst der Schicht 2 ist vergleichbar mit dem Datagramm-Dienst der Schicht 3 von IP und dem verbindungslosen Dienst der Schicht 4 von UDP.

Alle Ethernet-Technologien bieten der Vermittlungsschicht einen **unzuverlässigen Dienst**. Wenn Adapter B einen Rahmen von A empfängt, schickt er keine Bestätigung zurück, sofern der Rahmen die CRC-Prüfung besteht (noch sendet er eine negative Bestätigung (NAK), wenn der Rahmen in der CRC-Prüfung fehlschlägt). Adapter A hat nicht die geringste Ahnung, ob sein Rahmen korrekt oder fehlerhaft empfangen wurde. Fällt ein Rahmen durch die CRC-Prüfung, verwirft Adapter B einfach den Rahmen. Dieser Mangel an zuverlässigem Transport (auf der Sicherungsschicht) trägt mit dazu bei, dass Ethernet einfach und kostengünstig ist. Es bedeutet aber auch, dass der Strom der an die Vermittlungsschicht weitergegebenen Datagramme Lücken aufweist.

Wenn also aufgrund verworfener Ethernet-Rahmen Lücken entstehen, kann das Protokoll der Anwendungsschicht in Host B diese Lücken ebenfalls erkennen? Wie in Kapitel 3 erklärt wurde, hängt dies ausschließlich davon ab, ob die Anwendung UDP oder TCP benutzt. Falls die Anwendung UDP benutzt, leidet das Protokoll der Anwendungsschicht in Host B tatsächlich an Lücken in den Daten. Benutzt sie dagegen TCP, bestätigt TCP in Host B keine verworfenen Daten, was TCP in Host A dazu veranlasst, eine Neuübertragung durchzuführen. Wenn TCP Daten erneut überträgt, finden die Daten letztendlich ihren Weg zum Ethernet-Adapter, an dem sie verworfen wurden. Und in gewissem Sinn überträgt Ethernet letztendlich die Daten ebenfalls erneut. Man sollte allerdings berücksichtigen, dass Ethernet nicht weiß, dass es eine Neuübertragung durchführt. Ethernet glaubt, dass es ein neues Datagramm mit brandneuen Daten überträgt, auch wenn das Datagramm Daten enthält, die bereits mindestens einmal übertragen wurden.

Basisbandübertragung und Manchester-Kodierung

Ethernet benutzt Basisbandübertragung, d. h., der Adapter sendet ein digitales Signal direkt auf den Broadcast-Kanal. Die Schnittstellenkarte verschiebt das Signal nicht in ein anderes Frequenzband wie bei ADSL- und Kabelmodemsystemen. Ferner verwendet Ethernet die Manchester-Kodierung (siehe Abbildung 5.25). Mit der Manchester-Kodierung enthält jedes Bit einen Übergang; 1 hat einen Übergang von oben nach unten und 0 einen von unten nach oben. Der Grund für die Anwendung der Manchester-Kodierung ist, dass der Takt im sendenden und im empfangenden Adapter nicht perfekt aufeinander synchronisiert sind. Durch Einfügen eines Übergangs in der Mitte jedes Bits kann der empfangende Host seinen Takt auf denjenigen des sendenden Hosts synchronisieren. Ist der Takt des empfangenden Adapters synchron, kann der Empfänger jedes Bit abgrenzen und feststellen, ob es eine 1 oder 0 ist. Die Manchester-Kodierung ist eine Operation der Bitübertragungs- und nicht der Sicherungsschicht. Wir haben sie hier dennoch kurz beschrieben, weil sie umfangreich in Ethernet angewandt wird.

Abbildung 5.25 Manchester-Kodierung

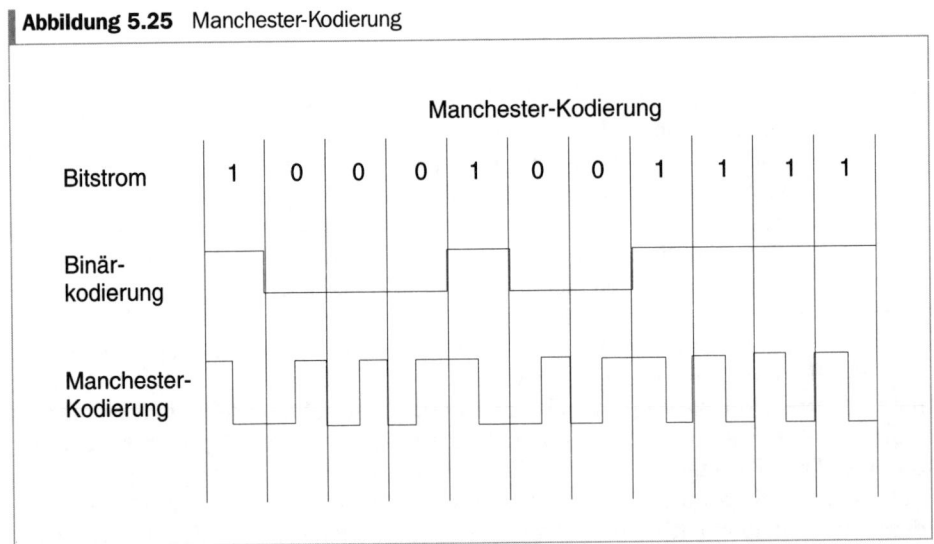

5.5.2 CSMD/CD: das Mehrfachzugriffsprotokoll in Ethernet

Die Knoten in einem Ethernet-LAN werden über einen Broadcast-Kanal miteinander verbunden. Wenn also ein Adapter einen Rahmen überträgt, wird er von allen Adaptern im LAN empfangen. Wie in Abschnitt 5.3 erwähnt, verwendet Ethernet einen CSMA/CD-Mehrfachzugriffsalgorithmus. Zusammenfassend führen wir hier noch einmal die von CSMA/CD angewandten Mechanismen auf:

1. Ein Adapter kann jederzeit mit der Übertragung beginnen, d. h., es werden keine Zeitschlitze benutzt.
2. Ein Adapter überträgt nie einen Rahmen, wenn er feststellt, dass ein anderer Adapter bereits überträgt (Carrier-Sensing).
3. Ein momentan aktiver Adapter bricht seine Übertragung ab, sobald er feststellt, dass ein anderer Adapter ebenfalls überträgt (Kollisionserkennung).
4. Vor dem Versuch einer Neuübertragung wartet ein Adapter eine zufällige Dauer, die im Vergleich zu einer Rahmenzeit meist kurz ist.

Diese Mechanismen ermöglichen CSMA/CD eine viel bessere Leistung in einer LAN-Umgebung als Slotted-ALOHA. Wenn die maximale Ausbreitungsverzögerung zwischen Stationen sehr gering ist, kann die Effizienz von CSMA/CD tatsächlich nahezu 100% betragen. Man beachte aber, dass der zweite und dritte der oben aufgeführten Mechanismen von jedem Ethernet-Adapter voraussetzen, dass er erstens erkennt, dass ein anderer Adapter überträgt, und zweitens eine Kollision erkennt, während er überträgt. Ethernet-Adapter führen diese beiden Aufgaben durch Messung der Spannungspegel vor und während der Übertragung durch.

Jeder Adapter führt das CSMA/CD-Protokoll ohne ausdrückliche Koordination mit anderen Adaptern im Ethernet aus. In einem bestimmten Adapter verfährt das CSMA/CD-Protokoll wie folgt:

1. Der Adapter erhält eine Vermittlungsschicht-PDU von seinem Elternknoten, bereitet einen Ethernet-Rahmen vor und stellt den Rahmen in einem Adapterpuffer ab.
2. Wenn der Adapter erkennt, dass der Kanal untätig ist (d. h., es liegt keine Signalenergie auf dem Kanal an, der in den Adapter hineinführt), beginnt er mit der Übertragung des Rahmens. Erkennt der Adapter, dass der Kanal besetzt ist, wartet er, bis er feststellt, dass keine Signalenergie (plus 96 Bitzeiten) anliegt. Anschließend beginnt er mit der Übertragung des Rahmens.
3. Während der Übertragung überwacht der Adapter die Signalenergie von anderen Adaptern. Wenn der Adapter den gesamten Rahmen übertragen kann, ohne eine Signalenergie von anderen Adaptern zu erkennen, hat er den Rahmen erfolgreich übertragen.
4. Wenn der Adapter während der Übertragung Signalenergie von anderen Adaptern feststellt, hört er mit der Übertragung seines Rahmens auf und überträgt stattdessen ein 48-Bit-Jam-Signal.
5. Nach dem Abbruch (d. h. Übertragung des Jam-Signals) tritt der Adapter in eine **exponentielle Backoff**-Phase ein, in der er einen »Rückzieher« macht. Das heißt, wenn er einen bestimmten Rahmen überträgt und dieser Rahmen nacheinander auf n Kollisionen gestoßen ist, wählt der Adapter einen Wert für K zufällig aus $\{0, 1, 2, \ldots, 2^{m}-1\}$, wobei $m := \min(n, 10)$. Der Adapter wartet dann $K \cdot 512$ Bitzeiten und fährt anschließend mit Schritt 2 fort.

Ein paar Kommentare über das CSMA/CD-Protokoll sind hier angebracht. Mit dem Jam-Signal soll sichergestellt werden, dass alle anderen übertragenden Adapter von der Kollision erfahren. Wir betrachten dies an einem Beispiel. Angenommen, Adapter A beginnt mit der Übertragung eines Rahmens. Kurz bevor das Signal von A Adapter B erreicht, beginnt Adapter B mit der Übertragung. B wird also nur ein paar Bits übertragen haben, wenn er seine Übertragung abbricht. Diese wenigen Bits breiten sich zu A aus, bilden zusammen aber vielleicht nicht genug Energie, damit A die Kollision erkennen kann. Um sicherzustellen, dass A von der Kollision erfährt (damit er sich ebenfalls zurückzieht), überträgt B das 48-Bit-Jam-Signal.

Als Nächstes betrachten wir den exponentiellen Backoff-Algorithmus. Wir stellen hier zuerst fest, dass eine Bitzeit (d. h. die Zeit für die Übertragung eines einzelnen Bits) sehr kurz ist. In einem 10-Mbps-Ethernet beträgt eine Bitzeit 0,1 Mikrosekunden. Wir betrachten dies ebenfalls an einem Beispiel. Angenommen, ein Adapter versucht erstmals, einen Rahmen zu übertragen. Während der Übertragung erkennt er eine Kollision. Er wählt $K = 0$ mit Wahrscheinlichkeit 0,5 und $K = 1$ mit Wahrscheinlichkeit 0,5. Falls der Adapter $K = 0$ wählt, springt er sofort zu Schritt 2, nachdem er das Jam-Signal übertragen hat. Wenn er $K = 1$ wählt, wartet er 51,2 Mikrosekunden, bevor er zu Schritt 2 zurückkehrt. Nach einer zweiten Kollision wird K mit einer entsprechenden Wahrscheinlichkeit aus $\{0, 1, 2, 3\}$ gewählt. Nach drei Kollisionen wird K mit entsprechender Wahrscheinlichkeit aus $\{0, 1, 2, 3, 4, 5, 6, 7\}$ gewählt. Nach zehn oder mehr Kollisionen wird K mit entsprechender Wahrscheinlichkeit aus $\{0, 1, 2, \ldots, 1023\}$ gewählt. Folglich wächst die Größe der Mengen, aus denen K gewählt wird, exponentiell mit der Anzahl der Kollisionen (bis $n = 10$). Aus diesem Grund wird der Backoff-Algorithmus von Ethernet als »exponentieller Backoff« bezeichnet.

Der Ethernet-Standard begrenzt die Entfernung zwischen zwei Knoten. Diese Begrenzung stellt sicher, dass Adapter A, wenn er einen niedrigeren Wert für K als alle anderen an einer Kollision beteiligten Adapter wählt, seinen Rahmen übertragen kann, ohne dass eine weitere Kollision entsteht. Dieses Merkmal wird in den Übungen am Ende dieses Kapitels weiter ausgeführt.

Warum wird der exponentielle Backoff angewendet? Könnte man nicht beispielsweise nach jeder Kollision K aus $\{0, 1, 2, 3, 4, 5, 6, 7\}$ wählen? Der Grund ist, dass ein Adapter, wenn er seine erste Kollision erlebt, keine Ahnung hat, wie viele Adapter von der Kollision betroffen sind. Wenn nur wenige Adapter kollidieren, ist es sinnvoll, K aus einer kleinen Menge kleiner Werte zu wählen. Sind andererseits viele Adapter von der Kollision betroffen, ist es sinnvoll, K aus einer größeren, breit gestreuten Menge von Werten zu wählen (warum?). Durch Erhöhung der Menge nach jeder Kollision passt sich der Adapter an diese unterschiedlichen Szenarien entsprechend an.

Wir stellen hier also fest, dass ein Adapter jedes Mal, wenn er einen neuen Rahmen zur Übertragung vorbereitet, den oben beschriebenen CSMA/CD-Algorithmus anwendet. Insbesondere berücksichtigt er keine Kollisionen, die sich möglicherweise in der jüngeren Vergangenheit ereigneten. Daher ist es möglich, dass ein Adapter in einer erfolgreichen Übertragung sofort einen neuen Rahmen durchschleusen kann, während sich mehrere andere Adapter im exponentiellen Backoff-Zustand befinden.

Ethernet-Effizienz

Wenn nur ein Knoten einen Rahmen zu senden hat, kann der Knoten in der vollen Rate der Ethernet-Technologie (10 Mbps, 100 Mbps oder 1 Gbps) übertragen. Müssen mehrere Knoten Rahmen übertragen, kann die effektive Übertragungsrate des Kanals viel geringer ausfallen. Wir definieren die **Effizienz von Ethernet** als den langfristigen Zeitanteil, in dem Rahmen auf dem Kanal ohne Kollisionen übertragen werden, wenn eine große Anzahl von Knoten aktiv ist, und jeder Knoten eine große Zahl von Rahmen sendet. Um eine Approximation der Ethernet-Effizienz in geschlossener Form darzustellen, sei t_{prop} die maximale Zeit, bis sich Signalenergie zwischen jeweils zwei Adaptern ausbreitet, und t_{trans} die Zeit für die Übertragung eines Ethernet-Rahmens mit maximaler Größe (ca. 1,2 ms in einem 10-Mbps-Ethernet). Eine Herleitung der Ethernet-Effizienz geht über Zweck und Umfang dieses Buchs hinaus (siehe [Lam 1980] und [Bertsekas 1991]). Wir führen hier lediglich folgende Approximation auf:

$$\textit{Effizienz} = \frac{1}{1 + 5 t_{prop}/t_{trans}}$$

Wir sehen in dieser Formel, dass die Effizienz sich 1 nähert, während sich t_{prop} 0 nähert. Dies stimmt mit unserer Intuition überein, dass kollidierende Knoten sofort abbrechen, wenn die Ausbreitungsverzögerung Null ist, ohne den Kanal zu verschwenden. Die Effizienz nähert sich auch 1, wenn t_{trans} sehr groß wird. Dies entspricht ebenfalls den Erwartungen, denn wenn ein Rahmen den Kanal übernimmt, nimmt er ihn über sehr lange Zeit in Beschlag. In diesem Fall würde der Kanal die meiste Zeit produktive Arbeit leisten.

5.5.3 Ethernet-Technologien

Die häufigsten Ethernet-Technologien sind heute 10Base2 (mit dünnem Koaxialkabel in einer Bustopologie und einer Übertragungsrate von 10 Mbps), 10BaseT (mit TP-Kabel in Sterntopologie und einer Übertragungsrate von 10 Mbps), 100BaseT (normalerweise mit TP-Kabel in Sterntopologie und einer Übertragungsrate von 100 Mbps) und Gigabit-Ethernet (mit Glasfaser und TP-Kabel und einer Übertragungsrate von 1 Gbps). Diese Ethernet-Technologien wurden von den IEEE-Arbeitsgruppen 802.3 standardisiert. Aus diesem Grund wird ein Ethernet-LAN oft als 802.3-LAN bezeichnet.

Vor der Beschreibung spezifischer Ethernet-Technologien müssen wir **Repeater** beschreiben, die normalerweise in LANs sowie in Weitverkehrsnetzen eingesetzt werden. Ein Repeater ist ein Gerät der Bitübertragungsschicht, das mit einzelnen Bits statt Rahmen arbeitet. Ein Repeater hat zwei oder mehr Schnittstellen. Wenn ein Bit, das eine Null oder Eins darstellt, von einer Schnittstelle ankommt, reproduziert der Repeater das Bit, womit er seine Energiestärke erhöht, und überträgt es an alle anderen Schnittstellen. Repeater werden häufig in LANs eingesetzt, um die geografische Reichweite auszudehnen. Beim Einsatz in einem Ethernet ist es von Bedeutung, dass Repeater kein Carrier-Sensing oder einen anderen Teil von CSMA/CD implementieren. Ein Repeater verstärkt ein ankommendes Bit auf allen abgehenden Schnittstellen, auch wenn auf einigen bereits Signalenergie anliegt.

10Base2-Ethernet

10Base2 ist eine sehr beliebte Ethernet-Technologie. Die meisten Firmen und Schulen oder Universitäten verfügen über ein 10Base2-Netzwerk. Die »10« in 10Base2 steht für »10 Mbps« und die »2« steht für »200« Meter; das ist die ungefähre maximale Entfernung zwischen zwei Knoten ohne dazwischen liegenden Repeater. (Die tatsächliche maximale Entfernung beträgt 185 Meter.) Abbildung 5.26 zeigt ein 10Base2-Ethernet.

Abbildung 5.26 Beispiel eines 10Base2-Ethernet

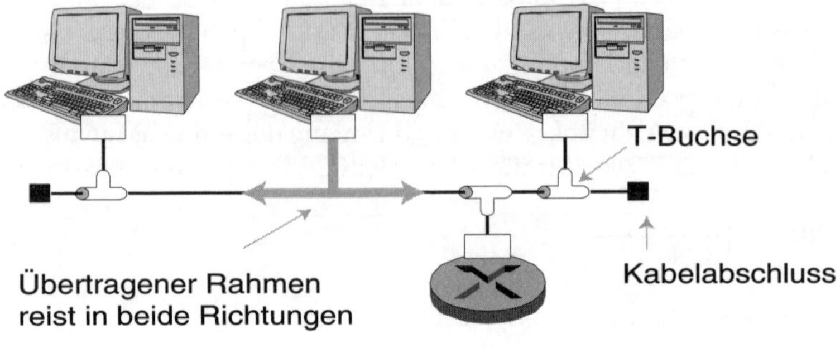

Bei dem Beispiel in Abbildung 5.26 wurde das 10Base2-Ethernet in Bustopologie realisiert, d. h., die Knoten sind (über ihre Adapter) linear angeschlossen. Als physikalisches Medium wird **dünnes Koaxialkabel** verwendet, das dem Kabel im Kabelfernsehen ähnelt, außer dass es dünner und leichter ist. Wenn ein Adapter einen Rahmen überträgt, fließt dieser durch eine »T-Buchse« (T-Connector). Dann verlassen zwei Kopien des Rahmens die T-Buchse, wobei je eine Kopie in eine Richtung fließt. Während die Rahmen beidseitig in Richtung zum Kabelabschluss fließen, hinterlassen sie eine Kopie in jedem passierten Knoten. (Genauer gesagt, während ein Bit vor einem Knoten vorbeifließt, strömt ein Teil der Bitenergie in den Adapter.) Wenn der Rahmen schließlich einen Kabelabschluss erreicht, wird er vom Abschluss absorbiert. Überträgt ein Adapter einen Rahmen, wird der Rahmen von jedem anderen Adapter im Ethernet empfangen. 10Base2 ist also im Grunde eine Broadcast-Technologie.

Angenommen, Sie möchten ein Dutzend Personalcomputer in Ihrem Büro über 10Base2-Ethernet vernetzen. Hierfür müssten Sie zwölf Ethernet-Karten mit Thin-Ethernet-Ports, zwölf BNC-Buchsen (kleine metallene Gegenstände, die an die Adapter angeschlossen werden und weniger als einen Euro das Stück kosten), etwa ein Dutzend dünne Koaxialkabelsegmente mit je 5–20 Metern und zwei »Kabelabschlüsse«, die an die beiden Enden des Busses anzuschließen sind, kaufen. Die Kosten des gesamten Netzwerks, einschließlich der Adapter, dürften wahrscheinlich unter dem Preis für einen PC liegen! Da 10Base2 derart preisgünstig ist, wird es auch »Cheapnet« genannt.

Ohne Repeater beträgt die maximale Länge eines 10Base2-Bus 185 Meter. Bei einem längeren Bus kann die Signaldämpfung zu Fehlfunktionen des Systems führen. Ohne Repeater können maximal 30 Knoten angeschlossen werden, da jeder Knoten zur Signaldämpfung beiträgt. Repeater lassen sich verwenden, um 10Base2-Segmente linear zu verbinden, wobei an jedes Segment bis zu 30 Knoten angeschlossen werden können und eine Länge bis 185 Meter erreicht wird. In einem 10Base2-Ethernet können bis zu vier Repeater angeschlossen werden, so dass maximal fünf »Segmente« entstehen. Folglich erreicht der Bus eines 10Base2-Ethernet eine Gesamtlänge von 985 Metern und unterstützt bis zu 150 Knoten. Man beachte, dass das CSMA/CD-Zugriffsprotokoll von den möglicherweise angeschlossenen Repeatern keine Ahnung hat. Wenn zwei beliebige von 150 Knoten gleichzeitig übertragen, kollidieren sie.

10BaseT und 100BaseT

Wir beschreiben 10BaseT- und 100BaseT-Ethernet zusammen, weil sie auf den gleichen Technologien basieren. Der wichtigste Unterschied zwischen den beiden Technologien ist, dass 10BaseT mit 10 Mbps und 100BaseT mit 100 Mbps überträgt. 100BaseT wird oft auch als »Fast-Ethernet« und »100-Mbps-Ethernet« bezeichnet. 10BaseT und 100BaseT sind ebenfalls sehr häufig installierte Ethernet-Technologien. Für neue Netzwerke werden heute vorwiegend 10BaseT- und 100BaseT-Ethernet installiert. Beide Technologien basieren auf der Sterntopologie (siehe Abbildung 5.27).

Abbildung 5.27 Sterntopologie für 10BaseT und 100BaseT

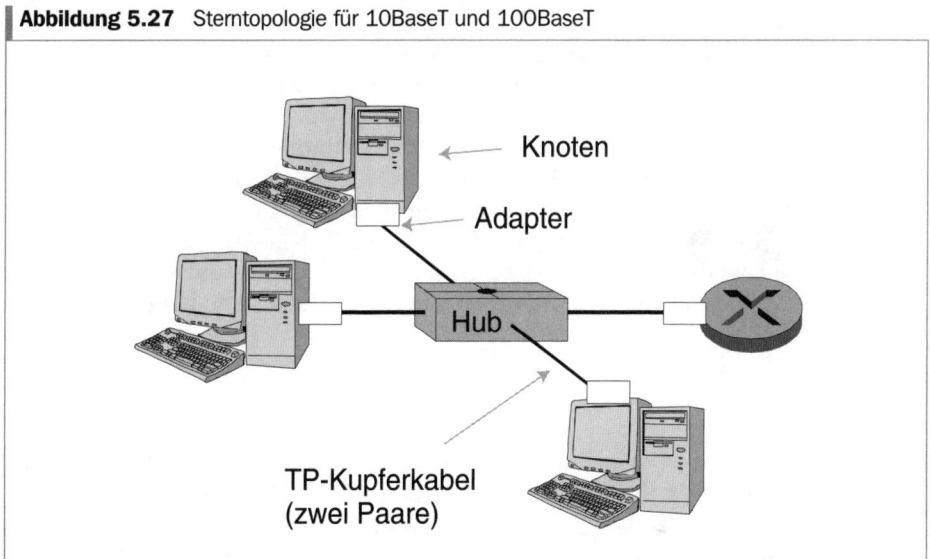

In der Sterntopologie existiert ein zentrales Gerät namens **Hub** (wird auch als »Konzentrator« bezeichnet). Jeder Adapter in jedem Knoten hat eine direkte Punkt-zu-Punkt-Verbindung zum Hub. Diese Verbindung besteht aus zwei Paaren des TP-Kupferkabels, eines zum Senden und das andere zum Empfangen. An jedem Ende der Verbindung befindet sich eine RJ45-Buchse, die der RJ11-Buchse ähnelt, die länderspezifisch an gewöhnlichen Telefonen vorzufinden ist. Das »T« in »10BaseT« und »100BaseT« steht für »Twisted-Pair« (verdrilltes Kabelpaar). Bei 10BaseT und 100BaseT beträgt die maximale Länge der Verbindung zwischen einem Adapter und dem Hub 100 Meter; die maximale Länge zwischen zwei Knoten beträgt daher 200 Meter. Wie im nächsten Abschnitt beschrieben wird, kann diese maximale Entfernung durch Verwendung von Hubs, Bridges, Switches und Glasfaserkabeln erhöht werden.

Im Wesentlichen ist ein Hub ein Repeater. Empfängt der Hub ein Bit von einem Adapter, sendet er es an alle anderen Adapter. Auf diese Weise kann jeder Adapter (1) den Kanal abtasten und feststellen, ob er untätig ist, und (2) eine Kollision erkennen, während er überträgt. Hubs sind aber besonders beliebt, weil sie auch Netzwerkmanagementfunktionen bieten. Wenn ein Adapter z. B. fehlerhaft ist und ständig Ethernet-Rahmen sendet, kann ein 10BaseT-Ethernet ganz ausfallen und kein Knoten kann mehr kommunizieren. Das 10BaseT-Netzwerk funktioniert aber weiterhin, weil der

Hub das Problem erkennt und den fehlerhaften Adapter intern abkoppelt. Dank dieses Merkmals braucht der Netzwerkadministrator nicht zu unmöglichen Uhrzeiten aus dem Bett springen, in die Firma fahren und das Problem beheben. Außerdem können die meisten Hubs Informationen erfassen und einem Host melden, der direkt an den Hub angeschlossen ist. Dieser Überwachungshost bietet eine grafische Benutzeroberfläche, die Statistiken und Diagramme, etwa über die Auslastung der Bandbreite, Häufigkeit von Kollisionen, durchschnittliche Rahmengröße usw., anzeigt. Netzwerkadministratoren können diese Informationen zur Diagnose und Korrektur von Fehlern sowie für die künftige LAN-Planung verwenden.

Viele Ethernet-Adapter sind heute 10/100-Mbps-Adapter. Das heißt, dass sie für 10BaseT- und 100BaseT-Ethernet benutzt werden können. Mit 100BaseT wird normalerweise ein Twisted-Pair der Kategorie 5 (ein qualitativ hochwertiges TP-Kabel mit vielen Verdrillungen) verwendet. Im Gegensatz zu 10Base2 und 10BaseT wird in 100BaseT keine Manchester-Kodierung, sondern eine effizientere Kodierung namens »4B5B« angewandt. Dabei werden in Gruppen von jeweils fünf Taktperioden vier Bit gesendet, um ausreichend Übergänge für die Taktsynchronisation bereitzustellen.

Wir erwähnen an dieser Stelle kurz, dass Glasfaser sowohl im 10- als auch im 100-Mbps-Ethernet eingesetzt werden kann. Eine Glasfaserleitung wird oft für den Anschluss an Hubs verwendet, die sich in unterschiedlichen Gebäuden auf dem gleichen Gelände befinden. Glasfaser ist aufgrund seiner Anschlussbuchsen teuer, weist aber eine hervorragende Rauschimmunität auf. Die IEEE-802-Standards ermöglichen es, dass ein LAN größere geografische Reichweiten erreicht, wenn Backbone-Knoten über Glasfaser verbunden werden.

Gigabit-Ethernet

Gigabit-Ethernet stellt eine Erweiterung der sehr erfolgreichen 10-Mbps- und 100-Mbps-Standards dar. Mit einer rohen Datenrate von 1.000 Mbps ist Gigabit-Ethernet mit dem riesigen Installationsbestand an Ethernet-Anlagen voll kompatibel. Der als IEEE 802.3z bezeichnete Standard für Gigabit-Ethernet zeichnet sich vor allem durch folgende Merkmale aus:

- Verwendung des Standard-Ethernet-Rahmenformats (Abbildung 5.24) und Abwärtskompatibilität mit den 10BaseT- und 100BaseT-Technologien. Dies ermöglicht die einfache Integration von Gigabit-Ethernet in vorhandene Ethernet-Anlagen.

- Unterstützung von Punkt-zu-Punkt-Leitungen und gemeinsamer Broadcast-Kanäle. Mit Punkt-zu-Punkt-Leitungen werden Switches (siehe Abschnitt 5.6) eingesetzt, während mit Broadcast-Kanälen die oben in Zusammenhang mit 10BaseT und 100BaseT beschriebenen Hubs verwendet werden. Im Gigabit-Ethernet-Slang werden Hubs »gepufferte Distributoren« genannt.

- Verwendung von CSMA/CD für gemeinsam genutzte Broadcast-Kanäle. Um eine akzeptable Effizienz zu erreichen, muss die maximale Entfernung zwischen Knoten stark eingeschränkt werden.

- Unterstützung des Vollduplexbetriebs mit 1.000 Mbps in beiden Richtungen über Punkt-zu-Punkt-Kanäle.

Wie 10BaseT und 100BaseT hat Gigabit-Ethernet eine Sterntopologie mit einem in der Mitte installierten Hub oder Switch. (Ethernet-Switches werden in Abschnitt 5.6 beschrieben.) Gigabit-Ethernet dient oft als Backbone für den Zusammenschluss mehrerer 10- und 100-Mbps-Ethernet-LANs. Das anfangs mit Glasfaserkabel betriebene Gigabit-Ethernet wird in nächster Zukunft auch UTP-Kabel Kategorie 5 unterstützen.

Die Gigabit Ethernet Alliance ist ein offenes Forum mit dem Zweck, die Zusammenarbeit der Industrie an der Entwicklung von Gigabit-Ethernet zu fördern. Ihre Web-Site ist eine reichhaltige Quelle von Informationen über Gigabit-Ethernet [Alliance 1999]. Das Interoperability Lab an der Universität von New Hampshire bietet ebenfalls eine gute Seite über Gigabit-Ethernet [Interoperability 1999].

5.6 Hubs, Bridges und Switches

Firmen unterschiedlicher Größe und Universitäten verfügen normalerweise über mehrere Abteilungen, wobei jede Abteilung oder Fakultät ein eigenes Ethernet-LAN verwaltet. Natürlich wünscht sich eine solche Institution, alle Abteilungen oder Fakultäten über LAN-Abteilungssegmente zu verbinden. In diesem Abschnitt betrachten wir eine Reihe unterschiedlicher Ansätze für den Zusammenschluss mehrerer LANs. Genauer gesagt, beschreiben wir in den folgenden Unterabschnitten drei Ansätze – Hubs, Bridges und Switches –, die heute alle häufig installiert werden.

5.6.1 Hubs

Die einfachste Möglichkeit, mehrere LANs zu verbinden, ist die Verwendung von Hubs. Ein **Hub** ist ein einfaches Gerät, das eine Eingabe (d. h. die Bits eines Rahmens) entgegennimmt und sie an die Ausgangsports des Hubs befördert. Hubs sind im Wesentlichen Repeater, die mit Bits arbeiten. Damit sind sie Geräte der Bitübertragungsschicht. Wenn ein Bit an einer Hub-Schnittstelle ankommt, sendet der Hub das Bit einfach rundum an alle anderen Schnittstellen.

Abbildung 5.28   Ethernet-LANs dreier Fakultäten sind über einen Hub verbunden.

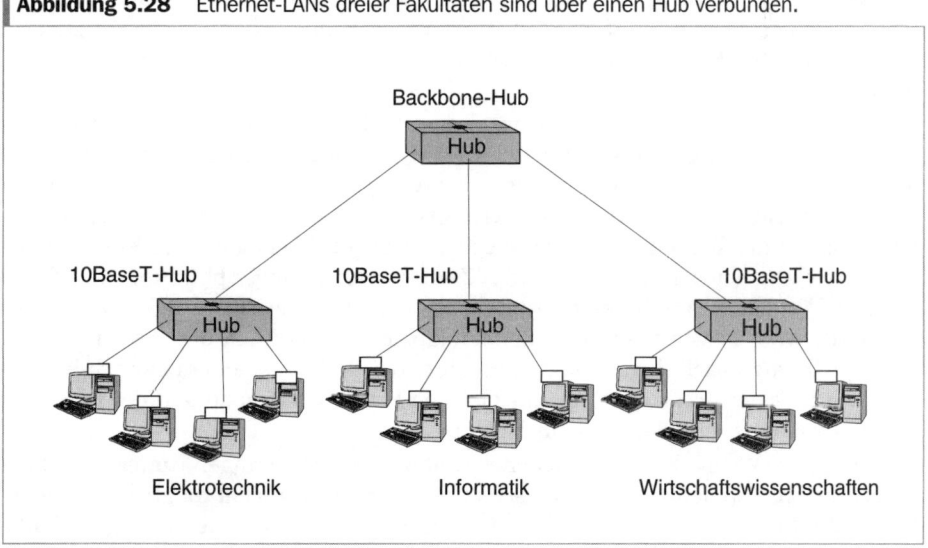

Abbildung 5.28 zeigt eine Möglichkeit, wie drei Fakultäten einer Universität ihre LANs verbinden können. In diesem Beispiel hat jede der drei Fakultäten ein 10BaseT-

Ethernet, das Netzwerkzugriff für die Fakultät, die Mitarbeiter und Studenten bietet. Jeder Host einer Fakultät hat eine Punkt-zu-Punkt-Verbindung zum Fakultätshub. Ein vierter Hub, der so genannte **Backbone-Hub**, unterhält Punkt-zu-Punkt-Verbindungen zu den Fakultätshubs, verbindet also die LANs der drei Fakultäten. Abbildung 5.28 basiert auf einem **mehrschichtigen Hub-Design**, weil die Hubs in einer Hierarchie angeordnet sind. Es ist auch möglich, mehrschichtige Designs mit mehr als zwei Schichten zu entwerfen, beispielsweise eine Schicht für die Fakultäten, eine für die Institute innerhalb der Universität (z. B. Konstruktion, Medizin usw.) und eine auf der höchsten Universitätsebene. Mehrschichtige Designs können auch mit 10Base2 (Bustopologie-Ethernet) und Repeatern realisiert werden.

In einem mehrschichtigen Design bezeichnen wir das gesamte zusammengeschlossene Netzwerk als LAN und jeden Fakultätsteil des LAN (d. h. den Fakultätshub und die daran angeschlossenen Hosts) als **LAN-Segment**. Wichtig ist, dass alle LAN-Segmente in Abbildung 5.28 zur gleichen **Kollisionsdomäne** gehören. Das heißt, wenn zwei oder mehr Knoten in den LAN-Segmenten gleichzeitig übertragen, entsteht eine Kollision und alle übertragenden Knoten wechseln in den exponentiellen Backoff-Zustand.

Der Zusammenschluss von Fakultäts- oder Abteilungs-LANs über einen Backbone-Hub hat mehrere Vorteile. Erstens bietet er abteilungsübergreifende Kommunikation unter den Hosts in den verschiedenen Fakultäten/Abteilungen. Zweitens vergrößert er die maximale Entfernung zwischen je zwei Knoten im LAN. Bei 10BaseT beträgt die maximale Entfernung zwischen einem Knoten und seinem Hub z. B. 100 Meter. Daraus ergibt sich eine maximale Entfernung zwischen einem beliebigen Knotenpaar in einem einzelnen LAN-Segment von 200 Meter. Durch Zusammenschluss der Hubs lässt sich diese maximale Entfernung ausdehnen, weil die Entfernung zwischen direkt verbundenen Hubs ebenfalls 100 Meter sein kann, wenn TP-Kabel eingesetzt wird (bzw. noch mehr bei Glasfaser). Drittens bietet das mehrschichtige Design ein gewisses Maß an elegantem »Störverhalten«. Das heißt, wenn einer der Fakultäts-/Abteilungshubs ausfällt, erkennt der Backbone-Hub das Problem und koppelt den fehlerhaften Hub vom LAN ab. Auf diese Weise können die übrigen Fakultäten/Abteilungen den Betrieb und die Kommunikation fortsetzen, während der fehlerhafte Hub instandgesetzt wird.

Ein Backbone-Hub ist also ein nützliches Verbindungsgerät, weist jedoch drei schwerwiegende Einschränkungen auf, die seiner umfangreicheren Installation entgegenwirken. Erstens: Wenn Fakultäts- oder Abteilungs-LANs über einen Hub (oder Repeater) zusammengeschlossen werden, verwandeln sich die unabhängigen Kollisionsdomänen der Fakultäten/Abteilungen in eine große gemeinsame Kollisionsdomäne. Wir untersuchen diesen Punkt in Zusammenhang mit Abbildung 5.28. Bevor die drei Fakultäten verbunden wurden, hatte jedes Fakultäts-LAN einen maximalen Durchsatz von 10 Mbps, so dass der maximale Gesamtdurchsatz der drei LANs 30 Mbps betrug. Nach dem Zusammenschluss der drei LANs über einen Hub gehören alle Hosts der drei Fakultäten zur gleichen Kollisionsdomäne und der maximale Gesamtdurchsatz reduziert sich auf 10 Mbps.

Zweitens: Wenn die verschiedenen Fakultäten/Abteilungen unterschiedliche Ethernet-Technologien verwenden, ist es unter Umständen nicht möglich, die Fakultäts-/Abteilungshubs über einen Backbone-Hub zu verbinden. Wenn einige Fakultäten/Abteilungen z. B. 10BaseT und die restlichen 100BaseT verwenden, ist ein Zusammenschluss der LANs aller Fakultäten/Abteilungen ohne Rahmenzwischenspeicherung an einem Verbindungspunkt nicht möglich. Da Hubs im Wesentlichen

Repeater sind und als solche keine Rahmen zwischenspeichern, können sie keine LAN-Segmente miteinander verbinden, die in unterschiedlichen Raten arbeiten.

Drittens: Jede Ethernet-Technologie (10Base2, 10BaseT, 100BaseT usw.) unterliegt gewissen Einschränkungen hinsichtlich der maximal zulässigen Anzahl von Knoten in einer Kollisionsdomäne, der maximalen Entfernung zwischen zwei Hosts in einer Kollisionsdomäne und der maximal zulässigen Anzahl von Schichten in einem mehrschichtigen Design. Diese Einschränkungen begrenzen sowohl die Gesamtzahl der Hosts, die an ein mehrschichtiges LAN angeschlossen werden können, als auch die geografische Reichweite des mehrschichtigen LAN.

5.6.2 Bridges

Im Gegensatz zu Hubs, die Geräte der Bitübertragungsschicht sind, arbeiten Bridges mit Ethernet-Rahmen und sind daher Geräte der Schicht 2. Das heißt, **Bridges** sind voll ausgereifte Paket-Switches, die Rahmen unter Verwendung der LAN-Zieladressen weiterleiten und filtern. Wenn ein Rahmen an einer Bridge-Schnittstelle ankommt, kopiert die Bridge den Rahmen nicht einfach an alle übrigen Schnittstellen. Sie prüft vielmehr die Schicht-2-Zieladresse des Rahmens und versucht, den Rahmen an die Schnittstelle weiterzuleiten, die zum Ziel führt.

Abbildung 5.29 zeigt eine Möglichkeit, wie die drei Fakultäten des vorherigen Beispiels über eine Bridge verbunden werden können. Die drei Zahlen neben der Bridge sind die Schnittstellennummern der drei Bridge-Schnittstellen. Wenn die Fakultäten über eine Bridge verbunden werden, wie in Abbildung 5.29, beziehen wir uns wieder auf das gesamte zusammengeschlossene Netzwerk als LAN und auf jeden Fakultätsteil des Netzwerks als LAN-Segment. Im Gegensatz zum mehrschichtigen Hub-Design von Abbildung 5.28 stellt jedes LAN-Segment jetzt aber eine isolierte Kollisionsdomäne dar.

Abbildung 5.29 Drei über eine Bridge verbundene Fakultäts-LANs

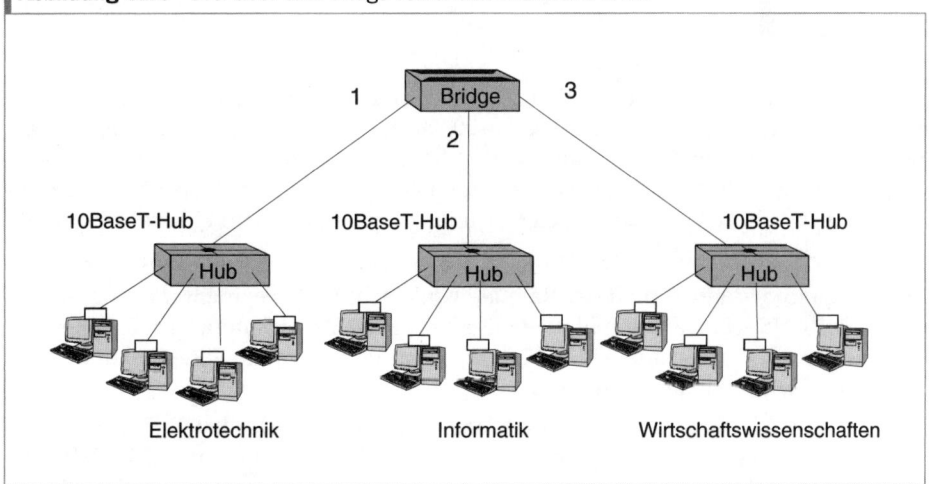

Bridges können viele der Probleme überwinden, an denen Hubs leiden. Erstens erlauben Bridges die abteilungsübergreifende Kommunikation bei gleichzeitiger Wahrung isolierter Kollisionsdomänen für jede Abteilung oder Fakultät. Zweitens

können Bridges unterschiedliche LAN-Technologien, darunter 10-Mbps- und 100-Mbps-Ethernet, verbinden. Drittens besteht keine Beschränkung hinsichtlich der Größe eines LAN, wenn die LAN-Segmente über Bridges verbunden werden. Theoretisch ist es mit Bridges möglich, ein LAN aufzubauen, das sich über den gesamten Globus erstreckt.

Bridge-Weiterleitung und -Filterung

Unter **Filterung** versteht man die Fähigkeit einer Bridge, festzustellen, ob ein Rahmen an eine Schnittstelle weitergeleitet oder einfach verworfen werden soll. **Weiterleitung** ist die Fähigkeit, die Schnittstellen zu ermitteln, an die ein Rahmen zu senden ist. Das Filtern und Weiterleiten einer Bridge erfolgt anhand einer **Bridge-Tabelle**. Die Bridge-Tabelle enthält Einträge für einige, aber nicht unbedingt alle Knoten eines LAN. Der Eintrag eines Knotens in der Bridge-Tabelle enthält (1) die LAN-Adresse des Knotens, (2) die Bridge-Schnittstelle, die in Richtung zum Knoten führt, und (3) die Zeit, wann der Eintrag für den Knoten in die Tabelle eingefügt wurde. Abbildung 5.30 zeigt als Beispiel die Bridge-Tabelle für das LAN von Abbildung 5.29. Obwohl diese Beschreibung der Rahmenweiterleitung unserer Diskussion der Datagramm-Weiterleitung in Kapitel 4 ähnelt, werden wir in Kürze sehen, dass es wichtige Unterschiede gibt. Wir stellen hier fest, dass die Adressaten, die Bridges verwenden, physikalische Adressen und nicht Adressen der Vermittlungsschicht sind. Wir werden auch in Kürze sehen, dass eine Bridge-Tabelle anders als Routing-Tabellen zusammengestellt wird.

Abbildung 5.30 Auszug aus der Bridge-Tabelle für das LAN in Abbildung 5.29

Adresse	Schnittstelle	Zeit
62-FE-F7-11-89-A3	1	9:32
7C-BA-B2-B4-91-10	3	9:36
...	...	...

Um zu verstehen, wie Bridge-Filterung und -Weiterleitung funktionieren, nehmen wir an, ein Rahmen mit Zieladresse DD-DD-DD-DD-DD-DD kommt bei der Bridge auf Schnittstelle x an. Die Bridge indiziert ihre Tabelle mit der LAN-Adresse DD-DD-DD-DD-DD-DD und stellt die entsprechende Schnittstelle y fest, die zur Zieladresse DD-DD-DD-DD-DD-DD führt. Wir werden gleich sehen, was passiert, wenn eine solche Schnittstelle y in der Tabelle nicht gefunden wird.

- Ist x gleich y, dann kommt der Rahmen von einem LAN-Segment mit Adapter DD-DD-DD-DD-DD-DD. Da keine Notwendigkeit für die Weiterleitung des Rahmens an eine der anderen Schnittstellen besteht, führt die Bridge die Filterfunktion in der Form aus, dass sie den Rahmen verwirft.

- Ist x nicht gleich y, dann muss der Rahmen an das an Schnittstelle y angeschlossene LAN-Segment weitergeleitet werden. Die Bridge führt ihre Weiterleitungsfunktion in der Form aus, dass sie den Rahmen in einen der Schnittstelle y vorgeschalteten Ausgangspuffer stellt.

Diese einfachen Regeln erlauben es einer Bridge, getrennte Domänen für jedes der an ihre Schnittstellen angeschlossenen LAN-Segmente zu wahren. Die Regeln erlauben es auch zwei Knotengruppen an unterschiedlichen LAN-Segmenten, gleichzeitig zu kommunizieren, ohne sich in die Quere zu kommen.

Wir gehen jetzt diese Regeln für das Netzwerk von Abbildung 5.29 und die Bridge-Tabelle von Abbildung 5.30 schrittweise durch. Angenommen, ein Rahmen mit Zieladresse 62-FE-F7-11-89-A3 von Schnittstelle 1 kommt bei der Bridge an. Die Bridge sieht ihre Tabelle durch und stellt fest, dass sich das Ziel an dem an Schnittstelle 1 angeschlossenen LAN-Segment befindet (bei diesem Beispiel das Elektrotechnik-LAN). Dies bedeutet, dass der Rahmen bereits auf dem LAN-Segment, zu dem das Ziel gehört, rundgesendet wurde. Die Bridge filtert deshalb den Rahmen (d. h., sie verwirft ihn in diesem Fall). Nun nehmen wir an, ein Rahmen mit der gleichen Zieladresse kommt von Schnittstelle 2 an. Die Bridge stellt in ihrer Tabelle erneut fest, dass das Ziel die Richtung von Schnittstelle 1 ist; deshalb leitet sie den Rahmen an den der Schnittstelle 1 vorgeschalteten Ausgangspuffer weiter. Aus diesem Beispiel dürfte klar werden, dass die Bridge, solange ihre Tabelle vollständig und korrekt ist, die Kollisionsdomänen der einzelnen Abteilungen bzw. Fakultäten isoliert, während die Abteilungen/Fakultäten gleichzeitig kommunizieren können.

Wenn ein Hub (oder Repeater) einen Rahmen an eine Verbindungsleitung weiterleitet, sendet er im Grunde lediglich die Bits auf die Leitung, ohne festzustellen, ob eine andere Übertragung momentan auf der Verbindungsleitung aktiv ist. Demgegenüber führt eine Bridge, wenn sie einen Rahmen auf eine Verbindungsleitung schikken will, zuerst den in Abschnitt 5.3 beschriebenen CSMA/CD-Algorithmus aus. Die Bridge beginnt also nicht mit der Übertragung, wenn sie feststellt, dass ein anderer Knoten in dem LAN-Segment, an das sie einen Rahmen senden möchte, bereits überträgt. Außerdem wendet die Bridge den exponentiellen Backoff an, wenn eine ihrer Übertragungen zu einer Kollision führt. Folglich verhalten sich Bridge-Schnittstellen ähnlich wie Knotenadapter. Aus technischer Sicht sind sie aber keine Knotenadapter, weil weder die Bridge noch ihre Schnittstellen LAN-Adressen haben. Wie bereits an früherer Stelle erwähnt, fügt ein Knotenadapter seine LAN-Adresse immer in die Quelladresse jedes von ihm übertragenen Rahmens ein. Diese Aussage trifft auf Router- und Hostadapter zu. Eine Bridge dagegen ändert nicht die Quelladresse des Rahmens.

Ein wichtiges Merkmal von Bridges ist, dass sie benutzt werden können, um Ethernet-Segmente unterschiedlicher Ethernet-Technologien zu kombinieren. Wenn in Abbildung 5.29 Elektrotechnik beispielsweise ein 10Base2-Ethernet, Wirtschaftswissenschaften ein 100BaseT-Ethernet und Informatik ein 10BaseT-Ethernet haben, kann eine Bridge angeschafft werden, um die drei LANs zu verbinden. Mit Gigabit-Ethernet-Bridges ist ein weiterer 1-Gbps-Anschluss an einen Router möglich, der seinerseits an ein größeres Universitätsnetzwerk angeschlossen ist. Wie an früherer Stelle erwähnt, ist diese Möglichkeit der Verbindung mehrerer LANs mit unterschiedlichen Leitungsraten mit Hubs nicht möglich.

Außerdem besteht beim Einsatz von Bridges als Verbindungsgeräte keine theoretische Grenze hinsichtlich der geografischen Ausdehnung des LAN. Theoretisch lässt sich ein LAN aufbauen, das den ganzen Erdball umspannt, und zwar rein durch den Zusammenschluss von Hubs in einer langen linearen Topologie, wobei jedes Paar benachbarter Hubs über eine Bridge verbunden wird. Mit diesem Design hat jeder Hub seine eigene Kollisionsdomäne und die Länge des LAN ist unbegrenzt. Wir werden aber bald sehen, dass es nicht wünschenswert ist, sehr große Netzwerke ausschließlich mit Bridges als verbindende Geräte aufzubauen; große Netzwerke benötigen auch Router.

Selbstlernende Bridges

Eine Bridge hat die (insbesondere für den ohnehin überlasteten Netzwerkadministrator) angenehme Eigenschaft, dass ihre Tabelle automatisch, dynamisch und autonom, d. h. ohne Eingriff eines Netzwerkadministrators oder Verwendung eines Konfigurationsprotokolls, zusammengestellt wird. Anders ausgedrückt, sind Bridges **selbstlernend**; sie bewerkstelligen dies wie folgt:

1. Die Bridge-Tabelle ist anfangs leer.
2. Wenn ein Rahmen auf einer Schnittstelle ankommt und seine Zieladresse nicht in der Tabelle steht, leitet die Bridge Kopien des Rahmens an die Ausgangspuffer aller anderen Schnittstellen weiter. (An jeder dieser anderen Schnittstellen wird der Rahmen mit Hilfe von CSMA/CD an dieses LAN-Segment übertragen.)
3. Von jedem empfangenen Rahmen speichert die Bridge in ihrer Tabelle (1) die im *Quelladressfeld* des Rahmens stehende LAN-Adresse, (2) die Schnittstelle, von der der Rahmen angekommen ist, und (3) die aktuelle Zeit. Auf diese Weise zeichnet die Bridge in ihrer Tabelle das LAN-Segment auf, an dem der sendende Knoten residiert. Wenn jeder Knoten im LAN irgendwann einen Rahmen sendet, wird letztendlich jeder Knoten in der Tabelle erfasst.
4. Wenn ein Rahmen auf einer der Schnittstellen ankommt und sich seine Zieladresse in der Tabelle befindet, leitet die Bridge den Rahmen an die entsprechende Schnittstelle weiter.
5. Die Bridge löscht eine Adresse in der Tabelle, wenn für gewisse Zeit (die *Alterungszeit*) keine Rahmen mit dieser Adresse als Quelladresse ankommen. Wenn beispielsweise ein PC durch einen anderen (mit einem anderen Adapter) abgelöst wird, wird die LAN-Adresse des alten PC aus der Bridge-Tabelle entfernt.

Wir betrachten die selbstlernende Eigenschaft für das Netzwerk aus Abbildung 5.29 und die Bridge-Tabelle in Abbildung 5.30. Angenommen, um 9:39 kommt ein Rahmen mit Quelladresse 01-12-23-34-45-56 von Schnittstelle 2 an. Es sei gegeben, dass sich diese Adresse nicht in der Bridge-Tabelle befindet. In diesem Fall fügt die Bridge einen neuen Eintrag in die Tabelle ein (siehe Abbildung 5.31).

Abbildung 5.31 Die Bridge lernt über den Standort des Adapters mit Adresse 01-12-23-34-45-56.

Adresse	Schnittstelle	Zeit
01-12-23-34-45-56	2	9:39
62-FE-F7-11-89-A3	1	9:32
7C-BA-B2-B4-91-10	3	9:36
...	...	...

Weiter wird angenommen, dass die Alterungszeit für diese Bridge 60 Minuten beträgt und bei der Bridge zwischen 9:32 und 10:32 keine Rahmen mit Quelladresse 62-FE-F7-11-89-A3 ankommen. In diesem Fall entfernt die Bridge diese Adresse um 10:32 aus ihrer Tabelle.

Bridges sind **Plug-and-Play-Geräte**, weil sie keinen Eingriff von einem Netzwerkadministrator oder Benutzer erfordern. Möchte ein Netzwerkadministrator eine Bridge installieren, muss er lediglich die LAN-Segmente an die Bridge-Schnittstellen anschließen. Er muss die Bridge-Tabelle weder zum Zeitpunkt der Installation noch bei Entfernung eines Host von einem der LAN-Segmente konfigurieren. Aufgrund dieser Eigenschaft werden Bridges auch als **transparent** bezeichnet.

Spanning-Tree

Eines der Probleme beim reinen hierarchischen Design für zusammengeschlossene LAN-Segmente ist, dass Teile des LAN vom Netzwerk getrennt werden, wenn ein Hub oder eine Bridge nahe dem oberen Ende der Hierarchie ausfällt. Aus diesem Grund ist es wünschenswert, Netzwerke mit mehreren Pfaden zwischen LAN-Segmenten aufzubauen. Ein Beispiel eines solchen Netzwerks sehen Sie in Abbildung 5.32.

Abbildung 5.32 Verbundene LAN-Segmente mit redundanten Pfaden

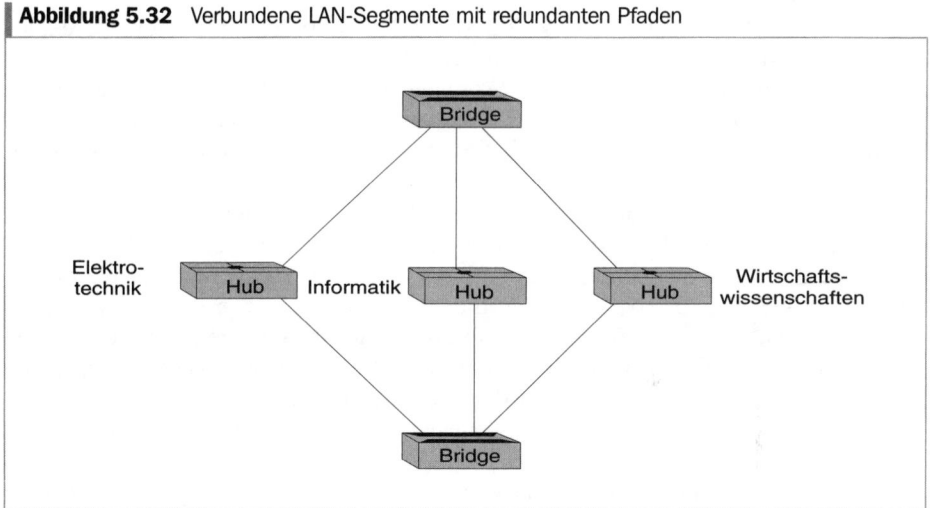

Mehrere redundante Pfade zwischen LAN-Segmenten (z. B. Fakultäts-LANs) können die Fehlertoleranz stark verbessern. Leider haben mehrere Pfade auch eine schwerwiegende Nebenwirkung: Rahmen können innerhalb des zusammengeschlossenen LAN kreisen und sich vermehren, falls man sich nicht darum kümmert [Perlman 1999]. Um dies zu verdeutlichen, nehmen wir an, dass die Bridge-Tabellen in Abbildung 5.32 leer sind und ein Host in Elektrotechnik einen Rahmen an einen Host in Informatik sendet. Wenn der Rahmen beim Elektrotechnik-Hub ankommt, erzeugt dieser zwei Kopien des Rahmens und sendet eine Kopie an jede der beiden Bridges. Wenn die beiden Bridges den Rahmen empfangen, erzeugt jede zwei Kopien und sendet je eine davon an den Informatik- und Wirtschaftswissenschaften-Hub. Da dies beide Bridges tun, gibt es vier identische Rahmen im LAN. Dieses Multiplizieren von Kopien kann sich unendlich fortsetzen, wenn die Bridges nicht wissen, wo der Zielhost residiert. (Wir wissen, dass der Zielhost zuerst einen Rahmen erzeugen muss, damit seine Adresse in den Bridge-Tabellen aufgezeichnet wird und seine LAN-Adresse in der Weiterleitungstabelle erscheint.) Die Anzahl von Kopien des Originalrahmens wächst exponentiell und kann letztlich das gesamte Netzwerk zum Absturz bringen.

Um das Kreisen und Multiplizieren von Rahmen zu verhindern, verwenden Bridges ein Spanning-Tree-Protokoll [Perlman 1999]. Im Rahmen des **Spanning-Tree-Protokolls** kommunizieren Bridges untereinander über die LANs, um einen Spanning-Tree (aufspannenden Baum), d. h. eine Untermenge der ursprünglichen Topologie ohne Schleifen, zu ermitteln. Nach der Ermittlung eines Spanning-Tree trennen die Bridges entsprechende Schnittstellen vom Netzwerk, um den Spanning-Tree aus der ursprünglichen Topologie zu erzeugen. In Abbildung 5.32 wird ein Spanning-Tree z. B. dadurch erzeugt, dass die oberste Bridge ihre Schnittstelle zu Elektrotechnik und die untere Bridge ihre Schnittstelle zu Wirtschaftswissenschaften abkoppeln. Dadurch werden die Schleifen entfernt und es können keine Rahmen mehr kreisen und sich vervielfachen. Falls eine der Verbindungsleitungen im Spanning-Tree zu einem späteren Zeitpunkt ausfällt, können die Bridges die Schnittstellen wieder anschließen, den Spanning-Tree-Algorithmus erneut ausführen und eine neue Reihe von Schnittstellen feststellen, die abzukoppeln sind.

Vergleich: Bridges und Router

Wie in Kapitel 4 bereits beschrieben, sind Router Paket-Switches nach dem Store-and-Forward-Prinzip, die Pakete anhand von Adressen der Vermittlungsschicht weiterleiten. Eine Bridge ist zwar ebenfalls ein Store-and-Forward-Switch, unterscheidet sich aber grundlegend von einem Router darin, dass sie Pakete anhand von LAN-Adressen weiterleitet. Ein Router ist ein Paket-Switch der Schicht 3 und eine Bridge einer der Schicht 2.

Obwohl sich Bridges und Router grundlegend unterscheiden, müssen sich Netzwerkadministratoren oft zwischen ihnen entscheiden, wenn sie ein Netzverbindungsgerät installieren. Für das Netzwerk in Abbildung 5.29 könnte der Netzwerkadministrator z. B. genauso gut einen Router statt einer Bridge verwenden. Mit einem Router würde er sogar erreichen, dass die drei Kollisionsdomänen getrennt bleiben. Angesichts dessen, dass sowohl Bridges als auch Router als Netzverbindungsgeräte in Frage kommen, stellt sich die Frage der Vor- und Nachteile der beiden Ansätze.

Wir beschreiben zuerst die Vor- und Nachteile von Bridges. Wie oben erwähnt, sind Bridges Plug-and-Play-Geräte. Sie bieten also ein Merkmal, das von allen überlasteten Netzwerkadministratoren der Welt gern gesehen wird. Bridges können auch relativ hohe Raten bei der Paketfilterung und -weiterleitung erreichen. Wie in Abbildung 5.33 deutlich wird, müssen Bridges Pakete nur bis hoch zu Schicht 2 verarbeiten, während Router sie bis zu Schicht 3 verarbeiten müssen. Andererseits schränkt das Spanning-Tree-Protokoll die effektive Topologie eines mit Bridges ausgestatteten Netzwerks auf einen Spanning-Tree ein. Dies bedeutet, dass alle Rahmen am Spanning-Tree entlang fließen müssen, auch wenn es direktere (aber abgekoppelte) Pfade zwischen Quelle und Ziel gibt. Die Spanning-Tree-Einschränkung konzentriert außerdem den Verkehr auf die Spanning-Tree-Leitungen, während er sich andernfalls gleichmäßiger auf alle Verbindungsleitungen der ursprünglichen Topologie verteilen würde. Außerdem bieten Bridges keinen Schutz vor Broadcast-»Fluten«. Das heißt, wenn ein Host durchdreht und einen endlosen Strom von Ethernet-Rahmen rundumsendet, werden alle diese Rahmen von den Bridges weitergeleitet, was zum Kollaps des gesamten Netzwerks führen kann.

Welche Vor- und Nachteile haben Router? Da die Netzwerkadressierung oft hierarchisch (und nicht flach wie die LAN-Adressierung) ist, kreisen Pakete normalerweise nicht durch Router, auch wenn das Netzwerk redundante Pfade hat. (Eigentlich können Pakete doch kreisen, nämlich wenn Router-Tabellen falsch konfiguriert

Abbildung 5.33 Paketverarbeitung in Bridges, Routern und Hosts

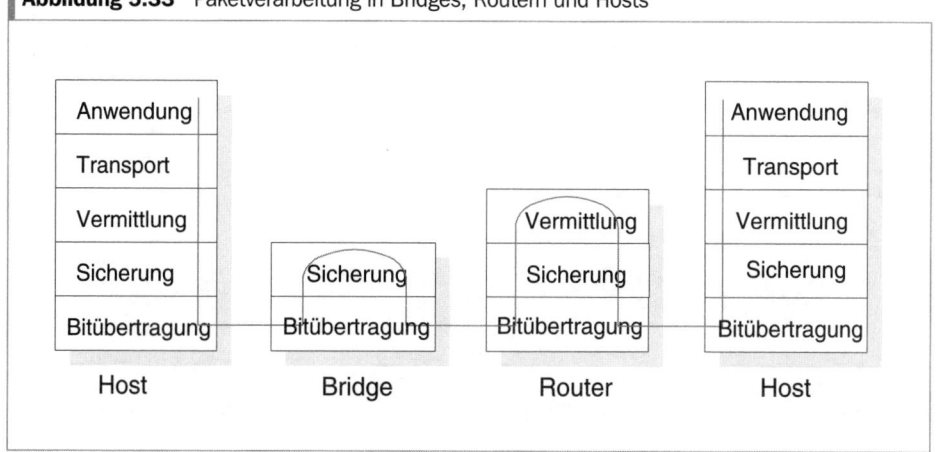

werden. Kapitel 4 hat aber gezeigt, dass IP ein spezielles Feld im Datagramm-Header verwendet, um ein solches Rundumkreisen einzuschränken.) Folglich werden Pakete nicht in einen Spanning-Tree gezwängt und sie können den besten Pfad zwischen Quelle und Ziel wählen. Da Router keiner Spanning-Tree-Einschränkung unterliegen, ermöglichen sie den Aufbau des Internets mit einer reichhaltigen Topologie, die z. B. mehrere aktive Verbindungsleitungen zwischen Europa und Nordamerika beinhaltet. Ein weiteres Merkmal von Routern ist, dass sie Firewall-Schutz vor Broadcast-»Fluten« von Schicht 2 bieten. Der wohl größte Nachteil von Routern ist, dass sie nicht plug-and-play-fähig sind. Für Router und die Hosts, die an sie angeschlossen werden, müssen die IP-Adressen konfiguriert werden. Außerdem haben Router oft längere Verarbeitungszeiten pro Paket als Bridges, weil sie bis hoch zu den Schicht-3-Feldern verarbeiten müssen. Schließlich sei an dieser Stelle noch angemerkt, dass viele Leute eine Menge Zeit damit verschwenden, sich über die richtige Aussprache – »Rootor« oder »Rowter« – zu streiten [Perlman 1999].

Da also Bridges und Router jeweils ihre Vor- und Nachteile haben, stellt sich die Frage, wann ein institutionelles Netzwerk (z. B. das eines Universitäts- oder Firmengeländes) Bridges oder Router verwenden sollte? Im typischen Fall werden in kleinen Netzwerken mit ein paar hundert Hosts, die sich aus wenigen LAN-Segmenten zusammensetzen, Bridges eingesetzt. Sie genügen, weil sie den Verkehr lokalisieren und den Gesamtdurchsatz erhöhen. Außerdem müssen keine IP-Adressen konfiguriert werden. Für größere Netzwerke, die sich aus Tausenden von Hosts zusammensetzen, werden (zusätzlich zu Bridges) auch Router installiert. Die Router bieten eine robustere Verkehrsabgrenzung, schützen vor Broadcast-Fluten und nutzen »intelligentere« Routen zwischen den Hosts des Netzwerks.

Verbindung von LAN-Segmenten mit Backbones

Wir greifen erneut das Problem des Zusammenschlusses der Ethernet-Netze der drei Fakultäten aus Abbildung 5.29 mit Bridges auf. Ein alternatives Design ist in Abbildung 5.34 dargestellt. Bei diesem Design werden zwei Bridges mit jeweils zwei Schnittstellen verwendet: Eine Bridge verbindet Elektrotechnik mit Informatik und die andere Informatik mit Wirtschaftswissenschaften. Obwohl Bridges mit zwei Schnittstellen sehr beliebt sind, weil sie kostengünstig und einfach sind, wird das Design von Abbildung 5.34 *nicht empfohlen*, und zwar aus zweierlei Gründen: Erstens könnten Elektrotechnik und Wirtschaftswissenschaften nicht mehr kommunizieren, falls einmal der Informatik-Hub ausfallen sollte. Zweitens (und wichtiger!) muss der gesamte fakultätsübergreifende Verkehr zwischen Elektrotechnik und Wirtschaftswissenschaften durch Informatik fließen, so dass dieses LAN-Segment möglicherweise überlastet wird.

Abbildung 5.34 Beispiel eines institutionellen LAN **ohne** Backbone

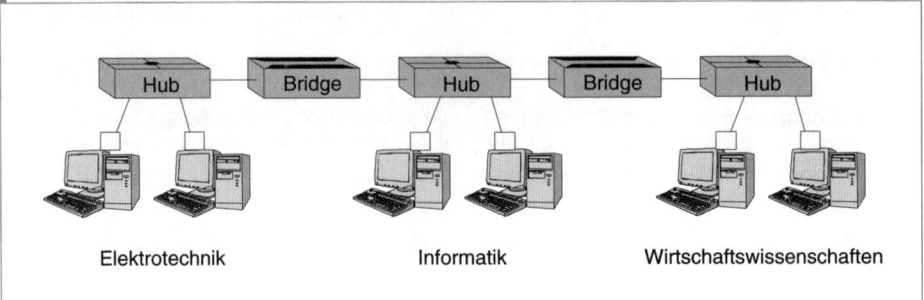

Ein wichtiges Prinzip im Design eines zusammengeschlossenen LAN ist, dass die verschiedenen LAN-Segmente über ein **Backbone** – ein Netzwerk, das direkte Verbindungen zu allen LAN-Segmenten hat – verbunden werden sollten. Verfügt ein LAN über ein Backbone, kann jedes LAN-Segmentpaar kommunizieren, ohne ein drittes LAN-Segment zu überqueren. Das in Abbildung 5.29 dargestellte Design beinhaltet eine Bridge mit drei Schnittstellen als Backbone. In den Übungen am Ende dieses Kapitels wird untersucht, wie man Backbone-Netzwerke mit Bridges und zwei Schnittstellen entwerfen kann.

5.6.3 Switches

Bis etwa Mitte der neunziger Jahre waren drei Typen von LAN-Verbindungsgeräten verfügbar: Hubs (und ihre Vettern, die Repeater), Bridges und Router. Später wurde mit Ethernet-Switches ein weiteres Gerät eingeführt. Ethernet-**Switches**, die von den Herstellern oft in den Himmel gepriesen werden, sind im Wesentlichen leistungsstarke Bridges mit mehreren Schnittstellen. Wie bei Bridges üblich, filtern und leiten sie Rahmen anhand von LAN-Zieladressen weiter und erstellen automatisch Weiterleitungstabellen mit den Quelladressen aus den durchquerenden Rahmen. Der wichtigste Unterschied zwischen einer Bridge und einem Switch ist, dass Bridges normalerweise wenig Schnittstellen (zwei bis vier) und Switches Dutzende davon haben. Viele Schnittstellen erzeugen eine hohe Gesamtweiterleitungsrate durch die Switching-Fabric, so dass ein leistungsstarkes Design (insbesondere für 100-Mbps- und 1-Gbps-Schnittstellen) erforderlich ist.

Switches sind auf dem Markt mit verschiedenen Kombinationen aus 10-Mbps-, 100-Mbps- und 1-Gbps-Schnittstellen erhältlich, z. B. mit vier 100-Mbps- und zwanzig 10-Mbps-Schnittstellen oder mit vier 100-Mbps- und einer 1-Gbps-Schnittstelle. Selbstverständlich zahlt sich ein Switch umso mehr aus, je mehr Schnittstellen er hat und umso höhere Übertragungsraten diese Schnittstellen haben. Viele Switches arbeiten außerdem im **Vollduplexmodus**. Das heißt, sie können Rahmen gleichzeitig über die gleiche Schnittstelle senden und empfangen. Mit einem Vollduplex-Switch (und den entsprechenden Vollduplex-Ethernet-Adaptern in den Hosts) kann z. B. Host A eine Datei an Host B senden, während Host B gleichzeitig etwas an Host A sendet.

Einer der Vorteile eines Switch mit zahlreichen Schnittstellen ist, dass er direkte Verbindungen zwischen Hosts und dem Switch vereinfacht. Wenn ein Host eine direkte Vollduplexverbindung zu einem Switch hat, kann er Rahmen in der vollen Übertragungsrate seines Adapters übertragen (und empfangen). Insbesondere erkennt der Hostadapter immer einen untätigen Kanal und wird nie einer Kollision ausgesetzt. Verfügt ein Host über eine direkte Verbindung zu einem Switch (statt über eine gemeinsam genutzte LAN-Verbindung), hat er **dedizierten Zugriff**. In Abbildung 5.35 bietet ein Ethernet-Switch dedizierten Zugriff auf sechs Hosts. Dieser dedizierte Zugriff ermöglicht es A, eine Datei an A' zu senden, während B eine Datei an B' und C eine an C' sendet. Ist in jedem Host eine 10-Mbps-Adapterkarte installiert, beträgt der Gesamtdurchsatz aller drei gleichzeitigen Dateiübertragungen 30 Mbps. Sind A und A' mit einem 100-Mbps-Adapter und die übrigen Hosts mit einem 10-Mbps-Adapter ausgestattet, wird in den drei gleichzeitigen Dateiübertragungen ein Gesamtdurchsatz von 120 Mbps erreicht.

Abbildung 5.35 Ein Ethernet-Switch, der sechs Hosts dedizierten Ethernet-Zugriff bietet

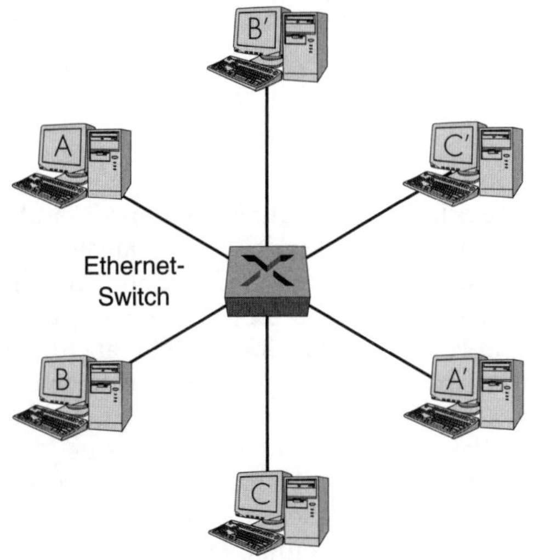

Abbildung 5.36 zeigt, wie eine Institution mit mehreren Fakultäten und wichtigen Servern eine Kombination aus Hubs, Ethernet-Switches und Routern installieren kann. In diesem Beispiel verfügt jede der drei Fakultäten über ihr eigenes 10-Mbps-Ethernet-Segment mit einem eigenen Hub. Da jeder Fakultäts-Hub eine Verbindung zum Switch hat, wird der gesamte fakultätsinterne Verkehr auf das Ethernet-Segment der Fakultät begrenzt (unter der Annahme, dass die Weiterleitungstabellen im Ethernet-Switch vollständig sind). Der Web- und der Mail-Server haben jeweils dedizierten 100-Mbps-Zugriff auf den Switch. Ein Router, der zum Internet führt, verfügt über 100-Mbps-Zugriff auf den Switch. Man beachte, dass dieser Switch mindestens drei 10-Mbps- und drei 100-Mbps-Schnittstellen hat.

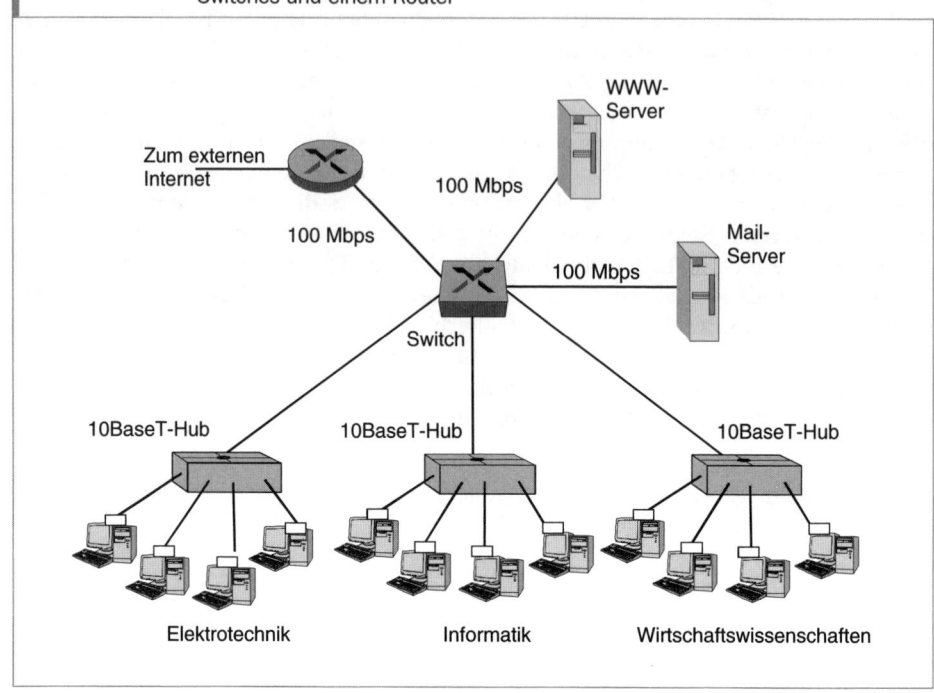

Abbildung 5.36 Ein institutionelles Netzwerk mit einer Kombination aus Hubs, Ethernet-Switches und einem Router

Cut-Through-Switching

Zusätzlich zu zahlreichen Schnittstellen, Unterstützung vieler physikalischer Medien und Übertragungsraten sowie verlockenden Netzwerkmanagementfunktionen werben Switch-Hersteller oft damit, dass ihre Switches **Cut-Through-Switching** statt das von Routern und Bridges genutzte Store-and-Forward bieten. Zwischen Cut-Through- und Store-and-Forward-Switching besteht allerdings nur ein geringer Unterschied. Um diesen Unterschied zu verstehen, betrachte man ein Paket, das durch einen Paket-Switch (d. h. ein Router, eine Bridge oder ein Ethernet-Switch) weitergeleitet wird. Das Paket kommt beim Switch auf einer *Eingangsleitung* an und verlässt ihn über eine *Ausgangsleitung*. Wenn das Paket ankommt, stehen im Ausgangspuffer der Ausgangsleitung vielleicht bereits andere Pakete in der Warteschlange. Stehen Pakete im Ausgangspuffer, besteht zwischen Store-and-Forward- und Cut-Through-Switching überhaupt kein Unterschied. Die beiden Switching-Techniken unterscheiden sich nur, wenn der Puffer leer ist.

Wenn ein Paket durch einen Paket-Switch auf Store-and-Forward-Basis weitergeleitet wird, wird das Paket – wie wir aus Kapitel 1 wissen – zuerst vollständig gespeichert, bevor der Switch beginnt, es über die Ausgangsleitung zu übertragen. Falls sich der Aufgangspuffer leert, bevor das ganze Paket am Switch angekommen ist, erzeugt diese vollständige Zwischenspeicherung eine Store-and-Forward-Verzögerung im Switch. Diese Verzögerung trägt zur gesamten Ende-zu-Ende-Verzögerung (siehe Abschnitt 1.6) bei. Eine Obergrenze dieser Verzögerung ist L/R, wobei L die Länge des Pakets und R die Übertragungsrate der *Eingangsleitung* ist. Man beachte, dass ein Paket nur eine Store-and-Forward-Verzögerung erleidet, wenn der Ausgangspuffer leer wird, bevor das ganze Paket am Switch ankommt.

Wenn sich der Puffer beim Cut-Through-Switching leert, bevor das ganze Paket angekommen ist, kann der Switch bereits mit der Übertragung des Paketanfangs beginnen, während der Rest des Pakets noch ankommt. Bevor das Paket auf der Ausgangsleitung übertragen wird, muss natürlich der Teil des Pakets, in dem sich die Zieladresse befindet, zuerst ankommen. (Diese geringe Verzögerung ist bei jeder Switching-Art unvermeidbar, weil der Switch auf jeden Fall die entsprechende Ausgangsleitung ermitteln muss.) Zusammenfassend lässt sich sagen, dass ein Paket beim Cut-Through-Switching nicht vollständig »gespeichert« werden muss, bevor es weitergeleitet wird. Vielmehr wird das Paket durch den Switch geschleust, wenn die Ausgangsleitung frei ist. Wird die Ausgangsleitung von mehreren Hosts gemeinsam benutzt (beispielsweise wenn sie an einen Hub angeschlossen ist), dann muss der Switch auch abtasten, ob die Leitung frei ist, bevor er ein Paket im Cut-Through-Verfahren weiterleiten kann.

Um den Unterschied zwischen Store-and-Forward- und Cut-Through-Switching weiter zu verdeutlichen, greifen wir wieder die Analogie von Abschnitt 1.6 auf. Bei dieser Analogie ist eine Autobahn mit gelegentlichen Mauthäuschen bestückt, die jeweils von einem Mitarbeiter besetzt sind. Auf der Autobahn fährt eine aus zehn Autos bestehende Kolonne in der gleichen konstanten Geschwindigkeit. Die Autobahn wird nur von dieser Kolonne befahren. Jede Mautstelle fertigt die Autos in einer konstanten Rate ab. Wenn also die Autos die Mautstelle verlassen, befinden sie sich im gleichen Abstand zueinander. Man kann sich die Autokolonne als Paket, die einzelnen Autos der Kolonne als je ein Bit und die Abfertigungsrate der Mautstellen als Übertragungsrate einer Verbindungsleitung vorstellen. Man betrachte nun, was die Autos der Kolonne tun, wenn sie an einer Mautstelle ankommen. Wenn jedes Auto bei Ankunft direkt zur Mautstelle durchfahren kann, dann arbeitet die Mautstelle im Cut-Through-Verfahren. Wenn jedes Auto dagegen an der Einfahrt warten muss, bis alle übrigen Autos der Kolonne angekommen sind, dann arbeitet die Mautstelle im Store-and-Forward-Verfahren. Im letzteren Fall wird die Autokolonne natürlich länger als beim Cut-Through verzögert.

Ein Cut-Through-Switch kann die Ende-zu-Ende-Verzögerung eines Pakets reduzieren, aber um wie viel? Wie oben erwähnt, beträgt die maximale Store-and-Forward-Verzögerung L/R, wobei L die Paketgröße ist und R die Rate der Eingangsleitung. Die maximale Verzögerung beträgt etwa 1,2 ms bei 10-Mbps-Ethernet und 0,12 ms bei 100-Mbps-Ethernet (entsprechend der maximalen Größe eines Ethernet-Pakets). Folglich reduziert ein Cut-Through-Switch die Verzögerung nur um 0,12 bis 1,2 ms, und dies auch nur bei einer leicht überlasteten Ausgangsleitung. Wie bedeutsam ist diese Verzögerung? In den meisten praktischen Anwendungen wahr-

Tabelle 5.1 Vergleich der typischen Merkmale beliebter Verbindungsgeräte

Merkmal	Hubs	Bridges	Router	Ethernet-Switches
Verkehrsisolierung	Nein	Ja	Ja	Ja
Plug-and-Play	Ja	Ja	Nein	Ja
Optimales Routing	Nein	Nein	Ja	Nein
Cut-Through	Ja	Nein	Nein	Ja

scheinlich nicht besonders. Man sollte es sich also gut überlegen, bevor man sein Häuschen verkauft, um sich einen Switch mit Cut-Through-Fähigkeit anzuschaffen.

Dieser Abschnitt hat gezeigt, dass Hubs, Bridges, Router und Switches gleichermaßen benutzt werden können, um Hosts und LAN-Segmente zu verbinden. Tabelle 5.1 enthält eine Zusammenfassung der Merkmale der verschiedenen Verbindungsgeräte. Auf der Web-Site von Cisco befinden sich zahlreiche Vergleiche der verschiedenen Technologien [Cisco LAN Switches 1999].

5.7 IEEE-802.11-LANs

In Abschnitt 5.5 wurde das vorherrschende LAN-Protokoll für Festnetze – Ethernet – vorgestellt. Im vorherigen Abschnitt wurde beschrieben, wie LAN-Segmente über Hubs, Bridges und Switches verbunden werden können, um größere LANs zu bilden. Dieser Abschnitt befasst sich mit einem LAN-Standard (der zur gleichen IEEE-802-Familie wie Ethernet) gehört, der in letzter Zeit immer mehr für die drahtlose LAN-Kommunikation verwendet wird. Der IEEE-Standard 802.11 [Brenner 1997; Crow 1997; IEEE 802.11 1999] definiert die Bitübertragungs- und MAC-Schicht (Media Access Control) für ein drahtloses lokales Netzwerk (LAN). Er definiert drei verschiedene Bitübertragungsschichten für das drahtlose 802.11-LAN, die jeweils in einem anderen Frequenzbereich mit Raten von 1 und 2 Mbps arbeiten. In diesem Abschnitt konzentrieren wir uns auf die Architektur von 802.11-LANs und ihre Medienzugriffsprotokolle. Wir werden sehen, dass es zwar zur gleichen Standardfamilie wie Ethernet gehört, sich hinsichtlich der Architektur und des Medienzugriffsprotokolls aber erheblich unterscheidet.

5.7.1 802.11-LAN-Architektur

Abbildung 5.37 zeigt die wichtigsten Komponenten der Architektur von drahtlosen 802.11-LANs. Der grundlegende Baustein der 802.11-Architektur ist die Zelle, die als **Basic Service Set (BSS)** bezeichnet wird. Ein BSS enthält normalerweise eine oder mehrere drahtlose Stationen und eine zentrale Basisstation, die als **Access-Point (AP)** bezeichnet wird. Die drahtlosen Stationen, die entweder fest oder mobil sein können, und die zentrale Basisstation kommunizieren untereinander mit Hilfe des in IEEE 802.11 spezifizierten MAC-Protokolls. Mehrere APs können (z. B. über ein festverdrahtetes Ethernet oder einen drahtlosen Kanal) verbunden werden, um ein so genanntes **Distribution-System (DS)** zu bilden. Die höherschichtigen Protokolle (z. B. IP) sehen das DS als einziges 802-Netzwerk, ähnlich wie die höherschichtigen Protokolle in einem festverdrahteten 802.3-Ethernet-Netzwerk mit Bridges.

Abbildung 5.38 zeigt, dass sich IEEE-802.11-Stationen auch selbst gruppieren und ein **Ad-hoc-Netzwerk** bilden können. Das ist ein Netzwerk ohne zentrale Kontrolle und ohne Verbindungen zur »Außenwelt«. Hier wird das Netzwerk »im Flug« einfach deshalb gebildet, weil zufällig mobile Geräte einander in ihrer Nähe gefunden haben, kommunizieren möchten und am Standort keine Netzwerkinfrastruktur (z. B. ein bestehendes BSS mit einem AP) vorhanden ist. Ein Ad-hoc-Netzwerk kann gebildet werden, wenn Leute mit Laptops zusammentreffen (z. B. in einem Konferenzraum, im Zug oder im Auto) und Daten in Abwesenheit eines zentralen AP austauschen möchten. In letzter Zeit steigt das Interesse an Ad-hoc-Netzwerken angesichts der Verbreitung von tragbaren Geräten sehr stark. Bei der IETF konzentrieren sich die Aktivitäten im Bereich der Ad-hoc-Vernetzung auf mobile Ad-hoc-Netzwerke [manet 2000].

Abbildung 5.37 Architektur eines IEEE-802.11-LAN

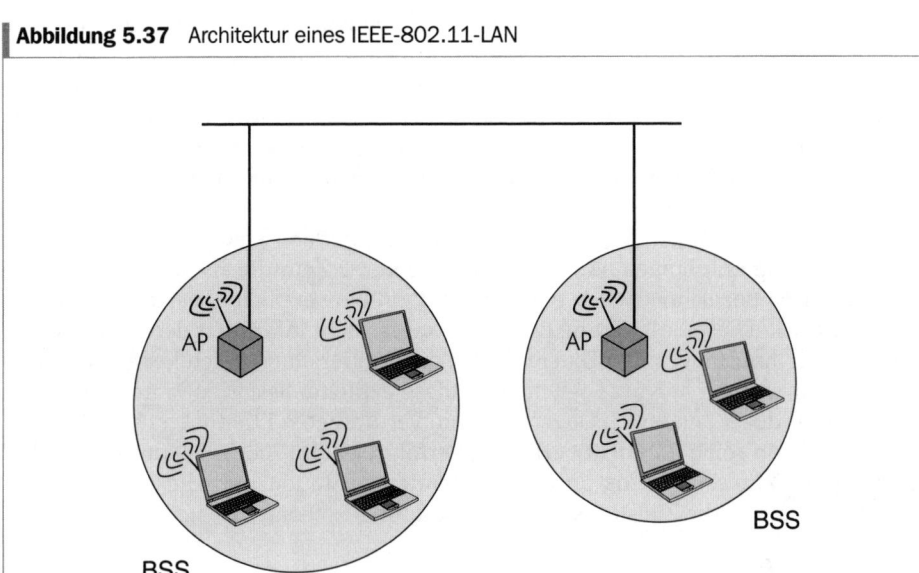

Abbildung 5.38 Ein Ad-hoc-Netzwerk gemäß IEEE 802.11

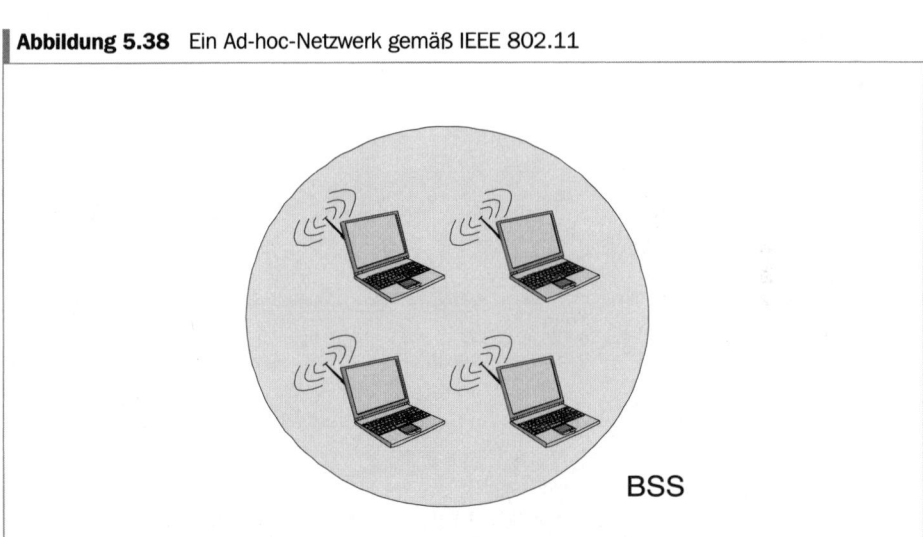

5.7.2 802.11-Medienzugriffsprotokolle

Wie beim festverdrahteten 802.3-Ethernet-Netzwerk müssen die Stationen in einem drahtlosen IEEE-802.11-LAN ihren Zugriff und die Nutzung der gemeinsamen Kommunikationsmedien (in diesem Fall die Funkfrequenz) koordinieren. Wiederum ist dies die Aufgabe des MAC-Protokolls (Media Access Control). Das MAC-Protokoll gemäß IEEE 802.11 ist ein **CSMA/CA**-Protokoll (Carrier-Sense Multiple Access with Collision Avoidance). Wie in Abschnitt 5.5 erwähnt, tastet ein CSMA-Protokoll zuerst den Kanal ab, um festzustellen, ob er »besetzt« ist, d. h. einen Rahmen von einer anderen Station überträgt. Der 802.11-Spezifikation zufolge überwacht die Bitübertragungsschicht den Energiepegel auf der Funkfrequenz, um festzustellen, ob eine andere Station überträgt, und stellt diese Information dem MAC-Protokoll zur Verfügung. Wird erkannt, dass der Kanal für eine gewisse Zeit gleich oder größer als dem Distributed Inter Frame Space (DIFS) untätig ist, darf eine Station übertragen. Wie bei jedem Zufallszugriffsprotokoll wird dieser Rahmen von der Zielstation erfolgreich empfangen, wenn die Übertragung keiner anderen Station mit diesem Rahmen kollidiert.

Wenn eine empfangende Station einen Rahmen, der an sie adressiert war, korrekt und vollständig empfangen hat, wartet sie eine kurze Zeit (die als Short Inter Frame Spacing (SIFS) bezeichnet wird) und sendet dann eine explizite Bestätigung an den Sender zurück. Diese Bestätigung der Sicherungsschicht informiert den Sender darüber, dass der Empfänger den Datenrahmen des Senders tatsächlich korrekt empfangen hat. Wir werden in Kürze sehen, dass diese explizite Bestätigung notwendig ist, weil ein drahtloser Sender im Gegensatz zum verdrahteten Ethernet nicht selbst feststellen kann, ob seine Rahmenübertragung erfolgreich am Ziel angekommen ist. Die Übertragung eines Rahmens durch eine sendende Station und die anschließende Bestätigung durch die Zielstation sind in Abbildung 5.39 dargestellt.

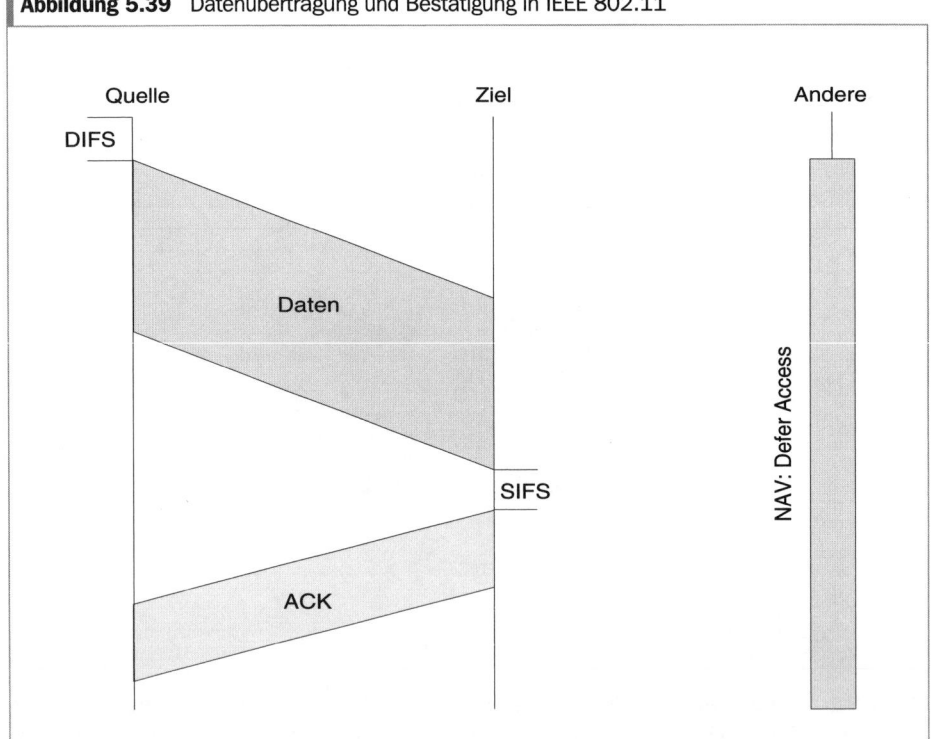

Abbildung 5.39 Datenübertragung und Bestätigung in IEEE 802.11

Abbildung 5.39 zeigt den Fall, dass der Sender erkennt, dass der Kanal untätig ist. Was passiert, wenn der Sender feststellt, dass der Kanal besetzt ist? In diesem Fall führt die Station eine Backoff-Prozedur aus, die derjenigen in Ethernet ähnelt. Genauer gesagt, wartet die Station mit ihrem Zugriff, bis der Kanal untätig ist. Wenn erkannt wird, dass der Kanal eine Zeit gleich DIFS frei ist, berechnet die Station eine *zusätzliche* zufällige Backoff-Zeit und zählt diese Zeit abwärts, während der Kanal frei ist. Wenn der Backoff-Timer Null erreicht, überträgt die Station ihren Rahmen. Wie beim Ethernet dient der zufallsgesteuerte Backoff-Timer der Vermeidung, dass mehrere Stationen sofort nach einer untätigen DIFS-Zeit mit der Übertragung beginnen (und folglich kollidieren). Wie beim Ethernet wird das Intervall, über das der Backoff-Timer die Zufallszeit ermittelt, jedes Mal verdoppelt, wenn ein übertragener Rahmen kollidiert.

Wir haben oben festgestellt, dass das drahtlose 802.11-MAC-Protokoll im Gegensatz zum 802.3-Ethernet-Protokoll *keine* Kollisionserkennung implementiert. Dafür gibt es eine Reihe von Gründen:

- Die Fähigkeit, Kollisionen zu erkennen, setzt das gleichzeitige Senden (des eigenen Signals) und Empfangen (um festzustellen, ob die Übertragungen einer anderen Station mit der eigenen Übertragung kollidieren) voraus. Dies kann teuer sein.

- Noch wichtiger: Auch wenn man Kollisionserkennung hätte und beim Senden keine Kollision feststellt, kann trotzdem beim Empfänger eine Kollision auftreten.

Diese Situation ergibt sich aus den besonderen Merkmalen des drahtlosen Kanals. Angenommen, Station A überträgt an Station B. Weiter wird angenommen, dass Station C an Station B überträgt. Durch das so genannte **Hidden-Terminal-Problem** können physische Hindernisse in der Umgebung (z. B. ein Berg) A und C daran hindern, dass sie ihre gegenseitigen Übertragungen hören, obwohl die Übertragungen von A und C tatsächlich am Ziel B kollidieren. Dies geht aus Abbildung 5.40 (a) hervor. Ein zweites Szenario, das zu unerkennbaren Kollisionen beim Empfänger führt, entsteht durch das so genannte **Fading** (Schwund). Dies bedeutet, dass sich die Stärke des Signals während seiner Ausbreitung durch das drahtlose Medium abschwächt. Abbildung 5.40 (b) zeigt einen Fall, bei dem A und C so angeordnet sind, dass ihre Signale nicht stark genug sind, um gegenseitig ihre Übertragungen zu erkennen, dennoch aber ausreichen, um dann bei Station B zu kollidieren.

Abbildung 5.40 Szenario mit (a) dem Hidden-Terminal-Problem und (b) Fading

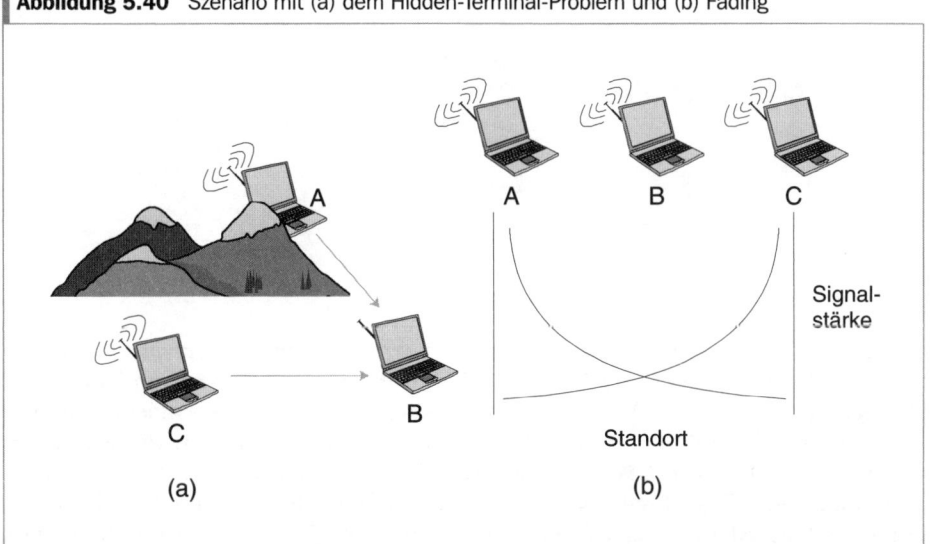

Angesichts dieser Schwierigkeiten mit der Erkennung von Kollisionen an einem drahtlosen Empfänger entwickelten die Designer von IEEE 802.11 ein Zugriffsprotokoll, das darauf abzielt, Kollisionen zu vermeiden (daher die Bezeichnung CSMA/CA), statt Kollisionen zu erkennen und den Normalbetrieb wieder herzustellen (CSMA/CD). Erstens enthält der IEEE-802.11-Rahmen ein Feld »Duration« (Dauer), in dem die sendende Station genau die Dauer der Übertragung des Rahmens auf dem Kanal angibt. Dieser Wert erlaubt es anderen Stationen, die Mindestzeit – den so genannten Network Allocation Vector (NAV) – zu ermitteln, über die sie ihren Zugriff verzögern sollen (»Defer Access« in Abbildung 5.39).

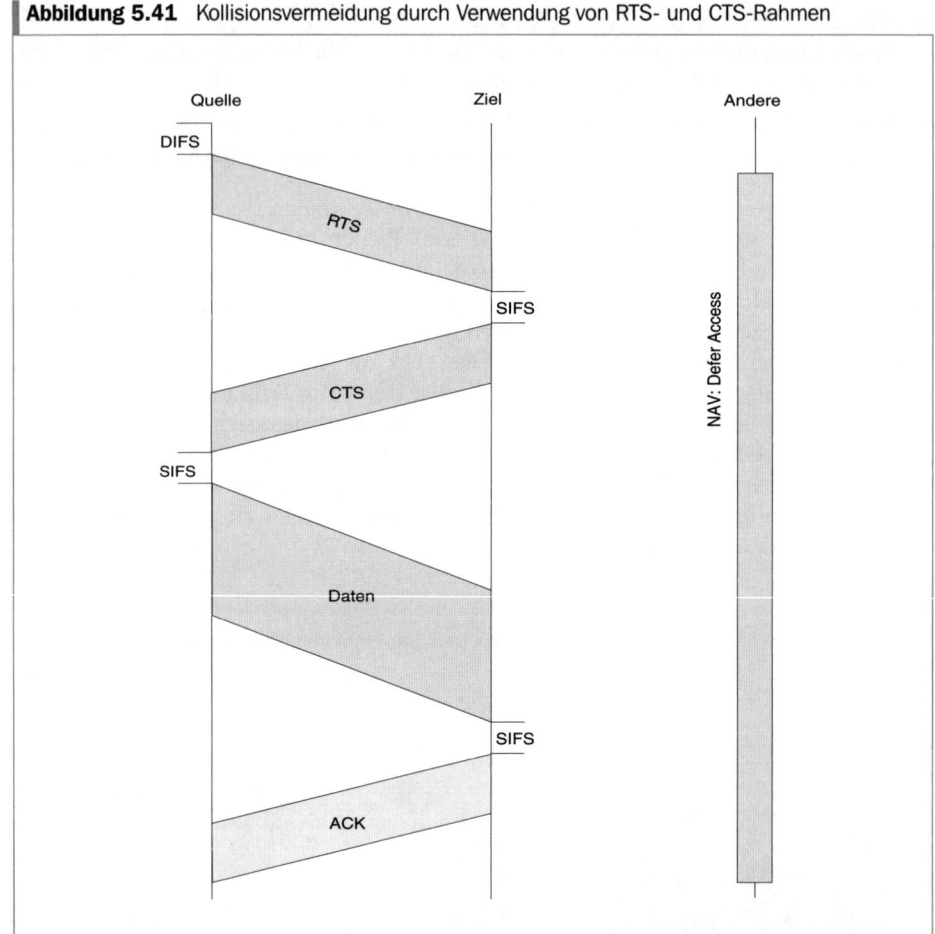

Abbildung 5.41 Kollisionsvermeidung durch Verwendung von RTS- und CTS-Rahmen

Das IEEE-802.11-Protokoll kann auch einen kurzen RTS-Steuerrahmen (Request To Send) und einen kurzen CTS-Rahmen (Clear To Send) verwenden, um Zugriff auf den Kanal zu *reservieren*. Wenn ein Sender einen Rahmen senden möchte, kann er zuerst einen RTS-Rahmen an den Empfänger senden und diesem die Dauer des Daten- und ACK-Pakets bekannt geben. Der Empfänger antwortet auf den RTS-Rahmen mit einem CTS-Rahmen, womit er dem Sender ausdrücklich die Erlaubnis zum Senden erteilt. Alle übrigen Stationen, die RTS oder CTS hören, wissen dann, dass eine Datenübertragung bevorsteht, und können eine Kollision mit diesen Übertragungen vermeiden. Die RTS-, CTS-, Daten- und ACK-Rahmen sind in Abbildung 5.41 dargestellt. Ein IEEE-802.11-Sender kann entweder RTS/CTS-Steuerrahmen (wie in Abbildung 5.41) verwenden oder seine Daten einfach ohne vorherigen RTS-Steuerrahmen (wie in Abbildung 5.39) senden.

Die Verwendung von RTS- und CTS-Rahmen hilft auf zwei wichtige Arten, Kollisionen zu vermeiden:

- Da der vom Empfänger übertragene CTS-Rahmen von allen Stationen in der Nähe des Empfängers gehört wird, lässt sich durch den CTS-Rahmen sowohl das Hidden-Terminal- als auch das Fading-Problem vermeiden.
- Da die RTS- und CTS-Rahmen kurz sind, währt eine Kollision mit einem RTS- oder CTS-Rahmen nur über die Dauer des ganzen RTS- oder CTS-Rahmens. Wenn die RTS- und CTS-Rahmen korrekt übertragen werden, dürfte in den nachfolgenden Daten- und ACK-Rahmen keine Kollision auftreten.

Die obige Diskussion befasste sich nur mit einigen wichtigen Aspekten des 802.11-Protokolls. Zusätzliche Fähigkeiten des Protokolls, wie beispielsweise Zeitsynchronisation, Power-Management, Eintritt in ein Netzwerk und Verlassen desselben (d. h. Unterstützung von Roaming-Stationen) werden vom IEEE-802.11-Standard voll unterstützt. Einzelheiten finden sich in [Brenner 1997; Crow 1997; IEEE 802.11 1999].

5.8 PPP (Point-to-Point Protocol)

Der Großteil unserer Beschreibung von Protokollen der Sicherungsschicht war Protokollen für Broadcast-Kanäle gewidmet. In diesem Abschnitt beschreiben wir ein Protokoll der Sicherungsschicht für Punkt-zu-Punkt-Verbindungen – PPP (Point-to-Point Protocol). Da PPP normalerweise das bevorzugte Protokoll für Wählverbindungen von privaten Hosts ist, ist es heute zweifellos eines der am häufigsten installierten Protokolle der Sicherungsschicht. Ein weiteres wichtiges Protokoll der Sicherungsschicht ist heute HDLC (High-level Data Link Control); siehe [Spragins 1991] mit einer Beschreibung von HDLC. Im Folgenden beschreiben wir viele wichtige Merkmale des einfacheren PPP-Protokolls.

Wie der Name bereits andeutet, ist PPP [RFC 1991; RFC 2153] ein Protokoll der Sicherungsschicht, das über eine **Punkt-zu-Punkt-Verbindung** arbeitet, also eine Verbindungsleitung, die zwei Knoten direkt verbindet. Die Punkt-zu-Punkt-Leitung, über die PPP operiert, kann eine serielle Telefonwählleitung (z. B. eine 56K-Modemverbindung), eine SONET/SDH-Leitung, eine X.25-Verbindung oder ein ISDN-Kanal sein. Wie oben erwähnt, ist PPP heute das bevorzugte Protokoll für den Anschluss von privaten Nutzern über eine Wählleitung an einen ISP.

Bevor wir in die Einzelheiten von PPP einsteigen, ist es aufschlussreich, die ursprünglichen Anforderungen der IETF für das PPP-Design [RFC 1547] aufzuführen:

- *Paket-Framing*: Der PPP-Sender muss in der Lage sein, ein Paket der Vermittlungsschicht in einem Rahmen der Sicherungsschicht so zu verkapseln, dass der Empfänger den Anfang und das Ende des Rahmens der Sicherungsschicht und des darin befindlichen Pakets der Vermittlungsschicht identifizieren kann.
- *Transparenz*: Das PPP-Protokoll darf den Daten, die im Paket der Vermittlungsschicht erscheinen (Header oder Daten), keine Einschränkungen auferlegen.

Daher kann das PPP-Protokoll z. B. nicht die Verwendung bestimmter Bitmuster im Paket der Vermittlungsschicht verbieten. Wir greifen diesen Punkt in Zusammenhang mit Bytestopfen wieder auf.

- *Unterstützung mehrerer Protokolle der Vermittlungsschicht*: Das PPP-Protokoll muss in der Lage sein, mehrere Protokolle der Vermittlungsschicht zu unterstützen (z. B. IP und DECnet), die *gleichzeitig* auf der *gleichen* physikalischen Leitung laufen. Ebenso wie das IP-Protokoll verschiedene Protokolle der Transportschicht (z. B. TCP und UDP) auf einer einzigen Ende-zu-Ende-Verbindung multiplext, muss PPP verschiedene Protokolle der Vermittlungsschicht auf einer Punkt-zu-Punkt-Verbindung multiplexen. Diese Anforderung bedeutet, dass PPP mindestens ein Feld für den »Protokolltyp« oder einen ähnlichen Mechanismus benötigt, damit PPP auf der Empfangsseite einen empfangenen Rahmen nach oben zum entsprechenden Protokoll der Vermittlungsschicht demultiplexen kann.

- *Unterstützung mehrerer Leitungsarten*: PPP muss auch in der Lage sein, auf einer Vielzahl von unterschiedlichen Leitungstypen zu laufen, darunter serielle (Übertragung je eines Bits in einer bestimmten Richtung) oder parallele (parallele Übertragung von Bits), synchrone (Übertragung eines Taktsignals mit den Datenbits) oder asynchrone, langsame, schnelle, elektrische oder optische Leitungen.

- *Fehlererkennung*: Ein PPP-Empfänger muss Bitfehler im empfangenen Rahmen erkennen können. PPP muss in der Lage sein, einen Fehler auf der Sicherungsschicht (z. B. die Unfähigkeit, Daten von der sendenden zur empfangenden Seite der Leitung zu übertragen) zu erkennen und diese Fehlerbedingung an die Vermittlungsschicht zu signalisieren.

- *Aushandlung von Adressen der Vermittlungsschicht*: PPP muss einen Mechanismus für die Kommunikation von Vermittlungsschichten (z. B. IP) bereitstellen, um die Vermittlungsschichtadressen voneinander zu lernen oder zu konfigurieren.

- *Einfachheit*: PPP muss eine Reihe weiterer Anforderungen erfüllen. An vorderster Stelle aller PPP-Anforderungen steht »Einfachheit« [RFC 1547]; dies ist angesichts der zahlreichen anderen Anforderungen, die PPP erfüllen soll, ein hoch gesteckter Anspruch! Inzwischen definieren mehr als 50 RFCs die verschiedenen Aspekte dieses »einfachen« Protokolls.

Die Fülle der Anforderungen, die an das PPP-Design gestellt werden, mögen zwar überwältigend erscheinen, die Lage hätte aber noch viel schwieriger sein können! Die Designspezifikationen für PPP halten auch ausdrücklich fest, welche Protokollfunktionalität PPP *nicht* implementieren muss:

- *Fehlerkorrektur*: Von PPP wird verlangt, Bitfehler zu erkennen, es muss sie aber *nicht* korrigieren.

- *Flusskontrolle*: Von einem PPP-Empfänger wird erwartet, dass er Rahmen in der vollen Rate der zugrunde liegenden Bitübertragungsschicht empfangen kann. Wenn eine höhere Schicht keine Pakete in dieser vollen Rate empfangen kann, wird es der höheren Schicht überlassen, Pakete zu verwerfen oder den Sender auf der höheren Schicht zu drosseln. Statt also den PPP-Sender seine eigene Übertragungsrate drosseln zu lassen, wird ein höherschichtiges Protokoll dafür verantwortlich gemacht, die Rate zu drosseln, in der Pakete an PPP zum Versenden weitergegeben werden.

- *Sequencing*: PPP muss Rahmen an den Empfänger *nicht* in der gleichen Reihenfolge übertragen, in der sie vom Sender gesendet werden. Interessant ist hier die Feststellung, dass diese Flexibilität zwar mit dem IP-Dienstmodell (das die Übertragung von IP-Paketen von Ende zu Ende in jeder Reihenfolge erlaubt) kompatibel ist, dass andere Protokolle der Vermittlungsschicht, die über PPP laufen, aber eine Ende-zu-Ende-Übertragung von Paketen in der gesendeten Reihenfolge fordern.

- *Multipoint-Leitungen*: PPP muss nur über Leitungen operieren, die einen Sender und einen Empfänger haben. Andere Protokolle der Sicherungsschicht (z. B. HDLC) können mehrere Empfänger (z. B. ein Ethernet-ähnliches Szenario) auf einer Leitung unterstützen.

Nach dieser Betrachtung der Designziele (und dessen, was nicht implementiert werden soll) für PPP beschreiben wir im Folgenden, wie das PPP-Design diesen Forderungen nachkommt.

5.8.1 PPP-Datenrahmen

Abbildung 5.42 zeigt einen PPP-Datenrahmen unter Verwendung eines HDLC-ähnlichen Framing [RFC 1662]. Der PPP-Rahmen enthält folgende Felder:

- *Flag*: Jeder PPP-Rahmen beginnt und endet mit einem 1-Byte-Flag; das Feld hat den Wert 01111110.
- *Adresse*: Der einzige mögliche Wert für dieses Feld ist 11111111.
- *Kontrolle*: Der einzige mögliche Wert für das Feld »Control« ist 00000011. Da das Adress- und das Kontrollfeld derzeit nur je einen festen Wert annehmen können, wundert man sich, warum die Felder überhaupt definiert wurden. Die PPP-Spezifikation [RFC 1662] beschreibt, dass andere Werte »zu einem späteren Zeitpunkt definiert werden können«; bis heute wurden aber keine definiert. Da diese Felder feste Werte haben, erlaubt es PPP dem Sender einfach, die Adress- und Kontrollbytes nicht zu senden, so dass zwei Byte an Overhead im PPP-Rahmen gespart werden.
- *Protokoll*: Das Feld »Protocol« informiert den PPP-Empfänger über das höherschichtige Protokoll, zu dem die empfangenen gekapselten Daten (d. h. der Inhalt des Feldes »Information« im PPP-Rahmen) gehören. Bei Ankunft eines PPP-Rahmens prüft der PPP-Empfänger den Rahmen auf Richtigkeit und reicht die verkapselten Daten dann an das entsprechende Protokoll weiter. RFC 1700 definiert die von PPP benutzten 16-Bit-Protokollcodes. Von Interesse ist für uns das IP-Protokoll (d. h. die im PPP-Rahmen verkapselten Daten bilden ein IP-Datagramm), das den hexadezimalen Wert 21 hat, andere Protokolle der Vermittlungsschicht wie AppleTalk (29) und DECnet (27), das PPP Link Control Protocol (C021, hexadezimal), das im nächsten Abschnitt ausführlich beschrieben wird, und das IP Control Protocol (8021). Dieses letzte Protokoll wird von PPP aufgerufen, wenn eine Verbindungsleitung erstmals aktiviert wird, um die Verbindung auf der IP-Ebene zwischen den IP-fähigen Geräten an beiden Enden der Verbindungsleitung zu konfigurieren (siehe unten).
- *Information*: Dieses Feld enthält das verkapselte Paket (Daten), das von einem höherschichtigen Protokoll (z. B. IP) auf der PPP-Verbindungsleitung gesendet wird. Die maximale Standardlänge dieses Datenfelds ist 1.500 Byte; dies kann

allerdings bei der erstmaligen Konfiguration der Verbindungsleitung geändert werden (siehe unten).

- *Prüfsumme*: Das Feld »Checksum« dient zur Erkennung von Bitfehlern in einem übertragenen Rahmen. Es enthält entweder eine 2- oder 4-Byte-CRC gemäß HDLC-Standard.

Abbildung 5.42 Das Format des PPP-Datenrahmens

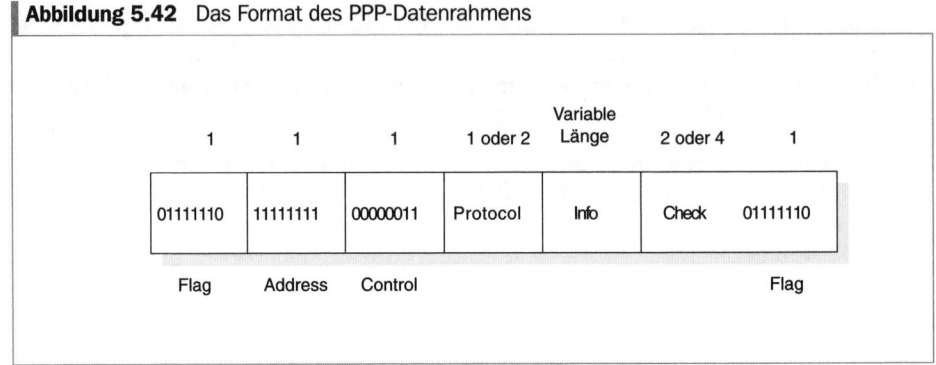

Bytestopfen

Bevor wir unsere Beschreibung des PPP-Framing beenden, betrachten wir ein Problem, das entsteht, wenn ein Protokoll ein spezifisches Bitmuster in einem Flag-Feld verwendet, um den Anfang oder das Ende des Rahmens abzugrenzen. Was passiert, wenn das Flag-Muster selbst irgendwo im Paket vorkommt? Was passiert beispielsweise, wenn der Wert 01111110 des Flag-Felds im Feld »Information« erscheint? Geht der Empfänger irrtümlich vom Ende des PPP-Rahmens aus?

Zur Lösung dieses Problems könnte man PPP dem höherschichtigen Protokoll verbieten lassen, Daten zu senden, die das Bitmuster des Flag-Felds beinhalten. Durch die oben erwähnte PPP-Anforderung nach Transparenz scheidet diese Möglichkeit aber aus. Eine andere Lösung, die von PPP und vielen anderen Protokollen angewandt wird, ist die Verwendung einer als **Bytestopfen** (Byte Stuffing) bezeichneten Technik.

PPP definiert ein spezielles Control-Escape-Byte, 01111101. Wenn die Flag-Sequenz 01111110 irgendwo im Rahmen (außer im Flag-Feld) erscheint, stellt PPP dieser Instanz des Flag-Musters das Control-Escape-Byte voran. Das heißt, es »stopft« ein Control-Escape-Byte in den übertragenen Datenstrom vor 01111110, um zu kennzeichnen, dass die nächste Sequenz 01111110 *kein* Flag-Wert ist, sondern zu den Daten gehört. Sieht ein Empfänger 01111110 vor einem 01111101, entfernt er natürlich das gestopfte Control-Escape-Byte, um die Originaldaten wieder herzustellen. Wenn das Control-Escape-Byte-Bitmuster selbst in den Daten erscheint, muss ihm ebenfalls ein gestopftes Control-Escape-Byte vorangestellt werden. Wenn also der Empfänger ein einzelnes Control-Escape-Byte im Datenstrom sieht, weiß er, dass das Byte in den Datenstrom gestopft wurde. Kommen zwei Control-Escape-Bytes nacheinander vor, bedeutet das, das eine Instanz zu den gesendeten Originaldaten gehört. Abbildung 5.43 stellt das PPP-Bytestopfen dar. (Eigentlich führt PPP auch ein XOR auf das zu ersetzende Datenbyte aus; wir lassen dieses Detail der Einfachheit halber hier aber weg.)

Abbildung 5.43 Bytestopfen

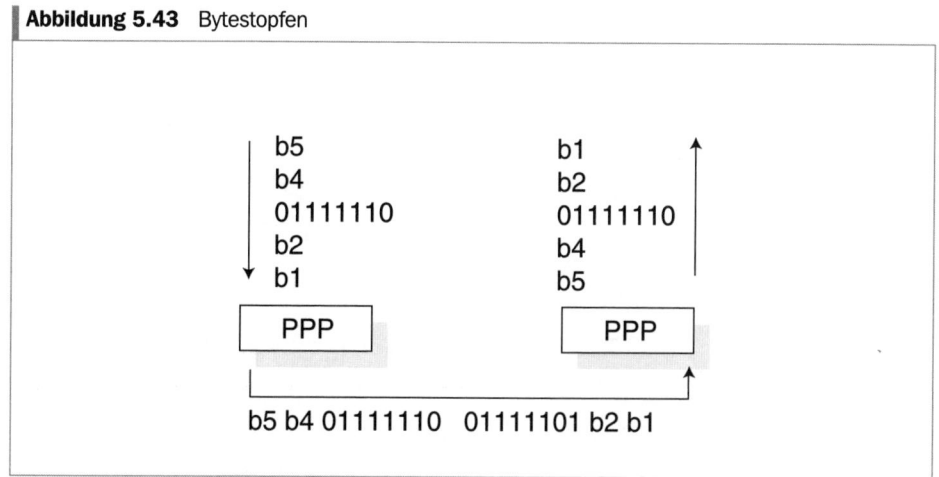

5.8.2 PPP: LCP (Link Control Protocol) und Netzwerkkontrollprotokolle

Sie haben gesehen, wie PPP die über die Punkt-zu-Punkt-Leitung zu sendenden Daten in Rahmen verpackt. Wie aber wird die Verbindungsleitung initialisiert, wenn ein Host oder Router an einem Ende der PPP-Leitung zuerst angeschaltet wird? Für die Initialisierung, Wartung, Fehlermeldung und Abschaltung einer PPP-Leitung werden das LCP (Link Control Protocol) und eine Familie von PPP-Netzwerksteuerprotokollen verwendet.

Bevor auf einer PPP-Leitung Daten ausgetauscht werden können, müssen die beiden Partner (einer an jedem Ende der PPP-Leitung) zuerst beträchtliche Arbeit leisten, um die Verbindungsleitung zu konfigurieren. Dies lässt sich etwa damit vergleichen, wie ein TCP-Sender und -Empfänger ein Drei-Wege-Handshake durchführen müssen (siehe Abschnitt 3.5), um die Parameter der TCP-Verbindung zu setzen, bevor TCP-Datensegmente übertragen werden. Abbildung 5.44 zeigt das Zustandsübergangsdiagramm des LCP-Protokolls für die Konfiguration, Wartung und Beendigung der PPP-Leitung.

Die PPP-Leitung beginnt und endet immer im Totzustand. Wenn ein Ereignis wie eine Trägererkennung oder der Eingriff eines Netzwerkadministrators darauf hinweist, dass eine Bitübertragungsschicht präsent und zur Nutzung bereitsteht, geht PPP in den Verbindungsaufbauzustand über. In diesem Zustand sendet ein Ende der Verbindungsleitung die von ihr gewünschten Leitungskonfigurationsoptionen mit Hilfe des LCP-Rahmens configure-request (ein PPP-Rahmen, in dem das Protokollfeld auf LCP gesetzt ist und das PPP-Informationsfeld die spezifische Konfiguration enthält). Die andere Seite antwortet mit einem Rahmen configure-ack (alle Optionen akzeptiert), einem configure-nak (alle Optionen verstanden, aber nicht akzeptiert) oder einem configure-reject (die Optionen wurden nicht erkannt oder nicht akzeptiert). LCP-Konfigurationsoptionen beinhalten eine maximale Rahmengröße für die Verbindungsleitung, die Spezifikation eines Authentifikationsprotokolls (falls zutreffend) und eine Option, um die Verwendung der Adress- und Kontrollfelder in PPP-Rahmen zu überspringen.

Nach dem Aufbau der Verbindungsleitung werden die Leitungsoptionen ausgehandelt und es wird (soweit zutreffend) eine Authentifikation durchgeführt. Dann

Abbildung 5.44 Ablauf des LCP von PPP

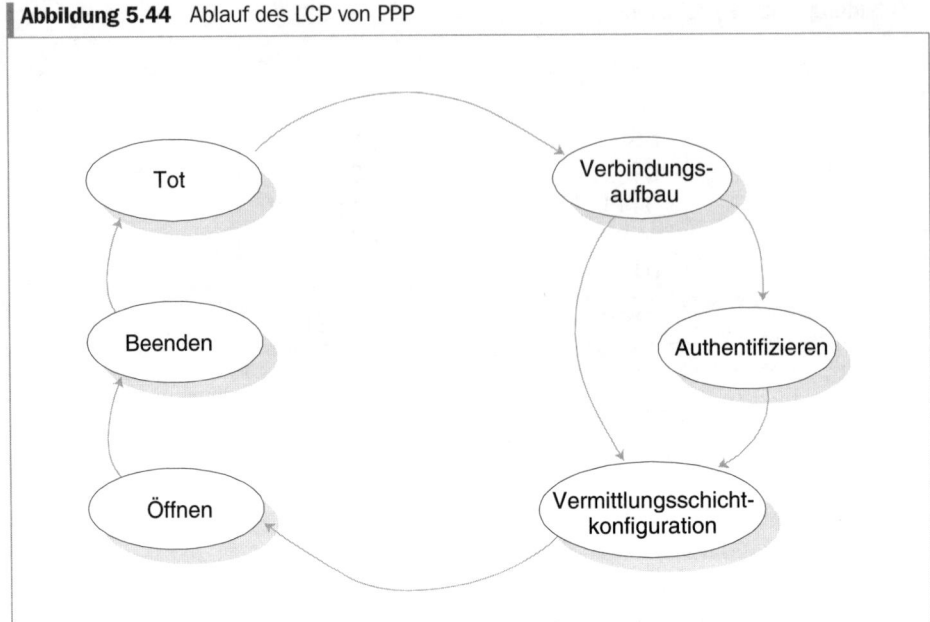

tauschen die beiden Seiten der PPP-Verbindung spezifische Netzwerksteuerpakete der Vermittlungsschicht untereinander aus. Falls IP auf der PPP-Verbindungsleitung läuft, wird das IPCP (Control Protocol) [RFC 1332] benutzt, um die IP-Protokollmodule an beiden Enden der PPP-Leitung zu konfigurieren. IPCP-Daten werden in einem PPP-Rahmen (mit dem Wert 8021 im Protokollfeld) mitgeführt – genau wie LCP-Daten in einem PPP-Rahmen. IPCP ermöglicht es den beiden IP-Modulen, ihre IP-Adressen auszutauschen oder zu konfigurieren und darüber zu verhandeln, ob IP-Datagramme in komprimierter Form gesendet werden sollen. Ähnliche Netzwerksteuerprotokolle sind für andere Protokolle der Vermittlungsschicht definiert, z. B. DECnet [RFC 1762] und AppleTalk [RFC 1378]. Nachdem die Vermittlungsschicht konfiguriert wurde, kann PPP Datagramme der Vermittlungsschicht senden; die Verbindungsleitung befindet sich im geöffneten Zustand und Daten fließen bereits über die PPP-Verbindungsleitung. Die LCP-Rahmen echo-request und echo-reply können zwischen den beiden PPP-Endpunkten ausgetauscht werden, um den Zustand der Verbindungsleitung zu prüfen.

Die Konfiguration der PPP-Verbindungsleitung bleibt für die Kommunikation bestehen, bis ein LCP-Paket terminate-request gesendet wird. Dieses Paket wird von einem Ende der PPP-Verbindungsleitung gesendet und mit einem terminate-ack beantwortet, woraufhin die Verbindungsleitung wieder in den Totzustand übergeht.

Insgesamt betrachtet, ist PPP ein Protokoll der Sicherungsschicht, durch das zwei kommunizierende Partner auf der Sicherungsschicht an je einem Ende einer Punkt-zu-Punkt-Leitung PPP-Rahmen austauschen, in denen sich Datagramme der Vermittlungsschicht befinden. Die wichtigsten Komponenten von PPP sind:

- *Framing*: Eine Methode für die Verkapselung von Daten in einem PPP-Rahmen, wobei der Anfang und das Ende des Rahmens identifiziert und Fehler im Rahmen erkannt werden.

- *LCP (Link Control Protocol)*: Ein Protokoll für die Initialisierung, Wartung und den Abbau der PPP-Verbindungsleitung.
- *NCPs (Network Control Protocols)*: Eine Protokollreihe, die je ein höherschichtiges Netzwerkprotokoll enthält und es ermöglicht, dass sich die Module auf der Vermittlungsschicht selbst konfigurieren, bevor Datagramme über die PPP-Verbindungsleitung fließen.

5.9 ATM (Asynchronous Transfer Mode)

Die Standards für ATM wurden Mitte der achtziger Jahre entwickelt. Für diejenigen, die zu jung sind, um sich daran erinnern zu können: Damals herrschten zwei Netzwerktypen vor: Telefonnetze, die primär für die Übertragung von Echtzeitsprache benutzt wurden (und auch heute noch werden), und Datennetzwerke, die primär für die Übertragung von Textdateien, die Unterstützung von Remote-Login und die Bereitstellung von E-Mail verwendet wurden. Ferner gab es dedizierte private Netzwerke für Videokonferenzen. Das Internet existierte damals zwar schon, doch kam keiner auf die Idee, darüber Telefongespräche zu übertragen, und vom World Wide Web hatte noch keiner gehört. Es war deshalb ganz natürlich, eine Netzwerktechnologie zu entwickeln, die sich für den Transport von Echtzeitaudio und -video sowie Text, E-Mail und Bilddateien eignete. Dieses Ziel wurde mit ATM (Asynchronous Transfer Mode) erreicht. Zwei Standardisierungsausschüsse, das ATM-Forum [ATM Forum 2000] und die ITU (International Telecommunications Union) [ITU 2000] entwickelten Standards für digitale Breitbandnetzwerkdienste.

Die ATM-Standards definieren Paketvermittlung mit virtuellen Kanälen. Sie legen insbesondere fest, wie Anwendungen direkt auf ATM zugreifen, so dass ATM eine komplette Vernetzungslösung für verteilte Anwendungen bietet. Parallel mit der Entwicklung der ATM-Standards tätigten Großunternehmen überall in der Welt erhebliche Investitionen in ATM-Forschung und -Entwicklung. Diese Investitionen führten zu einer Fülle von leistungsstarken ATM-Technologien, darunter ATM-Switches, die Terabits pro Sekunde vermitteln können. In den letzten Jahren wird die ATM-Technologie sehr aggressiv sowohl in Telefonnetzen als auch in Internet-Backbones installiert.

Neben der Installation von ATM innerhalb von Netzwerken konnte es sich weniger erfolgreich auf alle Arten von Desktop-PCs und Workstations ausbreiten. Und heute ist fraglich, ob ATM jemals eine bedeutende Präsenz auf dem Desktop haben wird. Während ATM Ende der achtziger und Anfang der neunziger Jahre in den Standardisierungsausschüssen und Forschungslaboren ausgebrütet wurde, breitete sich das Internet mit seinen TCP/IP-Protokollen in rasanter Geschwindigkeit aus:

- Die TCP/IP-Protokollreihe wurde in allen gängigen Betriebssystemen integriert.
- Firmen begannen mit dem elektronischen Handel (E-Commerce) über das Internet.
- Der Internet-Anschluss für Privatnutzer wurde erschwinglich.
- Zahlreiche attraktive Desktop-Anwendungen wurden für TCP/IP-Netzwerke entwickelt, darunter das World Wide Web, Internet-Phone und interaktives Video-Streaming. Tausende von Firmen entwickeln derzeit neue Anwendungen und Dienste für das Internet.

Heute leben wir in einer Welt, in der die meisten Vernetzungsanwendungen nur mit TCP/IP sprechen. Dennoch werden ATM-Switches aufgrund ihrer hohen Datenraten sehr häufig in Internet-Backbone-Netzwerken installiert, wo die Notwendigkeit besteht, Datenverkehr in sehr hohen Raten zu übertragen. Befindet sich ATM im Internet-Backbone, setzt TCP/IP auf ATM auf und sieht ein ganzes ATM-Netzwerk, das sich über einen Kontinent erstrecken kann. Anders ausgedrückt, obwohl ATM sich nicht als Prozess-zu-Prozess-Lösung (ganz zu schweigen von einer Desktop-zu-Desktop-Lösung) durchsetzen konnte, hat es sich eine Nische auf der Sicherungsschicht innerhalb von Teilen des Internet-Backbone gesichert. Dies wird als »IP-Over-ATM« bezeichnet (siehe Abschnitt 5.9.5). Aus diesen Gründen haben wir die Beschreibung von ATM in dieses Kapitel über die Sicherungsschicht eingebunden und nicht in das vorherige über die Vermittlungsschicht.

5.9.1 Wesentliche Merkmale von ATM

Die wichtigsten Merkmale von ATM:

- Der ATM-Standard definiert eine volle Reihe von Kommunikationsprotokollen, vom API auf der Anwendungsebene bis hinunter zur Bitübertragungsschicht.
- Die ATM-Dienstmodelle beinhalten CBR (Constant Bit Rate), VBR (Variable Bit Rate), ABR (Available Bit Rate) und UBR (Unspecified Bit Rate). Diese Dienstmodelle wurden bereits ausführlich in Abschnitt 4.1.1 beschrieben.
- ATM verwendet Paketvermittlung und Pakete mit einer festen Länge von 53 Byte. Im ATM-Bereich werden diese Pakete **Zellen** genannt. Jede Zelle setzt sich aus einem 5-Byte-Header und 48 Byte für die Nutzdaten (Payload) zusammen. Die Zellen mit fester Länge und die einfachen Header fördern das Switching in hoher Geschwindigkeit.
- ATM arbeitet mit **virtuellen Kanälen** (VCs). Der ATM-Header beinhaltet ein Feld für die Nummer des virtuellen Kanals, den so genannten **VCI** (**Virtual Channel Identifier**). Wie in Abschnitt 1.3 erwähnt wurde, verwenden Paket-Switches den VCI zur Weiterleitung von Zellen in Richtung ihrer Ziele.

Abbildung 5.45 Die drei ATM-Schichten

ATM-Adaptionsschicht (AAL)
ATM-Schicht
ATM-Bitübertragungsschicht

- ATM bietet keine Neuübertragungen auf Leitung-zu-Leitung-Grundlage. Wenn ein Switch einen Fehler im Header einer ATM-Zelle erkennt, versucht er, den Fehler mit Hilfe von Fehlerkorrekturcodes zu korrigieren. Kann er den Fehler nicht beheben, verwirft er die Zelle, statt vom vorgeschalteten Switch eine Neuübertragung anzufordern.

- ATM bietet Überlastkontrolle nur im Rahmen der ABR-Dienstklasse (siehe Tabelle 4.1). Wir haben die ABR-Überlastkontrolle von ATM in Abschnitt 3.6.3 beschrieben und gesehen, dass sie zur allgemeinen Klasse der vom Netzwerk unterstützten Überlastkontrollansätze gehört. ATM-Switches selbst bieten einem sendenden Endsystem Feedback, um es bei der Regulierung seiner Übertragungsraten zu Zeiten einer Netzwerküberlast zu unterstützen.

- ATM kann über jede Bitübertragungsschicht laufen. Es wird oft über Glasfaser auf Grundlage des SONET-Standards mit Geschwindigkeiten von 155,52 Mbps, 622 Mbps und höher eingesetzt.

Wie in Abbildung 5.45 dargestellt ist, besteht der ATM-Protokollstack aus drei Schichten: ATM-Bitübertragungsschicht, ATM-Schicht und ATM-Adaptionsschicht (AAL):

- Die **ATM-Bitübertragungsschicht** befasst sich mit Spannungen, Bitzeitgaben und Framing auf dem physikalischen Medium.

- Die **ATM-Schicht** bildet den Kern des ATM-Standards. Sie definiert die Struktur der ATM-Zelle.

- Die **ATM-Adaptionsschicht** (AAL) entspricht grob der Transportschicht im Internet-Protokollstack. ATM beinhaltet mehrere verschiedene AAL-Typen, um unterschiedliche Dienstarten zu unterstützen.

Abbildung 5.46 Der Protokollstack Internet-Over-ATM

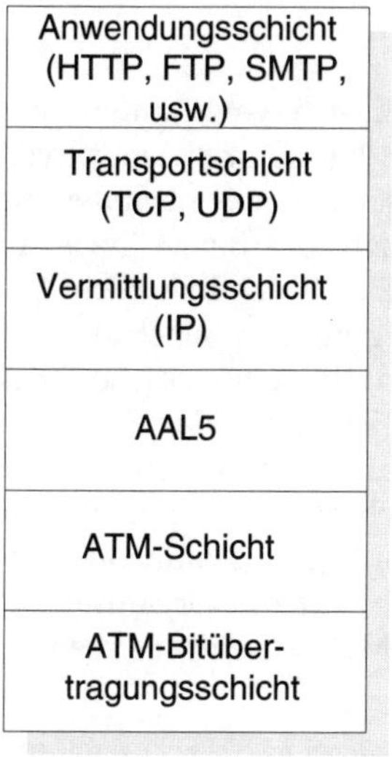

| Anwendungsschicht (HTTP, FTP, SMTP, usw.) |
| Transportschicht (TCP, UDP) |
| Vermittlungsschicht (IP) |
| AAL5 |
| ATM-Schicht |
| ATM-Bitübertragungsschicht |

Derzeit ist ATM die am häufigsten installierte Technologie der Sicherungsschicht in regionalen Bereichen des Internets. Ein spezieller AAL-Typ – AAL5 – wurde für den Zugriff von TCP/IP auf ATM entwickelt. Am IP-zu-ATM-Interface reassembliert AAL5 ATM-Zellen in IP-Datagramme. Abbildung 5.46 zeigt den Protokollstack für die Regionen des Internets, die ATM benutzen. Man beachte, dass die drei ATM-Schichten bei dieser Konfiguration in die beiden unteren Schichten des Internet-Protokollstacks hineingequetscht wurden. Die Vermittlungsschicht des Internets sieht ATM als Protokoll der Verbindungsschicht. Lehrreiche Informationen über ATM mit einem Rückblick auf die ursprünglich damit verfolgten Ziele findet der Leser in [LeBoudec 1992].

5.9.2 ATM-Bitübertragungsschicht

Die Bitübertragungsschicht ist für das Senden einer ATM-Zelle über eine einzige physikalische Verbindungsleitung zuständig. Wie in Tabelle 5.2 aufgeführt ist, umfasst die Bitübertragungsschicht zwei Teilschichten: PMD (Physical Medium Dependent) und TC (Transmission Convergence).

Tabelle 5.2 Die beiden Teilschichten der ATM-Bitübertragungsschicht und ihre Aufgaben

Teilschicht	Aufgaben
TC (Transmission Convergence)	Einfügung von Leerzellen
Zellenausrichtung (Synchronisation)	
Anpassung des Übertragungsrahmens	
PMD (Physical Medium Dependent)	Physikalisches Medium
Bitspannungen und -zeitgaben	
Rahmenstruktur	

Die PMD-Teilschicht

Die PMD-Teilschicht befindet sich ganz unten im ATM-Protokollstack. Wie die Bezeichnung bereits andeutet, hat sie mit dem physikalischen Medium der Verbindungsleitung zu tun. Die Teilschicht ist je nach dem physikalischen Medium (Glasfaser, Kupfer usw.) unterschiedlich spezifiziert. Sie ist auch für das Erzeugen und Ausrichten der Bits zuständig. Die PMD-Teilschicht gibt es in zwei Klassen: PMD-Teilschichten, die eine Übertragungsrahmenstruktur haben (z. B. T1, T3, SONET oder SDH), und PMD-Teilschichten, die keine solche Struktur haben. Hat die PMD-Teilschicht eine Rahmenstruktur, ist sie für das Erzeugen und Ausrichten von Rahmen zuständig. (Der Begriff »Rahmen« in diesem Abschnitt ist nicht mit Rahmen der Sicherungsschicht zu verwechseln, die in früheren Abschnitten dieses Kapitels beschrieben wurden. Der Übertragungsrahmen ist ein TDM-ähnlicher Mechanismus auf der Bitübertragungsschicht für die Organisation der auf einer Verbindungsleitung gesendeten Bits.) Die PMD-Teilschicht erkennt keine Zellen. Einige mögliche PMD-Teilschichten sind:

1. SONET/SDH (Synchronous Optical Network/Synchronous Digital Hierarchy) über Single-Mode-Faser. Wie T1 und T3 haben SONET und SDH Rahmenstruktu-

ren, die für eine Bitsynchronisation zwischen dem Sender und Empfänger an den beiden Enden der Verbindungsleitung sorgen. Unter anderem gibt es folgende standardisierte Raten:

OC-1:   51,84 Mbps
OC-3:   155,52 Mbps
OC-12:   622,08 Mbps

2. T1/T3-Rahmen über Glasfaser, Mikrowelle und Kupfer.
3. Zellenbasiert ohne Rahmen; in diesem Fall wird der Takt beim Empfänger von einem übertragenen Signal entnommen.

Die TC-Teilschicht

Die ATM-Schicht ist unabhängig von der Bitübertragungsschicht spezifiziert. Sie hat kein Konzept von SONET, T1 oder physikalischen Medien. Deshalb wird eine Teilschicht benötigt, um erstens ATM-Zellen von der ATM-Schicht auf der sendenden Seite der Verbindungsleitung anzunehmen und sie für die Übertragung auf dem physikalischen Medium vorzubereiten, und zweitens auf der empfangenden Seite der Verbindungsleitung Bits, die vom physikalischen Medium ankommen, in Zellen zu gruppieren und die Zellen an die ATM-Schicht weiterzugeben. Dies sind die Aufgaben der TC-Teilschicht, die auf die PMD-Teilschicht aufsetzt und sich unmittelbar unter der ATM-Schicht befindet. Wir stellen fest, dass die TC-Teilschicht auch vom physikalischen Medium abhängig ist. Das heißt, wenn wir das physikalische Medium oder die zugrunde liegende Rahmenstruktur ändern, müssen wir auch die TC-Teilschicht ändern.

Auf der Sendeseite fügt die TC-Teilschicht ATM-Zellen in die Bit- und Übertragungsrahmenstruktur der PMD-Teilschicht ein. Auf der Empfangsseite extrahiert sie ATM-Zellen aus der Bit- und Übertragungsrahmenstruktur der PMD-Teilschicht. Sie führt außerdem eine Header-Fehlerkorrektur (HEC) durch. Im Einzelnen übernimmt die TC-Teilschicht folgende Aufgaben:

- Auf der Empfangsseite generiert die TC-Teilschicht das HEC-Byte für jede zu übertragende ATM-Zelle. Auf der Empfangsseite benutzt die TC-Teilschicht das HEC-Byte, um alle 1-Bit-Fehler und einige Mehrfachbitfehler im Header zu korrigieren, so dass sich die Wahrscheinlichkeit des falschen Routing von Zellen verringert. Das HEC-Byte wird aus den ersten 32 Bit des Zellen-Headers anhand einer 8-Bit-Polynomkodiertechnik (siehe Abschnitt 5.2.3) berechnet.

- Auf der Empfangsseite richtet die TC-Teilschicht die Zellen aus. Wenn die PMD-Teilschicht zellenbasiert und ohne Rahmen ist, wird diese Ausrichtung normalerweise so ausgeführt, dass das HEC aus allen angrenzenden Mengen von 40 Bit (d. h. 5 Byte) berechnet wird. Wenn die Ergebnisse übereinstimmen, ist eine Zelle ausgerichtet bzw. synchron. Nach dem Abgleich von vier aufeinander folgenden Zellen gilt die Zellensynchronisation als gegeben und nachfolgende Zellen werden an die ATM-Schicht abgegeben.

- Wenn die PMD-Teilschicht zellenbasiert und ohne Rahmen ist, sendet die Teilschicht eine Leerzelle, falls die ATM-Schicht keine Zelle bereitgestellt hat. Dadurch wird ein fortlaufender Zellenstrom erzeugt. Die TC-Teilschicht auf der Empfangsseite gibt keine Leerzellen an die ATM-Schicht weiter. Leerzellen werden im PT-Feld des ATM-Headers markiert.

5.9.3 ATM-Schicht

Wenn IP über ATM läuft, spielt die ATM-Zelle die Rolle eines Rahmens der Sicherungsschicht. Die ATM-Schicht definiert die Struktur der ATM-Zelle und die Bedeutung der Felder in dieser Struktur. Die ersten fünf Byte der Zelle bilden den ATM-Header und die restlichen 48 Byte die ATM-Nutzdaten. Abbildung 5.47 zeigt die Struktur des ATM-Headers.

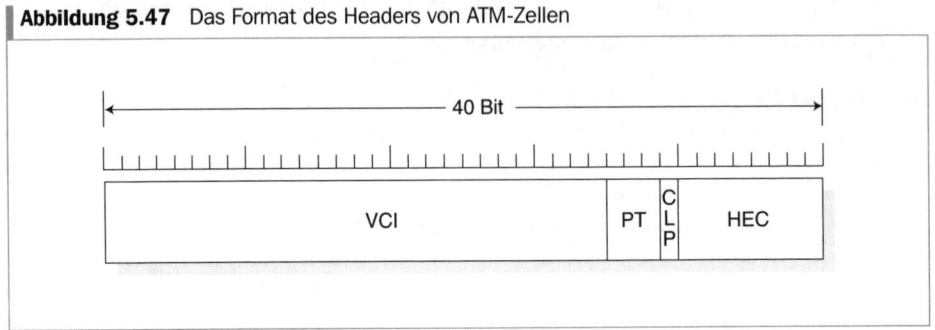

Abbildung 5.47 Das Format des Headers von ATM-Zellen

Die ATM-Zelle umfasst folgende Felder:

- *VCI (Virtual Channel Identifier)*: Spezifiziert den virtuellen Kanal (VC), zu dem die Zelle gehört. Wie bei den meisten Netzwerktechnologien, die mit virtuellen Kanälen arbeiten, wird der VCI einer Zelle von Leitung zu Leitung übersetzt (siehe Abschnitt 1.4).

- *PT (Payload Type)*: Spezifiziert den Typ der in der Zelle enthaltenen Nutzdaten. Es gibt unterschiedliche Nutzdatentypen für übliche Nutzdaten, Wartungsdaten und Leerzellen. (Zur Erinnerung: Leerzellen werden manchmal von der Bitübertragungsschicht zur Synchronisation benötigt.)

- *CLP-Bit (Cell Loss Priority)*: Dieses Bit kann von der Quelle gesetzt werden, um zwischen Verkehr mit hoher und solchem mit niedriger Priorität zu unterscheiden. Wenn eine Überlast entsteht und ein ATM-Switch Zellen verwerfen muss, kann der Switch dieses Bit benutzen, um zuerst den Verkehr mit niedriger Priorität zu verwerfen.

- *HEC-Byte (Header Error Checksum)*: Dies sind die weiter oben beschriebenen Fehlererkennungs- und -korrekturbits, die den Zellen-Header schützen.

Virtuelle Kanäle

Bevor eine Quelle beginnen kann, Zellen an ein Ziel zu senden, muss das ATM-Netzwerk einen virtuellen Kanal (VC) von der Quelle zum Ziel aufbauen. Ein virtueller Kanal ist hier im Grunde nichts anderes als der in Abschnitt 1.4 beschriebene virtuelle Kanal. Jeder VC ist ein Pfad, der sich aus einer Sequenz von Verbindungsleitungen zwischen Quelle und Ziel zusammensetzt. Auf jeder Verbindungsleitung hat der VC einen VCI (Virtual Circuit Identifier). Wenn ein virtueller Kanal auf- oder abgebaut wird, müssen VC-Übersetzungstabellen aktualisiert werden (siehe Abschnitt 1.4). Wie an früherer Stelle erwähnt wurde, benutzen ATM-Backbones im Internet oft permanente VCs; sie umgehen damit die Notwendigkeit des dynamischen Auf- und Abbaus von VCs.

5.9.4 ATM-Adaptionsschicht (AAL)

Mit der AAL wird der Zweck verfolgt, dass vorhandene Protokolle (z. B. IP) und Anwendungen (z. B. Video mit konstanter Bitrate) auf ATM aufsetzen können. Wie in Abbildung 5.48 dargestellt ist, wird AAL nur an den Endpunkten eines ATM-Netzwerks implementiert. Ein solcher Endpunkt könnte ein Hostsystem (falls ATM Datentransfer von Endhost zu Endhost bereitstellt) oder ein IP-Router (falls ATM benutzt wird, um zwei IP-Router zu verbinden) sein. In dieser Hinsicht ist die AAL-Schicht mit der Transportschicht im Internet-Protokollstack vergleichbar.

Abbildung 5.48 Die AAL-Schicht ist nur an den Kanten des ATM-Netzwerks präsent.

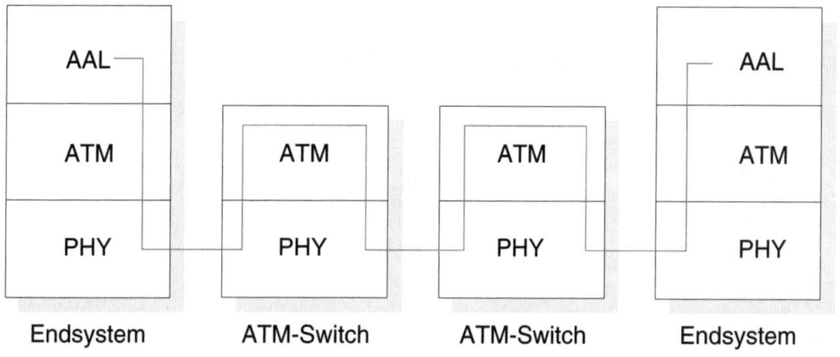

Die AAL-Teilschicht hat ihre eigenen Header-Felder. Wie aus Abbildung 5.49 deutlich wird, belegen diese Felder einen kleinen Teil der Nutzdaten in der ATM-Zelle. Die ITU und das ATM-Forum standardisierten mehrere AALs. Einige der wichtigsten AALs und der von ihnen normalerweise unterstützten ATM-Dienstklassen (siehe Abschnitt 4.1.3) sind:

AAL 1: für CBR-Dienste (Constant Bit Rate) und Kanalemulation

AAL 2: für VBR-Dienste (Variable Bit Rate)

AAL 5: für Daten (z. B. IP-Datagramme)

Abbildung 5.49 Die AAL-Felder innerhalb der ATM-Nutzdaten

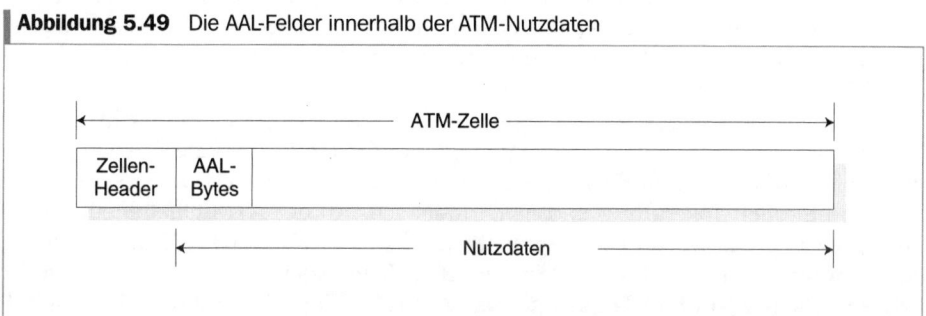

AAL-Struktur

AAL hat zwei Teilschichten: SAR (Segmentation And Reassembly) und CS (Convergence Sublayer). Wie in Abbildung 5.50 dargestellt ist, sitzt die SAR-Teilschicht unmittelbar über der ATM-Schicht, während sich die CS-Teilschicht zwischen der Benutzeranwendung und der SAR-Teilschicht befindet. Höherschichtige Daten (z. B. ein IP-Datagramm) werden zuerst in eine übliche CPCS-PDU (Common Part Convergence Sublayer) auf der Konvergenz-Teilschicht verkapselt. Diese PDU kann einen CPCS-Header und einen CPCS-Trailer haben. Normalerweise ist die CPCS-PDU viel zu groß, um in den Nutzdatenteil einer ATM-Zelle zu passen. Deshalb muss die CPCS-PDU in der ATM-Quelle segmentiert und am ATM-Ziel reassembliert werden. Die SAR-Teilschicht segmentiert die CPCS-PDU und fügt die AAL-Header- und -Trailer-Bits an, um die Nutzdatenteile der ATM-Zellen zu bilden. Je nach AAL-Typ können AAL- und der CPCS-Header und -Trailer auch leer sein.

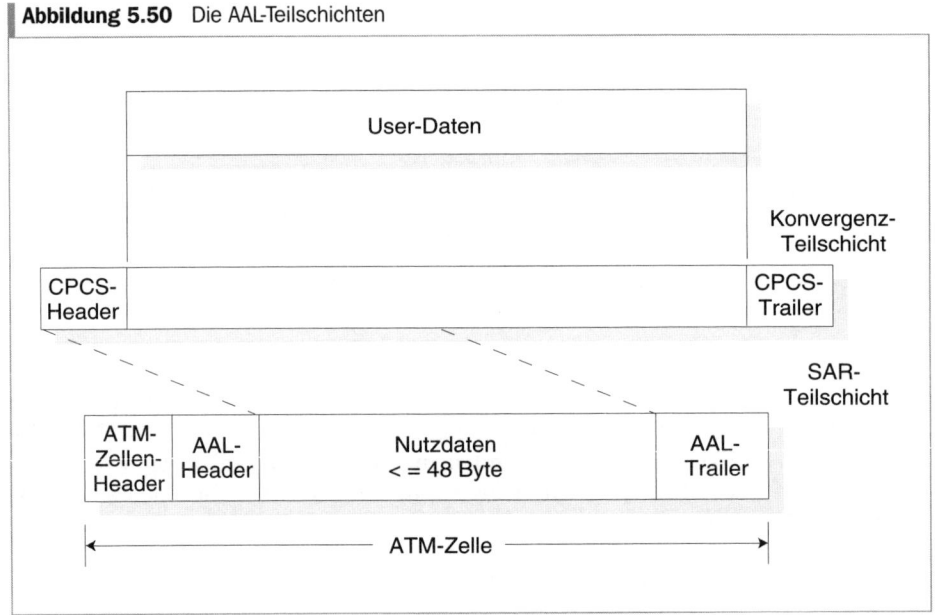

Abbildung 5.50   Die AAL-Teilschichten

AAL5 (Simple and Efficient Adaptation Layer – SEAL)

AAL5 ist eine AAL mit geringem Overhead und wird verwendet, um IP-Datagramme über ATM-Netzwerke zu transportieren. In AAL5 sind AAL-Header und -Trailer leer; somit werden alle 48 Byte des ATM-Nutzdatenfelds für Segmente der CPCS-PDU benutzt. Ein IP-Datagramm belegt die CPCS-PDU-Nutzdaten, die von 1 bis 65.535 Byte reichen können. Abbildung 5.51 zeigt die CPCS-PDU von AAL5.

Mit dem PAD-Feld wird sichergestellt, dass die CPCS-PDU ein ganzzahliges Mehrfaches von 48 Byte ist. Das Längenfeld gibt die Größe der CPCS-PDU-Nutzdaten an, so dass PAD beim Empfänger entfernt werden kann. Das CRC-Feld ist mit dem in Ethernet, Token-Ring und FDDI identisch. An der ATM-Quelle teilt AAL5-SAR die CPCS-PDU in 48-Byte-Segmente auf. Wie in Abbildung 5.52 dargestellt ist, wird ein Bit im PT-Feld des Headers der ATM-Zelle, das normalerweise 0 ist, in der letzten Zelle der CPCS-PDU auf 1 gesetzt. Am ATM-Ziel leitet die ATM-Schicht Zel-

Abbildung 5.51 CPCS-PDU für AAL5

CPCS-PDU-Nutzdaten	PAD	Länge	CRC
0-65535	0-47	2	4

len mit einem spezifischen VCI an einen Puffer der SAR-Teilschicht weiter. Die Header der ATM-Zellen werden entnommen und das Bit AAL_indicate wird benutzt, um die CPCS-PDUs auszurichten. Nachdem die CPCS-PDU synchron ist, wird sie an die AAL-Konvergenz-Teilschicht weitergegeben. Auf der Konvergenz-Teilschicht wird das Längenfeld benutzt, um die CPCS-PDU-Nutzdaten (z. B. ein IP-Datagramm) zu extrahieren und an die höhere Schicht abzugeben.

Abbildung 5.52 Das Bit AAL_indicate wird benutzt, um IP-Datagramme aus ATM-Zellen zu reassemblieren

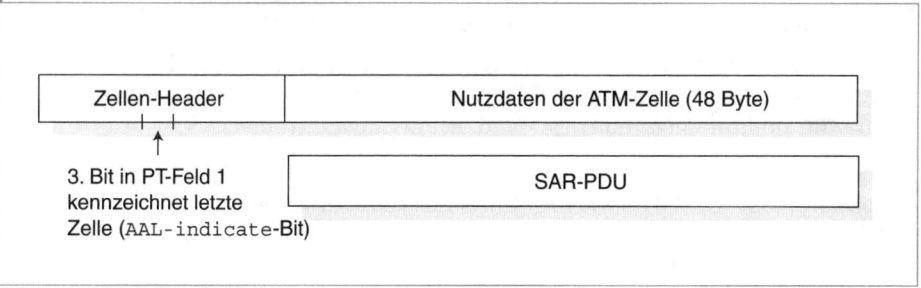

5.9.5 IP-Over-ATM

Abbildung 5.53 zeigt ein ATM-Backbone mit vier Ein- und Austrittspunkten für Internet-IP-Verkehr. Jeder Ein- und Austrittspunkt ist ein Router. Ein ATM-Backbone kann sich über einen ganzen Kontinent erstrecken und Dutzende oder gar Hunderte von ATM-Switches umfassen. Die meisten ATM-Backbones verfügen über einen PVC (Permanent Virtual Channel) zwischen je zwei Ein- und Austrittspunkten. Durch Verwendung von PVCs werden ATM-Zellen vom Eintritts- zum Austrittspunkt weitergeleitet, ohne dynamisch VCs auf- und abbauen zu müssen. PVCs sind aber nur bei einer relativ kleinen Anzahl von Ein- und Austrittspunkten machbar. Bei n Eintrittspunkten werden $n(n-1)$ PVCs benötigt, um n Ein- und Austrittspunkte direkt zu verbinden.

Jede an das ATM-Netzwerk angeschlossene Router-Schnittstelle hat zwei Adressen: Eine IP-Adresse, wie gewöhnlich, und eine ATM-Adresse, bei der es sich im Grunde um eine LAN-Adresse handelt (siehe Abschnitt 5.4).

Man betrachte ein IP-Datagramm, das über das ATM-Backbone von Abbildung 5.53 übertragen wird. Für die vier IP-Router erscheint das Backbone als einzelne logische Verbindung. ATM verbindet diese vier Router genauso, wie Ethernet benutzt werden kann, um vier Router zu verbinden. Wir bezeichnen den Router, bei dem das Datagramm in das ATM-Netzwerk eintritt, als »Eingangsrouter« und denjenigen, bei dem das Datagramm das Netzwerk verlässt, als »Ausgangsrouter«. Der Eingangsrouter führt Folgendes durch:

1. Durchsicht der Zieladresse des Datagramms.
2. Indizierung seiner Routing-Tabelle und Ermittlung der IP-Adresse des Eingangsrouters (d. h. des nächsten Routers auf der Route des Datagramms).
3. Um das Datagramm zum Ausgangsrouter zu befördern, betrachtet der Eingangsrouter ATM als weiteres Protokoll der Sicherungsschicht. Damit das Datagramm zum nächsten Router gelangt, muss die physikalische Adresse des nächsten Routers ermittelt werden. Wir wissen aus Abschnitt 5.4, dass dies mit Hilfe von ARP bewerkstelligt wird. Der Eingangsrouter indiziert eine ATM-ARP-Tabelle mit der IP-Adresse des Ausgangsrouters und ermittelt seine ATM-Adresse.
4. IP im Eingangsrouter gibt das Datagramm dann nach unten zur Sicherungsschicht (d. h. ATM) mit der ATM-Adresse des Ausgangsrouters weiter.

Nach diesen vier Schritten liegt die Weiterleitung des Datagramms zum Ausgangsrouter in den Händen von IP und ATM. ATM muss jetzt das Datagramm an die im obigen Schritt 3 ermittelte ATM-Zieladresse befördern. Diese Aufgabe setzt sich aus zwei Teilaufgaben zusammen:

- Ermittlung des VCI für den VC, der zur ATM-Zieladresse führt.
- Segmentierung des Datagramms in Zellen auf der Sendeseite des VC (d. h. am Eingangsrouter) und Reassemblierung der Zellen in das ursprüngliche Datagramm am Empfangsende des VC (d. h. am Eingangsrouter).

Abbildung 5.53 Ein ATM-Netzwerk im Kern eines Internet-Backbone

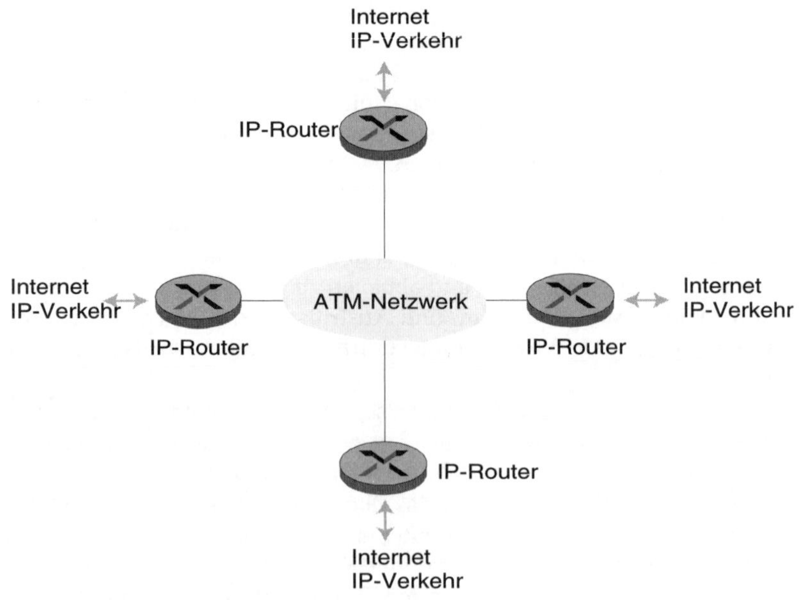

Die erste Teilaufgabe ist unkompliziert. Die Schnittstelle auf der sendenden Seite pflegt eine Tabelle, die ATM-Adressen auf VCIs abbildet. Da wir von PVCs (permanenten VCs) ausgehen, ist diese Tabelle aktuell und statisch. (Wenn die VCs nicht permanent sind, ist ein ATM-Signalisierungsprotokoll nötig, um die VCs dynamisch auf- und abzubauen.) Die zweite Teilaufgabe verdient mehr Aufmerksamkeit. Ein Ansatz ist die Verwendung von IP-Fragmentierung (siehe Abschnitt 4.4.4). Mit IP-Fragmentierung würde der sendende Router zuerst das Original-Datagramm in Fragmente aufteilen, wobei jedes Fragment nicht mehr als 48 Byte umfasst, so dass jedes in das Nutzdatenfeld einer ATM-Zelle passt. Dieser Fragmentierungsansatz ist aber problematisch: Jedes IP-Fragment hat normalerweise einen 20-Byte-Header, so dass in einer ATM-Zelle, die ein Fragment befördert, letztendlich ein Overhead von 25 und Nutzdaten von nur 28 Byte übertragen werden. ATM nutzt AAL5, um eine effizientere Art der Segmentierung und Reassemblierung eines Datagramms bereitzustellen.

Wie an anderer Stelle erwähnt wurde, leitet IP im Eingangsrouter das Datagramm mit der ATM-Adresse des Ausgangsrouters nach unten zu ATM weiter. ATM im Eingangsrouter indiziert eine ATM-Tabelle, um den VCI für den VC zu ermitteln, der zur ATM-Zieladresse führt. AAL5 erzeugt dann ATM-Zellen aus dem IP-Datagramm:

- Das Datagramm wird mit dem in Abbildung 5.52 dargestellten Format in einer CPCS-PDU verkapselt.
- Die CPCS-PDU wird in 48-Byte-Stücke aufgeteilt, von denen jedes in das Nutzdatenfeld einer ATM-Zelle eingefügt wird.
- In allen Zellen mit Ausnahme der letzten ist das dritte Bit des PT-Felds auf 0 gesetzt. In der letzten Zelle ist das Bit auf 1 gesetzt.

AAL5 gibt die Zellen dann an die ATM-Schicht weiter. ATM setzt das VCI- und CLP-Feld und gibt jede Zelle an die TC-Teilschicht ab. Für jede Zelle berechnet die TC-Teilschicht das HEC und fügt es in das HEC-Feld ein. Die TC-Teilschicht fügt dann die Bits der Zellen in die PMD-Teilschicht ein.

Anschließend befördert das ATM-Netzwerk die Zellen über das Netzwerk zur ATM-Zieladresse. In jedem ATM-Switch zwischen der ATM-Quelle und dem ATM-Ziel wird die ATM-Zelle auf der ATM-Bitübertragungsschicht und der ATM-Schicht verarbeitet, jedoch nicht auf der AAL-Schicht. In jedem Switch wird der VCI normalerweise übersetzt (siehe Abschnitt 1.4) und das HEC wird neu berechnet. Wenn die Zellen an der ATM-Zieladresse ankommen, werden sie an einen AAL-Puffer weitergeleitet, der für den betreffenden VC reserviert wurde. Die CPCS-PDU wird mit dem Bit AAL_indicate rekonstruiert, um festzustellen, welche Zelle die letzte der CPCS-PDU ist. Schließlich wird das IP-Datagramm aus der CPCS-PDU extrahiert und im Protokollstack nach oben an die IP-Schicht weitergegeben.

5.9.6 ARP und ATM

Wir greifen erneut das Problem der Übertragung eines Datagramms vom IP-Eingangsrouter zum -Ausgangsrouter über das ATM-Netzwerk in Abbildung 5.53 auf. Wie erwähnt, kommt ARP die wichtige Rolle zu, die Adresse des Ausgangsrouters in eine ATM-Zieladresse zu übersetzen. Diese Übersetzung ist unkompliziert, wenn die ARP-Tabelle komplett und akkurat ist. Wie bei Ethernet werden ATM-ARP-Tabellen aber automatisch konfiguriert und sind möglicherweise nicht vollständig. Und wie bei Ethernet muss ein ARP-Protokoll, wenn die gewünschte Übersetzung nicht in der Tabelle vorhanden ist, den Ausgangsrouter kontaktieren und die Übersetzung einholen. Zwischen Ethernet und ATM besteht hier aber ein grundlegender Unterschied: Ethernet ist eine Broadcast-Technologie und ATM eine vermittelte Technologie. Das bedeutet, dass ATM nicht einfach eine ARP-Anfragenachricht in einem Broadcast-Paket senden kann. ATM muss härter arbeiten, um sich die Übersetzung zu beschaffen. Zwei generische Ansätze kommen hierfür in Frage: (1) Broadcast-ARP-Anfragenachrichten und (2) ARP-Server.

- *Broadcast-ARP-Anfragenachrichten*: Bei diesem Ansatz konstruiert der Eingangsrouter eine ARP-Anfragenachricht, konvertiert die Nachricht in Zellen und sendet die Zellen an das ATM-Netzwerk. Diese Zellen werden von der Quelle auf einem speziellen, für ARP-Anfragenachrichten reservierten VC gesendet. Die Switches senden alle auf diesem speziellen VC empfangenen Zellen rundum. Der Ausgangsrouter empfängt die ARP-Anfragenachricht und sendet dem Eingangsrouter eine ARP-Antwortnachricht (die nicht rundgesendet wird). Der Eingangsrouter aktualisiert dann seine ARP-Tabelle. Dieser Ansatz kann den ARP-Broadcast-Verkehr im Netzwerk mit beträchtlichem Overhead belasten.

- *ARP-Server*: Bei diesem Ansatz wird ein ARP-Server direkt an einen der ATM-Switches im Netzwerk angeschlossen und zwischen jedem Router und dem ARP-Server werden PVCs eingerichtet. Alle diese PVCs nutzen den gleichen VCI auf allen Verbindungsleitungen von den Routern zum ARP-Server. Es gibt auch PVCs vom ARP-Server zu jedem Router. Der ARP-Server enthält eine aktualisierte ARP-Tabelle mit den Abbildungen von IP- auf ATM-Adressen. Unter Verwendung eines Registrierungsprotokolls müssen sich alle Router beim ARP-Server registrieren. Bei diesem Ansatz wird das Rundsenden von ARP-Verkehr vermieden. Er setzt aber einen ARP-Server voraus, der möglicherweise mit ARP-Anfragenachrichten überschwemmt wird.

Ein wichtiges Nachschlagewerk für die Ausführung von ARP über ATM ist RFC 1577, der IP und ARP über ATM beschreibt. RFC 1932 bietet einen guten Einblick in IP-Over-ATM.

5.10 X.25 und Frame-Relay

Dieser Abschnitt beschreibt die beiden WAN-Technologien X.25 und Frame-Relay. X.25 wurde Anfang der achtziger Jahre eingeführt und erfreute sich in Europa bis Mitte der neunziger Jahre großer Beliebtheit. X.25 ist zweifellos die erste öffentliche Paketvermittlungstechnologie. Frame-Relay, ein Nachfolger von X.25, ist eine weitere öffentliche Paketvermittlungstechnologie, die in Nordamerika bis in die neunziger Jahre hinein sehr beliebt war.

Angesichts dessen, dass X.25 und Frame-Relay WAN-Technologien auf Ende-zu-Ende-Basis sind, mag man sich fragen, warum wir sie in einem Kapitel über die Sicherungsschicht behandeln? Wir haben uns aus dem gleichen Grund dazu entschlossen, aus dem wir ATM in diesem Kapitel behandeln: Alle diese Technologien werden heute oft angewandt, um IP-Datagramme von einem IP-Router zu einem anderen zu übertragen. Aus Sicht von IP (das ebenfalls eine WAN-Technologie auf Ende-zu-Ende-Basis ist) sind X.25, Frame-Relay und ATM also Technologien der Sicherungsschicht. Da IP eines der wichtigsten in diesem Buch behandelten Protokolle ist, haben wir X.25, Frame-Relay und ATM dort angesiedelt, wo sie aus Sicht von IP (und der meisten Internet-Fachleute) hingehören, nämlich auf der Sicherungsschicht.

Obwohl X.25-Netzwerke überall in Europa und auf bestimmten Nischenmärkten in Nordamerika noch vorzufinden sind, befinden sie sich doch allmählich im Aussterben. Sie wurden vor fast zwanzig Jahren für ein technologisches Umfeld entwickelt, das sich von dem heutigen grundsätzlich unterscheidet. Frame-Relay war in den neunziger Jahren für Firmenkunden recht attraktiv, sah sich aber wachsender Konkurrenz durch das öffentliche Internet ausgesetzt. Aufgrund dieses Konkurrenzdrucks dürfte Frame-Relay in den nächsten Jahren zu einem untergeordneten »Player« werden. Obwohl sich X.25 im Abstieg befindet und Frame-Relay in ein paar Jahren aussterben wird, beschreiben wir die beiden Technologien in diesem Buch aufgrund ihrer großen historischen Bedeutung.

5.10.1 X.25

Die X.25-Protokollreihe wurde Ende der siebziger Jahre entwickelt. Um die Motivation für dieses Design zu verstehen, müssen wir das technologische Umfeld dieser Ära kennen. Apple-II-Computer waren damals der große Hit [Nerds 1996], während PCs und Workstations wenig verbreitet waren und kaum Netzwerkunterstützung hatten. Vielmehr benutzten die meisten Leute preisgünstige »dumme Terminals«, um über Computernetzwerke auf entfernte Großrechner zuzugreifen. Diese »dummen« Terminals verfügten über minimale Intelligenz und Speicher (keine Platten). Was auf ihren Bildschirmen erschien, wurde vollständig vom Großrechner am anderen Ende des Netzwerks kontrolliert. Um diese »dummen« Terminals umfangreich zu unterstützen, entschlossen sich die Designer von X.25, »die Intelligenz im Netzwerk anzusiedeln«. Diese Philosophie steht, wie wir jetzt wissen, in diametrischem Gegensatz zur Internet-Philosophie, bei der ein Großteil der Komplexität bei den Endsystemen angesiedelt wird und über die Dienste der Vermittlungsschicht minimale Annahmen getroffen werden.

Unter anderem statteten die Designer das X.25-Netzwerk durch Verwendung von virtuellen Kanälen mit Intelligenz aus. Wie in Kapitel 1 beschrieben wurde, setzen VC-Netzwerke voraus, dass die Paket-Switches Zustandsinformationen führen. Der Switch muss eine Tabelle verwalten, die ankommende Schnittstellen/VC-Nummern in abgehende Schnittstellen/VC-Nummern abbildet. Außerdem sind komplexe Signalisierungsprotokolle erforderlich, um VCs auf- und abzubauen. Wie in Kapitel 4 beschrieben wurde, ist das IP-Protokoll verbindungslos und nutzt als solches keine VCs. Wenn ein Knoten ein IP-Datagramm auf das Netzwerk senden will, stempelt er das Datagramm einfach mit einer Zieladresse und speist es in das Netzwerk ein. Er fordert nicht zuerst das Netzwerk auf, einen virtuellen Kanal zwischen sich und dem Ziel aufzubauen.

Ein weiterer wichtiger Aspekt des technologischen Umfelds Ende der siebziger und Anfang der achtziger Jahre sind die physikalischen Verbindungsleitungen. In jenen Tagen waren fast alle festverdrahteten Leitungen rauschbehaftete, fehleranfällige Kupferleitungen. Glasfaserleitungen befanden sich zu jener Zeit noch in den Forschungslaboren. Die Bitfehlerraten auf Kupferfernleitungen waren um *viele* Größenordnungen höher als heute auf Glasfaserleitungen. Aufgrund der hohen Fehlerraten war es sinnvoll, das X.25-Protokoll mit Fehlerwiederherstellung auf Hop-zu-Hop-Basis auszustatten. Das heißt, wenn ein X.25-Switch ein Paket sendet, verwahrt er eine Kopie, bis der nächste Switch (auf der Route des Pakets) eine Bestätigung zurückgibt. Folglich führt jeder Switch beim Empfang eines Pakets eine Fehlerkontrolle durch. Falls das Paket fehlerfrei ist, sendet er eine Bestätigung an den vorherigen Switch. Durch die Fehlerwiederherstellung von Hop zu Hop reduzieren sich die

Übertragungsraten der Leitungen beträchtlich; dies war aber vereinbar mit dem damaligen technologischen Umfeld: hohe Fehlerraten auf den Leitungen und »dumme« Terminals. Das X.25-Design verlangte auch Flusskontrolle auf Hop-zu-Hop-Basis. Demgegenüber führt TCP Fehlerwiederherstellung und Flusskontrolle auf Ende-zu-Ende-Basis durch, was bedeutet, dass die Verbindungsleitungen diese Aufgaben nicht durchführen müssen.

5.10.2 Frame-Relay

Frame-Relay wurde Ende der achtziger Jahre entwickelt und in den neunziger Jahren intensiv installiert. Es ist auf vielerlei Art ein X.25 der zweiten Generation. Wie X.25 nutzt es virtuelle Kanäle. Da die auf Glasfaser basierten Systeme der neunziger Jahre aber viel geringere Bitfehlerraten als die auf Kupfer basierten Systeme der achtziger Jahre hatten, wurde Frame-Relay ganz natürlich für viel geringere Fehlerraten ausgelegt. Der Kern von Frame-Relay ist ein auf VC basierter Paketvermittlungsdienst ohne Fehlerwiederherstellung und ohne Flusskontrolle. Wenn ein Frame-Relay-Switch einen Fehler in einem Paket erkennt, ist das Verwerfen der Daten seine einzig mögliche Handlung. Dies führt zu einem Netzwerk mit viel geringerem Verarbeitungs-Overhead und höheren Übertragungsraten als X.25, setzt aber in Bezug auf Datenintegrität intelligente Endsysteme voraus. In den meisten Fällen befinden sich Frame-Relay-Netzwerke heute im Besitz eines öffentlichen Netzwerk-Service-Providers (z. B. AT&T, Sprint oder Bell Atlantic), der sein Netzwerk im Rahmen mehrjähriger Verträge Firmenkunden überlässt. Frame-Relay wird heute weitreichend eingesetzt, damit LANs in unterschiedlichen Firmengeländen in ausreichend hohen Raten Daten untereinander austauschen können.

Wie in Abbildung 5.54 dargestellt, verbindet Frame-Relay diese LANs oft über IP-Router, wobei sich jeder dieser IP-Router auf einem anderen Firmengelände befindet. Frame-Relay bietet einem Unternehmen eine Alternative zur Übertragung von campusübergreifendem IP-Verkehr über das öffentliche Internet, das die Unternehmen aus Gründen der Zuverlässigkeit und Sicherheit meiden möchten.

Abbildung 5.54 Ein öffentliches Frame-Relay-Netzwerk verbindet zwei Ethernet-Netze über Router, die in den Ethernet-Netzen angesiedelt sind. Die gestrichelte Linie ist ein virtueller Kanal.

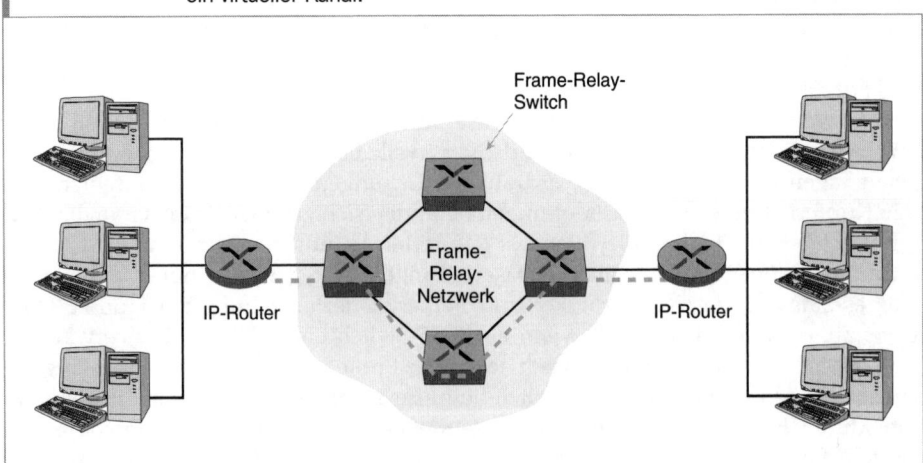

Übertragung eines IP-Datagramms von Ethernet zu Frame-Relay zu Ethernet

Wir betrachten in diesem Unterabschnitt die Übertragung eines IP-Datagramms zwischen zwei Endsystemen in zwei über ein Frame-Relay-Netzwerk verbundenen Ethernet-Netzen. Wir durchlaufen dieses Beispiel schrittweise auf der Grundlage von Abbildung 5.54. Wenn ein Ethernet-Rahmen beim Quellrouter ankommt, entnimmt die Ethernet-Karte des Routers die Ethernet-Felder und gibt das IP-Datagramm an die Vermittlungsschicht weiter. Die Vermittlungsschicht gibt das IP-Datagramm an die Frame-Relay-Schnittstellenkarte ab. Diese Karte verkapselt das IP-Datagramm im Frame-Relay-Rahmen, wie aus Abbildung 5.55 ersichtlich wird. Ferner berechnet sie das CRC (2 Byte) und fügt den resultierenden Wert in das CRC-Feld ein. Das Feld Link-Layer (2 Byte) beinhaltet ein 10-Bit-Feld für die VC-Nummer. Die Schnittstellenkarte erhält die VC-Nummer aus einer Tabelle, die IP-Netzwerknummern mit VC-Nummern assoziiert. Dann überträgt die Schnittstellenkarte das Paket.

Abbildung 5.55 Verkapselung von Nutzdaten (z. B. ein IP-Datagramm) in einem Frame-Relay-Rahmen

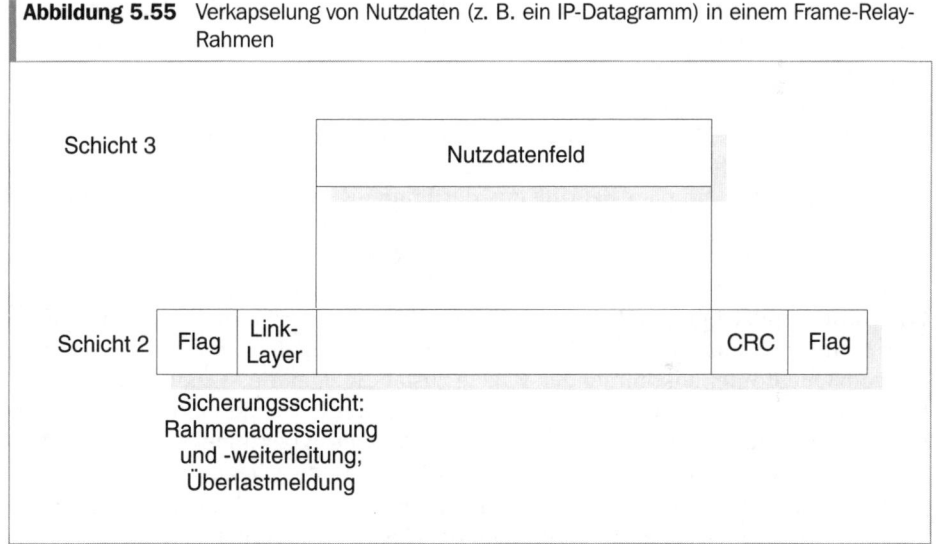

Die Schnittstellenkarte überträgt das Frame-Relay-Paket an einen nahegelegenen Frame-Relay-Switch, der dem Frame-Relay-Service-Provider gehört. Der Switch prüft das CRC-Feld. Enthält der Rahmen einen Fehler, verwirft der Switch den Rahmen. Im Gegensatz zu X.25 kümmert sich Frame-Relay nicht um die Neuübertragung von Paketen auf Hop-zu-Hop-Basis. Ist der Rahmen fehlerfrei, benutzt der Switch die VC-Nummer des Rahmens, um ihn an den nächsten Switch (oder Zielrouter) weiterzuleiten. Der Zielrouter entfernt die Frame-Relay-Felder und sendet das Datagramm über Ethernet an den Zielhost. Falls TCP-Segmente verloren gehen oder außer der Reihe ankommen, behebt TCP in den kommunizierenden Hosts das Problem.

CIR (Committed Information Rate)

Frame-Relay verwendet einen innovativen Mechanismus, der als **Committed Information Rate (CIR)** bezeichnet wird. Jeder Frame-Relay-VC hat eine CIR. Wir definieren CIR im Folgenden starr, sie ist im Grunde aber eine *Verpflichtung* auf Seiten des

Frame-Relay-Netzwerks, den VC dediziert mit einer bestimmten, von der CIR spezifizierten Übertragungsrate bereitzustellen. Der im Rahmen von Frame-Relay Anfang der neunziger Jahre eingeführte CIR-Dienst ist auf vielerlei Art ein Vorläufer des Differentiated-Service im Internet (siehe Kapitel 6). Wie wir im Folgenden sehen werden, implementiert Frame-Relay den CIR-Dienst durch Kennzeichnung von Paketen.

In Frame-Relay-Netzwerken können Frame-Relay-Pakete eine von zwei möglichen Prioritäten annehmen: hohe oder niedrige Priorität. Paketen werden Prioritäten durch *Markierung* (Marking) eines speziellen Bits im Paket-Header zugewiesen. Dieses DE-Bit (Discard Eligibility) wird entweder auf 0 für hohe oder auf 1 für niedrige Priorität gesetzt. Ein Rahmen mit hoher Priorität sollte im Frame-Relay-Netzwerk unter *allen* Netzwerkbedingungen, auch bei Überlast und Ausfällen von Backbone-Verbindungsleitungen, an das Ziel übertragen werden. Bei Paketen mit niedriger Priorität ist es dem Frame-Relay-Netzwerk aber gestattet, den Rahmen im Fall von Überlastbedingungen zu verwerfen. Unter bestimmten extremen Bedingungen kann das Netzwerk sogar Pakete mit hoher Priorität verwerfen. Überlast wird normalerweise an dem Zustand der Ausgangspuffer in den Frame-Relay-Switches gemessen. Wenn ein Ausgabepuffer in einem Frame-Relay-Switch kurz vor dem Überlauf steht, verwirft der Switch zuerst die Pakete mit niedriger Priorität, d. h. diejenigen Pakete im Puffer, in denen das DE-Bit auf 1 gesetzt ist.

Dies sind also die Aktionen, die ein Frame-Relay-Switch bezüglich markierter Pakete unternimmt. Nun stellt sich die Frage, wie die Pakete markiert werden. An diesem Punkt greift CIR ein. Die Beschreibung basiert wieder auf Abbildung 5.54. Wir erklären vorab ein paar Begriffe aus der Frame-Relay-Welt. Die **Zugangsrate** ist die Rate der Zugangsleitung, d. h. die Rate der Leitung vom Quellrouter zum Frame-Relay-Switch an der Netzwerkperipherie. Diese Rate ist oft 64 Kbps, jedoch sind auch ganzzahlige Mehrfache von 64 Kbps bis 1,544 Mbps üblich. Es sei R die Zugangsrate. Wie wir in Kapitel 1 gerlnt haben, wird jedes Paket auf der Verbindungsleitung (mit Rate R) mit einer Rate von R bps übertragen. Der Grenz-Switch ist für die Markierung der vom Quellrouter ankommenden Pakete zuständig. Um die Markierung durchzuführen, prüft der Grenz-Switch die Ankunftszeiten der Pakete über kurze feste Intervalle, die man als Messintervall T_c bezeichnet. Die meisten Frame-Relay-Service-Provider verwenden einen T_c-Wert, der zwischen 100 ms und 1 s liegt.

Nun können wir CIR genau beschreiben. Jedem vom Quellrouter ausgehenden VC (von denen es viele geben kann, die möglicherweise zu unterschiedlichen LANs führen) wird eine **CIR (Committed Information Rate)** in Einheiten von Bit/s zugewiesen. Die CIR ist nie größer als die Zugangsrate R. Kunden bezahlen für eine spezifische CIR; je höher die CIR, umso mehr bezahlt ein Kunde an den Frame-Relay-Service-Provider. Wenn der VC Pakete in einer Rate erzeugt, die geringer als die CIR ist, werden alle Pakete des VC mit hoher Priorität markiert ($DE = 0$). Übersteigt die Rate, in der der VC Pakete erzeugt, die CIR, dann wird der Anteil der Pakete des VC, der die Rate übersteigt, mit niedriger Priorität markiert. Genauer gesagt, in jedem Messintervall T_c markiert der Grenz-Switch die ersten $CIR \cdot T_c$ Bits, die der VC sendet, mit hoher Priorität ($DE = 0$), und alle weiteren Pakete, die in diesem Intervall gesendet werden, mit niedriger Priorität ($DE = 1$).

Um besser zu verstehen, was hier passiert, betrachten wir ein Beispiel. Angenommen, der Frame-Relay-Service-Provider benutzt ein Messintervall von $T_c = 500$ ms. Es sei gegeben, dass die Zugangsleitung $R = 64$ Kbps ist und die einem bestimmten VC zugewiesene CIR 32 Kbps beträgt. Der Einfachheit halber nehmen wir außerdem an, dass jedes Frame-Relay-Paket aus genau $L = 4.000$ Bit besteht. Dies bedeutet, dass der

VC alle 500 ms $CIR \cdot T_c/L = 4$ Pakete mit hoher Priorität senden kann. Alle weiteren Pakete, die in einem Intervall von 500 ms gesendet werden, erhalten niedrige Priorität. Man beachte, dass in jedem 500-ms-Intervall (zusätzlich zu den vier Paketen mit hoher Priorität) maximal vier Pakete mit niedriger Priorität gesendet werden können. Da das Frame-Relay-Netzwerk alle Pakete mit hoher Priorität an den Frame-Relay-Zielknoten übertragen muss, hat der VC im Wesentlichen einen garantierten Durchsatz von mindestens 32 Kbps. Frame-Relay macht aber keine Zusicherungen über die Ende-zu-Ende-Verzögerungen von Paketen mit hoher und niedriger Priorität.

Mit steigendem Messintervall T_c wächst die potenzielle Burstiness der Pakete mit hoher Priorität, die der Quellrouter aussendet. Wenn im vorherigen Beispiel $T_c = 0{,}5$ s ist, können nacheinander bis zu vier Pakete mit hoher Priorität ausgesendet werden; bei $T_c = 1$ können bis zu acht Pakete mit hoher Priorität nacheinander verschickt werden. Verwendet das Frame-Relay-Netzwerk einen kleineren Wert von T_c, zwingt es den Paketstrom mit hoher Priorität in einen Fluss mit weniger Burstiness; bei einem großen Wert von T_c erhält der VC aber mehr Flexibilität. Auf jeden Fall übersteigt bei jedem gewählten Wert von T_c die langfristige Durchschnittsrate von Bits mit hoher Priorität nie die CIR des VC.

Hier muss beachtet werden, dass vom Quellrouter viele PVCs ausgehen und über die Zugangsleitung führen können. Interessant ist, dass die Summe der CIRs aller VCs die Zugangsrate R übersteigen darf. Dies wird als **Überbuchung** (Overbooking) bezeichnet. Da Überbuchung zulässig ist, kann eine Zugangsleitung Pakete mit hoher Priorität in einer Bitrate übertragen, die höher als die CIR ist (auch wenn jeder einzelne VC Prioritätspakete in einer Rate sendet, die die CIR nicht übersteigt).

Wir beenden diesen Abschnitt mit dem Hinweis, dass das Frame Relay Forum [FRForum 2000] viele relevante Spezifikationen verwaltet. Ein ausgezeichneter Einführungskurs in Frame-Relay wird auf der Web-Site von Hill Associates [Hill 2000] zur Verfügung gestellt. Walter Goralski hat ein leicht lesbares und ausführliches Buch über Frame-Relay geschrieben [Goralski 1999].

5.11 Zusammenfassung

In diesem Kapitel haben wir die Sicherungsschicht, ihre Dienste, die ihrer Operation zugrunde liegenden Prinzipien und eine Reihe wichtiger spezifischer Protokolle beschrieben, die diese Prinzipien bei der Implementierung von Diensten auf der Sicherungsschicht verwenden.

Wir haben gesehen, dass der grundlegende Dienst der Sicherungsschicht in der Weiterleitung eines Datagramms der Vermittlungsschicht von einem Knoten (Router oder Host) zu einem angrenzenden Knoten besteht. Wir haben gesehen, dass alle Protokolle der Sicherungsschicht ein Datagramm der Vermittlungsschicht in einem Rahmen der Sicherungsschicht verkapseln, bevor der Rahmen auf der »Verbindungsleitung« an den benachbarten Knoten übertragen wird. Über diese allgemeine Framing-Funktion hinaus haben wir gelernt, dass unterschiedliche Protokolle der Sicherungsschicht verschiedene Dienste hinsichtlich Leitungszugriff, Weiterleitung (Zuverlässigkeit, Fehlererkennung und -korrektur), Flusskontrolle und Übertragung (z. B. Vollduplex gegenüber Halbduplex) bieten. Diese Unterschiede sind teilweise der großen Vielfalt an Leitungstypen zuzuschreiben, über die Protokolle der Sicherungsschicht operieren müssen. Eine einfache Punkt-zu-Punkt-Leitung hat einen einzigen Sender und Empfänger, die ausschließlich über diese »Leitung« kommunizieren. Eine Mehrfachzugriffsleitung wird von vielen Sendern und Empfängern gemeinsam genutzt.

Folglich hat das Protokoll der Sicherungsschicht für einen Mehrfachzugriffskanal ein Protokoll (sein Mehrfachzugriffsprotokoll) für die Koordination des Leitungszugriffs. Im Fall von ATM, X.25 und Frame-Relay haben wir gesehen, dass die »Leitung«, die zwei angrenzende Knoten (z. B. zwei IP-Router, die im IP-Sinn angrenzend, d. h. die nächsten IP-Router in Richtung zu einem bestimmten Ziel sind) verbindet, tatsächlich ein eigenständiges *Netzwerk* sein kann. In gewissem Sinn sollte das Konzept einer Leitung, das als »Netzwerk« betrachtet wird, nicht seltsam erscheinen. Eine Telefonleitung, die einen Heimcomputer/ein Modem mit einem entfernten Modem/Router verbindet, ist z. B. ein Pfad durch ein ausgeklügeltes und komplexes Telefon*netz*.

Unter den Prinzipien der zugrunde liegenden Kommunikation auf der Sicherungsschicht wurden Fehlererkennungs- und -korrekturtechniken, Mehrfachzugriffsprotokolle, Adressierung auf der Sicherungsschicht und die Konstruktion erweiterter LANs über Hubs, Bridges und Switches beschrieben. Bezüglich der Fehlererkennung und -korrektur wurde dargestellt, wie sich zusätzliche Bits in einen Rahmen-Header einfügen lassen, um Bitfehler, die vorkommen können, wenn der Rahmen über die Verbindungsleitung übertragen wird, zu erkennen und zu korrigieren. Nach den einfachen Paritäts- und Prüfsummenschemata sowie der robusteren CRC-Prüfung wurden Mehrfachzugriffsprotokolle beschrieben. Wir haben drei allgemeine Ansätze für die Koordination des Zugriffs auf einen Broadcast-Kanal untersucht: Kanalaufteilung (TDM, FDM, CDMA), Zufallszugriff (ALOHA und CSMA) und Rotationsansätze (Polling und Token-Passing). Wir haben gesehen, dass die gemeinsame Nutzung eines einzigen Broadcast-Kanals durch mehrere Knoten Knotenadressen auf der Sicherungsschicht erfordert. Wir haben gelernt, dass sich physikalische Adressen deutlich von Adressen auf der Vermittlungsschicht unterscheiden und dass im Fall des Internets ein spezielles Protokoll (Address Resolution Protocol, ARP) benutzt wird, um zwischen diesen beiden Adressierformen zu übersetzen. Anschließend wurde beschrieben, wie Knoten, die sich einen Broadcast-Kanal teilen, ein LAN bilden und wie sich mehrere LANs zusammenschließen lassen, um größere LANs zu bilden, und zwar *ohne* Intervention durch Routing auf der Vermittlungsschicht, um diese lokalen Knoten miteinander zu verbinden. Schließlich haben wir eine Reihe von spezifischen Protokollen der Sicherungsschicht ausführlich beschrieben: Ethernet, drahtloses IEEE 802.11 und PPP. Wie in den Abschnitten 5.9 und 5.10 beschrieben, können ATM, X.25 und Frame-Relay auch benutzt werden, um zwei Router auf der Vermittlungsschicht zu verbinden. In dem Szenario IP-Over-ATM können z. B. zwei angrenzende IP-Router über einen virtuellen Kanal durch ein ATM-Netzwerk miteinander verbunden werden. Unter solchen Umständen kann ein Netzwerk, das auf einer Netzwerkarchitektur (z. B. ATM oder Frame-Relay) basiert, als einzelne logische Verbindungsleitung zwischen zwei benachbarten Knoten (z. B. IP-Router) einer anderen Netzwerkarchitektur dienen.

Nach unserer Beschreibung der Sicherungsschicht *ist unsere Reise von oben nach unten durch den Protokollstack beendet!* Gewiss, unter der Sicherungsschicht liegt die Bitübertragungsschicht; die Details der Bitübertragungsschicht heben wir aber besser für einen anderen Kurs (z. B. eher Kommunikationstechnik als Computervernetzung) auf. Allerdings wurden mehrere Aspekte der Bitübertragungsschicht in diesem Kapitel angeschnitten (z. B. unsere kurze Beschreibung der Manchester-Kodierung in Abschnitt 5.5 und des Signal-Fading in Abschnitt 5.7) sowie in Kapitel 1 (Beschreibung physikalischer Medien in Abschnitt 1.5).

Nun ist unsere Reise im Protokollstack nach unten zwar beendet, jedoch sind wir mit unserer Untersuchung der Computervernetzung noch nicht ganz am Ende angelangt. In den nächsten drei Kapiteln beschreiben wir Multimedia-Vernetzung, Netzwerksicherheit und Netzwerkmanagement. Diese drei Themen passen nicht gut in eines der anderen Kapitel, in denen jeweils eine bestimmte Schicht behandelt wird. Sie ziehen sich alle drei durch alle Schichten. Das Verständnis dieser Themen (die manchmal auch als »fortgeschrittene Themen« im Bereich der Computervernetzung bezeichnet werden) setzt somit eine solide Kenntnis aller Schichten des Protokollstacks voraus. Diese Grundlage haben wir mit der Behandlung der Sicherungsschicht in diesem Kapitel vervollständigt.

WIEDERHOLUNGSFRAGEN

Abschnitte 5.1 bis 5.3

1. Wäre der zuverlässige TCP-Übertragungsdienst völlig redundant, wenn alle Verbindungsleitungen im Internet einen zuverlässigen Übertragungsdienst bereitstellen würden? Warum bzw. warum nicht?
2. Welche möglichen Dienste kann ein Protokoll der Sicherungsschicht der Vermittlungsschicht bieten? Welche Dienste der Sicherungsschicht haben entsprechende Dienste in IP? In TCP?
3. Angenommen, der Dateninhalt eines Pakets ist das Bitmuster 1010101010101011 und es wird ein gerades Paritätsschema (even parity) benutzt. Welcher Wert würde sich im Prüfsummenfeld bei einem einzelnen Paritätsschema befinden?
4. Angenommen, zwei Knoten beginnen gleichzeitig mit der Übertragung eines Pakets mit Länge L über einen Broadcast-Kanal mit Rate R. Es sei die Ausbreitungsverzögerung zwischen den beiden Knoten t_{prop}. Entsteht eine Kollision, wenn gilt $t_{prop} < L/R$? Warum bzw. warum nicht?
5. In Abschnitt 5.2.1 werden vier wünschenswerte Merkmale eines Broadcast-Kanals aufgelistet. Welche dieser Merkmale hat Slotted-ALOHA? Welche hat Token-Passing?
6. Welche menschlichen Cocktail-Analogien lassen sich auf Polling- und Token-Passing-Protokolle übertragen?
7. Warum wäre das Token-Ring-Protokoll bei einem sehr umfangreichen LAN ineffizient?
8. Wie groß ist der LAN-Adressraum? Der IPv4-Adressraum? Der IPv6-Adressraum?
9. Angenommen, die Knoten A, B und C sind jeweils (durch ihre Adapter) an das gleiche Broadcast-LAN angeschlossen. Wird der Adapter von C diese Rahmen verarbeiten, wenn A Tausende von Rahmen an B sendet, wobei jeder Rahmen an die LAN-Adresse von B adressiert ist? Falls dies zutrifft, wird der Adapter von C die IP-Datagramme in diesen Rahmen an C (d. h. den Elternknoten des Adapters) weiterleiten? Wie würden Ihre Antworten lauten, wenn A Rahmen mit der Broadcast-Adresse des LAN sendet?
10. Warum wird eine ARP-Anfrage in einem Broadcast-Rahmen versendet? Warum wird eine ARP-Antwort in einem Rahmen mit einer spezifischen LAN-Zieladresse versendet?
11. In dem Netzwerk in Abbildung 5.22 hat der Router zwei ARP-Module mit jeweils einer eigenen ARP-Tabelle. Ist es möglich, dass die gleiche LAN-Adresse in beiden Tabellen erscheint?

→

12. Vergleichen Sie die Rahmenstrukturen von 10BaseT-, 100BaseT- und Gigabit-Ethernet. Wie unterscheiden sie sich?
13. Angenommen, ein 10-Mbps-Adapter sendet einen unendlichen Datenstrom aus Einsen mittels Manchester-Kodierung auf einen Kanal. Wie viele Übergänge pro Sekunde würde das vom Adapter ausgehende Signal haben?
14. Welche Wahrscheinlichkeit besteht nach der fünften Kollision, dass der Wert von K, den der Knoten wählt, 4 ist? Das Ergebnis $K = 4$ entspricht einer Verzögerung von wie vielen Sekunden in einem 10-Mbps-Ethernet?

Abschnitt 5.6

15. In der IEEE-802.11-Spezifikation muss die Länge der SIFS-Periode kürzer als die DIFS-Periode sein. Warum?
16. Angenommen, die RTS- und CTS-Rahmen gemäß IEEE 802.11 wären so lang wie die Daten- und ACK-Standardrahmen. Ergäbe sich aus der Verwendung der CTS- und RTS-Rahmen irgendein Vorteil? Warum?

Abschnitt 5.9

17. Unterscheidet die TC-Teilschicht zwischen verschiedenen VCs beim Sender oder Empfänger?
18. Warum ist es für die TC-Teilschicht im Sender wichtig, einen kontinuierlichen Zellenstrom bereitzustellen, wenn die PMD-Teilschicht zellenbasiert ist?
19. Füllt die TC-Teilschicht beim Sender irgendwelche Felder des ATM-Headers aus? Welche?

ÜBUNGEN

5.1 Angenommen, der Dateninhalt eines Pakets ist das Bitmuster 1010101010101011 und es wird ein gerades Paritätsschema benutzt. Welchen Wert hätte das Prüfsummenfeld für den Fall, dass ein zweidimensionales Paritätsschema verwendet wird? Ihre Antwort sollte die Verwendung eines Prüfsummenfelds mit minimaler Länge berücksichtigen.

5.2 Nennen Sie ein Beispiel (nicht das von Abbildung 5.6!), das aufzeigt, dass zweidimensionale Paritätsprüfungen einen einzelnen Bitfehler korrigieren und erkennen können. Beweisen Sie durch ein Gegenbeispiel, das sich ein doppelter Bitfehler nicht immer korrigieren lässt. Weisen Sie anhand des Beispiels nach, dass einige Doppelbitfehler erkannt werden können.

5.3 Angenommen, der Datenteil eines Pakets (D in Abbildung 5.4) enthält 10 Byte, die sich aus der vorzeichenlosen 8-Bit-Binärdarstellung der Ganzzahlen 0 bis 9 zusammensetzen. Berechnen Sie die Internet-Prüfsumme für diese Daten.

5.4 Betrachten Sie den 4-Bit-Generator G in Abbildung 5.8 und nehmen Sie an, dass D den Wert 10101010 hat. Was ist der Wert von R?

5.5 Betrachten Sie das CDMA-Beispiel mit einem einzigen Sender in Abbildung 5.12. Was wäre die Ausgabe des Senders (für die beiden dargestellten Datenbits), wenn der CDMA-Code des Senders (1, -1, 1, -1, 1, -1, 1, -1) ist?

5.6 Betrachten Sie Sender 2 in Abbildung 5.13. Was ist die Ausgabe des Senders auf den Kanal (vor dem Addieren zum Signal von Sender 1), $Z^2_{i,m}$?

5.7 Angenommen, der Empfänger in Abbildung 5.13 möchte die von Sender 2 zu sendenden Daten empfangen. Beweisen Sie (durch Berechnung), dass der Empfänger tatsächlich in der Lage ist, die Daten von Sender 2 durch Verwendung des Codes von Sender 2 aus dem Gesamtkanalsignal wiederherzustellen.

5.8 In Abschnitt 5.3 wurde eine Herleitung der Effizienz von Slotted-ALOHA kurz beschrieben. In dieser Übung wird die Herleitung weiter ausgeführt.
 a. Wenn es N aktive Knoten gibt, ist die Effizienz von Slotted-ALOHA $Np(1-p)^{N-1}$. Ermitteln Sie den Wert von p, der diesen Ausdruck maximiert.
 b. Mit Hilfe des in Teil a. ermittelten Wertes für p finden Sie die Effizienz von Slotted-ALOHA, wobei N sich Unendlich nähert. Hinweis: $(1 - 1/N)^N$ nähert sich $1/e$, während sich N Unendlich nähert.

5.9 Beweisen Sie, dass die maximale Effizienz von reinem ALOHA $1/(2e)$ ist. Hinweis: Diese Übung ist leicht, wenn Sie die obige Übung gelöst haben!

5.10 Zeichnen Sie die Effizienz von Slotted-ALOHA und reinem ALOHA als Funktion von p für $N = 100$.

5.11 Betrachten Sie einen Broadcast-Kanal mit N Knoten und einer Übertragungsrate von R bps. Angenommen, der Broadcast-Kanal nutzt Polling (mit einem zusätzlichen Polling-Knoten) für Mehrfachzugriff. Der Zeitraum vom Ende der Übertragung eines Knotens bis zum Beginn der Übertragung des nächsten Knotens (d. h. die Polling-Verzögerung) ist t_{poll}. Innerhalb einer Polling-Runde ist es einem bestimmtem Knoten gestattet, höchstens Q Bits zu übertragen. Welchen maximalen Durchsatz hat der Broadcast-Kanal?

5.12 Betrachten Sie die über zwei Router verbundenen LANs im folgenden Diagramm:

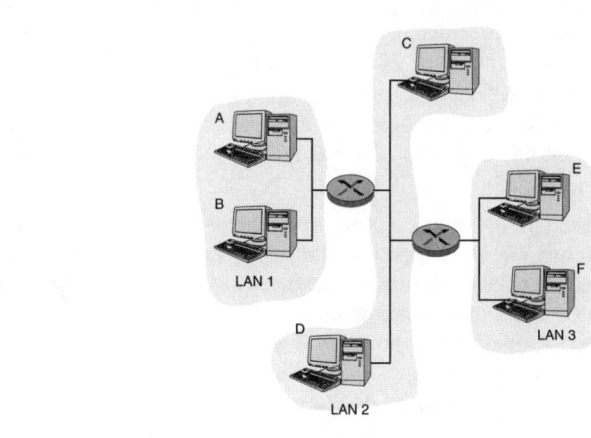

 a. Zeichnen Sie das Diagramm erneut unter Einfügung von Adaptern.
 b. Weisen Sie allen Schnittstellen IP-Adressen zu. Für LAN 1 verwenden Sie Adressen in der Form 111.111.111.xxx, für LAN 2 Adressen in der Form 122.222.222.xxx und für LAN 3 Adressen in der Form 133.133.133.xxx.

c. Weisen Sie allen Adaptern LAN-Adressen zu.

d. Angenommen, Sie wollen ein IP-Datagramm von Host A an Host F senden; alle ARP-Tabellen sind auf dem aktuellen Stand. Führen Sie alle Schritte wie bei dem Beispiel mit einem Router in Abschnitt 5.4.2 auf.

e. Wiederholen Sie d., jetzt jedoch unter der Annahme, dass die ARP-Tabelle im sendenden Host leer ist (und die anderen Tabellen aktuell sind).

5.13 Beim CSMA/CD-Protokoll wartet der Adapter $K \cdot 512$ Bitzeiten nach einer Kollision, wobei K zufällig gewählt wird. Wie lange wartet der Adapter in einem 10-Mbps-Ethernet bei $K = 100$, bis er zu Schritt 2 zurückkehrt?

5.14 Angenommen, Knoten A und B befinden sich im gleichen 10-Mbps-Ethernet-Segment und die Ausbreitungsverzögerung zwischen den beiden Knoten beträgt 225 Bitzeiten. Knoten A beginnt mit der Übertragung eines Rahmens; dann beginnt Knoten B mit der Übertragung eines Rahmens, bevor A fertig ist. Kann A die Übertragung beenden, bevor er erkennt, dass B überträgt? Warum bzw. warum nicht? Wenn die Antwort »Ja« lautet, geht A irrtümlich davon aus, dass sein Rahmen erfolgreich ohne Kollision übertragen wurde. Hinweis: Angenommen, A beginnt um $t = 0$ Bitzeit mit der Übertragung eines Rahmens. Im schlechtesten Fall überträgt A einen Rahmen mit minimaler Größe von $512 + 64$ Bitzeiten. A wäre also mit der Übertragung des Rahmens um $t = 512 + 64$ Bitzeiten fertig. Folglich lautet die Antwort »Nein«, falls das Signal von B vor Bitzeit $t = 512 + 64$ Bit bei A ankommt. Wann erreicht das Signal von B im schlechtesten Fall A?

5.15 Angenommen, Knoten A und B befinden sich im gleichen 10-Mbps-Ethernet-Segment und die Ausbreitungsverzögerung zwischen den beiden Knoten ist 225 Bitzeiten. Es sei gegeben, dass A und B gleichzeitig Rahmen senden, die Rahmen kollidieren und sich A und B dann entscheiden, andere Werte für K aus dem CSMA/CD-Algorithmus zu wählen. Können die Neuübertragungen von A und B unter der Annahme kollidieren, dass keine anderen Knoten aktiv sind? Für unsere Zwecke genügt es, folgendes Beispiel auszuarbeiten: A und B beginnen mit der Übertragung um $t = 0$ Bitzeit. Beide erkennen Kollisionen um $t = 225$ Bitzeiten. Sie beenden die Übertragung eines Jam-Signals um $t = 225 + 48 = 273$ Bitzeiten; seien $K_A = 0$ und $K_B = 1$. Zu welcher Zeit plant B seine Neuübertragung? Zu welcher Zeit beginnt A mit der Übertragung? (Hinweis: Die Knoten müssen nach der Rückkehr zu Schritt 2 auf einen freien Kanal warten; siehe Protokoll.) Zu welcher Zeit kommt das Signal von A bei B an? Hält sich B von der Übertragung zu der von ihm geplanten Zeit zurück?

5.16 Betrachten Sie ein 100-Mbps-100BaseT-Ethernet. Wie sollte die maximale Entfernung zwischen einem Knoten und dem Hub aussehen, um eine Effizienz von 0,50 zu erreichen? Gegeben sei eine Rahmenlänge von 64 Byte und ein Szenario ohne Repeater. Stellt diese maximale Entfernung auch sicher, dass ein übertragender Knoten A erkennen kann, ob ein anderer Knoten überträgt, während A überträgt? Warum bzw. warum nicht? Wie sieht die maximale Entfernung im Vergleich zum tatsächlichen 100-Mbps-Standard aus?

5.17 In dieser Übung leiten Sie die Effizienz eines CSMA/CD-ähnlichen Mehrfachzugriffsprotokolls ab. Bei diesem Protokoll werden Zeitschlitze vergeben und alle Adapter werden auf die Zeitschlitze synchronisiert. Im Gegensatz zum Slotted-ALOHA ist die Dauer eines Zeitschlitzes (in Sekunden) allerdings viel geringer als die Rahmenzeit (die Dauer der Übertragung eines Rahmens). Sei S die Länge eines Zeitschlitzes. Angenommen, alle Rahmen haben eine konstante Länge von

$L = kRS$, wobei R die Übertragungsrate des Kanals und k eine große Ganzzahl ist. Es sei gegeben, dass es N Knoten gibt, die jeweils eine unendliche Anzahl von Rahmen zu senden haben, und dass $t_{prop} < S$ ist, so dass alle Knoten eine Kollision vor dem Ende einer Schlitzzeit erkennen können. Das Protokoll lautet wie folgt:

- Wenn kein Knoten für einen bestimmten Schlitz im Besitz des Kanals ist, »bewerben« sich alle Knoten um den Kanal. Das heißt, jeder Knoten überträgt in dem Schlitz mit Wahrscheinlichkeit p. Wenn genau ein Knoten im Schlitz überträgt, nimmt dieser Knoten den Kanal für die nächsten $k - 1$ Zeitschlitze in Beschlag und überträgt seinen ganzen Rahmen.
- Wenn ein Knoten im Besitz des Kanals ist, halten sich alle anderen Knoten von der Übertragung zurück, bis der Knoten, der den Kanal momentan besitzt, mit der Übertragung seines Rahmens fertig ist. Nachdem dieser Knoten seinen Rahmen übertragen hat, konkurrieren wieder alle Knoten um den Kanal.

Der Kanal wechselt hierbei zwischen zwei Zuständen: dem »produktiven«, der genau k Zeitschlitze dauert, und dem nicht produktiven, der eine zufällige Anzahl von Zeitschlitzen dauert. Die Kanaleffizienz hat ein Verhältnis von $k/(k + x)$, wobei x die erwartete Anzahl aufeinander folgender unproduktiver Zeitschlitze ist.
a. Ermitteln Sie die Effizienz dieses Protokolls für einen festen Wert von N und p.
b. Ermitteln Sie für feste N den Wert von p, der die Effizienz maximiert.
c. Mit Hilfe der in Teil b. ermittelten p (die eine Funktion von N ist) bestimmen Sie die Effizienz, während sich N Unendlich nähert.
d. Beweisen Sie, dass sich diese Effizienz mit zunehmender Rahmenlänge an 1 annähert.

5.18 Angenommen, zwei Knoten, A und B, sind an den entgegengesetzten Enden eines 900-m-Kabels angeschlossen. Sie müssen sich jeweils einen Rahmen mit 1.000 Bit (einschließlich aller Header und Präambeln) zusenden. Beide Knoten versuchen, zum Zeitpunkt $t = 0$ zu übertragen. Zwischen A und B befinden sich vier Repeater, die eine 20-Bit-Verzögerung einführen. Die Übertragungsrate ist 10 Mbps und es wird CSMA/CD mit Backoff-Intervallen in Mehrfachen von 512 Bit benutzt. Nach der ersten Kollision wählt A $K = 0$ und B $K = 1$ im exponentiellen Backoff-Protokoll. Ignorieren Sie das Jam-Signal.
a. Welche Einweg-Ausbreitungsverzögerung (einschließlich Repeater-Verzögerungen) ergibt sich zwischen A und B in Sekunden? Gehen Sie von einer Geschwindigkeit der Signalausbreitung von $2 \cdot 10^8$ m/s aus.
b. In welcher Zeit (in Sekunden) wird das Paket von A vollständig an B übertragen?
c. Nehmen wir jetzt an, dass nur A ein Paket senden muss und die Repeater durch Bridges ersetzt wurden. Jede Bridge hat zusätzlich zu einer Store-and-Forward-Verzögerung eine 20-Bit-Verarbeitungsverzögerung. In welcher Zeit (in Sekunden) wird das Paket von A vollständig an B übertragen?

5.19 Angenommen, Sie müssen ein LAN für das unten dargestellte Campus-Layout entwerfen:

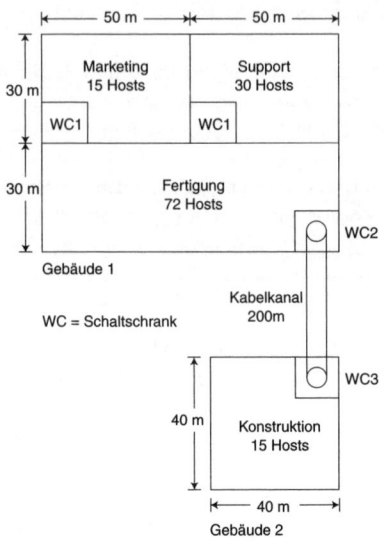

Sie können folgende Ausstattung verwenden:

Ausstattung	Kosten
Dünnes Koaxialkabel (Thin Coax)	$1 pro Meter
UTP	$1 pro Meter
Glasfaserkabel, Paar	$2 pro Meter
NIC – Ports für dünnes Koaxialkabel	$70
NIC – UTP-Port	$70
2-Port-Repeater	$800
Multiport-Repeater (8 Ports für dünnes Koaxialkabel)	$1.500
Multiport-Glasfaser-Repeater (6 Glasfaserports)	$2.000
2-Port-Bridge (beliebige Kombination aus dünnem Koaxialkabel, UTP, Glasfaser)	$2.200
Hub – 36 UTP-Ports	$4.000
Hub – 6 Glasfaserports, 24 UTP-Ports	$6.000
File-Server Pentium mit NOS (max. 30 Benutzer)	$9.000
Bridges beinhalten immer Schnittstellenkarten	

Sie müssen folgende Design-Anforderungen berücksichtigen:
- Jede Abteilung muss Zugang zu den Ressourcen aller anderen Abteilungen haben.
- Der von den Benutzern einer Abteilung erzeugte Verkehr darf sich nicht auf das LAN einer anderen Abteilung auswirken, außer wenn auf eine Ressource im LAN der anderen Abteilung zugegriffen wird.
- Ein Datei-Server kann nur 30 Benutzer unterstützen.
- Datei-Server sollen nicht von mehreren Abteilungen gemeinsam benutzt werden.
- Alle Repeater, Bridges und Hubs müssen in Schaltschränken untergebracht werden.

a. Sie sollen dünnes Koaxial (kein UTP) und – soweit erforderlich – Glasfaserkabel verwenden. Erstellen Sie ein Diagramm Ihres Designs und eine Liste der verwendeten Ausstattung (mit Mengenangabe) und die Gesamtkosten des LAN.

b. Wiederholen Sie a., jedoch verwenden Sie diesmal UTP (und nicht dünnes Koaxialkabel) und – soweit erforderlich – Glasfaser.

5.20 Angenommen, ein Frame-Relay-VC erzeugt Pakete mit fester Länge L. Seien R, T_c und CIR die Zugangsrate, das Messintervall bzw. die Committed Information Rate.

a. Bestimmen Sie als Funktion dieser Variablen, wie viele Pakete mit hoher Priorität der VC in einem Messintervall senden kann.

b. Bestimmen Sie als Funktion dieser Variablen, wie viele Pakete mit niedriger Priorität der VC in einem Messintervall senden kann.

Gehen Sie für Teil b. davon aus, dass der VC in jedem Messintervall zuerst die maximal zulässige Anzahl von Paketen mit hoher Priorität und dann diejenigen mit niedriger Priorität erzeugt.

5.21 Gehen Sie in Abbildung 5.54 davon aus, dass das Ethernet an der Quelle einen Web-Server beinhaltet, der mit der Bedienung von Anfragen von Clients des Ethernet am Ziel sehr beschäftigt ist. Jede HTTP-Antwortnachricht wird in einem oder mehreren IP-Datagrammen befördert. Wenn die IP-Datagramme an der Frame-Relay-Schnittstelle ankommen, wird jedes Datagramm in einem Frame-Relay-Rahmen gekapselt. Angenommen, jedes Web-Objekt hat eine Größe von O Bit und jedes Frame-Relay-Paket eine Größe von L. Der Web-Server beginnt mit der Bedienung eines Objekts am Anfang jedes Messintervalls. Ignorieren Sie sämtlichen Paket-Overhead (auf der Anwendungs-, Transport-, IP- und Frame-Relay-Schicht!) und ermitteln Sie die maximale Größe von O (als Funktion von T_c, CIR und L), so dass jedes Objekt vollständig in Frame-Relay-Paketen mit hoher Priorität übertragen wird.

5.22 ATM benutzt 53-Byte-Pakete, die sich aus 5 Header-Bytes und 48 Nutzdatenbytes zusammensetzen. 53 Byte sind für Pakete mit fester Länge eine ungewöhnlich kleine Größe; die meisten Netzwerkprotokolle (IP, Ethernet, Frame-Relay usw.) verwenden im Durchschnitt wesentlich größere Pakete. Einer der Nachteile einer kleinen Paketgröße ist, dass ein großer Teil der Leitungsbandbreite durch Overhead-Bytes verbraucht wird. Im Fall von ATM werden fast 10% der Bandbreite vom ATM-Header »verschwendet«. In dieser Übung untersuchen wir, warum eine derart kleine Paketgröße gewählt wurde. Zu diesem Zweck sei gegeben, dass die ATM-Zelle aus P Bytes (möglicherweise nicht 48) und 5 Header-Bytes besteht.

a. Sie senden eine digital kodierte Sprachquelle direkt über ATM. Die Quelle wird in einer konstanten Rate von 64 Kbps kodiert. Jede Zelle wird vollständig gefüllt, bevor die Quelle sie in das Netzwerk einspeist. Die für das Füllen einer Zelle erforderliche Zeit ist die **Packetization-Verzögerung**. Bestimmen Sie die Packetization-Verzögerung hinsichtlich L in Millisekunden.
b. Packetization-Verzögerungen von mehr als 20 ms können zu wahrnehmbarem und unangenehmem Echo führen. Bestimmen Sie die Packetization-Verzögerung für $L = 1.500$ Byte (entspricht grob einem Ethernet-Paket mit maximaler Größe) und für $L = 48$ (entspricht einer ATM-Zelle).
c. Berechnen Sie die Store-and-Forward-Verzögerung eines einzigen ATM-Switch für eine Leitungsrate von $R = 155$ Mbps (eine beliebte Leitungsgeschwindigkeit in ATM) für $L = 1.500$ Byte und $L = 48$ Byte.
d. Beschreiben Sie kurz die Vorteile der Verwendung einer kleinen Zellengröße.

DISKUSSIONSFRAGEN

Surfen Sie im Web, um folgende Fragen zu beantworten:

5.1 In welchem Preisbereich bewegt sich grob ein 10-Mbps-Ethernet-Adapter? Ein 10/100-Mbps-Adapter? Ein Gigabit-Ethernet-Adapter?

5.2 Der Preis von Hubs und Switches richtet sich oft nach der Anzahl von Schnittstellen (im LAN-Jargon auch »Ports« genannt). Wie ist derzeit der ungefähre Preis pro Schnittstelle für einen 10-Mbps-Hub? Für einen 100-Mbps-Hub? Für einen Switch, der nur 10-Mbps-Schnittstellen hat? Für einen Switch, der nur 100-Mbps-Schnittstellen hat?

5.3 Viele Funktionen eines Adapters können in Software ausgeführt werden, die in der Knoten-CPU läuft. Welche Vor- und Nachteile hat die Verlagerung dieser Funktionalität vom Adapter auf den Knoten?

5.4 Finden Sie im Web die Protokollnummern, die in einem Ethernet-Rahmen für IP und ARP benutzt werden.

5.5 Ist für IP-Over-Frame-Relay irgendein ARP-Protokoll erforderlich? Warum bzw. warum nicht?

INTERVIEW

Robert (Bob) Metcalfe

Robert (Bob) Metcalfe ist Direktor und Vice President of Technology der International Data Group in Boston und Kolumnist für InfoWorld. Während seiner Tätigkeit am Xerox Palo Alto Research Center erfand er 1973 das Ethernet, den LAN-Standard. 1979 gründete Bob die 3Com Corporation, die heute ein Fortune-500-Unternehmen für globale Datenvernetzung ist. Er erwarb Diplome in Elektrotechnik und Management am MIT sowie in angewandter Mathematik und Computerwissenschaft an der Harvard-Universität.

- **Was hat Sie dazu bewegt, sich auf Vernetzung zu spezialisieren?**

Ich graduierte 1969 in Computerwissenschaft an der Harvard-Universität und trat bald danach in das Forschungsteam am MIT ein. Die ARPA (Advanced Research Projects Agency) war damals der wichtigste Förderer auf dem Gebiet der Computerwissenschaft. Das neue Projekt der ARPA war das ARPANET – Internet 1.0. Also arbeitete ich am ARPANET. Ich entwickelte Hard- und Software und arbeitete an der Protokollentwicklung, die letztendlich zu Ethernet, dem Internet und 3Com führte.

- **Was war Ihre erste Stelle in der Computerindustrie und was war Ihr Aufgabengebiet?**

Schon 1965 während meines Studiums arbeitete ich am MIT, woraus später eine Vollzeitbeschäftigung bei Raytheon Wayland wurde. Ich arbeitete am dortigen Labor an der Programmierung eines Univac-Minicomputers, der für die Identifizierung von Zielen auf U-Booten eingesetzt wurde. Mein erstes Programm, mit dem ich Geld verdiente, war eine Subroutine, die 5-Bit-Baudot-Zeichencodes in 6-Bit-Computerzeichencodes konvertierte. Meine ganze Zeit am MIT war ich ganztags beschäftigt, normalerweise zwischen Mitternacht und 8 Uhr früh, verpasste aber keine Vorlesungen. Ich nahm an allen Sportveranstaltungen der Uni teil und war der Vorsitzende meiner Studentenvereinigung. Wann habe ich überhaupt geschlafen?

- **Wie sieht ein typischer Arbeitstag für Sie aus?**

So etwas kenne ich gar nicht. Ich verbringe viel Zeit mit Lesen, am Telefon, mit E-Mails an meinem Mac und mit Surfen im Web. Außerdem reise ich gerne und viel. Oft sitze ich in Hotelkonferenzräumen und höre Vorträge oder halte selbst welche. Derzeit versuche ich, ein wenig kürzer zu treten und mehr Zeit in Maine mit meiner Familie zu verbringen.

- **Was ist der interessanteste Teil Ihres Aufgabenbereichs?**

Ich bin ein Technologie-Freak. Ich schreibe Fachartikel, halte Reden und veranstalte Konferenzen. Der schwierige Teil daran ist, herauszufinden, wer nicht die Wahrheit sagt.

- **Welche Leute haben Sie beruflich inspiriert?**

J. C. R. Licklider, Michael Dertouzos, Nicholas Negroponte und Paul Gray (MIT); Bob Noyce (Intel); Steve Jobs (Apple); Larry Ellison (Oracle); Hewlett & Packard; Tom →

→ Watson (IBM); Grace Murray Hopper (Navy); Bill Gates (Microsoft); Butler Lampson (Xerox PARC, Digital, Microsoft); Alan Kay (Xerox, Disney); David Liddle (Xerox, Metaphor, Interval); Gordon Bell (DEC, NSF, Microsoft); Bell, Edison, Shockley und viele andere.

- **Welche Auswirkungen haben Technologien auf das Studium? Welche Auswirkungen werden sie Ihrer Meinung nach künftig auf das Studium haben?**

Statt sich so viele Gedanken darüber zu machen, das Internet *in* die Schulen zu bringen, was ja keine schlechte Idee ist, sollten wir mehr daran arbeiten, das Internet *statt* Schulen zu benutzen.

- **Sie haben acht Jahre lang am Stanford unterrichtet.
Auf welche Weise lehren Sie immer noch über Technologie?**

Lernen und Unterrichten sind untrennbar. Deshalb funktionieren unsere großen Forschungsuniversitäten wie MIT und Stanford so gut.

- **Erzählen Sie mir ein wenig über Ihre Arbeit in Boston. Welche Ziele wurden verfolgt? In welcher Hinsicht waren diese Ziele erfolgreich?**

Meine gesellschaftlichen Treffpunkte in Boston sind vorwiegend die von mir bevorzugten Leute – Unternehmer – und alle, die sie umgeben und unterstützen. Ich versuche, meinen Teil am unternehmerischen Netzwerk von Boston beizutragen. Unsere Zusammenkünfte sind erfolgreich, weil ich sorgfältig auswähle, wer eingeladen wird. Wer kommt, freut sich über die, die er dort treffen kann. Außerdem dränge ich nicht darauf, dass Reden gehalten werden; nur lockere Unterhaltungen.

KAPITEL 6

Multimedia-Vernetzung

Nachdem wir in Kapitel 5 unsere Reise nach unten im Protokollstack beendet haben, verfügen wir über eine solide Grundlage bezüglich der Prinzipien und der Praxis im Bereich der Computervernetzung. Diese Grundlage wird uns in diesem Kapitel zum Thema »Multimedia-Vernetzung«, das sich durch viele Schichten des Protokollstacks zieht, gute Dienste erweisen.

In den letzten Jahren war ein explosives Wachstum der Entwicklung und Installation von vernetzten Anwendungen, die Audio- und Videoinhalt über das Internet senden und empfangen, zu beobachten. Neue **Multimedia-Netzwerkanwendungen** (die auch als **kontinuierliche Medienanwendungen** bezeichnet werden), wie Unterhaltungsvideo, IP-Telefonie, Internet-Radio, multimediale WWW-Sites, Telekonferenzen, interaktive Spiele, virtuelle Welten, entferntes Lernen und viele andere, scheinen täglich angekündigt zu werden. Die Dienstanforderungen dieser Anwendungen unterscheiden sich erheblich von den traditionellen datenorientierten Anwendungen wie Web-Text/Bilder, E-Mail, FTP und DNS, die in Kapitel 2 beschrieben wurden. Insbesondere reagieren Multimedia-Anwendungen sehr empfindlich auf Ende-zu-Ende-Verzögerung und Verzögerungsschwankungen, sie können aber gelegentlichen Datenverlust tolerieren. Diese grundsätzlich anders gearteten Dienstanforderungen deuten darauf hin, dass sich eine Netzwerkarchitektur, die primär für die Datenkommunikation ausgelegt wurde, für die Unterstützung von Multimedia-Anwendungen nicht gut eignet. In diesem Kapitel werden einige derzeit in Arbeit befindliche Entwicklungen vorgestellt, um die Internet-Architektur zu erweitern, so dass die Dienstanforderungen dieser neuen Multimedia-Anwendungen unterstützt werden können.

Wir beginnen unsere Untersuchung der Multimedia-Vernetzung (selbstverständlich!) in einem Top-down-Ansatz, indem wir mehrere Multimedia-Anwendungen und ihre Dienstanforderungen in Abschnitt 6.1 beschreiben. Abschnitt 6.2 befasst sich damit, wie die heutigen Web-Server Audio und Video über das Internet zu Clients streamen. In Abschnitt 6.3 wird Internet-Telefonie als spezifische Multimedia-Anwendung ausführlich beschrieben, mit dem Ziel, einige der dabei auftretenden Schwierigkeiten (und entwickelte Lösungen) aufzuzeigen, wenn Anwendungen notwendigerweise den Best-Effort-Transportdienst des heutigen Internets nutzen müssen. In Abschnitt 6.4 wird das RTP-Protokoll beschrieben, ein neuer Standard der Anwendungsschicht für Framing und Kontrolle der Übertragung von Multimedia-Daten.

In der zweiten Hälfte dieses Kapitels richten wir unsere Aufmerksamkeit auf die Zukunft und die unteren Schichten des Protokollstacks, wo wir neuere Fortschritte prüfen, die auf die Entwicklung einer Netzwerkarchitektur der nächsten Generation abzielen, die ausdrücklich die Dienstanforderungen von Multimedia-Anwendungen unterstützt. Statt lediglich eine einzige Best-Effort-Dienstklasse bereitzustellen, beinhalten diese künftigen Architekturen auch Dienstklassen, die Qualitätszusicherungen für Multimedia-Anwendungen bieten. In Abschnitt 6.5 werden wichtige Prinzipien beschrieben, die im Kern dieser Architektur der nächsten Generation liegen. Abschnitt 6.6 befasst sich mit spezifischen Scheduling- und Policing-Mechanismen auf Paketebene, die wichtige Elemente dieser zukünftigen Architektur sind. In den Abschnitten 6.7 und 6.9 stellen wir die so genannten Intserv- und Diffserv-Architekturen – neue Internet-Standards für das qualitätssensitive Internet der nächsten Generation – vor. In Abschnitt 6.8 wird RSVP vorgestellt, ein Signalisierungsprotokoll, das für Intserv und Diffserv eine wichtige Rolle spielt.

6.1 Multimedia-Netzwerkanwendungen

In Kapitel 2 wurde in Zusammenhang mit Dienstanforderungen für Anwendungen eine Reihe von Achsen identifiziert, auf denen diese Anforderungen klassifiziert werden können. Zwei dieser Merkmale – Timing-Überlegungen und Toleranz bei Datenverlust – sind für vernetzte Multimedia-Anwendungen besonders wichtig. Multimedia-Anwendungen sind sehr **verzögerungssensitiv**. Wir werden in Kürze sehen, dass Pakete, die einer Sender-zu-Empfänger-Verzögerung von mehr als ein paar hundert Millisekunden (Internet-Telefonie) oder ein paar Sekunden (Streaming von gespeichertem Multimedia) ausgesetzt sind, im Wesentlichen nutzlos sind. Andererseits sind vernetzte Multimedia-Anwendungen normalerweise auch **verlusttolerant**; ein gelegentlicher Verlust verursacht lediglich stellenweises Ruckeln in der Audio-/Videowiedergabe. Diese Verluste können oft ganz oder teilweise verborgen werden. Diese Dienstanforderungen unterscheiden sich deutlich von jenen für elastische Anwendungen wie Web-Text/Bilder, E-Mail, FTP und Telnet. Für diese Anwendungen sind lange Verzögerungen lästig, aber nicht besonders schädlich, während die Integrität der übertragenen Daten von vorrangiger Bedeutung ist.

6.1.1 Beispiele von Multimedia-Anwendungen

Im Internet gibt es zahlreiche interessante Multimedia-Anwendungen, die wir in den folgenden Abschnitten in drei großen Klassen beschreiben.

Streaming, gespeichertes Audio und Video

Bei dieser Anwendungsklasse fordern Clients komprimierte Audio- und Videodateien an, die auf Servern gespeichert sind. Gespeicherte Audiodateien können Audio von einer Vorlesung (Sie sollten unbedingt die Web-Site zu diesem Buch besuchen, um dies auszuprobieren!), Rockkonzerte, Symphonien, Archive von bekannten Radiosendungen oder archivierte historische Aufzeichnungen enthalten. Gespeicherte Videodateien können die Videoaufzeichnung von einer Vorlesung, Spielfilme in voller Länge, voraufgezeichnete Fernsehsendungen, Dokumentarberichte, Videoarchive von historischen Ereignissen, Cartoons oder Musikclips enthalten. Diese Anwendungsklasse ist durch drei wichtige Merkmale charakterisiert:

- *Gespeicherte Medien*: Der multimediale Inhalt wird im Voraus aufgezeichnet und auf einem Server gespeichert. Der Benutzer kann daher den Inhalt unterbrechen, vorwärts- und zurückspulen oder ihn durchblättern. Die Zeit, ab der ein Client eine solche Anfrage stellt, bis zur Manifestation der Aktion beim Client sollte im Bereich von 1 bis 10 Sekunden liegen, um eine akzeptable Reaktion zu erreichen.

- *Streaming*: Bei den meisten gespeicherten Audio- und Videoanwendungen beginnt ein Client mit der Wiedergabe des Audios/Videos ein paar Sekunden nach Empfang der Datei vom Server. Dies bedeutet, dass der Client das Audio/Video ab einer Stelle in der Datei wiedergibt, während spätere Teile der Datei noch vom Server empfangen werden. Diese Technik wird als **Streaming** bezeichnet; sie vermeidet, dass zuerst die ganze Datei (mit den entsprechend langen Wartezeiten) heruntergeladen werden muss, bevor man mit der Wiedergabe beginnt. Heute werden viele Streaming-Produkte angeboten, z. B. RealPlayer von RealNetworks [RealNetworks 2000] und Microsoft Windows Media Player [Microsoft Windows Media 2000]. Ferner gibt es Anwendungen wie Napster [Napster 2000], die allerdings voraussetzen, dass eine Audiodatei vollständig heruntergeladen wird, bevor man mit der Wiedergabe beginnen kann.

- *Kontinuierliche Wiedergabe*: Nachdem die Wiedergabe von Multimedia begonnen hat, sollte sie dem ursprünglichen Aufzeichnungs-Timing entsprechend fortgesetzt werden. Dies bedeutet kritische Einschränkungen hinsichtlich Verzögerungen in der Datenübertragung. Daten müssen vom Server rechtzeitig für die Wiedergabe vom Client empfangen werden; andernfalls gelten sie als nutzlos. In Abschnitt 6.3 werden die Konsequenzen dieser Anforderung ausführlich beschrieben. Die Einschränkungen hinsichtlich der Ende-zu-Ende-Verzögerung beim Streaming und gespeicherter Medien sind normalerweise weniger streng als jene für interaktive Anwendungen wie Internet-Telefonie und Videokonferenzen (siehe unten).

FALLBEISPIEL

RealNetworks: Abspielen von Audio aus dem Internet

RealNetworks ist ein Pionier auf dem Gebiet von Audio- und Video-Streaming und hat als erster Anbieter Audio für die große Masse im Internet erschlossen. Die Firma begann 1995 unter dem Namen Progressive Networks. Das erste Produkt – das RealAudio-System – umfasste einen Audio-Encoder, einen Audio-Server und einen Audio-Player. Das RealAudio-System ermöglichte es den Benutzern erstmals, Audioinhalt auf Anfrage (on Demand) zu durchsuchen, auszuwählen und wiederzugeben, und zwar so einfach wie bei einem handelsüblichen Videorecorder. Das System gewann schnell an Beliebtheit bei Anbietern von Unterhaltungs-, Informations- und Nachrichteninhalten für die Bereitstellung und sofortige Wiedergabe von Audio-on-Demand-Diensten. Anfang 1997 erweiterte RealNetworks seine Produktpalette um Videoprodukte. Die heutigen RealNetwork-Produkte implementieren die RTP- und RTSP-Protokolle.

Seit ein paar Jahren erwuchs RealNetworks durch Microsoft (die einen Minderheitsanteil an RealNetworks hält) Konkurrenz auf dem Markt. 1997 begann Microsoft mit dem Vertrieb eigener Streaming-Medienprodukte, wodurch das Unternehmen im Wesentlichen die Bühne für einen »Media-Player-Krieg« – etwa vergleichbar mit dem Browser-Krieg zwischen Netscape und Microsoft – inszenierte. In Machtkämpfen auf dem Markt und in Standardisierungsgruppen bemühen sich die beiden Unternehmen um Durchsetzung ihrer eigenen Formate und Protokolle als Standard für das Internet.

Streaming von Live-Audio und -Video

Diese Anwendungsklasse ähnelt der traditionellen Radio- und Fernsehübertragung, außer dass die Übertragung über das Internet erfolgt. Diese Anwendungen erlauben es einem Benutzer, Radio- oder Fernsehsendungen *live* in jedem beliebigen Winkel der Welt zu empfangen. (Beispielsweise hört einer der Autoren dieses Buchs oft seine bevorzugten Philadelphia-Radiostationen in seiner Wohnung in Frankreich. Der andere Autor verfolgte regelmäßig die Live-Sendungen seines geliebten Basketball-Teams seiner Universität, als er ein Jahr lang in Frankreich lebte.) Siehe [Yahoo!Broadcast 2000] und [NetRadio 2000] mit Hinweisen über Internet-Radiostationen.

Da das Streaming von Live-Audio und -Video nicht gespeichert wird, kann ein Client nicht schnell durch die Medien blättern. Mit lokaler Speicherung der empfangenen Daten sind in manchen Anwendungen aber andere interaktive Operationen wie Stoppen und Zurückspulen durch Live-Multimediaübertragungen möglich. Diese Anwendungen haben oft viele Clients, die das gleiche Audio-/Videoprogramm empfangen. Die Verteilung von Live-Audio und -Video an viele Empfänger lässt sich effizient durch Verwendung der in Abschnitt 4.8 beschriebenen Multicast-Techniken erzielen. In letzter Zeit wird diese Art von Verteilung allerdings häufiger durch mehrere getrennte Unicast-Datenströme realisiert. Wie beim Streaming gespeicherter Multimedia-Daten ist die kontinuierliche Wiedergabe erforderlich, allerdings mit weniger straffen Zeiteinschränkungen als für interaktive Live-Anwendungen. Verzögerungen von bis zu Zehntelsekunden ab der Anforderung einer Live-Übertragung durch den Benutzer bis zum Beginn der Wiedergabe können toleriert werden.

Interaktives Echtzeitaudio und -video

Diese Anwendungsklasse ermöglicht es Benutzern, durch Verwendung von Audio/ Video in Echtzeit zu kommunizieren. Interaktives Echtzeitaudio wird oft als **Internet-Phone** bezeichnet, weil es aus Sicht des Benutzers dem herkömmlichen leitungsvermittelten Telefondienst ähnelt. Internet-Phone bietet potenziell Nebenstellenanlagen (PBX) sowie lokalen und entfernten Telefondienst zu günstigen Kosten. Es kann auch Computer/Telefon-Integration (CTI), Gruppenkommunikation in Echtzeit, Verzeichnisdienste, Caller-Identifikation, Caller-Filtering und mehr vereinfachen. Derzeit sind viele Internet-Telefonprodukte erhältlich. Mit interaktivem Echtzeitvideo, das als »Videokonferenz« bezeichnet wird, können Personen visuell und verbal kommunizieren. Darüber hinaus gibt es viele interaktive Videoprodukte für das Internet, z. B. Microsoft NetMeeting. Man beachte, dass ein Benutzer in einer interaktiven audiovisuellen Echtzeitanwendung sprechen und sich jederzeit bewegen kann. Für ein Gespräch mit Interaktion zwischen mehreren Sprechern sollte die Verzögerung von dem Moment an, in dem ein Benutzer spricht oder sich bewegt, bis sich die Aktion an den empfangenden Hosts manifestiert, weniger als ein paar hundert Millisekunden betragen. Für Sprache werden Verzögerungen von weniger als 150 Millisekunden von Menschen nicht wahrgenommen, während 150 bis 400 Millisekunden akzeptabel sind und Verzögerungen über 400 Millisekunden zu unangenehmen Störungen bis zu völlig unverständlichen Sprachkonversationen führen.

FALLBEISPIEL

Sprache über das Internet

Angesichts der weltweiten Beliebtheit des Telefonsystems sagten zahlreiche Internet-Visionäre Ende der achtziger Jahre wiederholt voraus, dass die nächste Internet-Killer-Anwendung eine Sprachanwendung sein würde. Diese Vorhersagen waren begleitet durch Forschungen und Produktentwicklungen im Bereich der Internet-Telefonie. In den achtziger Jahren, lange bevor das Web seinen Siegeszug antrat, wurden bereits Internet-Phone-Prototypen entwickelt. Im Laufe der neunziger Jahre produzierten zahlreiche Startup-Firmen PC-zu-PC-Internet-Phone-Produkte. Keines dieser Produkte konnte sich aber im Internet als erfolgreiches Massenprodukt durchsetzen (obwohl einige in beliebten Browsern integriert waren). Erst 1999 begann Sprachkommunikation, sich im Internet einer größeren Beliebtheit zu erfreuen.

Ende der neunziger Jahre stieg die Nutzung von drei Klassen von Sprachkommunikationsanwendungen. Die erste Klasse ist die der PC-zu-Phone-Anwendungen, die es einem Internet-Benutzer mit einem Internet-Anschluss und einem Mikrophon erlauben, jedes gewöhnliche Telefon anzurufen. Die bekanntesten Produkte dieser Klasse sind Net2Phone [Net2Phone 2000] und Dialpad [Dialpad 2000]. Diese PC-zu-Phone-Dienste sind in der Regel kostenlos und daher besonders bei Vieltelefonierern mit begrenztem Etat beliebt. (Dialpad wurde im Oktober 1999 eingeführt und soll angeblich in weniger als drei Monaten über drei Millionen Benutzer gewonnen haben.) Die zweite Anwendungsklasse sind die Voice-Chat-Anwendungen, für die viele Firmen derzeit Produkte anbieten, z. B. Hearme [Hearme 2000], Firetalk [Firetalk 2000] und Lipstream [Lipstream 2000]. Diese Produkte ermöglichen es den Teilnehmern, in einem Chat-Room miteinander zu sprechen, allerdings nur jeweils eine Person zu einem Zeitpunkt. Die dritte Anwendungsklasse sind asynchrone Sprachanwendungen wie Voice-E-Mail und Voice-Message-Boards. Diese Anwendungen ermöglichen das Archivieren und Durchsuchen von Sprachnachrichten. Einige der Anbieter auf diesem Markt sind Wimba [Wimba 2000], Onebox [Onebox 2000] und RocketTalk [RocketTalk 2000].

6.1.2 Hürden für Multimedia im heutigen Internet

Aus Kapitel 4 ist bekannt, dass das heutige Internet-Protokoll der Vermittlungsschicht einen **Best-Effort-Dienst** für alle übertragenen Datagramme bietet. Mit anderen Worten: Das Internet bemüht sich, jedes Datagramm so schnell wie möglich vom Sender zum Empfänger zu übertragen, macht aber keine Zusicherungen über die Ende-zu-Ende-Verzögerung eines Pakets. Ebenso wenig macht es Zusicherungen über die Schwankung der Paketverzögerung innerhalb eines Paketstroms. Da TCP und UDP über IP laufen (siehe Kapitel 3), kann keines dieser Protokolle den nutzenden Anwendungen eine bestimmte Verzögerung zusichern. Da keine speziellen Bemühungen unternommen werden, Pakete zeitgerecht zu übertragen, ist es extrem problematisch, vernetzte Multimedia-Anwendungen für das Internet zu entwickeln. Bis heute hat Multimedia im Internet einen zwar erheblichen, doch begrenzten Erfolg erzielt. Streaming von gespeichertem Audio/Video mit Benutzerinteraktivität, das Verzögerungen von fünf bis zehn Sekunden aufweist, ist heute im Internet an der Tagesordnung. Zu Spitzenverkehrszeiten kann die Leistung aber ungenügend sein, insbesondere bei überlasteten Verbindungsleitungen (z. B. überlastete transatlantische Leitungen).

Internet-Phone und interaktives Echtzeitvideo waren bis heute weniger erfolgreich als das Streaming von gespeichertem Audio/Video. Dies ist darauf zurückzuführen, dass interaktives Echtzeitaudio und -video große Einschränkungen hinsichtlich Paketverzögerung und Paket-Jitter auferlegt. Unter **Paket-Jitter** versteht man die Schwankung von Paket-Verzögerungen innerhalb des gleichen Paketstroms. Echtzeitaudio und -video kann in Bereichen gut funktionieren, in denen reichlich Bandbreite verfügbar ist, so dass sich minimale Verzögerungen und Jitter ergeben. Die Qualität kann sich aber auf ein unakzeptables Maß verschlechtern, sobald der audiovisuelle Paketstrom auf eine auch nur mäßig überlastete Verbindungsleitung stößt.

Das Design von Multimedia-Anwendungen wäre sicherlich einfacher, wenn es Internet-Dienste erster und zweiter Klasse gäbe. Pakete der ersten Klasse könnten dabei zahlenmäßig eingeschränkt werden, dafür aber in Router-Warteschlangen bevorzugt behandelt werden. Eine solche Vorzugsbehandlung könnte für verzögerungssensitive Anwendungen zufriedenstellend sein. Bis heute herrscht im Internet aber vorrangig ein egalitärer Ansatz in Bezug auf Paket-Scheduling in Router-Warteschlangen. Alle Pakete erhalten den gleichen Dienst; keines, auch keine verzögerungssensitiven Audio- und Videopakete, wird bevorzugt behandelt. Jeder muss sich am Ende der Schlange anstellen und warten, bis er dran kommt, gleichgültig, wie reich oder wichtig er ist! In der zweiten Hälfte dieses Kapitels werden Vorschläge für Architekturen beschrieben, die auf die Aufhebung dieser »Einheitsbehandlung« abzielen.

Vorläufig müssen wir also mit dem Best-Effort-Dienst leben. Angesichts dieser Einschränkung können wir aber mehrere Designentscheidungen treffen und ein paar Kniffe anwenden, um die vom Benutzer wahrgenommene Qualität einer vernetzten Multimedia-Anwendung zu verbessern. Wir können beispielsweise Audio und Video über UDP senden und damit den langsamen Durchsatz von TCP umgehen, der entsteht, wenn TCP in seine Slow-Start-Phase eintritt. Wir können die Wiedergabe beim Empfänger um 100 ms und mehr verzögern, um die Wirkungen eines vom Netzwerk induzierten Jitters zu verringern. Pakete lassen sich beim Sender mit einem Zeitstempel versehen, so dass der Empfänger weiß, wann Pakete wiederzugeben sind. Bei gespeichertem Audio und Video können wir Daten während der Wiedergabe vorauslesen, falls Client-Speicher und zusätzliche Bandbreite zur Verfügung stehen. Wir können sogar redundante Informationen senden, um die Auswirkungen von Paketverlust zu mildern. Diese Techniken werden in den folgenden Abschnitten beschrieben.

6.1.3 Wie sollte sich das Internet weiterentwickeln, um Multimedia besser zu unterstützen?

Derzeit ist eine umfangreiche – und zuweilen heftige – Debatte darüber entbrannte, wie sich das Internet weiterentwickeln sollte, um Multimedia-Verkehr angesichts der straffen Zeiteinschränkungen besser zu unterstützen. Auf der einen Seite argumentieren einige Wissenschaftler, dass keine grundlegenden Änderungen des Best-Effort-Dienstes und der zugrunde liegenden Internet-Protokolle nötig seien. Vielmehr genüge es, die Verbindungsleitungen (zusammen mit Netzwerk-Caching für gespeicherte Informationen und Multicast-Unterstützung für Echtzeit-Streaming von einem Sender zu vielen Empfängern) zu erweitern. Die Gegner dieses Lagers argumentieren, dass zusätzliche Bandbreite teuer sein kann und in kurzer Zeit ohnehin wieder von neuen bandbreitenhungrigen Anwendungen (z. B. High-Definition-Video on Demand) vertilgt werden würde.

Auf der anderen Seite halten einige Wissenschaftler grundlegende Änderungen im Internet für nötig, damit Anwendungen explizit Ende-zu-Ende-Bandbreite reservieren können. In diesem Lager ist man der Ansicht, dass z. B. die Internet-Phone-Anwendung eines Benutzers, der ein Internet-Telefongespräch von Host A zu Host B führen möchte, in der Lage sein sollte, ausdrücklich Bandbreite an jeder Verbindungsleitung auf einer Route von Host A zu Host B zu reservieren. Gestattet man es Anwendungen aber, solche Reservierungen zu fordern, und verlangt man vom Netzwerk die Einhaltung der Reservierungen, sind einige einschneidende Änderungen unumgänglich. Erstens benötigen wir ein Protokoll, das für die Anwendungen Bandbreite von den Sendern zu ihren Empfängern reserviert. Zweitens müssen wir die Scheduling-Strategien in den Router-Warteschlangen ändern, so dass Bandbreitenreservierungen eingehalten werden. Mit diesen neuen Scheduling-Strategien werden natürlich nicht alle Pakete gleich behandelt. Vielmehr erhalten jene, die reservieren (und bezahlen), mehr als andere. Drittens müssen die Anwendungen bezüglich der Einhaltung von Reservierungen dem Netzwerk eine Beschreibung des Verkehrs geben, den sie im Netzwerk zu übertragen gedenken. Das Netzwerk muss dann den Verkehr jeder Anwendung regeln, um sicherzustellen, dass es sich an die Beschreibung hält. Schließlich benötigt das Netzwerk eine Möglichkeit der Feststellung, ob es über genügend Bandbreite verfügt, um eine neue Reservierungsanfrage zu unterstützen. Diese Mechanismen zusammen setzen neue und komplexe Software in den Hosts und Routern sowie neue Dienstarten voraus. Diese Mechanismen werden ausführlich in Zusammenhang mit dem so genannten »Intserv-Modell« in Abschnitt 6.7 beschrieben.

Zwischen den beiden Extremen befindet sich das so genannte Differentiated-Services-Lager. Dieses Lager propagiert relativ kleine Änderungen auf der Vermittlungs- und Transportschicht und fordert einfache Preis- und Policing-Schemata an der Peripherie des Netzwerks (d. h. an der Schnittstelle zwischen dem Benutzer und seinem ISP). Die Idee ist dabei, eine kleine Zahl von Klassen (möglicherweise nur zwei) einzuführen, jedes Datagramm einer Klasse zuzuweisen, den Datagrammen entsprechend ihrer Klasse ein unterschiedliches Dienstmaß in den Router-Warteschlangen zu geben und die Benutzer entsprechend der Klasse für die von ihnen im Netzwerk versendeten Pakete mit einer Gebühr zu belasten. Differentiated-Services werden in Abschnitt 6.9 beschrieben.

6.1.4 Audio- und Videokompression

Bevor Audio und Video in einem Computernetzwerk übertragen werden kann, muss es digitalisiert und komprimiert werden. Die Notwendigkeit der Digitalisierung ist klar: Computernetzwerke übertragen Bits, also müssen alle übertragenen Informationen als Bitsequenz dargestellt werden. Die Kompression ist wichtig, weil unkomprimiertes Audio und Video enorme Speicher- und Bandbreitenmengen verschlingen. Durch Entfernung der inhärenten Redundanzen in digitalisierten Audio- und Videosignalen lässt sich der zu speichernde und übertragende Datenumfang um viele Größenordnungen reduzieren. Beispielsweise erfordert ein einzelnes Bild, das aus 1024×1024 Pixeln besteht, wobei jedes Pixel in 24 Bit kodiert ist, ohne Kompression 3 MB Speicherplatz. Die Übertragung dieses Bildes auf einer 64-Kbps-Verbindungsleitung würde sieben Minuten dauern. Komprimiert man das Bild in einem bescheidenen Kompressionsverhältnis von 10:1, sinkt der Speicherbedarf auf 300 KB und die Übertragungszeit um einen Faktor von 10.

Audio- und Videokompression ist ein riesiges und komplexes Gebiet, auf dem seit mehr als 50 Jahren geforscht wird. Heute gibt es praktisch Hunderte beliebter Techniken und Standards für Audio- und Videokompression. Die meisten Universitäten bieten komplette Kurse nur zum Thema Audio- und Videokompression. Wir beschränken uns deshalb hier auf eine kurze Einführung in das Thema.

Audiokompression im Internet

Ein kontinuierlich variierendes analoges Audiosignal (das von Sprache oder Musik ausgehen kann) wird normalerweise wie folgt in ein digitales Signal konvertiert:

1. Zuerst wird von dem analogen Audiosignal ein Muster (Sample) in einer festen Rate, z. B. 8.000 Samples pro Sekunde, erfasst. Der Wert jedes Sample ist eine beliebige reelle Zahl.

2. Jedes dieser Samples wird dann auf eine endliche Zahl von Werten »gerundet«. Diesen Vorgang nennt man »Quantisierung«. Die Zahl der endlichen Werte – die so genannten Quantisierungswerte – ist normalerweise eine Potenz von 2, z. B. 256 Quantisierungswerte.

3. Jeder Quantisierungswert wird durch eine feste Bitanzahl dargestellt. Bei 256 Quantisierungswerten wird z. B. jeder Wert – und folglich jedes Sample – durch 1 Byte dargestellt. Jedes Sample wird in seine Bitdarstellung konvertiert. Die Bitdarstellungen aller Samples werden verkettet und bilden dann die digitale Darstellung des Signals.

Ein Beispiel: Wenn ein analoges Audiosignal in 8.000 Samples pro Sekunde abgetastet und jedes Sample quantisiert und durch 8 Bit dargestellt wird, hat das resultierende digitale Signal eine Rate von 64.000 Bit pro Sekunde. Dieses digitale Signal kann dann für die Wiedergabe in das Analogsignal zurückkonvertiert, d. h. dekodiert werden. Das dekodierte Analogsignal unterscheidet sich normalerweise aber vom Originalaudiosignal. Durch Erhöhung der Abtastrate (Sampling Rate) und der Quantisierungswerte kann das dekodierte Signal mehr dem Originalsignal entsprechen (und sogar absolut identisch sein). Folglich besteht ein klarer Kompromiss zwischen der Qualität des dekodierten Signals und den Speicher- und Bandbreitenanforderungen des digitalen Signals.

Diese soeben beschriebene einfache Kodiertechnik wird als **Pulscodemodulation** (**PCM**) bezeichnet. Sie wird häufig für Sprachkodierung angewandt, wobei eine Abtastrate von 8.000 Samples pro Sekunde und 8 Bit pro Sample eine Rate von 64 Kbps ergibt. PCM wird auch in der CD-Technik angewandt; die Abtastrate ist 44.100 Samples pro Sekunde bei 16 Bit pro Sample. Dies ergibt eine Rate von 705,6 Kbps für Mono und 1,411 Mbps für Stereo.

Eine Bitrate von 1,411 Mbps für Stereomusik überschreitet die meisten Zugangsraten, und sogar 64 Kbps für Sprache übersteigt die Zugangsrate für Wählmodems. Aus diesen Gründen werden PCM-kodierte Sprache und Musik im Internet selten benutzt. Stattdessen kommen Kompressionstechniken zum Einsatz, um die Bitraten des Datenstroms zu reduzieren. Beliebte Kompressionstechniken für Sprache sind **GSM** (13 Kbps), **G.729** (8 Kbps) und **G.723.3** (6,4 und 5,3 Kbps) sowie eine Reihe proprietärer Techniken wie die von RealNetworks. Eine beliebte Kompressionstechnik für Stereomusik in nahezu CD-Qualität ist **MPEG Layer 3** – besser bekannt als **MP3**. In MP3 wird die Bitrate für Musik auf 128 oder 112 Kbps komprimiert und es entsteht nur eine sehr geringe Klangverschlechterung. Werden MP3-Dateien aufgeteilt, können auch die einzelnen Teile wiedergegeben werden. Dieses »kopflose« Dateiformat (ohne Header) ermöglicht es, MP3-Musikdateien mittels Streaming über das Internet abzuspielen (unter der Annahme, dass die Bitrate der Wiedergabe und die Geschwindigkeit der Internet-Verbindung kompatibel sind). Der MP3-Kompressionsstandard ist komplex; er verwendet psychoakustisches Masking, Reduzierung von Redundanzen und Bit-Reservoir-Pufferung.

Videokompression im Internet

Ein Video ist eine Bildsequenz, mit der die Bilder normalerweise in einer konstanten Rate, z. B. 24 oder 30 Bilder pro Sekunde, angezeigt werden. Ein unkomprimiertes, digital kodiertes Bild besteht aus Pixeln, die jeweils mit einer Anzahl von Bits kodiert werden, um Luminanz und Farbe darzustellen. In Videos gibt es zwei Arten von Redundanz, die beide zu Kompressionszwecken genutzt werden können. Die räumliche Redundanz ist die innerhalb eines bestimmten Bilds. Beispielsweise kann ein Bild, das vorwiegend aus weißer Fläche besteht, effizient komprimiert werden. Die zeitliche Redundanz ist die Wiederholung von einem Bild zum nächsten. Wenn ein Bild und das nächste beispielsweise genau gleich sind, besteht kein Grund, das zweite der beiden gleichen Bilder auch zu kodieren. Viel effizienter ist es, während der Kodierung einfach festzuhalten, dass das Folgebild genau gleich ist.

Die MPEG-Kompressionsstandards zählen zu den beliebtesten Kompressionstechniken. Hierzu zählen **MPEG 1** für Video in CD-ROM-Qualität (1,5 Mbps), **MPEG 2** für Video in hoher DVD-Qualität (3–6 Mbps) und **MPEG 4** für objektorientierte Videokompression. Ein großer Teil des MPEG-Standards wurde aus dem JPEG-Standard für Bildkompression entlehnt. Die **H.261**-Standards für Videokompression sind im Internet ebenfalls sehr beliebt. Darüber hinaus gibt es zahlreiche proprietäre Standards.

Leser, die an der Kodierung von Audio und Video interessiert sind, werden auf [Rao 1996] und [Solari 1997] verwiesen. Ein gutes Buch über Multimedia-Vernetzung im Allgemeinen ist [Crowcroft 1999]. Als deutsche Referenz ist [Steinmetz 2000] zu empfehlen.

6.2 Streaming von gespeichertem Audio und Video

In den letzten Jahren hat sich Audio- und Video-Streaming zu einer beliebten Anwendung und einem bedeutenden Verbraucher von Netzwerkbandbreite entwickelt. Dieser Trend dürfte sich höchstwahrscheinlich aus mehreren Gründen fortsetzen. Erstens sinken die Preise für Plattenspeicher weiterhin stark, sogar schneller als die Verarbeitungs- und Bandbreitenkosten. Billiger Speicher wird wiederum zu einer beträchtlichen Erhöhung der gespeicherten Audio- und Videomengen im Internet führen. Gemeinsam genutzte MP3-Audiodateien mit Rockmusik über [Napster 2000] sind heute insbesondere unter Studenten sehr beliebt. Zweitens werden Verbesserungen der Internet-Infrastruktur, z. B. Heimzugang in hoher Geschwindigkeit (d. h. die in Kapitel 1 beschriebenen Kabelmodems und ADSL), Netzwerk-Caching von Video (siehe Abschnitt 2.2) und neue qualitätsorientierte Internet-Protokolle (siehe Abschnitte 6.5 bis 6.9), die Verteilung von gespeichertem Audio und Video stark verbessern. Drittens besteht ein riesiger Nachholbedarf für Video-Streaming in hoher Qualität, eine Anwendung, die zwei existierende Killer-Technologien – Web-TV und Web-on-Demand – in sich vereint.

Im Rahmen des Audio- und Video-Streaming können Clients komprimierte Audio- und Videodateien anfordern, die sich auf Servern befinden. Dabei kann es sich um »gewöhnliche« Web-Server oder spezielle Streaming-Server handeln, die speziell auf Audio- und Video-Streaming zugeschnitten sind. Auf Anfrage eines Clients sendet der Server dem Client eine Audio- oder Videodatei auf ein Sokket. In der Praxis werden sowohl TCP- als auch UDP-Socket-Verbindungen benutzt. Vor der Übertragung der audiovisuellen Datei im Netzwerk wird die Datei segmentiert und die Segmente werden normalerweise mit speziellen, für audiovisuellen Verkehr geeigneten Headern verkapselt. Das in Abschnitt 6.4 beschriebene **Real-Time-Protokoll (RTP)** ist ein Public-Domain-Standard für die Verkapselung solcher Segmente. Noch während der Client die angeforderte Audio-/Videodatei empfängt, beginnt er mit dem Abspielen der Datei innerhalb von ein paar Sekunden. Die meisten existierenden Produkte bieten auch Benutzerinteraktivität, z. B. Unterbrechen/Wiederaufnehmen und Zeitsprünge in der Datei. Diese Benutzerinteraktivität setzt auch ein Protokoll für die Client/Server-Interaktion voraus. Das am Ende dieses Abschnitts beschriebene **Real-Time-Streaming-Protokoll (RTSP)** ist ein dafür entwikkeltes Public-Domain-Protokoll.

Audio- und Video-Streaming wird oft von Benutzern durch einen Web-Client (d. h. Browser) angefordert. Da die Audio- und Videowiedergabe aber in den heutigen Web-Clients nicht direkt integriert ist, benötigt man eine getrennte **Helper-Anwendung**. Die Helper-Anwendung wird **Media-Player** genannt; die beliebtesten sind derzeit Real Player von RealNetworks und Windows Media Player von Microsoft. Der Media-Player führt mehrere Funktionen aus:

- *Dekompression*: Audio und Video wird fast immer komprimiert, um Speicherplatz und Netzwerkbandbreite zu sparen. Ein Media-Player muss das Audio/Video während der Wiedergabe dekomprimieren.

- *Jitter-Beseitigung*: Paket-Jitter ist die Schwankung der Verzögerungen von Paketen innerhalb des gleichen Paketstroms von der Quelle zum Ziel. Da Audio und Video im gleichen Zeitablauf wiedergegeben werden müssen, in dem sie aufgezeichnet wurden, werden die empfangenen Pakete kurzzeitig beim Empfänger gepuffert, um diesen Jitter zu beseitigen. Dieses Thema wird ausführlich in Abschnitt 6.3 behandelt.

- *Fehlerkorrektur*: Aufgrund unvorhersehbarer Überlasten im Internet kann ein Teil der Pakete eines Paketstroms verloren gehen. Wird dieser Teil zu groß, wird die vom Benutzer wahrnehmbare Audio-/Videoqualität unakzeptabel. Aus diesem Grund versuchen viele Streaming-Systeme, den Verlust auszugleichen, indem sie (1) die verlorenen Pakete durch Übertragung redundanter Pakete rekonstruieren, (2) den Client ausdrücklich die Neuübertragung der verlorenen Pakete anfordern lassen oder (3) den Verlust durch Interpolation der fehlenden Daten aus den empfangenen Daten maskieren.

- *Grafische Benutzungsoberfläche mit Steuertasten*: Dies ist der Bereich, in dem der Benutzer mit der Anwendung interagiert. Die Benutzungsoberfläche weist im Allgemeinen Regler für die Lautstärke, Buttons für die Unterbrechung/Wiederaufnahme, Schieber für Zeitsprünge im Audio- oder Videostrom usw. auf.

Um die Benutzungsoberfläche des Media-Players in das Fenster des Web-Browsers einzubetten, können Plug-ins benutzt werden. Hierfür reserviert der Browser Bildschirmplatz auf der aktiven Web-Seite und überlässt es dem Media-Player, diesen

Bereich zu verwalten. Davon abgesehen ist der Media-Player aber ein Programm, das getrennt vom Browser ausgeführt werden kann.

6.2.1 Zugriff auf Audio und Video von einem Web-Server

Gespeichertes Audio/Video residiert entweder auf einem Web-Server, der es Clients über HTTP zur Verfügung stellt, oder auf einem Streaming-Server, der es über andere Protokolle (nach einem proprietären oder offenen Standard) zur Verfügung stellt. In diesem Unterabschnitt beschreiben wir die Bereitstellung von Audio/Video von einem Web-Server und im nächsten von einem Streaming-Server.

Wir betrachten zuerst Audio-Streaming. Wenn eine Audiodatei auf einem Web-Server residiert, ist sie wie jede andere HTML- und JPEG-Datei ein gewöhnliches Objekt im Dateisystem des Servers. Möchte ein Benutzer die Audiodatei anhören, baut der Host des Benutzers eine TCP-Verbindung zum Web-Server auf und sendet eine HTTP-Anfrage für das Objekt (siehe Abschnitt 2.2). Nach Empfang der Anfrage bündelt der Web-Server die Audiodatei in eine HTTP-Antwortnachricht und sendet sie über die TCP-Verbindung zurück. Video-Streaming kann etwas kniffliger sein, weil der Ton- und Bildteil des Videos möglicherweise in zwei verschiedenen Dateien gespeichert ist, d. h., es gibt zwei verschiedene Objekte im Dateisystem des Web-Servers. In diesem Fall werden zwei getrennte HTTP-Anfragen an den Server (bei HTTP/1.0 auf zwei getrennten TCP-Verbindungen) gesendet und die Audio- und Videodateien kommen beim Client parallel an. Es bleibt dem Client überlassen, die beiden Datenströme zu synchronisieren. Es ist auch möglich, dass sich Audio und Video in der gleichen Datei befinden, so dass nur ein Objekt zum Client gesendet werden muss. Der Einfachheit halber gehen wir bei »Video« davon aus, dass sich Audio und Video in einer Datei befinden. Abbildung 6.1 zeigt eine naive Architektur für Audio-/Video-Streaming:

1. Der Browser-Prozess baut eine TCP-Verbindung zum Web-Server auf und fordert die Audio-/Videodatei in einer HTTP-Anfragenachricht an.
2. Der Web-Server sendet dem Browser die Audio-/Videodatei in einer HTTP-Antwortnachricht.

Abbildung 6.1 Eine naive Implementierung für Audio-Streaming

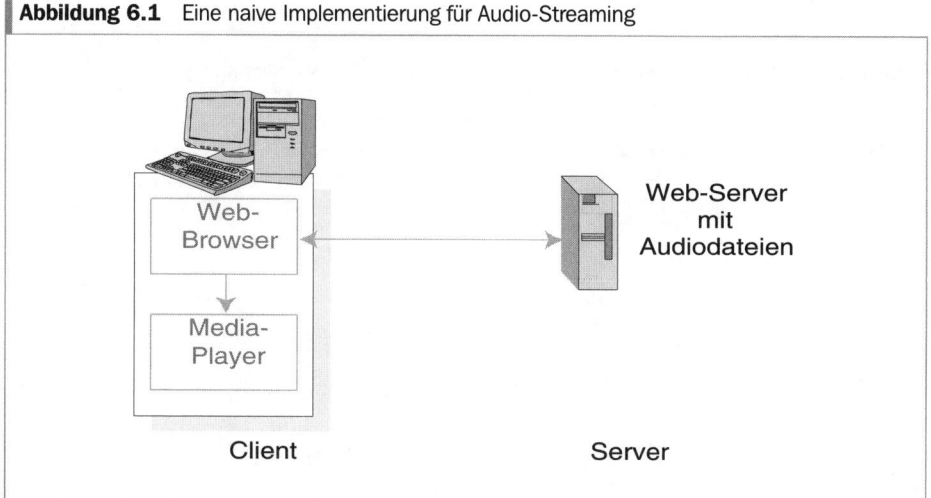

3. Die Header-Zeile content-type in der HTTP-Antwortnachricht bezeichnet eine spezifische Audio-/Video-Kodierung. Der Client-Browser sieht sich diese Zeile an, startet den entsprechenden Media-Player und gibt die Datei an den Media-Player weiter.
4. Der Media-Player gibt die Audio-/Videodatei aus.

Dieser Ansatz ist sehr einfach, er hat jedoch einen großen Nachteil: Der Media-Player muss über einen Web-Browser mit dem Server interagieren. Dies kann zu vielen Problemen führen. Wenn der Browser als Mittler auftritt, muss das ganze Objekt heruntergeladen werden, bevor der Browser es an eine Helper-Anwendung (in diesem Fall den Media-Player) abgibt. Die resultierende Verzögerung bis zur Wiedergabe ist bei Audio-/Video-Clips mit mäßiger Länge unakzeptabel. Aus diesem Grund sendet der Server bei den meisten Audio-/Video-Streaming-Implementierungen die Audio-/Videodatei direkt an den Media-Player-Prozess. Anders ausgedrückt, wird eine direkte Socket-Verbindung zwischen dem Server- und dem Media-Player-Prozess aufgebaut. Wie aus Abbildung 6.2 deutlich wird, kommt hierfür normalerweise ein **Metafile** zum Einsatz. Dies ist eine Datei, die Informationen über die angeforderte Audio-/Videodatei (z. B. URL, Kodierungsart) enthält. Eine direkte TCP-Verbindung zwischen dem Server und dem Media-Player wird wie folgt aufgebaut:

1. Der Benutzer klickt auf einen Hyperlink einer Audio-/Videodatei.
2. Der Hyperlink zeigt nicht direkt auf die Audio-/Videodatei, sondern auf ein Metafile. Das Metafile enthält die URL der eigentlichen Audio-/Videodatei. Die HTTP-Antwortnachricht, in der das Metafile verkapselt wird, beinhaltet eine Header-Zeile content-type, die auf die spezifische Audio-/Videoanwendung hinweist.
3. Der Client-Browser prüft diese Header-Zeile in der Antwortnachricht, startet den entsprechenden Media-Player und gibt den gesamten Rumpf der Antwortnachricht (d. h. das Metafile) an den Media-Player weiter.
4. Der Media-Player richtet eine direkte TCP-Verbindung zum HTTP-Server ein. Der Media-Player sendet eine HTTP-Anfragenachricht für die Audio-/Videodatei über diese TCP-Verbindung.
5. Die Audio-/Videodatei wird in einer HTTP-Antwortnachricht an den Media-Player gesendet. Der Media-Player gibt die Audio-/Videodatei auf dem Client aus.

Abbildung 6.2 Ein Web-Server sendet Audio/Video direkt an den Media-Player.

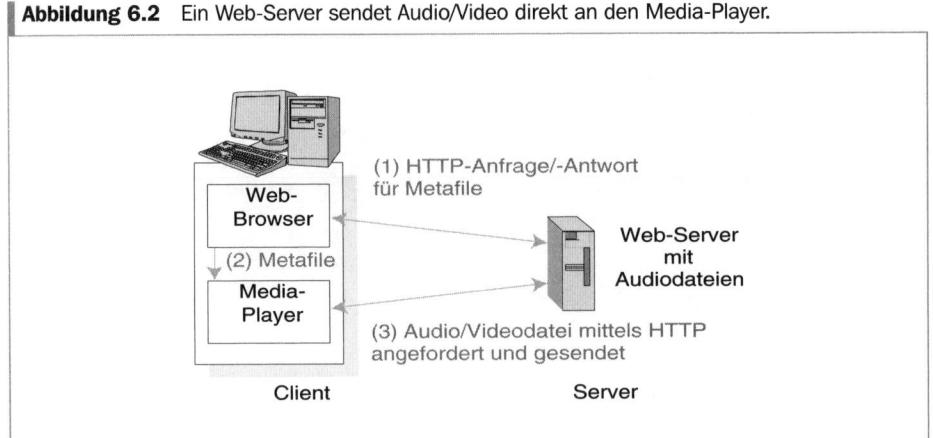

Die Bedeutung des Zwischenschritts, in dem das Metafile angefordert wird, ist klar. Wenn der Browser den Inhaltstyp der Datei sieht, kann er den entsprechenden Media-Player starten und ihn dadurch den Server direkt kontaktieren lassen.

Wie bereits gesagt, ist es mit einem Metafile möglich, einen Media-Player direkt mit einem Web-Server, auf dem eine Audio-/Videodatei untergebracht ist, kommunizieren zu lassen. Dennoch wird die soeben beschriebene Architektur von vielen Firmen, die Produkte für Audio- und Video-Streaming verkaufen, nicht empfohlen. Der Grund ist, dass die Architektur den Media-Player mit dem Server über HTTP und folglich über TCP kommunizieren lässt. HTTP wird generell als zu mager betrachtet, um eine zufriedenstellende Benutzerinteraktion mit dem Server zuzulassen. Vor allem ist es unter HTTP für einen Benutzer (durch den Media-Server) nicht einfach, die Wiedergabe zu manipulieren (wie Pause/Start, Schnellvorlauf und Sprünge).

6.2.2 Übertragung von Multimedia von einem Streaming-Server zu einer Helper-Anwendung

Um HTTP und/oder TCP zu umgehen, kann Audio/Video auf einem Streaming-Server gespeichert und von dort an den Media-Player gesendet werden. Dies kann ein proprietärer Streaming-Server, beispielsweise von RealNetworks und Microsoft, oder einer aus dem Public-Domain sein. Mit einem Streaming-Server kann Audio/Video über UDP (statt TCP) mit Hilfe von Protokollen der Anwendungsschicht gesendet werden, die sich für Audio- und Video-Streaming besser als HTTP eignen.

Diese Architektur setzt zwei Server voraus, wie in Abbildung 6.3 dargestellt ist. Der HTTP-Server bedient Web-Seiten (einschließlich Metafiles). Der **Streaming-Server** stellt die Audio- und Videodateien bereit. Die beiden Server können auf dem gleichen oder zwei unterschiedlichen Endsystemen laufen. Der Ablauf ist bei dieser Architektur ähnlich wie bei der vorher beschriebenen. Hier fordert der Media-Player die Datei jedoch nicht von einem Web-Server, sondern von einem Streaming-Server an. Außerdem können Media-Player und Streaming-Server über ihre eigenen Protokolle interagieren. Diese Protokolle ermöglichen eine umfangreichere Interaktion des Benutzers mit dem Audio-/Videostrom.

Abbildung 6.3 Streaming von einem Streaming-Server zu einem Media-Player

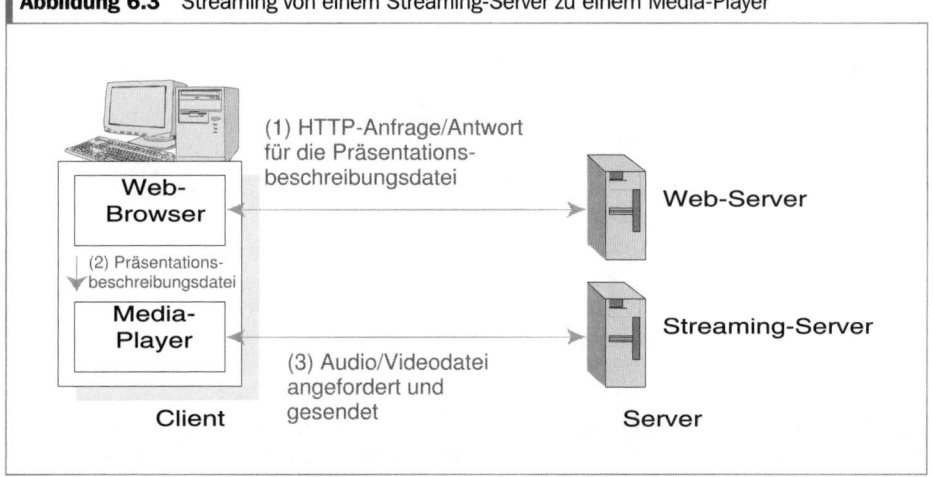

In der Architektur von Abbildung 6.3 gibt es viele Optionen für die Übertragung von Audio/Video vom Streaming-Server zum Media-Player, insbesondere:

1. Audio/Video wird über UDP in einer konstanten Rate gesendet, die der Ausgaberate des Empfängers entspricht (was normalerweise die kodierte Rate des Audio/Video ist). Wenn die Audiodatei beispielsweise mit GSM in einer Rate von 13 Kbps komprimiert wurde, speist der Server die komprimierte Audiodatei mit 13 Kbps in die Verbindung. Sobald der Client komprimiertes Audio/Video vom Netzwerk empfängt, dekomprimiert er es und spielt es ab.

2. Diese Option entspricht der ersten, jedoch verzögert der Media-Player die Wiedergabe um 2 bis 5 Sekunden, um vom Netzwerk eingeführten Jitter zu vermeiden. Der Client bewältigt diese Aufgabe, indem er den vom Netzwerk empfangenen komprimierten Mediendatenstrom in einem Client-Puffer abstellt (siehe Abbildung 6.4). Nachdem der Client Mediendaten im Umfang von ein paar Sekunden »vorausgelesen« hat, beginnt er mit der Ausgabe aus dem Puffer. Hierfür (und auch bei der vorherigen Option) entspricht die Eingaberate $x(t)$ der Ausgaberate d, außer wenn ein Paket verloren geht; in diesem Fall ist $x(t)$ vorübergehend geringer als d.

3. Die Mediendaten werden über TCP gesendet. Der Server schickt die Mediendatei auf das TCP-Socket, so schnell er kann. Der Client (d. h. der Media-Player) liest vom TCP-Socket, so schnell er kann, und stellt das komprimierte Video im Puffer des Media-Players ab. Nach einer anfänglichen Verzögerung von 2 bis 5 Sekunden liest der Media-Player in einer Rate d aus seinem Puffer und leitet die komprimierten Mediendaten zur Dekompression und Wiedergabe weiter. Da TCP verlorene Pakete erneut überträgt, kann es potenziell eine bessere Klangqualität als UDP bieten. Andererseits schwankt jetzt die Eingaberate $x(t)$ mit der Zeit aufgrund der TCP-Überlastkontrolle und -Flusskontrolle. Nach einem Paketverlust kann sich die momentane Rate aufgrund der TCP-Überlastkontrolle über längere Zeit auf weniger als d reduzieren. Dies kann den Client-Puffer leeren, so dass unerwünschte Pausen in der Ausgabe des Audio-/Video-Datenstroms beim Client entstehen.

Abbildung 6.4 Der Client-Puffer wird mit Rate x(t) gefüllt und mit Rate d geleert

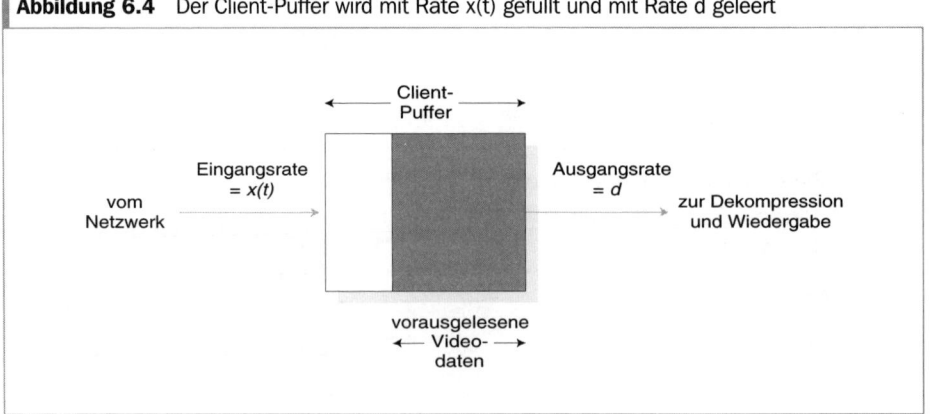

Bei der dritten Option hängt das Verhalten von $x(t)$ stark von der Größe des Client-Puffers (nicht zu verwechseln mit dem TCP-Empfangspuffer) ab. Ist dieser Puffer

ausreichend groß, um die ganze Mediendatei (möglicherweise im Plattenspeicher) aufzunehmen, kann TCP die gesamte momentan auf der Verbindung verfügbare Bandbreite nutzen, so dass $x(t)$ viel größer als d werden kann. Wenn $x(t)$ über längere Zeit viel größer als d ist, wird ein großer Teil der Mediendaten vorausgelesen (in den Client eingelesen), so dass eine Client-Aushungerung (Entleerung des Puffers) unwahrscheinlich ist. Bei einem kleinen Client-Puffer wird $x(t)$ um die Ausgaberate d schwanken. In diesem Fall ist das Risiko einer Client-Aushungerung viel größer.

6.2.3 RTSP (Real-Time Streaming Protocol)

Viele Multimedia-Nutzer im Internet (insbesondere jene, die mit einer Fernsehfernbedienung in der Hand aufgewachsen sind) möchten generell die Wiedergabe kontinuierlicher Medien *kontrollieren*, z. B. durch Funktionen wie Pause, Vor, Zurück, Vorheriger oder Nächster Titel, Wiedergabe ab einem bestimmten Titel oder Interpret usw. Diese Funktionalität ist vergleichbar mit der eines Videorecorders beim Ansehen eines Videos oder mit einem CD-Player beim Abspielen einer Musik-CD. Damit der Benutzer die Wiedergabe kontrollieren kann, benötigen der Media-Player und der Server ein Protokoll für den Austausch von Wiedergabesteuerinformationen. Das in RFC 2326 definierte RTSP ist ein solches Protokoll. Bevor wir RTSP im Detail beschreiben, listen wir auf, was RTSP nicht bietet:

- RTSP definierte keine Kompressionsschemata für Audio und Video.
- RTSP definiert nicht, wie Audio und Video in Paketen für die Übertragung in einem Netzwerk verkapselt werden. Die Verkapselung von Streaming-Daten kann von RTP oder einem proprietären Protokoll bereitgestellt werden. (RTP wird in Abschnitt 6.4 beschrieben.) Der G2-Server und -Player von RealMedia nutzen beispielsweise RTSP, um einander Steuerinformationen zu senden. Der Mediendatenstrom selbst kann aber in RTP-Paketen oder in einem proprietären Datenformat verkapselt werden.
- RTSP bestimmt nicht, wie Streaming-Daten transportiert werden; es unterstützt sowohl UDP als auch TCP.
- RTSP bestimmt nicht, wie der Media-Player das Audio/Video zwischenspeichert. Es kann wiedergegeben werden, sobald es beim Client ankommt; es kann nach einer Verzögerung von ein paar Sekunden wiedergegeben werden; es kann aber auch vor der Wiedergabe vollständig heruntergeladen werden.

Was kann RTSP also überhaupt? RTSP ist ein Protokoll, das es einem Media-Player erlaubt, die Übertragung eines Mediendatenstroms zu kontrollieren, beispielsweise, um die oben erwähnten Funktionen während der Wiedergabe auszuführen. RTSP ist ein so genanntes **Out-of-Band-Protokoll**. Das bedeutet, dass die RTSP-Nachrichten out-of-band gesendet werden, während der Mediendatenstrom, dessen Paketstruktur nicht vom RTSP definiert wird, »in-band« übertragen wird. RTSP-Nachrichten verwenden eine andere Portnummer (544) als der Mediendatenstrom. Die RTSP-Spezifikation [RFC 2326] ermöglicht die Übertragung von RTSP-Nachrichten über TCP oder UDP.

Wie in Abschnitt 2.3 beschrieben, nutzt FTP (File Transfer Protocol) ebenfalls das Out-of-Band-Konzept. FTP benutzt zwei Client/Server-Socket-Paare, wobei jedes Paar eine eigene Portnummer hat: Ein Client/Server-Socket-Paar unterstützt eine TCP-Verbindung für die Übertragung der Steuerinformationen, während das andere

Paar eine TCP-Verbindung für die Übertragung der Datei unterstützt. Der RTSP-Kanal ähnelt auf vielerlei Art dem Steuerkanal von FTP.

Wir beschreiben jetzt schrittweise ein einfaches RTSP-Beispiel, das in Abbildung 6.5 dargestellt ist. Der Web-Browser fordert zuerst eine Präsentationsbeschreibungsdatei von einem Web-Server an. Die Präsentationsbeschreibungsdatei kann Referenzen auf mehrere kontinuierliche Mediendateien sowie Richtlinien für die Synchronisation dieser Dateien beinhalten. Jede Referenz auf eine kontinuierliche Mediendatei beginnt mit der URL-Methode `rtsp://`. Nachfolgend führen wir ein Beispiel einer Präsentationsdatei auf, die [Schulzrinne 1997] entnommen und angepasst wurde. In dieser Präsentation können ein Audio- und ein Videostrom parallel und lippensynchron (als Teil der gleichen »Gruppe«) wiedergegeben werden. Hinsichtlich des Audiodatenstroms kann der Media-Player zwischen zwei Audioaufzeichnungen – einer Low-Fidelity- und einer High-Fidelity-Aufzeichnung – wechseln.

Abbildung 6.5 Interaktion zwischen einem Client und einem Server unter Verwendung von RTSP

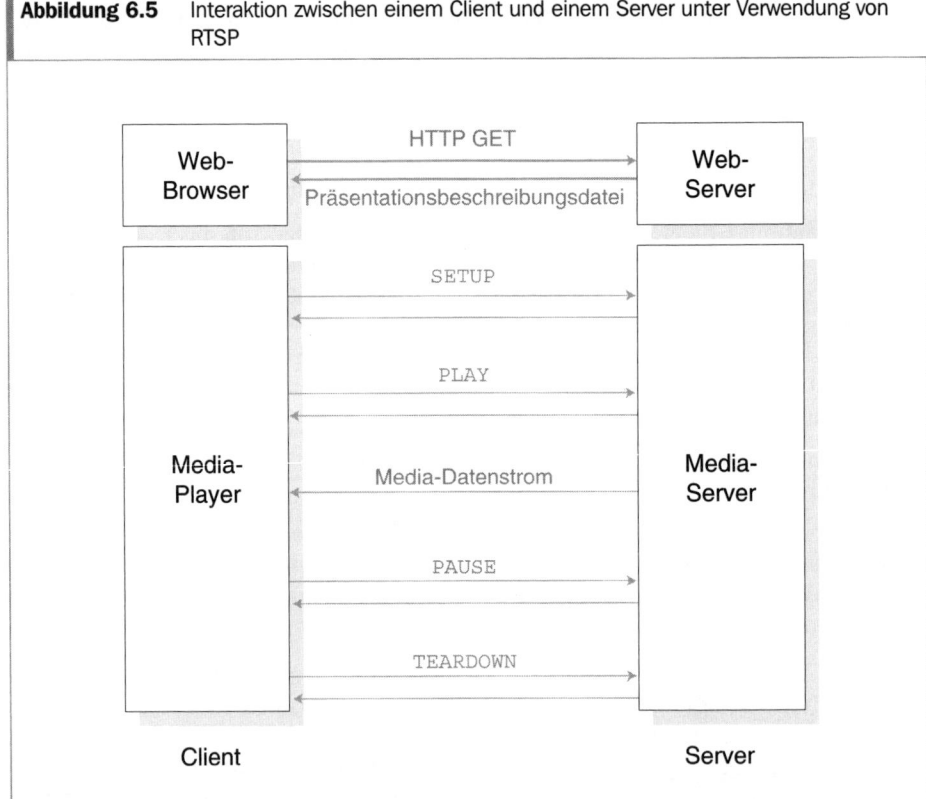

```
<title>Twister/title>
<session>
    <group language=en lipsync>
        <switch>
            <track type=audio
                e="PCMU/8000/1"
                src = "rtsp://audio.example.com/twister/audio.en/lofi">
```

```
            <track type=audio
                e="DVI4/16000/2" pt="90 DVI4/8000/1"
                src="rtsp://audio.example.com/twister/audio.en/hifi">
            </switch>
            <track type="video/jpeg"
                src="rtsp://video.example.com/twister/video">
        </group>
</session>
```

Der Web-Server verkapselt die Präsentationsbeschreibungsdatei in einer HTTP-Antwortnachricht und sendet die Nachricht an den Browser. Wenn der Browser die HTTP-Antwortnachricht empfängt, ruft er einen Media-Player (d. h. die Helper-Anwendung) auf, die im Feld content-type der Nachricht spezifiziert ist. Die Präsentationsbeschreibungsdatei beinhaltet Referenzen auf Mediendatenströme mit Hilfe der URL-Methode, wie im obigen Beispiel. Wie in Abbildung 6.5 dargestellt, senden Player und Server dann einander eine Reihe von RTSP-Nachrichten zu. Der Player sendet eine SETUP-Anfrage und der Server eine SETUP-Antwort. Der Player sendet eine PLAY-Anfrage, z. B. für ein Low-Fidelity-Audio, und der Server eine PLAY-Antwort. An diesem Punkt pumpt der Streaming-Server das Low-Fidelity-Audio in seinen eigenen In-Band-Kanal. Später sendet der Media-Player eine PAUSE-Anfrage und der Server antwortet mit einer PAUSE-Antwort. Wenn der Benutzer fertig ist, sendet der Media-Player eine TEARDOWN-Anfrage und der Server antwortet mit einer TEARDOWN-Antwort.

Jede RTSP-Sitzung hat einen Identifizierer, der vom Server gewählt wird. Der Client leitet die Sitzung mit der SETUP-Anfrage ein und der Server antwortet auf die Anfrage mit einem Identifizierer. Der Client wiederholt den Identifizierer für jede Anfrage, bis der Client die Sitzung mit der TEARDOWN-Anfrage schließt. Nachfolgend ein einfaches Beispiel einer RTSP-Sitzung zwischen einem Client (**C:**) und einem Sender (**S:**)

```
C: SETUP rtsp://audio.example.com/twister/audio RTSP/1.0
   Transport: rtp/udp; compression; port=3056; mode=PLAY
S: RTSP/1.0 200 1 OK
   Session 4231
C: PLAY rtsp://audio.example.com/twister/audio.en/lofi
   RTSP/1.0
   Session: 4231
   Range: npt=0-
C: PAUSE rtsp://audio.example.com/twister/audio.en/lofi
   RTSP/1.0
   Session: 4231
   Range: npt=37
C: TEARDOWN rtsp://audio.example.com/twister/audio.en/
   lofi RTSP/1.0 Session: 4231
S: 200 3 OK
```

Bei diesem Beispiel entscheidet sich der Player, nicht die vollständige Präsentation, sondern nur den Low-Fidelity-Teil wiederzugeben. Das RTSP-Protokoll kann viel mehr, als in dieser kurzen Einführung beschrieben wurde. Beispielsweise bietet es Funktionen für das Media-Streaming von Clients zu einem Server (z. B. für die Aufzeichnung). RTSP wird von RealNetworks, dem heute führenden Anbieter von

Audio-/Video-Streaming, benutzt. Henning Schulzrinne stellt eine Web-Seite über RTSP zur Verfügung [Schulzrinne 1999].

6.3 Das Beste aus dem Best-Effort-Dienst machen: ein Internet-Phone-Beispiel

IP, das Vermittlungsschichtprotokoll des Internets, bietet einen Best-Effort-Dienst. Das soll heißen, dass sich das Internet bemüht, jedes Datagramm so schnell wie möglich von der Quelle zum Ziel zu befördern. Im Best-Effort-Dienst gibt es aber keinerlei Zusicherungen über den Umfang der Ende-zu-Ende-Verzögerung für ein einzelnes Paket oder den Umfang von Paket-Jitter und Paketverlust im Paketstrom.

Interaktive Multimedia-Anwendungen wie Internet-Phone und Echtzeit-Videokonferenzen reagieren sehr empfindlich auf Verzögerung, Jitter und Verlust von Paketen. Zum Glück stehen den Designern solcher Anwendungen mehrere nützliche Mechanismen zur Verfügung, um gute Audio- und Videoqualität zu wahren, solange Verzögerung, Jitter und Verlust sich in Grenzen halten. In diesem Abschnitt untersuchen wir einige dieser Mechanismen in Zusammenhang mit einer **Internet-Phone-Anwendung** als Beispiel. Die Situation für Echtzeit-Videokonferenzanwendungen ist ähnlich [Bolot 1994].

In unserer Internet-Phone-Anwendung erzeugt der Sprecher ein Audiosignal, das sich aus abwechselnden Sprech- und Stillephasen zusammensetzt. Um Bandbreite zu sparen, erzeugt unsere Internet-Phone-Anwendung nur in den Sprechphasen Pakete. Während einer Sprechphase erzeugt der Sender Bytes in einer Rate von 8 Kbyte pro Sekunde und alle 20 Millisekunden fasst er Bytes in Sprachblöcke zusammen. Folglich ist die Anzahl der Bytes in einem Block (20 ms) · (8 Kbyte/s) = 160 Byte. An jeden Block wird ein spezieller Header angehängt, dessen Inhalt weiter unten beschrieben wird. Zusammen mit seinem Header wird der Block in einem UDP-Segment verkapselt; anschließend wird das UDP-Datagramm auf die Socket-Schnittstelle geschickt. Folglich wird während einer Sprechphase alle 20 ms ein UDP-Segment gesendet.

Wenn jedes Paket es zum Empfänger schafft und eine kleine konstante Ende-zu-Ende-Verzögerung hat, dann kommen während einer Sprechphase beim Empfänger periodisch alle 20 ms Pakete an. Unter diesen idealen Voraussetzungen kann der Empfänger natürlich jeden Block bei Ankunft einfach wiedergeben. Leider können Pakete aber auch verloren gehen und die meisten werden nicht die gleiche Ende-zu-Ende-Verzögerung haben, auch in einem nur leicht überlasteten Internet. Aus diesem Grund muss der Empfänger (1) bei der Festlegung, wann ein Block wiederzugeben ist, und (2) bei der Bestimmung, was mit einem fehlenden Block zu unternehmen ist, sorgfältiger vorgehen.

6.3.1 Die Grenzen eines Best-Effort-Dienstes

Wir haben erwähnt, dass der Best-Effort-Dienst zu Paketverlust, übermäßiger Ende-zu-Ende-Verzögerung und Jitter führen kann. Diese Punkte werden in den folgenden Unterabschnitten ausführlich untersucht.

Paketverlust

Man betrachte eines der UDP-Segmente, die unsere Internet-Phone-Anwendung erzeugt. Das UDP-Segment ist in einem IP-Datagramm verkapselt. Während seiner Reise durch das Netzwerk durchläuft das Datagramm Puffer (d. h. Warteschlangen) in den Routern, um Zugang zu Ausgangsleitungen zu erhalten. Es ist möglich, dass einer oder mehrere der Puffer auf der Route vom Sender zum Empfänger voll ist und das IP-Datagramm nicht aufnehmen kann. In diesem Fall wird es verworfen und es kommt nie bei der empfangenden Anwendung an.

Verlust lässt sich vermeiden, wenn man die Pakete über TCP statt UDP sendet. Wir erinnern uns, dass TCP Pakete, die nicht am Ziel ankommen, erneut überträgt. Neuübertragungsmechanismen gelten für interaktive Echtzeit-Audioanwendungen wie Internet-Phone aber oft als unakzeptabel, weil sie die Ende-zu-Ende-Verzögerung erhöhen [Bolot 1996]. Außerdem kann sich die Übertragungsrate aufgrund der TCP-Überlastkontrolle nach einem Paketverlust beim Sender auf eine Rate reduzieren, die niedriger als die Ausgangsrate beim Empfänger ist. Dies kann schwerwiegende Auswirkungen auf die Sprachverständlichkeit beim Empfänger haben. Aus diesen Gründen laufen fast alle existierenden Internet-Phone-Anwendungen über UDP und kümmern sich nicht um die Neuübertragung verlorener Pakete.

Andererseits ist der Verlust von Paketen nicht unbedingt so schlimm, wie man vielleicht denkt. Tatsächlich können Paketverlustraten zwischen 1% und 20% toleriert werden, je nachdem, wie die Sprache kodiert und übertragen und der Verlust beim Empfänger kaschiert wird. Beispielsweise kann die so genannte Vorwärtsfehlerkorrektur (Forward Error Correction, FEC) angewandt werden, um Paketverlust zu verbergen. Wir werden weiter unten sehen, dass unter FEC redundante Informationen zusammen mit den Originalinformationen übertragen werden, so dass ein gewisser Teil der verlorenen Originaldaten aus den redundanten Informationen wiedergewonnen werden kann. Dennoch bleibt zu bedenken: Wenn eine oder mehrere Verbindungsleitungen zwischen Sender und Empfänger stark überlastet sind und der Paketverlust 10–20% übersteigt, gibt es eigentlich nichts, das man untenehmen kann, um eine akzeptable Tonqualität zu erreichen. Selbstverständlich hat der Best-Effort-Dienst auch seine Grenzen.

Ende-zu-Ende-Verzögerung

Die **Ende-zu-Ende-Verzögerung** ist die Summe der Übertragungsverarbeitung und der Warteschlangenverzögerungen in den Routern, der Ausbreitungsverzögerungen und der Verarbeitungsverzögerungen in den Endsystemen auf dem Pfad von der Quelle zum Ziel. In stark interaktiven Audioanwendungen, wie beispielsweise Internet-Phone, sind Ende-zu-Ende-Verzögerungen von weniger als 150 Millisekunden für das menschliche Ohr nicht wahrnehmbar. Verzögerungen zwischen 150 und 400 Millisekunden sind akzeptabel, aber nicht ideal. Und Verzögerungen über 400 Millisekunden können die Interaktivität in Gesprächen stark beeinträchtigen. Der Empfänger einer Internet-Phone-Anwendung ignoriert normalerweise alle Pakete, die sich um mehr als einen bestimmten Grenzwert (z. B. mehr als 400 Millisekunden) verzögern. Folglich gehen Pakete, die sich um mehr als den Grenzwert verzögern, effektiv verloren.

Verzögerungsjitter

Eine wichtige Komponente der Ende-zu-Ende-Verzögerung sind die zufälligen Warteschlangenverzögerungen in den Routern. Aufgrund dieser schwankenden Verzögerungen im Netzwerk kann die Zeit zwischen der Erzeugung eines Pakets in der Quelle und der Ankunft beim Empfänger von einem Paket zum nächsten schwanken. Dieses Phänomen wird als **Jitter** bezeichnet.

Als Beispiel betrachte man zwei aufeinander folgende Pakete derselben Sprechphase in unserer Internet-Phone-Anwendung. Der Sender sendet das zweite Paket 20 ms nach dem ersten. Beim Empfänger kann der Abstand zwischen diesen Paketen aber größer als 20 ms sein. Um dies zu veranschaulichen, nehmen wir an, dass das erste Paket bei einem Router an einer fast leeren Warteschlange ankommt, während das zweite Paket aber kurz davor gleichzeitig mit vielen Paketen von anderen Quellen an der gleichen Warteschlange angekommen ist. Da das zweite Paket an einer großen Warteschlangenverzögerung leidet, erhöht sich der Abstand zwischen dem ersten und zweiten Paket um mehr als 20 ms. Dieser Abstand zwischen aufeinander folgenden Paketen kann auch weniger als 20 ms betragen. Man betrachte wiederum zwei aufeinander folgende Pakete in einer Sprechphase. Angenommen, das erste Paket landet am Ende einer Warteschlange mit vielen Paketen und das zweite Paket kommt an der Warteschlange an, bevor Pakete von anderen Quellen an der Warteschlange ankommen. In diesem Fall befinden sich unsere beiden Pakete unmittelbar hintereinander in der Warteschlange. Wenn die Übertragung eines Pakets auf der Eingangsleitung des Routers weniger als 20 ms dauert, liegen das erste und das zweite Paket um weniger als 20 ms auseinander.

Wenn der Empfänger das Vorhandensein von Jitter ignoriert und die Blöcke gleich nach ihrer Ankunft wiedergibt, dann kann die Audioqualität beim Empfänger schnell unverständlich werden. Zum Glück kann Jitter oft durch Verwendung von **Sequenznummern**, **Zeitstempeln** und einer **Wiedergabeverzögerung** (siehe unten) entfernt werden.

6.3.2 Beseitigung von Jitter für Audio im Empfänger

Für eine Sprachanwendung wie Internet-Phone oder Audio-on-Demand sollte der Empfänger bei Vorhandensein von zufälligem Netzwerk-Jitter versuchen, die Sprachblöcke synchron wiederzugeben. Dies wird normalerweise dadurch bewerkstelligt, dass die folgenden drei Mechanismen kombiniert werden:

- **Voranstellen einer Sequenznummer vor jeden Block**: Der Sender erhöht die Sequenznummer für jedes erzeugte Paket um Eins.
- **Voranstellen eines Zeitstempels vor jeden Datenblock**: Der Sender stempelt jeden Block mit der Zeit seiner Erzeugung.
- **Verzögerung der Wiedergabe von Blöcken beim Empfänger**: Die Wiedergabeverzögerung der empfangenen Audioblöcke muss ausreichend lang sein, damit die meisten Pakete vor der geplanten Wiedergabezeit empfangen werden. Diese Wiedergabeverzögerung kann entweder für die Dauer der Konferenz fest sein oder adaptiv während der Dauer der Konferenz variieren. Pakete, die nicht vor ihren geplanten Wiedergabezeiten ankommen, gelten als verloren oder vergessen. Wie oben bereits erwähnt, kann der Empfänger die eine oder andere Form einer Sprachinterpolation anwenden, um den Verlust zu kaschieren.

Wir beschreiben im Folgenden, wie diese drei Mechanismen, wenn man sie kombiniert, die Auswirkungen von Jitter verringern oder gar eliminieren können. Im Einzelnen prüfen wir zwei Wiedergabestrategien: feste und adaptive Wiedergabeverzögerung.

Feste Wiedergabeverzögerung

Bei dieser Strategie versucht der Empfänger, jeden Block genau q ms nach seiner Erzeugung wiederzugeben. Wenn also ein Block für Zeitpunkt t gestempelt wird, gibt der Empfänger ihn zum Zeitpunkt $t + q$ wieder, falls er bis zu dieser Zeit angekommen ist. Pakete, die nach ihren geplanten Wiedergabezeiten ankommen, werden verworfen und gelten als verloren.

Was ist eine gute Wahl für q? Internet-Telefonie kann Verzögerungen von bis zu etwa 400 ms unterstützen, obwohl eine zufriedenstellendere interaktive Wahrnehmung mit kleineren Werten von q erreicht wird. Wenn q andererseits viel kleiner als 400 ms gewählt wird, könnten viele Pakete aufgrund des netzwerkinduzierten Jitters ihre geplanten Wiedergabezeiten verpassen. Grob gesagt: Wenn große Schwankungen in der Ende-zu-Ende-Verzögerung typisch sind, ist ein großer Wert von q besser. Ist die Verzögerung andererseits gering und ergeben sich auch nur geringe Verzögerungsschwankungen, dann ist ein kleiner Wert von q – eventuell weniger als 150 ms – besser.

Der Kompromiss zwischen Wiedergabeverzögerung und Paketverlust ist in Abbildung 6.6 dargestellt. Sie zeigt die Zeiten, zu denen Pakete einer einzelnen Sprechphase erzeugt und wiedergegeben werden. Berücksichtigt werden zwei unterschiedliche anfängliche Wiedergabeverzögerungen. Wie die linke Treppe zeigt, erzeugt der Sender Pakete in regelmäßigen Intervallen, etwa alle 20 ms. Das erste Paket dieser Sprechphase wird zum Zeitpunkt r empfangen. Wie die Abbildung zeigt, kommen die nächsten Pakete aufgrund von Netzwerk-Jitter nicht im gleichen Abstand an.

Abbildung 6.6 Paketverlust bei unterschiedlichen festen Wiedergabeverzögerungen

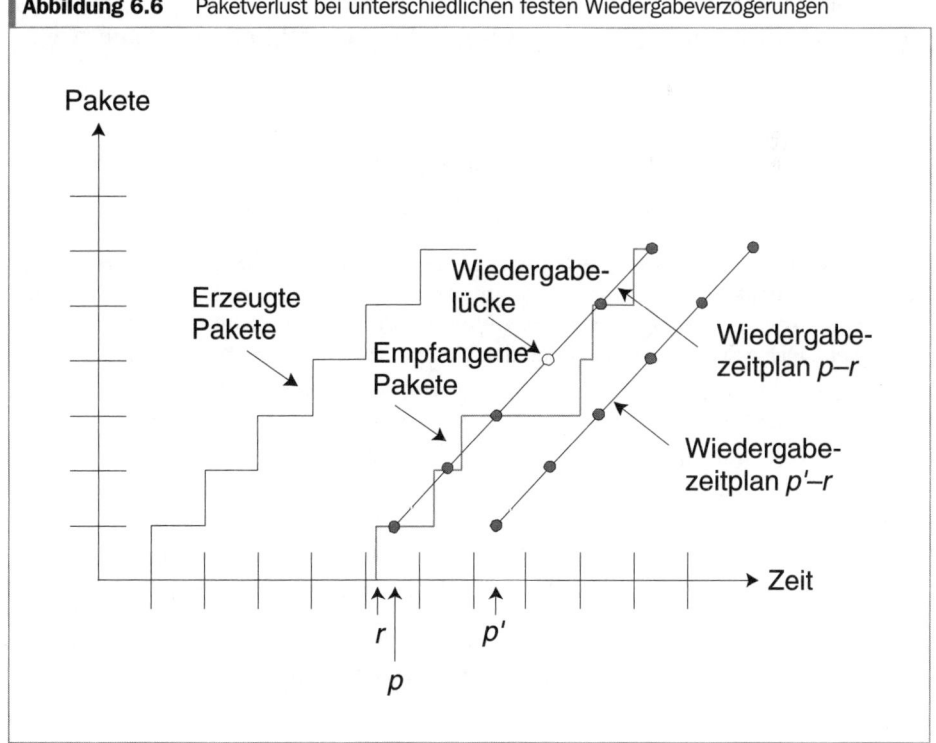

Für den ersten Wiedergabezeitplan wurde die anfängliche feste Wiedergabeverzögerung auf $p - r$ gesetzt. Mit diesem Zeitplan kommt das vierte Paket nicht bis zu seiner geplanten Wiedergabezeit an und der Empfänger hält es für verloren. Für den zweiten Wiedergabezeitplan wurde die anfängliche feste Wiedergabeverzögerung auf $p' - r$ gesetzt. Bei diesem Zeitplan kommen alle Pakete vor ihren geplanten Wiedergabezeiten an und keines geht verloren.

Adaptive Wiedergabeverzögerung

Das obige Beispiel demonstriert einen wichtigen Kompromiss zwischen Verzögerung und Verlust, der unvermeidbar ist, wenn man eine Wiedergabestrategie mit festen Wiedergabeverzögerungen entwirft. Mit einer großen anfänglichen Wiedergabeverzögerung schaffen die meisten Pakete ihre Fristen, so dass kein nennenswerter Verlust entsteht. Bei interaktiven Diensten, wie z. B. Internet-Phone, können lange Verzögerungen allerdings unangenehm, wenn nicht gar unakzeptabel werden. Im Idealfall minimiert man die Wiedergabeverzögerung vorbehaltlich der Einschränkung, dass der Verlust unter ein paar Prozent liegt.

Die logische Vorgehensweise in Bezug auf diesen Kompromiss ist eine Schätzung der Netzwerkverzögerung und ihrer Schwankung und einer anschließenden Berichtigung der Wiedergabeverzögerung entsprechend des Anfangs jeder Sprechphase. Diese adaptive Berichtigung von Wiedergabeverzögerungen am Anfang der Sprechphasen führt dazu, dass die Stillephasen des Senders komprimiert und gestreckt werden. Eine ganz geringe Kompression und Ausdehnung von Stillephasen ist in Sprache nicht wahrnehmbar.

Nach [Ramjee 1994] beschreiben wir im Folgenden einen generischen Algorithmus, den der Empfänger anwenden kann, um seine Wiedergabeverzögerungen adaptiv zu berichtigen. Zu diesem Zweck gehen wir von folgenden Annahmen aus:

t_i = Zeitstempel des i-ten Pakets = die Zeit, zu der das Paket vom Sender erzeugt wurde.

r_i = die Zeit, zu der Paket i vom Empfänger empfangen wird.

p_i = die Zeit, zu der Paket i beim Empfänger wiedergegeben wird.

Die Ende-zu-Ende-Netzwerkverzögerung des i-ten Pakets ist $r_i - t_i$. Aufgrund von Netzwerk-Jitter schwankt diese Verzögerung von einem Paket zum nächsten. Es sei d_i eine Schätzung der durchschnittlichen Netzwerkverzögerung beim Empfang des i-ten Pakets. Diese Schätzung wird aus den Zeitstempeln wie folgt gebildet:

$$d_i = (1 - u)\, d_{i-1} + u\, (r_i - t_i)$$

wobei u eine feste Konstante (z. B. $u = 0{,}01$) ist. Folglich ist d_i ein geglätteter Durchschnitt der beobachteten Netzwerkverzögerungen $r_1 - t_1, \ldots, r_i - t_i$. Die Schätzung legt mehr Gewicht auf die zuletzt beobachteten Netzwerkverzögerungen als auf diejenigen, die aus der fernen Vergangenheit stammen. Diese Art der Schätzung dürfte nicht völlig unvertraut sein: Ein ähnliches Konzept wird angewandt, um die Roundtrip-Zeiten in TCP zu schätzen (siehe Kapitel 3). Sei v_i eine Schätzung der durchschnittlichen Abweichung der Verzögerung von der geschätzten Durchschnittsverzögerung. Diese Schätzung wird ebenfalls aus den Zeitstempeln gebildet:

$$v_i = (1 - u)\, v_{i-1} + u\, |\, r_i - t_i - d_i\,|$$

Die Schätzungen d_i und v_i werden für jedes empfangene Paket berechnet, obwohl sie nur dazu benutzt werden, den Wiedergabepunkt des ersten Pakets einer Sprechphase zu bestimmen.

Nach der Berechnung dieser Schätzungen wendet der Empfänger folgenden Algorithmus für die Wiedergabe von Paketen an. Wenn Paket i das erste Paket einer Sprechphase ist, wird seine Wiedergabezeit p_i wie folgt berechnet:

$$p_i = t_i + d_i + Kv_i$$

wobei K eine positive Konstante (z. B. $K = 4$) ist. Mit dem Term Kv_i wird der Zweck erfüllt, die Wiedergabezeit ausreichend weit in die Zukunft zu setzen, so dass nur ein kleiner Bruchteil der ankommenden Pakete der Sprechphase aufgrund von zu späten Ankünften verloren geht. Der Wiedergabepunkt für ein darauffolgendes Paket einer Sprechphase wird als Versatz (Offset) von dem Zeitpunkt berechnet, zu dem das erste Paket der Sprechphase wiedergegeben wurde. Es sei

$$q_i = p_i - t_i$$

die Dauer von dem Zeitpunkt an, an dem das erste Paket der Sprechphase erzeugt wird, bis zu dessen Wiedergabe. Wenn also Paket j zu dieser Sprechphase gehört, wird es zur Zeit

$$p_j = t_j + q_i$$

wiedergegeben. Der soeben beschriebene Algorithmus ist absolut sinnvoll unter der Annahme, dass der Empfänger feststellen kann, ob ein Paket das erste der Sprechphase ist. Geht kein Paket verloren, kann der Empfänger ermitteln, ob Paket i das erste Paket der Sprechphase ist, indem er den Zeitstempel des i-ten Pakets mit demjenigen des $(i-1)$ten Pakets vergleicht. Wenn $t_i - t_{i-1} > 20$ ms ist, dann weiß der Empfänger, dass das i-te Paket eine neue Sprechphase startet. Nehmen wir jetzt aber an, dass gelegentlich ein Paket verloren geht. In diesem Fall können zwei aufeinander folgend am Ziel ankommende Pakete, die zur gleichen Sprechphase gehören, Zeitstempel haben, die sich um mehr als 20 ms unterscheiden. Für diesen Fall sind die Sequenznummern besonders hilfreich. Der Empfänger kann durch sie feststellen, ob ein Unterschied der Zeitstempel von mehr als 20 ms auf eine neue Sprechphase oder einen Paketverlust zurückzuführen ist.

6.3.3 Wiederherstellung nach einem Paketverlust

Wir haben relativ ausführlich erklärt, wie eine Internet-Phone-Anwendung im Fall von Paket-Jitter reagieren kann. Als Nächstes beschreiben wir kurz mehrere Schemata, mit denen versucht wird, auch im Fall von Paketverlust eine akzeptable Audioqualität zu wahren. Solche Schemata werden als **Verlustwiederherstellungsschemata** (Loss Recovery Schemes) bezeichnet. Wir definieren hier »Paketverlust« in einem allgemeinen Sinn: Ein Paket ging verloren, wenn es entweder nie oder nach seiner geplanten Wiedergabezeit beim Empfänger ankommt. Unser Internet-Phone-Beispiel dient uns wieder als Basis für die Beschreibung von Verlustwiederherstellungsschemata.

Wie am Anfang dieses Abschnitts erwähnt, ist die Neuübertragung verlorener Pakete in einer interaktiven Echtzeitanwendung wie Internet-Phone nicht angebracht. Tatsächlich dient die Neuübertragung eines Pakets, das seinen Wiedergabetermin verpasst hat, absolut keinem Zweck. Und die Neuübertragung eines Pakets, das die Warteschlange eines Routers zum Überlaufen gebracht hat, kann normalerweise nicht schnell genug durchgeführt werden. Aufgrund dieser Überlegungen wird in Internet-Phone-Anwendungen oft ein Verlustvorwegnahmeschema angewandt; zwei solche Schemata sind die **Vorwärtsfehlerkorrektur** (Forward Error Correction, **FEC**) und **Verzahnung** (Interleaving).

FEC (Forward Error Correction)

Seinem Grundkonzept zufolge wird beim FEC redundante Information zum ursprünglichen Paketstrom hinzugefügt. Für die Kosten einer nur geringen Erhöhung der Übertragungsrate des Audiostroms können die redundanten Informationen benutzt werden, um »Annäherungen« oder genaue Versionen einiger der verlorenen Pakete zu rekonstruieren. Nach [Bolot 1996] und [Perkins 1998] beschreiben wir hier zwei FEC-Mechanismen. Beim ersten wird nach jeweils n Blöcken ein redundant kodierter Block gesendet. Der redundante Block wird durch Ausführung von XOR auf die n Originalblöcke gebildet [Shacham 1990]. Das heißt, wenn ein Paket aus einer Gruppe von $n + 1$ Paketen verloren geht, kann der Empfänger das verlorene Paket vollständig rekonstruieren. Wenn aber zwei oder mehr Pakete einer Gruppe verloren gehen, kann der Empfänger die verlorenen Pakete nicht rekonstruieren. Durch eine kleine Gruppengröße $n + 1$ lässt sich ein Großteil der verlorenen Pakete wiederherstellen, falls der Verlust nicht zu hoch ist. Je kleiner die Gruppengröße, umso größer ist allerdings die relative Erhöhung der Übertragungsrate des Audiostroms. Die Übertragungsrate erhöht sich um einen Faktor von $1/n$; wenn z. B. $n = 3$, dann steigt die Übertragungsrate um 33%. Außerdem erhöht sich bei diesem einfachen Schema die Wiedergabeverzögerung, weil der Empfänger warten muss, bis er die gesamte Paketgruppe empfangen hat, bevor er mit der Wiedergabe beginnen kann.

Beim zweiten FEC-Mechanismus wird ein Audiostrom mit einer geringeren Auflösung als redundante Information gesendet. Der Sender kann beispielsweise einen nominellen Audiostrom und einen entsprechenden Audiostrom mit geringerer Auflösung und geringerer Bitrate erzeugen. (Der nominelle Audiostrom könnte eine PCM-Kodierung mit 64 Kbps und der Strom mit geringerer Qualität eine GSM-Kodierung mit 13 Kbps sein.) Der Audiostrom mit der niedrigeren Bitrate ist der redundante Strom. Abbildung 6.7 zeigt, dass der Sender das n-te Paket dadurch konstruiert, dass er den n-ten Block aus dem nominellen Strom an den $(n-1)$ten Block aus dem redundanten Strom anhängt. Wenn dann irgendwann ein nicht aufeinander folgender Paketverlust entsteht, kann der Empfänger den Verlust kaschieren, indem er den Block mit der niedrigen Bitrate, der mit dem anschließenden Paket ankommt, wiedergibt. Selbstverständlich weisen Blöcke mit niedriger Bitrate eine geringere Qualität als die nominellen Blöcke auf. Bei einem Strom von Blöcken mit vorwiegend hoher Qualität kann aber auch bei gelegentlichen Blöcken mit geringer Qualität und ohne fehlende Blöcke insgesamt eine gute Audioqualität erreicht werden. Bei diesem Schema braucht der Empfänger für die Wiedergabe nur zwei Pakete zu empfangen, so dass die erhöhte Wiedergabeverzögerung klein ist. Wenn die Kodierung mit niedriger Bitrate außerdem viel kleiner ist als die nominelle Kodierung, ist außerdem auch die gesamte Erhöhung der Übertragungsrate gering.

Um aufeinander folgende Verluste zu behandeln, lässt sich eine einfache Abwandlung des Schemas anwenden. Statt nur den $(n-1)$ten Block mit niedriger Bitrate an den n-ten nominellen Block anzuhängen, kann der Sender den $(n-1)$ten und den $(n-2)$ten oder den $(n-1)$ten und den $(n-3)$ten Block mit niedriger Bitrate usw. anhängen. Durch Anhängen mehrerer Blöcke mit niedriger Bitrate an jeden nominellen Block wird die Audioqualität beim Empfänger für eine breitere Variante von kriti-

Abbildung 6.7 Huckepack-Übertragung von redundanten Informationen mit geringerer Qualität

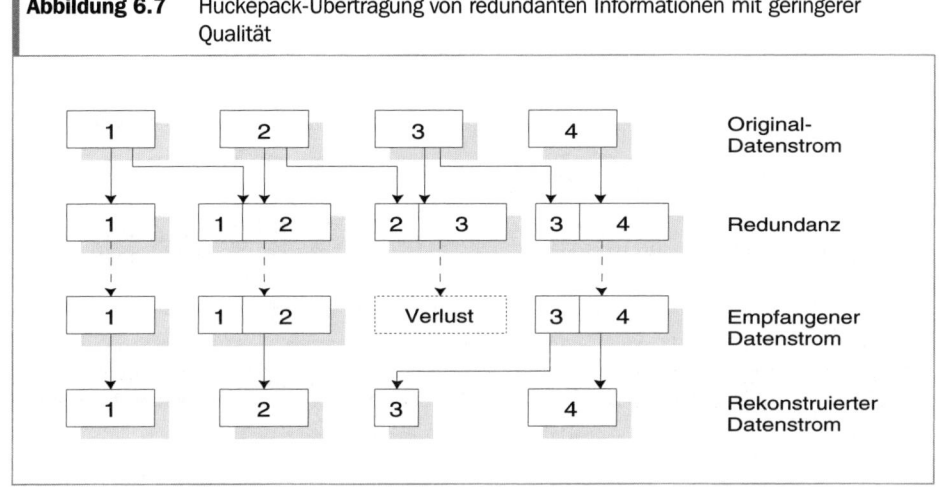

schen Best-Effort-Umgebungen akzeptabel. Andererseits erhöhen sich durch die zusätzlichen Blöcke die Übertragungsbandbreite und die Wiedergabeverzögerung.

Free Phone [Freephone 1999] und RAT [RAT 1999] sind wohl dokumentierte Internet-Phone-Anwendungen, die FEC verwenden. Sie können – wie oben beschrieben – Audioströme mit geringerer Qualität zusammen mit dem nominellen Audiostrom übertragen.

Interleaving

Als eine Alternative zur redundanten Übertragung kann eine Internet-Phone-Anwendung verzahntes Audio senden. Abbildung 6.8 zeigt, dass der Sender die Sequenz der Audiodateneinheiten vor der Übertragung so umstellt, dass ursprünglich benachbarte Einheiten durch eine bestimmte Entfernung im übertragenen Strom getrennt sind. Durch Verzahnung (Interleaving) lässt sich die Wirkung von Paketverlusten mildern. Wenn die Einheiten z. B. 5 ms lang sind und alle 20 ms Blöcke gesendet werden (d. h. vier Einheiten pro Block), dann könnte der erste Block die Einheiten 1, 5, 9, 13 und der zweite die Einheiten 2, 6, 10, 14 usw. enthalten. Abbildung 6.8 zeigt, dass der Verlust eines einzigen Pakets in einem verzahnten Strom zu mehreren kleinen Lücken im rekonstruierten Strom führt, im Gegensatz zu einer einzigen großen Lücke, die bei einem nicht verzahnten Strom entstehen würde.

Durch Verzahnung lässt sich die wahrgenommene Qualität eines Audiostroms beträchtlich verbessern [Perkins 1998]. Sie hat auch einen geringen Overhead. Der offensichtliche Nachteil der Verzahnung ist eine Erhöhung der Latenz. Dies schränkt ihre Verwendung für interaktive Anwendungen wie Internet-Phone ein, obwohl sie auch bei gespeichertem Audio-Streaming gute Leistung erbringen kann. Ein großer Vorteil der Verzahnung ist der, dass sie die Bandbreitenanforderungen eines Stroms nicht erhöht.

Empfängerbasierte Reparatur beschädigter Audioströme

Mit empfängerbasierten Wiederherstellungsschemata wird versucht, einen Ersatz für ein verlorenes Paket zu produzieren, das dem Original ähnelt. Wie in [Perkins 1998] diskutiert wird, ist dies möglich, weil Audiosignale und insbesondere Sprache große Mengen kurzzeitiger Ähnlichkeiten aufweisen. Dadurch eignen sich diese Techniken

Abbildung 6.8 Übertragung eines verzahnten Audiostroms

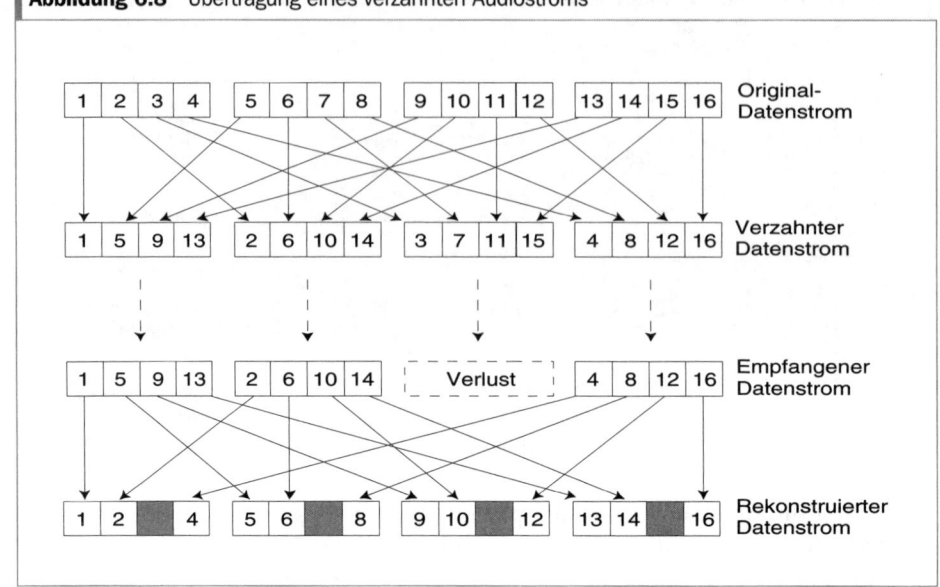

gut für relativ geringe Verlustraten (weniger als 15%) und kleine Pakete (4–40 ms). Wenn sich die Verlustlänge der Länge eines Phonems (5–100 ms) nähert, brechen diese Techniken zusammen, weil dem Zuhörer ganze Phoneme abgehen können.

Die vielleicht einfachste Form einer empfängerbasierten Wiederherstellung ist die Paketwiederholung. Sie ersetzt verlorene Pakete durch Kopien der Pakete, die unmittelbar vor dem Verlust angekommen sind. Sie hat eine geringe Berechnungskomplexität und ist relativ leistungsstark. Eine weitere Form der empfängerbasierten Wiederherstellung ist Interpolation, bei der Audio vor und nach dem Verlust verwendet wird, um ein geeignetes Paket zu interpolieren und damit den Verlust zu decken. Sie weist eine etwas bessere Leistung als die Paketwiederholung auf, ist allerdings wesentlich rechenintensiver [Perkins 1998].

6.3.4 Streaming von gespeichertem Audio und Video

Wir beenden diesen Abschnitt mit ein paar Worten über Streaming von gespeichertem Audio und Video. Anwendungen für Streaming von gespeichertem Audio und Video verwenden normalerweise ebenfalls Sequenznummern, Zeitstempel und Wiedergabeverzögerungen, um die Auswirkungen von Netzwerk-Jitter zu mildern oder gar zu eliminieren. Allerdings besteht ein wichtiger Unterschied zwischen interaktivem Echtzeitaudio und -video und gespeichertem Audio- und Video-Streaming. Beim Streaming von gespeichertem Audio und Video können wesentlich größere Verzögerungen toleriert werden. Wenn ein Benutzer ein Audio- oder Videoclip anfordert, ist es für ihn vielleicht akzeptabel, fünf Sekunden oder länger zu warten, bis die Wiedergabe beginnt. Die meisten Benutzer tolerieren solche Verzögerungen nach interaktiven Aktionen, wie z. B. einem Zeitsprung im Medienstrom. Diese größere Toleranz gegenüber Verzögerungen verschafft dem Anwendungsentwickler mehr Flexibilität beim Design von Anwendungen für gespeicherte Medien.

6.4 RTP

Im vorherigen Abschnitt haben wir gelernt, dass die Senderseite einer Multimedia-Anwendung Header-Felder an die Audio-/Video-Blöcke anhängt, bevor sie diese an die Transportschicht weitergibt. Diese Header-Felder beinhalten Sequenznummern und Zeitstempel. Da die meisten vernetzten Multimedia-Anwendungen solche Sequenznummern und Zeitstempel verwenden können, eignet sich eine standardisierte Paketstruktur, die Felder für audiovisuelle Daten, Sequenznummer und Zeitstempel sowie weitere potenziell nützliche Felder beinhaltet. Ein solcher Standard ist das in RFC 1889 definierte RTP. RTP kann für die Übertragung üblicher Formate, z. B. PCM oder GSM für Klang und MPEG1 und MPEG2 für Video, benutzt werden. Es kann auch für die Übertragung von proprietären Klang- und Videoformaten verwendet werden.

Dieser Abschnitt enthält eine kurze Einführung in RTP und RTCP, das begleitende Protokoll. Ferner wird die Rolle von RTP im H.323-Standard für interaktive Echtzeit-Audio- und -Videokonferenzen behandelt. Dem Leser wird empfohlen, die RTP-Site von Henning Schulzrinne [Schulzrinne 1999] zu besuchen, auf der sich eine Fülle von Informationen über das Thema befindet. Außerdem lohnt sich ein Besuch der Site von Free Phone [Freephone 1999], auf der eine Internet-Phone-Anwendung beschrieben wird, die RTP verwendet.

6.4.1 RTP-Grundlagen

RTP setzt normalerweise auf UDP auf. Im Einzelnen werden Blöcke von Audio- oder Videodaten, die von der sendenden Seite einer Multimedia-Anwendung erzeugt werden, in RTP-Paketen verkapselt. Jedes RTP-Paket wird seinerseits in einem UDP-Segment verkapselt. Da RTP der Multimedia-Anwendung Dienste (wie Zeitstempel und Sequenznummern) bereitstellt, kann RTP als **Teilschicht der Transportschicht** betrachtet werden, wie aus Abbildung 6.9 ersichtlich wird.

Aus Sicht des Anwendungsentwicklers ist RTP allerdings nicht Teil der Transportschicht, sondern der Anwendungsschicht, weil er RTP in die Anwendung integrieren muss. Insbesondere muss er für die Senderseite der Anwendung Code schreiben, der die RTP-Verkapselungspakete erzeugt. Anschließend schickt die Anwendung die RTP-Pakete auf eine UDP-Socket-Schnittstelle. Auf der Empfängerseite der Anwendung treten die RTP-Pakete durch eine UDP-Socket-Schnittstelle in die Anwendung ein. Der Entwickler muss deshalb Code für die Anwendung schreiben, der die Medienblöcke aus den RTP-Paketen extrahiert (siehe Abbildung 6.10).

Als Beispiel betrachte man die Verwendung von RTP für die Übertragung von Sprache. Angenommen, die Sprachquelle ist mit 64 Kbps PCM-kodiert (d. h. einer Abtastung (Sampling), Quantisierung und Digitalisierung unterzogen worden). Die Anwendung sammelt die kodierten Daten in 20-ms-Blöcken, d. h. 160 Byte in einem Block. Die Anwendung stellt jedem Block der Audiodaten einen **RTP-Header** voran, der den Typ der Audiokodierung, eine Sequenznummer und einen Zeitstempel beinhaltet. Zusammen mit dem RTP-Header bildet der Audioblock das **RTP-Paket**. Anschließend wird das RTP-Paket an die UDP-Socket-Schnittstelle zur Übertragung weitergereicht. Auf der Empfängerseite erhält die Anwendung das RTP-Paket von ihrer Socket-Schnittstelle. Die Anwendung extrahiert den Audioblock aus dem RTP-Paket und verwendet die darin enthaltenen Header-Felder, um den Audioblock entsprechend zu dekodieren und wiederzugeben.

Abbildung 6.9 RTP kann als Teilschicht der Transportschicht betrachtet werden.

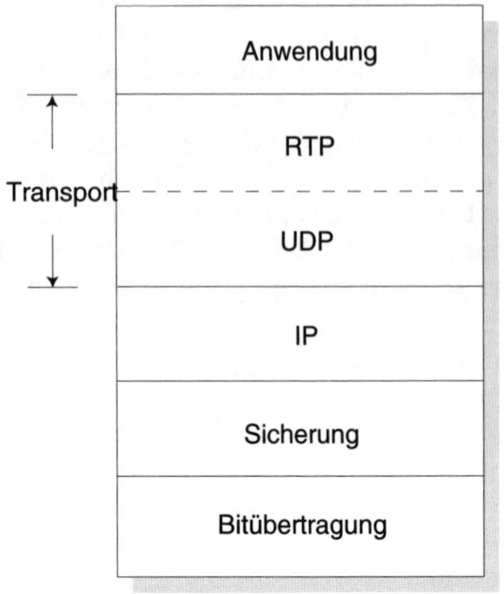

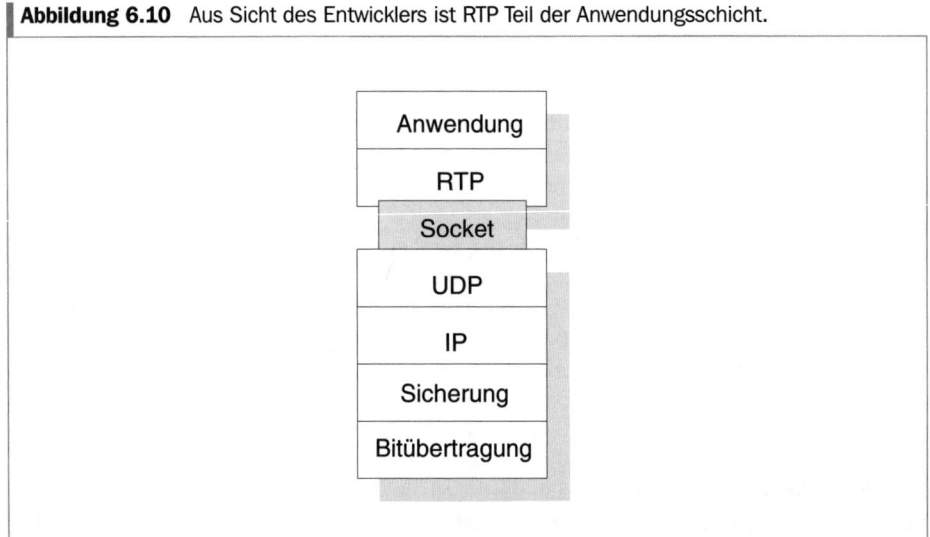

Abbildung 6.10 Aus Sicht des Entwicklers ist RTP Teil der Anwendungsschicht.

Wenn eine Anwendung RTP statt eines proprietären Schemas verwendet, um Nutzdatentyp, Sequenznummern oder Zeitstempel bereitzustellen, dann lässt sie sich leichter in andere vernetzte Multimedia-Anwendungen integrieren. Wenn beispielsweise zwei verschiedene Firmen Internet-Phone-Software entwickeln und beide RTP in ihr Produkt integrieren, besteht eine gewisse Hoffnung, dass ein Benutzer, der das eine Produkt benutzt, mit dem Benutzer, der das andere benutzt, kommunizieren kann. Am Ende dieses Abschnitts werden wir sehen, dass RTP in einen wichtigen Teil eines Internet-Telefonie-Standards integriert wurde.

Wir betonen an dieser Stelle, dass RTP an sich keinen Mechanismus bietet, um die zeitgerechte Zustellung von Daten oder andere Dienstqualitäten zuzusichern. Es sichert nicht einmal die Zustellung von Paketen oder die Verhinderung von außer der Reihe übertragenen Paketen zu. Die RTP-Verkapselung ist nur für die Endsysteme sichtbar. Router unterscheiden nicht zwischen IP-Datagrammen, die RTP-Pakete oder andere Daten enthalten.

RTP erlaubt es, jeder Quelle (z. B. eine Kamera oder ein Mikrophon) einen eigenen unabhängigen RTP-Paketstrom zuzuweisen. Das bedeutet, dass beispielsweise für eine Videokonferenz zwischen zwei Teilnehmern vier RTP-Ströme geöffnet werden können: zwei für die Übertragung von Audio (in je eine Richtung) und zwei für Video (wieder in je eine Richtung). Viele beliebte Kodiertechniken, darunter MPEG1 und MPEG2, bündeln Audio und Video allerdings in einem einzigen Strom während des Kodierprozesses. Wenn Audio und Video vom Kodierer (Encoder) gebündelt werden, wird für jede Richtung nur ein RTP-Strom erzeugt.

RTP-Pakete sind nicht auf Unicast-Anwendungen begrenzt. Sie können auch über Einer-zu-Viele- oder Viele-zu-Viele-Multicast-Bäume gesendet werden. Bei einer Viele-zu-Viele-Multicast-Sitzung verwenden alle Sender und Quellen der Sitzung normalerweise die gleiche Multicast-Gruppe zum Senden ihrer RTP-Ströme. Die RTP-Multicast-Ströme, die zusammengehören, wie z. B. die von mehreren Sendern in einer Videokonferenz-Anwendung ausgehenden Audio- und Videoströme, gehören zu einer **RTP-Sitzung**.

6.4.2 Header-Felder des RTP-Pakets

Die vier wichtigen Felder im RTP-Header sind Nutzdatentyp, Sequenznummer, Zeitstempel und Quellenidentifizierung (siehe Abbildung 6.11).

Abbildung 6.11 Die Felder des RTP-Headers

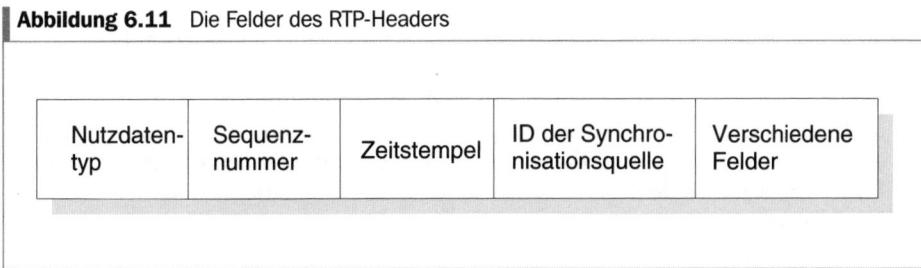

Das Feld für den Nutzdatentyp ist sieben Bit lang. Für einen Audiostrom wird das Nutzdatentypfeld benutzt, um die anzuwendende Audiokodierung (z. B. PCM, adaptive Delta-Modulation, Linear Predictive Encoding) zu bezeichnen. Entschließt sich ein Sender, mitten in einer Sitzung die Kodierung zu ändern, kann er den Empfänger durch dieses Feld über die Änderung informieren. Der Sender möchte die Kodierung vielleicht ändern, um die Audioqualität zu erhöhen oder die Bitrate des RTP-Stroms zu verringern. In Tabelle 6.1 sind einige derzeit von RTP unterstützte Audio-Nutzdatentypen aufgeführt.

Für einen Videostrom wird der Nutzdatentyp benutzt, um den Typ der Videokodierung (z. B. Motion JPEG, MPEG1, MPEG2, H.261) anzugeben. Auch hier kann der Sender die Videokodierung während einer Sitzung ändern. Einige der von RTP der-

Tabelle 6.1 Einige von RTP unterstützte Audio-Nutzdatentypen

Datentyp-Nr.	Audioformat	Abtastrate	Durchsatz
0	PCM μ-Gesetz	8 KHz	64 Kbps
1	1016	8 KHz	4,8 Kbps
3	GSM	8 KHz	13 Kbps
7	LPC	8 KHz	2,4 Kbps
9	G.722	8 KHz	48–64 Kbps
14	MPEG Audio	90 KHz	—
15	G.728	8 KHz	16 Kbps

Tabelle 6.2 Einige von RTP unterstützte Video-Nutzdatentypen

Datentyp-Nr.	Audioformat
26	Motion JPEG
31	H.261
32	MPEG1 Video
33	MPEG2 Video

zeit unterstützten Video-Nutzdatentypen sind in Tabelle 6.2 aufgeführt. Weitere wichtige Felder sind:

- *Sequenznummer (Sequence Number)*: In diesem 16 Bit langen Feld wird die Sequenznummer für jedes gesendete RTP-Paket um Eins erhöht. Es kann vom Empfänger benutzt werden, um einen Paketverlust zu erkennen und die Paketsequenz wiederherzustellen. Wenn der Empfänger beispielsweise einen RTP-Paketstrom mit einer Lücke zwischen den Sequenznummern 86 und 89 erkennt, weiß er, dass die Pakete 87 und 88 fehlen. Er kann dann versuchen, die verlorenen Daten zu kaschieren.

- *Zeitstempel (Time Stamp)*: Dieses Feld ist 32 Bit lang und enthält das Sampling des ersten Bytes im RTP-Datenpaket. Wie im vorherigen Abschnitt beschrieben, kann der Empfänger Zeitstempel verwenden, um eventuell im Netzwerk eingeführten Paket-Jitter zu entfernen und für synchrone Wiedergabe beim Empfänger zu sorgen. Der Zeitstempel wird aus einem Sampling-Takt beim Sender hergeleitet. Als Beispiel erhöht sich der Zeitstempeltakt für Audio in jeder Sampling-Periode (z. B. alle 125 μs für einen Sampling-Takt von 8 kHz) um Eins. Wenn die Audioanwendung Blöcke erzeugt, die aus 160 kodierten Samples besteht, erhöht sich der Zeitstempel bei aktiver Quelle in jedem RTP-Paket um 160. Der Zeitstempeltakt erhöht sich weiter in einer konstanten Rate, auch wenn die Quelle inaktiv ist.

- *ID der Synchronisationsquelle (Synchronization Source Identifier, SSRC)*: Das SSRC-Feld ist 32 Bit lang und identifiziert die Quelle des RTP-Stroms. Normalerweise hat jeder Strom in einer RTP-Sitzung eine andere SSRC. Die SSRC ist nicht die IP-Adresse des Senders, sondern eine Nummer, welche die Quelle zufällig vergibt, wenn ein neuer Strom gestartet wird. Die Wahrscheinlichkeit, dass zwei Ströme die gleiche SSRC erhalten, ist sehr gering. Sollte dies passieren, wählen die beiden Quellen einen neuen SSRC-Wert.

6.4.3 RTCP (RTP Control Protocol)

RFC 1889 spezifiziert auch RTCP, ein Protokoll, das eine vernetzte Multimedia-Anwendung in Verbindung mit RTP benutzen kann. Wie aus dem Multicast-Szenario in Abbildung 6.12 deutlich wird, werden RTCP-Pakete von jedem Teilnehmer einer RTP-Sitzung an alle übrigen Teilnehmer über IP-Multicast übertragen. Für eine RTP-Sitzung gibt es normalerweise eine einzelne Multicast-Adresse, die von allen RTP- und RTCP-Paketen der jeweiligen Sitzung benutzt wird. RTP- und RTCP-Pakete können voneinander durch Verwendung unterschiedlicher Portnummern unterschieden werden.

Abbildung 6.12 Sender und Empfänger senden RTCP-Nachrichten.

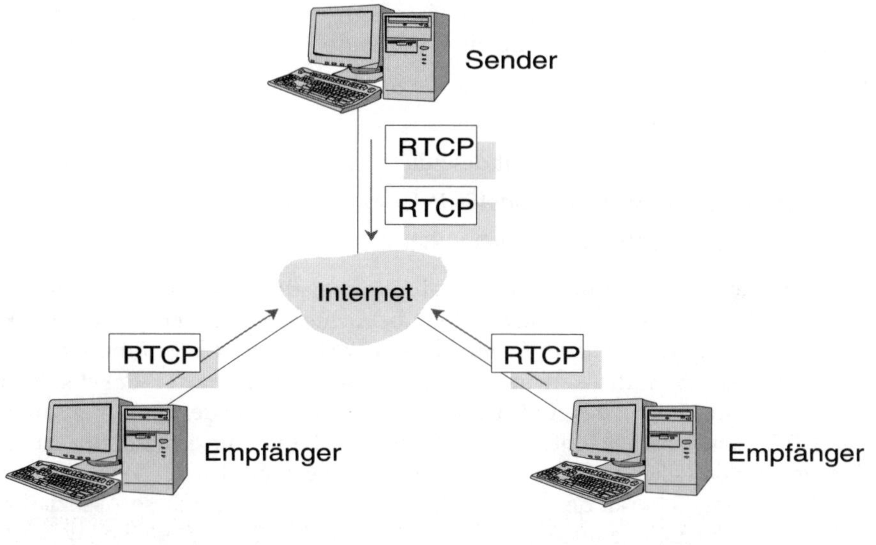

RTCP-Pakete verkapseln keine Audio- oder Videoblöcke. RTCP-Pakete werden periodisch gesendet und enthalten Sender- und/oder Empfängerberichte, in denen Statistiken angekündigt werden, die für die Anwendung nützlich sein können. Diese Statistiken beinhalten die Anzahl der gesendeten Pakete, die Anzahl der verlorenen Pakete und Netzwerk-Jitter. Die RTP-Spezifikation [RFC 1889] gibt nicht vor, was die Anwendung mit diesen Informationen anfangen soll; dies wird dem Anwendungsentwickler überlassen. Sender können diese Informationen beispielsweise verwenden, um ihre Übertragungsraten zu ändern. Sie lassen sich auch zu Diagnosezwecken benutzen; beispielsweise können Empfänger ermitteln, ob Probleme lokal, regional oder global sind.

RTCP-Pakettypen

Für jeden RTP-Strom, den ein Empfänger im Rahmen einer Sitzung empfängt, erzeugt er einen Empfangsbericht. Der Empfänger fasst seine Empfangsberichte zu einem einzigen RTCP-Paket zusammen. Das Paket wird dann über den Multicast-Baum versendet, der alle Teilnehmer der Sitzung verbindet. Der Empfangsbericht beinhaltet mehrere Felder, von denen die wichtigsten nachfolgend beschrieben werden:

- Die SSRC des RTP-Stroms, für den der Empfangsbericht erzeugt wurde.
- Der Anteil der verlorenen Pakete eines RTP-Stroms. Jeder Empfänger berechnet die Anzahl von verlorenen RTP-Paketen, geteilt durch die Anzahl der gesendeten RTP-Pakete als Teil des Stroms. Wenn ein Sender Empfangsberichte erhält, die darauf hinweisen, dass die Empfänger nur einen kleinen Teil der vom Sender übertragenen Pakete empfangen, kann er auf eine niedrigere Kodierrate wechseln mit dem Ziel, die Netzwerküberlast zu verringern und die Empfangsrate zu verbessern.
- Die letzte von einem RTP-Paketstrom empfangene Sequenznummer.
- Der auf dem Weg eingewirkte Jitter, der als Durchschnittszeit zwischen erfolgreichen Paketen des RTP-Stroms berechnet wird.

Für jeden RTP-Strom, den ein Sender überträgt, erstellt und überträgt er RTCP-Berichtspakete. Diese Pakete beinhalten folgende Informationen über den RTP-Strom:

- Die SSRC des RTP-Stroms.
- Den Zeitstempel und die Uhrzeit des zuletzt erzeugten RTP-Pakets eines Stroms.
- Die Anzahl der im Strom gesendeten Pakete.
- Die Anzahl der im Strom gesendeten Bytes.

Senderberichte können benutzt werden, um verschiedene Medienströme innerhalb einer RTP-Sitzung zu synchronisieren. Man betrachte beispielsweise eine Videokonferenzanwendung, für die jeder Sender zwei unabhängige RTP-Ströme – einen für Video und einen für Audio – erzeugt. Die Zeitstempel in diesen RTP-Paketen hängen mit den Sampling-Takten des Audio und Video und nicht mit der *Uhrzeit* zusammen. Jeder RTCP-Senderbericht enthält den Zeitstempel und die Echtzeituhr zu dem zuletzt erzeugten Paket. Folglich assoziieren die Pakete mit den RTCP-Senderberichten den Sampling-Takt mit der Echtzeit. Die Empfänger können diese Assoziation in RTCP-Senderberichten benutzen, um die Audio- und Videowiedergabe zu synchronisieren.

Zu jedem RTP-Strom, den ein Sender überträgt, erzeugt und überträgt er auch Quellenbeschreibungspakete. Diese Pakete enthalten Informationen über die Quelle, z. B. die E-Mail-Adresse und den Namen des Senders sowie die Anwendung, die den RTP-Strom erzeugt hat. Sie enthalten auch die SSRC des jeweiligen RTP-Stroms. Diese Pakete bieten eine Abbildung zwischen dem Quellenidentifizierer (d. h. der SSRC) und dem Benutzer-/Hostnamen.

RTCP-Pakete sind stapelbar, was bedeutet, dass die Empfänger- und Senderberichte sowie die Quellenidentifizierer zu einem einzigen Paket verkettet werden können. Das resultierende Paket wird dann in einem UDP-Segment verkapselt und über den Multicast-Baum übertragen.

RTCP-Bandbreitenskalierung

Dem aufmerksamen Leser ist sicherlich nicht entgangen, dass RTCP ein potenzielles Skalierungsproblem hat. Man betrachte beispielsweise eine RTP-Sitzung, die einen Sender und viele Empfänger umfasst. Wenn jeder Empfänger periodisch RTCP-Pakete erzeugt, kann die gesamte Übertragungsrate dieser RTCP-Pakete die Rate der RTP-Pakete, die der Sender überträgt, weit übersteigen. Man beachte, dass sich der RTP-Verkehrsumfang, der über den Multicast-Baum übertragen wird, nicht ändert, wenn sich die Anzahl der Empfänger erhöht, während der RTCP-Verkehr linear mit zunehmender Empfängeranzahl wächst. Um dieses Skalierungsproblem zu lösen, modifiziert RTCP als Funktion der Anzahl von Teilnehmern in der Sitzung die Rate, in der ein Teilnehmer RTCP-Pakete auf den Multicast-Baum schickt. Da jeder Teilnehmer an jeden anderen Kontrollpakete sendet, kann jeder Teilnehmer außerdem die Gesamtzahl der Teilnehmer in der Sitzung schätzen [Friedman 1999].

RTCP versucht, seinen Verkehr auf 5% der Sitzungsbandbreite einzuschränken. Nehmen wir beispielsweise an, dass ein Sender Video in einer Rate von 2 Mbps überträgt. In diesem Fall versucht RTCP, dessen Verkehr wie folgt auf 5% von 2 Mbps, also 100 Kbps, einzuschränken. Das Protokoll gibt 75% dieser Rate, also 75 Kbps, den Empfängern und die verbleibenden 25% der Rate, also 25 Kbps, dem Sender. Die den Empfängern bereitgestellten 75 Kbps werden unter allen Empfängern gleichmäßig genutzt. Wenn es also R Empfänger gibt, kann jeder RTCP-Verkehr in einer Rate von $75/R$ Kbps senden und der Sender kann RTCP-Verkehr in einer Rate von 25 Kbps senden. Ein Teilnehmer (Sender oder Empfänger) ermittelt die Übertragungsperiode der RTCP-Pakete dadurch, dass er die durchschnittliche RTCP-Paketgröße (über die gesamte Sitzung hinweg) dynamisch berechnet und sie durch die ihm zugeteilte Rate dividiert. Die Periode für die Übertragung von RTCP-Paketen für einen Sender ist also:

$$T = \frac{\text{Anzahl der Sender}}{0,25 \cdot 0,05 \cdot \text{Sitzungsbandbreite}} \text{ (durchschnittliche RTCP-Paketgröße)}$$

und die Periode für die Übertragung von RTCP-Paketen für einen Empfänger ist:

$$T = \frac{\text{Anzahl der Empfänger}}{0,75 \cdot 0,05 \cdot \text{Sitzungsbandbreite}} \text{ (durchschnittliche RTCP-Paketgröße)}$$

6.4.4 H.323

H.323 ist ein Standard für Echtzeitaudio- und -videokonferenzen zwischen Endsystemen im Internet. Abbildung 6.13 zeigt, dass der Standard auch beschreibt, wie an das Internet angeschlossene Endsysteme über die an das übliche Telefonnetz angeschlossenen Telefone kommunizieren. Wenn die Hersteller von Internet-Telefonie und Videokonferenzen volle Konformität mit H.323 bieten, können alle ihre Produkte in der Regel interoperieren und mit gewöhnlichen Telefonen kommunizieren. Wir beschreiben H.323 in diesem Abschnitt, weil es von der Anwendungssicht aus einen Zusammenhang mit RTP hat. Wir werden weiter unten noch sehen, dass RTP ein Bestandteil des H.323-Standards ist.

H.323-**Endpunkte** (Terminals) können einzelstehende Geräte (z. B. Web-Telefone und Web-TVs) oder Anwendungen auf einem PC (z. B. Internet-Phone oder Videokonferenzsoftware) sein. Eine H.323-Anlage beinhaltet auch **Gateways** und so

Abbildung 6.13 Die an das Internet angeschlossenen H.323-Endsysteme können mit Telefonen im konventionellen Telefonnetz kommunizieren.

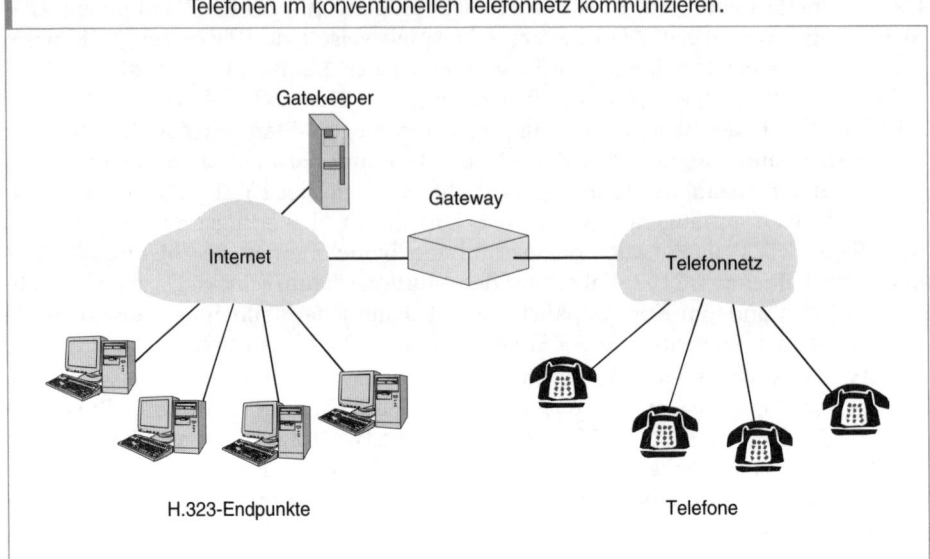

genannte **Gatekeeper**. Gateways erlauben die Kommunikation zwischen H.323-Endpunkten und gewöhnlichen Telefonen in einem leitungsvermittelten Telefonnetz. Gatekeeper können optional installiert werden und bieten Adressübersetzung, Autorisation, Bandbreitenmanagement sowie Abrechnungsmanagement. Gatekeeper werden ausführlich am Ende dieses Abschnitts beschrieben. Der H.323-Standard ist eine Dachspezifikation, die Folgendes beinhaltet:

- Eine Spezifikation, wie Endpunkte gemeinsame Audio- und Videokodierungen aushandeln. Da H.323 eine Vielzahl von Kodierstandards für Audio und Video unterstützt, ist ein Protokoll erforderlich, damit sich die Endpunkte auf eine gemeinsame Kodierung einigen.
- Eine Spezifikation, wie Audio- und Videoblöcke verkapselt und im Netzwerk versendet werden. Der Leser kann sich denken, dass wir es hier mit RTP zu tun haben.
- Eine Spezifikation, wie Endpunkte mit ihren jeweiligen Gatekeepern kommunizieren.
- Eine Spezifikation, wie Internet-Telefone durch ein Gateway mit gewöhnlichen Telefonen im öffentlichen Telefonnetz kommunizieren.

Die H.323-Protokollarchitektur ist in Abbildung 6.14 dargestellt. Als Mindestanforderung *muss* jeder H.323-Endpunkt den G.711-Standard für Sprachkompression unterstützen. G.711 verwendet PCM für die Erzeugung digitalisierter Sprache in 56 oder 64 Kbps. Während laut H.323 jeder Endpunkt (durch G.711) sprachfähig sein muss, sind Videofähigkeiten optional. Da die Videounterstützung optional ist, können die Hersteller von Terminals einfachere Sprachterminals sowie komplexe Terminals, die Audio und Video unterstützen, bieten.

Abbildung 6.14 Die Protokollarchitektur des H.323-Standards

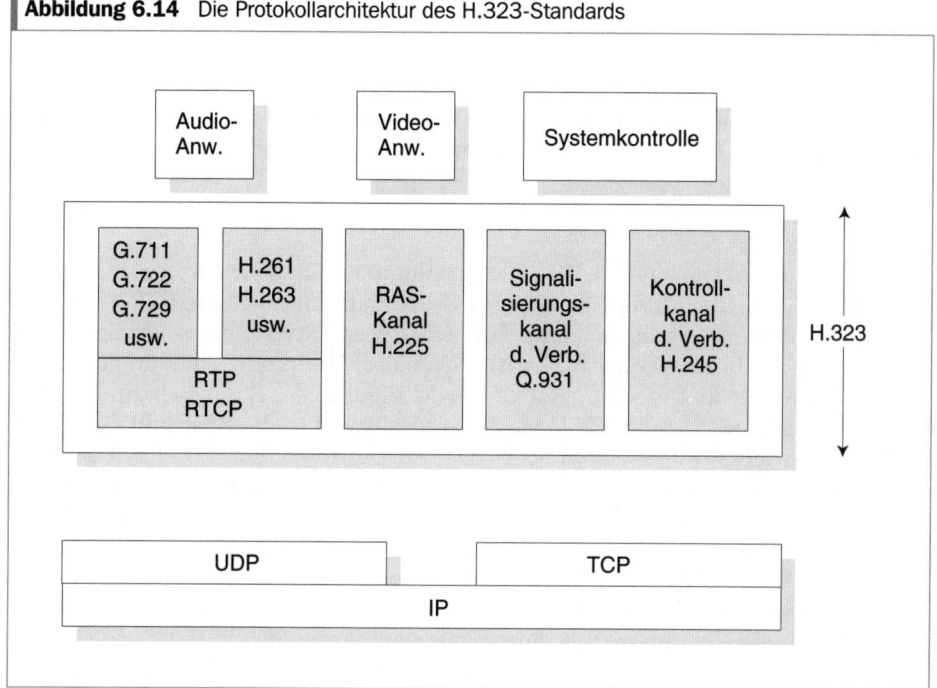

Wie aus Abbildung 6.14 deutlich wird, fordert H.323 auch, dass alle H.323-Endpunkte die folgenden Protokolle verwenden:

- *RTP*: Die Sendeseite eines Endpunkts verkapselt alle Medienblöcke in RTP-Paketen und leitet die RTP-Pakete dann an UDP weiter.
- *H.245*: Dieses »Out-of-Band«-Kontrollprotokoll wird benutzt, um über einen gemeinsam zu verwendenden Standard für die Audio- oder Videokompression zu verhandeln, der dann von allen Endsystemen in einer Sitzung angewandt wird.
- *Q.931*: Mit diesem Signalisierungsprotokoll werden Sprachverbindungen auf- und abgebaut. Es bietet traditionelle Telefonfunktionalität (z. B. Wählton und Klingeln) für die H.323-Endpunkte und die Anlage.
- *RAS (Registration/Admission/Status)*: Mit diesem Protokoll können die Endpunkte mit einem Gatekeeper (falls installiert) kommunizieren.

Audio- und Videokompression

Der H.323-Standard unterstützt eine Reihe spezifischer Audio- und Videokompressionstechniken. Wir betrachten zuerst Audio. Wie oben erwähnt, müssen alle H.323-Endpunkte den G.711-Standard für Sprachkodierung unterstützen. Aufgrund dieser Anforderung sind zwei H.323-Endpunkte immer in der Lage, über G.711 zu kommunizieren. H.323 gestattet es aber, dass Terminals eine Vielzahl anderer Sprachkompressionsstandards, z. B. G.723.1, G.722, G.728 und G.729, unterstützen. Viele dieser Standards komprimieren Sprache auf die für 28,8-Kbps-Wählmodems geeigneten Raten. G.723.1 komprimiert Sprache z. B. in 5,3 oder 6,3 Kbps und erreicht eine mit G.711 vergleichbare Klangqualität.

Wie oben erwähnt, sind Videofähigkeiten für einen H.323-Endpunkt optional. Unterstützt ein Endpunkt aber Video, muss er (mindestens) den Videostandard QCIF H.261 (176 × 144 Pixel) unterstützen. Ein videofähiger Endpunkt kann wahlweise andere H.261-Schemata wie beispielsweise CIF, 4CIF, 16CIF und H.263 unterstützen. Mit fortschreitender Weiterentwicklung des H.323-Standards werden wahrscheinlich weitere Audio- und Videokompressionsschemata unterstützt.

H.323-Kanäle

Wenn ein Endpunkt an einer H.323-Sitzung teilnimmt, führt er mehrere Kanäle (siehe Abbildung 6.15). Abbildung 6.15 zeigt, dass ein Endpunkt mehrere RTP-Medienkanäle gleichzeitig unterstützen kann. Für jeden Medientyp gibt es normalerweise einen Sende- und einen Empfangskanal. Wenn also Audio und Video in getrennten RTP-Strömen gesendet werden, gibt es vier Medienkanäle. Zusätzlich zu den RTP-Medienkanälen existiert ein RTCP-Medienkontrollkanal (siehe Abschnitt 6.4.3). Alle RTP- und der RTCP-Kanal laufen über UDP. Zusätzlich zu den RTP/RTCP-Kanälen sind zwei weitere Kanäle erforderlich: der Verbindungskontroll- und der Verbindungssignalisierungskanal. Der Verbindungskontrollkanal (H.245) ist eine TCP-Verbindung, über die H.245-Steuernachrichten übertragen werden. Ihre wichtigsten Aufgaben sind (1) das Öffnen und Schließen von Medienkanälen und (2) der Austausch von Vereinbarungen über einen Kodieralgorithmus zwischen den Endpunkten. Als Kontrollprotokoll für interaktive Echtzeitanwendungen ähnelt H.245 dem RTSP-Steuerprotokoll für das Streaming von gespeichertem Multimedia (siehe Abschnitt 6.2.3). Der Q.931-Verbindungssignalisierungskanal bietet klassische Telefonfunktionalität, wie beispielsweise Wählton und Klingeln.

Abbildung 6.15 Die H.323-Kanäle

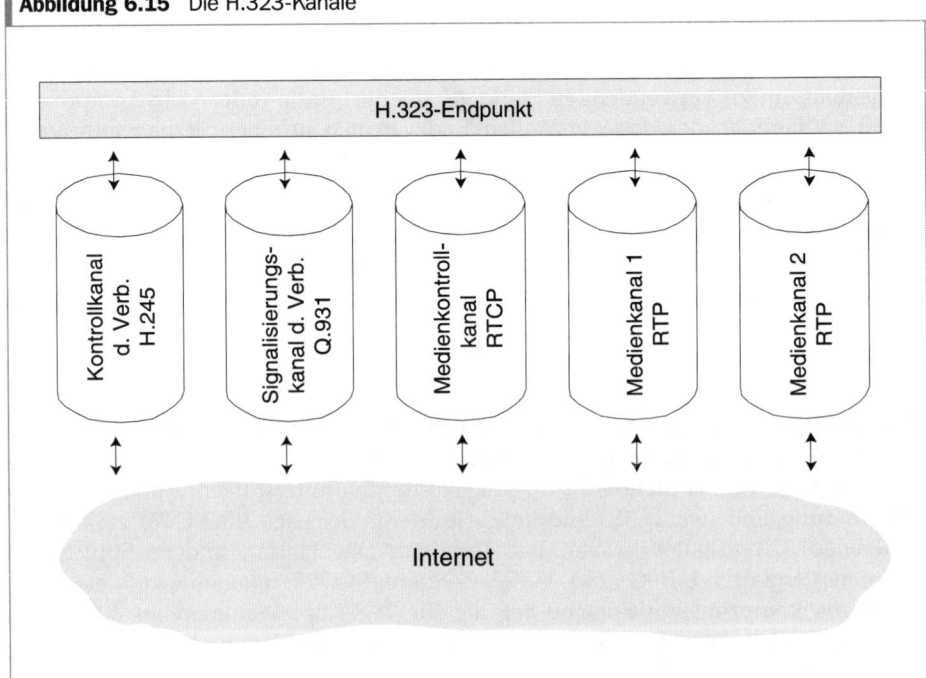

Gatekeeper

Der Gatekeeper ist ein optionales H.323-Gerät. Jeder Gatekeeper ist für eine H.323-Zone zuständig. Ein typisches Installationsszenario ist in Abbildung 6.16 dargestellt. In diesem Szenario sind die H.323-Terminals und der Gatekeeper an das gleiche LAN angeschlossen und die H.323-Zone ist das LAN selbst. Wenn eine Zone über einen Gatekeeper verfügt, müssen alle H.323-Terminals in der Zone mit ihm über das RAS-Protokoll kommunizieren, das auf TCP aufsetzt. Die Adressübersetzung stellt einen der wichtigeren Dienste eines Gatekeepers dar. Jedes Terminal kann eine Aliasadresse haben, z. B. den Namen oder die E-Mail-Adresse der Person am Terminal usw. Das Gateway übersetzt diese Aliasadressen in IP-Adressen. Dieser Adressübersetzungsdienst ähnelt dem DNS-Dienst (siehe Abschnitt 2.5). Ein weiterer Gatekeeper-Dienst ist das Bandbreitenmanagement: Der Gatekeeper kann die Anzahl gleichzeitiger Echtzeitkonferenzen beschränken, um Bandbreite für andere Anwendungen zu sparen, die ebenfalls über das LAN laufen. Wahlweise können H.323-Verbindungen durch den Gatekeeper geführt werden, um zusätzlich Abrechnungsfunktionen zu unterstützen.

Abbildung 6.16 Szenario mit H.323-Terminals und Gatekeeper im gleichen LAN

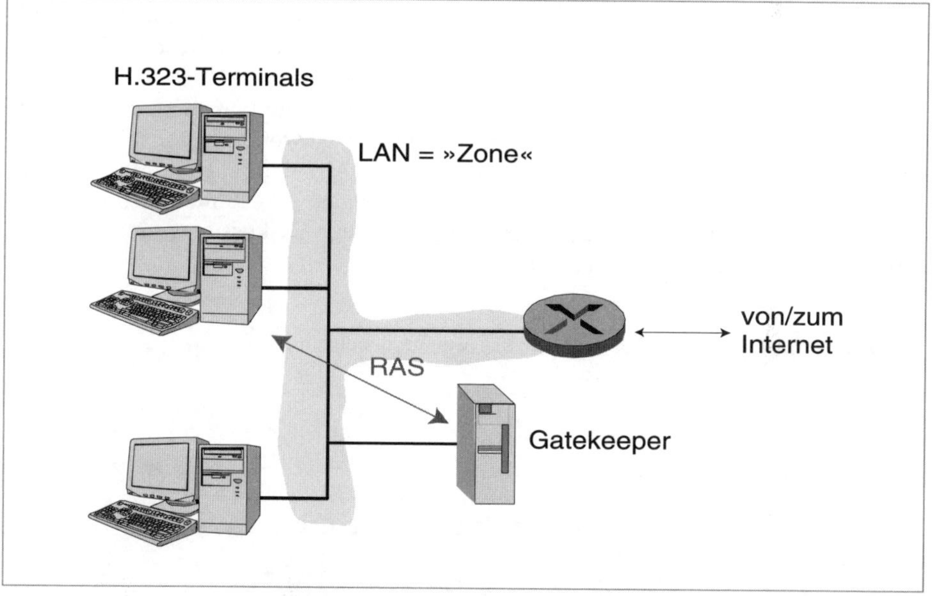

Jedes H.323-Terminal muss sich beim Gatekeeper seiner Zone registrieren. Wenn die H.323-Anwendung am Terminal aufgerufen wird, benutzt das Terminal RAS, um seine IP-Adresse und den (vom Benutzer eingegebenen) Aliasnamen an den Gatekeeper zu senden. Ist der Gatekeeper in einer Zone präsent, muss jedes Terminal der Zone den Gatekeeper kontaktieren und sich die Erlaubnis für eine Verbindung einholen. Nachdem die Erlaubnis gewährt wurde, kann das Terminal dem Gatekeeper eine E-Mail-Adresse, einen Aliasnamen oder eine Telefondurchwahl für das zu kontaktierende Terminal, das sich in einer anderen Zone befinden kann, senden. Falls nötig, kontaktiert ein Gatekeeper andere Gatekeeper in anderen Zonen, um eine IP-Adresse aufzulösen.

Ein ausgezeichnetes Tutorial über H.323 bietet [WebProForum 1999]. Dem Leser wird auch [Rosenberg 1999] mit der Beschreibung einer alternativen Architektur zu H.323 für die Bereitstellung von Telefondiensten im Internet empfohlen.

6.5 Über Best-Effort hinaus

Die vorherigen Abschnitte haben gezeigt, wie Sequenznummern, Zeitstempel, FEC, RTP und H.323 von Multimedia-Anwendungen im heutigen Internet benutzt werden können. Sind diese Techniken allein aber ausreichend, um zuverlässige und robuste Multimedia-Anwendungen, z. B. einen IP-Telefoniedienst, der mit einem Dienst im heutigen Telefonnetz vergleichbar ist, zu unterstützen? Bevor wir diese Frage beantworten, rufen wir uns wieder ins Gedächtnis, dass das heutige Internet allen seinen Anwendungen einen Best-Effort-Dienst bereitstellt, hinsichtlich der Dienstqualität (QoS) für eine Anwendung aber keinerlei Zusicherungen macht. Eine Anwendung erhält die Leistung (z. B. Ende-zu-Ende-Paketverzögerung und -verlust), die das Netzwerk im Moment bereitzustellen vermag. Wir wissen auch, dass das heutige öffentliche Internet es verzögerungssensitiven Multimedia-Anwendungen nicht gestattet, eine Sonderbehandlung zu fordern. Alle Pakete werden in den Routern gleich behandelt, auch verzögerungssensitive Audio- und Videopakete. Angesichts der gleichen Behandlung aller Pakete genügt eine kleine Verkehrsstörung (Netzwerküberlast), um die Qualität einer laufenden IP-Telefonverbindung durch feststellbare Erhöhung der Verzögerung und des Verlusts zu ruinieren.

In diesem Abschnitt beschreiben wir *neue* Architekturkomponenten, die zur Internet-Architektur hinzugefügt werden können, um eine Anwendung vor solchen Überlasten zu schützen und damit vernetzte Multimedia-Anwendungen mit hoher Qualität zu realisieren. Viele der in diesem und den restlichen Abschnitten dieses Kapitels behandelten Fragen sind derzeit Gegenstand aktiver Diskussionen in den IETF-Arbeitsgruppen Diffserv, Intserv und RSVP.

Abbildung 6.17 Ein einfaches Netzwerk mit zwei Anwendungen

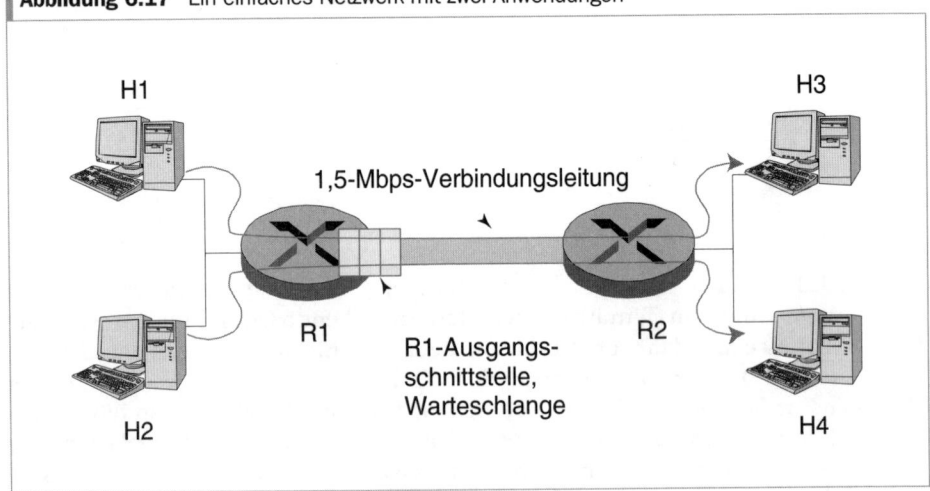

Abbildung 6.17 zeigt ein einfaches Netzwerkszenario, anhand dessen wir die wichtigsten Architekturkomponenten darstellen, die für das Internet vorgeschlagen wur-

den, um ausdrückliche Unterstützung für die QoS-Anforderungen von Multimedia-Anwendungen zu realisieren. Angenommen, zwei Anwendungspaketflüsse gehen von Host H1 und H2 in einem LAN aus und haben Host H3 und H4 in einem anderen LAN zum Ziel. Die Router in den beiden LANs sind über eine 1,5-Mbps-Leitung verbunden. Wir nehmen als Beispiel an, dass die LAN-Geschwindigkeiten wesentlich höher als 1,5 Mbps sind, und konzentrieren uns auf die Ausgangswarteschlange von Router R1. An diesem Punkt ereignen sich Paketverzögerung und -verlust, wenn die gesamte Senderate von H1 und H2 1,5 Mbps übersteigt. Wir betrachten mehrere Szenarios, die uns jeweils wichtige Einblicke in die zugrunde liegenden Prinzipien der Bereitstellung von QoS-Zusicherungen für Multimedia-Anwendungen gewähren.

6.5.1 Szenario 1: eine 1-Mbps-Audioanwendung und ein FTP-Transfer

Bei dem in Abbildung 6.18 dargestellten Szenario 1 teilt sich eine 1-Mbps-Audioanwendung (z. B. eine Audioverbindung in CD-Qualität) die 1,5-Mbps-Verbindungsleitung zwischen R1 und R2 mit einer FTP-Anwendung, die eine Datei von H2 an H4 überträgt. Im Internet mit seinem Best-Effort-Dienst werden die Audio- und FTP-Pakete in der Ausgangswarteschlange bei R1 gemischt und (im typischen Fall) in der FIFO-Reihenfolge (First In First Out) übertragen. In diesem Szenario kann ein Paket-Burst von der FTP-Quelle potenziell die Warteschlange füllen, so dass IP-Audiopakete aufgrund eines Pufferüberlaufs bei R1 übermäßig verzögert werden oder verloren gehen können. Wie lässt sich dieses potenzielle Problem lösen? Angesichts dessen, dass die FTP-Anwendung keine Zeiteinschränkungen zu beachten hat, könnte man sich als einfachste Lösung vorstellen, den Audiopaketen in R1 strikte Priorität zu geben. Im Rahmen einer strikten Prioritäten-Scheduling-Regel würde ein Audiopaket im R1-Ausgangspuffer immer vor einem FTP-Paket übertragen werden. Die Verbindungsleitung von R1 zu R2 wäre für den Audioverkehr wie eine dedizierte 1,5-Mbps-Leitung, während der FTP-Verkehr die R1/R2-Verbindungsleitung nur nutzen würde, wenn kein Audioverkehr in der Warteschlange steht.

Abbildung 6.18 Konkurrierende Audio- und FTP-Anwendungen

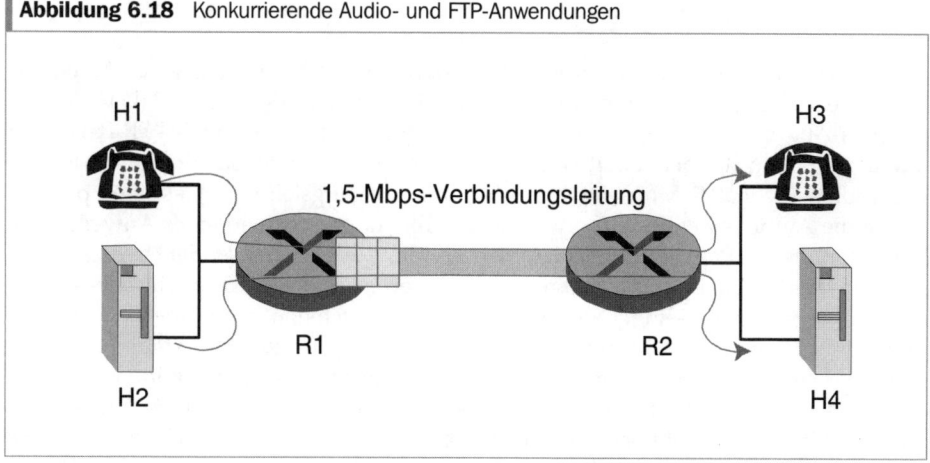

Damit R1 die Audio- und FTP-Pakete in seiner Warteschlange unterscheiden kann, muss jedes Paket als zu einer dieser beiden »Verkehrsklassen« zugehörig markiert

werden. Wir wissen aus Abschnitt 4.7, dass dies das ursprüngliche Ziel für das TOS-Feld (Type-of-Service) in IPv4 war. Unser erstes Prinzip, das der Bereitstellung von QoS-Zusicherungen zugrunde liegt, lautet dann wie folgt:

> **Prinzip 1**: Die Paketmarkierung erlaubt es einem Router, Pakete nach unterschiedlichen Verkehrsklassen zu unterscheiden.

6.5.2 Szenario 2: eine 1-Mbps-Audioanwendung und ein FTP-Transfer mit hoher Priorität

Unser zweites Szenario unterscheidet sich nur geringfügig von Szenario 1. Wir nehmen jetzt an, dass der FTP-Benutzer einen »Platinumdienst«, d. h. einen teuren Internet-Zugang von seinem ISP gekauft hat, während der Audiobenutzer über einen preisgünstigen Internet-Dienst verfügt, der nur einen Bruchteil des Platinumdienstes kostet. Sollte man in diesem Fall den Audiopaketen des Benutzers mit dem billigen Internet-Zugang Vorrang vor den FTP-Paketen einräumen? Zweifellos nicht; hier scheint es eher angebracht, die Pakete auf der Grundlage der IP-Adresse des Senders zu unterscheiden. Allgemein gesagt, erkennen wir eine Notwendigkeit, dass ein Router die Pakete nach bestimmten Kriterien *klassifiziert*. Demzufolge müssen wir das Prinzip 1 leicht abwandeln:

> **Prinzip 1 (modifiziert)**: Die Paketklassifizierung erlaubt es einem Router, zwischen Paketen zu unterscheiden, die zu unterschiedlichen Verkehrsklassen gehören.

Die explizite Paketmarkierung ist die einzige Möglichkeit, um Pakete zu unterscheiden. Die Markierung eines Pakets an sich besagt aber nicht unbedingt, dass das Paket eine bestimmte Dienstqualität erhält. Die Markierung ist lediglich ein *Mechanismus* für die Unterscheidung von Paketen. Die Art, wie ein Router Pakete unterscheidet und unterschiedlich behandelt, ist eine *Policy*-Entscheidung.

6.5.3 Szenario 3: eine fehlerhafte Audioanwendung und ein FTP-Transfer

Wir nehmen jetzt an, dass der Router irgendwie (durch Verwendung von Mechanismen, die wir in den nächsten Abschnitten behandeln) weiß, dass er Pakete von der 1-Mbps-Audioanwendung mit Priorität behandeln muss. Obwohl die FTP-Pakete mit niedrigerer Priorität behandelt werden, erhalten sie im Durchschnitt einen Übertragungsdienst von 0,5 Mbps an der 1,5-Mbps-Ausgangsleitung. Was aber passiert, wenn die Audioanwendung (entweder böswillig oder aufgrund eines Anwendungsfehlers) plötzlich Pakete in einer Rate von 1,5 Mbps oder höher sendet? In diesem Fall werden die FTP-Pakete ausgehungert, d. h., sie erhalten keinen Dienst auf der R1/R2-Verbindungsleitung. Ähnliche Probleme würden entstehen, wenn mehrere Anwendungen (z. B. mehrere Audioverbindungen) mit der gleichen Priorität die Bandbreite einer Verbindungsleitung gemeinsam nutzen würden. Ein nicht konformer Fluss könnte die Leistung der übrigen Flüsse stark beeinträchtigen bzw. sogar völlig unterbinden. Im Idealfall sollte sich zwischen den Flüssen ein gewisser Grad an *Isolation* befinden, um sie voreinander bzw. vor einem fehlerhaften Fluss zu schützen. Dies ist dann ein zweites Prinzip, das der Bereitstellung von QoS-Zusicherungen zugrunde liegt.

6.5 Über Best-Effort hinaus

Prinzip 2: Es ist wünschenswert, zwischen mehreren Verkehrsflüssen ein gewisses Maß an Isolation bereitzustellen, damit sich ein fehlerhafter Fluss nicht nachteilig auf die übrigen Flüsse auswirken kann.

Im folgenden Abschnitt werden mehrere spezifische Mechanismen untersucht, um diese Isolation zwischen Flüssen zu realisieren. Wir stellen fest, dass hierfür zwei allgemeine Ansätze existieren. Erstens ist es möglich, Verkehrsflüsse zu »regulieren« (siehe Abbildung 6.19). Wenn ein Verkehrsfluss bestimmte Kriterien (z. B. dass der Audiofluss eine Spitzenrate von 1 Mbps nicht überschreiten darf) erfüllen muss, dann kann ein Verkehrsregulierungs- oder Policing-Mechanismus eingerichtet werden, um sicherzustellen, dass diese Kriterien tatsächlich beachtet werden. Wenn die regulierte Anwendung ein Fehlverhalten an den Tag legt, unternimmt der Policing-Mechanismus eine Aktion (z. B. durch Wegwerfen oder Verzögern der Pakete, die die Kriterien verletzen), so dass der tatsächlich in das Netzwerk einfließende Verkehr mit den Kriterien konform ist. Der im nächsten Abschnitt beschriebene Leaky-Bucket-Mechanismus ist der vielleicht am häufigsten angewandte Policing-Mechanismus. Der Paketklassifizierungs- und -markierungsmechanismus (Prinzip 1) und der Policing-Mechanismus (Prinzip 2) in Abbildung 6.19 befinden sich entweder im Endsystem oder in einem Grenz-Router, aber allesamt an der Peripherie des Netzwerks.

Abbildung 6.19 Regulierung (Policing) und Markierung der Audio- und FTP-Verkehrsflüsse

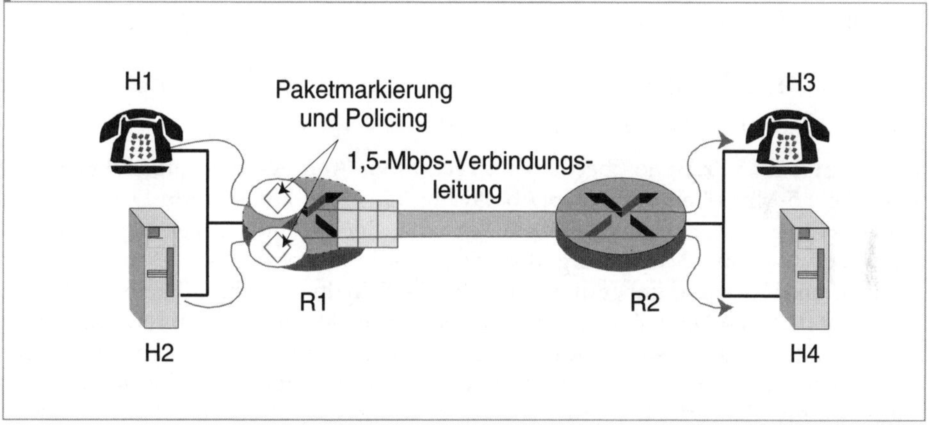

Bei einem alternativen Ansatz für die Bereitstellung von Isolation zwischen Verkehrsflüssen weist der für die Pakete auf der Leitungsebene zuständige Scheduling-Mechanismus jedem Anwendungsfluss ausdrücklich einen festen Anteil an der Leitungsbandbreite zu. Dem Audiofluss könnte z. B. 1 Mbps und dem FTP-Fluss 0,5 Mbps an R1 zugewiesen werden. In diesem Fall sehen die Audio- und FTP-Flüsse eine logische Verbindungsleitung mit einer Kapazität von 1,0 bzw. 0,5 Mbps (siehe Abbildung 6.20).

Durch strikte Zuteilung von Bandbreite auf der Leitungsebene kann ein Fluss nur die ihm zugeteilte Bandbreitenmenge benutzen. Anders ausgedrückt: Er kann keine Bandbreite nutzen, die momentan von anderen Anwendungen benutzt wird. Wenn der Audiofluss z. B. verebbt (möglicherweise, weil der Sprecher pausiert und keine Audiopakete erzeugt), wäre der FTP-Fluss dennoch nicht in der Lage, mehr als 0,5 Mbps über die R1/R2-Verbindungsleitung zu übertragen, obwohl die dem Audio-

Abbildung 6.20 Logische Isolation von Audio- und FTP-Anwendungsflüssen

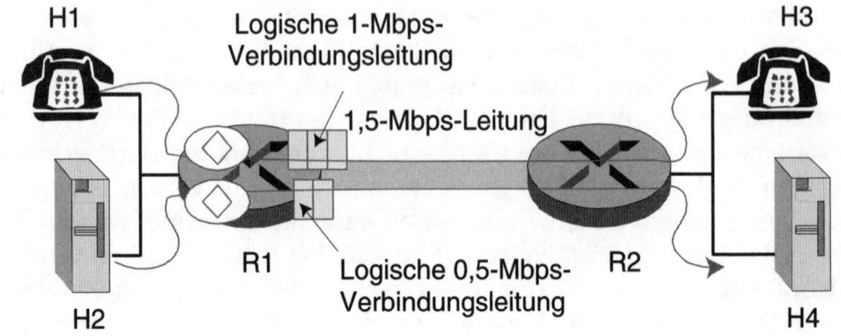

fluss zugeteilte 1-Mbps-Bandbreite momentan nicht genutzt wird. Deshalb ist es wünschenswert, Bandbreite so effizient wie möglich zu nutzen. Dies ist das dritte Prinzip, das der Bereitstellung von Dienstqualität zugrunde liegt:

> **Prinzip 3**: Ungeachtet der Bereitstellung von Isolation zwischen Flüssen ist es wünschenswert, die Ressourcen (z. B. Leitungsbandbreite und Puffer) so effizient wie möglich zu nutzen.

6.5.4 Szenario 4: zwei 1-Mbps-Audioanwendungen und eine überlastete 1,5-Mbps-Leitung

In diesem letzten Szenario übertragen zwei 1-Mbps-Audioverbindungen ihre Pakete über die 1,5-Mbps-Leitung (siehe Abbildung 6.21). Die kombinierte Datenrate der beiden Flüsse (2 Mbps) übersteigt die Kapazität der Verbindungsleitung. Sogar mit Klassifizierung und Markierung (Prinzip 1), Isolation der Flüsse (Prinzip 2) und gemeinsamer Nutzung unbenutzter Bandbreite (Prinzip 3), während keine verfügbar ist, ergibt dies deutlich keinen Sinn. Es ist einfach nicht genug Bandbreite verfügbar, um die Bedürfnisse der Anwendungen zu erfüllen. Wenn die beiden Anwendungen die Bandbreite zu gleichen Teilen gemeinsam nutzen würden, erhielte jede nur 0,75 Mbps. Anders betrachtet, würde jede Anwendung 25% der von ihr übertragenen Pakete verlieren. Dies würde die Dienstqualität derart beeinträchtigen, dass die Anwendung völlig unbrauchbar wäre. Überhaupt bestünde dann keine Notwendigkeit mehr, irgendwelche Audiopakete zu übertragen.

Damit ein Fluss, der eine minimale Dienstqualität benötigt, als »brauchbar« gelten kann, sollte das Netzwerk entweder den Fluss das Netzwerk nutzen lassen oder ihn andernfalls von der Nutzung ausschließen bzw. *blockieren*. Das Telefonnetz ist ein Beispiel eines Netzwerks, das eine solche Verbindungsblockierung ausführt. Wenn der Verbindung die erforderlichen Ressourcen (in diesem Fall eine Telefonverbindung von Ende zu Ende) nicht zugeteilt werden können, wird die Verbindung blockiert (am Zugang zum Netzwerk gehindert) und dem Benutzer wird ein Besetztsignal zurückgegeben. Im obigen Beispiel besteht kein Vorteil darin, einen Fluss in das Netzwerk einzulassen, wenn er keine ausreichende Dienstqualität erhalten kann, um als »brauchbar« zu gelten. Tatsächlich verursacht der Einlass eines Flusses, der die benötigte Dienstqualität nicht erhält, gewisse *Kosten*, weil Netzwerkressourcen

Abbildung 6.21 Zwei konkurrierende Audioanwendungen überlasten die R1/R2-Verbindungsleitung.

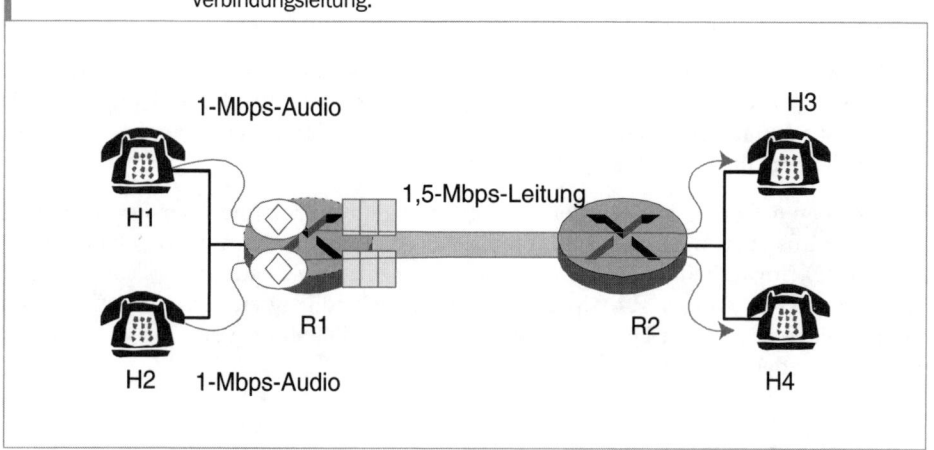

benutzt werden, um einen Fluss zu unterstützen, der für den Endbenutzer keinen Nutzen hat.

Die Notwendigkeit, einem Fluss eine zugesicherte Dienstqualität bereitzustellen, impliziert die Notwendigkeit, QoS-Anforderungen für den Fluss zu deklarieren. Diesen Prozess der Deklaration von QoS-Anforderungen für einen Fluss und die anschließende Entscheidung des Netzwerks, ob sie dem Fluss gewährt oder verwehrt

Abbildung 6.22 Die vier Säulen (Prinzipien), auf denen die QoS-Unterstützung gründet

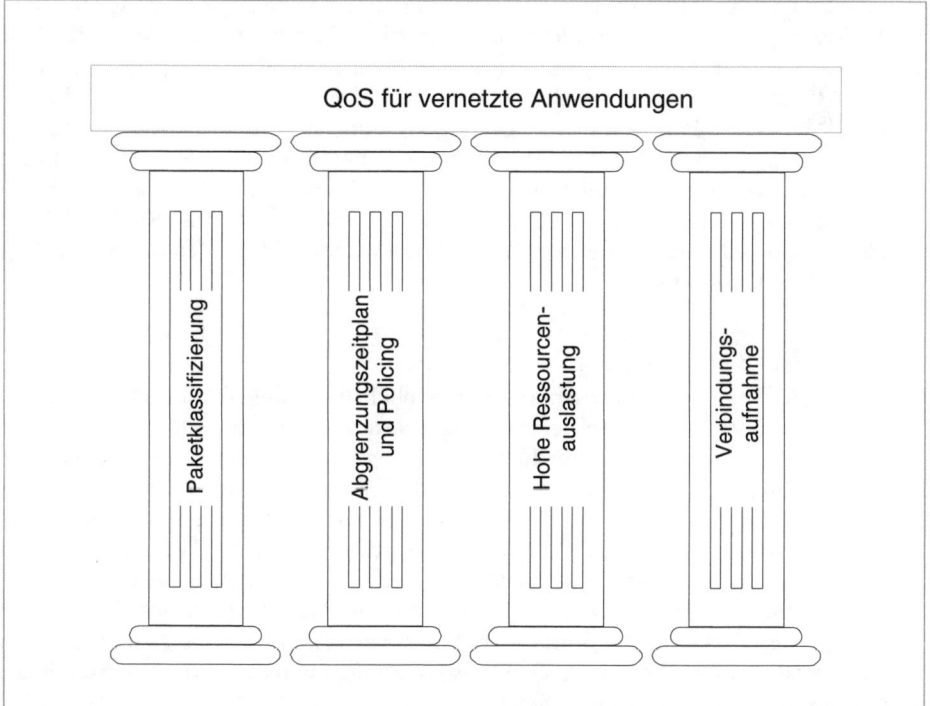

werden, wird als **Zugangskontrolle** oder auch **Verbindungsaufnahme** (Call Admission) bezeichnet. Die Notwendigkeit für eine Zugangskontrolle ist das vierte Prinzip, das der Bereitstellung von QoS-Zusicherungen zugrunde liegt:

> **Prinzip 4**: Der Prozess der Zugangskontrolle ist notwendig, damit Flüsse ihre QoS-Anforderungen deklarieren und anschließend entweder die angeforderte Dienstqualität erhalten oder vom Netzwerk blockiert werden (falls das Netzwerk sie nicht erfüllen kann).

In der obigen Diskussion wurden vier grundlegende Prinzipien der Bereitstellung von QoS-Zusicherungen für Multimedia-Anwendungen identifiziert (siehe Abbildung 6.22). Im folgenden Abschnitt betrachten wir verschiedene *Mechanismen* zur Implementierung dieser Prinzipien. In den danach folgenden Abschnitten werden vorgeschlagene Internet-Dienstmodelle für die Bereitstellung von QoS-Zusicherungen beschrieben.

6.6 Scheduling- und Policing-Mechanismen

Im vorherigen Abschnitt wurden die wichtigen grundlegenden Prinzipien für die Bereitstellung von Dienstqualitätszusicherungen (QoS) für vernetzte Multimedia-Anwendungen beschrieben. Dieser Abschnitt befasst sich mit verschiedenen Mechanismen, mit denen diese QoS-Zusicherungen umgesetzt werden.

6.6.1 Scheduling-Mechanismen

Wir wissen aus den Abschnitten 1.6 und 4.6, dass Pakete, die zu verschiedenen Netzwerkflüssen gehören, gemultiplext und für die Übertragung in den mit einer bestimmten Verbindungsleitung in Zusammenhang stehenden Ausgangspuffern in eine Warteschlange gestellt werden. Die Art und Weise, in der die in der Warteschlange stehenden Pakete für die Übertragung auf der Verbindungsleitung ausgewählt werden, wird als **Verbindungsleitungs-Scheduling** oder kurz **Scheduling** (Zuteilung) bezeichnet. Wir haben im vorherigen Abschnitt gesehen, dass das Scheduling bei der Bereitstellung von QoS-Zusicherungen eine wichtige Rolle spielt. In den folgenden Unterabschnitten werden mehrere wichtige Methoden des Scheduling ausführlich beschrieben.

FIFO (First In First Out)

Abbildung 6.23 zeigt die Warteschlangen-Modellabstraktionen für das FIFO-Scheduling (First In First Out). Die an der Ausgangswarteschlange der Verbindungsleitung ankommenden Pakete werden für die Übertragung in eine Warteschlange eingereiht, falls die Verbindungsleitung momentan mit der Übertragung eines anderen Pakets besetzt ist. Wenn nicht genügend Pufferplatz vorhanden ist, um ein ankommendes Paket aufzunehmen, bestimmt die **Packet-Discarding-Policy** der Warteschlange, ob das Paket verworfen wird (»verloren geht«) oder andere Pakete aus der Warteschlange entfernt werden, um für das ankommende Paket Platz zu schaffen. In der nachfolgenden Diskussion ignorieren wir das Verwerfen von Paketen. Wenn ein Paket vollständig über die Ausgangsleitung übertragen wird (d. h. den Dienst erhält), wird es aus der Warteschlange entfernt.

Abbildung 6.23 Abstraktion des FIFO-Queuing

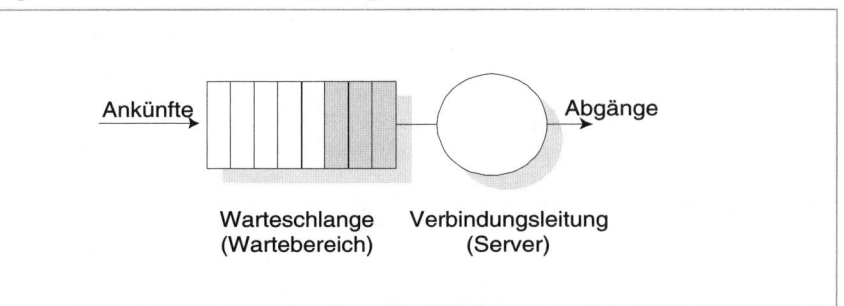

Abbildung 6.24 zeigt ein Beispiel des FIFO-Queuing in Aktion. Die Paketankünfte sind durch nummerierte Pfeile oberhalb der oberen Zeitlinie gekennzeichnet, wobei die Nummern die Reihenfolge angeben, in der die Pakete angekommen sind. Die einzelnen Paketabgänge sind auf der unteren Zeitlinie dargestellt. Die Zeit, die ein Paket auf dem Transit (mit der Nutzung des Dienstes) verbringt, ist durch das schattierte Rechteck zwischen den beiden Zeitlinien gekennzeichnet. Aufgrund der FIFO-Disziplin fließen die Pakete in der gleichen Reihenfolge ab, in der sie angekommen sind. Nach dem Abgang von Paket 4 bleibt die Verbindungsleitung bis zur Ankunft von Paket 5 untätig (weil die Pakete 1 bis 4 übertragen und aus der Warteschlange entfernt wurden).

Abbildung 6.24 Das FIFO-Queuing in Aktion

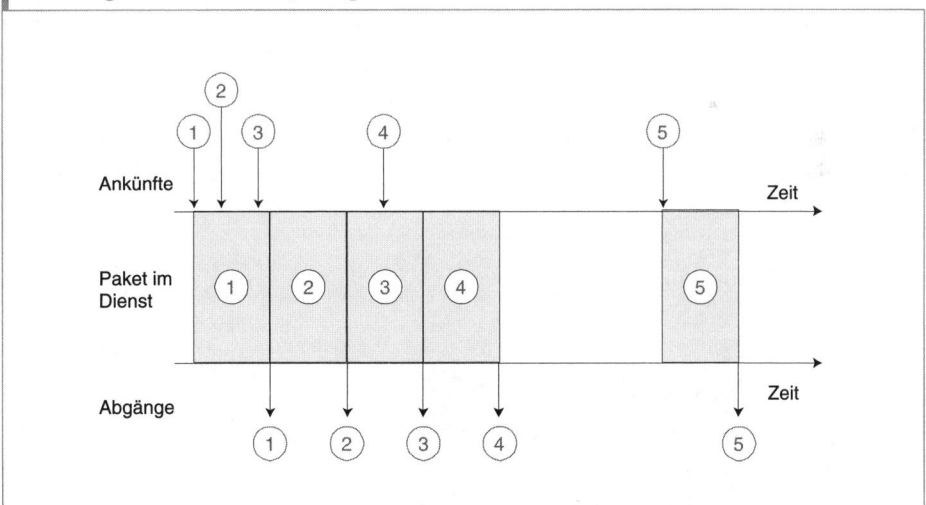

Prioritäten-Queuing

Unter Verwendung des **Prioritäten-Queuing** werden Pakete, die an der Ausgangsleitung ankommen, nach einer von zwei oder mehr Prioritätsklassen an der Ausgangswarteschlange klassifiziert (siehe Abbildung 6.25). Wie im vorherigen Abschnitt erwähnt, kann die Prioritätsklasse eines Pakets von einer ausdrücklichen Markierung abhängen, die im Paket-Header enthalten ist (z. B. der Wert des TOS-Felds (Type-Of-Service) in einem IPv4-Paket), oder aber von der Quell- oder Ziel-IP-Adresse, der

Zielportnummer oder anderen Kriterien. Jede Prioritätsklasse hat normalerweise eine eigene Warteschlange. Bei der Auswahl eines Pakets für die Übertragung werden die Pakete dem Prioritäten-Queuing zufolge von der höchsten Prioritätsklasse mit einer nicht leeren Warteschlange (d. h. in der Pakete zur Übertragung anstehen) übertragen. Die Entscheidung zwischen Paketen *mit der gleichen Prioritätsklasse* erfolgt normalerweise nach dem FIFO-Prinzip.

Abbildung 6.25 Das Modell des Prioritäten-Queuing

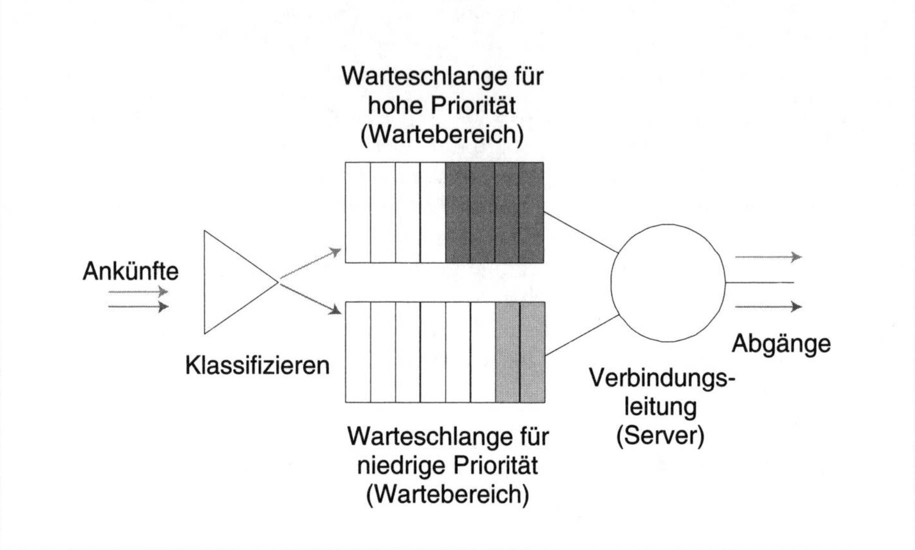

Abbildung 6.26 Operation des Prioritäten-Queuing

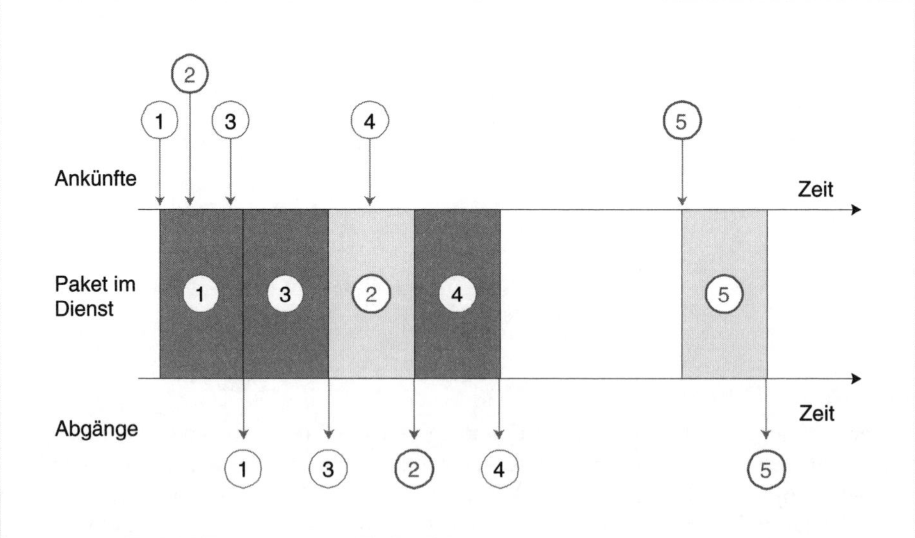

Abbildung 6.26 zeigt die Operation einer Prioritäten-Warteschlange mit zwei Prioritätsklassen. Die Pakete 1, 3 und 4 gehören zur Klasse mit hoher Priorität und die Pakete 2 und 5 zu der mit niedriger Priorität. Paket 1 kommt an und wird übertragen, weil es die Verbindungsleitung untätig vorfindet. Während der Übertragung von Paket 1 kommen die Pakete 2 und 3 an und werden in die Warteschlange für hohe bzw. niedrige Priorität gestellt. Nach der Übertragung von Paket 1 wird Paket 3 (mit hoher Priorität) zu Lasten von Paket 2 (das zwar früher angekommen ist, aber niedrige Priorität hat) für die Übertragung ausgewählt. Am Ende der Übertragung von Paket 3 beginnt die Übertragung von Paket 2. Paket 4 (mit hoher Priorität) kommt während der Übertragung von Paket 3 (mit niedriger Priorität) an. Im Rahmen des so genannten »nicht präemptiven« (non-preemptive) Prioritäten-Queuing wird eine einmal begonnene Übertragung eines Pakets nicht unterbrochen. In diesem Fall wartet Paket 4 auf die Übertragung, die erst beginnt, nachdem Paket 2 vollständig übertragen wurde.

Round-Robin- und Weighted-Fair-Queuing (WFQ)

Beim **Round-Robin-Queuing** werden Pakete ebenfalls wie beim Prioritäten-Queuing in Klassen sortiert. Hier werden sie jedoch nicht nach einem strikten Prioritätsdienst verschiedenen Klassen zugeordnet, sondern der Scheduler wechselt die Klassen auf der Grundlage eines Round-Robin-Scheduling. In der einfachsten Form des Round-Robin-Scheduling wird ein Paket der Klasse 1, dann eines der Klasse 2, wiederum eines der Klasse 1, der Klasse 2 und so weiter übertragen. Ein so genanntes Work-conserving Queuing lässt nie zu, dass die Verbindungsleitung untätig ist, solange Pakete (irgendeiner Klasse) in einer Warteschlange auf die Übertragung warten. Eine **Work-conserving Round-Robin-Disziplin**, die nach einem Paket einer bestimmten Klasse sucht, aber keines findet, prüft sofort die nächste Klasse in der Round-Robin-Sequenz.

Abbildung 6.27 Operation einer aus zwei Klassen bestehenden Round-Robin-Warteschlange

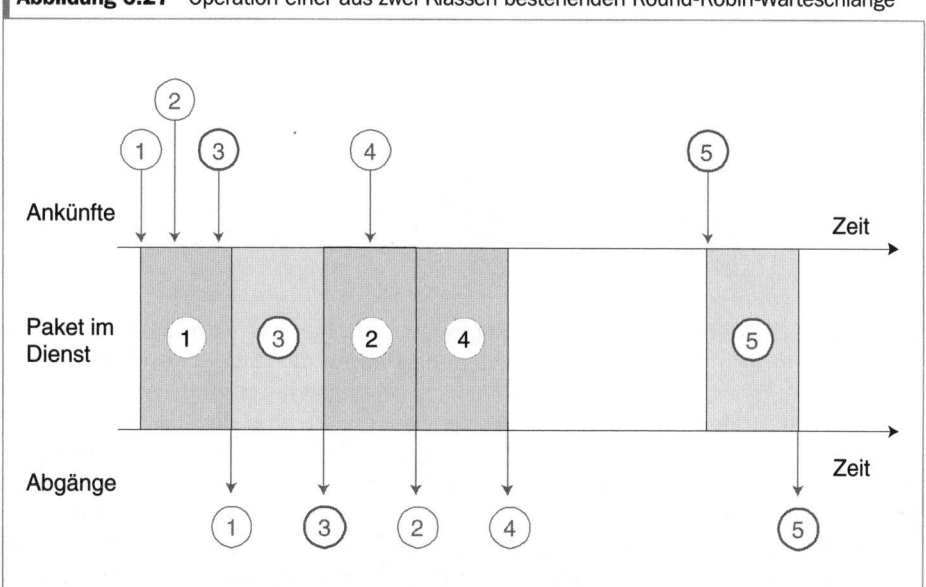

Abbildung 6.27 zeigt die Operation einer aus zwei Klassen bestehenden Round-Robin-Warteschlange. Bei diesem Beispiel gehören die Pakete 1, 2 und 4 zur Klasse 1 und die Pakete 3 und 5 zur Klasse 2. Die Übertragung von Paket 1 beginnt unmittelbar bei Ankunft an der Ausgangswarteschlange. Die Pakete 2 und 3 kommen während der Übertragung von Paket 1 an und werden folglich bis zu ihrer Übertragung in die Warteschlange gestellt. Nach der Übertragung von Paket 1 sucht der Scheduler nach einem Paket der Klasse 2, findet keines und überträgt daher Paket 3. Nach der Übertragung von Paket 3 sucht er nach einem Paket der Klasse 1, findet keines und überträgt Paket 2. Nach der Übertragung von Paket 2 befindet sich nur noch Paket 4 in der Warteschlange; es wird deshalb unmittelbar nach Paket 2 übertragen.

Eine generalisierte Abstraktion des Round-Robin-Queuing, das in QoS-Architekturen häufig angewendet wird, ist das so genannte **Weighted Fair Queuing (WFQ)** [Demers 1990; Parekh 1993] (siehe Abbildung 6.28). Ankommende Pakete werden auch hier klassifiziert und in den Wartebereich der Warteschlange für die entsprechende Klasse abgestellt. Wie beim Round-Robin-Scheduling bedient ein WFQ-Scheduler die Pakete der verschiedenen Klassen im Rundumverfahren, d. h. zuerst Klasse 1, dann Klasse 2, dann Klasse 3, und beginnt schließlich wieder von vorn (unter der Annahme, dass es drei Klassen gibt). WFQ ist ebenfalls ein Work-conserving Queuing und fährt folglich sofort mit der nächsten Klasse in der Dienstsequenz fort, wenn es die Warteschlange einer Klasse leer vorfindet.

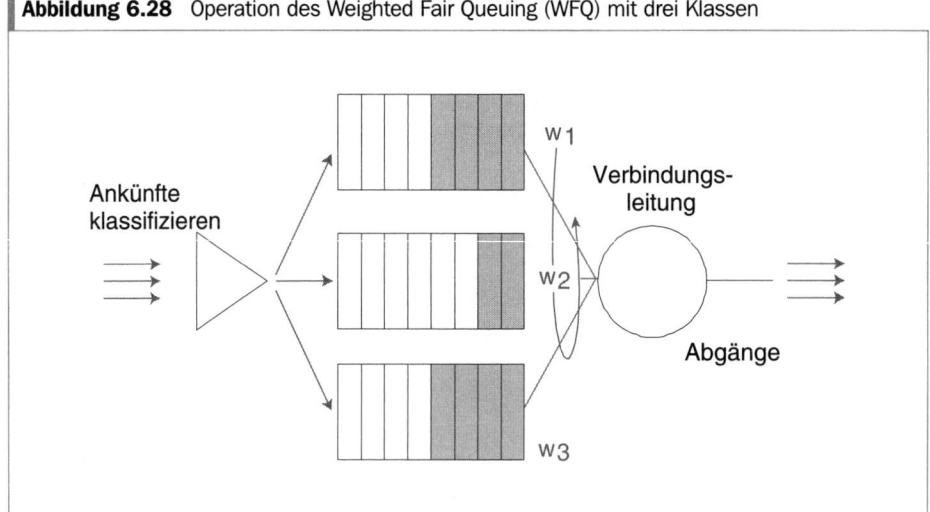

Abbildung 6.28 Operation des Weighted Fair Queuing (WFQ) mit drei Klassen

WFQ unterscheidet sich vom Round-Robin-Queuing dahingehend, dass jede Klasse einen *differentiellen* Dienstumfang in einem bestimmten Zeitintervall erhalten kann. Das bedeutet, dass jeder Klasse i ein Gewicht w_i zugewiesen wird. Während eines Zeitintervalls, in dem Pakete der Klasse i zu senden sind, wird der Klasse i ein Anteil am Dienst zugesichert, der $w_i/(\sum w_j)$ entspricht, wobei die Summe im Nenner aus allen Klassen ermittelt wird, die ebenfalls Pakete für die Übertragung anstehen haben. Auch wenn im schlechtesten Fall von allen Klassen Pakete in Warteschlangen stehen, wird der Klasse i nach wie vor ein Anteil von $w_i/(\sum w_j)$ an der Bandbreite zugesichert. Bei einer Verbindungsleitung mit Übertragungsrate R erreicht Klasse i

also immer einen Durchsatz von mindestens $R \cdot w_i / (\Sigma w_j)$. Unsere Beschreibung von WFQ ist zwangsläufig idealisiert, weil wir die Tatsache nicht berücksichtigt haben, dass Pakete einzelne Dateneinheiten sind und die Übertragung eines Pakets nicht unterbrochen wird, um diejenige eines anderen Pakets zu beginnen; dieser Aspekt wird in [Demers 1990] und [Parekh 1993] diskutiert. Wir werden in den folgenden Abschnitten noch sehen, dass WFQ in QoS-Architekturen eine wichtige Rolle spielt. Es ist außerdem in modernen Router-Produkten [Cisco QoS 1997] verfügbar. (Das bedeutet, dass Intranets, die WFQ-fähige Router einsetzen, ihren internen Datenflüssen QoS bieten können.)

6.6.2 Policing: Leaky Bucket

In Abschnitt 6.5 wurde als einer der Eckpfeiler jeder QoS-Architektur auch **Policing** erwähnt, also die Regulierung der Rate, in der ein Fluss Pakete in das Netzwerk einspeisen darf. Doch welche Aspekte der Paketrate eines Flusses sollten reguliert werden? Es lassen sich drei wichtige Policing-Kriterien identifizieren, die sich je nach Zeitrahmen, über den der Paketfluss reguliert wird, voneinander unterscheiden:

- *Durchschnittsrate*: Für das Netzwerk mag es wünschenswert sein, die langfristige Durchschnittsrate (Pakete pro Zeitintervall), in der die Pakete eines Flusses in das Netzwerk gespeist werden können, zu begrenzen. Eine wichtige Frage betrifft hier das Zeitintervall, über das die Durchschnittsrate reguliert wird. Ein Fluss, dessen Durchschnittsrate auf 100 Pakete pro Sekunde begrenzt wird, ist stärker eingeschränkt als eine Quelle, die auf 6.000 Pakete pro Minute begrenzt wird, obwohl beide über ein ausreichend langes Zeitintervall die gleiche Durchschnittsrate haben. Die letztgenannte Einschränkung würde es z. B. einem Fluss gestatten, 1.000 Pakete in einem bestimmten Intervall von einer Sekunde zu senden (vorbehaltlich der Einschränkung, dass die Rate weniger als 6.000 Pakete über ein Intervall von einer Minute ist, in der diese 1.000 Pakete enthalten sind), während die erste Einschränkung dieses Sendeverhalten nicht gestatten würde.

- *Spitzenrate*: Während die Einschränkung der Durchschnittsrate den Verkehrsumfang beschränkt, der über eine relativ lange Zeit in das Netzwerk gespeist werden kann, begrenzt eine Einschränkung der Spitzenrate die maximale Anzahl von Paketen, die über eine kürzere Dauer gesendet werden können. Legt man das obige Beispiel zugrunde, so kann das Netzwerk einen Fluss auf eine Durchschnittsrate von 6.000 Paketen pro Minute regulieren, während es die Spitzenrate des Flusses auf 1.500 Pakete pro Sekunde beschränkt.

- *Burst-Größe*: Unter Umständen kann auch eine Begrenzung der maximalen Anzahl von Paketen (»Bursts«) erwünscht sein, die über ein extrem kurzes Zeitintervall in das Netzwerk gespeist werden können. Während sich die Dauer des Intervalls Null nähert, begrenzt die Burst-Größe die Anzahl von Paketen, die sofort gleichzeitig in das Netzwerk gespeist werden können. Obwohl es physikalisch nicht möglich ist, mehrere Pakete sofort und gleichzeitig in das Netzwerk zu speisen (schließlich hat jede Verbindungsleitung eine physikalische Übertragungsrate, die nicht überschritten werden kann!), ist die Abstraktion einer maximalen Burst-Größe nützlich.

Der **Leaky-Bucket-Mechanismus** ist eine Abstraktion, die zur Charakterisierung dieser Policing-Grenzen verwendet werden kann. Abbildung 6.29 zeigt, dass ein Leaky-Bucket aus einem Bucket (Eimer) besteht, der bis zu b Token aufnehmen kann. In diesen Bukket werden Token wie folgt eingegeben: Neue Token, die potenziell in den Bucket eingefügt werden können, werden immer in einer Rate von r Token pro Sekunde erzeugt. (Wir gehen hier der Einfachheit halber davon aus, dass die Zeiteinheit eine Sekunde ist.) Ist der Bukket mit weniger als b Token gefüllt, dann wird das neu erzeugte Token zum Bucket hinzugefügt; andernfalls wird es ignoriert und der Token-Bucket bleibt mit b Token gefüllt.

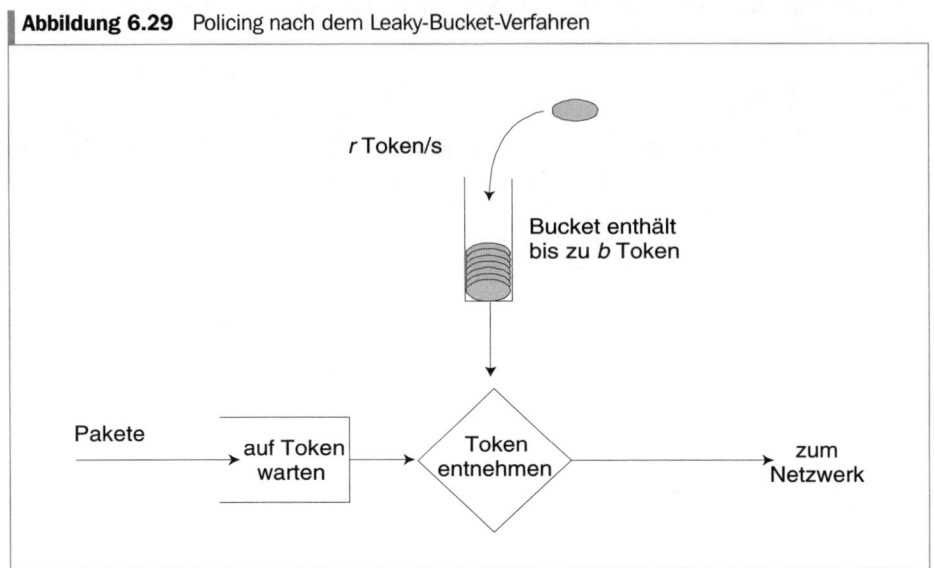

Abbildung 6.29 Policing nach dem Leaky-Bucket-Verfahren

Wir untersuchen jetzt das Leaky-Bucket-Policing eines Paketflusses an einem praktischen Beispiel. Wir nehmen an, dass ein Paket vor seiner Übertragung im Netzwerk zuerst ein Token aus dem Token-Bucket entfernen muss. Wenn der Token-Bucket leer ist, muss das Paket auf ein Token warten. (Alternativ kann das Paket weggeworfen werden; wir ziehen diese Option hier aber nicht in Betracht.) Wie wirkt sich dieses Regulierungsverhalten auf einen Verkehrsfluss aus? Da sich im Bucket maximal b Token befinden können, beträgt die maximale Burst-Größe für einen durch Leaky-Bucket regulierten Fluss b Pakete. Und da Token in einer Rate von r erzeugt werden, können zu einem bestimmten Zeitintervall mit Dauer t maximal $rt + b$ Pakete in das Netzwerk einfließen. Folglich dient die Token-Erzeugungsrate r der Begrenzung der langfristigen Durchschnittsrate, in der das Paket in das Netzwerk einfließen kann. Leaky-Bukkets (insbesondere zwei in Serie) können auch benutzt werden, um zusätzlich zur langfristigen Durchschnittsrate auch die Spitzenrate eines Paketflusses zu regulieren (siehe Übungen am Ende dieses Kapitels).

Leaky-Bucket und WFQ bieten nachweisbare maximale Verzögerung in einer Warteschlange

In den Abschnitten 6.7 und 6.9 werden die so genannten Intserv- und Diffserv-Ansätze für die Bereitstellung von Dienstqualität im Internet beschrieben. Wir werden sehen, dass sowohl Leaky-Bucket-Policing als auch WFQ-Scheduling eine wichtige Rolle spielen können. Wir beenden diesen Abschnitt mit einer Betrachtung des Ausgangs eines Routers, der n Flüsse multiplext, die jeweils von einem Leaky-Bucket mit den Parametern b_i und r_i, $i = 1, ..., n$ unter Verwendung des WFQ-Scheduling reguliert werden. Wir verwenden den Begriff »Fluss« hier locker, um eine Reihe von Paketen zu bezeichnen, die vom Scheduler nicht unterschieden werden. In der Praxis kann sich ein Fluss aus dem Verkehr von einer einzigen Ende-zu-Ende-Verbindung (wie in Intserv) oder vieler solcher Verbindungen (wie in Diffserv) zusammensetzen (siehe Abbildung 6.30).

Abbildung 6.30 Multiplexen von n Flüssen im Rahmen des Leaky-Bucket-Policing mit WFQ-Scheduling

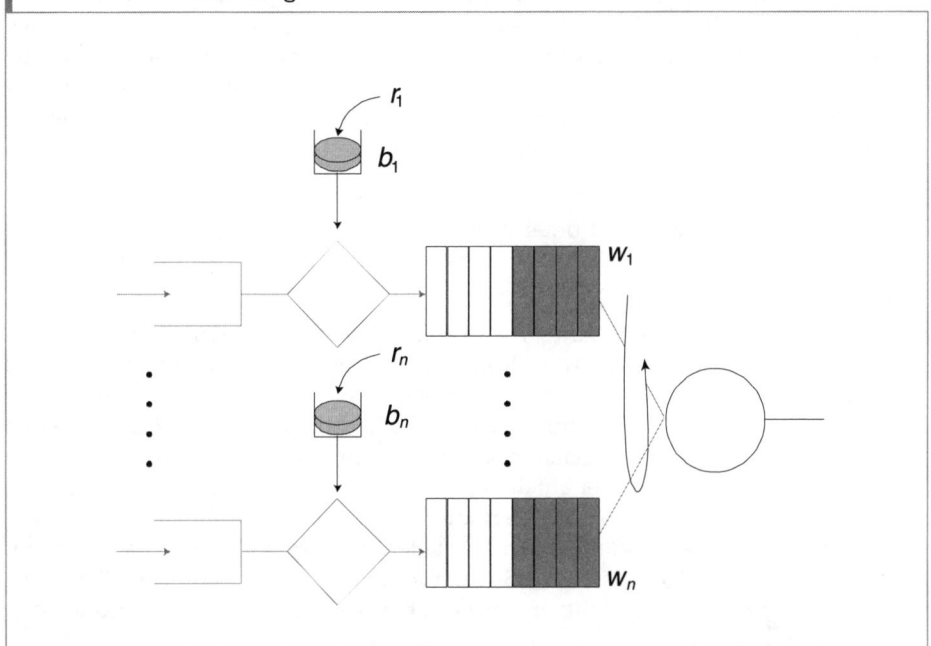

Wie weiter oben in Zusammenhang mit WFQ beschrieben wurde, erhält jeder Fluss i einen zugesicherten Anteil an der Leitungsbandbreite, die mindestens $R \cdot w_i / (\Sigma w_j)$ entspricht, wobei R die Übertragungsrate der Verbindungsleitung in Paketen/s ist. Welche maximalse Verzögerung erfährt ein Paket dann, während es unter WFQ (d. h. nachdem es den Leaky-Bucket passiert hat) auf Bedienung wartet? Wir konzentrieren uns auf Fluss 1. Angenommen, der Token-Bucket von Fluss 1 ist anfangs voll. Dann kommt beim Leaky-Bucket für Fluss 1 ein Burst von b_1 Paketen an. Diese Pakete entfernen alle Token (ohne zu warten) aus dem Leaky-Bucket und treten dann in den WFQ-Wartebereich für Fluss 1 ein. Da diese b_1 Pakete in einer Rate von mindestens $R \cdot w_1 / (\Sigma w_j)$ Paket/s bedient werden, erfährt das letzte dieser Pakete eine maximale Verzögerung d_{max}, bis seine Übertragung beendet ist, wobei gilt:

$$d_{max} = \frac{b_1}{R \cdot w_1 / (\Sigma w_j)}$$

Diese Formel ist gerechtfertigt, denn wenn b_1 Pakete in der Warteschlange stehen und Pakete in einer Rate von mindestens $R \cdot w_1 / (\Sigma w_j)$ Paketen pro Sekunde aus der Warteschlange bedient (entfernt) werden, dann kann die Zeit, bis das letzte Bit des letzten

Pakets übertragen wurde, nicht länger als $b_1/R \cdot w_1/(\sum w_j)$ sein. In einer Aufgabe im Übungsteil dieses Kapitels soll der Leser beweisen, dass d_{max} tatsächlich die maximale Verzögerung ist, die ein beliebiges Paket in Fluss 1 jemals in der WFQ-Warteschlange stehen wird, solange $r_1 < R \cdot w_1/(\sum w_j)$ ist.

6.7 Integrated-Services

In den vorherigen Abschnitten wurden die Prinzipien und Mechanismen definiert, die für die Bereitstellung von Dienstqualität im Internet angewandt werden können. In diesem Abschnitt wird beschrieben, wie diese Konzepte in einer bestimmten Architektur – der so genannten **Intserv**-Architektur (**Integrated-Services**) – für die Bereitstellung von Dienstqualität im Internet realisiert werden. Intserv ist ein von der IETF entwickeltes Rahmenwerk für die Gewährung individueller QoS-Zusicherungen für einzelne Anwendungssitzungen. Die wichtigsten Merkmale liegen im Kern der Intserv-Architektur:

- *Reservierte Ressourcen*: Ein Router muss wissen, in welchem Umfang seine Ressourcen (Puffer, Leitungsbandbreite) bereits für laufende Sitzungen reserviert wurden.

- *Verbindungsaufbau*: Eine Sitzung, die QoS-Zusicherungen fordert, muss zuerst in der Lage sein, in jedem Netzwerk-Router auf ihrem Pfad von der Quelle zum Ziel ausreichend Ressourcen zu reservieren, um sicherzustellen, dass ihre QoS-Anforderung von Ende zu Ende erfüllt wird. Dieser Verbindungsaufbau (der in diesem Zusammenhang als »Zugangskontrolle« (Call Admission) bezeichnet wird) ist ein Prozess, an dem jeder Router auf dem Pfad beteiligt ist. Jeder Router muss die von der Sitzung geforderten lokalen Ressourcen und die für andere laufende Sitzungen bereits vergebenen Ressourcen feststellen und ermitteln, ob er noch ausreichend Ressourcen hat, um die QoS-Anforderung einer Sitzung zu erfüllen, ohne die den bereits laufenden Sitzungen gewährten lokalen QoS-Zusicherungen zu verletzen.

Abbildung 6.31 zeigt den Verbindungsaufbauprozess, der folgende Schritte umfasst:

- *Verkehrscharakterisierung und Spezifikation der gewünschten Dienstqualität*: Damit ein Router feststellen kann, ob seine Ressourcen genügen, um die QoS-Anforderungen einer Sitzung zu erfüllen, muss die Sitzung zuerst ihre QoS-Anforderung deklarieren und den Verkehr charakterisieren, den sie erwartungsgemäß im Netzwerk versenden will und für den sie eine QoS-Zusicherung fordert. In der Intserv-Architektur definiert die so genannte »Rspec« (R für Reservierung) die spezifische Dienstqualität, die für eine Verbindung angefordert wird. Die »Tspec« (T für Verkehr [Traffic]) charakterisiert den Verkehr, den der Sender im Netzwerk versendet bzw. der Empfänger empfängt. Die spezifische Form von Rspec und Tspec variiert je nach dem angeforderten Dienst (siehe weiter unten). Die beiden Spezifikationen sind Teil von RFC 2210 und RFC 2215.

- *Signalisierung für den Verbindungsaufbau*: Die Tspec und Rspec einer Sitzung müssen an die Router gesendet werden, die Ressourcen für die Sitzung reservieren sollen. Im Internet ist das im nächsten Abschnitt ausführlicher beschriebene RSVP derzeit das bevorzugte Signalisierungsprotokoll. RFC 2210 beschreibt die Verwendung des RSVP (Resource Reservation Protocol) mit der Intserv-Architektur.

- *Zugangskontrolle auf Pro-Element-Basis*: Nachdem ein Router die Tspec und Rspec für eine Sitzung, die eine QoS-Zusicherung fordert, erhalten hat, kann er ermitteln, ob er die Verbindung zulassen kann. Diese Zugangskontrollentscheidung hängt von der Verkehrsspezifikation, dem angeforderten Diensttyp sowie den vorhandenen und bereits für andere Sitzungen reservierten Ressourcen ab (siehe Abbildung 6.32).

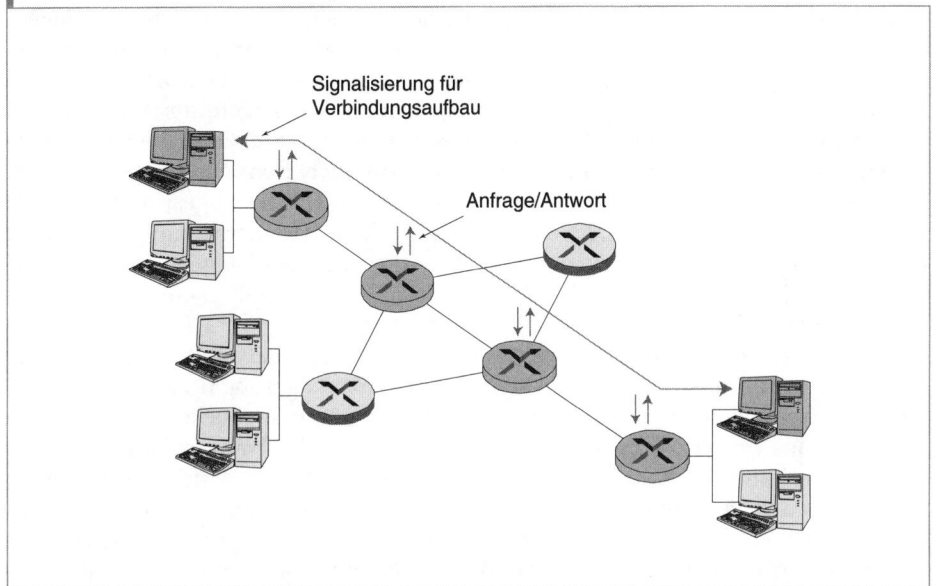

Abbildung 6.31 Der Verbindungsaufbauprozess

Abbildung 6.32 Entscheidung über die Zugangskontrolle pro Element

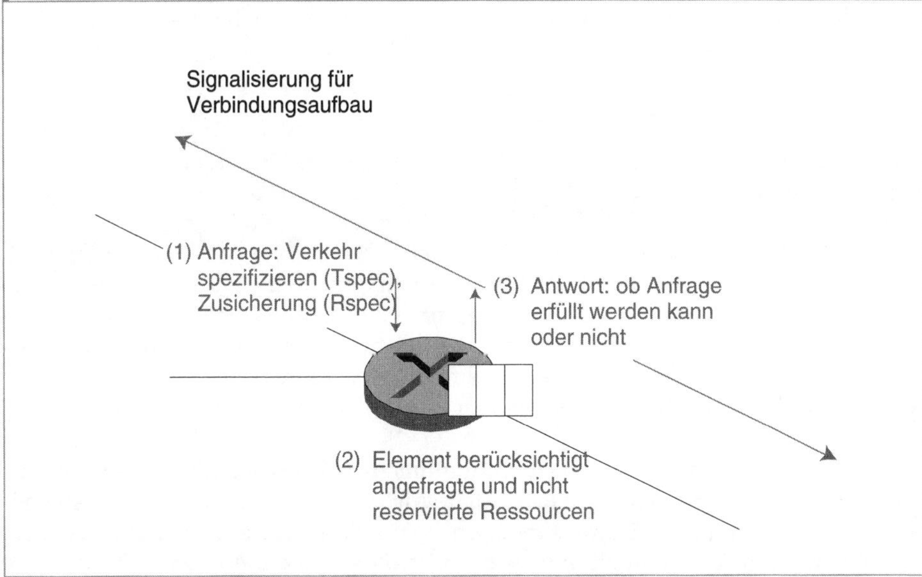

Die Intserv-Architektur definiert zwei wichtige Dienstklassen: zugesicherten Dienst und Controlled-Load-Dienst. Wir werden in den nächsten Abschnitten sehen, dass die beiden Dienstklassen eine sehr unterschiedliche Form der QoS-Zusicherung bieten.

6.7.1 Zugesicherte Dienstqualität (QoS)

Die in RFC 2212 spezifizierte zugesicherte Dienstqualität bietet feste (mathematisch nachweisbare) Grenzen für die Warteschlangenverzögerungen, denen ein Paket in einem Router ausgesetzt ist. Die der zugesicherten Dienstqualität zugrunde liegenden Details sind zwar eher kompliziert, das Grundkonzept ist aber relativ einfach. Die Verkehrscharakterisierung einer Quelle wird durch einen Leaky-Bucket (siehe Abschnitt 6.6) mit den Parametern (r,b) angegeben und der angeforderte Dienst wird durch eine Übertragungsrate R charakterisiert, in der Pakete übertragen werden. Im Wesentlichen fordert eine Sitzung, die an einem zugesicherten Dienst interessiert ist, dass den Bits ihrer Pakete eine Weiterleitungsrate von R Bit/s zugesichert wird. Da der Verkehr unter Verwendung einer Leaky-Bucket-Charakterisierung spezifiziert und eine zugesicherte Rate von R angefordert wird, ist es auch möglich, die maximale Warteschlangenverzögerung im Router zu begrenzen. Wir erinnern uns, dass der Verkehrsumfang (in Bits), der über ein Zeitintervall von t erzeugt wird, im Rahmen einer Leaky-Bucket-Verkehrscharakterisierung durch $rt + b$ begrenzt ist. Aus Abschnitt 6.6 wissen wir auch, dass die maximale Warteschlangenverzögerung für ein Paket durch b/R begrenzt ist, solange R größer als r ist, wenn eine Leaky-Bucket-Quelle in eine Warteschlange gespeist wird, die zusichert, dass der in der Warteschlange stehende Verkehr mindestens in einer Rate von R Bit pro Sekunde bedient wird. Die tatsächlich im Rahmen der Definition des zugesicherten Dienstes festgesetzte Grenze ist etwas komplizierter. Dies liegt zum einen an den Paketierungswirkungen (die einfache b/R-Grenze basiert auf der Annahme, dass die Daten ein flüssiger Strom und nicht einzelne Pakete sind), zum anderen an der Tatsache, dass der Verkehrsankunftsprozess der Spitzenratenbegrenzung der Eingangsleitung unterliegt (die einfache b/R-Grenze basiert auf der Annahme, dass ein Burst von b Bit in Null Zeit ankommen kann) und schließlich an eventuell zusätzlichen Variationen in der Übertragungszeit eines Pakets.

6.7.2 Controlled-Load-Dienst

Mit dem Controlled-Load-Dienst erhält eine Sitzung »eine Dienstqualität, die fast der Dienstqualität entspricht, die der gleiche Fluss in einem unbelasteten Netzwerkelement erhalten würde« [RFC 2211]. Anders ausgedrückt: Die Sitzung kann davon ausgehen, dass ein »sehr hoher prozentualer Anteil« ihrer Pakete den Router erfolgreich durchläuft, ohne weggeworfen zu werden, und im Router eine Warteschlangenverzögerung von nahezu Null erfährt. Interessant ist, dass der Controlled-Load-Dienst keine quantitativen Zusicherungen über die Leistung (Performance) gibt. Beispielsweise wird nicht spezifiziert, was ein »sehr hoher prozentualer Anteil« von Paketen ist oder welche Dienstqualität fast derjenigen eines unbelasteten Netzwerkelements entspricht.

Der Controlled-Load-Dienst zielt auf multimediale Echtzeitanwendungen ab, die für das heutige Internet entwickelt wurden. Wir haben gesehen, dass diese Anwendungen eine recht gute Leistung aufweisen, wenn das Netzwerk nicht überlastet ist, dass ihre Leistung aber schnell sinkt, je mehr das Netzwerk überlastet wird.

6.8 RSVP

Wie in Abschnitt 6.7 beschrieben wurde, ist ein Signalisierungsprotokoll erforderlich, das es den auf Hosts laufenden Anwendungen ermöglicht, Ressourcen im Internet zu reservieren, damit ein Netzwerk QoS-Zusicherungen gewähren kann. Ein solches Signalisierungsprotokoll für das Internet ist RSVP [RFC 2205; Zhang 1993].

Wenn man über *Ressourcen* in Zusammenhang mit dem Internet spricht, meinen die meisten normalerweise Leitungsbandbreite und Routerpuffer. Wir dagegen gehen davon aus, dass der Begriff *Ressourcen* synonym mit *Bandbreite* ist. Für unsere pädagogischen Zwecke steht RSVP für »Bandbreitenreservierungsprotokoll«.

6.8.1 Die wesentlichen Merkmale von RSVP

Das RSVP-Protokoll erlaubt es Anwendungen, Bandbreite für ihre Datenflüsse zu reservieren. Es wird von einem Host für den Datenfluss einer Anwendung benutzt, um eine spezifische Menge der Bandbreite vom Netzwerk anzufordern. RSVP wird auch von den Routern verwendet, um Anfragen für Bandbreitenreservierungen weiterzuleiten. Um RSVP zu implementieren, muss RSVP-Software in den Empfängern, Sendern und Routern vorhanden sein. Die beiden wichtigsten Merkmale von RSVP sind:

1. Es bietet **Reservierungen für Bandbreite in Multicast-Bäumen** (Unicast wird als degenerierter Fall von Multicast behandelt).
2. Es ist **empfängerorientiert**, d. h., der Empfänger eines Datenflusses leitet die Ressourcenreservierung für den betreffenden Fluss ein.

Abbildung 6.33 RSVP ist multicast- und empfängerorientiert.

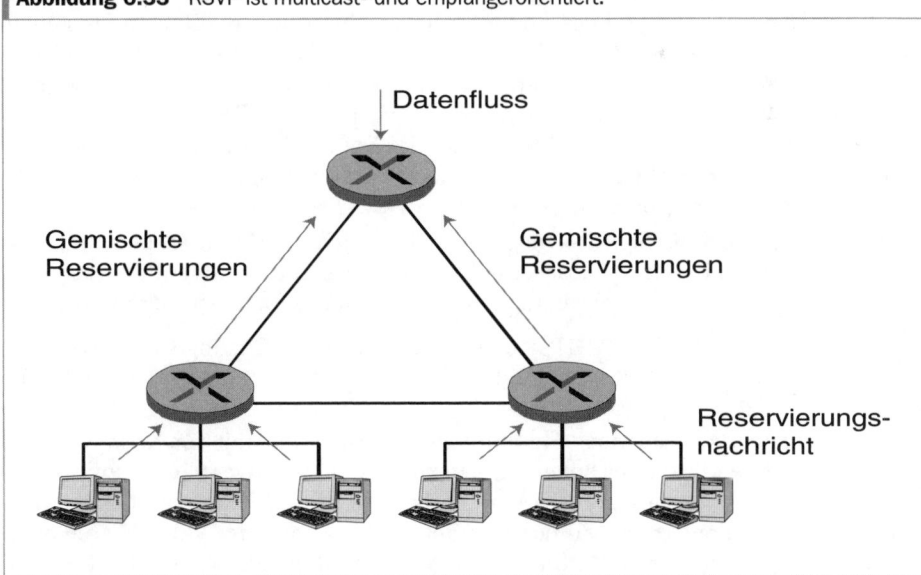

Diese beiden Merkmale sind in Abbildung 6.33 dargestellt. Das Diagramm zeigt einen Multicast-Baum; die Daten fließen von oben über den Baum nach unten zu den Hosts. Obwohl die Daten vom Sender ausgehen, kommen die Reservierungsnachrichten von den Empfängern. Wenn ein Router eine Reservierungsnachricht upstream zum Sender weiterleitet, kann er die Reservierungsnachricht mit anderen Reservierungsnachrichten mischen, die von der Downstream-Richtung ankommen.

Bevor wir uns eingehender mit RSVP befassen, müssen wir das Konzept einer **Sitzung** betrachten. Wie bei RTP kann eine Sitzung aus mehreren Multicast-Datenflüssen bestehen. Jeder Sender in einer Sitzung stellt die Quelle eines oder mehrerer Datenflüsse dar. Ein Sender kann beispielsweise die Quelle eines Video- und eines Audiodatenflusses sein. Jeder Datenfluss in einer Sitzung hat die gleiche Multicast-Adresse. Wir nehmen hier an, dass die Router und Hosts die Sitzung, zu der ein Paket gehört, anhand der Multicast-Adresse des Pakets identifizieren. Diese Annahme ist irgendwie restriktiv; die RSVP-Spezifikation erlaubt tatsächlich mehrere allgemeine Methoden für die Identifizierung einer Sitzung. Innerhalb einer Sitzung muss auch der Datenfluss, zu dem ein Paket gehört, identifiziert werden. Dies lässt sich z. B. mit dem Flussidentifizierungsfeld in IPv6 realisieren.

Was RSVP nicht ist

Wir betonen, dass der RSVP-Standard [RFC 2205] nicht spezifiziert, *wie* das Netzwerk den Datenflüssen die reservierte Bandbreite bereitstellt. RSVP ist ein Protokoll, das es den Anwendungen lediglich erlaubt, die nötige Leitungsbandbreite zu reservieren. Wurden die Reservierungen durchgeführt, liegt es bei den Routern im Internet, den Datenflüssen die reservierte Bandbreite tatsächlich bereitzustellen. Diese Bereitstellung (Provisioning) wird normalerweise mit den Scheduling-Mechanismen (Prioritäten-Scheduling, WFQ usw.) realisiert (siehe Abschnitt 6.6).

Wichtig ist auch, dass es sich bei RSVP nicht um ein Routing-Protokoll handelt. Es bestimmt nicht die Verbindungsleitungen, auf denen die Reservierungen erfolgen. Vielmehr überlässt es die Bestimmung der Routen für die Flüsse einem zugrunde liegenden Routing-Protokoll (Unicast oder Multicast). Nachdem die Routen feststehen, kann RSVP Bandbreite auf den Verbindungsleitungen über diese Routen reservieren. (Wir werden in den nächsten Unterabschnitten sehen, dass RSVP die Ressourcen erneut reserviert, wenn sich eine Route ändert.) Nachdem die Reservierungen durchgeführt wurden, müssen die Paket-Scheduler der Router den Datenflüssen die reservierte Bandbreite bereitstellen. Folglich ist RSVP nur ein Teil, wenn auch ein wichtiger, in dem Puzzle der QoS-Zusicherungen.

RSVP wird auch als *Signalisierungsprotokoll* bezeichnet. Damit ist gemeint, dass RSVP ein Protokoll ist, das es Hosts erlaubt, Reservierungen für Datenflüsse auf- und abzubauen. Der Begriff »Signalisierungsprotokoll« stammt aus dem Jargon des vermittelten Telefonnetzbereichs.

Heterogene Empfänger

Einige Empfänger können einen Fluss mit 28,8 Kbps, andere mit 128 Kbps und wieder andere mit 10 Mbps oder höher empfangen. Diese Heterogenität der Empfänger wirft eine interessante Frage auf. Wenn ein Sender ein Video an eine Gruppe von heterogenen Empfängern im Multicast sendet, sollte er dann das Video für die niedrige Qualität von 28,8 Kbps, für die mittlere von 128 Kbps oder für die hohe von 10 Mbps kodieren? Wenn das Video mit 10 Mbps kodiert wird, können nur die Benutzer mit 10-Mbps-Zugang das Video abspielen. Wird es andererseits mit 28,8 Kbps kodiert, erhalten die 10-Mbps-Benutzer eine niedrigere Bildqualität, obwohl sie für eine bessere Qualität gerüstet sind.

Als Ausweg aus diesem Dilemma wird oft vorgeschlagen, Video und Audio in Schichten zu kodieren, beispielsweise in zwei Schichten: eine Basis- und eine Erweiterungsschicht. Die Basisschicht könnte eine Rate von 20 Kbps und die Erweiterungsschicht eine Rate von 100 Kbps aufweisen. Auf diese Weise können Empfänger mit einem 28,8-Kbps-Zugang die Bilder der Basisschicht mit niedriger Qualität und diejenigen mit 128 Kbps die Bilder mit hoher Qualität aus beiden Schichten empfangen.

Wir stellen fest, dass der Sender nicht die Empfangsraten aller Empfänger kennen muss. Er muss nur die maximale Rate aller seiner Empfänger wissen. Der Sender kodiert das Video oder Audio in mehreren Schichten und sendet alle Schichten in der maximalen Rate über den Multicast-Baum. Die Empfänger suchen sich die Schichten heraus, die ihren Empfangsraten entsprechen. Um auf den Verbindungsleitungen des Netzwerks nicht übermäßig Bandbreite zu verschwenden, müssen die heterogenen Empfänger dem Netzwerk die Rate mitteilen, in der sie kommunizieren können. Wir werden sehen, dass RSVP den Fragen der Reservierung von Ressourcen für heterogene Empfänger volle Aufmerksamkeit widmet.

6.8.2 Ein paar einfache Beispiele

Wir beschreiben RSVP zuerst im Kontext eines konkreten Einer-zu-Viele-Multicast-Beispiel. Eine Quelle überträgt das Video einer wichtigen Sportveranstaltung im Internet. Dieser Sitzung wurde eine Multicast-Adresse zugewiesen und die Quelle stempelt alle ihre abgehenden Pakete mit dieser Multicast-Adresse. Ein zugrunde liegendes Multicast-Routing-Protokoll hat einen Multicast-Baum vom Sender zu vier Empfängern aufgebaut (siehe Abbildung 6.34). Die Nummern neben den Empfängern sind die Raten, in denen die Empfänger Daten empfangen wollen. Das Video wurde in Schichten kodiert, um dieser Heterogenität von Empfängerraten gerecht zu werden.

Abbildung 6.34 Ein RSVP-Beispiel

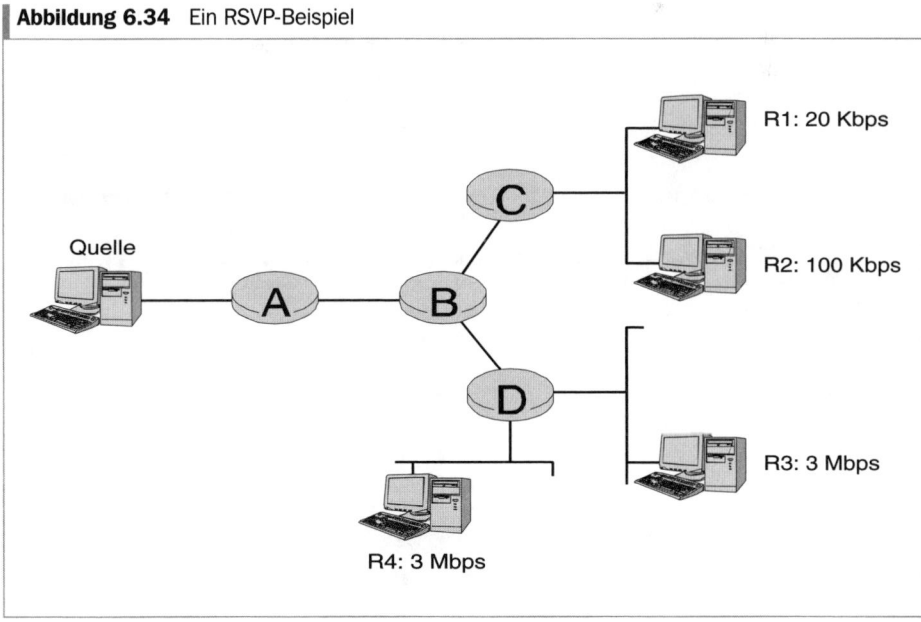

Vereinfacht gesagt, arbeitet RSVP in diesem Beispiel wie folgt: Jeder Empfänger sendet eine **Reservierungsnachricht** upstream über den Multicast-Baum. Diese Reservierungsnachricht spezifiziert die Rate, in der der Empfänger die Daten von der Quelle empfangen möchte. Wenn die Reservierungsnachricht einen Router erreicht, berichtigt der Router seinen Paket-Scheduler, um die Reservierung aufzunehmen. Dann sendet er eine Reservierung upstream. Die upstream vom Router reservierte Bandbreite hängt von den bereits in Richtung downstream reservierten Bandbreiten ab. In dem Beispiel in Abbildung 6.34 reservieren die Empfänger R1, R2, R3 und R4 20 Kbps, 100 Kbps, 3 Mbps bzw. 3 Mbps. Die von Router D downstream befindlichen Empfänger fordern also ein Maximum von 3 Mbps an. Für diese Einer-zu-Viele-Übertragung sendet Router D eine Reservierungsnachricht an Router B, mit der er von Router B die Reservierung von 3 Mbps auf der Verbindungsleitung zwischen den beiden Routern anfordert. Man beachte, dass nicht 3+3 = 6 Mbps, sondern nur 3 Mbps reserviert werden. Das ist deshalb so, weil die Empfänger R3 und R4 die gleiche Sportveranstaltung ansehen wollen, so dass ihre Reservierungen gemischt werden können. Auf die gleiche Weise fordert Router C von Router B die Reservierung von 100 Kbps auf der Verbindungsleitung zwischen Router B und C an. Die geschichtete Kodierung stellt sicher, dass die 20 Kbps für den Empfänger von R1 in dem 100-Kbps-Strom enthalten sind. Nachdem Router B die Reservierungsnachricht von seinen Downstream-Routern empfangen und an seine Scheduler weitergeleitet hat, sendet er eine neue Reservierungsnachricht an seinen Upstream-Router (Router A). Mit dieser Nachricht reserviert er 3 Mbps Bandbreite auf der Verbindungsleitung von Router A zu Router B; dies stellt wiederum das Maximum der Downstream-Reservierungen dar.

Abbildung 6.35 Ein RSVP-Beispiel für eine Videokonferenz

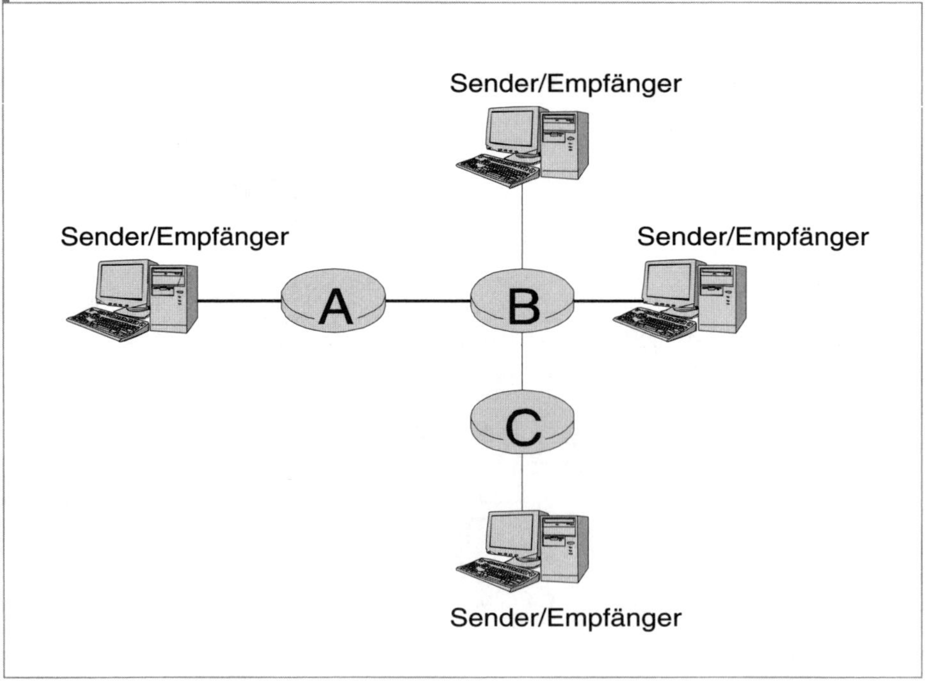

6.8 RSVP

Dieses erste Beispiel verdeutlicht, dass RSVP **empfängerorientiert** ist, d. h., der Empfänger eines Datenflusses leitet die Ressourcenreservierung für diesen Fluss ein. Man beachte, dass jeder Router eine Reservierungsnachricht von jedem seiner Downstream-Verbindungsleitungen im Multicast-Baum empfängt und nur eine auf seiner Upstream-Verbindungsleitung sendet.

Als weiteres Beispiel nehmen wir an, dass vier Personen an einer Videokonferenz teilnehmen (siehe Abbildung 6.35). Jede Person hat an ihrem Computer drei Fenster geöffnet, um die anderen drei Teilnehmer zu sehen. Das zugrunde liegende Routing-Protokoll hat den Multicast-Baum zwischen den vier Hosts aufgebaut. Jede Person möchte jedes der Videos mit 3 Mbps ansehen. In diesem Fall würde RSVP auf jeder Verbindungsleitung in diesem Multicast-Baum 9 Mbps in einer und 3 Mbps in der anderen Richtung reservieren. Man beachte, dass RSVP bei diesem Beispiel die Reservierungen nicht mischt, weil jede Person drei unterschiedliche Videoströme empfangen möchte.

Nun betrachten wir eine Audiokonferenz zwischen den gleichen vier Personen über den gleichen Multicast-Baum. Es sei gegeben, dass b bps für einen isolierten Audiostrom erforderlich sind. Da es in einer Audiokonferenz selten ist, dass mehr als zwei Personen gleichzeitig sprechen, ist es nicht nötig, $3 \cdot b$ bps für jeden Empfänger zu reservieren; $2 \cdot b$ sollten genügen. Folglich können wir in dieser letzten Anwendung durch Mischen von Reservierungen Bandbreite sparen.

Zugangskontrolle

Genauso wie der Manager eines Restaurants nicht mehr Reservierungen annehmen sollte, als Tische vorhanden sind, sollte die Bandbreite auf einer Verbindungsleitung, die ein Router reserviert, nicht die Kapazität der Leitung übersteigen. Wenn ein Router eine neue Reservierungsnachricht empfängt, muss er deshalb zuerst feststellen, ob seine Downstream-Verbindungsleitungen auf dem Multicast-Baum über ausreichend Kapazitäten für die Reservierung verfügen. Dieser **Zugangstest** (Admission Test) wird jedes Mal durchgeführt, wenn ein Router eine Reservierungsnachricht empfängt. Schlägt der Test fehl, lehnt der Router die Reservierung ab und gibt dem bzw. den Empfängern eine Fehlermeldung zurück.

RSVP definiert keinen Zugangstest, geht aber davon aus, dass die Router einen solchen Test durchführen und es mit dem Test interagieren kann.

6.8.3 Pfadnachrichten

Bisher wurden nur die RSVP-Reservierungsnachrichten behandelt. Diese Nachrichten gehen von den Empfängern aus und fließen upstream zu den Sendern. **Pfadnachrichten** (Path Messages) sind ein weiterer wichtiger RSVP-Nachrichtentyp. Sie gehen von den Sendern aus und fließen downstream zu den Empfängern.

Pfadnachrichten erfüllen hauptsächlich den Zweck, die Router über die Verbindungsleitungen zu informieren, über die sie die Reservierungsnachrichten weiterleiten sollen. Eine im Multicast-Baum von einem Router A zu einem Router B gesendete Pfadnachricht enthält die Unicast-IP-Adresse von Router A. Router B setzt diese Adresse in eine Pfadstatustabelle und wenn er eine Reservierungsnachricht von einem Downstream-Knoten empfängt, kann er in dieser Tabelle nachsehen, wohin eine Reservierungsnachricht im Multicast-Baum nach oben zu Router A zu senden ist. In Zukunft könnten einige Routing-Protokolle Umkehrpfad-Weiterleitungsinformationen vielleicht direkt liefern, so dass die Umkehr-Routing-Funktion über den Pfadstatus abgelöst werden kann.

Zusammen mit weiteren Informationen enthalten die Pfadnachrichten auch eine *Sender-Tspec*, die die Verkehrsmerkmale des Datenstroms definiert, den der Sender erzeugen wird (siehe Abschnitt 6.7). Diese Tspec kann benutzt werden, um Überbuchung von Ressourcen zu verhindern.

6.8.4 Reservierungsarten

Durch ihre **Reservierungsart** spezifiziert eine Reservierungsnachricht, ob das Mischen bzw. Zusammenführen von Reservierungen der gleichen Sitzung zulässig ist. Eine Reservierungsart spezifiziert auch die Sitzungssender, von denen ein Empfänger Daten zu empfangen wünscht. Wie an früherer Stelle erwähnt, kann ein Router den Sender eines Datagramms durch die Quell-IP-Adresse des Datagramms identifizieren. Derzeit sind drei Reservierungsarten definiert:

- *Wildcard-Filter*: Wenn ein Empfänger diese Reservierungsart in seiner Reservierungsnachricht benutzt, sagt er dem Netzwerk, dass er alle Flüsse von allen Upstream-Sendern der betreffenden Sitzung empfangen möchte und seine Bandbreitenreservierung von den Sendern gemeinsam benutzt werden soll.

- *Fixed-Filter*: Wenn ein Empfänger diese Reservierungsart in seiner Reservierungsnachricht benutzt, spezifiziert er eine Liste von Sendern, von denen er einen Datenfluss empfangen möchte, und eine Bandbreitenreservierung für jeden Sender. Diese Reservierungen gelten für jeden Sender, d. h., sie werden untereinander nicht gemeinsam benutzt.

- *Shared-Explicit*: Wenn ein Empfänger diese Reservierungsart in seiner Reservierungsnachricht benutzt, spezifiziert er eine Liste von Sendern, von denen er einen Datenfluss empfangen möchte, und eine einzige Bandbreitenreservierung. Diese Reservierung wird nicht von allen Sendern auf der Liste gemeinsam benutzt.

Die von den Reservierungsarten »Fixed-Filter« und »Shared-Explicit« erzeugten gemeinsamen Reservierungen eignen sich für eine Multicast-Sitzung, deren Quellen nicht gleichzeitig übertragen. Paketiertes Audio ist ein Beispiel einer Anwendung, für die sich gemeinsame Reservierungen eignen. Da eine begrenzte Anzahl von Personen gleichzeitig spricht, kann jeder Empfänger eine der beiden Reservierungsarten für die doppelte Bandbreite, die für einen Sender nötig ist, anfordern (um Übersprechen zuzulassen). Demgegenüber eignet sich die Reservierungsart »Fixed-Filter«, die getrennte Reservierungen für die Flüsse unterschiedlicher Sender erzeugt, für Videokonferenzen.

Beispiele von Reservierungsarten

Wir folgen dem RSVP-Internet-RFC und betrachten ein paar Beispiele der drei Reservierungsarten. In Abbildung 6.36 hat ein Router zwei ankommende Schnittstellen A und B und zwei abgehende Schnittstellen C und D. Die Viele-zu-Viele-Multicast-Sitzung hat drei Sender – S1, S2 und S3 – und drei Empfänger – R1, R2 und R3. Abbildung 6.36 zeigt auch, dass Schnittstelle D an ein LAN angeschlossen ist.

Wir nehmen zuerst an, dass alle Empfänger die Reservierungsart »Wildcard-Filter« verwenden. Wie aus Abbildung 6.37 deutlich wird, möchten die Empfänger R1, R2 und R3 4b, 3b bzw. 2b reservieren, wobei b eine bestimmte Bitrate ist. In diesem Fall reserviert der Router 4b auf Schnittstelle C und 3b auf Schnittstelle D. Da die

Abbildung 6.36 Beispielszenario für die RSVP-Reservierungsarten

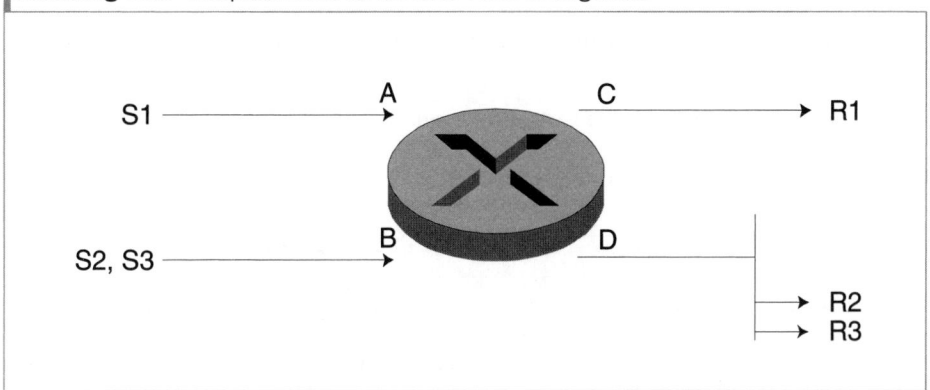

Wildcard-Filter-Reservierungsart angewandt wird, werden die beiden Reservierungen von R2 und R3 für Schnittstelle D gemischt. Statt der Summe von Reservierungen wird die größere der beiden Reservierungen benutzt. Der Router sendet dann eine Reservierungsnachricht upstream zu Schnittstelle A und eine weitere zu Schnittstelle B. Mit beiden Reservierungsnachrichten wird $4b$ angefordert, die von $3b$ und $4b$ die größere ist.

Abbildung 6.37 Beispiel mit Wildcard-Filter-Reservierungen

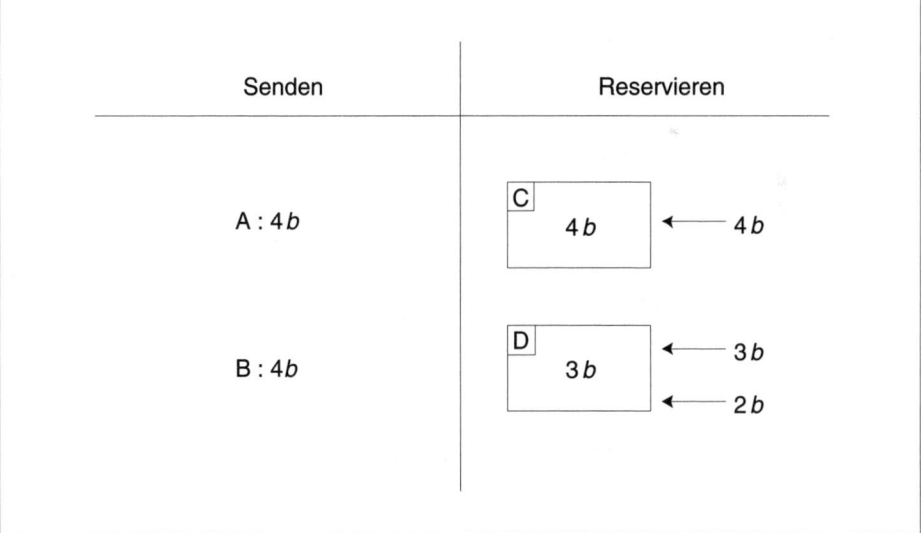

Jetzt nehmen wir an, dass alle Empfänger die Reservierungsart »Fixed-Filter« anwenden. Abbildung 6.38 zeigt, dass Empfänger R1 $4b$ für Quelle S1 und $5b$ für Quelle S2 reservieren möchte; die Reservierungsanfragen kommen von R2 und R3. Aufgrund der Fixed-Filter-Reservierungsart reserviert der Router zwei unzusammenhängende Bandbreitenblöcke auf Schnittstelle C: einen von $4b$ für S1 und einen von $5b$ für S2. Ebenso reserviert der Router zwei unzusammenhängende Bandbreitenblöcke auf Schnittstelle D: einen von $3b$ für S1 (das Maximum von b und $3b$) und einen von b für

S3. Auf Schnittstelle A sendet der Router eine Nachricht mit einer Reservierung von 4b (dem Maximum von 3b und 4b) für S1. Auf Schnittstelle B sendet der Router eine Nachricht mit einer Reservierung von 5b für S2 und b für S3.

Abbildung 6.38 Beispiel mit Fixed-Filter-Reservierungen

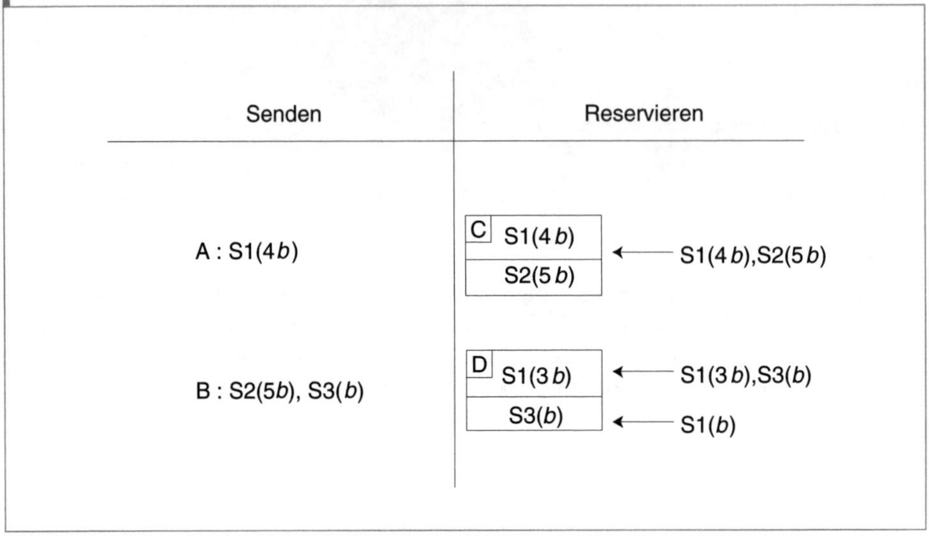

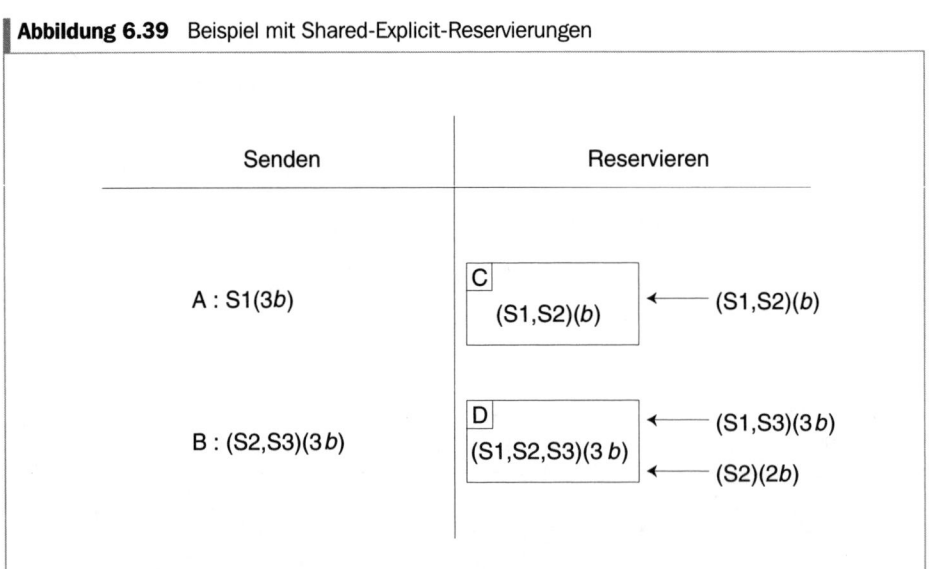

Abbildung 6.39 Beispiel mit Shared-Explicit-Reservierungen

Schließlich nehmen wir an, dass jeder Empfänger die Reservierung »Shared-Explicit« verwendet. Wie in Abbildung 6.39 dargestellt ist, wünscht Empfänger R1 eine Pipe von 1b, die zwischen den Quellen S1 und S2 gemeinsam zu nutzen ist. Empfänger R2 wünscht eine Pipe von 3b, die sich die Quellen S1 und S3 teilen sollen; und Empfänger R3 möchte eine Pipe von 2b für Quelle S2. Aufgrund der Shared-Explicit-Reservierungsart werden die Reservierungen von R2 und R3 für Schnittstelle D gemischt. Auf Schnittstelle D wird nur eine Pipe reserviert, allerdings für das Maximum der Reservierungsraten. RSVP reserviert auf Schnittstelle B eine Pipe von 3*b* für die gemeinsame Nutzung durch S2 und S3. Man beachte, dass 3*b* das Maximum der Downstream-Reservierungen für S2 und S3 ist.

In jedem der obigen Beispiele benutzen die drei Empfänger jeweils die gleiche Reservierungsart. Da Empfänger ihre Entscheidungen unabhängig voneinander treffen, könnten die an einer Sitzung teilnehmenden Empfänger auch unterschiedliche Reservierungsarten wählen. RSVP erlaubt aber nicht das Mischen unterschiedlicher Reservierungsarten.

PRINZIPIEN IN DER PRAXIS

Das Soft-State-Prinzip

Die Reservierungen in den Routern und Hosts werden mit Soft-States verwaltet. Damit ist gemeint, dass zu jeder in einem Router gespeicherten Bandbreitenreservierung ein getrennter Timer vorhanden ist. Läuft der Timer einer Reservierung ab, wird sie entfernt. Wenn ein Empfänger eine Reservierung beibehalten möchte, muss er sie periodisch durch Versenden von Reservierungsnachrichten auffrischen. Dieses Soft-State-Prinzip wird auch von anderen Protokollen in der Computervernetzung angewandt. Kapitel 5 hat gezeigt, dass die Einträge von Routing-Tabellen in transparenten Bridges durch Datenpakete aufgefrischt werden, die bei der Bridge ankommen. Einträge, die nicht aufgefrischt werden, laufen ab. Wenn andererseits ein Protokoll ausdrückliche Handlungen für die Modifikation oder Freigabe eines Status unternimmt, dann macht das Protokoll von Hard-States Gebrauch. Hard-States werden in VC-Netzwerken (Virtual Circuit) angewandt, in denen ausdrückliche Handlungen unternommen werden müssen, um die VC-Tabellen in den Vermittlungsknoten für den Auf- und Abbau von VCs zu berichten.

6.8.5 Transport von Reservierungsnachrichten

RSVP-Nachrichten werden Hop-by-Hop direkt über IP gesendet. Die RSVP-Nachricht wird also in das Informationsfeld des IP-Datagramms eingefügt. Die Protokollnummer im IP-Datagramm wird auf 46 gesetzt. Da IP unzuverlässig ist, können RSVP-Nachrichten verloren gehen. Wenn eine RSVP-Pfad- oder -Reservierungsnachricht verloren geht, sollte bald eine Ersatznachricht ankommen, damit die Reservierung aufgefrischt wird.

Im IP-Datagramm, in dem eine von einem Host stammende RSVP-Reservierungsnachricht verkapselt ist, enthält sie im Quelladressfeld die IP-Adresse des Host und im Zieladressfeld die IP-Adresse des ersten Routers auf dem Reservierungspfad im Multicast-Baum. Wenn das IP-Datagramm beim ersten Router ankommt, liest dieser die IP-Felder und leitet die Reservierungsnachricht an sein RSVP-Modul weiter. Das RSVP-Modul prüft die Multicast-Adresse der Nachricht (d. h. die Sitzungsidentifizierung), die Reservierungsart und den aktuellen Status und handelt dann entsprechend. Beispielsweise kann das RSVP-Modul die Reservierung mit einer anderen mischen, die von einer anderen Schnittstelle kommt, und dann eine neue Reservierungsnachricht an den nächsten Router im Multicast-Baum upstream senden.

Ungenügende Ressourcen

Da eine Reservierungsanfrage, die im Zugangstest fehlschlägt, eine Reihe gemischter Anfragen enthalten kann, muss an alle betroffenen Empfänger ein Reservierungsfehler gemeldet werden. Diese Reservierungsfehler werden in **ResvError-Nachrichten** übermittelt. Die Empfänger können dann die angefragten Ressourcen reduzieren und ihr Glück noch einmal versuchen. Der RSVP-Standard bietet Mechanismen für die Rückverfolgung (Backtracking) der Reservierungen, wenn ungenügd Ressourcen verfügbar sind. Leider bedeuten diese Mechanismen für das RSVP-Protokoll beträchtliche Komplexität. Außerdem leidet RSVP an dem so genannten **Killer-Reservierungsproblem**. Das bedeutet, dass ein Empfänger immer wieder eine große Reservierung anfragt, die aufgrund ungenügender Ressourcen jedes Mal abgelehnt wird. Da diese große Reservierung mit kleineren Reservierungen in Downstream-Richtung gemischt sein kann, hindert die große Reservierung die kleineren möglicherweise am Zugang. Um dieses lästige Problem zu beheben, benutzt RSVP die ResvError-Nachrichten, um einen zusätzlichen Zustand in den Routern einzurichten, der als »Blockadezustand« bezeichnet wird. Durch den Blockadezustand in einem Router wird die Mischprozedur so geändert, dass die verletzende Reservierung vom Mischvorgang ausgeschlossen wird, so dass kleinere Anfragen ungehindert weitergeleitet und eingerichtet werden können. Auch durch den Blockadezustand erhöht sich die Komplexität des RSVP-Protokolls und seiner Implementierung.

6.9 Differentiated-Services

Im vorherigen Abschnitt wurde beschrieben, wie RSVP benutzt werden kann, um an den Routern im Netzwerk *Pro-Fluss*-Ressourcen zu reservieren. Aufgrund der Möglichkeit, Pro-Fluss-Ressourcen anzufordern und zu reservieren, lassen sich wiederum mit der Intserv-Architektur einzelnen Flüssen QoS-Zusicherungen bereitstellen. Im Zuge der Weiterentwicklungen von Intserv und RSVP stießen die an diesen Bemühungen beteiligten Wissenschaftler (z. B. [Zhang 1998]) auf einige Schwierigkeiten in Zusammenhang mit dem Intserv-Modell und der Pro-Fluss-Reservierung von Ressourcen.

- *Skalierbarkeit*: Die Pro-Fluss-Reservierung von Ressourcen unter Verwendung von RSVP impliziert, dass ein Router Ressourcenreservierungen verarbeiten und einen Pro-Fluss-Zustand für *jeden* durch ihn hindurchfließenden Fluss führen muss. In Messungen [Thompson 1997] wurde festgestellt, dass sogar bei einer Verbindungsleitung mit OC3-Geschwindigkeit in einem Backbone-Router ca. 256.000 Quelle/Ziel-Paare auftauchen können, so dass die Verarbeitung von Pro-Fluss-Reservierungen in großen Netzwerken einen beträchtlichen Overhead darstellt.

- *Flexible Dienstmodelle*: Das Intserv-Rahmenwerk unterstützt eine kleine Zahl vorspezifizierter Dienstklassen. Diese bestimmte Menge von Dienstklassen erlaubt keine weiteren qualitativen oder relativen Definitionen von Dienstunterscheidungen (z. B. »Dienstklasse A erhält bevorzugte Behandlung vor Dienstklasse B«). Solche qualitativen Definitionen passen besser zu unserem intuitiven Konzept der Dienstunterscheidung (z. B. Business- gegenüber Economy-Klasse im Flugverkehr oder »Platinum« gegenüber »Gold« oder »Standard« bei Kreditkarten).

Diese Überlegungen haben zur so genannten »Diffserv«-Aktivität (Differentiated-Services) innerhalb der IETF geführt [Diffserv 1999]. Die Diffserv-Arbeitsgruppe arbeitet an der Entwicklung einer Architektur für die Bereitstellung einer *skalierbaren* und *flexiblen* Dienstdifferenzierung, d. h. der Fähigkeit, verschiedene »Verkehrsklassen« im Internet unterschiedlich zu behandeln. Die Notwendigkeit für *Skalierbarkeit* entsteht aus der Tatsache, dass Tausende gleichzeitiger Quelle/Ziel-Verkehrsflüsse in einem Backbone-Router im Internet präsent sein können. Wir werden weiter unten sehen, dass dieser Notwendigkeit dadurch nachgekommen wird, dass nur einfache Funktionalität in den Netzwerkkern gestellt wird, während komplexere Kontrolloperationen an der Peripherie des Netzwerks implementiert werden. Die Notwendigkeit für *Flexibilität* entsteht aus der Tatsache, dass künftig neue Dienstklassen entstehen können und alte abgelöst werden. Die Diffserv-Architektur ist dahingehend flexibel, dass sie keine spezifischen Dienste oder Dienstklassen (wie z. B. im Fall von Intserv) definiert. Stattdessen bietet die Diffserv-Architektur die funktionalen Komponenten, d. h. die Teile einer Netzwerkarchitektur, mit der solche Dienste aufgebaut werden können. Diese Komponenten werden in den folgenden Unterabschnitten beschrieben.

6.9.1 Differentiated-Services: ein einfaches Szenario

Um das Rahmenwerk für die Definition der Architekturkomponenten des Diffserv-Modells einzurichten, beginnen wir mit dem einfachen Netzwerk in Abbildung 6.40. Im Folgenden wird eine mögliche Verwendung der Diffserv-Komponenten beschrieben. Daneben sind viele andere Variationen möglich, die in RFC 2475 beschrieben sind. Unser Ziel ist es hier, eine Einführung in die wichtigen Aspekte der Differentiated-Services zu bieten, statt das Architekturmodell ausführlich zu beschreiben.

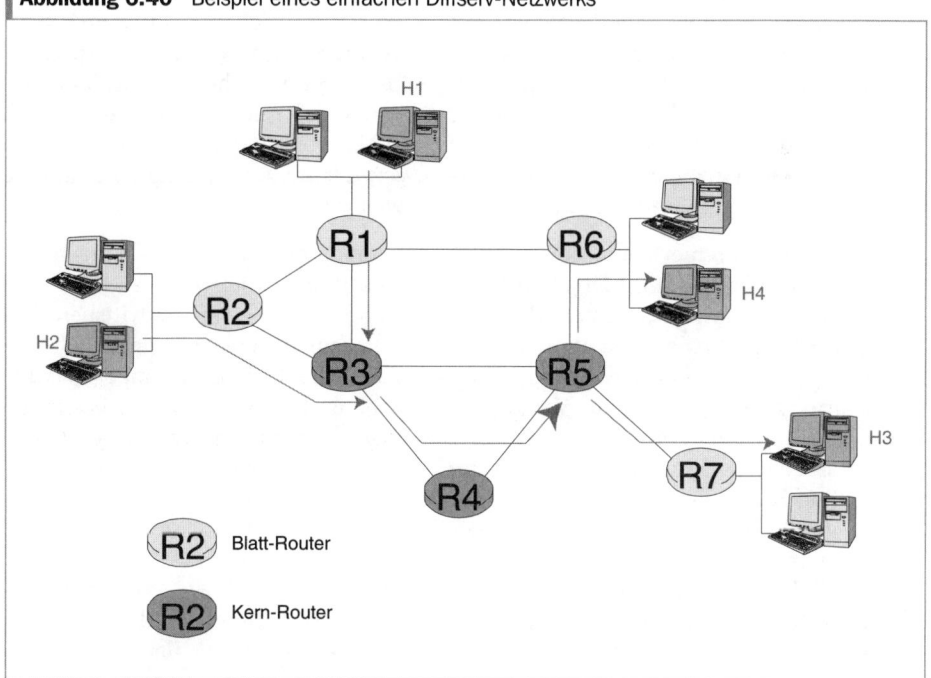

Abbildung 6.40 Beispiel eines einfachen Diffserv-Netzwerks

Die Diffserv-Architektur setzt sich aus zwei funktionalen Elementen zusammen:

- *Peripheriefunktionen – Paketklassifizierung und Verkehrs-Conditioning*: An der Peripherie des Netzwerks (d. h. entweder ein Diffserv-fähiger Host, der Verkehr erzeugt, oder der erste Diffserv-fähige Router, durch den Verkehr fließt) werden ankommende Pakete markiert. Das heißt, das DS-Feld (Differentiated-Services) des Paket-Headers ist auf einen bestimmten Wert gesetzt. In dem Beispiel in Abbildung 6.40 werden die von H1 zu H3 gesendeten Pakete in R1 und die von H2 zu H4 in R2 markiert. Die Markierung eines Pakets identifiziert die Verkehrsklasse, der es angehört. Verschiedene Verkehrsklassen erhalten dann unterschiedlichen Dienst im Kernnetzwerk. Der RFC, der die Diffserv-Architektur definiert (RFC 2475), verwendet den Begriff **Verhaltensaggregat** (Behavior Aggregate) statt »Verkehrsklasse«. Nach der Markierung kann ein Paket sofort im Netzwerk weitergeleitet, bis zur Weiterleitung einige Zeit verzögert oder verworfen werden. Wir werden im weiteren Verlauf sehen, dass die Markierung eines Pakets von vielen Faktoren beeinflusst werden kann.

- *Kernfunktion – Weiterleitung*: Wenn ein DS-markiertes Paket an einem Diffserv-fähigen Router ankommt, wird das Paket gemäß dem so genannten **Pro-Hop-Verhalten** (Per-Hop Behavior) in Verbindung mit der Klasse des Pakets an den nächsten Hop weitergeleitet. Das Pro-Hop-Verhalten hat einen Einfluss darauf, wie die Puffer eines Routers und die Leitungsbandbreite zwischen den konkurrierenden Verkehrsklassen gemeinsam genutzt werden. Ein wichtiger Aspekt der Diffserv-Architektur ist, dass das Pro-Hop-Verhalten eines Routers *nur* auf Paketmarkierungen basiert, d. h. auf der Verkehrsklasse, zu der ein Paket gehört. Wenn also Pakete, die in Abbildung 6.40 von H1 zu H3 gesendet werden, mit der gleichen Markierung wie die Pakete von H2 zu H4 gekennzeichnet sind, dann behandeln die Netzwerk-Router diese Pakete als ein Aggregat, ohne zwischen der Herkunft der Pakete (H1 oder H2) zu unterscheiden. R3 unterscheidet beispielsweise nicht zwischen Paketen von H1 und H2, wenn er sie an R4 weiterleitet. Folglich besteht in der Diffserv-Architektur keine Notwendigkeit, in den Routern Zustände für einzelne Quelle/Ziel-Paare zu verwalten. Dies ist in Hinblick auf die Erfüllung der geforderten Skalierbarkeit ein wichtiger Aspekt.

Eine Analogie kann hier von Nutzen sein. Auf vielen gesellschaftlichen Veranstaltungen (z. B. ein offizieller Empfang, ein Konzert oder Fußballspiel) erhalten Leute, die an der Veranstaltung teilnehmen, die eine oder andere Art einer »Zutrittsberechtigung«. Ferner gibt es eine Reihe unterschiedlicher Zutrittsberechtigungen für Bühnenarbeiter bei Konzerten, für Reporter usw. Solche Zutrittsberechtigungen werden normalerweise am Eingang zur Veranstaltung, d. h. an der Peripherie der Veranstaltung, verteilt. An der Peripherie werden keine rechnerisch aufwändigen Operationen wie Bezahlen einer Eintrittsgebühr, Überprüfung der Zutrittsberechtigung oder Einladung und Kontrolle der Identität der Personen durchgeführt. Außerdem kann die Anzahl von Leuten, die Zutritt erhalten, begrenzt sein. Wenn es eine solche Beschränkung gibt, müssen Leute vielleicht warten, bis sie Zutritt zur Veranstaltung erhalten. Die Leute, die Zutritt erhalten haben, sind berechtigt, an vielen Stellen auf der Veranstaltung besondere Dienste bzw. einen »Verwöhnservice« (Differentiated-Services) zu erhalten, z. B. kostenlose Speisen und Getränke, einen besseren Tisch, Zutritt zu bestimmten Räumen usw. Zusammenfassend heißt das, dass der Service, den man auf der Veranstaltung erhält, ausschließlich von der Art der Zutrittsberechtigung abhängt. Außerdem werden alle Leute innerhalb einer Klasse gleich behandelt.

6.9.2 Verkehrsklassifizierung und -Conditioning

In der Diffserv-Architektur befindet sich die Markierung eines Pakets im DS-Feld des IPv4- oder IPv6-Paket-Headers. Die Definition des DS-Feldes soll frühere Definitionen des IPv4-TOS-Felds (siehe Abschnitt 4.4) und des IPv6-Verkehrsklassen-Felds (siehe Abschnitt 4.7) ablösen. Die Struktur dieses 8-Bit-Felds ist in Abbildung 6.41 dargestellt.

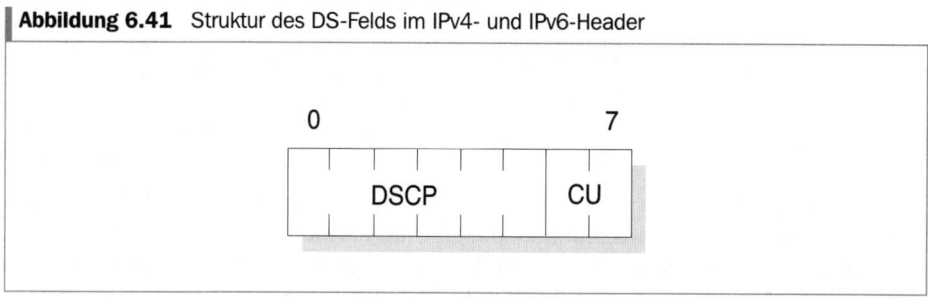

Abbildung 6.41 Struktur des DS-Felds im IPv4- und IPv6-Header

Das 6 Bit große DSCP-Feld (Differentiated Service Code Point) bestimmt das so genannte Pro-Hop-Verhalten (siehe Abschnitt 6.9.3), demzufolge das Paket im Netzwerk behandelt wird. Das 2 Bit große CU-Feld des DS-Felds wird derzeit nicht benutzt. Die Verwendung der Hälfte der DSCP-Werte ist eingeschränkt, um Abwärtskompatibilität mit dem TOS-Feld von IPv4 zu wahren (siehe RFC 2474). Für unsere Zwecke genügt hier die Feststellung, dass die Markierung eines Pakets bzw. sein »Codepunkt« laut Diffserv-Terminologie im 8 Bit großen Diffserv-Feld spezifiziert wird.

Wie oben erwähnt, wird ein Paket dadurch markiert, dass sein Diffserv-Feldwert an der Netzwerkperipherie gesetzt wird. Dies geschieht entweder in einem Diffserv-fähigen Host oder am ersten Punkt, an dem das Paket auf einen Diffserv-fähigen Router stößt. Wir gehen in unserer Diskussion hier davon aus, dass die Markierung in einem Grenz-Router erfolgt, der wie in Abbildung 6.40 direkt an einen Sender angeschlossen ist.

Abbildung 6.42 bietet eine logische Sicht der Klassifizierungs- und Markierungsfunktion im Grenz-Router. Die beim Grenz-Router ankommenden Pakete werden zuerst »klassifiziert«. Dabei werden Pakete auf der Grundlage der Werte eines oder mehrerer Paket-Header-Felder (z. B. Quelladresse, Zieladresse, Quellport, Zielport, Protokoll-ID) von einem Klassifizierer ausgewählt; anschließend wird das Paket zur entsprechenden Markierungsfunktion gesteuert und der Wert im DS-Feld entsprechend der Markierung gesetzt. Nachdem die Pakete markiert wurden, werden sie auf ihrer Route zum Ziel weitergeleitet. In jedem Diffserv-fähigen Router auf dem Weg erhalten markierte Pakete dann den mit ihren Markierungen in Verbindung stehenden Dienst. Sogar dieses einfache Markierungsschema genügt schon, um unterschiedliche Dienstklassen im Internet zu unterstützen. Beispielsweise können alle Pakete, die von bestimmten Quell-IP-Adressen (z. B. die IP-Adressen, für die beim ISP ein teurerer Prioritätsdienst bezahlt wird) ankommen, beim Eintritt in die ISP-Domain markiert werden und dann in allen nachfolgenden Diffserv-fähigen Routern einen spezifischen Weiterleitungsdienst (z. B. Weiterleitung mit höherer Priorität) erhalten. Eine von der Diffserv-Arbeitsgruppe nicht angesprochene Frage ist die, wie die Klassifizierer die »Regeln« für eine solche Klassifizierung erhalten. Dies könnte manuell geschehen, d. h., der Netzwerkadministrator könnte eine Tabelle mit Quelladressen laden, die auf eine bestimmte Weise in den Grenz-Routern zu markieren sind, oder es könnte unter der Kontrolle eines noch zu spezifizierenden Signalisierungsprotokolls erfolgen.

Abbildung 6.42 Einfache Paketklassifizierung und -markierung

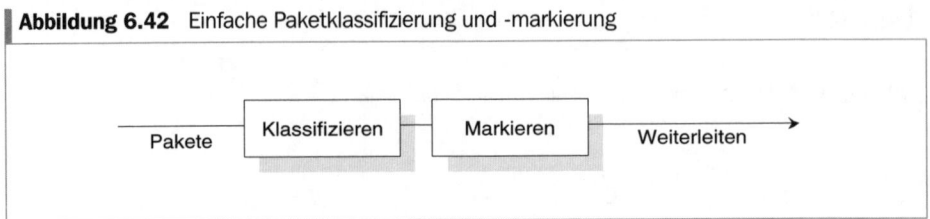

In Abbildung 6.42 erhalten alle Pakete, die eine bestimmte Header-Bedingung erfüllen, ungeachtet der Paketankunftsrate die gleiche Markierung. In manchen Szenarien kann es auch wünschenswert sein, die Rate zu begrenzen, in der Pakete mit einer bestimmten Markierung in das Netzwerk eingespeist werden. Beispielsweise kann ein Endbenutzer einen Vertrag mit seinem ISP für den Erhalt eines Prioritätsdienstes mit gleichzeitiger Einschränkung der maximalen Paketsenderate vereinbaren. Das heißt, der Endbenutzer erklärt sich einverstanden, dass eine Paketsenderate innerhalb eines bestimmten deklarierten **Verkehrsprofils** liegt. Das Verkehrsprofil kann eine Begrenzung der Spitzenrate sowie der Burstiness des Paketflusses enthalten, wie in Abschnitt 6.6 in Zusammenhang mit dem Leaky-Bucket-Mechanismus beschrieben wurde. Solange der Benutzer mit dem vereinbarten Verkehrsprofil konforme Pakete in das Netzwerk speist, erhalten die Pakete ihren Prioritätsdienst. Wird andererseits das Verkehrsprofil verletzt, werden die nicht mit dem Profil konformen Pakete möglicherweise anders markiert, verzögert (etwa auf die vereinbarte maximale Rate) oder an der Netzwerkperipherie verworfen. Die Rolle der in Abbildung 6.43 dargestellten **Messfunktion** ist es, den ankommenden Paketfluss mit dem vereinbarten Verkehrsprofil zu vergleichen und zu prüfen, ob ein Paket die Vereinbarungen erfüllt.

Abbildung 6.43 Logische Sicht der Paketklassifizierung und des Verkehrs-Conditioning am Grenz-Router

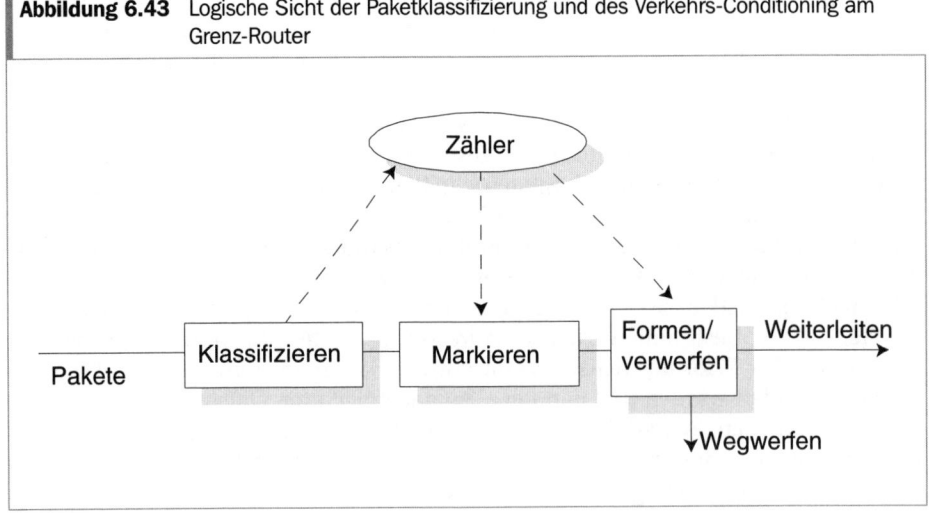

Die tatsächliche Entscheidung darüber, ob ein Paket sofort neu markiert, weitergeleitet, verzögert oder verworfen werden soll, ist in der Diffserv-Architektur *nicht* spezifiziert. Die Diffserv-Architektur bietet lediglich ein Rahmenwerk für die Durchführung der Markierung und des Umformens und/oder Verwerfens von Paketen. Dies gründet natürlich auf der Hoffnung, dass die Diffserv-Architekturkomponenten zusammen ausreichend flexibel sind, um eine breite und ständig weiterentwickelte Reihe von Diensten für Endbenutzer bereitstellen zu können. Das Policy-Rahmenwerk für Diffserv wird in [Rajan 1999] beschrieben.

6.9.3 Pro-Hop-Verhalten

Bisher haben wir uns auf die Peripheriefunktionen der Diffserv-Architektur konzentriert. Die zweite wichtige Komponente der Diffserv-Architektur betrifft das Pro-Hop-Verhalten von Diffserv-fähigen Routern. Das Pro-Hop-Verhalten (PHB) ist eher kryptisch und nicht sorgfältig als »eine Beschreibung des extern beobachtbaren Weiterleitungsverhaltens eines Diffserv-Knotens auf ein bestimmtes Diffserv-Verhaltensaggregat« definiert [RFC 2475]. Wenn man in dieser Definition ein wenig tiefer gräbt, kann man mehrere wichtige Überlegungen darin finden:

- Ein PHB kann zu unterschiedlichen Verkehrsklassen führen, die unterschiedliche Performance (d. h. unterschiedliches extern beobachtbares Weiterleitungsverhalten) erhalten.

- Während ein PHB Unterschiede in der Performance (Verhalten) zwischen Klassen definiert, schreibt es keinen bestimmten Mechanismus für das Erreichen eines solchen Verhaltens vor. Solange die extern beobachtbaren Performance-Kriterien erfüllt werden, kann jeder Implementierungsmechanismus und jede Policy in Bezug auf die Puffer/Bandbreite-Zuweisung angewandt werden. Beispielsweise setzt ein PHB nicht voraus, dass eine bestimmte Paket-Queuing-Disziplin (eine Prioritäten-, WFQ- oder FIFO-Warteschlange) benutzt wird, um ein bestimmtes Verhalten zu erreichen. Das PHB ist der »Zweck«, für den die Ressourcenzuteilung und Implementierungsmechanismen die »Mittel« sind.

- Unterschiede in der Performance müssen beobachtbar und damit messbar sein.

Ein Beispiel eines einfachen PHB ist ein Verhalten, das zusichert, dass die mit einer bestimmten Klasse markierten Pakete über ein bestimmtes Zeitintervall mindestens x% der abgehenden Leitungsbandbreite erhalten. Ein weiteres PHB-Verhalten kann spezifizieren, dass eine Verkehrsklasse immer strikte Priorität vor einer anderen erhält. Man beachte, dass eine Prioritäten-Queuing-Disziplin eine natürliche Wahl bei der Implementierung dieses zweiten PHB sein kann, dass aber jede Queuing-Disziplin, die das erforderliche beobachtbare Verhalten implementiert, akzeptabel ist.

Derzeit befinden sich in der Diffserv-Arbeitsgruppe zwei PHBs in Arbeit: Expedited Forwarding (EF) [RFC 2598] und Assured Forwarding (AF) [RFC 2597]:

- **Expedited Forwarding (EF)**: Dieses PHB spezifiziert, dass die Ausgangsrate einer Verkehrsklasse von einem Router gleich einer konfigurierten Rate ist oder diese übersteigt. Das heißt, während eines Zeitintervalls wird zugesichert, dass die Verkehrsklasse ausreichend Bandbreite erhält, so dass die Ausgangsrate des Verkehrs mindestens diese konfigurierte Minimumrate oder höher ist. Das EF-PHB impliziert eine gewisse Form der Isolation zwischen Verkehrsklassen, weil diese Zusicherung *unabhängig* von der Verkehrsdichte durch andere beim Router ankommende Klassen getroffen wird. Das heißt, auch wenn die anderen Verkehrsklassen die Router- und Leitungsressourcen erschöpfen, müssen immer noch genug von diesen Ressourcen für die betreffende Klasse vorhanden sein, um die zugesicherte Mindestrate sicherzustellen. EF bietet einer Klasse also die einfache *Abstraktion* einer Verbindungsleitung mit einer zugesicherten Minimumbandbreite an dieser Verbindungsleitung.

- **Assured Forwarding (AF)**: Dieses PHB ist komplexer. AF-PHB teilt den Verkehr in vier Klassen auf, wobei jeder AF-Klasse ein gewisser Mindestanteil an Bandbreite und Pufferplatz zugesichert wird. Innerhalb jeder Klasse werden die Pakete weiter in drei »Drop-Preference-Kategorien« aufgeteilt. Wenn eine AF-Klasse auf Überlast trifft, kann ein Router Pakete auf der Grundlage ihrer Drop-Preference-Werte verwerfen [siehe RFC 2597]. Durch Variieren der jeder Klasse zugeteilten Ressourcenmengen kann ein ISP unterschiedliche Leistungsstufen für verschiedene AF-Verkehrsklassen bereitstellen.

Das AF-PHB könnte als Baustein zur Bereitstellung unterschiedlicher Dienstebenen für Endsysteme benutzt werden, z. B. Gold, Silber und Bronze, wie in der Olympiade. Was aber wäre nötig, um dies zu realisieren? Wenn der Gold-Service tatsächlich »besser« (und höchstwahrscheinlich teurer!) als der Silber-Service ist, dann muss der ISP für Gold-Pakete eine geringere Verzögerung und/oder weniger Verlust als für Silber-Pakete sicherstellen. Man bedenke allerdings, dass *jeder* Klasse ein minimaler Anteil an der Bandbreite und am Pufferplatz zugeteilt werden muss. Was würde passieren, wenn man dem Gold-Service x% und dem Silber-Service x/2% der Bandbreite einer Verbindungsleitung zuweisen würde, die Verkehrsdichte von Gold-Paketen aber hundert Mal höher als die der Silber-Pakete wäre? In diesem Fall ist es wahrscheinlich, dass Silber-Pakete eine *bessere* Performance als die Gold-Pakete erhalten würden! (Bei diesem Ergebnis freuen sich natürlich die Käufer des Silber-Service, während sich bei den tiefer in die Tasche greifenden Gold-Service-Käufern großer Unmut breit macht!) Wenn man einen Dienst aus einem PHB erstellt, spielen natürlich noch andere Dinge als das reine PHB eine Rolle. Bei diesem Beispiel müssen die Ressourcen Hand in Hand mit der Kenntnis der Nachfrage der verschiedenen Verkehrsklassen dimensioniert (d. h. Zuteilung der richtig bemessenen Ressourcen für jede Dienstklasse) werden.

6.9.4 Ein Anfang

Die Diffserv-Architektur befindet sich immer noch in den Anfängen ihrer Entwicklung, sie wird aber rasch weiterentwickelt. RFC 2474 und 2475 definieren das grundlegende Rahmenwerk der Diffserv-Architektur, dürften aber auch selbst weiterentwickelt werden. Wie PHB, Peripheriefunktionalität und Verkehrsprofile kombiniert werden können, um einen Ende-zu-Ende-Dienst, z. B. einen virtuellen Mitleitungsdienst [RFC 2638] oder einen olympiadeähnlichen Gold/Silber/Bronze-Dienst [RFC 2597], bereitzustellen, wird derzeit noch untersucht. In der obigen Diskussion gingen wir davon aus, dass die Diffserv-Architektur innerhalb einer einzigen administrativen Domain realisiert wird. Der (typische) Fall, bei dem ein Ende-zu-Ende-Dienst aus einer Verbindung, die mehrere administrative Domains und nicht Diffserv-fähige Router durchkreuzt, gebildet werden muss, bedeutet zusätzliche Herausforderungen.

6.10 Zusammenfassung

Multimedia-Vernetzung ist heute die vielleicht interessanteste Entwicklung im Internet. Menschen überall in der Welt verbringen weniger Zeit vor ihren Radios und Fernsehern und empfangen stattdessen sowohl Live- als auch aufgezeichnete Audio- und Videobeiträge im Internet. Je mehr Privathaushalte schnellen Internet-Zugang erhalten, desto mehr Pantoffelhelden überall in der Welt werden ihre Liebungssendungen nicht mehr am Fernseher, sondern im Internet ansehen. Zusätzlich zur Audio- und Videoverteilung wird das Internet künftig auch vermehrt für die Übertragung von Telefongesprächen genutzt werden. In den nächsten zehn Jahren könnte das Internet das traditionelle leitungsvermittelte Telefonsystem in vielen Ländern sogar ablösen. Das Internet wird nicht nur Telefondienst für weniger Geld, sondern auch zahlreiche Wertschöpfungsdienste bieten, z. B. Videokonferenzen, Online-Verzeichnisdienste und Voice-Messaging-Dienste.

In Abschnitt 6.1 wurden Multimedia-Anwendungen in drei Kategorien gegliedert: Streaming von gespeichertem Audio und Video, Einer-zu-Viele-Übertragung von Echtzeitaudio und -video und interaktives Echtzeitaudio und -video. Multimedia-Anwendungen sind verzögerungssensitiv und verlusttolerant und weisen damit Merkmale auf, die sich stark von Anwendungen mit statischem Inhalt, die verzögerungstolerant und verlustsensitiv sind, unterscheiden. Wir haben auch einige Hürden beschrieben, mit denen sich Multimedia-Anwendungen im heutigen Best-Effort-Internet konfrontiert sehen. Anschließend wurden mehrere Vorschläge zur Überwindung dieser Hürden untersucht, darunter die einfache Verbesserung der existierenden Vernetzungsinfrastruktur (durch mehr Bandbreite, mehr Netzwerk-Caches und umfassende Unterstützung von Multicast), die Erweiterung des Internets um Funktionalität, so dass Anwendungen Ende-zu-Ende-Ressourcen reservieren können (und das Netzwerk diese Reservierungen erfüllen kann) und schließlich die Einführung von Dienstklassen für die Bereitstellung einer Dienstdifferenzierung.

In den Abschnitten 6.2 bis 6.4 wurden Architekturen und Mechanismen für die Multimedia-Vernetzung in einem Best-Effort-Netzwerk untersucht. Abschnitt 6.2 beschrieb mehrere Architekturen für das Streaming von gespeichertem Audio und Video. Wir haben Benutzerinteraktionen, z. B. Pausieren, Wiederaufnehmen, Umordnen und visuelles schnelles Vorwärtsspulen, und RTSP – ein Protokoll, das Client/Server-Interaktion für Streaming-Anwendungen bietet – beschrieben. Abschnitt 6.3 zeigte, wie interaktive Echtzeitanwendungen entworfen werden können, damit sie über ein Best-Effort-Netzwerk laufen. In diesem Zusammenhang wurde eine Kombination aus Client-Puffern, Paketsequenznummern und Zeitstempeln beschrieben, mit denen sich die Auswirkungen von Netzwerk-Jitter stark mildern lassen. Außerdem wurde untersucht, wie mit FEC (Forward Error Correction) und Paket-Verzahnung (Interleaving) die vom Benutzer wahrgenommene Performance für den Fall verbessert werden kann, dass ein Teil der Pakete verloren geht oder stark verzögert wird. Abschnitt 6.4 hatte die Verkapselung von Medienblöcken und einen der wichtigen Standards für Medienverkapselung – nämlich RTP – zum Thema. Außerdem wurde untersucht, welchen Stellenwert und welches Aufgabengebiet RTP innerhalb der neuen H.323-Architektur für interaktive Echtzeitkonferenzen einnimmt.

In den Abschnitten 6.5 bis 6.9 wurde beschrieben, wie sich das Internet weiterentwickeln könnte, um seinen Anwendungen eine zugesicherte Dienstqualität (QoS) bereitzustellen. In Abschnitt 6.5 wurden mehrere Prinzipien für die Bereitstellung von QoS für Multimedia-Anwendungen identifiziert. Diese Prinzipien beinhalten die

Paketmarkierung und -klassifizierung, die Isolation von Paketflüssen, die effiziente Nutzung von Ressourcen und Zugangskontrolle (Call Admission). In Abschnitt 6.6 wurden mehrere Scheduling-Strategien und Policing-Mechanismen untersucht, mit denen die Grundlage für eine QoS-Netzwerkarchitektur realisiert werden kann. Zu den Scheduling-Strategien zählen Prioritäten-Scheduling, Round-Robin-Scheduling und Weighted Fair Queuing (WFQ). Dann folgte eine Darstellung des Leaky-Bucket als Policing-Mechanismus. Schließlich wurde beschrieben, wie sich Leaky-Bucket und WFQ kombinieren lassen, um die maximale Verzögerung eines Pakets an der Ausgangswarteschlange eines Routers in Grenzen zu halten.

In den Abschnitten 6.7 bis 6.9 wurde aufgezeigt, dass diese Prinzipien und Mechanismen zur Definition neuer Standards für die Bereitstellung von QoS im Internet geführt haben. Die erste Klasse dieser Standards ist der so genannte Intserv-Standard, der zwei Dienste – den zugesicherten QoS-Dienst und den Controlled-Load-Dienst – umfasst. Der zugesicherte QoS-Dienst bietet mathematisch nachweisbare Zusicherungen der Verzögerung jedes einzelnen Pakets in einem Fluss. Der Controlled-Load-Dienst gibt keine straffen Zusicherungen, sondern stellt vielmehr sicher, dass die meisten Pakete einer Anwendung durch ein scheinbar nicht überlastetes Internet gelangen. Die Intserv-Architektur erfordert ein Signalisierungsprotokoll für die Reservierung von Bandbreiten- und Pufferressourcen im Netzwerk. In Abschnitt 6.8 wurde mit RSVP ein solches Protokoll beschrieben. Wir haben darauf hingewiesen, dass einer der Nachteile der Intserv-Architektur die Notwendigkeit ist, in den Routern Pro-Fluss-Zustände zu führen, was sich möglicherweise nicht skalieren lässt. Den Abschluss des Kapitels bildet Abschnitt 6.9, der ein neues vielversprechendes Konzept für die Bereitstellung von QoS im Internet – die Diffserv-Architektur – beschreibt. Bei der Diffserv-Architektur müssen die Router keinen Pro-Fluss-Zustand verwalten. Sie klassifiziert Pakete vielmehr in eine kleine Zahl von Aggregatklassen, für die Router ein Pro-Hop-Verhalten unterstützen. Die Diffserv-Architektur befindet sich noch in ihren Kinderschuhen. Da die Architektur aber relativ geringe Änderungen der existierenden Internet-Infrastruktur und -Protokolle erfordert, könnte sie relativ schnell realisiert werden.

Wir beenden damit unsere Untersuchung der Multimedia-Vernetzung. Nun ist es an der Zeit, sich mit einem anderen wichtigen Thema zu befassen: Netzwerksicherheit. Durch moderne vernetzte Multimedia-Anwendungen verlagert sich die Verteilung von Audio- und Videoinformationen möglicherweise von den konventionellen Kanälen auf das Internet. Wie das nächste Kapitel zeigen wird, können die neuesten Fortschritte im Bereich der Netzwerksicherheit auch dazu beitragen, dass Finanztransaktionen in größerem Umfang auf das Internet verlagert werden.

WIEDERHOLUNGSFRAGEN

Abschnitte 6.1 und 6.2

1. Was versteht man unter Interaktivität für Streaming von gespeichertem Audio/Video? Was ist mit Interaktivität für interaktives Echtzeitaudio/-video gemeint?
2. Bezüglich der Weiterentwicklung des Internets mit dem Ziel, Multimedia-Anwendungen besser zu unterstützen, wurden drei »Lager« erwähnt. Fassen Sie die Standpunkte jedes Lagers kurz zusammen. Zu welchem Lager würden Sie sich zählen?
3. Die Abbildungen 6.1, 6.2 und 6.3 präsentieren drei Schemata für Streaming von gespeicherten Medien. Welche Vor- und Nachteile weist jedes Schema auf?

Abschnitte 6.3 und 6.4

4. Welcher Unterschied besteht zwischen Ende-zu-Ende-Verzögerung und Verzögerungsjitter? Worauf ist Verzögerungsjitter zurückzuführen?
5. Warum gilt ein Paket, das nach seiner geplanten Wiedergabezeit empfangen wird, als verloren?
6. In Abschnitt 6.3 wurden zwei FEC-Schemata vorgestellt; beschreiben Sie diese kurz. Beide Schemata erhöhen die Übertragungsrate des Stroms durch zusätzlichen Overhead. Erhöht sich die Übertragungsrate auch bei der Verzahnung (Interleaving)?
7. Wie werden verschiedene RTP-Ströme in unterschiedlichen Sitzungen von einem Empfänger identifiziert? Wie werden verschiedene Ströme aus der gleichen Sitzung identifiziert? Wie lassen sich RTP- und RTPC-Pakete (der gleichen Sitzung) unterscheiden?
8. In Abschnitt 6.4 wurden drei RTCP-Pakettypen behandelt. Beschreiben Sie kurz die in jedem dieser Pakettypen enthaltenen Informationen.
9. Welcher der H.323-Kanäle in Abbildung 6.15 läuft über TCP und welcher über UDP? Warum?

Abschnitte 6.5 bis 6.9

10. In Abschnitt 6.6 wurde nicht präemptives Prioritäten-Queuing behandelt. Was wäre präemptives Prioritäten-Queuing? Wäre präemptives Prioritäten-Queuing für Computernetzwerke sinnvoll?
11. Führen Sie ein Beispiel einer Scheduling-Disziplin auf, die man *nicht* als »work-conserving« bezeichnen kann.
12. Zugesicherte Dienstqualität bietet einer Anwendung die Übertragung ohne Verlust und mit festen Verzögerungsgrenzen. Gibt es in Abbildung 2.4 irgendwelche Anwendungen, die beides – keinen Verlust und feste Verzögerungsgrenzen – erfordern?
13. Welche Schwierigkeiten in Verbindung mit dem Intserv-Modell und der Pro-Fluss-Reservierung von Ressourcen können Sie nennen?

ÜBUNGEN

6.1 Surfen Sie im Web und suchen Sie drei Produkte für das Streaming von gespeichertem Audio und/oder Video. Stellen Sie für jedes Produkt fest, ob (a) Metafiles benutzt werden; (b) das Audio/Video über UDP oder TCP gesendet wird; (c) ob RTP benutzt wird; und (d) ob RTSP benutzt wird.

6.2 Schreiben Sie ein Gedicht, eine Kurzgeschichte, eine Erzählung über Ihren letzten Urlaub oder eine andere Geschichte, die gesprochen etwa 2 bis 5 Minuten Spieldauer ergibt. Zeichnen Sie Ihre Geschichte als Sprechertext auf. Konvertieren Sie Ihre Aufzeichnung in eines der Audioformate von RealNetworks unter Verwendung der kostenlos von RealNetworks angebotenen Encoder. Laden Sie die Datei und das Metafile auf den gleichen Server hoch, auf dem sich Ihre persönliche Homepage befindet. Erstellen Sie einen Link von Ihrer Homepage zum Metafile.

6.3 Betrachten Sie den Client-Puffer in Abbildung 6.4. Angenommen, das Streaming-System benutzt die vierte Option, d. h., der Server schiebt die Medien so schnell wie möglich auf das Socket. Es sei gegeben, dass die verfügbare TCP-Bandbreite die meiste Zeit über $>> d$ ist. Der Client-Puffer kann nur etwa ein Drittel der Medien aufnehmen. Beschreiben Sie, wie sich $x(t)$ und die Inhalte des Client-Puffers im Zeitverlauf entwickeln.

6.4 Sind der TCP-Empfangspuffer und der Client-Puffer des Media-Players das Gleiche? Falls nicht, wie interagieren sie?

6.5 Es sei gegeben, dass h in dem Internet-Phone-Beispiel von Abschnitt 6.3 die Gesamtzahl der Header-Bytes darstellt, die zu jedem Block hinzugefügt werden, einschließlich UDP- und IP-Header.
  a. Unter der Annahme, dass alle 20 ms ein IP-Datagramm ausgegeben wird, ermitteln Sie die Übertragungsrate in Bit pro Sekunde für die an einem Ende dieser Anwendung erzeugten Datagramme.
  b. Was ist ein typischer Wert von h, wenn RTP benutzt wird?

6.6 Betrachten Sie die in Abschnitt 6.3 beschriebene Prozedur für die Schätzung der durchschnittlichen Verzögerung d_i. Angenommen, $u = 0,1$ und $r_1 - t_1$ ist die letzte Sample-Verzögerung, $r_2 - t_2$ die vorletzte Sample-Verzögerung usw.
  a. Nehmen Sie an, dass bei einer bestimmten Audioanwendung vier Pakete mit den Sample-Verzögerungen $r_4 - t_4$, $r_3 - t_3$, $r_2 - t_2$ und $r_1 - t_1$ beim Empfänger angekommen sind. Drücken Sie die Schätzung der Verzögerung d in Bezug auf die vier Samples aus.
  b. Verallgemeinern Sie Ihre Formel für n Sample-Verzögerungen.
  c. Es sei gegeben, dass sich n für die Formel in Teil b. Unendlich nähert; arbeiten Sie die resultierende Formel aus. Kommentieren Sie, warum man diese Prozedur der Ermittlung des Durchschnitts »Exponential Moving Average« nennt.

6.7 Wiederholen Sie Teil a. und b. der obigen Übung für die Schätzung der durchschnittlichen Verzögerungsabweichung.

6.8 Vergleichen Sie die in Abschnitt 6.3 für die Schätzung der durchschnittlichen Verzögerung beschriebene Prozedur mit der Prozedur, die in Abschnitt 3.5 für die Schätzung der Roundtrip-Zeit beschrieben wurde. Was haben die Prozeduren gemeinsam? Wodurch unterscheiden sie sich?

6.9 Betrachten Sie die adaptive Wiedergabestrategie in Abschnitt 6.3.
   a. Wie können zwei aufeinander folgende Pakete, die am Ziel empfangen wurden, Zeitstempel haben, die sich um mehr als 20 ms unterscheiden, wenn die beiden Pakete zur gleichen Sprechphase gehören?
   b. Wie kann der Empfänger Sequenznummern verwenden, um festzustellen, ob ein Paket das erste einer Sprechphase ist? Geben Sie eine spezifische Antwort auf diese Frage.

6.10 Sie erinnern sich an die beiden FEC-Schemata für Internet-Phone, die in Abschnitt 6.3 beschrieben wurden. Angenommen, das erste Schema erzeugt für jeweils vier Originalblöcke einen redundanten Block. Das zweite Schema verwendet eine Kodierung mit niedriger Bitrate, deren Übertragungsrate 25% der Übertragungsrate des nominellen Stroms beträgt.
   a. Wie viel zusätzliche Bandbreite benötigt jedes Schema? Wie viel Wiedergabeverzögerung verursacht jedes Schema zusätzlich?
   b. Welche Performance weisen die beiden Schemata auf, wenn das erste Paket in jeder Gruppe von fünf Paketen verloren geht? Mit welchem Schema wird eine bessere Audioqualität erreicht?
   c. Welche Performance weisen die beiden Schemata auf, wenn das erste Paket in jeder Gruppe von zwei Paketen verloren geht? Mit welchem Schema wird eine bessere Audioqualität erreicht?

6.11 Wie wird der auf dem Weg einwirkende Jitter (Interarrival Time Jitter) im RTCP-Empfangsbericht berechnet? (*Hinweis*: Lesen Sie den RTP-RFC.)

6.12 Angenommen, in einer RTP-Sitzung gibt es S Sender und R Empfänger. Verwenden Sie die Formeln am Ende von Abschnitt 6.4, um zu beweisen, dass RTCP seinen Verkehr auf 5% der Sitzungsbandbreite begrenzt.

6.13 Zum Thema RSTP:
   a. In welcher Hinsicht ähneln sich RSTP und HTTP? Hat RSTP irgendwelche Methoden? Kann HTTP zur Anforderung eines Datenstroms benutzt werden?
   b. In welcher Hinsicht unterscheiden sich RSTP und HTTP? Ist HTTP beispielsweise In-Band oder Out-of-Band? Setzt RTSP Zustandsinformationen über den Client voraus (denken Sie an die Pause/Wiederaufnahme-Funktion)?

6.14 Finden Sie die derzeit von Microsoft angebotenen Produkte für audiovisuelle Echtzeitkonferenzen heraus. Verwenden diese Produkte irgendwelche Protokolle, die in diesem Kapitel behandelt wurden (z. B. RTP oder RTSP)?

6.15 Angenommen, das WFQ-Scheduling wird auf einen Puffer angewandt, der drei Klassen unterstützt, und die Gewichtungen für die drei Klassen sind 0,5, 0,25 und 0,25.
   a. Gehen Sie davon aus, dass jede Klasse eine große Anzahl von Paketen im Puffer hat. In welcher Sequenz werden die drei Klassen bedient, um die WFQ-Gewichtungen zu erreichen? (Beim Round-Robin-Scheduling wäre 123123123 eine natürliche Sequenz …)
   b. Angenommen, die Klassen 1 und 2 haben eine große Anzahl von Paketen im Puffer, während sich keines der Klasse 3 darin befindet. In welcher Sequenz können die drei Klassen bedient werden, um die WFQ-Gewichtungen zu erreichen?

6.16 Betrachten Sie den Leaky-Bucket-Mechanismus (siehe Abschnitt 6.6), der die Durchschnittsrate und die Burst-Größe eines Paketflusses reguliert. Wir möchten jetzt auch die Spitzenrate p regulieren. Zeigen Sie, wie die Ausgabe dieses Leaky-Bucket in einen zweiten Leaky-Bucket gespeist werden kann, so dass die beiden Leaky-Buckets in Serie die Durchschnittsrate, die Spitzenrate und die Burst-Größe regulieren. Achten Sie darauf, die Bucket-Größe und Token-Erzeugungsrate für den zweiten Leaky-Bucket anzugeben.

6.17 Ein Paketfluss gilt als konform mit einer Leaky-Bucket-Spezifikation (r,b) mit Burst-Größe b und Durchschnittsrate r, wenn die Anzahl der Pakete, die beim Leaky-Bucket ankommen, kleiner als rt + b Pakete in jedem Zeitintervall von Länge t für alle t ist. Wird ein Paketfluss, der mit der Leaky-Bucket-Spezifikation (r,b) konform ist, jemals an einem Leaky-Bucket mit den Parametern r und b warten müssen? Beweisen Sie Ihre Antwort.

6.18 Beweisen Sie, dass d_{max} tatsächlich die maximale Verzögerung irgendeines Paketes in Fluss 1 in der WFQ-Warteschlange ist, solange $r_1 < R \cdot w_1 / (\sum w_j)$ gilt.

DISKUSSIONSFRAGEN

6.1 Wie kann ein Host RTCP-Feedback-Informationen verwenden, um festzustellen, welche Probleme lokal, regional oder global sind?

6.2 Ist es Ihrer Meinung nach besser, gespeichertes Audio/Video über TCP oder UDP zu streamen?

6.3 Sind in RSVP Reservierungsarten für Eine-zu-Viele-Multicast-Sitzungen relevant?

6.4 Schreiben Sie einen Bericht (eine Seite lang) über die Aussichten für Internet-Phone auf dem Markt.

6.5 Kann das Problem der Bereitstellung von QoS-Zusicherungen einfach dadurch gelöst werden, dass man dem Problem »ausreichend Bandbreite entgegensetzt«, d. h. indem man alle Leitungskapazitäten erhöht, so dass die Bandbreitenbeschränkungen nicht mehr von Belang sind?

6.6 Ein interessanter neuartiger Markt ist die Verwendung von Internet-Phone und das Hochgeschwindigkeits-LAN einer Firma, um die Nebenstellenanlage (Private Branch Exchange, PBX) derselben Firma abzulösen. Schreiben Sie einen Bericht (eine Seite lang) darüber, wobei Sie folgende Fragen abdecken sollten:
a. Was ist eine traditionelle Nebenstellenanlage (PBX)? Wer benutzt sie?
b. Denken Sie an ein Gespräch zwischen einem Benutzer in der Firma und einem weiteren außerhalb der Firma, der an das konventionelle Telefonnetz angeschlossen ist. Welche Art von Technologie ist an der Schnittstelle zwischen dem LAN und dem konventionellen Telefonnetz erforderlich?
c. Was ist sonst zusätzlich zur Internet-Phone-Software und der Schnittstelle von Frage b. erforderlich, um die PBX abzulösen?

6.7 Denken Sie an die vier »Säulen«, auf denen die Bereitstellung der in Abschnitt 6.5 beschriebenen QoS-Unterstützung gründet. Beschreiben Sie die Umstände (falls zutreffend), unter denen man jede dieser Säulen entfernen kann.

6.8 Surfen Sie im Web und suchen Sie drei Firmen, die H.323-Gatekeeper herstellen. Beschreiben Sie die drei Produkte.

INTERVIEW
Henning Schulzrinne

Henning Schulzrinne ist Professor und Leiter des Internet Real-Time Laboratory an der Columbia-Universität. Er ist Mitautor der RTSP- und RTP-Protokolle, die den Transport und die Kontrolle von Audio und Video ermöglichen. Henning erhielt sein Diplom in Elektrotechnik und Informationstechnik an der Universität von Darmstadt, seinen M.S. in Elektrotechnik und Computer-Engineering an der Universität von Cincinnati und seinen Ph.D. in Elektrotechnik an der Universität von Massachusetts in Amherst.

- **Was hat Sie dazu bewegt, sich auf Multimedia-Vernetzung zu spezialisieren?**

Das war fast ein Zufall. Als Diplomstudent kam ich mit DARTnet, einem experimentellen Netzwerk, das die USA mit T1-Leitungen überspannt, in Berührung. DARTnet wurde zur Überprüfung für Multicast- und Echtzeit-Tools für das Internet benutzt. Das brachte mich dazu, mein erstes Audio-Tool NeVoT zu schreiben. Durch einige der DARTnet-Teilnehmer kam ich mit der IETF bzw. genauer gesagt, mit der damals neu gegründeten Arbeitsgruppe Audio Video Transport in Kontakt. Diese Gruppe standardisierte später RTP.

- **Was war Ihre erste Stelle in der Computerindustrie und wie sah Ihr Aufgabengebiet aus?**

Mein erster »Job« in der Computerindustrie war das Zusammenlöten eines Altair-Computerbausatzes, als ich High-School-Student im kalifornischen Livermore war. Später, als ich wieder in Deutschland war, gründete ich eine kleine Beratungsfirma, die ein Adressverwaltungsprogramm für ein Reisebüro entwickelte – speichern von Daten auf Kassettenbändern für unsere TRS-80 und Verwendung einer IBM-Schreibmaschine Selectric mit einer selbst gemachten Hardwareschnittstelle als Drucker.

Mein erster »echter Job« war bei AT&T Bell Laboratories – Entwicklung eines Netzwerkemulators für die Konstruktion experimenteller Netzwerke in einer Laborumgebung.

- **Wie sieht ein typischer Arbeitstag für Sie aus?**

Als Fakultätsmitglied ist man eigentlich Wissenschaftler, Manager, Dozent, Reisevertreter und Jobberater in Einem. Ich betreue 14 Dissertationsstudenten, drei Gäste und drei MS-Studenten, zusätzlich zu einer wechselnden Gruppe von Projektstudenten. Dies bedeutet Lesen und Editieren von Hausarbeiten, Schreiben von Vorschlägen, damit die Studenten ständig beschäftigt bleiben, und unzählige Meetings, um das alles zu koordinieren. Darüber hinaus bin ich Mitglied in verschiedenen Konferenzausschüssen. Etwa einmal im Monat muss ich an Meetings, Präsentationen und Konferenzen in verschiedenen Städten teilnehmen.

- **Was sind die Ziele des Internet Real-Time Lab?**

Unser Ziel ist es, Teile für die Infrastruktur des künftigen Internets als die einzige Kommunikationsplattform der Zukunft bereitzustellen. Dies beinhaltet die Entwicklung von Protokollen, wie z. B. SIP und RTSP für die Signalisierung oder RNAP, YES-

→ SIR und BGRP für Ressourcenreservierung, die Messung der Performance von Internet-Protokollen und Anwendungen und die Entwicklung von Algorithmen, um die Dienstqualität im Internet zu verbessern. Wir entwickeln Prototypanwendungen, wie z. B. Internet-Telefonie-Server und -Clients, und beschäftigen uns hin und wieder auch mit Hardware.

- **Wie sehen Sie die Zukunft der Multimedia-Vernetzung?**

Wir befinden uns jetzt in einer Übergangsphase, nur wenige Jahre vor der Zeit, wenn IP die universelle Plattform für Multimedia-Dienste werden wird. Wir erwarten, dass Radio, Telefon und Fernsehen auch während Schneestürmen und Erdbeben funktionieren. Wenn also das Internet die Rolle dieser dedizierten Netzwerke übernimmt, werden die Benutzer das gleiche Maß an Zuverlässigkeit erwarten.

In gewissem Umfang hat die Netzwerkforschung jetzt mit einem Problem zu tun, das im Betriebssystembereich mehrere Jahre vorherrschte; nur noch stärker. Während es immer noch möglich ist, in kleinen Gemeinden Betriebssysteme quasi im »Boutiquestil« zu fahren, verfehlt der Betrieb eines großen separaten Netzwerks praktisch seinen Zweck. Wir werden lernen müssen, Netzwerktechnologien für den Zusammenschluss konkurrierender Carrier mit zahlreichen ignoranten oder böswilligen Endbenutzern zu entwerfen.

Sichtbare Fortschritte in Multimedia-Netzwerken werden größtenteils durch Faktoren angetrieben, die außerhalb des eigentlichen Bereichs liegen, nämlich Fortschritte in den Zugangs- und Backbone-Geschwindigkeiten sowie preisgünstige Rechenleistung.

- **Haben Sie Tipps für Studenten, die in das Gebiet der Computervernetzung einsteigen wollen?**

Vernetzung ist fast eine klassische Überbrückungsdisziplin. Sie schöpft aus vielen Bereichen, wie Elektrotechnik, Computerwissenschaft, Operations-Research und mehr. Folglich müssen Netzwerkwissenschaftler mit Themen vertraut sein, die gänzlich außerhalb ihres Kernbereichs liegen.

Arbeiten im Vernetzungsbereich kann enorm zufrieden stellen, weil es dieser Bereich den Menschen ermöglicht, miteinander zu kommunizieren und Ideen auszutauschen, also eines der Grundbedürfnisse des Menschen unterstützt. Viele Konstruktionsbereiche sind an ihre Leistungsgrenze gestoßen; Autos, Züge und Flugzeuge funktionieren mehr oder weniger noch genauso wie vor 20 Jahren oder früher und werden sich wahrscheinlich auch in den nächsten 20 Jahren nicht schneller fortbewegen. Die wesentliche Änderung wird in der Fähigkeit liegen, diese Einheiten kommunizieren zu lassen und so ihre Leistung dadurch zu verbessern, dass man sie sicherer macht und Staus vermeidet.

KAPITEL 7

Sicherheit in Computernetzwerken

7.1 Was ist Netzwerksicherheit?

Zur besseren Veranschaulichung von Netzwerksicherheit stellen wir in diesem Kapitel zwei Personen – Alice und Bob – vor, die »sicher« miteinander kommunizieren möchten. Dieses Buch hat Datennetzwerke zum Thema und so könnten Alice und Bob auch zwei Router sein, die Routing-Tabellendaten sicher austauschen möchten, oder zwei Hosts, die eine sichere Transportverbindung aufbauen wollen, oder zwei E-Mail-Anwendungen, die sichere E-Mail austauschen möchten. Im Verlauf dieses Kapitels werden alle diese Fälle untersucht. Alice und Bob sind wohl bekannte Namen in der Sicherheitsgemeinde, vielleicht weil sie witziger sind als die generische Bezeichnung »A« für eine Einheit, die mit einer anderen mit der generischen Bezeichnung »B« sicher kommunizieren möchte. Heimliche Liebesaffären, militärische Kommunikation in Kriegszeiten und Geschäftstransaktionen sind normalerweise Situationen, in denen ein menschliches Bedürfnis nach sicherer Kommunikation besteht. Wir geben der ersten vor den anderen beiden Formen den Vorzug und freuen uns, Alice und Bob als Sender und Empfänger in diesem ersten Szenario vorzustellen.

7.1.1 Sichere Kommunikation

Alice und Bob möchten »sicher« kommunizieren, doch was genau bedeutet das? Sicherlich wünscht Alice, dass nur Bob eine von ihr gesendete Nachricht verstehen kann, obwohl die beiden über ein »unsicheres« Medium kommunizieren, in dem ein Eindringling (Trudy) die Nachrichten der beiden abfangen, lesen und manipulieren kann. Andererseits möchte Bob sicher sein, dass die von Alice empfangene Nachricht tatsächlich von Alice stammt. Und Alice will sicher sein, dass die Person, mit der sie kommuniziert, tatsächlich Bob ist. Alice und Bob möchten also sicherstellen, dass der Inhalt von Alices Nachricht auf dem Transit nicht geändert wurde. Angesichts dieser Überlegungen lassen sich folgende wünschenswerte Eigenschaften einer **sicheren Kommunikation** identifizieren:

- *Geheimhaltung*: Nur der Sender und der beabsichtigte Empfänger sollen in der Lage sein, den Inhalt der übertragenen Nachricht zu verstehen. Da Lauscher die Nachricht abfangen können, setzt dies notwendigerweise voraus, dass Nachrichten irgendwie **verschlüsselt** (die Daten verborgen) werden, so dass eine abgefangene Nachricht von einem Lauscher nicht **entschlüsselt** (verstanden) werden kann. Dieser Aspekt der Geheimhaltung entspricht wahrscheinlich der üblichen Bedeutung des Begriffs »sichere Kommunikation«. Man beachte aber, dass dies nicht nur eine eingeschränkte Definition von sicherer Kommunikation ist (weitere Aspekte kommen später hinzu), sondern auch die Definition von Geheimhaltung einschränkt. Beispielsweise könnte Alice wünschen, bereits die Tatsache, dass sie mit Bob kommuniziert (oder die Zeit bzw. Häufigkeit ihrer Kommunikation), geheim zu halten! Abschnitt 7.2 beschreibt kryptographische Techniken für die Ver- und Entschlüsselung von Daten.

- *Authentifikation*: Sowohl der Sender als auch der Empfänger muss die Identität der jeweils anderen, an der Kommunikation beteiligten Partei bestätigen, um sicherzugehen, dass sie tatsächlich die Person ist, die sie vorgibt zu sein. Menschliche Kommunikation von Angesicht zu Angesicht löst dieses Problem leicht durch visuelle Erkennung. Wenn kommunizierende Einheiten Nachrichten über ein Medium austauschen, bei dem sie sich nicht »sehen« können, ist die Authentifikation nicht so einfach. Warum sollte man beispielsweise glauben, dass eine vermeintlich von einem Freund empfangene E-Mail tatsächlich von diesem Freund kam? Wenn Sie einen Anruf erhalten und der Anrufer behauptet, er sei ein Mitarbeiter Ihrer Bank, und fragt Sie nach Ihrer Kontonummer, würden Sie dann zu Überprüfungszwecken die geheime PIN (Personal Identification Number) und Kontosalden am Telefon preisgeben? Hoffentlich nicht. In Abschnitt 7.3 werden Authentifikationstechniken beschrieben, darunter mehrere, die sich vielleicht überraschend auch auf die in Abschnitt 7.2 enthaltenen kryptographischen Techniken stützen.

- *Integrität*: Selbst wenn Sender und Empfänger in der Lage sind, sich zu authentifizieren, möchten Sie auch sicher gehen, dass der Inhalt ihrer Kommunikation nicht böswillig oder versehentlich während der Übertragung geändert wird. Erweiterungen der Prüfsummentechniken, die in Zusammenhang mit zuverlässigem Transport und Protokollen der Sicherungsschicht behandelt wurden, werden in Abschnitt 7.4 beschrieben. Diese Techniken basieren ebenfalls auf den kryptographischen Konzepten von Abschnitt 7.2.

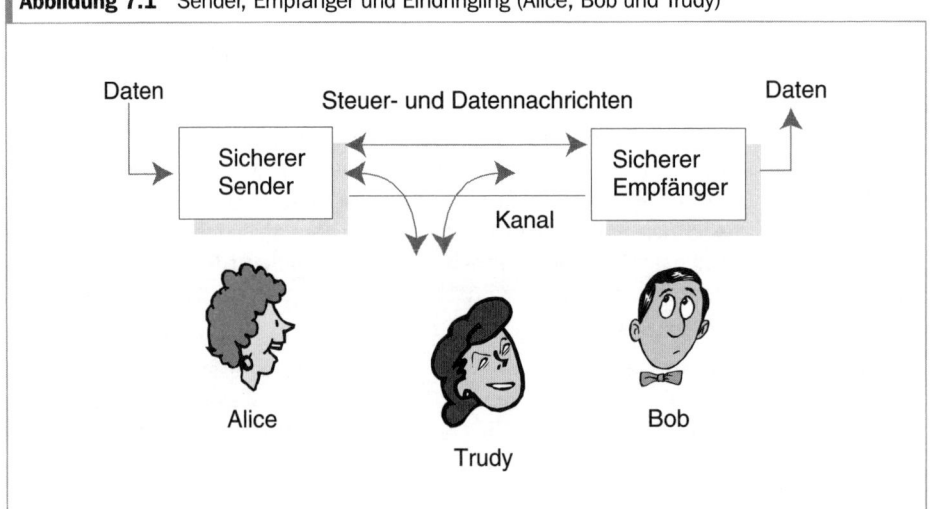

Abbildung 7.1 Sender, Empfänger und Eindringling (Alice, Bob und Trudy)

Nachdem wir festgestellt haben, was man unter sicherer Kommunikation versteht, betrachten wir genauer, was mit einem »unsicheren Kanal« gemeint ist. Zu welchen Informationen hat ein Eindringling Zugang und welche Aktionen können mit den übertragenen Daten unternommen werden? Abbildung 7.1 zeigt ein entsprechendes Szenario.

Die Senderin Alice möchte an den Empfänger Bob Daten senden. Um Daten unter Erfüllung der Anforderungen von Geheimhaltung, Authentifikation und Integrität sicher zu übermitteln, tauschen Alice und Bob Steuer- und Datennachrichten aus (etwa vergleichbar mit TCP-Sendern und -Empfängern, die Kontroll- und Datensegmente austauschen). Alle oder einige dieser Nachrichten sind normalerweise verschlüsselt. Ein **passiver Eindringling** kann mithören und die Steuer- und Datennachrichten auf dem Kanal mitschneiden. Ein **aktiver Eindringling** kann Nachrichten aus dem Kanal nehmen und/oder Nachrichten in den Kanal einfügen.

7.1.2 Netzwerksicherheit im Internet

Bevor wir uns mit den technischen Aspekten von Netzwerksicherheit befassen, schließen wir unsere Einführung damit, dass wir unsere fiktiven Figuren – Alice, Bob und Trudy – auf Szenarien der wirklichen Welt im Internet übertragen.

Wir beginnen mit dem Netzwerkeindringling Trudy. Kann ein Netzwerkeindringlich in der wirklichen Welt tatsächlich Nachrichten belauschen und aufzeichnen? Ist das so einfach? Kann ein Eindringlich aktiv Nachrichten in das Netzwerk einspeisen oder daraus entfernen? Die Antwort auf alle diese Fragen ist ein deutliches »Ja«. Ein **Paket-Sniffer** ist ein Programm, das auf einem an ein Netzwerk angeschlossenen Gerät läuft, das passiv alle Rahmen der Sicherungsschicht empfängt, die an der Netzwerkschnittstelle des Geräts vorbeifließen. In einer Broadcast-Umgebung, wie beispielsweise einem Ethernet-LAN, bedeutet das, dass der Paket-Sniffer alle zwischen allen Hosts im LAN übertragenen Rahmen empfängt. Jeder Host mit einer Ethernet-Karte kann leicht als Paket-Sniffer dienen, weil die Ethernet-NIC lediglich auf den so genannten **Promiscuous Mode** gesetzt werden muss, um alle vorbeifließenden Ethernet-Rahmen zu empfangen. Diese Rahmen können dann an Anwendungsprogramme weitergegeben werden, die auf Anwendungsebene Daten extrahieren. In dem in Abbildung 7.2 dargestellten Telnet-Szenario wird das von A an B gesendete und das auf B eingegebene Anmeldepasswort in Host C »ausgeschnüffelt«. Paket-Sniffing ist ein zweischneidiges Schwert: Es kann für einen Netzwerkadministrator zur Überwachung und Verwaltung des Netzwerks (siehe Kapitel 8) wertvoll sein, lässt sich aber auch von einem Hacker zu unethischen Handlungen missbrauchen. Paket-Sniffer-Software ist auf verschiedenen WWW-Sites kostenlos verfügbar; daneben gibt es natürlich kommerzielle Produkte. Dozenten für Netzwerkkurse stellen normalerweise Laboraufgaben, die das Schreiben eines Paket-Sniffer- und Datenrekonstruktionsprogramms auf Anwendungsebene beinhalten.

Jedes an das Internet angeschlossene Gerät sendet notgedrungen IP-Datagramme in das Netzwerk. Aus Kapitel 4 ist bekannt, dass diese Datagramme die IP-Adresse des Senders und Daten der oberen Schichten beinhalten. Ein Benutzer mit vollständiger Kontrolle über die Software des Geräts (insbesondere sein Betriebssystem) kann die Protokolle des Geräts leicht modifizieren, um eine willkürliche IP-Adresse in das Quelladressfeld eines Datagramms einzufügen. Dies wird als **IP-Spoofing** bezeichnet. Ein Benutzer kann folglich ein IP-Paket erstellen, das beliebige Nutzdaten (der oberen Schichten) enthält, und es so aussehen lassen, als ob die Daten von einem

Abbildung 7.2 Paket-Sniffing

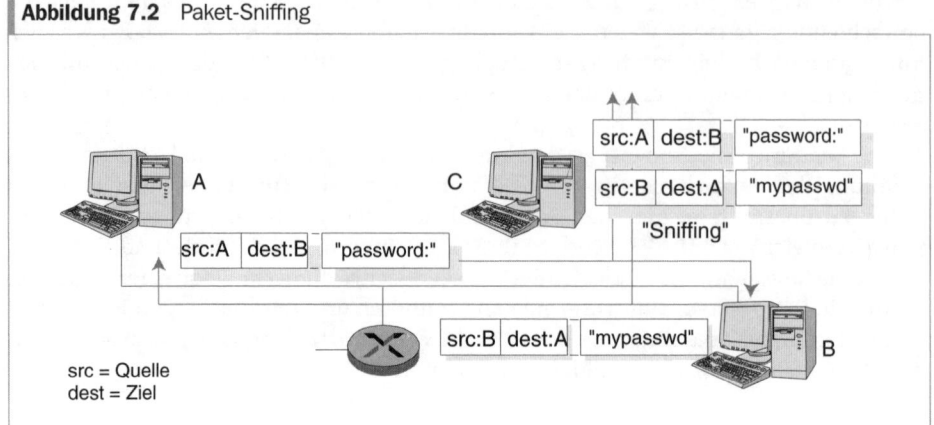

bestimmten IP-Host kämen. Paket-Sniffing und IP-Spoofing sind nur zwei der häufigsten Formen von Sicherheitsattacken im Internet.

Eine dritte allgemeine Klasse von Sicherheitsbedrohungen sind die so genannten **Denial-of-Service-Attacken (DoS)**. Wie die Bezeichnung bereits andeutet, wird ein Netzwerk, ein Host oder ein anderer Teil der Netzwerkinfrastruktur durch eine DoS-Attacke für legitime Benutzer unbenutzbar. Im typischen Fall funktioniert eine DoS-Attacke dadurch, dass derart viel Arbeit für die attackierte Infrastruktur erzeugt wird, dass die legitime Arbeit nicht mehr ausgeführt werden kann. In einer so genannten SYN-Flooding-Attacke [CERT SYN 1996] überschüttet der Angreifer einen Server mit TCP-SYN-Paketen, in denen sich eine gefälschte IP-Quelladresse befindet. Der Server kann nicht zwischen einem legitimen und einem gefälschten SYN unterscheiden, führt den zweiten Schritt des TCP-Handshake (siehe Abschnitt 3.5.7) für ein gefälschtes SYN aus und weist Datenstrukturen und Zustände zu. Der dritte Schritt des Drei-Wege-Handshake wird vom Angreifer nie ausgeführt, so dass sich die Anzahl der teilweise offenen Verbindungen endlos erhöht. Die Last der zu verarbeitenden SYN-Pakete und der Verbrauch von freiem Speicher zwingen den Server letztendlich in die Knie. Eine DoS-Attacke vom Typ »Smurf«[1] [CERT Smurf 1998] funktioniert dergestalt, dass viele unschuldige Hosts auf ICMP-Echoanfragen (siehe Abschnitt 4.4.5) antworten, die eine gefälschte IP-Quelladresse beinhalten. Dies führt zu einer großen Zahl von ICMP-Echoantworten an den armen Host, dem diese IP-Adresse gehört. In RFC 2267 und 2644 sind mehrere einfache Schritte beschrieben, die unternommen werden können, um diese und andere DoS-Attacken zu verhindern.

In mehreren Arbeiten [Denning 1997] werden verschiedene Netzwerkattacken und Sicherheitsbedrohungen diskutiert. Eine Übersicht über gemeldete Attacken wird am CERT Coordination Center [CERT 2000] geführt. Siehe auch [Cisco Security 1997; Voydock 1983; Bhimani 1996].

Nachdem nun feststeht, dass sich im Internet tatsächlich echte Bösewichte (die wir repräsentativ »Trudy« nennen) herumtreiben, stellt sich die Frage, wer die Internet-Gegenstücke von Alice und Bob, die sicher kommunizieren müssen, sind? Gewiss, »Bob« und »Alice« können menschliche Benutzer an zwei Endsystemen sein, z. B. eine echte Alice und ein echter Bob, die wirklich sichere E-Mail austauschen wol-

---

1 Ein Smurf ist ein Web-Schlumpf; siehe z. B. www.smurf.com (Anm. d. Übers.).

len. Sie können auch Teilnehmer in einer E-Commerce-Transaktion sein. Eine echte Alice könnte z. B. ihre Kreditkartennummer an einen WWW-Server übertragen wollen, um einen Artikel online zu bestellen. Ebenso könnte eine echte Alice mit ihrer Bank online interagieren wollen. Wie in RFC 1636 angemerkt, könnten die Parteien, die eine sichere Kommunikation fordern, selbst auch Teil der Netzwerkinfrastruktur sein. Beispielsweise setzen das DNS (siehe Abschnitt 2.5) oder Routing-Daemons, die Routing-Tabellen austauschen (siehe Abschnitt 4.5), sichere Kommunikation zwischen zwei Parteien voraus. Das Gleiche gilt für Netzwerkmanagementanwendungen, die in Kapitel 8 behandelt werden. Ein Eindringling, dem es tatsächlich gelingt, aktiv in DNS-Suchen und -Aktualisierungen, Routing-Berechnungen oder Netzwerkmanagementfunktionen einzudringen und diese unter Kontrolle zu bringen, kann im Internet großes Chaos anrichten.

Nachdem wir nun den Rahmen, einige wichtige Definitionen und die Notwendigkeit für Netzwerksicherheit festgestellt haben, befassen wir uns mit Kryptographie, die für viele Aspekte der Netzwerksicherheit zentrale Bedeutung hat.

7.2 Die Prinzipien von Kryptographie

Obwohl Kryptographie eine lange Geschichte hat, die mindestens bis zu Julius Caesar zurückgeht (die so genannte Caesar-Chiffre wird später in diesem Kapitel beschrieben), basieren moderne kryptographische Techniken, von denen vielen im heutigen Internet benutzt werden, auf Errungenschaften der letzten dreißig Jahre. In seinem Buch »The Codebreakers« [Kahn 1967] bietet Kahn einen faszinierenden Einblick in diese Geschichte. Eine ausführliche technische (aber unterhaltsame und lesbare) Diskussion von Kryptographie, insbesondere aus Sicht von Netzwerken, bietet [Kaufman 1995]. [Diffie 1998] enthält eine aktuelle Prüfung der politischen und gesellschaftlichen Fragen (z. B. Datenschutz), die heute untrennbar mit Kryptographie verknüpft sind. Eine vollständige Diskussion von Kryptographie füllt ganze Bücher [Kaufman 1995; Schneier 1995], so dass wir nur einige wichtige Aspekte von Kryptographie behandeln, insbesondere in der Form, in der sie im heutigen Internet praktiziert wird. Zwei ausgezeichnete Online-Sites zum Thema sind [Kessler 1998] und [RSA FAQ 1999] bzw. [Stallings 2000], [Eckert 2001], [Merz 1999], [Pfitzmann 2000] und [Raepple 2001].

Kryptographische Techniken erlauben es einem Sender, die Daten so zu verbergen, dass ein Eindringling keine Informationen aus den abgefangenen Daten gewinnen kann. Der Empfänger muss natürlich in der Lage sein, die Originaldaten aus den verborgenen Daten wiederzugewinnen. Abbildung 7.3 enthält einige wichtige Fachbegriffe.

Angenommen, Alice möchte eine Nachricht an Bob senden. Die Nachricht von Alice in ihrer Originalform (z. B. »Bob, I love you. Alice«) wird als **Klartext** bezeichnet. Alice verschlüsselt ihre Klartextnachricht mit Hilfe eines **Chiffrieralgorithmus**, so dass die verschlüsselte Nachricht, die als **Chiffretext** bezeichnet wird, für einen Eindringling unlesbar ist. Interessant ist, dass in vielen modernen kryptographischen Systemen, darunter auch die im Internet verwendeten, die Chiffriertechnik selbst *bekannt* ist, d. h. veröffentlicht, standardisiert und jedem – auch einem potenziellen Eindringling – zugänglich ist (z. B. [RFC 1321, RFC 2437, RFC 2420])! Wenn andere die Methode zur Kodierung von Daten kennen, muss es natürlich irgendeine geheime Information geben, die einen Eindringling daran hindert, die übertragenen Daten zu entschlüsseln. An diesem Punkt setzen Schlüssel an.

Abbildung 7.3 Die kryptographischen Komponenten

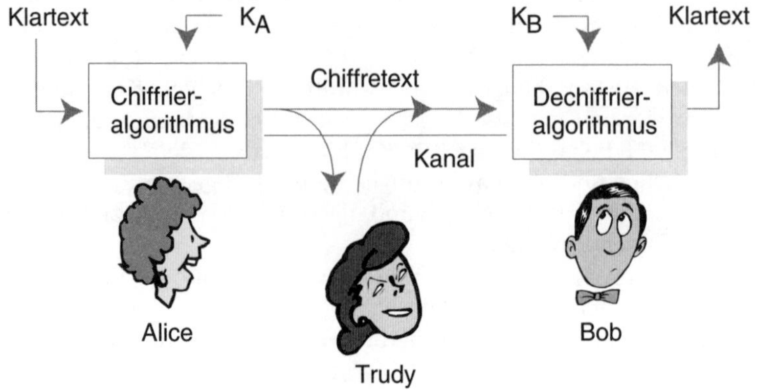

In Abbildung 7.3 liefert Alice einen **Schlüssel**, K_A, in Form einer aus Zahlen oder Buchstaben bestehenden Zeichenkette als Eingabe in den Chiffrieralgorithmus. Der Chiffrieralgorithmus verwendet den Schlüssel und den Klartext als Eingabe und produziert Chiffretext als Ausgabe. Ebenso stellt Bob einen Schlüssel, K_B, dem **Dechiffrieralgorithmus** zur Verfügung, der den Chiffretext und Bobs Schlüssel als Eingabe verwendet und den Originalklartext als Ausgabe produziert. In so genannten **Symmetric-Key-Systemen** sind die Schlüssel von Alice und Bob identisch und geheim. In **Public-Key-Systemen** wird ein Schlüsselpaar verwendet. Einer der Schlüssel ist Bob und Alice (und tatsächlich der ganzen Welt) bekannt. Der andere Schlüssel ist nur entweder Bob oder Alice (aber nicht beiden) bekannt. In den folgenden beiden Unterabschnitten werden die Systeme mit symmetrischen und öffentlichen Schlüsseln ausführlicher beschrieben.

FALLBEISPIEL

Codeknackwettbewerbe

Der erstmals von der US-Regierung 1977 übernommene Data Encryption Standard (DES), ein 56-Bit-Algorithmus, wird immer noch häufig von Finanzdiensten und anderen Branchen weltweit verwendet, um sensible Informationen zu schützen. Das Unternehmen RSA veranstaltet regelmäßig DES-Knackwettbewerbe, um die Notwendigkeit für Verschlüsselung, die stärker als der derzeitige 56-Bit-Standard ist, zu betonen. In jeder Herausforderung (Challenge) gilt es, eine mit 56-Bit-DES kodierte Nachricht innerhalb einer bestimmten Zeit zu entschlüsseln. Codeknacker nehmen die Herausforderung dadurch an, dass sie alle möglichen geheimen Schlüssel durchsuchen. Die Gewinner erhalten ein Preisgeld von $10.000.

Im Januar 1997 startete die Firma RSA eine Herausforderung mit dem Ziel, deutlich zu machen, dass der Data Encryption Standard der US-Regierung mit seinem 56-Bit-Schlüssel nur begrenzten Schutz vor einem hartnäckigen Gegner bieten kann. Den ersten Wettbewerb gewann ein Team aus Colorado, das den geheimen Schlüssel in weniger als vier

Monaten herausfand und die DES-Challenge I gewann. Seit dieser Zeit haben verbesserte Technologien noch viel schnellere erschöpfende Suchen möglich gemacht. Im Februar 1998 gewann Distributed.Net die von RSA veranstaltete DES-Challenge II-1 in 41 Tagen und im Juli gewann die Electronic Frontier Foundation (EFF) die DES-Challenge II-2, als sie die DES-Nachricht in 56 Stunden knackte.

Im Januar 1999 arbeitete Distributed.Net, eine weltweite Koalition aus Computer-Enthusiasten, mit »Deep Crack«, einem speziell entworfenen Supercomputer von Electronic Frontier Foundation (EFF), und einem weltweiten Netzwerk von fast 100.000 PCs im Internet, um die DES-Challenge III von RSA in einer Rekordzeit von 22,15 Stunden zu knacken. Der EFF-Supercomputer und die Computer von Distributed.Net testeten dabei 245 Milliarden Schlüssel pro Sekunde!

7.2.1 Symmetric-Key-Kryptographie

Alle kryptographischen Algorithmen basieren auf der Ersetzung von Daten durch andere, z. B. die Berechnung und Ersetzung eines Klartextes durch den entsprechenden Chiffretext, um eine verschlüsselte Nachricht zu erstellen. Bevor wir ein modernes, auf Schlüssel basierendes kryptographisches System untersuchen, beschreiben wir zuerst einen sehr alten einfachen Algorithmus mit symmetrischen Schlüsseln (Symmetric-Key-Algorithmus), der Julius Caesar zugeschrieben und daher als *Caesar-Chiffre* bezeichnet wird (eine Chiffre ist eine Methode für die Verschlüsselung von Daten).

Für englischen Text würde die **Caesar-Chiffre** so funktionieren, dass man jeden Buchstaben der Klartextnachricht verwendet und durch den Buchstaben, der k Buchstaben später im Alphabet folgt, ersetzt (wobei immer wieder von vorn begonnen wird, d. h., dem Buchstaben »z« folgt der Buchstabe »a«). Wenn beispielsweise $k = 3$, dann wird aus dem Buchstaben »a« im Klartext der Buchstabe »d« im Chiffretext, »b« wird zu »e« usw. Hier dient der Wert von k als Schlüssel. Aus der Klartextnachricht »bob, I love you. alice.« wird dadurch beispielsweise »ere, l oryh brx. dolfh.« im Chiffretext. Der Chiffretext sieht tatsächlich wie Kauderwelsch aus. Es würde aber nicht lange dauern, den Code zu knacken, wenn man weiß, dass die Caesar-Chiffre angewandt wurde, weil sie nur 25 mögliche Schlüsselwerte hat.

Eine Verbesserung der Caesar-Chiffre ist die so genannte **monoalphabetische Chiffre**, die auch einen Buchstaben durch einen anderen im Alphabet ersetzt. Statt nach einem regelmäßigen Muster zu ersetzen (z. B. Ersetzung mit einem Versatz von k für alle Buchstaben), kann hier jeder Buchstabe durch einen beliebigen anderen ersetzt werden, solange jeder Buchstabe einen eindeutigen Ersetzungsbuchstaben hat, und umgekehrt. Abbildung 7.4 zeigt eine mögliche Regel für die Kodierung von Klartext.

Abbildung 7.4 Eine monoalphabetische Chiffre

Klartextbuchstabe	a b c d e f g h i j k l m n o p q r s t u v w x y z
Chiffretextbuchstabe	m n b v c x z a s d f g h j k l p o i u y t r e w q

Aus der Klartextnachricht »bob, I love you. alice.« wird »nkn, s gktc wky. mgsbc.«. Wie im Fall der Caesar-Chiffre ist das reines Kauderwelsch. Eine monoalphabetische Chiffre scheint auch besser als die Caesar-Chiffre zu sein, weil es 26! (in der Größenordnung von 10^{26}) statt 25 mögliche Buchstabenpaare gibt. Ein Brute-Force-Versuch, alle 10^{26} möglichen Paare auszuprobieren, würde viel zu viel Aufwand erfordern, um eine machbare Möglichkeit zu sein, den Chiffrieralgorithmus aufzubrechen und die Nachricht zu dekodieren. Mit statistischer Analyse der Klartextsprache, wobei beispielsweise bekannt ist, dass die Buchstaben »e« und »t« die häufigsten Buchstaben in einem typischen englischen Text sind (die 13% bzw. 9% der Vorkommen aller Buchstaben ausmachen) und dass bestimmte Silben besonders oft vorkommen (z. B. »in«, »it«, »the«, »ion«, »ing« usw.), wird es relativ leicht, diesen Code zu knakken. Wenn der Eindringling über einige Kenntnisse des möglichen Inhalts der Nachricht verfügt, lässt sich der Code sogar noch leichter knacken. Wenn der Eindringling Trudy beispielsweise Bobs Ehefrau ist und den Verdacht hat, dass Bob eine Affäre mit Alice hat, kann sie mit großer Wahrscheinlichkeit annehmen, dass die Namen »bob« und »alice« im Text vorkommen. Wenn Trudy mit Gewissheit wüsste, dass diese beiden Namen im Chiffretext erscheinen und eine Kopie des Chiffretexts aus dem obigen Beispiel hätte, könnte sie sofort sieben aus 26 Buchstabenpaaren feststellen, so dass mit einer Brute-Force-Methode 10^9 weniger Möglichkeiten geprüft werden müssten. Wenn Trudy tatsächlich den Verdacht hat, dass Bob eine Affäre hat, könnte sie leicht auch bestimmte andere Wörter in der Nachricht vermuten.

Je nachdem, über welche Informationen der Eindringling verfügt, kann man zwischen drei verschiedenen Szenarien unterscheiden:

- *Ciphertext-Only-Attacke*: In manchen Fällen hat der Eindringling nur Zugang zu dem abgefangenen Chiffretext, aber keine bestimmten Informationen über den Inhalt der Klartextnachricht. Eine statistische Analyse kann bei der Anwendung einer Ciphertext-Only-Attacke auf ein Chiffrierschema helfen.

- *Known-Plaintext-Attacke*: Wenn Trudy irgendwie sicher weiß, dass »bob« und »alice« in der Chiffretextnachricht auftauchen, kann sie die Klartext/Chiffretext-Paare für die Buchstaben a, l, i, c, e, b und o feststellen. Vielleicht hat sie Glück, alle Chiffretext-Übertragungen aufzeichnen zu können. Dann hat sie vielleicht Bobs eigene entschlüsselte Version von einer der Übertragungen auf einem Papier gekritzelt gefunden. Wenn ein Eindringling einige Klartext/Chiffretext-Paare kennt, bezeichnet man dies als Known-Plaintext-Attacke auf das Verschlüsselungsschema.

- *Chosen-Plaintext-Attacke*: Bei dieser Attacke ist der Eindringling in der Lage, die Klartextnachricht zu wählen und seine Chiffretextform zu erhalten. Wenn Trudy angesichts der bisher beschriebenen einfachen Chiffrieralgorithmen Alice dazu bringen kann, die Nachricht »The quick fox jumps over the lazy brown dog« zu senden, kann sie das Chiffrierschema vollständig knacken. Wir werden bald sehen, dass eine Chosen-Plaintext-Attacke bei ausgefeilteren Chiffriertechniken nicht unbedingt bedeutet, dass die Chiffriertechnik geknackt werden kann.

Vor 500 Jahren wurden verbesserte Techniken der monoalphabetischen Chiffrierung erfunden, die man als **polyalphabetische Chiffrierung** bezeichnet. Diese Techniken, die fälschlicherweise Blaise de Vigenere [Kahn 1967] zugeschrieben wurden, sind als **Vigenere-Chiffren** bekannt geworden. Dem zugrunde liegenden Konzept zufolge verwenden Vigenere-Chiffren mehrere monoalphabetische Chiffren mit einer spezifischen monoalphabetischen Chiffre für die Kodierung eines Buchstabens an einer spezifischen Stelle in der Klartextnachricht. Folglich kann der gleiche Buchstabe je nach seiner Position in der Klartextnachricht unterschiedlich kodiert werden. Die in Abbildung 7.5 dargestellte Vigenere-Chiffre hat zwei unterschiedliche Caesar-Chiffren (mit $k = 5$ und $k = 19$). Man kann diese beiden Caesar-Chiffren, C_1 und C_2, in dem wiederholenden Muster C_1, C_2, C_2, C_1, C_2 verwenden. Das heißt, der erste Buchstabe des Klartexts muss C_2 verwenden. Das Muster wiederholt sich dann, wobei der sechste zu kodierende Buchstabe C_1, der siebte C_2, usw., verwendet. Die Klartextnachricht »bob, I love you.« erscheint im verschlüsselten Text folglich als »ghu, n etox dhz.«. Man beachte, dass das erste »b« mit C_2 verschlüsselt wird. Bei diesem Beispiel ist der »Schlüssel« für die Ver- und Entschlüsselung die Kenntnis der beiden Caesar-Schlüssel ($k = 5$, $k = 19$) und des Musters C_1, C_2, C_2, C_1, C_2.

Abbildung 7.5 Eine Vigenere-Chiffre mit Verwendung zweier Caesar-Chiffren

Klartextbuchstabe	a b c d e f g h i j k l m n o p q r s t u v w x y z
$C_1(k = 5)$	f g h i j k l m n o p q r s t u v w x y z a b c d e
$C_2(k = 19)$	t u v w x y z a b c d e f g h i j k l m n o p q r s

DES (Data Encryption Standard)

Wir machen nun einen großen Sprung in die Moderne und untersuchen den **Data Encryption Standard (DES)** [NIST 1993]. Dieser Chiffrierstandard mit symmetrischen Schlüsseln wurde 1977 veröffentlicht und 1993 vom U.S. National Bureau of Standards für die kommerzielle und nicht geheime Verwendung durch die US-Regierung aktualisiert. DES kodiert Klartext in 64-Bit-Blöcke mit einem 64-Bit-Schlüssel. Von diesen 64 Bit des Schlüssels haben 8 ungerade Parität (für jedes der acht Bytes gibt es ein Paritätsbit), so dass der DES-Schlüssel effektiv 56 Bit lang ist. Das National Institute of Standards (Nachfolger des National Bureau of Standards) gibt das Ziel von DES wie folgt an: »Das Ziel ist es, die Daten und den Schlüssel vollständig zu vermischen, so dass jedes Bit des Chiffretextes von jedem Bit der Daten und jedem Bit des Schlüssels abhängt ... Mit einem guten Algorithmus dürfte es keine Korrelation zwischen dem Chiffretext und den Originaldaten oder dem Schlüssel geben.« [NIST 1999a]

Die grundlegende Operation von DES ist in Abbildung 7.6 dargestellt. Wir befassen uns hier nur mit einer Übersicht über die DES-Operation und verweisen den Leser hinsichtlich der (*zahlreichen*) Details auf andere Quellen [Kaufman 1995; Schneier 1995 (enthält auch eine C-Implementierung]. DES umfasst zwei Permutationsschritte (der erste und letzte Schritt des Algorithmus), in denen alle 64 Bit vertauscht (umgestellt) werden. Zwischen ihnen gibt es 16 identische »Operationsrunden«. Die Operation jeder Runde ist identisch; die Ausgabe einer Runde bildet die Eingabe der nächsten. In jeder Runde werden die 32 ganz rechten Bit der Eingabe auf die 32 linken Bit der Ausgabe verschoben. Die gesamte 64-Bit-Eingabe in die i-te Runde und der 48-Bit-Schlüssel für die i-te Runde (abgeleitet aus dem größeren 56-Bit-DES-Schlüssel) werden als Eingabe in eine Funktion verwendet, durch die die 4-Bit-Eingabeblöcke auf 6-Bit-Blöcke erweitert werden. Mit den erweiterten 6-Bit-Blöcken wird ein XOR (EXCLUSIVE OR) auf den 48-Bit-Schlüssel Ki ausgeführt; dann folgt eine Ersetzungsoperation und ein weiteres XOR mit den 32 ganz linken Bit der Eingabe; siehe [Kaufman 1995 und Schneier 1995] mit ausführlichen Beschreibungen.

Die resultierende 32-Bit-Ausgabe der Funktion wird dann als die 32 ganz rechten Bit der 64-Bit-Ausgabe der Runde benutzt (siehe Abbildung 7.6). Die Entschlüsselung funktioniert durch Umkehr der Operationen des Algorithmus.

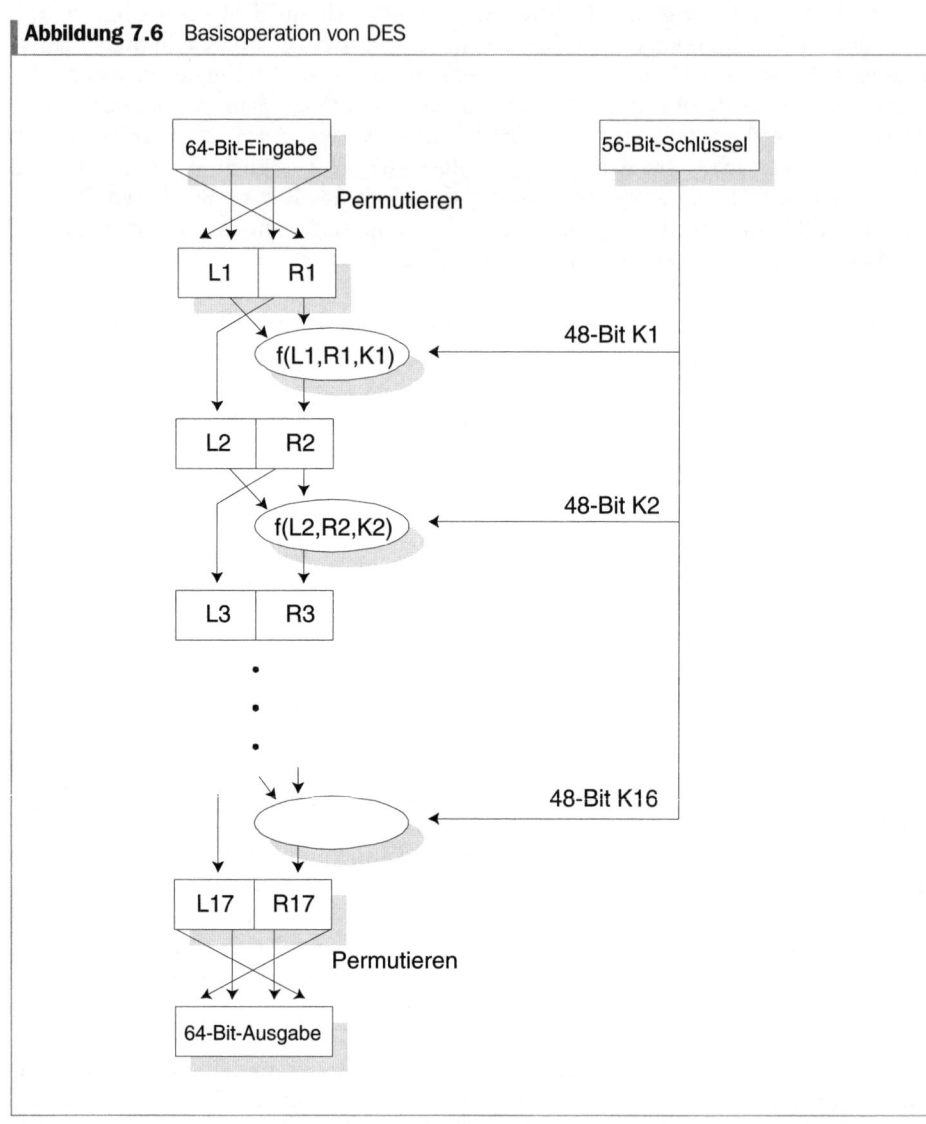

Abbildung 7.6 Basisoperation von DES

Wie gut funktioniert DES? Wie sicher ist es? Niemand kann das mit Sicherheit sagen [Kaufman 1995]. 1997 startete die Netzwerksicherheitsfirma RSA Data Security Inc. einen DES-Challenge-Wettbewerb mit der Aufforderung, eine kurze Phrase zu »knacken« (dekodieren), die mit Hilfe von 56-Bit-DES verschlüsselt worden war. Die unkodierte Phrase (»Strong cryptography makes the world a safer place.«) wurde in weniger als vier Monaten von einem Team aufgedeckt, das Freiwillige überall im Internet aufforderte, den Schlüsselraum systematisch zu durchforsten. Das Team gewann den Preis von $10.000, nachdem nur ein Viertel des Schlüsselraums,

d. h. etwa 18 Quadrillion Schlüssel [RSA 1997], getestet worden war. Die letzte, 1999 veranstaltete DES-Challenge III wurde in einer Rekordzeit von knapp über 22 Stunden entschieden. Die Gewinner waren zahlreiche Freiwillige im Internet und ein spezieller Computer (mit dem Spitznamen »Deep Crack«), der für weniger als $250.000 gebaut und online dokumentiert wurde [EFF 1999].

Wenn 56-Bit-DES als zu unsicher betrachtet wird, kann man einfach den 56-Bit-Algorithmus mehrmals ausführen, wobei man die 64-Bit-Ausgabe von einer DES-Iteration als Eingabe der nächsten DES-Iteration und jedes Mal einen anderen Chiffrierschlüssel verwendet. Das so genannte **Triple-DES** (3-DES) ist beispielsweise ein US-Regierungsstandard [NIST 1999b], der als Chiffrierstandard für das PPP-Protokoll [RFC 2420] der Sicherungsschicht (siehe Abschnitt 5.8) vorgeschlagen wurde. Eine ausführliche Beschreibung von Schlüssellängen und des geschätzten Zeit- und Geldaufwands, um DES zu knacken, findet der Leser in [Blaze 1996].

In unserer obigen Beschreibung wurde nur die Verschlüsselung einer 64-Bit-Menge berücksichtigt. Wenn längere Nachrichten verschlüsselt werden, was normalerweise der Fall ist, wird DES oft mit einer als **Cipher-Block-Chaining** bezeichneten Technik kombiniert, bei der die verschlüsselte Version der j-ten 64-Bit-Datenmenge einem XOR mit der $(j + 1)$ten Dateneinheit unterzogen wird, bevor die $(j + 1)$te Dateneinheit verschlüsselt wird.

7.2.2 Public-Key-Chiffrierung

Mehr als 2000 Jahre (von der Zeit der Caesar-Chiffre bis in die siebziger Jahre) setzte verschlüsselte Kommunikation voraus, dass die beiden kommunizierenden Parteien ein gemeinsames Geheimnis hüten: den symmetrischen Schlüssel für die Ver- und Entschlüsselung. Eine Schwierigkeit ist bei diesem Ansatz, dass die beiden Parteien sich irgendwie auf den gemeinsamen Schlüssel einigen müssen. Hierfür müssen sie aber (vorzugsweise *sicher*) miteinander kommunizieren! Vielleicht könnten sich die Parteien zuerst persönlich treffen und sich auf einen Schlüssel einigen (z. B. konnten sich zwei von Caesars Zenturien in einem römischen Bad treffen) und danach mit Verschlüsselung kommunizieren. In der vernetzten Welt ist es aber durchaus üblich, dass sich kommunizierende Parteien nie persönlich treffen und überhaupt nie anders als über das Netzwerk unterhalten. Ist es möglich, dass zwei Parteien mittels verschlüsselter Nachrichten kommunizieren, ohne im Voraus einen gemeinsamen geheimen Schlüssel zu haben? Genau dafür demonstrierten Diffie und Hellman [Diffie 1976] 1976 einen Algorithmus (der heute als »Diffie-Hellman Key Exchange« bekannt ist). Das war ein radikal anderer und herrlich eleganter Ansatz für sichere Kommunikation, der zur Entwicklung der heutigen Kryptographiesysteme mit öffentlichen Schlüsseln geführt hat. Wir werden in Kürze sehen, dass Kryptographiesysteme mit öffentlichen Schlüsseln (Public-Key-Systeme) auch einige wunderbare Eigenschaften aufweisen, durch die sie nicht nur für die Verschlüsselung, sondern auch für die Authentifikation und digitale Signaturen so nützlich sind. Die früher begonnenen Arbeiten ([Diffie 1976] und [RSA 1978]) sind Eckpfeiler der heutigen E-Commerce-Aktivitäten (siehe Abschnitt 7.7). Interessant ist, dass sich kürzlich herausstellte, dass ähnliche Ideen wie die in [Diffie 1976] und [RSA 1978] unabhängig Anfang der siebziger Jahre in einer Reihe geheimer Berichte von Wissenschaftlern der britischen Communications-Electronics Security Group entwickelt wurden [CESG 2000]. Wie das so oft der Fall ist, können großartige Ideen an unterschiedlichen Stellen unabhängig voneinander entstehen. Zum Glück haben Fortschritte mit öffentlichen Schlüsseln nicht nur aus privater, sondern auch öffentlicher Sicht stattgefunden.

Die Anwendung der Public-Key-Kryptographie ist recht einfach. Angenommen, Alice möchte mit Bob kommunizieren. In Abbildung 7.7 ist dargestellt, dass Bob und Alice keinen einzelnen geheimen Schlüssel (wie im Fall der Symmetric-Key-Systeme) austauschen, sondern dass Bob (der Empfänger von Alices Nachrichten) stattdessen zwei Schlüssel hat: einen **öffentlichen** (Public-Key), der *jedem* in der Welt zur Verfügung steht (darunter auch Trudy, unserem Eindringling), und einen **privaten** Schlüssel, den nur Bob kennt. Um mit Bob zu kommunizieren, besorgt sich Alice zuerst Bobs öffentlichen Schlüssel. Dann verschlüsselt Alice ihre Nachricht mit Hilfe von Bobs öffentlichem Schlüssel und einem bekannten (z. B. standardisierten) Chiffrieralgorithmus. Bob empfängt die verschlüsselte Nachricht von Alice und benutzt seinen privaten Schlüssel und einen bekannten (z. B. standardisierten) Dechiffrieralgorithmus, um Alices Nachricht zu entschlüsseln. Auf diese Weise kann Alice eine geheime Nachricht an Bob senden, ohne dass die beiden irgendwelche geheimen Schlüssel verteilen müssen!

Abbildung 7.7 Public-Key-Kryptographie

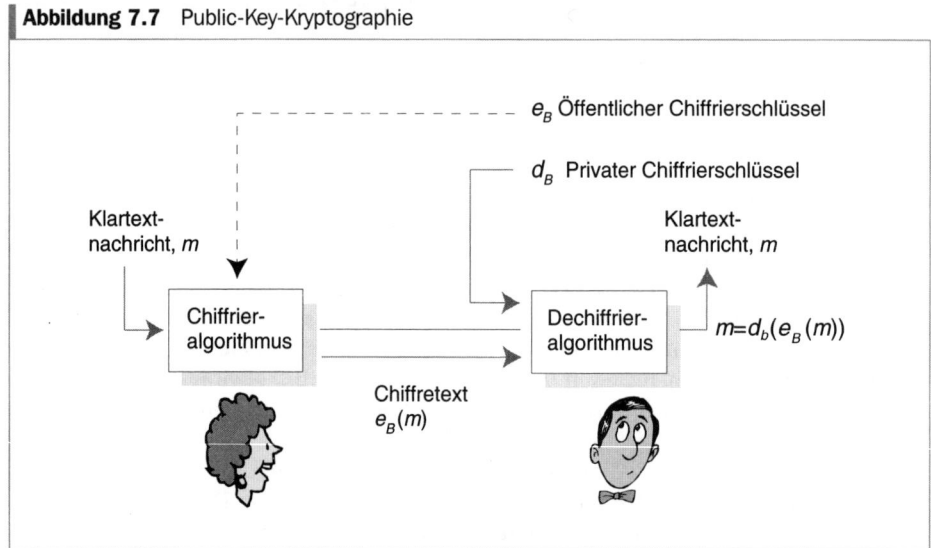

Mit der Notation aus Abbildung 7.7 gilt $d_B(e_B(m)) = m$ für jede Nachricht m, d. h., unter Anwendung von Bobs öffentlichem Schlüssel e_B und dann Bobs privatem Schlüssel d_B auf die Nachricht m erhält man wieder m. Wir werden weiter unten sehen, dass wir die Chiffrierung mit dem öffentlichen und dem privaten Schlüssel austauschen können, um das gleiche Ergebnis, nämlich $e_B(d_B(m)) = d_B(e_B(m)) = m$, zu erhalten.

Die Verwendung der Public-Key-Kryptographie ist also vom Konzept her einfach. Zwei Bedenken kommen einem aber sofort in den Sinn. Erstens kennt der Eindringling beide Schlüssel (Bobs öffentlichen Schlüssel, der der ganzen Welt zugänglich ist) und den Algorithmus, den Alice für die Chiffrierung verwendet hat, obwohl die abgefangene, von Alice verschlüsselte Nachricht für ihn nur Kauderwelsch ist. Trudy kann also eine Chosen-Plaintext-Attacke mit dem bekannten standardisierten Chiffrieralgorithmus und Bobs öffentlich verfügbarem Chiffrierschlüssel durchführen, um jede von ihr gewünschte Nachricht zu kodieren! Trudy könnte beispielsweise versuchen, Nachrichten ganz oder teilweise zu kodieren, die Alice ihren Erwartungen zufolge senden könnte. Damit die Public-Key-Kryptographie funktionieren kann, muss die Schlüsselauswahl und die Chiffrierung/Dechiffrierung natürlich so durchgeführt werden, dass es für einen Eindringling unmöglich (oder zumindest sehr schwierig) ist, den privaten Schlüssel von Bob zu ermitteln oder anderweitig die Nachricht von Alice an Bob zu entschlüsseln oder zu erraten. Zweitens kann jeder – auch Alice oder eine Person, die *vorgibt*, Alice zu sein – eine verschlüsselte Nachricht an Bob senden, weil Bobs Chiffrierschlüssel öffentlich ist. Im Fall eines einzigen gemeinsamen geheimen Schlüssels wird der Sender gegenüber dem Empfänger implizit dadurch identifiziert, dass der Sender den geheimen Schlüssel kennt. Im Fall der Public-Key-Kryptographie ist dies allerdings nicht mehr der Fall, weil jeder eine verschlüsselte Nachricht mit Bobs öffentlich verfügbarem Schlüssel an Bob senden kann. Eine digitale Signatur (siehe Abschnitt 7.4) ist notwendig, um einen Sender mit einer Nachricht zu verbinden.

Während es viele Algorithmen und Schlüssel gibt, die diese Bedenken aufgreifen und zu entkräften versuchen, hat sich der **RSA-Algorithmus** (benannt nach ihren Erfindern Ron Rivest, Adi Shamir und Leonard Adleman) fast als Synonym für Public-Key-Kryptographie durchgesetzt. Wir beschreiben zuerst, wie RSA funktioniert, und untersuchen anschließend, warum es funktioniert. Angenommen, Bob möchte verschlüsselte Nachrichten wie in Abbildung 7.7 empfangen. Es gibt zwei zusammenhängende Komponenten von RSA:

- Auswahl des öffentlichen und privaten Schlüssels
- Chiffrier- und Dechiffrieralgorithmus

Bob muss den öffentlichen und privaten Schlüssel wie folgt wählen:

1. Auswahl zweier großer Primzahlen p und q. Wie groß sollten p und q sein? Je größer die Werte, um so schwieriger ist es, RSA aufzubrechen, um so länger dauert aber die Durchführung der Kodierung und Dekodierung. RSA Laboratories empfiehlt ein Produkt von p und q in der Größenordnung von 768 Bit für die persönliche und 1024 Bit für die kommerzielle Verwendung [RSA Key 1999]. (Was uns Anlass zu der Frage gibt, warum kommerzielle Verwendung so viel wichtiger als private sein soll!)
2. Berechnung von $n = pq$ und $z = (p-1)(q-1)$.
3. Auswahl einer Zahl e, die kleiner als n ist und (außer 1) keine gemeinsamen Faktoren mit z hat. (In diesem Fall gelten e und z als relativ prim.) Der Buchstabe »e« wurde gewählt, weil dieser Wert in der Chiffrierung (encryption) benutzt wird.
4. Finden einer Zahl d, so dass $ed - 1$ genau (d. h. ohne Rest) durch z teilbar ist. Der Buchstabe »d« wurde gewählt, weil dieser Wert in der Dechiffrierung (decryption) benutzt wird. Anders ausgedrückt: Bei gegebenem e wählen wir d, so dass der ganzzahlige Rest 1 ist, wenn ed durch z geteilt wird. (Wenn eine Ganzzahl x durch die Ganzzahl n geteilt wird, ist der ganzzahlige Rest x mod n).
5. Der öffentliche Schlüssel, den Bob der ganzen Welt zugänglich macht, ist das Zahlenpaar (n,e); sein privater Schlüssel ist das Zahlenpaar (n,d).

Die Chiffrierung durch Alice und die Dechiffrierung durch Bob laufen wie folgt ab:

1. Angenommen, Alice möchte Bob ein Bitmuster oder eine Zahl m senden, so dass gilt $m < n$. Für die Kodierung führt Alice die Exponentialrechnung m^e durch und berechnet dann den ganzzahligen Rest, wenn m^e durch n geteilt wird. Folglich ist der verschlüsselte Wert c der Klartextnachricht m, die Alice sendet:

$$c = m^e \bmod n$$

2. Um die empfangene Chiffretextnachricht c zu entschlüsseln, berechnet Bob unter Verwendung seines geheimen Schlüssels (n,d) Folgendes:
$$m = c^d \bmod n$$

Als einfaches RSA-Beispiel nehmen wir an, Bob wählt $p = 5$ und $q = 7$. (Zugegeben, diese Werte sind viel zu klein, um sicher zu sein.) Dann gilt $n = 35$ und $z = 24$. Bob wählt $e = 5$, weil 5 und 24 keine gemeinsamen Faktoren haben. Schließlich wählt Bob $d = 29$, weil $5 * 29 - 1$ (d. h. $ed - 1$) genau durch 24 teilbar ist. Bob macht die beiden Werte $n = 35$ und $e = 5$ öffentlich verfügbar und hält den Wert $d = 29$ geheim. Wir gehen von diesen beiden öffentlichen Werten aus und nehmen an, dass Alice die Buchstaben »l«, »o«, »v« und »e«an Bob senden möchte. Interpretiert man jeden Buchstaben als Zahl zwischen 1 und 26 (wobei »a« 1 und »z« 26 ist), dann führen Alice und Bob die Ver- und Entschlüsselung wie in den Tabellen 7.1 bzw. 7.2 aus:

Angesichts dessen, dass das »Spielbeispiel« in den Tabellen 7.1 und 7.2 bereits einige extrem große Zahlen produziert hat und wir wissen, dass p und q jeweils mehrere Hundert Bit lang sein sollten, kommen einem mehrere praktische Fragen über RSA in den Sinn. Wie wählt man große Primzahlen? Wie wählt man dann e und d? Wie führt man eine Exponentialrechnung mit großen Zahlen aus? Eine ausführliche Diskussion dieser Fragen geht über Zweck und Umfang dieses Buchs hinaus; siehe stattdessen [Kaufman 1995] und die Literaturhinweise.

Tabelle 7.1 Die RSA-Verschlüsselung von Alice, $e = 5, n = 35$

Klartextbuchstabe	m: numerische Darstellung	m^e	Chiffretext $c = m^e \bmod n$
L	12	248832	17
O	15	759375	15
V	22	5153632	22
E	5	3125	10

Tabelle 7.2 Die RSA-Verschlüsselung von Bob, $e = 29, n = 35$

Chiffretext c	c^d	Chiffretext $m = c^d \bmod n$	Klartextbuchstabe
17	481968572106750915091411825223072000	12	l
15	127834039488589391112327575683594400	15	o
22	8.5164331908653770119561944997211e+38	22	v
10	100000000000000000000000000000	5	e

Die in RSA nötige Exponentialrechnung ist ein ziemlich zeitaufwendiger Prozess. Im Software-Toolkit von RSA Data Security [RSA Fast 1999] wird erwähnt, dass die Software mit einem Durchsatz von 21,6 KBit pro Sekunde mit einem 512-Bit-Wert für n und 7,4 KBit pro Sekunde mit einem 1024-Bit-Wert ver- und entschlüsseln kann. DES ist softwareseitig mindestens 100 Mal und hardwareseitig zwischen 1.000 und 10.000 Mal schneller. Deshalb wird RSA in der Praxis oft in Kombination mit DES verwendet. Wenn Alice beispielsweise eine große verschlüsselte Datenmenge in hoher Geschwindigkeit an Bob senden möchte, könnte sie Folgendes tun: Sie wählt zuerst einen DES-Schlüssel, der zur eigentlichen Kodierung der Daten benutzt wird. Dieser Schlüssel wird auch als **Sitzungsschlüssel**, K_S, bezeichnet. Alice muss Bob diesen Sitzungsschlüssel mitteilen, weil er der gemeinsame geheime Schlüssel ist, den die beiden für DES benutzen. Alice verschlüsselt den Sitzungsschlüsselwert also mit Hilfe des öffentlichen RSA-Schlüssels von Bob, d. h., sie berechnet $c = (K_S)^e \bmod n$. Bob empfängt den mit RSA verschlüsselten Sitzungsschlüssel c und entschlüsselt ihn, um den Sitzungsschlüssel K_S zu erhalten. Bob kennt jetzt den Sitzungsschlüssel, den Alice für ihren mit DES verschlüsselten Datentransfer benutzen wird.

Warum funktioniert RSA?

Die obige Ver- und Entschlüsselung mit RSA erscheint recht magisch. Wie ist es möglich, dass man durch Anwendung des Chiffrieralgorithmus und dann des Dechiffrieralgorithmus die Originalnachricht wiedergewinnt? Um zu verstehen, warum RSA funktioniert, müssen wir arithmetische Operationen mit Hilfe der so genannten Modulo-n-Arithmetik durchführen. In der modularen Arithmetik führt man die üblichen Operationen der Addition, Multiplikation und Exponentialrechnung durch. Das Ergebnis jeder Operation wird aber durch den ganzzahligen Rest aus der Division des Ergebnisses mit n ersetzt. Wir verwenden $n = pq$, wobei p und q die großen, im RSA-Algorithmus benutzten Primzahlen sind.

Wie wir bereits wissen, wird in der RSA-Chiffrierung eine (durch eine Ganzzahl dargestellte) Nachricht m zuerst mit Hilfe der Modulo-n-Arithmetik auf e potenziert, um sie zu verschlüsseln. Die Dechiffrierung wird dadurch ausgeführt, dass man diesen Wert wiederum mit der Modulo-n-Arithmetik in die Potenz d erhebt. Das Ergebnis eines Chiffrierschritts, gefolgt von einem Dechiffrierschritt, ist folglich $(m^e)^d$. Wir untersuchen jetzt, was sich über diese Menge sagen lässt. Wir haben:

$(m^e)^d \bmod n = m^{ed} \bmod n$

Obwohl wir das »Magische« darüber, warum RSA funktioniert, klären wollen, müssen wir hier eine ziemlich magische Erkenntnis aus der Zahlentheorie benutzen. Insbesondere benötigen wir die Erkenntnis, die besagt, wenn p und q prim sind und $n = pq$, dann ist $x^y \bmod n$ das Gleiche wie $x^{(y \bmod (p-1)(q-1))} \bmod n$ [Kaufman 1995]. Durch Anwendung dieser Erkenntnis erhalten wir:

$(m^e)^d \bmod n = m^{(ed \bmod (p-1)(q-1))} \bmod n$

Wir wählen aber e und d so, dass $ed - 1$ genau (d. h. ohne Rest) durch $(p-1)(q-1)$ teilbar ist, bzw. dass ed durch $(p-1)(q-1)$ mit einem Rest von 1 teilbar ist, und folglich $ed \bmod (p-1)(q-1) = 1$ ist. Dadurch erhalten wir

$(m^e)^d \bmod n = m^1 \bmod n = m$

Das heißt:

$(m^e)^d \bmod n = m$

Dies ist das Ergebnis, auf das wir gehofft haben! Doch durch die erste Potenzierung mit e (d. h. Chiffrierung) und die anschließende Potenzierung mit d (d. h. Dechiffrierung) erhalten wir den Originalwert m. Noch bemerkenswerter ist die Tatsache, dass wir den Originalwert m ebenfalls erhalten, wenn wir zuerst mit d und dann mit e potenzieren, d. h. die Reihenfolge der Ver- und Entschlüsselung umdrehen, so dass wir zuerst die Dechiffrier- und dann die Chiffrieroperation durchführen! (Der Beweis für dieses Ergebnis folgt den genau gleichen Begründungen wie oben.) Wir werden bald sehen, dass diese wunderbare Eigenschaft des RSA-Algorithmus, nämlich

$$(m^e)^d \bmod n = m = (m^d)^e \bmod n$$

äußerst nützlich ist. Die Sicherheit von RSA basiert auf der Tatsache, dass es keine bekannten Algorithmen für die schnelle Faktorisierung einer Zahl – in diesem Fall den öffentlichen Wert n – in die Primzahlen p und q gibt. Würde man p und q kennen, könnte man mit dem gegebenen öffentlichen Wert e leicht den geheimen Schlüssel d berechnen. Andererseits ist nicht bekannt, ob schnelle Algorithmen für die Faktorisierung einer Zahl existieren, und in diesem Sinn ist die Sicherheit von RSA nicht »garantiert«.

7.3 Authentifikation

Authentifikation ist ein Prozess, um sich bei einer anderen Person zu identifizieren. Als Menschen authentifizieren wir uns gegenüber anderen auf vielerlei Art: Wir erkennen das Gesicht einer anderen Person, wenn wir sie treffen, wir erkennen die Stimme einer bekannten Person am Telefon, wir authentifizieren uns beim Zollbeamten, der sich unser Foto im Reisepass ansieht, und so weiter.

In diesem Abschnitt beschreiben wir, wie sich eine Partei gegenüber einer anderen authentifizieren kann, wenn die beiden über ein Netzwerk kommunizieren. Wir konzentrieren uns hier auf die Authentifikation einer Partei, die während der Kommunikation »live« anwesend ist. Wir werden noch sehen, dass es demgegenüber auch Fälle gibt, in denen man nachweisen will, das eine irgendwann in der Vergangenheit empfangene Nachricht (die man z. B. archiviert hat) tatsächlich von dem vermeintlichen Sender stammt. Dieses Problem hat mit **digitalen Signaturen** (siehe Abschnitt 7.4) zu tun.

Bei der Durchführung einer Authentifikation über das Netzwerk können sich die kommunizierenden Parteien nicht auf biometrische Informationen, wie beispielsweise das Gesicht oder die Stimme, verlassen. Im weiteren Verlauf werden wir noch sehen, dass es oft Netzwerkelemente wie Router und Client/Server-Prozesse sind, die einander authentifizieren müssen. Hier muss die Authentifikation ausschließlich auf der Grundlage von Nachrichten und Daten erfolgen, die im Rahmen eines **Authentifikationsprotokolls** ausgetauscht werden. Im typischen Fall wird ein Authentifikationsprotokoll ausgeführt, *bevor* die beiden kommunizierenden Parteien ein anderes Protokoll ausführen (z. B. ein zuverlässiges Datentransferprotokoll, ein Protokoll für den Austausch von Routing-Tabellen oder ein E-Mail-Protokoll). Das Authentifikationsprotokoll stellt zuerst die Identitäten der Parteien zur gegenseitigen Zufriedenheit fest. Erst danach können die beiden Parteien kommunizieren.

Wie im Fall der Entwicklung eines zuverlässigen Datentransferprotokolls (*rdt*) in Kapitel 3 werden wir in den nächsten Abschnitten verschiedene Versionen eines Authentifikationsprotokolls entwickeln, das wir **ap** (»Authentifikationsprotokoll«)

nennen, und in jeder Version schrittweise Sicherheitslücken aufdecken. Wir beginnen unter der Annahme, dass Alice sich gegenüber Bob authentifizieren muss.

7.3.1 Authentifikationsprotokoll *ap1.0*

Das wahrscheinlich einfachste Authentifikationsprotokoll ist eines, bei dem Alice einfach eine Nachricht an Bob sendet, in der sie mitteilt, dass sie Alice ist. Dieses Protokoll ist in Abbildung 7.8 dargestellt. Die Sicherheitslücke ist hier offensichtlich: Für Bob gibt es keine Möglichkeit der Sicherstellung, dass die Person, die die Nachricht »Ich bin Alice« sendet, tatsächlich Alice ist. Trudy (der Eindringling) könnte genauso gut die Nachricht gesendet haben.

Abbildung 7.8 Protokoll *ap1.0* und eine Schwachstelle

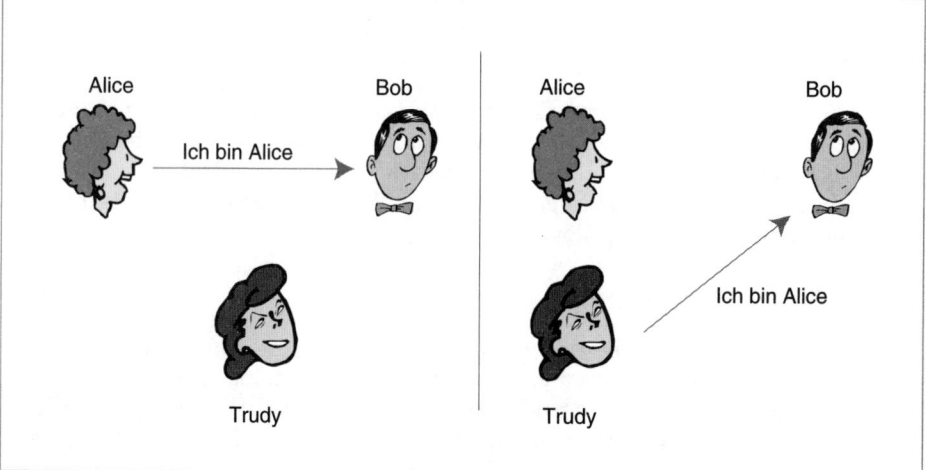

7.3.2 Authentifikationsprotokoll *ap2.0*

Für den Fall, dass Alice eine wohl bekannte Netzwerkadresse (z. B. eine IP-Adresse) hat, über die sie immer kommuniziert, könnte Bob die Quelladresse im IP-Datagramm, in dem sich die Authentifikationsnachricht befindet, mit ihrer wohl bekannten Adresse vergleichen. Dies könnte einen in Bezug auf Netzwerke sehr naiven Eindringling davon abhalten, sich als Alice auszugeben. In Abbildung 7.9 sehen wir aber, dass es den entschlossenen Studenten, der dieses Buch liest, und viele andere nicht abhalten würde!

Sie kennen die Vermittlungs- und Datenschicht und wissen, dass es nicht schwierig ist, ein IP-Datagramm zu erstellen, eine beliebige IP-Quelladresse (z. B. die wohl bekannte von Alice) in das IP-Datagramm einzufügen und das Datagramm über das Sicherungsschichtprotokoll an den ersten Hop-Router zu senden. (Dies funktioniert alles, wenn man z. B. Zugriff auf den Betriebssystemcode hat und seinen eigenen Betriebssystem-Kernel aufbauen kann, wie das mit Linux und mehreren anderen kostenlos verfügbaren Betriebssystemen der Fall ist). Von da ab würde das Datagramm mit der falschen Quelladresse geflissentlich an Bob übertragen werden. Diese Vorgehensweise ist eine Form von **IP-Spoofing**, eine wohl bekannte Sicherheitsattacke [CERT SYN 1996]. IP-Spoofing lässt sich vermeiden, wenn ein Router so konfiguriert wird, dass er IP-Datagramme ablehnt, die nicht die erwartete IP-Quelladresse haben

Abbildung 7.9 Protokoll *ap2.0* und eine Schwachstelle

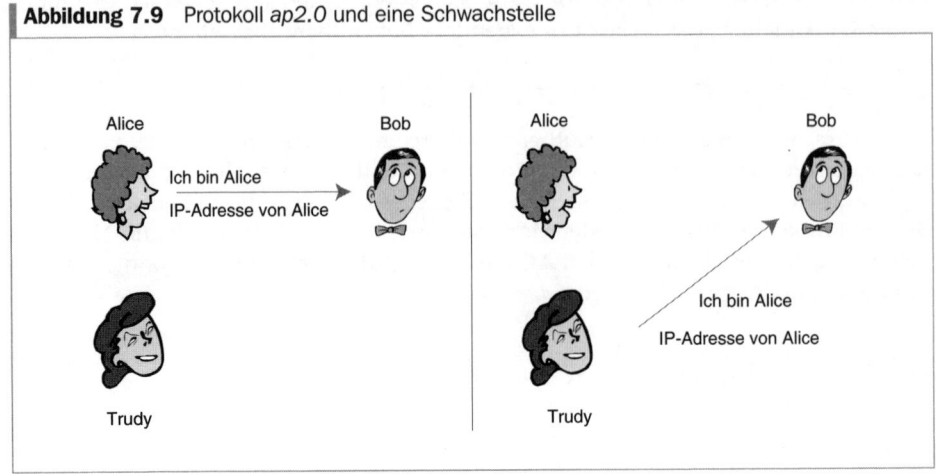

[RFC 2267]. Beispielsweise könnte Trudys erster Hop-Router so konfiguriert werden, dass er nur Datagramme weiterleitet, die Trudys IP-Quelladresse enthalten. Diese Möglichkeit wird aber nicht universell angewandt oder auferlegt. Bob wäre also dumm, wenn er annehmen würde, dass Trudys Netzwerkmanager (der Trudy selbst sein könnte) ihren ersten Hop-Router so konfiguriert hat.

7.3.3 Authentifikationsprotokoll *ap3.0*

Der klassische Ansatz für die Authentifikation ist die Verwendung eines geheimen Passworts. Wir haben PIN-Nummern, um uns an Bankautomaten zu identifizieren, und Anmeldepasswörter für Betriebssysteme. Das Passwort ist ein gemeinsames Geheimnis zwischen dem Authentifikator und der zu authentifizierenden Person. Abschnitt 2.2.4 hat gezeigt, dass HTTP sowie Telnet und FTP ein auf Passwörtern basierendes Authentifikationsschema verwenden. In Protokoll *ap3.0* sendet Alice nun ihr geheimes Passwort an Bob (siehe Abbildung 7.10).

Abbildung 7.10 Protokoll *ap3.0* und eine Schwachstelle

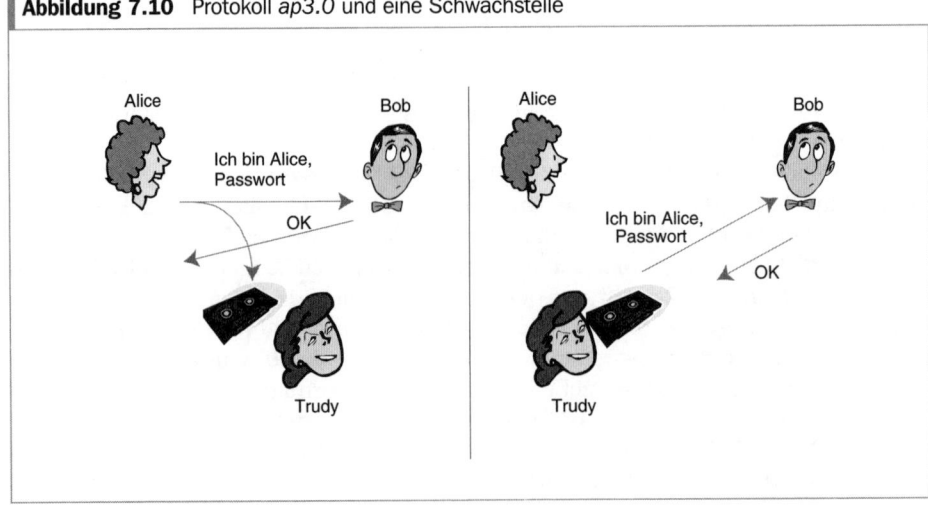

Die Sicherheitslücke hier ist klar. Wenn Trudy die Kommunikation von Alice belauscht, kann sie das Passwort von Alice erfahren. Wer nun glaubt, dies sei unmöglich, bedenke die Tatsache, dass das Anmeldepasswort in Telnet von einer Maschine zur anderen unverschlüsselt an den Telnet-Server gesendet wird. Jemand, der an den Telnet-Client oder das LAN des Servers angeschlossen ist, kann alle im LAN übertragenen Pakete »ausschnüffeln« (lesen und speichern) und folglich das Anmeldepasswort stehlen. Tatsächlich ist das eine wohl bekannte Vorgehensweise, um Passwörter zu stehlen (siehe z. B. [Jimenez 1997]). Eine solche Bedrohung ist offensichtlich möglich, also ist *ap3.0* nicht gut genug.

7.3.4 Authentifikationsprotokoll *ap3.1*

Angesichts der gerade im vorherigen Absatz über Kryptographie erworbenen Kenntnisse liegt es jetzt natürlich nahe, *ap3.0* durch Anwendung von Verschlüsselung zu verbessern. Durch Chiffrierung des Passworts kann Trudy das Passwort von Alice nicht erfahren! Geht man von der Annahme aus, dass Alice und Bob einen gemeinsamen symmetrischen geheimen Schlüssel, K_{A-B}, haben, kann Alice das Passwort verschlüsseln und ihre Identifizierungsnachricht »Ich bin Alice« und ihr verschlüsseltes Passwort an Bob senden. Bob entschlüsselt dann das Passwort und authentifiziert Alice unter der Annahme, dass das Passwort korrekt ist. Bob hat bei der Authentifikation von Alice ein gutes Gefühl, weil Alice nicht nur das Passwort, sondern auch den gemeinsamen geheimen Schlüsselwert kennt, der für die Dechiffrierung des Passworts nötig ist. Wir nennen dieses Protokoll *ap3.1*.

Nun stimmt es zwar, dass *ap3.1* Trudy daran hindert, Alices Passwort zu erfahren, die Verwendung von Kryptographie löst hier aber nicht das Authentifikationsproblem! Bob ist wieder einem Angriff ausgesetzt; diesmal einer so genannten **Playback-Attacke**. Das bedeutet, dass Trudy nur die Kommunikation von Alice belauschen, die verschlüsselte Version des Passworts aufzeichnen und sie dann später »abspielen« muss, um sich Bob gegenüber als Alice auszugeben. Die Verwendung eines verschlüsselten Passworts verbessert die Lage gegenüber derjenigen von Abbildung 7.10 also nicht sonderlich.

7.3.5 Authentifikationsprotokoll *ap4.0*

Das Problem mit *ap3.1* ist, dass das gleiche Passwort immer wieder benutzt wird. Jedes Mal ein anderes Passwort zu benutzen, wäre eine Möglichkeit, dieses Problem zu lösen. Alice und Bob könnten sich auf eine Sequenz von Passwörtern (oder einen Algorithmus für die automatische Erzeugung von Passwörtern) einigen und jedes Passwort in Folge nur einmal benutzen. Das S/KEY-System [RFC 1760] basiert auf diesem Konzept und einem Ansatz von Lamport [Lamport 1981] für die Erzeugung einer Passwortsequenz.

Statt uns mit dieser Lösung zufriedenzugeben, betrachten wir einen allgemeineren Ansatz für die Abwehr einer Playback-Attacke. Die Schwachstelle in Abbildung 7.10 resultiert aus der Tatsache, dass Bob nicht zwischen der Originalauthentifikation von Alice und dem späteren Playback ihrer Originalauthentifikation unterscheiden kann. Das heißt, Bob könnte nicht sagen, ob Alice »live« (d. h. momentan wirklich am anderen Ende der Verbindung) ist, oder ob die von ihm empfangene Nachricht ein aufgezeichnetes Playback einer früheren Authentifikation von Alice ist. Der sehr (*sehr*) aufmerksame Leser wird sich erinnern, dass das Drei-Wege-Handshake des TCP-Protokolls zur Lösung genau desselben Problems benötigt wird: Die Server-Seite einer TCP-Verbindung nimmt keine Verbindung an, wenn das empfangene SYN-Segment eine alte Kopie (Neuübertragung) eines SYN-Segments aus einer früheren Verbindung ist. Wie aber löst die TCP-Server-Seite das Problem der Feststellung, ob der Client wirklich »live« ist? Er wählt eine anfängliche Sequenznummer, die über eine sehr lange Zeit nicht benutzt wurde, sendet diese Nummer an den Client und wartet dann, bis der Client mit einem ACK-Segment antwortet, das diese Nummer enthält. Wir können das gleiche Konzept hier für Authentifikationszwecke verwenden.

Ein **Nonce** (Einmalwert) ist eine Zahl, die ein Protokoll nur ein einziges Mal benutzt. Das heißt, wenn ein Protokoll einmal einen Nonce benutzt hat, wird es diese Zahl nie wieder verwenden. Unser *ap4.0*-Protokoll benutzt einen Nonce wie folgt:

1. Alice sendet die Nachricht »Ich bin Alice« an Bob.
2. Bob wählt einen Nonce R und sendet ihn an Alice.
3. Alice verschlüsselt den Nonce mit dem symmetrischen geheimen Schlüssel K_{A-B} der beiden und sendet den verschlüsselten Nonce $K_{A-B}(R)$ an Bob zurück. Wie beim Protokoll *ap3.1* weiß Bob aufgrund der Tatsache, dass Alice K_{A-B} kennt und ihn für die Verschlüsselung eines Werts benutzt, dass die bei ihm ankommende Nachricht von Alice erzeugt wurde. Der Nonce dient der Sicherstellung, dass Alice »live« ist.
4. Bob entschlüsselt die empfangene Nachricht. Wenn der entschlüsselte Nonce mit dem Nonce übereinstimmt, den er an Alice gesendet hat, dann ist Alice authentifiziert.

Protokoll *ap4.0* ist in Abbildung 7.11 dargestellt. Durch Verwendung eines Einmalwerts R und anschließender Überprüfung des zurückgegebenen Werts $K_{A-B}(R)$ kann Bob sicher sein, dass Alice diejenige ist, für die sie sich ausgibt (weil sie den geheimen Schlüsselwert kennt, der für die Verschlüsselung von R benötigt wird), und »live« ist (weil sie den gerade von Bob erzeugten Nonce R verschlüsselt hat).

Abbildung 7.11 Protokoll *ap4.0* ohne Schwachstelle

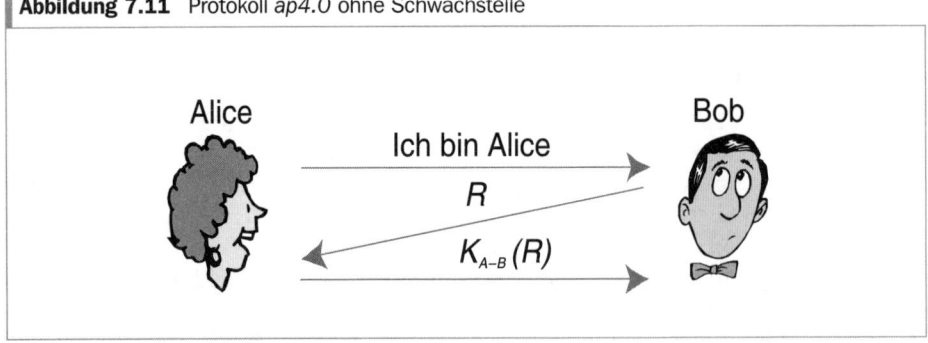

7.3.6 Authentifikationsprotokoll *ap5.0*

Die Verwendung eines Nonce und der Symmetric-Key-Kryptographie bildet die Grundlage unseres erfolgreichen Authentifikationsprotokolls *ap4.0*. Hier stellt sich die Frage, ob wir einen Nonce und Kryptographie mit öffentlichen (statt symmetrischen) Schlüsseln verwenden können, um das Authentifikationsproblem zu lösen. Ein Public-Key-Ansatz würde eine Schwierigkeit in einem System mit gemeinsamen Schlüsseln verschärfen: Bedenken diesbezüglich, wie die beiden Parteien von vornherein den gemeinsamen geheimen Schlüsselwert erfahren können. Ein Protokoll, das Public-Key-Kryptographie auf die gleiche Weise wie die Symmetric-Key-Kryptographie in Protokoll *ap4.0* benutzt, ist Protokoll *ap5.0*:

1. Alice sendet die Nachricht »Ich bin Alice« an Bob.
2. Bob wählt einen Nonce R und sendet ihn an Alice. Auch hier wird der Nonce wieder benutzt, um sicherzustellen, dass Alice »live« ist.
3. Alice wendet ihren privaten Chiffrieralgorithmus mit ihrem privaten Schlüssel d_A auf den Nonce an und sendet den resultierenden Wert $d_A(R)$ an Bob. Da nur Alice ihren privaten Schlüssel kennt, kann keiner außer ihr $d_A(R)$ erzeugen.
4. Bob wendet den öffentlichen Chiffrieralgorithmus von Alice e_A auf die empfangene Nachricht an, d. h. er berechnet $e_A(d_A(R))$. Wie in Abschnitt 7.2 erwähnt wurde, ist $e_A(d_A(R)) = R = d_A(e_A(R))$. Folglich berechnet Bob R und authentifiziert Alice.

Die Operation von Protokoll *ap5.0* ist in Abbildung 7.12 dargestellt. Ist Protokoll *ap5.0* so sicher wie Protokoll *ap4.0*? In beiden wird ein Nonce verwendet. Da *ap5.0* Public-Key-Techniken anwendet, muss Bob den öffentlichen Schlüssel von Alice einholen. Dies führt zu einem interessanten Szenario (siehe Abbildung 7.13), bei dem sich Trudy gegenüber Bob als Alice ausgeben kann:

1. Trudy sendet die Nachricht »Ich bin Alice« an Bob.
2. Bob wählt einen Nonce R und sendet ihn an Alice; die Nachricht wird aber von Trudy abgefangen.
3. Trudy wendet ihren Dechiffrieralgorithmus mit ihrem privaten Schlüssel d_T auf den Nonce an und sendet den resultierenden Wert $d_T(R)$ an Bob. Für Bob ist $d_T(R)$ lediglich eine Ansammlung von Bits und er weiß nicht, ob sie $d_T(R)$ oder $d_A(R)$ darstellen.
4. Bob muss sich nun Alices öffentlichen Schlüssel besorgen, um e_A auf den gerade empfangenen Wert anzuwenden. Er sendet eine Nachricht an Alice, in der er sie nach e_A fragt (er könnte den öffentlichen Schlüssel von Alice auch von ihrer Web-Site besorgen). Trudy fängt auch diese Nachricht ab und antwortet Bob mit e_T, d. h. ihrem (Trudys) öffentlichen Schlüssel. Bob berechnet $e_T(d_T(R))$ und authentifiziert damit Trudy als Alice!

Abbildung 7.12 Protokoll ap5.0 funktioniert korrekt.

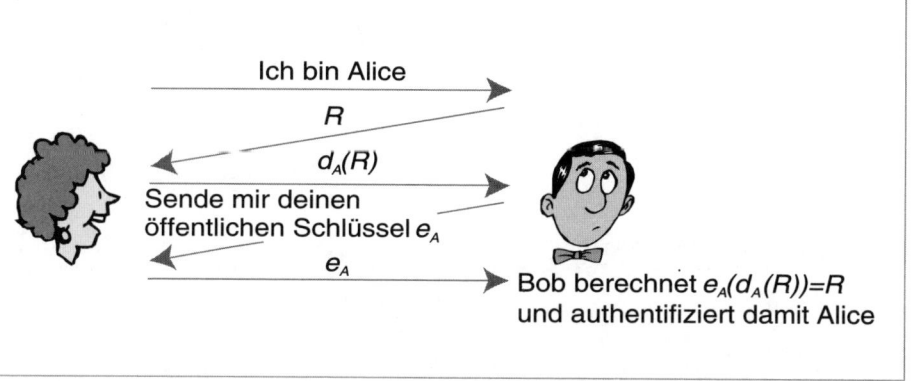

Aus dem obigen Szenario wird klar, dass Protokoll *ap5.0* nur so »sicher« wie die Verteilung der öffentlichen Schlüssel sein kann. Zum Glück gibt es sichere Möglichkeiten der Verteilung von öffentlichen Schlüsseln, wie wir in Abschnitt 7.5 sehen werden.

Abbildung 7.13 Eine Sicherheitslücke in Protokoll *ap5.0*

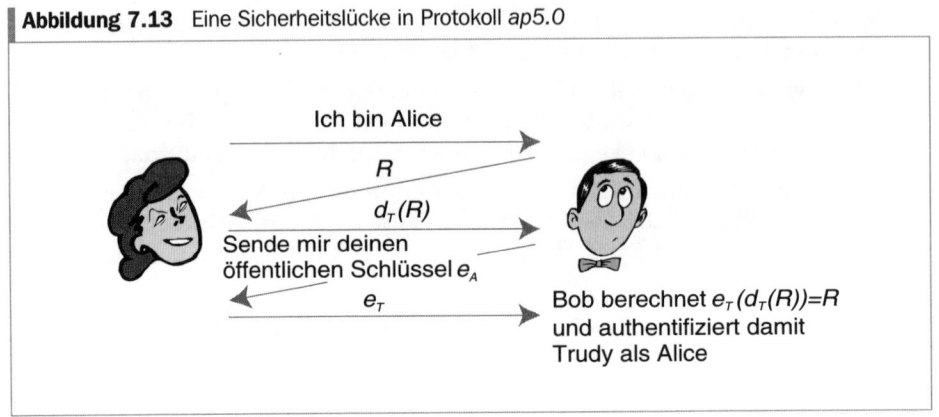

In dem Szenario in Abbildung 7.13 stellen Bob und Alice irgendwann fest, dass etwas nicht stimmt, weil Bob behaupten wird, er habe mit Alice kommuniziert, während sie weiß, dass das nicht stimmt. Es gibt aber eine noch raffiniertere Attacke, durch die sie dies nie feststellen würden. In dem Szenario aus Abbildung 7.14 sprechen Alice und Bob miteinander. Doch durch Ausnutzung der gleichen Lücke im Authentifikationsprotokoll gelingt es Trudy, sich zwischen Alice und Bob *transparent* einzumischen. Wenn Bob beginnt, verschlüsselte Daten mit dem von Trudy erhaltenen Chiffrierschlüssel an Alice zu senden, kann Trudy den Klartext der Kommunikation von

Abbildung 7.14 Eine »Man-in-the-Middle«-Attacke

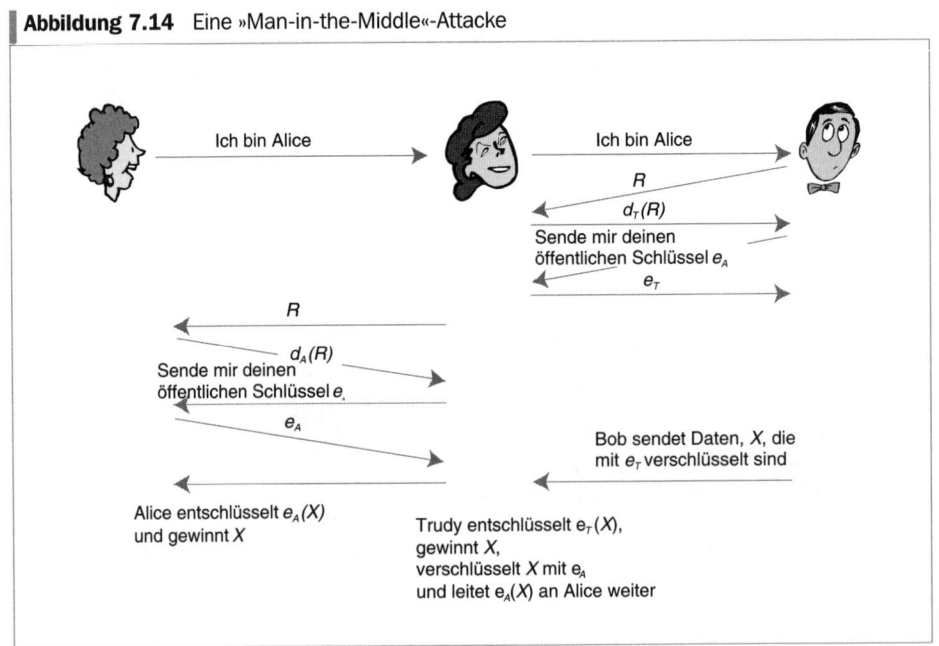

Bob an Alice aufdecken. Gleichzeitig kann Trudy Bobs Daten (nach der erneuten Chiffrierung der Daten mit dem echten öffentlichen Schlüssel von Alice) an Alice weiterleiten.

Bob freut sich, verschlüsselte Daten zu senden, und Alice freut sich, mit ihrem eigenen öffentlichen Schlüssel verschlüsselte Daten zu empfangen. Die beiden haben von Trudy keine Ahnung. Sollten sich Bob und Alice später treffen und ihre Kommunikation erwähnen, wird Alice genau das erhalten haben, was Bob gesendet hat, so dass die beiden nichts Ungewöhnliches entdecken. Dies ist ein Beispiel einer so genannten **Man-in-the-Middle-Attacke** (hier müsste man eher »Woman-in-the-Middle«-Attacke sagen). Sie wird auch als **Bukket-Brigade-Attacke** bezeichnet, weil Trudys Weiterleitung der Daten zwischen Alice und Bob dem Durchreichen von Eimern mit Wasser durch eine Kette von Menschen ähnelt, die von einer entfernten Wasserquelle aus versuchen, einen Brand zu löschen.

7.4 Integrität

Man bedenke einmal, wie oft man allein innerhalb einer Woche seinen Namen auf ein Stück Papier schreibt. Man unterschreibt Schecks, Kreditkartenbelege, juristische Dokumente und Briefe. Die Unterschrift bescheinigt die Tatsache, dass der Unterzeichner (im Gegensatz zu einer anderen Person) den Inhalt des Dokuments bestätigt und/oder sich damit einverstanden erklärt. In der digitalen Welt möchte man oft den Inhaber oder Schöpfer eines Dokuments ausweisen oder das Einverständnis mit dem Inhalt eines Dokuments bestätigen. Für diesen Zweck wird eine kryptographische Technik angewandt, die als **digitale Signatur** bezeichnet wird.

Ebenso wie handschriftliche Unterschriften sollte eine digitale Unterschrift so erfolgen, dass sie überprüfbar, fälschungssicher und verbindlich ist. Das heißt, es muss möglich sein, zu »beweisen«, dass ein von einer Person unterzeichnetes Dokument tatsächlich von dieser Person unterzeichnet wurde (die Signatur muss überprüfbar sein) und dass *nur* diese Person das Dokument unterzeichnet haben konnte (die Signatur kann nicht gefälscht werden und der Unterzeichner kann nicht später behaupten, er habe das Dokument nie unterzeichnet). Dies lässt sich leicht mit Public-Key-Kryptographie realisieren.

7.4.1 Erzeugung digitaler Signaturen

Angenommen, Bob möchte ein Dokument m digital unterzeichnen. Man stelle sich das Dokument als Datei oder Nachricht vor, die Bob unterzeichnen und senden will. Um dieses Dokument zu unterzeichnen, benutzt Bob einfach seinen privaten Schlüssel d_B und berechnet damit $d_B(m)$ (siehe Abbildung 7.15). Zuerst mag es seltsam erscheinen, dass Bob einen Chiffrieralgorithmus auf ein Dokument ausführt, das nicht verschlüsselt wurde. Wie aber bereits an früherer Stelle erwähnt, ist »Chiffrierung« nicht mehr als eine mathematische Operation (Potenzierung mit d in RSA; siehe Abschnitt 7.2) unter der Annahme, dass Bob nicht bezweckt, den Inhalt des Dokuments zu verändern oder zu verdunkeln. Er will vielmehr das Dokument auf eine Weise unterzeichnen, dass es prüfbar, fälschungssicher und verbindlich ist. Bob verfügt über das Dokument m und seine digitale Signatur des Dokuments $d_B(m)$.

Erfüllt die digitale Signatur $d_B(m)$ unsere Anforderungen (überprüfbar, fälschungssicher und verbindlich)? Angenommen, Alice hat m und $d_B(m)$. Sie möchte vor Gericht beweisen, dass Bob tatsächlich das Dokument unterzeichnet hat und die

Abbildung 7.15 Erzeugung einer digitalen Signatur für ein Dokument

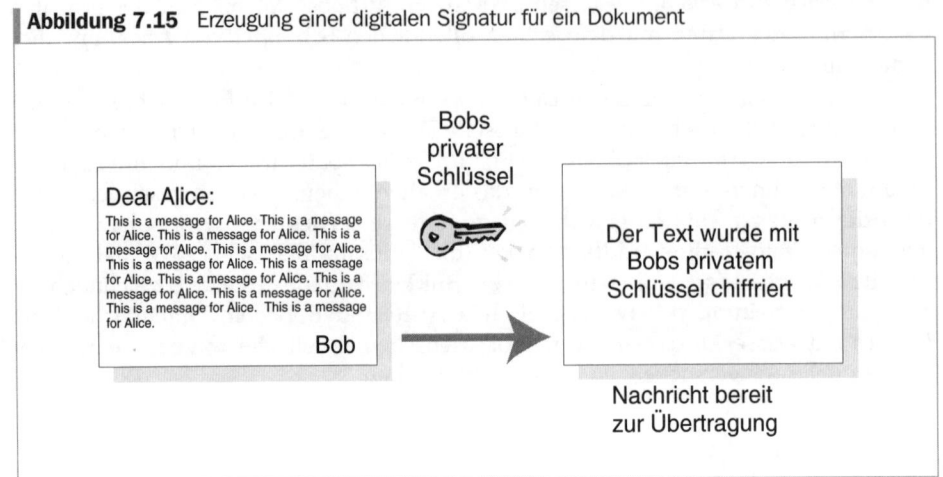

einzige Person war, die es unterzeichnet haben konnte. Alice nimmt Bobs öffentlichen Schlüssel e_B und wendet ihn auf die digitale Signatur $d_B(m)$ zusammen mit dem Dokument m an. Das heißt, sie berechnet $e_B(d_B(m))$ und *voilà*: Sie produziert m, das genau mit dem Originaldokument übereinstimmt! Dann behauptet Alice unter Angabe der folgenden Gründe, dass nur Bob das Dokument unterzeichnet haben kann:

- Wer immer die Nachricht unterzeichnet hat, muss den privaten Chiffrierschlüssel d_B bei der Berechnung der Signatur $d_B(m)$ benutzt haben, so dass $e_B(d_B(m)) = m$ ist.
- Die einzige Person, die den privaten Schlüssel d_B kennen konnte, ist Bob. Wie in Zusammenhang mit RSA in Abschnitt 7.2 erwähnt wurde, ist die Kenntnis des öffentlichen Schlüssels e_B keine Hilfe, um den privaten Schlüssel d_B zu erfahren. Deshalb ist die einzige Person, die d_B kennen konnte, diejenige, die das Schlüsselpaar (e_B, d_B) erzeugt hat, nämlich Bob. (Dies gründet allerdings auf der Annahme, dass Bob d_B niemandem gegeben und keiner ihn gestohlen hat.)

Wenn das Originaldokument m jemals in eine andere Form m' modifiziert wird, ist die Signatur, die Bob für m erzeugt hat, für m' nicht gültig, weil $e_B(d_B(m))$ nicht gleich m' ist. Wir sehen also, dass Kryptographietechniken mit öffentlichen Schlüsseln eine einfache und elegante Möglichkeit bieten, Dokumente digital zu unterzeichnen, die überprüfbar, fälschungssicher und verbindlich ist, und dass Schutz vor einer späteren Modifikation des Dokuments besteht.

7.4.2 Message-Digests

Der vorherige Abschnitt hat gezeigt, dass Chiffriertechniken mit öffentlichen Schlüsseln angewandt werden können, um eine digitale Signatur zu erzeugen. Ein Bedenken bei der digitalen Unterzeichnung von Daten mittels Chiffrierung ist allerdings, dass die Ver- und Entschlüsselung sehr rechenaufwendig sind. Bei der digitalen Unterzeichnung eines wirklich wichtigen Dokuments, sagen wir einer Fusionsvereinbarung zwischen zwei multinationalen Großunternehmen oder einer Vereinbarung mit Sohnemann, dass er künftig sein Zimmer wöchentlich aufräumt, mag der Rechenaufwand keine Rolle spielen. Viele Netzwerkgeräte und -prozesse (z. B. Router, die Routing-Tabellen, und E-Mail-Agents, die E-Mail austauschen) tauschen routinemäßig Daten aus, die möglicherweise nicht verschlüsselt werden müssen. Dennoch soll Folgendes sichergestellt werden:

- Der Sender der Daten ist authentisch, d. h., der Sender hat die Daten signiert und diese Signatur kann überprüft werden.
- Die übertragenen Daten wurden seit der Erzeugung und Signatur durch den Sender nicht verändert.

Angesichts des bei der Ver- und Entschlüsselung entstehenden Overhead kann die Signierung von Daten mittels kompletter Chiffrierung und Dechiffrierung bedeuten, dass man mit Kanonen auf Spatzen schießt. Ein effizienterer Ansatz – die Verwendung so genannter Message-Digests – ermöglicht es, diese beiden Ziele ohne volle Nachrichtenverschlüsselung zu erreichen.

Ein **Message-Digest** ist auf vielerlei Art wie eine Prüfsumme. Message-Digest-Algorithmen berechnen aus einer Nachricht m mit beliebiger Länge ein »Fingerprint« der Daten mit fester Länge, also einen Fingerabdruck, den man als Message-Digest, $H(m)$, bezeichnet. Der Message-Digest schützt die Daten wie folgt: Wenn m (entweder böswillig oder versehentlich) durch m' ausgetauscht wird, dann stimmt der aus den Originaldaten (und mit diesen Daten übertragene) $H(m)$ nicht mit dem aus den geänderten Daten berechneten $H(m)$ überein. Der Message-Digest bietet also Datenintegrität; doch in welcher Weise ist er für die Unterzeichnung der Nachricht m hilfreich? Das Ziel ist hier, dass Bob statt der digitalen Unterzeichnung (Verschlüsselung) der gesamten Nachricht durch Berechnung von $d_B(m)$ in der Lage sein sollte, nur den Message-Digest zu signieren, indem er $d_B(H(m))$ berechnet. Das heißt, wenn m und $d_B(H(m))$ zusammen zur Verfügung stehen (wobei m nicht verschlüsselt ist), sollte dies genauso gut wie eine signierte vollständige Nachricht $d_B(m)$ sein. Dies bedeutet, dass m und $d_B(H(m))$ zusammen fälschungssicher, überprüfbar und verbindlich sein sollten. Fälschungssicherheit setzt voraus, dass der Message-Digest-Algorithmus, mit dem der Message-Digest berechnet wird, einige spezielle Eigenschaften aufweist, die weiter unten beschrieben werden.

Unsere Definition eines Message-Digest mag derjenigen einer Prüfsumme (z. B. die Internet-Prüfsumme in Abschnitt 3.3.2) oder einem leistungsstärkeren Fehlererkennungscode (wie CRC in Abschnitt 5.2) ähneln. Ist er wirklich anders? Prüfsummen, CRCs und Message-Digests sind ausnahmslos Beispiele so genannter **Hash-Funktionen**. Wir sehen in Abbildung 7.16, dass eine Hash-Funktion eine Eingabe m entgegennimmt und eine Zeichenkette mit fester Länge berechnet, die man als Hash bezeichnet. Die Internet-Prüfsumme sowie CRCs und Message-Digests sind mit dieser Definition konform. Wenn die Signierung eines Message-Digest »genauso gut« wie die Signierung der ganzen Nachricht sein soll, insbesondere, wenn man die Anforderung für Fälschungssicherheit erfüllen will, dann muss ein Message-Digest-Algorithmus die folgenden zusätzlichen Eigenschaften aufweisen:

- Mit einem gegebenen Message-Digest-Wert x ist es rechnerisch unmöglich, eine Nachricht y zu finden, so dass $H(y) = x$.
- Es ist rechnerisch unmöglich, irgendwelche zwei Nachrichten x und y zu finden, so dass $H(x) = H(y)$.

Informell bedeuten diese beiden Eigenschaften, dass es für einen Eindringling rechnerisch unmöglich ist, eine Nachricht durch eine andere zu ersetzen, die durch ein Message-Digest geschützt ist. Das heißt, wenn $(m, H(m))$ das vom Sender erzeugte Message-Digest-Paar ist, dann kann ein Eindringling den Inhalt der anderen Nach-

Abbildung 7.16 Hash-Funktionen werden benutzt, um Message-Digests zu erzeugen

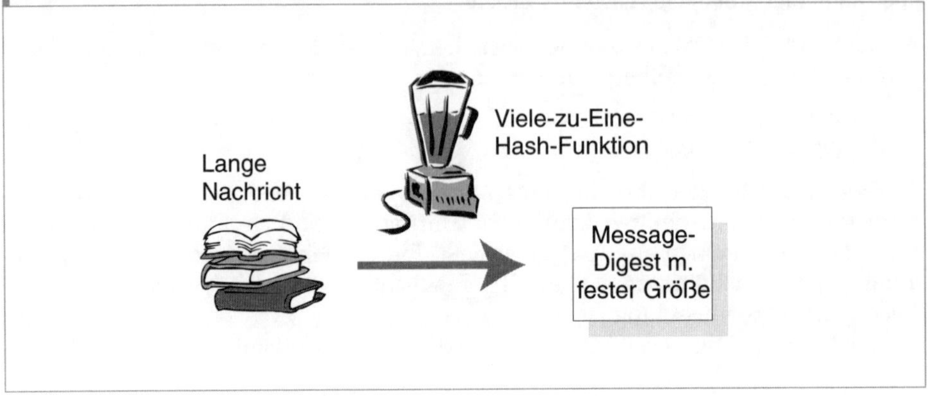

richt y, die den gleichen Message-Digest-Wert wie die Originalnachricht hat, nicht fälschen. Wenn Bob m durch Berechnung von $d_B(H(m))$ signiert, wissen wir, dass keine andere Nachricht m ersetzen kann. Außerdem identifiziert Bobs digitale Signatur von $H(m)$ Bob eindeutig als den überprüfbaren verbindlichen Unterzeichner von $H(m)$ (und als Folge davon auch m), wie in Abschnitt 7.4.1 beschrieben wurde.

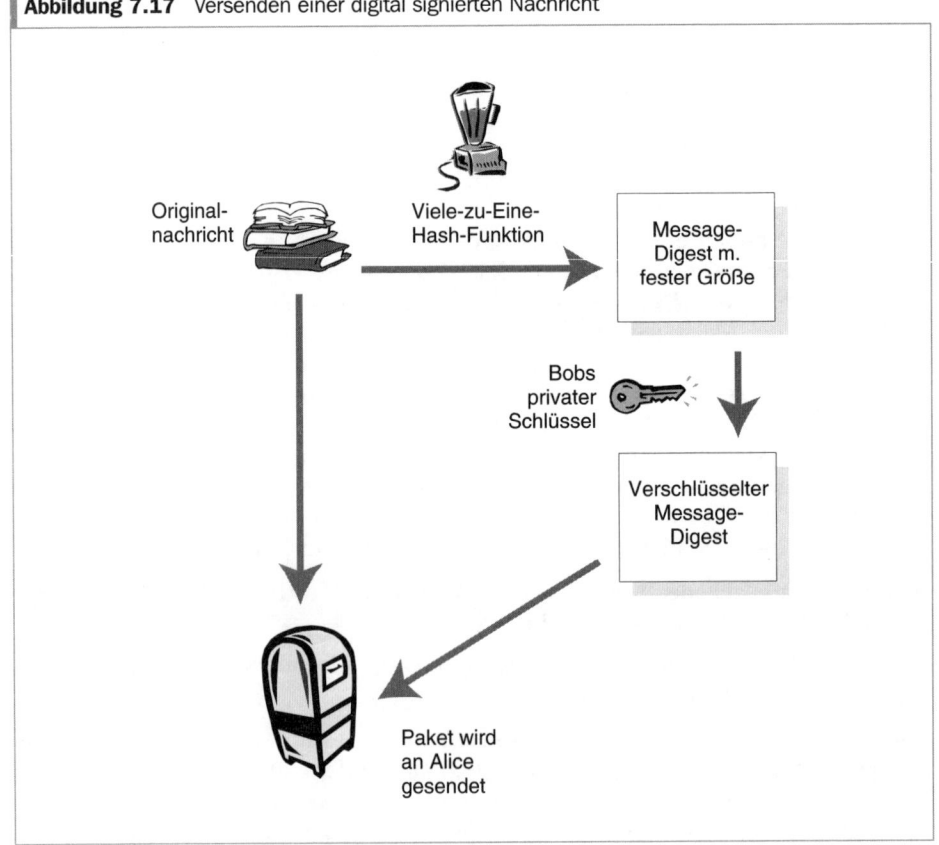

Abbildung 7.17 Versenden einer digital signierten Nachricht

Für das Versenden einer Nachricht von Bob an Alice bietet Abbildung 7.17 eine Übersicht über den Ablauf der Erstellung einer digitalen Signatur. Bob unterzieht seine lange Originalnachricht einer Hash-Funktion, um einen Message-Digest zu erzeugen. Anschließend verschlüsselt er den Message-Digest mit seinem eigenen privaten Schlüssel. Die Originalnachricht (im Klartext) wird dann zusammen mit dem digital signierten Message-Digest (was wir zusammen als digitale Signatur bezeichnen) an Alice gesendet. Abbildung 7.18 zeigt eine Übersicht über den Ablauf bei der Überprüfung der Nachrichtenintegrität. Alice verwendet den öffentlichen Schlüssel der Nachricht, um den Message-Digest zurückzugewinnen. Ferner wendet sie die Hash-Funktion auf die Klartextnachricht an, um einen zweiten Message-Digest zu erhalten. Wenn die beiden Message-Digests übereinstimmen, hat Alice Sicherheit über die Integrität und den Autor der Nachricht.

Abbildung 7.18 Überprüfung der Integrität einer digital signierten Nachricht

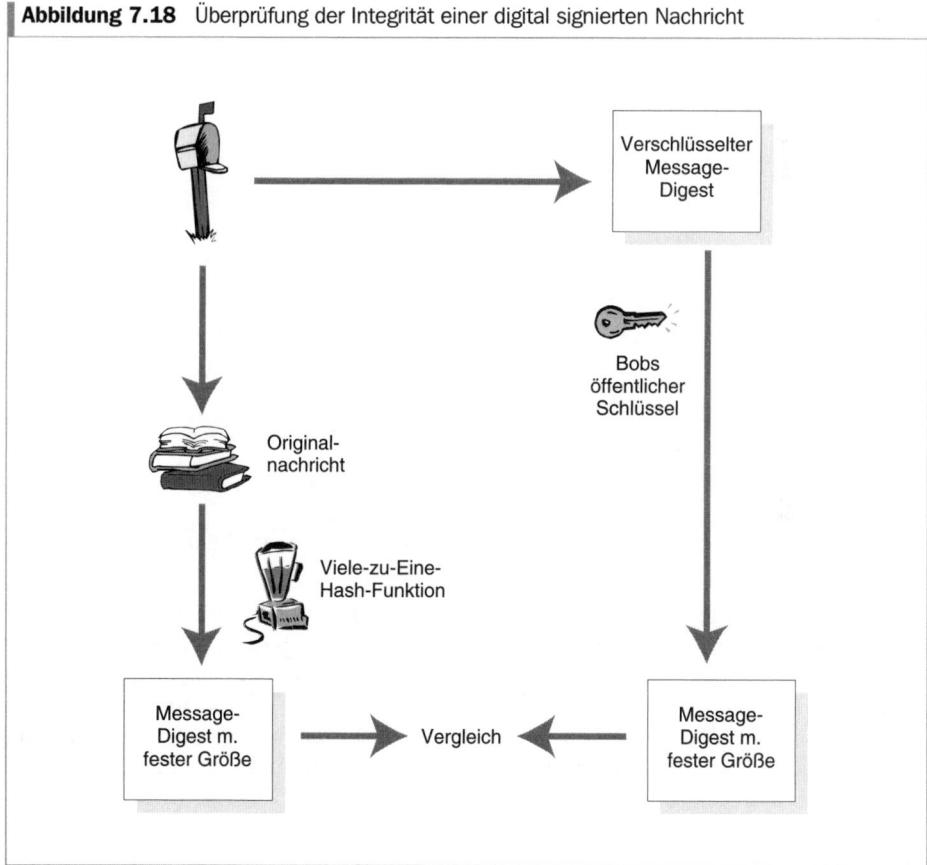

7.4.3 Algorithmen für Hash-Funktionen

Wir wollen uns jetzt selbst davon überzeugen, dass eine einfache Prüfsumme, wie beispielsweise die Internet-Prüfsumme, einen schwachen Message-Digest-Algorithmus ergäbe. Statt die Einerkomplement-Arithmetik (wie bei der Internet-Prüfsumme) durchzuführen, berechnen wir eine Prüfsumme dadurch, dass wir jedes Zeichen als einzelnes Byte behandeln und die Bytes addieren, wobei wir jedes Mal 4-Byte-Blöcke verwenden. Angenommen, Bob schuldet Alice $109,99 und sendet Alice einen Schuldschein, der aus der Zeichenkette IOU100.99BOB besteht. Die ASCII-Darstellung (in hexadezimaler Notation) dieser Buchstaben ist 49, 4F, 55, 31, 30, 30, 2E, 39, 39, 42, 4F, 42.

Abbildung 7.19 (oben) zeigt, dass die 4-Byte-Prüfsumme für diese Nachricht B2 C1 D2 AC ist. Eine geringfügig unterschiedliche (und für Bob teurere) Nachricht ist in der unteren Hälfte von Abbildung 7.19 dargestellt. Die Nachrichten IOU100.99BOB und IOU900.19BOB haben die gleiche Prüfsumme. Folglich verletzt dieser einfache Prüfsummenalgorithmus die beiden obigen Anforderungen. Aus den Originaldaten lässt sich leicht eine andere Datenmenge mit der gleichen Prüfsumme finden. Natürlich brauchen wir für Sicherheitszwecke eine Hash-Funktion, die leistungsstärker als eine Prüfsumme ist.

Abbildung 7.19 Die Originalnachricht und die gefälschte Nachricht haben die gleiche Prüfsumme!

Nachricht				AXCII-Darstellung				
I	O	U	1	49	4F	55	31	
0	0	.	9	30	30	2E	39	
9	B	O	B	39	42	4F	42	
				B2	C1	D2	AC	Prüfsumme
Nachricht				ASCII-Darstellung				
I	O	U	9	49	4F	55	39	
0	0	.	1	30	30	2E	31	
9	B	O	B	39	42	4F	42	
				B2	C1	D2	AC	Prüfsumme

Heute wird vorwiegend der Message-Digest-Algorithmus MD5 von Ron Rivest [RFC 1321] angewandt. Er berechnet einen 128 Bit langen Message-Digest in einem aus vier Schritten bestehenden Prozess: einem Auffüllschritt (Addition einer Eins, gefolgt von ausreichend Nullen, so dass die Länge der Nachricht bestimmte Bedingungen erfüllt), einem Anhängeschritt (Anhängen einer 64-Bit-Darstellung der Nachrichtenlänge vor dem Auffüllen), der Initialisierung eines Akkumulators und einem Schleifenschritt, in dem die 16-Wort-Blöcke der Nachricht in vier Verarbeitungsrunden verarbeitet (durchgemischt) werden. Es ist nicht bekannt, ob MD5 tatsächlich die oben aufgeführten Anforderungen erfüllt. Der Autor von MD5 behauptet, dass »die Schwierigkeit, zwei Nachrichten zu produzieren, die den gleichen Message-Digest haben, in der Größenordnung von 2^{64} Operationen liegt, und dass die Schwierigkeit, eine Nachricht mit einem bestimmten Message-Digest zu produzieren, in der Größenordnung von 2^{128} Operationen liegt«. Diesen Anspruch hat bisher noch niemand in Frage gestellt. Eine Beschreibung von MD5 (und eine Implementierung in C-Quellcode) befindet sich in RFC 1321.

Der zweite wichtige Message-Digest-Algorithmus ist heute SHA-1 (Secure Hash Algorithm [FIPS 1995]). Dieser Algorithmus basiert auf ähnlichen Prinzipien wie das Design von MD4 [RFC 1320], der Vorgänger von MD5. SHA-1 ist ein Standard der US-Bundesregierung und muss immer benutzt werden, wenn für staatliche Anwendungen ein sicherer Message-Digest-Algorithmus vorgeschrieben ist. Er produziert einen 160 Bit langen Message-Digest.

7.5 Schlüsselverteilung und Zertifizierung

Ein Nachteil der Symmetric-Key-Kryptographie (siehe Abschnitt 7.2) ist die Notwendigkeit für zwei kommunizierende Parteien, sich im Voraus über ihren geheimen Schlüssel zu einigen. Bei der Public-Key-Kryptographie ist dies nicht notwendig. Wie in Abschnitt 7.2 aber diskutiert wurde, kämpft die Public-Key-Chiffrierung mit ihren eigenen Schwierigkeiten, insbesondere das Problem, den echten öffentlichen Schlüssel einer Person einzuholen. Beide Probleme – die Festlegung eines gemeinsamen Schlüssels für die Symmetric-Key-Kryptographie und die sichere Einholung des öffentlichen Schlüssels bei der Public-Key-Kryptographie – lassen sich mit Hilfe eines **vertrauenswürdigen Dritten** (Trusted Intermediary) lösen. Für die Symmetric-Key-Kryptographie wird der vertrauenswürdige Dritte als **Schlüsselverteilungszentrum** (Key Distribution Center, **KDC**) bezeichnet. Dies ist eine vertrauenswürdige Netzwerkeinheit, mit der man einen gemeinsamen geheimen Schlüssel einrichtet. Wie später noch beschrieben wird, kann man über das KDC die gemeinsam zu benutzenden Schlüssel besorgen, um mit *allen* anderen Netzwerkeinheiten sicher zu kommunizieren und dabei die in Abschnitt 7.3 beschriebenen Schwachstellen zu vermeiden. Für die Public-Key-Kryptographie wird der vertrauenswürdige Dritte als **Zertifizierungsstelle** (Certification Authority, **CA**) bezeichnet. Eine Zertifizierungsstelle zertifiziert, dass ein öffentlicher Schlüssel einer bestimmten Einheit (Person oder Netzwerkeinheit) gehört. Wenn man der CA, die den öffentlichen Schlüssel zertifiziert hat, vertrauen kann, erhält man Sicherheit darüber, wem der öffentliche Schlüssel gehört. Nach der Zertifizierung kann der öffentliche Schlüssel von jeder beliebigen Stelle, z. B. einem Public-Key-Server, einer persönlichen Web-Seite oder einer Diskette, verteilt werden.

7.5.1 Das Schlüsselverteilungszentrum (KDC)

Wir nehmen wieder an, dass Bob und Alice mit Hilfe der Symmetric-Key-Kryptographie kommunizieren wollen. Sie haben sich (außer vielleicht in einem Online-Chat) nie getroffen und keinen gemeinsamen geheimen Schlüssel im Voraus vereinbart. Wie können sie sich jetzt angesichts dessen, dass sie miteinander nur über das Netzwerk kommunizieren können, auf einen geheimen Schlüssel einigen? Eine in der Praxis oft angewandte Lösung ist ein vertrauenswürdiges Schlüsselverteilungszentrum (KDC).

Das KDC ist ein Server, der mit jedem registrierten Benutzer einen anderen geheimen symmetrischen Schlüssel verwaltet. Dieser Schlüssel kann manuell im Server installiert werden, wenn sich ein Benutzer erstmals registriert. Das KDC kennt den geheimen Schlüssel jedes Benutzers und jeder Benutzer kann mit diesem Schlüssel mit dem KDC sicher kommunizieren. Im Folgenden soll untersucht werden, wie die Kenntnis dieses einen Schlüssels es einem Benutzer erlaubt, sicher einen Schlüssel für die Kommunikation mit einem anderen registrierten Benutzer zu erhalten. Alice und Bob sind in unserem Beispiel Benutzer des KDC. Sie kennen nur ihren individuellen

Schlüssel, $K_{A\text{-}KDC}$ bzw. $K_{B\text{-}KDC}$, für die sichere Kommunikation mit dem KDC. Alice unternimmt den ersten Schritt und die beiden fahren dann wie folgt fort (siehe Abbildung 7.20):

Abbildung 7.20 Einrichtung eines einmaligen Sitzungsschlüssels über ein Schlüsselverteilungszentrum (KDC)

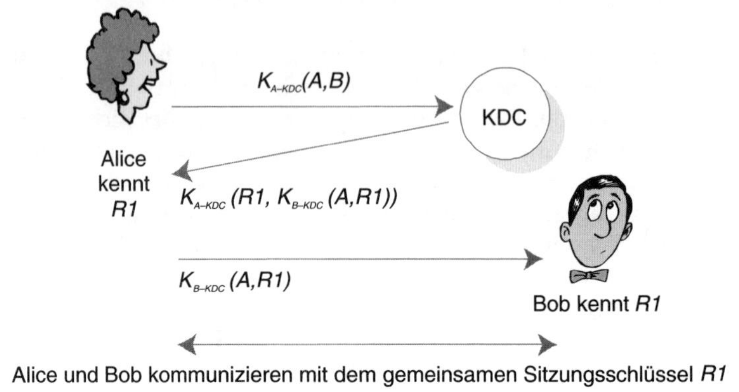

[Diagramm: Alice kennt R1 → $K_{A\text{-}KDC}(A,B)$ → KDC; KDC → $K_{A\text{-}KDC}(R1, K_{B\text{-}KDC}(A,R1))$ → Alice; Alice → $K_{B\text{-}KDC}(A,R1)$ → Bob kennt R1; Alice und Bob kommunizieren mit dem gemeinsamen Sitzungsschlüssel R1]

1. Mit Hilfe von $K_{A\text{-}KDC}$ für die Verschlüsselung ihrer Kommunikation mit dem KDC sendet Alice eine Nachricht an das KDC, in der sie mitteilt, dass sie (A) mit Bob (B) kommunizieren möchte. Wir bezeichnen diese Nachricht als $K_{A\text{-}KDC}(A,B)$.

2. Dem KDC ist $K_{A\text{-}KDC}$ bekannt und es entschlüsselt $K_{A\text{-}KDC}(A,B)$. Dann erzeugt das KDC eine Zufallszahl $R1$. Dies ist der gemeinsame Schlüsselwert, den Alice und Bob benutzen werden, um eine symmetrische Verschlüsselung durchzuführen, wenn sie später miteinander kommunizieren. Dieser Schlüssel wird als **einmaliger Sitzungsschlüssel** bezeichnet, weil Alice und Bob ihn nur für diese eine Sitzung benutzen, die sie gerade einrichten. Das KDC muss jetzt Alice und Bob den Wert von $R1$ mitteilen. Es sendet also eine Nachricht an Alice zurück, die mit $K_{A\text{-}KDC}$ verschlüsselt ist und Folgendes enthält:

- $R1$, den einmaligen Sitzungsschlüssel, den Alice und Bob für ihre Kommunikation benutzen werden.

- Ein Wertepaar, A und $R1$, das vom KDC mit Bobs Schlüssel $K_{B\text{-}KDC}$ verschlüsselt wird; wir bezeichnen dies als $K_{B\text{-}KDC}(A,R1)$. Wichtig ist hier die Feststellung, dass das KDC Alice nicht nur den Wert von $R1$ für ihren persönlichen Gebrauch, sondern auch eine mit $R1$ und Alices Namen verschlüsselte Version sendet, die mit dem Schlüssel von Bob verschlüsselt wird. Alice kann dieses Wertepaar in der Nachricht nicht entschlüsseln (weil sie den Chiffrierschlüssel von Bob nicht hat); sie braucht das aber auch nicht. Wir werden weiter unten sehen, dass Alice dieses verschlüsselte Wertepaar einfach an Bob weiterleitet (der es entschlüsseln kann).

Diese Werte werden in eine Nachricht eingefügt und mit dem gemeinsamen Schlüssel von Alice verschlüsselt. Die Nachricht vom KDC an Alice ist also $K_{A\text{-}KDC}(R1, K_{B\text{-}KDC}(R1))$.

7.5 Schlüsselverteilung und Zertifizierung

3. Alice empfängt die Nachricht vom KDC, extrahiert $R1$ aus der Nachricht und speichert ihn. Alice kennt jetzt den einmaligen Sitzungsschlüssel $R1$. Sie extrahiert auch $K_{B\text{-}KDC}(A,R1)$ und leitet ihn an Bob weiter.
4. Bob entschlüsselt die empfangene Nachricht $K_{B\text{-}KDC}(A,R1)$ mit $K_{B\text{-}KDC}$ und extrahiert A und $R1$. Bob kennt jetzt den einmaligen Sitzungsschlüssel $R1$ und die Person, mit der er diesen Schlüssel gemeinsam hat, nämlich A. Selbstverständlich achtet er darauf, Alice mit $R1$ zu authentifizieren, bevor er fortfährt.

PRINZIPIEN IN DER PRAXIS

Kerberos

Kerberos [RFC 1510; Neuman 1994] ist ein am MIT entwickelter Authentifikationsdienst, der Chiffriertechniken mit symmetrischen Schlüsseln und ein Schlüsselverteilungszentrum (KDC) nutzt. Obwohl es konzeptionell mit dem generischen, in Abschnitt 7.5.1 beschriebenen KDC identisch ist, unterscheidet sich sein Vokabular. Kerberos enthält auch mehrere gute Varianten und Erweiterungen der grundlegenden KDC-Mechanismen. Kerberos wurde entwickelt, um Benutzer zu authentifizieren, die auf Netzwerk-Server zugreifen. Es wurde anfangs für die Nutzung innerhalb einer einzigen administrativen Domain, wie z. B. ein Universitätscampus oder ein Firmengelände, ausgelegt. Daher ist Kerberos auf die Sprache von Benutzern von Netzwerkdiensten (Server) über Netzwerkprogramme auf der Anwendungsebene, z. B. Telnet und NFS, und nicht auf die Kommunikation zwischen Menschen, die sich gegenseitig authentifizieren wollen (wie in unserem obigen Beispiel), ausgerichtet. Die grundlegenden Techniken sind aber gleich.

In Kerberos übernimmt der Authentifikationsserver (AS) die Rolle des KDC. Der AS ist eine Speicherstelle für die geheimen Schlüssel aller Benutzer (so dass jeder Benutzer mit dem AS sicher kommunizieren kann), aber auch für Informationen darüber, welche Benutzer Zugriffsrechte auf welche Dienste auf welchen Netzwerk-Servern haben. Wenn Alice auf einen Dienst auf Bob (den wir uns jetzt als Server vorstellen) zugreifen möchte, folgt das Protokoll eng unserem Beispiel in Abbildung 7.20:

1. Alice kontaktiert den Kerberos-AS und gibt zu verstehen, dass sie Bob benutzen möchte. Die gesamte Kommunikation zwischen Alice und dem AS wird mit einem geheimen Schlüssel verschlüsselt, den Alice und der AS gemeinsam besitzen. In Kerberos gibt Alice zuerst ihren Namen und ihr Passwort an ihrem lokalen Host ein. Der lokale Host von Alice und der AS bestimmen dann den einmaligen geheimen Sitzungsschlüssel für die Verschlüsselung der Kommunikation zwischen Alice und dem AS.
2. Der AS authentifiziert Alice, stellt sicher, dass sie Zugriffsrechte für Bob hat, und erzeugt einen einmaligen symmetrischen Sitzungsschlüssel $R1$ für die Kommunikation zwischen Alice und Bob. Der AS (der im Kerberos-Slang jetzt als »Ticket Granting Server« bezeichnet wird) sendet Alice den Wert von $R1$ und außerdem ein **Ticket** für die Dienste von Bob. Das Ticket enthält Alices Namen, den Sitzungsschlüssel $R1$ von Alice und Bob und ein Verfallsdatum – wie in Abbildung 7.20 alles mit dem geheimen Schlüssel von Bob (der nur Bob und dem AS bekannt ist) verschlüsselt. Das Ticket von Alice ist nur bis zum Verfallsdatum gültig und wird von Bob abgewiesen, wenn es nach diesem Datum präsentiert wird. Für Kerberos V4 beträgt die maximale Lebensdauer eines Tickets etwa 21 Stunden. In Kerberos V5 muss die Lebensdauer vor dem Ende des Jahres 9999 ablaufen, womit wir es mit einem Y10K-Problem zu tun hätten!

→

3. Anschließend sendet Alice ihr Ticket an Bob. Außerdem sendet sie einen mit *R1* verschlüsselten Zeitstempel, der als Nonce benutzt wird. Bob entschlüsselt das Ticket mit seinem geheimen Schlüssel, besorgt sich den Sitzungsschlüssel und entschlüsselt den Zeitstempel mit diesem Sitzungsschlüssel. Bob sendet den mit *R1* verschlüsselten Nonce an Alice zurück, womit er beweist, dass er *R1* kennt und »live« ist.

Die neueste Version von Kerberos (V5) bietet Unterstützung für mehrere Authentifikationsserver (AS), die Delegation von Zugriffsrechten und erneuerbare Tickets. Ausführliche Details finden sich in [Kaufman 1995] und RFC 1510.

7.5.2 Zertifizierung öffentlicher Schlüssel

Eines der wichtigsten Merkmale der Public-Key-Chiffrierung ist die Möglichkeit für zwei Einheiten, geheime Nachrichten auszutauschen, ohne geheime Schlüssel austauschen zu müssen. Wenn Alice beispielsweise eine geheime Nachricht an Bob senden möchte, verschlüsselt sie die Nachricht einfach mit Bobs öffentlichem Schlüssel und sendet die verschlüsselte Nachricht an Bob. Sie braucht Bobs geheimen (d. h. privaten) Schlüssel nicht zu kennen. Ebenso wenig muss Bob ihren geheimen Schlüssel kennen. Folglich ist bei der Public-Key-Kryptographie keine KDC-Infrastruktur wie Kerberos notwendig.

Bei der Public-Key-Chiffrierung müssen die kommunizierenden Einheiten natürlich öffentliche Schlüssel austauschen. Ein Benutzer kann seinen öffentlichen Schlüssel auf vielerlei Art öffentlich zur Verfügung stellen, z. B. durch Posten des Schlüssels auf seiner persönlichen Web-Seite, auf einem Public-Key-Server oder durch Übersenden des Schlüssels per E-Mail an einen Korrespondenten. Eine Web-Commerce-Site kann ihren öffentlichen Schlüssel auf ihrem Server zur Verfügung stellen, so dass Browser die Site besuchen und ihn automatisch herunterladen können. Router können ihre öffentlichen Schlüssel auf Public-Key-Servern bereitstellen, so dass andere Netzwerkeinheiten sie abrufen können.

Allerdings gibt es bei der Public-Key-Kryptographie ein subtiles, aber dennoch kritisches Problem. Um dieses Problem zu verstehen, betrachten wir Internet-Commerce als Beispiel. Angenommen, Alice arbeitet im Pizza-Auslieferungsgeschäft und nimmt Bestellungen über das Internet an. Bob isst gerne Pizzas und sendet Alice eine Klartextnachricht, in der sich seine Hausadresse und die gewünschte Pizzaart befinden. Er fügt außerdem eine digitale Signatur (d. h. einen verschlüsselten Message-Digest für die Klartextnachricht) ein. Wie in Abschnitt 7.4 beschrieben, kann Alice den öffentlichen Schlüssel von Bob (von seiner persönlichen Web-Seite, einem Public-Key-Server oder von einer E-Mail-Nachricht) einholen und die digitale Signatur überprüfen. Auf diese Weise stellt sie sicher, dass Bob und nicht irgendein gelangweiltes Kid die Bestellung aufgegeben hat.

Das alles hört sich gut an, bis die schlaue Trudy die Bühne betritt. Wir sehen in Abbildung 7.21, dass Trudy Schlimmes vorhat. Trudy sendet eine Nachricht an Alice, in der sie sich als Bob ausgibt, Bobs Hausadresse angibt und eine Pizza bestellt. Sie hängt außerdem eine digitale Signatur an, wobei sie allerdings den Message-Digest mit ihrem (Trudys) privaten Schlüssel signiert. Außerdem fingiert sie Bob, indem sie Alice ihren öffentlichen Schlüssel sendet und behauptet, dass er Bob gehöre. In diesem Beispiel wird Alice den öffentlichen Schlüssel von Trudy (in dem Glauben, es handle sich um den von Bob) auf die digitale Signatur anwenden und schlussfolgern, dass die Klartextnachricht tatsächlich von Bob erzeugt wurde. Bob wird überrascht sein, wenn ihm eine Pizza mit allem drauf geliefert wird!

Abbildung 7.21 Trudy gibt sich unter Verwendung der Public-Key-Kryptographie als Bob aus.

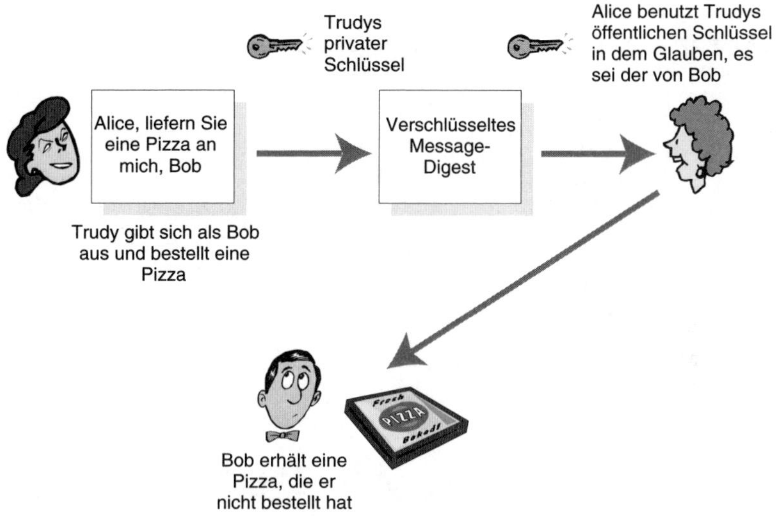

Dieses Beispiel zeigt, dass Einheiten (Benutzer, Browser, Router, usw.) *mit Sicherheit* wissen müssen, dass sie den öffentlichen Schlüssel der Einheit haben, mit der sie kommunizieren, da die Public-Key-Kryptographie ansonsten keinen Nutzen hat. Wenn Alice beispielsweise mit Bob unter Verwendung der Public-Key-Kryptographie kommuniziert, muss sie mit Sicherheit wissen, dass der öffentliche Schlüssel auch wirklich der von Bob ist. Ähnliche Bedenken ergaben sich in Zusammenhang mit den Authentifikationsprotokollen in den Abbildungen 7.13 und 7.14.

Die Bindung eines öffentlichen Schlüssels mit einer bestimmten Einheit wird normalerweise von einer **Zertifizierungsstelle** (CA) übernommen, deren Aufgabe es ist, Identitäten zu überprüfen und Zertifikate auszustellen. Eine CA hat folgende Aufgaben:

1. Eine CA überprüft, ob eine Einheit (Person, Router usw.) diejenige ist, die sie zu sein vorgibt. Es gibt keine vorgeschriebenen Prozeduren, wie diese Zertifizierung zu erfolgen hat. Wenn man mit einer CA zu tun hat, muss man ihr dahingehend vertrauen, dass sie eine angemessene rigorose Identitätsprüfung durchgeführt hat. Wenn Trudy in eine CA einmarschieren und einfach behaupten könnte, sie sei Alice, und daraufhin Zertifikate für die Identität von Alice erhielte, dürften die von dieser CA zertifizierten öffentlichen Schlüssel kaum vertrauenserweckend sein. Andererseits vertraut man vielleicht (oder auch nicht!) eher einer CA, die zu einem behördlichen oder staatlichen Förderungsprogramm gehört (z. B. [Utah 1999]). Man kann der »Identität« in Verbindung mit einem öffentlichen Schlüssel nur in dem Umfang trauen, in dem man der ausstellenden CA und ihren Techniken vertraut.

2. Nachdem die CA die Identität der Einheit geprüft hat, erstellt sie ein **Zertifikat**, das den öffentlichen Schlüssel mit der Identität der Einheit bindet. Das Zertifikat enthält den öffentlichen Schlüssel und global eindeutige Identifizierungsinformationen über den Besitzer des öffentlichen Schlüssels (z. B. einen Namen oder eine IP-Adresse). Das Zertifikat wird von der CA digital signiert. Diese Schritte sind in Abbildung 7.22 dargestellt.

Abbildung 7.22 Bob erhält ein Zertifikat von der Zertifizierungsstelle.

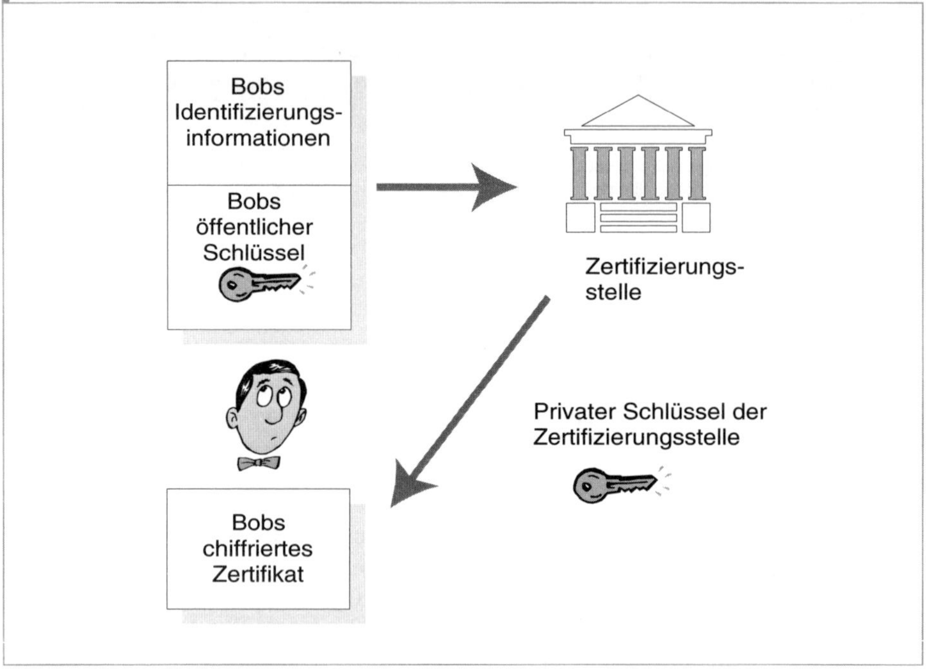

Wir untersuchen jetzt, wie Zertifikate benutzt werden können, um pizzabestellende Schelme wie Trudy und andere Störenfriede fernzuhalten. Wenn Alice die Bestellung von Bob empfängt, erhält sie Bobs Zertifikat, das sich auf seiner Web-Seite, in einer E-Mail oder auf einem Zertifikat-Server befinden kann. Alice benutzt den öffentlichen Schlüssel der CA, um die Echtheit des öffentlichen Schlüssels im Zertifikat zu überprüfen. Wir gehen davon aus, dass der öffentliche Schlüssel der CA selbst allen bekannt ist (z. B. könnte er an einer vertrauenswürdigen, öffentlichen und wohl bekannten Stelle wie *The New York Times* veröffentlicht werden, so dass er allen bekannt ist und nicht gefälscht werden kann). Dann kann Alice sicher sein, dass sie es tatsächlich mit Bob zu tun hat. Die Schritte bei der Public-Key-Chiffrierung über eine CA sind in Abbildung 7.22 dargestellt.

Die ITU (International Telecommunication Union) und die IETF entwickelten Standards für Zertifizierungsstellen. ITU X.509 [ITU 1993] spezifiziert einen Authentifizierungsdienst und eine spezifische Syntax für Zertifikate. RFC 1422 beschreibt CA-basiertes Schlüsselmanagement für die Verwendung mit sicherer Internet-E-Mail. Dies ist mit X.509 kompatibel, geht aber durch Definition von Prozeduren und Konventionen für eine Schlüsselmanagementarchitektur über diesen Standard hinaus. Einige wichtige Felder eines Zertifikats sind in Tabelle 7.3 aufgeführt.

Tabelle 7.3 Ausgewählte Felder für ein Public-Key-Zertifikat gemäß X.509 und RFC 1422

Feld	Beschreibung
Version	Versionsnummer der X.509-Spezifikation
Seriennummer	Eine eindeutige von der CA ausgestellte Nummer für das Zertifikat.
Signatur	Spezifiziert den Algorithmus, den die CA für die »Signierung« des Zertifikats verwendet.
Aussteller	Identifiziert die CA, die das Zertifikat ausgestellt hat, im DN-Format [RFC 2253].
Gültigkeitsdauer	Beginn und Ende der Gültigkeit des Zertifikats.
Name der Einheit	Identität der Einheit, deren öffentlicher Schlüssel mit dem Zertifikat gebunden ist, im DN-Format.
Öffentlicher Schlüssel der Einheit	Der öffentliche Schlüssel der Einheit mit einem Hinweis auf den Public-Key-Algorithmus (und Parametern), der mit diesem Schlüssel zu benutzen ist.

Angesichts des jüngsten Booms im E-Commerce-Bereich und des daraus folgenden großflächigen Bedarfs für sichere Transaktionen steigt das Interesse an Zertifizierungsstellen. CA-Dienste werden derzeit u. a. von Cybertrust [Cybertrust 1999], Verisign [Verisign 1999] und Netscape [Netscape Certificate 1999] angeboten. Ein von der Thawte Consulting für Netfarmers Enterprises Inc. ausgestelltes Zertifikat ist als Beispiel in Abbildung 7.23 dargestellt – hier in einem Netscape-Browser-Fenster.

Abbildung 7.23 Ein von der Thawte Consulting to Netfarmers Enterprises Inc. ausgestelltes Zertifikat

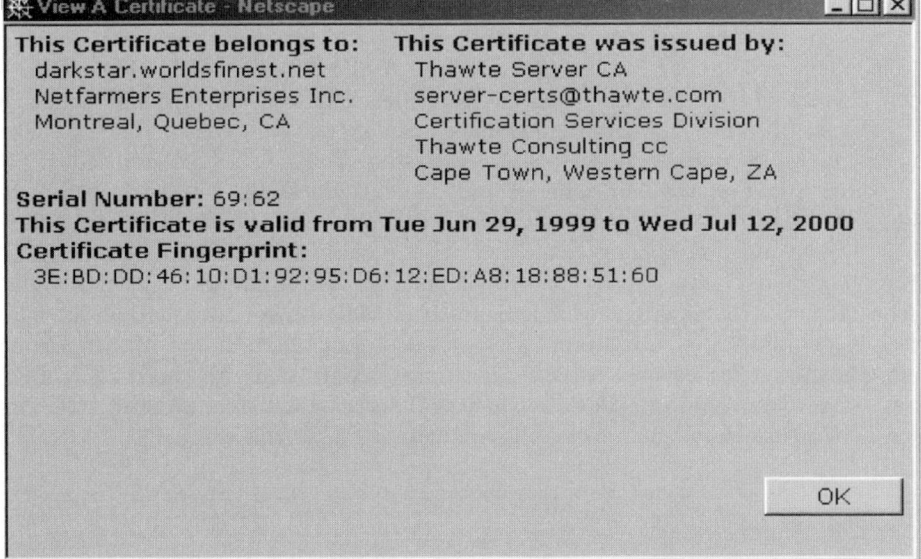

7.6 Sichere E-Mail

Im vorherigen Abschnitt wurden grundlegende Aspekte der Netzwerksicherheit beschrieben, darunter Chiffrierung mit symmetrischen und öffentlichen Schlüsseln, Authentifikation, Schlüsselverteilung, Nachrichtenintegrität und digitale Signaturen. In diesem Abschnitt wird untersucht, wie diese Werkzeuge benutzt werden können, um Sicherheit im Internet zu bieten. Interessanterweise ist es möglich, Sicherheitsdienste auf einer der oberen vier Schichten des Internet-Protokollstacks [Molva 1999] bereitzustellen. Wenn Sicherheit für ein spezifisches Protokoll der Anwendungsschicht bereitgestellt wird, genießt die Anwendung, die das Protokoll nutzt, einen oder mehrere Sicherheitsdienste, wie z. B. Geheimhaltung, Authentifikation oder Integrität. Wenn Sicherheit für ein Protokoll der Transportschicht bereitgestellt wird, genießen alle Anwendungen, die dieses Protokoll nutzen, die Sicherheitsdienste des Transportprotokolls. Wenn Sicherheit auf der Vermittlungsschicht von Host zu Host bereitgestellt wird, kommen alle Segmente der Transportschicht (und folglich auch alle Daten der Anwendungsschicht) in den Genuss der Sicherheitsdienste der Vermittlungsschicht. Wenn Sicherheit auf der Sicherungsschicht bereitgestellt wird, genießen die Daten in allen Rahmen, die über die Verbindungsleitung reisen, die Sicherheitsdienste der Sicherungsschicht.

In diesem und den nächsten beiden Abschnitten beschreiben wir, wie die Sicherheitswerkzeuge auf der Anwendungs-, Transport- und Vermittlungsschicht benutzt werden. Entsprechend der allgemeinen Struktur dieses Buchs beginnen wir von oben im Protokollstack und behandeln Sicherheit auf der Anwendungsschicht. Der hier gewählte Ansatz ist die Verwendung einer spezifischen Anwendung, nämlich E-Mail, als Fallstudie für Sicherheit auf der Anwendungsschicht. Anschließend bewegen wir uns im Protokollstack nach unten und beschreiben in Abschnitt 7.7 das SSL-Protokoll, das Sicherheit für TCP auf der Transportschicht bietet. In Abschnitt 7.8 wird IPsec beschrieben, das Sicherheit auf der Vermittlungsschicht bietet.

Der Leser wundert sich vielleicht, warum Sicherheitsfunktionalität auf mehr als einer Schicht im Internet bereitgestellt wird. Würde es nicht genügen, die Sicherheitsfunktionalität einfach auf der Vermittlungsschicht bereitzustellen? Auf diese Frage gibt es zwei Antworten: Erstens kann Sicherheit auf der Vermittlungsschicht zwar eine »Generalabdeckung« durch Verschlüsselung aller Daten in den Datagrammen (d. h. alle Segmente der Transportschicht) und Authentifikation aller IP-Quelladressen, aber keine Sicherheit auf Benutzerebene bieten. Eine Commerce-Site kann sich z. B. hinsichtlich der Authentifikation eines Kunden, der auf der Site Waren bestellt, nicht auf die Sicherheit der IP-Schicht verlassen. Folglich besteht ein Bedarf für Sicherheitsfunktionalität auf höheren und Generalabdeckung auf niedrigen Schichten. Zweitens ist es im Allgemeinen leichter, neue Internet-Dienste, darunter Sicherheitsdienste, auf den höheren Schichten des Protokollstacks zu implementieren. In Erwartung einer umfassenden Sicherheit auf der Vermittlungsschicht, was wahrscheinlich noch viele Jahre dauern kann, machen viele Anwendungsentwickler »einfach Nägel mit Köpfen« und führen Sicherheitsfunktionalität in ihre Anwendungen ein. Ein klassisches Beispiel ist PGP für sichere E-Mail (siehe Abschnitt 7.6.2). PGP, das lediglich Anwendungscode für Client und Server voraussetzt, war eine der ersten Sicherheitstechnologien, die häufig im Internet angewandt werden.

7.6.1 Prinzipien sicherer E-Mail

In diesem Abschnitt greifen wir auf die Werkzeuge zurück, die im vorherigen Abschnitt eingeführt wurden, um ein anspruchsvolles Design für ein sicheres E-Mail-System zu schaffen. Wir erstellen dieses Design auf inkrementelle Weise und führen in jedem Schritt neue Sicherheitsdienste ein. Bei unserem Design eines sicheren E-Mail-Systems halten wir uns das Beispiel von Abschnitt 7.1 – die Liebesaffäre zwischen Alice und Bob – vor Augen. Bevor wir uns an die Arbeit machen, für Alice und Bob ein sicheres E-Mail-System zu entwerfen, überlegen wir uns zunächst, welche Sicherheitsfunktionen für die beiden wünschenswert sind. Vor allen Dingen ist das *Geheimhaltung*. Wie in Abschnitt 7.1 beschrieben wurde, möchten Alice und Bob auf keinen Fall, dass Trudy die E-Mail-Nachricht von Alice liest. Zweitens wünschen sich Alice und Bob im sicheren E-Mail-System sicherlich *Senderauthentifikation*. Das heißt, wenn Bob die Nachricht »I don't love you anymore. I never want to see you again. Formerly yours, Alice« von Alice empfängt, möchte er natürlich sichergehen, dass die Nachricht auch tatsächlich von Alice und nicht von Trudy stammt. Als weitere Sicherheitsfunktion wünscht sich unser Liebespaar *Nachrichtenintegrität*, d. h. die Gewährleistung, dass die von Alice gesendete Nachricht nicht auf dem Weg zu Bob verändert wird. Schließlich sollte das E-Mail-System *Empfängerauthentifikation* bieten, d. h., Alice möchte sicher sein, dass sie den Brief tatsächlich an Bob und nicht an eine andere Person (z. B. Trudy) sendet, die sich als Bob ausgibt.

Wir beginnen also unser Design eines sicheren E-Mail-Systems mit dem vorrangigen Bedürfnis von Alice und Bob: Geheimhaltung. Die einfachste Art, in der Alice Geheimhaltung sicherstellen kann, ist die Verschlüsselung der Nachricht mit einer Symmetric-Key-Technologie (z. B. DES) und die Entschlüsselung der Nachricht durch Bob. Wenn der symmetrische Schlüssel lang genug ist und nur Alice und Bob den Schlüssel haben, dann ist es für eine andere Person (darunter auch Trudy) sehr schwer, die Nachricht zu lesen, wie Abschnitt 7.2 gezeigt hat. Nun ist dieser Ansatz zwar einfach, er weist aber die ebenfalls in Abschnitt 7.2 beschriebene grundlegende Schwierigkeit auf: die Verteilung eines symmetrischen Schlüssels auf eine Weise, dass nur Alice und Bob eine Kopie davon erhalten. Wir wenden uns also einem anderen Werkzeug zu, nämlich der Public-Key-Kryptographie (z. B. mittels RSA). Bei diesem Ansatz stellt Bob seinen öffentlichen Schlüssel öffentlich zur Verfügung (z. B. auf einem Public-Key-Server oder auf seiner persönlichen Web-Seite). Alice verschlüsselt ihre Nachricht mit dem öffentlichen Schlüssel von Bob und sendet sie an Bobs E-Mail-Adresse. (Die verschlüsselte Nachricht wird mit MIME-Headern verkapselt und über gewöhnliches SMTP (siehe Abschnitt 2.4) gesendet.) Bob empfängt die Nachricht und entschlüsselt sie einfach mit seinem privaten Schlüssel. Unter der Annahme, dass Alice mit Sicherheit weiß, dass der öffentliche Schlüssel tatsächlich der von Bob (und der Schlüssel lang genug) ist, ist dieser Ansatz ein ausgezeichnetes Mittel, um die gewünschte Geheimhaltung zu realisieren. Ein Problem ist dabei allerdings, dass die Public-Key-Chiffrierung relativ ineffizient ist, besonders bei umfangreichen Nachrichten. (Umfangreiche E-Mails sind heute im Internet aufgrund von Attachments, Bildern, Audio und Video an der Tagesordnung.)

Um das Effizienzproblem zu überwinden, verwenden wir einen Sitzungsschlüssel (siehe Abschnitt 7.5). Im Einzelnen heißt das: (1) Alice wählt einen symmetrischen Schlüssel K_S zufällig aus; (2) sie verschlüsselt ihre Nachricht m mit dem symmetrischen Schlüssel K_S; (3) sie verschlüsselt den symmetrischen Schlüssel mit Bobs öffentlichem Schlüssel e_B; (4) sie verkettet die verschlüsselte Nachricht und den verschlüsselten symmetrischen Schlüssel zu einem »Paket«; und (5) sie sendet das Paket an die E-Mail-Adresse von Bob. Diese Schritte sind in Abbildung 7.24 dargestellt. (In dieser und den folgenden Abbildungen bedeutet das Pluszeichen (+) eine Verkettung und das Minuszeichen (–) die Auflösung der Verkettung.) Wenn Bob das Paket empfängt, benutzt er (1) seinen privaten Schlüssel d_B, um den symmetrischen Schlüssel K_S zu erhalten, und (2) den symmetrischen Schlüssel K_S, um die Nachricht m zu entschlüsseln.

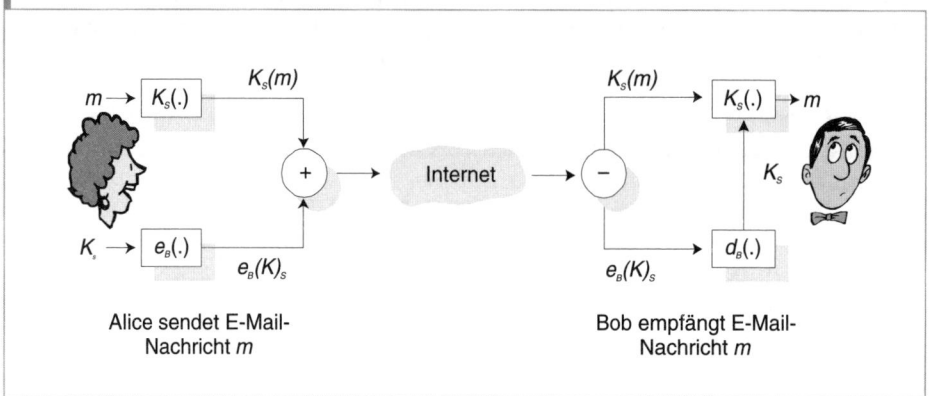

Abbildung 7.24 Alice benutzt einen symmetrischen Sitzungsschlüssel K_S, um eine geheime E-Mail an Bob zu senden.

Dieses sichere E-Mail-System bietet also Geheimhaltung. Wir wollen nun ein anderes System entwerfen, das sowohl Senderauthentifikation als auch Integrität bietet. Wir nehmen für den Augenblick an, dass Alice und Bob sich nicht mehr um Geheimhaltung kümmern (sollen ruhig alle wissen, wie es um sie steht!) und nur an Senderauthentifikation und Nachrichtenintegrität interessiert sind. Um diese Aufgabe zu lösen, verwenden wir digitale Signaturen und Message-Digests (siehe Abschnitt 7.4). Im Einzelnen heißt das: (1) Alice wendet eine Hash-Funktion H (z. B. MD5) auf ihre Nachricht m an, um einen Message-Digest zu erhalten; (2) sie verschlüsselt das Ergebnis der Hash-Funktion mit ihrem privaten Schlüssel d_A, um eine digitale Signatur zu erzeugen; (3) sie verkettet das Original (die unverschlüsselte Nachricht) mit der Signatur, um ein Paket zu erzeugen; (4) sie sendet das Paket an die E-Mail-Adresse von Bob. Wenn Bob das Paket empfängt, (1) wendet er den öffentlichen Schlüssel von Alice e_A auf den signierten Message-Digest an und (2) vergleicht das Ergebnis dieser Operation mit seinem eigenen Hash-Wert H der Nachricht. Diese Schritte sind in Abbildung 7.25 dargestellt. Wenn die beiden Ergebnisse identisch sind (siehe Abschnitt 7.5), kann Bob ziemlich zuversichtlich sein, dass die Nachricht von Alice kam und nicht verändert wurde.

Wir befassen uns jetzt mit dem Design eines E-Mail-Systems, das Geheimhaltung, Senderauthentifikation *und* Nachrichtenintegrität bietet. Dies erreichen wir durch Kombination der Prozeduren aus Abbildung 7.24 und 7.25. Alice erzeugt zuerst ein vorläufiges Paket, genau wie in Abbildung 7.25, das aus ihrer Originalnachricht und einem digital signierten Hash der Nachricht besteht. Dann behandelt sie dieses vorläufige Paket als Nachricht und sendet diese neue Nachricht durch die Senderschritte von Abbildung 7.24, wobei sie ein neues Paket erzeugt, das an Bob gesendet wird. Die von Alice durchgeführten Schritte sind in Abbildung 7.26 dargestellt. Wenn Bob

Abbildung 7.25 Verwendung von Hash-Funktionen und digitalen Signaturen, um Senderauthentifikation und Nachrichtenintegrität zu unterstützen

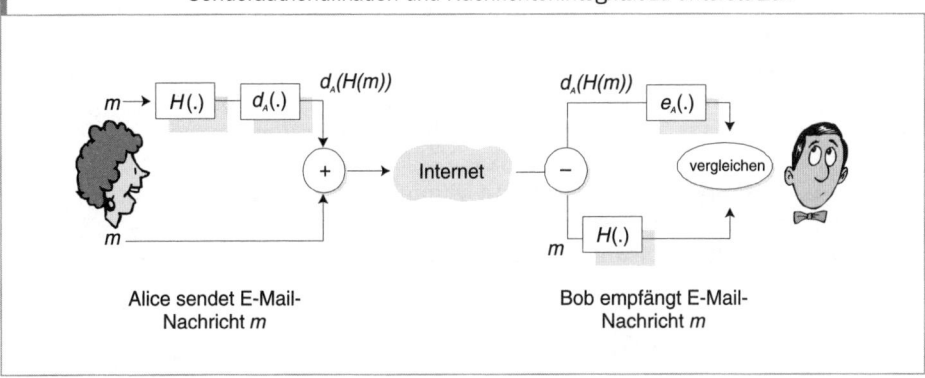

das Paket empfängt, wendet er zuerst seine Seite von Abbildung 7.24 und dann seine Seite von Abbildung 7.25 an. Es sollte klar sein, dass dieses Design das Ziel – Bereitstellung von Geheimhaltung, Senderauthentifikation und Nachrichtenintegrität – erreicht. Man beachte bei diesem Schema, dass Alice die Public-Key-Chiffrierung zweimal anwendet: einmal mit ihrem privaten Schlüssel und einmal mit Bobs öffentlichem Schlüssel. Auch Bob wendet die Public-Key-Chiffrierung zweimal an: einmal mit seinem privaten Schlüssel und einmal mit Alices öffentlichem Schlüssel.

Abbildung 7.26 Alice wendet Symmetric-Key-Kryptographie, Public-Key-Kryptographie, eine Hash-Funktion und eine digitale Signatur an, um Geheimhaltung, Senderauthentifikation und Nachrichtenintegrität zu realisieren.

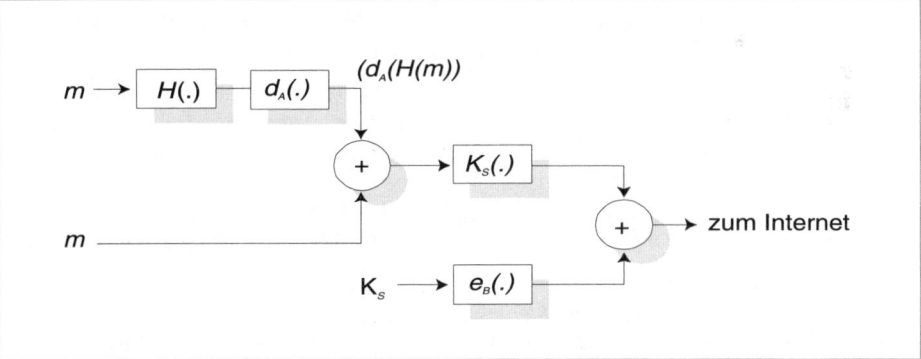

Das in Abbildung 7.26 dargestellte sichere E-Mail-Design bietet wahrscheinlich für die meisten E-Mail-Benutzer ausreichend Sicherheit. Eine wichtige Frage wurde aber noch nicht aufgegriffen. Das Design von Abbildung 7.26 setzt voraus, dass Alice Bobs öffentlichen Schlüssel einholt, während Bob sich den öffentlichen Schlüssel von Alice besorgen muss. Die Verteilung dieser öffentlichen Schlüssel ist kein zu unterschätzendes Problem. Trudy könnte sich z. B. als Bob ausgeben und Alice ihren öffentlichen Schlüssel als den von Bob zuspielen. Wie wir aus Abschnitt 7.5 wissen, ist ein beliebter Ansatz für die sichere Verteilung von öffentlichen Schlüsseln die *Zertifizierung* derselben.

7.6.2 PGP

Das ursprünglich von Phil Zimmermann 1991 entwickelte PGP (Pretty Good Privacy) ist ein E-Mail-Chiffrierschema, das sich als De-facto-Standard durchgesetzt hat. Seine Web-Site bedient mehr als eine Million Seiten pro Monat für Benutzer in 166 Ländern [PGPI 2000]. Verschiedene Versionen von PGP sind im Public-Domain verfügbar, z. B. die PGP-Software für die gängigen Betriebssystemplattformen. Viel interessantes Material befindet sich auf der International PGP Homepage, darunter ein besonders interessanter Text von Phil Zimmermann [Zimmermann 1999]. PGP ist auch kommerziell [Network Associates 1999] und als Plug-in für viele E-Mail-Agents, z. B. Microsoft Exchange, Microsoft Outlook und Eudora von Qualcomm, erhältlich.

FALLBEISPIEL

Phil Zimmermann und PGP

Philip R. Zimmermann ist der Schöpfer von PGP (Pretty Good Privacy). Aus diesem Grund war er die Zielscheibe einer drei Jahre währenden strafrechtlichen Untersuchung, weil die Regierung behauptete, dass US-Ausfuhrbeschränkungen für kryptographische Software verletzt wurden, als PGP sich nach seiner Einführung als Freeware 1991 überall in der Welt verbreitete. Nach dem Release von PGP als Shareware stellten es andere ins Internet und ausländische Benutzer luden es herunter. Kryptographische Programme gelten in den USA als militärische Ausrüstung und unterliegen daher dem Bundesgesetz und speziellen Ausfuhrbeschränkungen.

Unzureichende Mittel, ein Mangel an bezahlten Mitarbeitern und keine Firma im Rücken und außerdem Eingriffe seitens der Regierung konnten nicht verhindern, dass PGP zur weltweit am häufigsten benutzten Software für E-Mail-Chiffrierung wurde. Seltsamerweise mag die US-Regierung unabsichtlich noch zur Verbreitung von PGP dadurch beigetragen haben, dass es aufgrund des Zimmermann-Rechtsstreits so bekannt geworden ist.

Die US-Regierung stellte das Verfahren Anfang 1996 ein und die Ankündigung wurde von Internet-Aktivisten gefeiert. Das Zimmermann-Verfahren war zur Geschichte einer unschuldigen Person geworden, die allein gegen einen riesigen Regierungsapparat für ihre Rechte kämpft. Die Niederlegung der Rechtssache durch die Regierung wurde als willkommene Botschaft begrüßt, vor allem angesichts der Befürwortung von Internet-Zensur im Kongress und dem Druck durch das FBI, die Abhöraktionen der Regierung auszuweiten.

Nach der Einstellung des Verfahrens gründete Zimmermann die PGP Inc., die im Dezember 1997 von Network Associates übernommen wurde. Zimmermann ist heute Senior Fellow der Network Associates und unabhängiger Berater im Bereich der Kryptographie.

Das PGP-Design entspricht im Wesentlichen dem Design in Abbildung 7.26. Je nach Version benutzt die PGP-Software MD5 oder SHA für die Berechnung des Message-Digest sowie CST, Triple-DES oder IDEA für die Symmetric-Key-Chiffrierung und RSA für die Public-Key-Chiffrierung. Darüber hinaus bietet PGP auch Datenkompression.

Wenn PGP installiert wird, erzeugt die Software ein Public-Key-Paar für den Benutzer. Der öffentliche Schlüssel kann auf der Web-Site des Benutzers oder auf einem Public-Key-Server bereitgestellt werden. Der private Schlüssel ist durch ein

Passwort geschützt. Das Passwort muss jedes Mal eingegeben werden, wenn der Benutzer auf den privaten Schlüssel zugreift. In PGP hat der Benutzer die Wahl, die Nachricht digital zu signieren, sie zu verschlüsseln oder beides auszuführen. Abbildung 7.27 zeigt eine mit PGP signierte Nachricht. Diese Nachricht erscheint nach dem MIME-Header. Die kodierten Daten in der Nachricht sind $d_A(H(m))$, d. h. der digital signierte Message-Digest. Wie oben erwähnt, muss Bob Zugriff auf den öffentlichen Schlüssel von Alice haben, um die Integrität der Nachricht zu überprüfen.

Abbildung 7.27 Eine mit PGP signierte Nachricht

```
-----BEGIN PGP SIGNED MESSAGE-----
Hash: SHA1
Bob:
My husband is out of town tonight.
Passionately yours, Alice
-----BEGIN PGP SIGNATURE-----
Version: PGP for Personal Privacy 5.0
Charset: noconv
yhHJRHhGJGhgg/12EpJ+lo8gE4vB3mqJhFEvZP9t6n7G6m5Gw2
-----END PGP SIGNATURE-----
```

Abbildung 7.28 zeigt eine geheime PGP-Nachricht, die ebenfalls nach dem MIME-Header erscheint. Selbstverständlich ist die Klartextnachricht nicht in der geheimen E-Mail-Nachricht enthalten. Wenn ein Sender (z. B. Alice) sowohl Geheimhaltung als auch Integrität wünscht, müsste eine Nachricht wie die aus Abbildung 7.28 in der Nachricht aus Abbildung 7.27 enthalten sein.

Abbildung 7.28 Eine geheime PGP-Nachricht

```
-----BEGIN PGP MESSAGE-----
Version: PGP for Personal Privacy 5.0
u2R4d+/jKmn8Bc5+hgDsqAewsDfrGdszX68liKm5F6Gc4sDfcXyt
RfdS10juHgbcfDssWe7/K=1KhnMikLoO+1/BvcX4t==Ujk9PbcD4
Thdf2awQfgHbnmKlok8iy6gThlp
-----END PGP MESSAGE-----
```

PGP bietet auch einen Mechanismus für Public-Key-Zertifizierung, der sich aber stark von der konventionelleren Zertifizierungsstelle unterscheidet. In PGP werden öffentliche Schlüssel von einem Vertrauensgeflecht (»web of trust«) zertifiziert. Alice kann jedes Schlüssel/Benutzername-Paar selbst zertifizieren, wenn sie glaubt, dass das Paar wirklich zusammengehört. Außerdem kann Alice mit PGP mitteilen, dass sie einem anderen Benutzer dahingehend vertraut, dass er für die Authentizität mehrerer Schlüssel garantiert. Einige PGP-Benutzer signieren gegenseitig ihre Schlüssel durch Veranstaltung so genannter *Key Signing Parties*. Benutzer treffen sich persönlich, tauschen Disketten mit öffentlichen Schlüsseln aus und zertifizieren sich gegenseitige ihre Schlüssel, indem sie diese mit ihren privaten Schlüsseln signieren. In PGP können öffentliche Schlüssel auch durch so genannte *PGP Public Key Server* im Internet verteilt werden. Wenn ein Benutzer einen öffentlichen Schlüssel auf einen solchen Server überträgt, speichert der Server eine Kopie des Schlüssels, sendet eine Kopie an alle anderen Public-Key-Server und gibt den Schlüssel jedem aus, der ihn verlangt. Obwohl Key Signing Parties und PGP Public-Key-Server tatsächlich existieren, verteilen die meisten Benutzer ihre öffentlichen Schlüssel auf ihren persönlichen Web-Seiten. Selbstverständlich sind die auf persönlichen Web-Seiten bereitgestellten Schlüssel von niemandem zertifiziert, sie sind aber leicht zugänglich.

7.7 Internet-Commerce

Im vorherigen Abschnitt wurde die Verwendung verschiedener Sicherheitstechnologien auf der Anwendungsschicht (für sichere E-Mail) beschrieben: Verschlüsselung, Authentifikation, Schlüsselverteilung, Nachrichtenintegrität und digitale Signaturen. In diesem Abschnitt setzen wir unsere Fallstudie der verschiedenen Sicherheitsmechanismen fort, allerdings eine Schicht tiefer im Protokollstack. Wir beschreiben hier sichere Sockets und eine sichere Transportschicht und verwenden als Beispiel E-Commerce, eine im Internet immer wichtiger werdende Anwendung.

Wir definieren **Internet-Commerce** als Einkauf von »Waren« im Internet, wobei wir Waren in einem sehr umfassenden Sinn betrachten. Dazu gehören Bücher, CDs, Hardware, Software, Flugtickets, Wertpapiere, Beratungsdienste usw. In den neunziger Jahren wurden viele Schemata für Internet-Commerce entwickelt, von denen einige nur ein minimales und andere ein hohes Maß an Sicherheit, einschließlich Kundenanonymität (vergleichbar mit der Anonymität bei Bartransaktionen von Person zu Person [Loshin 1997]), bieten. Ende der neunziger Jahre wurde der Markt aber stark ausgesiebt, weil nur wenige dieser Schemata in nennenswertem Umfang in Web-Browsern und Servern implementiert wurden. Als wir dieses Buch schrieben, waren dies vorrangig zwei Schemata: SSL, das derzeit für die Mehrheit der Internet-Transaktionen benutzt wird, und SET, von dem erwartet wird, dass es in den nächsten Jahren stark mit SSL konkurrieren soll.

Ungeachtet dessen, ob SSL oder SET angewandt wird, macht Internet-Commerce starken Gebrauch von der existierenden Kreditkarteninfrastruktur, die seit vielen Jahren von Kunden, Händlern und Finanzinstitutionen benutzt wird. In dieser Infrastruktur gibt es drei wichtige Mitspieler: den Kunden, der ein Produkt kauft, den Händler, der das Produkt verkauft, und die Bank des Händlers, die den Kauf autorisiert. Wir werden in den nächsten Abschnitten sehen, dass Internet-Commerce mit SSL für Kommunikation zwischen den ersten beiden (d. h. Kunde und Händler) und SET für alle drei Beteiligten untereinander Sicherheit bietet.

7.7.1 Internet-Commerce mittels SSL

Wir gehen schrittweise ein typisches Szenario von Internet-Commerce durch. Bob surft im Web und kommt zur Site von Alice Incorporated. Diese zeigt ihr Warenangebot in einer Form an, in der Bob Bestellungen aufgeben kann, wobei er die gewünschte Menge, seine Adresse und seine Kreditkartennummer eingeben muss. Bob gibt diese Informationen ein, klickt auf »Submit« und erwartet dann die Zusendung der Waren (beispielsweise über die gewöhnliche Post). Er erwartet auch eine Belastung für die Waren auf seinem nächsten Kontoauszug. Das alles hört sich gut an. Wenn aber keine Sicherheitsmaßnahmen wie Verschlüsselung oder Authentifikation realisiert werden, könnte Bob böse Überraschungen erleben:

- Ein Eindringling könnte die Bestellung abfangen, an Bobs Kreditkartendetails gelangen und dann auf Bobs Kosten Einkäufe tätigen.
- Die Site könnte das berühmte Logo von Alice Incorporated anzeigen, tatsächlich aber Trudy gehören, die sich als Alice Incorporated ausgibt. Trudy könnte Bobs Geld einkassieren und verschwinden. Sie könnte aber auch Einkäufe für sich tätigen und Bobs Konto damit belasten lassen.

Außer diesen sind weitere unangenehme Überraschungen möglich, von denen wir einige im nächsten Unterabschnitt behandeln. Die beiden oben genannten Probleme sind aber besonders schwerwiegend. Internet-Commerce mit Hilfe des SSL-Protokolls bietet eine Lösung für beide Probleme.

SSL (**Secure Sockets Layer**) wurde ursprünglich von Netscape entwickelt. Das Protokoll wurde ausgelegt, um Datenverschlüsselung und Authentifikation zwischen einem Web-Client und einem Web-Server zu bieten. Es beginnt mit einer Handshake-Phase, in der ein Chiffrieralgorithmus (z. B. DES oder IDEA) und Schlüssel ausgehandelt werden und der Server dem Client gegenüber authentifiziert wird. Optional kann auch der Client gegenüber dem Server authentifiziert werden. Nach Beendigung des Handshake und Beginn der Übertragung von Anwendungsdaten werden alle Daten mit den in der Handshake-Phase vereinbarten Sitzungsschlüsseln verschlüsselt. SSL wird häufig im Internet-Commerce angewandt, denn es ist in fast allen gängigen Browsern und Web-Servern integriert. Außerdem bildet es die Grundlage des TLS-Protokolls (Transport Layer Security [RFC 2246]).

SSL und TLS sind nicht auf die Web-Anwendung begrenzt. Sie können beispielsweise ebenso gut für die Authentifikation und Datenverschlüsselung von IMAP-Mail-Zugang benutzt werden. SSL kann als Schicht betrachtet werden, die sich zwischen der Anwendungs- und der Transportschicht befindet. Auf der sendenden Seite empfängt SSL Daten (z. B. eine HTTP- oder IMAP-Nachricht von einer Anwendung), verschlüsselt sie und gibt die verschlüsselten Daten an ein TCP-Socket ab. Auf der empfangenden Seite liest SSL aus dem TCP-Socket, entschlüsselt die Daten und leitet sie an die Anwendung weiter. Obwohl SSL mit vielen Internet-Anwendungen benutzt wird, beschreiben wir es in Zusammenhang mit dem Web, wo es heute vorwiegend für Internet-Commerce benutzt wird. SSL weist folgende wichtige Merkmale auf:

- *SSL-Server-Authentifikation*: Erlaubt es einem Benutzer, die Identität eines Servers sicherzustellen. Ein SSL befähigter Browser führt eine Liste mit vertrauenswürdigen Zertifizierungsstellen (CAs) und den öffentlichen Schlüsseln dieser CAs. Wenn der Browser mit einem SSL-befähigten Web-Server eine Geschäftstransaktion abwickeln will, erhält der Browser vom Server ein Zertifikat mit dem öffentlichen Schlüssel des Servers. Das Zertifikat wird von einer Zertifizierungsstelle (CA) ausgestellt (d. h. digital signiert), die sich auf der Liste mit vertrauenswürdigen CAs des Clients befindet. Diese Funktion erlaubt es dem Browser, den Server zu authentifizieren, bevor der Benutzer eine Kreditkartennummer eingibt. In

Zusammenhang mit unserem früheren Beispiel ermöglicht diese Server-Authentifikation Bob die Überprüfung, dass er tatsächlich seine Kreditkartennummer an Alice Incorporated und nicht an einen anderen sendet, der sich als Alice Incorporated ausgibt.

- *SSL-Client-Authentifikation*: Erlaubt es einem Server, die Identität eines Benutzers sicherzustellen. Ebenso wie die Server-Authentifikation verwendet auch die Client-Authentifikation Client-Zertifikate, die von CAs ausgestellt werden. Diese Authentifikation ist wichtig, wenn der Server z. B. eine Bank ist, die vertrauliche Finanzdaten an einen Kunden sendet und die Identität des Empfängers überprüfen möchte. Die Client-Authentifikation wird von SSL unterstützt, ist aber optional. Der besseren Übersichtlichkeit halber ignorieren wir diese Funktion im weiteren Verlauf.

- *Verschlüsselte SSL-Sitzung*: Eine Sitzung, bei der alle Informationen, die zwischen dem Browser und Server ausgetauscht werden, von der sendenden Software (Browser oder Web-Server) verschlüsselt und von der empfangenden Software (Browser oder Web-Server) entschlüsselt werden. Diese Vertraulichkeit kann für den Kunden und den Händler gleichermaßen wichtig sein. Außerdem bietet SSL einen Mechanismus zur Erkennung, ob die Informationen von einem Eindringling verfälscht wurden.

Wie SSL funktioniert

Ein Benutzer, sagen wir Bob, surft im Web und klickt auf einen Link, der ihn auf eine sichere Web-Seite führt, die sich auf dem SSL-fähigen Server von Alice befindet. Der Protokollteil der URL für diese Seite ist »HTTPS« und nicht das übliche »HTTP«. Der Browser und der Server führen dann das SSL-Handshake-Protokoll aus, das (1) den Server authentifiziert und (2) einen gemeinsamen symmetrischen Schlüssel erzeugt. Für beide Aufgaben kann RSA als Public-Key-Technologie herangezogen werden. Der hauptsächliche Ablauf von Ereignissen in der Handshake-Phase ist in Abbildung 7.29 dargestellt. Während dieser Phase sendet Alice ihr Zertifikat an Bob, von dem Bob den öffentlichen Schlüssel von Alice erhält. Anschließend erzeugt Bob einen zufälligen symmetrischen Schlüssel, verschlüsselt ihn mit dem öffentlichen Schlüssel von Alice und sendet den verschlüsselten Schlüssel an Alice. Bob und Alice verwenden von da ab einen gemeinsamen symmetrischen Sitzungsschlüssel. Nach Beendigung dieses Handshake-Protokolls werden alle zwischen dem Browser und dem Server (über TCP-Verbindungen) ausgetauschten Daten mit diesem symmetrischen Sitzungsschlüssel verschlüsselt.

Nach diesem allgemeinen Überblick über SSL beschreiben wir einige wichtige Details. Im SSL-Handshake werden folgende Schritte durchgeführt:

1. Der Browser sendet dem Server seine SSL-Versionsnummer und Kryptographiepräferenzen. Der Browser sendet seine Kryptographiepräferenzen, weil er und der Server sich auf einen Symmetric-Key-Algorithmus einigen, den sie später benutzen.

2. Der Server sendet dem Browser seine SSL-Versionsnummer sowie Kryptographiepräferenzen und sein Zertifikat. Das Zertifikat beinhaltet den öffentlichen Schlüssel (RSA) des Servers und wurde von einer CA zertifiziert, d. h. das Zertifikat wurde mit dem privaten Schlüssel einer CA verschlüsselt.

3. Der Browser verfügt über eine Liste mit vertrauenswürdigen CAs und einem öffentlichen Schlüssel für jede CA auf der Liste. Wenn der Browser das Zertifikat

Abbildung 7.29 Übersicht über die Handshake-Phase von SSL

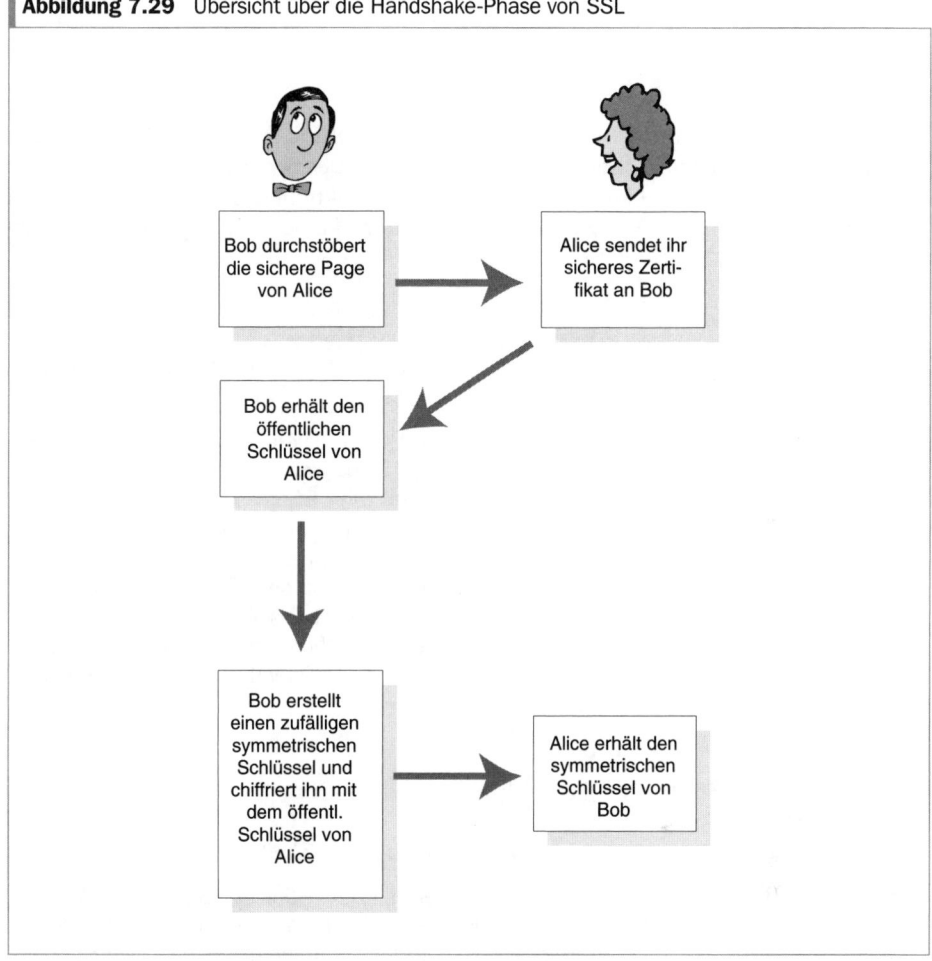

vom Server empfängt, prüft er, ob die CA auf der Liste steht. Ist dies nicht der Fall, wird der Benutzer gewarnt und darüber informiert, dass keine verschlüsselte und authentifizierte Verbindung aufgebaut werden kann. Wenn sich die CA auf der Liste befindet, benutzt der Browser den öffentlichen Schlüssel der CA, um das Zertifikat zu entschlüsseln und den öffentlichen Schlüssel des Servers zu erhalten.

4. Der Browser erzeugt einen symmetrischen Sitzungsschlüssel, verschlüsselt ihn mit dem öffentlichen Schlüssel des Servers und sendet den verschlüsselten Sitzungsschlüssel an den Server.

5. Der Browser sendet eine Nachricht an den Server, in der er ihn informiert, dass künftige Nachrichten vom Client mit dem Sitzungsschlüssel verschlüsselt werden. Dann sendet er eine separate (verschlüsselte) Nachricht, in der er darauf hinweist, dass der Browser-Teil des Handshake beendet ist.

6. Der Server informiert den Browser mit einer Nachricht, dass künftige Nachrichten vom Server mit dem Sitzungsschlüssel verschlüsselt werden. Dann sendet er eine separate (verschlüsselte) Nachricht, in der er darauf hinweist, dass der Server-Teil des Handshake beendet ist.

7. Damit ist das SSL-Handshake abgeschlossen und die SSL-Sitzung hat begonnen. Der Browser und der Server benutzen die Sitzungsschlüssel für die Ver- und Entschlüsselung der Daten, die sie einander zusenden, und für die Prüfung der Integrität dieser Daten.

Das SSL-Handshake umfasst mehr als die oben aufgeführten Schritte. Der Leser findet ausführliche Informationen über SSL von Netscapes Security Developer Central [Netscape Security 1999]. Abgesehen von Kauftransaktionen mit Kreditkarten wird SSL auch für andere Finanztransaktionen, darunter Online-Banking und Aktienhandel, benutzt.

PRINZIPIEN IN DER PRAXIS

SSL in Aktion

Wir empfehlen den Lesern, eine sichere Web-Site zu besuchen, beispielsweise eine, die echten kanadischen Ahornsirup vertreibt (http://www.jam.ca./syrup). Wenn Sie in einen sicheren Bereich einer solchen Site eintreten, führt SSL das Handshake-Protokoll durch. Unter der Annahme, dass das Zertifikat des Servers angenommen wird, werden Sie vom Browser davon in Kenntnis gesetzt, z. B. durch Anzeige eines speziellen Icons (meist ein gelbes Vorhängeschloss). Alle zwischen Ihnen und dem Server von da an ausgetauschten Informationen werden verschlüsselt. Ihr Browser sollte Ihnen eigentlich die Möglichkeit bieten, das Zertifikat für den Händler anzusehen (im Internet-Explorer z. B. unter *Datei, Eigenschaften, Zertifikate*). Im Februar 2000 enthielt das Zertifikat der Ahornsirup-Site folgende Informationen:

Company: Netfarmers Enterprises Inc.

Certification Authority: Thawte Certification

Public Key (in hexadecimal):
   3E:BD:DD:46:10:DI:92:95:D6:12:ED:A8:18:88:51:60

Wenn Sie in Ihrem Browser sichere Transaktionen mit dem Händler durchführen können, sollten Sie auch in der Lage sein, das Zertifikat der CA, d. h. in diesem Fall Thawte Certification, einzusehen (im Internet-Explorer z. B. unter *Extras, Internet-Optionen, Inhalt, Zertifikate*).

Grenzen von SSL im Internet-Commerce

Aufgrund seiner Einfachheit und frühen Entwicklung wird SSL häufig in Browsern, Servern und Internet-Commerce-Produkten implementiert. Diese SSL-fähigen Server und Browser bieten eine beliebte Plattform für Kreditkartentransaktionen. Dennoch sollte man bedenken, dass SSL nicht speziell für Kreditkartentransaktionen, sondern vielmehr allgemein für sichere Kommunikation zwischen einem Client und einem Server ausgelegt wurde. Aufgrund dieses generischen Designs mangelt es SSL an vielen Funktionen, die sich die Kreditkartenindustrie für ein Internet-Commerce-Protokoll wünschen würde.

Man bedenke wieder dem Fall, bei dem Bob etwas von Alice Incorporated über SSL bestellt. Das signierte Zertifikat, das Bob von Alice erhält, versichert ihm, dass er es wirklich mit Alice Incorporated zu tun hat und dass Alice Incorporated eine vertrauenswürdige Firma ist. Es enthält aber keinen Hinweis darauf, ob Alice Incorporated autorisiert ist, Kreditkartenkäufe zu akzeptieren oder ob sie zuverlässig ist. Dies öffnet Tür und Tor für Handelsbetrug. Außerdem besteht ein ähnliches Problem bei der Client-Autorisierung. Auch wenn die Client-Authentifikation von SSL angewandt wird, verbindet das Client-Zertifikat Bob nicht mit einer spezifischen autorisierten Kreditkarte. Die Firma Alice Incorporated hat also keinerlei Gewähr, ob Bob autorisiert ist, Kreditkartenkäufe zu tätigen. Dies ist eine potenzielle Schwachstelle für alle möglichen Betrugsarten, darunter Einkäufe mit gestohlenen Kreditkarten und Nichtanerkennung der Bestellungen durch den Kunden [Abbott 1999].

Natürlich sind diese Betrugsarten im Versand- und Telefonhandel bereits bestens bekannt. Bei Versandtransaktionen schreibt das Gesetz (in den USA) vor, dass der Händler im Falle betrügerischer Transaktionen haftbar ist. Das heißt, wenn ein Kunde mittels Kreditkarte Waren aus einem Katalog oder telefonisch bestellt und später behauptet, er habe den Kauf nicht getätigt, haftet der Händler. Der Händler ist also gesetzlich dazu verpflichtet, dem Kunden das Geld zurückzugeben (es sei denn, der Händler kann beweisen, dass der Kunde die Waren tatsächlich bestellt und erhalten hat). Auf die gleiche Weise ist der Händler im Fall einer Zahlung mit einer gestohlenen Kreditkarte haftbar. Demgegenüber haftet bei persönlichen Kauftransaktionen mittels Kreditkarte die Bank des Händlers. Man kann sich natürlich denken, dass es für einen Kunden schwieriger ist, einen persönlich mit einer handschriftlichen Unterschrift oder einer PIN getätigten Kauf im Nachhinein abzustreiten.

SSL-Kauftransaktionen sind mit denen im Versandhandel vergleichbar, auch hier haftet der Händler für betrügerische SSL-Käufe. Vor diesem Hintergrund wäre natürlich ein Protokoll besser, das eine anspruchsvollere Authentifikation des Kunden und Händlers bietet, etwas, das so gut wie eine persönliche Transaktion oder gar noch besser ist. Authentifikation mit Autorisation von Kreditkartenzahlungen würde Betrug und Händlerhaftung reduzieren.

7.7.2 Internet-Commerce mittels SET

SET (**Secure Electronic Transactions**) ist ein Protokoll, das speziell für sichere Kreditkartentransaktionen im Internet ausgelegt wurde. Es wurde ursprünglich gemeinsam von Visa International und MasterCard International unter Beteiligung führender Technologieunternehmen im Februar 1996 entwickelt. Im Dezember 1997 wurde SET Secure Electronic Transaction LLC (kurz SETCo) als rechtliche Einheit für die Verwaltung und Förderung der globalen Übernahme von SET im Internet gegründet [SetCo 1999]. SET weist unter anderem folgende wichtige Merkmale auf:

- SET wurde für die Chiffrierung spezifischer zahlungsbezogener Nachrichten ausgelegt. Im Gegensatz zu SSL kann es nicht benutzt werden, um beliebige Daten (wie Text und Bilder) zu verschlüsseln.

- Am SET-Protokoll sind alle drei zu Beginn dieses Abschnitts genannten Parteien, d. h. Kunde, Händler und die *Bank des Händlers*, beteiligt. Alle zwischen den drei Parteien ausgetauschten vertraulichen Informationen werden verschlüsselt.

- SET setzt voraus, dass alle drei Parteien über Zertifikate verfügen. Die Zertifikate von Kunden und Händlern werden von deren Bank ausgestellt, wobei sichergestellt ist, dass diese Parteien berechtigt sind, Kauftransaktionen mittels Kreditkarten zu tätigen. Das Kundenzertifikat bietet Händlern die Gewährleistung, dass die Transaktionen nicht betrügerisch sind und rückbelastet werden. Im Grunde ist es wie eine elektronische Darstellung der Kreditkarte des Kunden. Es enthält Informationen über das Konto, das ausstellende Finanzinstitut und andere kryptographische Informationen. Das Händlerzertifikat gewährleistet dem Kunden, dass *dieser* Händler autorisiert ist, Kauftransaktionen mittels Kreditkarten zu akzeptieren. Es enthält Informationen über den Händler, seine Bank und das ausstellende Finanzinstitut.

- SET spezifiziert die rechtliche Bedeutung der Zertifikate der Parteien und den jeweiligen Haftungsanteil bei einer Transaktion [Abbott 1999].
- In einer SET-Transaktion wird die Kreditkartennummer des Kunden an die Bank des Händlers weitergegeben, ohne dass sie der Händler jemals im Klartext sieht. Dieses Merkmal hindert betrügerische oder nachlässige Händler daran, eine Kreditkartennummer zu stehlen oder versehentlich durchsickern zu lassen.

In einer SET-Transaktion werden drei Softwarekomponenten benutzt:

- *Browser-Wallet*: Die Wallet-Anwendung ist im Browser integriert und bietet dem Kunden die Möglichkeit, Kreditkarten und Zertifikate während des Shopping zu speichern und zu verwalten. Sie reagiert auf SET-Nachrichten vom Händler und fordert den Kunden auf, eine Kreditkarte für die jeweilige Zahlung auszuwählen.
- *Händler-Server*: Dieser Server ist die Handels- und Erfüllungsstelle für Händler, die Waren im Web verkaufen. Für Zahlungen verarbeitet der Server Karteninhaber-Transaktionen und kommuniziert mit der Bank des Händlers hinsichtlich der Genehmigung und Einlösung des kundenseitigen Zahlungsversprechens.
- *Finanzinstitut-Gateway*: Dies ist die SET-spezifische elektronische Schnittstelle der Bank zum Händler, um Autorisationen einzuholen bzw. den Einzug des Zahlungsbetrags anzufordern. In der »realen« Welt läuft diese Schnittstelle meist über einen gesicherten Kanal wie Post bzw. Telefon.

Im nächsten Abschnitt wird das SET-Protokoll in Form einer Übersicht kurz beschrieben. In Wirklichkeit ist es viel komplexer.

Ablauf einer elektronischen Einkaufstransaktion

Wir gehen als Beispiel davon aus, dass Bob einen Artikel über das Internet von Alice Incorporated mittels SET kaufen will.

1. Bob gibt Alice zu verstehen, dass er einen Artikel mit seiner Kreditkarte kaufen will.
2. Alice sendet Bob eine Rechnung und eine eindeutige Transaktionsidentifizierung.
3. Alice sendet Bob das Zertifikat des Händlers, das den öffentlichen Schlüssel des Händlers beinhaltet. Sie sendet außerdem das Zertifikat für ihre Bank, das den öffentlichen Schlüssel der Bank beinhaltet. Beide Zertifikate werden mit dem privaten Schlüssel einer Zertifizierungsstelle zertifiziert.
4. Bob benutzt den öffentlichen Schlüssel der Zertifizierungsstelle, um die beiden Zertifikate zu entschlüsseln. Bob verfügt nun über den öffentlichen Schlüssel von Alice und von der Bank.
5. Bob erzeugt zwei Informationspakete: die Bestellinformation (Order Information, OI) und die Kaufanweisungen (Purchase Instructions, PI). Das für Alice bestimmte OI-Paket enthält die Transaktionsidentifizierung und die Art der zu benutzenden Karte, aber nicht die Nummer von Bobs Karte. Das für die Bank von Alice bestimmte PI-Paket enthält die Transaktionsidentifizierung, die Kartennummer und den mit Bob vereinbarten Kaufpreis. Beide Pakete werden doppelt verschlüsselt: OI wird mit dem öffentlichen Schlüssel von Alice und PI mit dem öffentlichen Schlüssel der Bank von Alice verschlüsselt. (Wir lassen hier fünf

gerade sein, um das Gesamtbild vor Augen zu behalten. In Wirklichkeit werden OI und PI mit einem Kunde/Händler-Sitzungsschlüssel und einem Kunde/Bank-Sitzungsschlüssel verschlüsselt.) Bob sendet OI und PI an Alice.

6. Alice erzeugt eine Autorisierungsanfrage für die Kreditkartenzahlung, in der die Transaktionsidentifizierung enthalten ist.
7. Alice sendet eine mit dem öffentlichen Schlüssel der Bank verschlüsselte Nachricht an ihre Bank. (Eigentlich wird ein Sitzungsschlüssel benutzt.) Diese Nachricht beinhaltet die Autorisierungsanfrage, das von Bob erhaltene PI-Paket und das Zertifikat von Alice.
8. Die Bank von Alice empfängt die Nachricht und entwirrt sie. Die Bank prüft auf Fälschung. Sie stellt außerdem sicher, dass die Transaktionsidentifizierung in der Autorisierungsanfrage mit der im PI-Paket von Bob übereinstimmt.
9. Die Bank von Alice sendet dann eine Anfrage um Zahlungsautorisierung an die Bank von Bob durch die traditionellen Bank/Kartengesellschaft-Kanäle, so als ob die Bank von Alice eine Autorisierung für jede normale Kreditkartentransaktion anfragen würde.
10. Nachdem die Bank von Bob die Zahlung autorisiert hat, sendet die Bank von Alice eine Antwort an Alice, die (selbstverständlich) verschlüsselt ist. Die Antwort beinhaltet die Transaktionsidentifizierung.
11. Wenn die Transaktion genehmigt wird, sendet Alice ihre eigene Antwortnachricht an Bob. Diese Nachricht dient als Quittung und informiert Bob, dass die Zahlung akzeptiert wurde und die Waren geliefert werden.

Eines der wichtigsten Merkmale von SET ist die Geheimhaltung der Kreditkartennummer gegenüber dem Händler. Dieses Merkmal greift in Schritt 5, bei dem der Kunde die Kreditkartennummer mit dem Schlüssel der Bank verschlüsselt. Die Entschlüsselung der Nummer mit dem Schlüssel der Bank hindert den Händler daran, die Kreditkarte zu sehen. Man beachte, dass sich das SET-Protokoll sehr eng an die Schritte anlehnt, die bei einer üblichen Zahlungstransaktion mit Kreditkarte ablaufen. Um alle SET-Aufgaben zu behandeln, erhält der Kunde ein so genanntes »digitales Wallet«, das auf der Client-Seite des SET-Protokolls läuft und die Kreditkarteninformationen (Nummer, Ablaufdatum usw.) des Kunden speichert. Lesern, die an weiteren Einzelheiten über SET interessiert sind, empfehlen wir die SETCo-Page [SetCo 1999] oder die SET-Dokumentation auf der MasterCard-Site [MasterCard 1999]. Darüber hinaus gibt es mehrere gute Bücher über SET [Merkow 1998; Loeb 1998].

7.8 Sicherheit auf der Vermittlungsschicht: IPsec

Das **IPsec**-Protokoll (**IP Security**) ist eine Protokollreihe, die Sicherheit auf der Vermittlungsschicht bietet. IPsec ist ein eher komplexes Gebilde, und verschiedene Teile davon sind in einem Dutzend RFCs beschrieben. In diesem Abschnitt beschreiben wir IPsec in einem speziellen Zusammenhang, bei dem *alle* Hosts im Internet IPsec unterstützen. Von diesem Umfeld sind wir zwar noch viele Jahre entfernt, es hilft uns aber, die wichtigsten Merkmale von IPsec zu verstehen. RFC 2401, in dem die allgemeine IPsec-Architektur beschrieben wird, und RFC 2411, der einen Überblick über die IPsec-Protokollreihe und damit zusammenhängende Dokumente enthält, sind die beiden wichtigsten RFCs dieses Protokolls. Eine gute Einführung in IPsec bietet [Kessler 1998].

Bevor wir uns mit den Details von IPsec befassen, gehen wir einen Schritt zurück und betrachten, was es bedeutet, Sicherheit auf der Vermittlungsschicht bereitzustellen. Was bedeutet es, **Geheimhaltung auf der Vermittlungsschicht** zu bieten? Die Vermittlungsschicht würde Geheimhaltung bieten, wenn alle von allen IP-Datagrammen beförderten Daten verschlüsselt wären. Das heißt, wenn ein Host ein Datagramm senden will, verschlüsselt er das Datenfeld des Datagramms, bevor er es zum Netzwerk befördert. Im Prinzip könnte die Chiffrierung mit der Symmetric-Key-Chiffrierung, der Public-Key-Chiffrierung oder mit Sitzungsschlüsseln erfolgen, die mit Hilfe der Public-Key-Chiffrierung ausgehandelt werden. Das Datenfeld könnte ein TCP-Segment, ein UDP-Segment, eine ICMP-Nachricht usw. sein. Wenn ein solcher Dienst auf der Vermittlungsschicht vorhanden wäre, würden alle von Hosts gesendeten Daten – einschließlich E-Mail, Web-Seiten, Steuer- und Verwaltungsnachrichten (wie ICMP und SNMP) – vor Dritten, die möglicherweise das Netzwerk »belauschen«, verborgen werden. Ein solcher Dienst würde also eine gewisse »Generalabdeckung« für den gesamten Internet-Verkehr und damit ein gewisses Gefühl der Sicherheit bieten.

Zusätzlich zu Geheimhaltung wünscht man sich vielleicht, dass die Vermittlungsschicht auch eine **Authentifikation der Quelle** bietet. Wenn ein Zielhost ein IP-Datagramm mit einer bestimmten IP-Quelladresse empfängt, authentifiziert er die Quelle, indem er sicherstellt, dass das IP-Datagramm tatsächlich von dem Host mit dieser IP-Quelladresse erzeugt wurde. Ein solcher Dienst hindert Angreifer am Fälschen von IP-Adressen.

Die IPsec-Protokollreihe beinhaltet zwei wichtige Protokolle: das **AH**-Protokoll (**Authentification Header**) und das **ESP**-Protokoll (**Encapsulation Security Payload**). Wenn ein Quellhost sichere Datagramme an einen Zielhost sendet, benutzt er entweder das AH- oder das ESP-Protokoll. Das AH-Protokoll bietet Quellenauthentifikation und Datenintegrität, jedoch keine Geheimhaltung. Das ESP-Protokoll bietet Datenintegrität, Authentifikation *und* Geheimhaltung. Da das ESP-Protokoll mehr Dienste bereitstellt, ist es natürlich komplizierter und setzt mehr Verarbeitung als das AH-Protokoll voraus. Beide Protokolle werden im Folgenden beschrieben.

Bevor gesicherte Datagramme von einem Quell- zu einem Zielhost gesendet werden, müssen bei beiden Protokollen die Quell- und Netzwerkhosts ein Handshake durchführen und eine logische Verbindung auf der Vermittlungsschicht aufbauen. Dieser logische Kanal wird als **SA** (**Security Association**) bezeichnet. IPsec verwandelt die traditionelle verbindungslose Vermittlungsschicht des Internets also in eine Schicht mit logischen Verbindungen! Die von einem SA definierte logische Verbindung ist eine Simplex-Verbindung, d. h. unidirektional. Wenn beide Hosts einander sichere Datagramme senden wollen, müssen zwei SA-Kanäle (d. h. logische Verbindungen) – je einer in eine Richtung – aufgebaut werden. Ein SA wird durch einen 3-Tupel eindeutig identifiziert, der sich wie folgt zusammensetzt:

- Eine Identifizierung für ein Sicherheitsprotokoll (AH oder ESP).
- Die IP-Quelladresse für die Simplex-Verbindung.
- Eine 32-Bit-Verbindungsidentifizierung, die man als »Security Parameter Index« (SPI) bezeichnet.

Für einen bestimmten SA (d. h. eine bestimmte logische Verbindung vom Quell- zum Zielhost) enthält jedes IPsec-Datagramm ein spezielles Feld für den SPI. Alle Datagramme auf dem SA benutzen den gleichen SPI-Wert in diesem Feld.

7.8.1 Das AH-Protokoll (Authentication Header)

Wie oben erwähnt, bietet das AH-Protokoll Identifizierung des Quellhosts und Datenintegrität, aber keine Geheimhaltung. Wenn ein bestimmter Quellhost Datagramme an ein bestimmtes Ziel senden will, baut er zuerst eine SA-Verbindung zum Ziel auf. Anschließend kann die Quelle sichere Datagramme an den Zielhost senden. Die sicheren Datagramme beinhalten den AH-Header, der zwischen den Originaldaten des IP-Datagramms (z. B. ein TCP- oder UDP-Segment) und den IP-Header eingefügt wird (siehe Abbildung 7.30). Folglich erhöht der AH-Header das Originaldatenfeld, das als IP-Standard-Datagramm verkapselt wird. Für das Protokollfeld im IP-Header wird der Wert 51 benutzt, um zu spezifizieren, dass das Datagramm einen AH-Header beinhaltet.

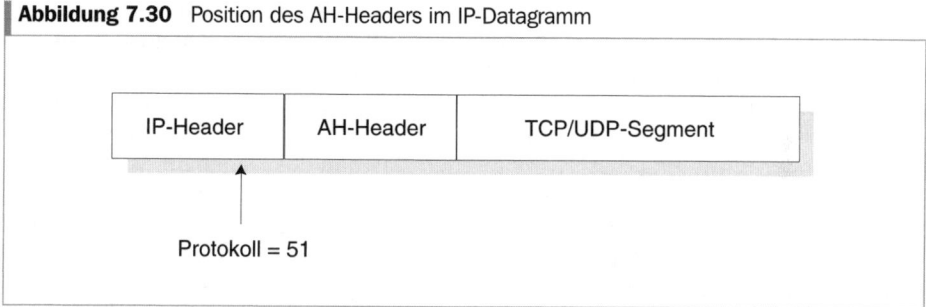

Abbildung 7.30 Position des AH-Headers im IP-Datagramm

Wenn der Zielhost das IP-Datagramm empfängt, beachtet er den Wert 51 im Protokollfeld und verarbeitet das Datagramm mit Hilfe des AH-Protokolls. (Wir erinnern uns, dass das Protokollfeld im IP-Datagramm benutzt wird, um das höherschichtige Protokoll (z. B. UDP, TCP oder ICMP) zu ermitteln, an das der Datenteil eines IP-Datagramms weitergeleitet wird.) Auf der Strecke liegende vermittelnde Router verarbeiten die Datagramme auf die übliche Weise: Sie prüfen die IP-Zieladresse und leiten die Datagramme entsprechend weiter. Der AH-Header beinhaltet folgende Felder:

- *Nächster Header*: Dieses Feld erfüllt die Aufgabe, die ein Protokollfeld für ein gewöhnliches Datagramm hat. Es gibt an, ob die nach dem AH-Header folgenden Daten ein TCP-, UDP- oder ICMP-Segment usw. sind. (Das Protokollfeld im IP-Datagramm wird jetzt benutzt, um das AH-Protokoll zu spezifizieren, so dass es nicht mehr für die Bezeichnung eines Protokolls der Transportschicht verfügbar ist.)
- *Security Parameter Index (SPI)*: Dieses Feld wird mit einem beliebigen 32-Bit-Wert gefüllt, der in Kombination mit der IP-Quelladresse und dem Sicherheitsprotokoll den SA für das Datagramm eindeutig identifiziert.
- *Sequenznummer*: Dieses 32-Bit-Feld enthält eine Sequenznummer für jedes Datagramm. Es wird anfangs beim Aufbau eines SA auf 0 gesetzt. Das AH-Protokoll benutzt die Sequenznummern, um Playback- und Man-in-the-Middle-Attacken (siehe Abschnitt 7.3) zu verhindern.
- *Authentifikationsdaten*: Dieses Feld mit variabler Länge dient einem signierten Message-Digest (d. h. einer digitalen Signatur) für das Datagramm. Der Message-Digest wird aus dem IP-Original-Datagramm berechnet und bietet damit Authen-

tifikation des Quellhosts und Integrität des IP-Datagramms. Die digitale Signatur wird mit Hilfe des vom SA spezifizierten Authentifikationsalgorithmus berechnet, z. B. DES, MD5 oder SHA.

Wenn der Zielhost ein IP-Datagramm mit einem AH-Header empfängt, ermittelt er den SA für das Datagramm und authentifiziert dessen Integrität durch Verarbeitung des Felds »Authentifikationsdaten«. Das IPsec-Authentifikationsschema (für das AH- und ESP-Protokoll) ist das so genannte HMAC – ein verschlüsselter, in RFC 2104 beschriebener Message-Digest. HMAC benutzt einen gemeinsamen geheimen Schlüssel zwischen zwei Parteien, statt Public-Key-Methoden für die Nachrichtenauthentifikation. Weitere Einzelheiten über das AH-Protokoll befinden sich in RFC 2402.

7.8.2 Das ESP-Protokoll

Das ESP-Protokoll bietet Geheimhaltung auf der Vermittlungsschicht sowie Authentifikation des Quellhosts. Wiederum beginnt alles damit, dass ein Quellhost eine SA-Verbindung zum Zielhost aufbaut. Anschließend kann der Quellhost gesicherte Datagramme an den Zielhost senden. Abbildung 7.31 zeigt, dass ein gesichertes Datagramm durch Umschließung der Originaldaten mit Header- und Trailer-Feldern und anschließender Einfügung dieser verkapselten Daten in das Datenfeld eines IP-Datagramms erzeugt wird. Für das Protokollfeld im Header des IP-Datagramms wird der Wert 50 benutzt, um zu spezifizieren, dass das Datagramm einen ESP-Header und -Trailer beinhaltet. Wenn der Zielhost das IP-Datagramm empfängt, beachtet er den Wert 50 im Protokollfeld und verarbeitet das Datagramm mit Hilfe des ESP-Protokolls. Abbildung 7.31 zeigt, dass die Originaldaten des IP-Datagramms zusammen mit dem ESP-Trailer-Feld verschlüsselt sind. Geheimhaltung wird mittels DES-CBC-Chiffrierung [RFC 2405] realisiert. Der ESP-Header besteht aus einem 32-Bit-Feld für den SPI und einem 32-Bit-Feld für die Sequenznummer; beide Felder haben hier die gleiche Aufgabe wie im AH-Protokoll. Der Trailer beinhaltet das Feld »Nächster Header«, das ebenfalls die gleiche Rolle wie im AH spielt. Da das Feld »Nächster Header« mit dem Originaldaten verschlüsselt wird, kann ein Eindringling nicht feststellen, welches Transportprotokoll benutzt wird. Nach dem Trailer folgt das Feld »Authentifikationsdaten«, das ebenfalls die gleiche Rolle wie im AH spielt. Ausführliche Einzelheiten über das ESP-Protokoll befinden sich in RFC 2406.

Abbildung 7.31 Die ESP-Felder im IP-Datagramm

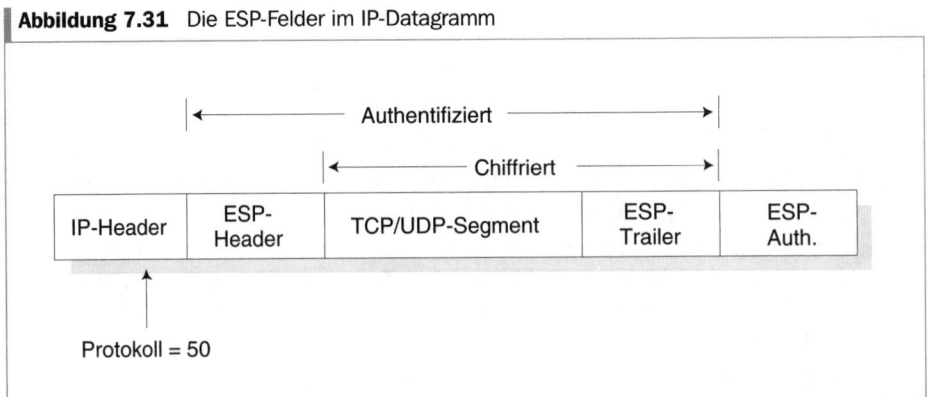

7.8.3 SA und Schlüsselverwaltung

Damit IPsec erfolgreich installiert werden kann, ist ein skalierbares und automatisiertes SA- und Schlüsselmanagementschema erforderlich. Für diese Aufgaben wurden mehrere Protokolle definiert, darunter:

- Der IKE-Algorithmus (Internet Key Exchange [RFC 2409]) ist das Default-Protokoll für Schlüsselmanagement in IPsec.

- Das ISKMP-Protokoll (Internet Security Association and Key Management) definiert Prozeduren für den Auf- und Abbau von SA-Verbindungen [RFC 2407; RFC 2408]. Die Sicherheitsassoziation von ISKMP ist völlig getrennt vom IKE-Schlüsselaustausch.

Damit ist unsere Übersicht über IPsec beendet. Wir haben IPsec in Zusammenhang mit IP4 und dem »Transportmodus« beschrieben. IPsec definiert auch einen »Tunnelmodus«, bei dem die Sicherheitsfunktionalität nicht auf den Hosts, sondern auf Routern bereitgestellt wird. Schließlich beschreibt IPsec Chiffrierprozeduren für IPv6 und IPv4.

7.9 Zusammenfassung

Dieses Kapitel beschrieb die verschiedenen Mechanismen, die unser heimliches Liebespaar, Bob und Alice, anwenden können, um »sicher« zu kommunizieren. Wir haben gesehen, dass Bob und Alice an Geheimhaltung (damit nur sie den Inhalt einer übertragenen Nachricht verstehen können), Authentifikation (damit sie sicher sind, dass sie beide wirklich miteinander kommunizieren) und Nachrichtenintegrität (damit sie sicher sind, dass keiner ihre Nachrichten auf dem Transit verfälscht) interessiert sind. Selbstverständlich beschränkt sich die Notwendigkeit für sichere Kommunikation nicht auf heimliche Liebespaare. In Abschnitt 7.1 wurde beschrieben, dass Sicherheit auf verschiedenen Ebenen einer Netzwerkarchitektur nötig ist, um »böse Jungs« davon abzuhalten, Pakete auszuschnüffeln, aus dem Netzwerk zu entfernen oder ihre eigenen Pakete in das Netzwerk einzuschleusen.

Der erste Teil dieses Kapitels präsentierte verschiedene Prinzipien, die einer sicheren Kommunikation zugrunde liegen. In Abschnitt 7.2 wurden Kryptographietechniken und Public-Key-Kryptographie beschrieben. DES und RSA wurden als spezielle Fallstudien dieser beiden Hauptklassen der heute im Internet angewandten Kryptographietechniken behandelt. In Abschnitt 7.3 wurde Authentifikation anhand zunehmend anspruchsvoller Authentifikationsprotokolle erklärt, mit denen sichergestellt werden kann, dass eine Kommunikationspartei tatsächlich diejenige ist, für die sie sich ausgibt, und dass sie »live« ist. Wir haben gesehen, dass Symmetric-Key- und Public-Key-Kryptographie nicht nur in Bezug auf das Verbergen von Daten (Ver- und Entschlüsselung), sondern auch in der Durchführung von Authentifikation eine wichtige Rolle spielen können. Techniken für die »Signierung« eines digitalen Dokuments, so dass es überprüfbar, fälschungssicher und verbindlich ist, wurden in Abschnitt 7.4 beschrieben. Wiederum erwies sich die Anwendung von Kryptographietechniken als notwendig. Wir haben digitale Signaturen und Message-Digests beschrieben, wobei Message-Digests eine Kurzform der Signierung von Dokumenten sind. Abschnitt 7.5 hatte Schlüsselverteilungsprotokolle zum Thema. Wir haben gesehen, dass für Symmetric-Key-Chiffrierung ein Schlüsselverteilungszentrum (eine einzelne vertrauenswürdige Netzwerkeinheit) benutzt werden kann, um einen gemeinsamen symmetrischen Schlüssel an alle kommunizierenden Parteien zu verteilen. Für die Public-Key-Chiffrierung verteilt eine Zertifizierungsstelle (CA) Zertifikate für die Validierung von öffentlichen Schlüsseln.

Mit den in den Abschnitten 7.2 bis 7.5 beschriebenen Techniken können Bob und Alice sicher kommunizieren (man kann nur hoffen, dass sie Netzwerkstudenten sind, die dieses Material gelernt haben und folglich zu verhindern wissen, dass Trudy ihr Stelldichein aufdeckt!). Im zweiten Teil dieses Kapitels wurde die Verwendung verschiedener Sicherheitstechniken in Netzwerken beschrieben. In Abschnitt 7.6 diente E-Mail als Fallstudie für Sicherheit auf der Anwendungsschicht. Wir haben ein E-Mail-System entworfen, das Geheimhaltung, Authentifikation des Senders und Integrität der Nachrichten bietet. Außerdem wurde die Verwendung von PGP als Public-Key-Chiffrierung für E-Mail untersucht. Die Fallstudien wurden abwärts im Protokollstack fortgesetzt und es wurden SSL- und SET-Beispiele für sichere E-Commerce-Transaktionen beschrieben. Beide Standards basieren auf Public-Key-Techniken. Abschnitt 7.8 behandelte schließlich mit IPsec eine Protokollreihe für Sicherheit auf der IP-Schicht des Internets. Die Protokolle dieser Reihe bieten Geheimhaltung, Authentifikation und Integrität zwischen zwei kommunizierenden IP-Geräten.

WIEDERHOLUNGSFRAGEN

1. Welche Unterschiede bestehen zwischen Geheimhaltung und Integrität von Nachrichten? Kann das Eine ohne das Andere realisiert werden? Erläutern Sie Ihre Antwort.
2. Welcher Unterschied besteht zwischen einem aktiven und einem passiven Eindringling?
3. Was ist der wichtige Unterschied zwischen einem Symmetric-Key- und einem Public-Key-System?
4. Angenommen, ein Eindringling hat eine verschlüsselte Nachricht sowie die entschlüsselte Version dieser Nachricht. Kann er eine Cipher-Text-Only-, eine Known-Plaintext- oder eine Chosen-Plaintext-Attacke durchführen?
5. Angenommen, N Personen wollen mit jeder von $N-1$ weiteren Personen mit Hilfe der Symmetric-Key-Chiffrierung kommunizieren. Die gesamte Kommunikation zwischen je zwei Personen, i und j, ist für alle übrigen Personen der betreffenden Gruppe von N sichtbar und keine andere Person dieser Gruppe sollte in der Lage sein, ihre Kommunikation zu entschlüsseln. Wie viele Schlüssel sind bei diesem System insgesamt erforderlich? Wie viele Schlüssel sind erforderlich, wenn die Public-Key-Chiffrierung angewandt wird?
6. Welchen Zweck erfüllt ein Nonce in einem Authentifikationsprotokoll?
7. Was bedeutet es, wenn man sagt, ein Nonce ist ein Einmalwert?
8. Was ist eine Man-in-the-Middle-Attacke? Kann diese Angriffsart auch durchgeführt werden, wenn symmetrische Schlüssel verwendet werden?
9. Was bedeutet es, wenn ein signiertes Dokument überprüfbar, fälschungssicher und verbindlich ist?
10. Auf welche Weise bietet ein Message-Digest eine bessere Nachrichtenintegritätsprüfung als eine Prüfsumme wie beispielsweise die Internet-Prüfsumme?
11. Auf welche Weise bietet ein Message-Digest eine »bessere« digitale Signatur als eine Public-Key-Signatur?

12. Ist die mit einem Message-Digest in Verbindung stehende Nachricht verschlüsselt? Da hier mit »Ja« oder »Nein« geantwortet werden kann, sollten Sie Ihre Antwort kurz erklären.
13. Was ist ein Schlüsselverteilungszentrum (KDC)? Was ist eine Zertifizierungsstelle (CA)?
14. Fassen Sie die wichtigen Unterschiede der Dienste zusammen, die vom AH- und ESP-Protokoll der IPsec-Protokollreihe unterstützt werden.

ÜBUNGEN

7.1 Verwenden Sie die monoalphabetische Chiffre aus Abbildung 7.4 und kodieren Sie die Nachricht »This is an easy problem.«. Dekodieren Sie die Nachricht »rmij'u uamu xyj.«.

7.2 Zeigen Sie, dass Trudys Known-Plaintext-Attacke, bei der sie die Chiffretext/Klartext-Übersetzungspaare für sieben Buchstaben kennt, die Anzahl der möglichen Ersetzungen, die im Beispiel von Abschnitt 7.2.1 geprüft werden sollen, um ungefähr 10^9 reduziert.

7.3 Betrachten Sie das in Abbildung 7.5 dargestellte Vigenere-System. Reicht eine Chosen-Plaintext-Attacke, mit der man die Klartextkodierung der Nachricht »The quick fox jumps over the lazy brown dog« auflösen kann, um alle Nachrichten zu dekodieren? Warum?

7.4 Verwenden Sie RSA mit den Werten $p = 3$ und $q = 11$ und kodieren Sie die Phrase »hello.«. Wenden Sie den Dechiffrieralgorithmus an, um die verschlüsselte Version des Originalklartextes wiederzugewinnen.

7.5 In der Man-in-the-Middle-Attacke von Abbildung 7.14 hat Alice Bob nicht authentifiziert. Wenn Alice von Bob verlangen würde, sich selbst mittels ap5.0 zu authentifizieren, könnte man dann die Man-in-the-Middle-Attacke vermeiden? Erklären Sie Ihre Antwort.

7.6 Das im Internet angewandte BGP-Routing-Protokoll benutzt den Message-Digest MD5 anstelle einer Public-Key-Chiffrierung, um BGP-Nachrichten zu signieren. Warum wurde Ihrer Meinung nach MD5 vor der Public-Key-Chiffrierung der Vorzug gegeben?

7.7 Berechnen Sie eine dritte Nachricht, die sich von den beiden Nachrichten in Abbildung 7.19 unterscheidet, die aber die gleiche Prüfsumme wie die Nachrichten in Abbildung 7.19 hat.

7.8 Warum muss Alice in dem Protokoll und der Darstellung von Abbildung 7.20 Bob nicht explizit authentifizieren?

7.9 Alice hat in dem Protokoll in Abbildung 7.20 nicht ihre eigene Identität in die Nachricht an die CA einbezogen. Jeder könnte also eine Nachricht von Alice an die CA ausschnüffeln. Steht damit die Integrität der Public-Key-Verteilung der CA auf dem Spiel? Erklären Sie Ihre Antwort.

7.10 Warum gibt es in dem Protokoll in Abbildung 7.20 keine ausdrückliche Authentifikation? Ist Authentifikation erforderlich? Warum?

7.11 Eine Übung mit KDC- und CA-Servern: Angenommen, ein KDC stürzt ab. Welche Auswirkung hat dies auf die Fähigkeit der Parteien, sicher zu kommunizieren, d. h., wer kann kommunizieren und wer nicht? Erläutern Sie Ihre Antwort. Nehmen Sie nun an, dass ein CA abstürzt? Welche Auswirkung hätte dieser Ausfall?

7.12 Abbildung 7.26 zeigt die Operationen, die Alice durchführen muss, um Geheimhaltung, Authentifikation und Integrität bereitzustellen. Zeichnen Sie ein Diagramm mit den entsprechenden Operationen, die Bob mit dem von Alice empfangenen Paket durchführen muss.

DISKUSSIONSFRAGEN

7.1 Angenommen, ein Eindringling kann DNS-Nachrichten in das Netzwerk einschleusen und daraus entfernen. Führen Sie drei Szenarien auf, um die Probleme darzulegen, die ein solcher Eindringling verursachen könnte.

7.2 Keiner hat formell »bewiesen«, dass Triple-DES und RSA »sicher« sind. Welche Anhaltspunkte haben wir dafür, dass sie wirklich sicher sind?

7.3 Wenn IPsec Sicherheit auf der Vermittlungsschicht bietet, warum sind dann trotzdem Sicherheitsmechanismen auf Schichten oberhalb von IP nötig?

7.4 Besuchen Sie die internationale PGP-Homepage (http://www.pgpi.org/). Welche Version von PGP dürfen Sie rechtmäßig von Ihrem Land aus herunterladen?

INTERVIEW

Philip Zimmermann

Philip Zimmermann ist Senior Fellow bei Network Associates. 1981 schuf Philip mit seinem PGP (Pretty Good Privacy) eine E-Mail-Verschlüsselungssoftware für Gruppen im Bereich Menschenrechte und Bürgerfreiheit. Heute wird PGP überall in der Welt als kommerzielles Produkt benutzt. Mit seiner Arbeit im Bereich der Kryptographie errang er 1996 den Norbert Wiener Award von Computer Professionals for Social Responsibility. Philip erhielt seinen B.S. in Computerwissenschaft an der Florida Atlantic University.

- **Was hat Sie dazu bewogen, Computerwissenschaft zu studieren?**

Nun, eigentlich begann ich, im Hauptfach Physik zu studieren. Ich fand Physik aber zu schwierig für mich. Vielleicht war ich aber auch einfach zu faul. Ich verbrachte die meiste Zeit damit, mit Computern zu spielen, statt Physik zu studieren. Ich hielt es dann für besser, auf das Fach überzuwechseln, mit dem ich die meiste Zeit verbrachte.

- **Was hat Sie dazu bewogen, sich auf Kryptographie zu spezialisieren?**

Ich interessiere mich schon seit meinem zehnten Lebensjahr für Kryptographie. Im College gab es keine Kurse in Kryptographie. Als ich dann Programmieren lernte, begann ich mit dem Schreiben einfacher Kryptographieprogramme, um Dateien zu verschlüsseln. Ich benutzte dafür einfach Zufallszahlengeneratoren. Nach den heutigen Standards wären sie hoffnungslos naiv.

- **Was war Ihre erste Stelle in der Computerindustrie?**

Meinen ersten Job hatte ich bei Harris Computer Systems in Fort Lauderdale, Florida. In der ersten Hälfte meines Berufslebens spezialisierte ich mich auf eingebettete Systeme, Echtzeit-Multitasking, Mikrocontroller für die Steuerung von Instrumenten, Heimautomationssysteme, also alle Arten von eingebetteten Systemen, in denen Mikrocontroller benutzt werden.

- **Was umfasst Ihr derzeitiges Aufgabengebiet?**

Ich habe schon seit sechs Jahren keinen Code mehr geschrieben. Normalerweise arbeite ich zu Hause und reise auch viel, halte Vorträge auf Konferenzen und an Universitäten über Datenschutz, Kryptographie und Regierungspolitik in Bezug auf Kryptographie. Und ich spreche immer noch mit den Ingenieuren, um die Architektur von PGP zu lenken.

- **Auf welche Verwendungsarten von PGP sind Sie besonders stolz?**

Die Widerstandsbewegung im Kosovo benutzte PGP, um Nachrichten aus dem Kosovo herauszuschmuggeln, bevor die Bombardierung begann. Mitte der neunziger Jahre erhielt ich einen Brief aus Deutschland, als Sarajevo belagert wurde. Der Vater des Absenders befand sich in Sarajevo und sie hatten dort nur etwa eine Stunde pro Woche elektrischen Strom. Er nutzte diese wertvolle Stunde, um mittels PGP Nachrichten von und nach Sarajevo zu schleusen. Wenn man von Leuten umgeben ist, die einem nach dem Leben trachten, wird PGP umso wichtiger.

- **Wie sehen Sie die Zukunft von Vernetzung und Kryptographie?**

In den nächsten Jahren wird sich die Entwicklung von drahtlosen Technologien verstärkt fortsetzen. Es wird ein größerer Bedarf für Kryptographie als in anderen Bereichen entstehen, weil alles leicht abgefangen werden kann. Mobiltelefone werden sich massenhaft verbreiten und überall vorhanden sein; Handel wird über Mobiltelefone betrieben werden. Das Internet wird in den nächsten Jahren aufgrund der Verwendung starker Kryptographie für sichere IP-Protokolle weniger durchsichtig, wobei die Chiffrierung auf der IP-Schicht realisiert werden wird. Der gesamte Verkehr wird verschlüsselt werden. Wenn es so weit ist, wird das gesamte Internet auch weniger durchsichtig für Geheimdienste.

- **Welche Leute haben Sie beruflich inspiriert?**

In den achtziger Jahren arbeitete ich in der Friedensbewegung, um das Wettrüsten zu stoppen. Ich wurde am meisten von Martin Luther King und Gandhi inspiriert. Beeindruckt bin ich von den Leuten in den Schützengräben, die für Menschenrechte in Ländern mit repressiven Regierungen kämpfen. Sie bringen sich selbst in Gefahr, um Informationen zu sammeln. Informationen sind das Material, mit dem wir gegen die Verletzung von Menschenrechten kämpfen. Sie bringen niemanden dazu, darüber zu sprechen, außer Sie garantieren ihnen, dass die Informationen nicht in die Hände der Armee gelangen. An diesem Punkt greift Kryptographie.

→ • **Haben Sie einen Ratschlag für Studenten, die in das Gebiet Netzwerke/Kryptographie einsteigen wollen?**

Ich würde Studenten der Computerwissenschaften ans Herz legen, über die Auswirkungen ihrer Projekte nachzudenken. Viele Computerprogrammierer waren beispielsweise achtlos bei der Entwicklung von Datenbanksystemen, in denen Sozialversicherungsnummern als universelle Identifizierung benutzt werden. Das hatte langfristig Nachteile für die Gesellschaft. Wenn sie sich über die gesellschaftlichen Auswirkungen ihrer Arbeit mehr Gedanken gemacht hätten, wäre dies vielleicht nicht passiert.

KAPITEL 8

Netzwerkmanagement

8.1 Was ist Netzwerkmanagement?

Nachdem wir uns durch die ersten sieben Kapitel dieses Buchs gearbeitet haben, verfügen wir über das Wissen, dass ein Netzwerk aus *vielen* komplexen, interaktiven Hard- und Softwarekomponenten besteht: Verbindungsleitungen, Bridges, Router, Hosts und andere Geräte, in denen sich die physischen Komponenten des Netzwerks befinden, und viele Protokolle (in Hard- und Software), die diese Geräte steuern und koordinieren. Wenn Hunderte oder Tausende solcher Komponenten von einem Unternehmen zu einem Netzwerk zusammengefügt werden, überrascht es nicht, dass Komponenten gelegentlich versagen, Netzwerkelemente falsch konfiguriert oder Netzwerkressourcen überlastet werden und Netzwerkkomponenten einfach »brechen« (z. B. wenn ein Kabel getrennt oder eine Dose Limo auf einem Router verschüttet wird). Der Netzwerkadministrator, der den »reibungslosen Betrieb« des Netzwerks sicherstellen soll, muss in der Lage sein, auf solche Störungen zu reagieren (und besser noch, sie zu vermeiden). Mit potenziell Tausenden von Netzwerkkomponenten, die sich über einen großen Bereich verteilen, benötigt der Netzwerkadministrator in einem NOC (Network Operations Center) natürlich Werkzeuge, mit denen er das Netzwerk überwachen, verwalten und kontrollieren kann. In diesem Kapitel werden Tools (Architektur, Protokolle und Informationsbasis) beschrieben, die einem Netzwerkadministrator für diese Aufgabe zur Verfügung stehen.

Zunächst betrachten wir jedoch ein paar Szenarien der »wirklichen Welt« außerhalb des Vernetzungsbereichs, in denen ein komplexes System mit vielen interagierenden Komponenten von einem Administrator überwacht, verwaltet und kontrolliert werden muss. Kraftwerke haben (zumindest, wie sie in den populären Medien, beispielsweise in dem Spielfilm das *China-Syndrom*, dargestellt werden) einen Kontrollraum, in dem Wählscheiben, Messgeräte und Lampen den Status (Temperatur, Druck, Fluss) entfernter Ventile, Rohre, Kessel und anderer Komponenten der Anlage steuern. Mit diesen Geräten kann der Bediener die zahlreichen Komponenten der Anlage überwachen und wenn sich Probleme abzeichnen, wird er vielleicht (etwa durch die berühmte blinkende rote Notlampe) gewarnt. Entsprechende Aktionen werden vom Bediener der Anlage unternommen, um diese Komponenten zu kontrollieren. Vergleichbar damit ist das Cockpit eines Flugzeugs mit Instrumenten ausgestattet, damit der Pilot die zahlreichen Komponenten, aus denen sich das Flugzeug zusammensetzt, überwachen und kontrollieren kann. In diesen beiden Beispielen *überwacht* der »Administrator« entfernte Geräte und *analysiert* ihre Daten, um sicherzustellen, dass sie betriebsfähig sind und innerhalb vorgeschriebener Parameter laufen (beispielsweise darf es in einem Atomkraftwerk nicht zu einer Kernschmelze kommen und dem Flugzeug darf auf der Flugstrecke nicht der Sprit ausgehen). Er *kontrolliert* das System *reaktiv*, indem er als Reaktion auf Änderungen im System oder seiner Umgebung Korrekturen durchführt, und er verwaltet das System *proaktiv* (z. B. durch Erkennen von Tendenzen oder anormalem Verhalten, um entsprechende Aktionen einzuleiten, bevor schwerwiegende Probleme auftreten). In ähnlichem Sinn überwacht, verwaltet und kontrolliert der Netzwerkadministrator aktiv das ihm anvertraute System.

In den Anfängen der Vernetzung, als Computernetzwerke noch Forschungsartefakte waren und nicht wie heute eine wichtige Infrastruktur darstellten, die von Millionen von Menschen täglich benutzt wird, war »Netzwerkmanagement« etwas völlig Unbekanntes. Trat ein Netzwerkproblem auf, führte man bestenfalls ein paar Ping-Sitzungen aus, um der Ursache des Problems auf die Spur zu kommen. Dann änderte man möglicherweise ein paar Systemeinstellungen, startete Hard- oder Software oder rief einen entfernten Kollegen an, um irgendeine Hard- oder Software zu booten. (Eine interessante Diskussion des ersten großen »Crash« des ARPANET am 27. Oktober 1980, lange bevor Netzwerkmanagement-Tools verfügbar waren, und die darauf folgenden Aktionen und Versuche, den Totalabsturz zu verstehen, findet man in RFC 789.) Als sich das öffentliche Internet und private Intranets von kleinen Netzwerken zu einer großen globalen Infrastruktur entwickelten, stieg in gleichem Umfang die Notwendigkeit, die riesige Anzahl von Hard- und Softwarekomponenten in diesen Netzwerken systematisch zu verwalten.

Als Motivation unserer Untersuchung von Netzwerkmanagement beginnen wir mit einem einfachen Beispiel. Abbildung 8.1 zeigt ein kleines Netzwerk, das sich aus drei Routern und einer Reihe von Hosts und Servern zusammensetzt. Sogar bei einem derart einfachen Netzwerk kann es viele Szenarien geben, in denen ein Netzwerkadministrator enormen Nutzen aus den richtigen Netzwerkmanagement-Tools ziehen kann:

- *Ausfall einer Schnittstellenkarte in einem Host oder Router*: Mit den entsprechenden Netzwerkmanagement-Tools kann eine Netzwerkeinheit (z. B. Router A) dem Netzwerkadministrator melden, dass eine seiner Schnittstellen ausgefallen ist. (Dies ist sicherlich weniger unangenehm als der Telefonanruf eines wütenden Benutzers, der dem NOC mitteilt, dass die Netzwerkverbindung ausgefallen ist!) Ein Netzwerkadministrator, der den Netzwerkverkehr aktiv überwacht und analysiert, kann wütende Benutzer beeindrucken, indem er Probleme mit der Schnittstelle im Voraus erkennt und die Schnittstellenkarte ersetzt, bevor sie ausfällt. Beispielsweise erkennt er rechtzeitig eine Erhöhung der Prüfsummenfehler in Rahmen, die von der kurz vor dem Ausfall stehenden Schnittstelle gesendet werden.

- *Host-Überwachung*: Der Netzwerkadministrator kann periodisch prüfen, ob alle Netzwerk-Hosts aktiv und betriebsfähig sind. Wiederum kann der Netzwerkadministrator proaktiv auf ein Problem (Host abgestürzt) reagieren, bevor er von einem Benutzer darauf hingewiesen wird.

- *Überwachung des Verkehrs zur Unterstützung der Ressourcenplanung*: Ein Netzwerkadministrator kann die Verkehrsmuster von den Quellen zu den Zielen überwachen und beispielsweise feststellen, dass sich die Verkehrsmenge, die mehrere LANs durchläuft, durch Wechseln von Servern zwischen LAN-Segmenten beträchtlich verringern lässt. Man stelle sich die allgemeine Freude (insbesondere in den oberen Geschäftsetagen) vor, wenn bessere Leistung ohne Investition in neue Anlagen erreicht wird. Ebenso kann ein Netzwerkadministrator durch Überwachung der Auslastung feststellen, dass ein LAN-Segment oder die externe Verbindungsleitung zur Außenwelt überlastet ist und daher eine Verbindungsleitung mit höherer Bandbreite (allerdings zu höheren Kosten) angeschafft werden sollte. Der Netzwerkadministrator möchte vielleicht auch automatisch benachrichtigt werden, wenn die Überlast auf einer Verbindungsleitung einen bestimmten Grenzwert überschreitet. So kann er eine andere Leitung mit höherer Bandbreite bereitstellen, bevor die Überlast zum Problem wird.

- *Erkennung schneller Änderungen in Routing-Tabellen*: Häufige Änderungen der Routing-Tabelle – so genanntes »Route-Flapping« – kann auf Unstabilitäten im Routing oder einen falsch konfigurierten Router hinweisen. Sicherlich würde der Netzwerkadministrator, der einen Router falsch konfiguriert hat, den Fehler lieber selbst entdecken, bevor das Netzwerk abstürzt.

- *Überwachung von SLAs*: Mit dem Aufkommen so genannter **Service Level Agreements (SLA)** – Verträge, die spezifische Leistungsmetriken und Netzwerk-Provider-Performance in Bezug auf diese Metriken definieren – ist das Interesse an Verkehrsüberwachung in den letzten Jahren beträchtlich gestiegen [Larsen 1997; Huston 1999a]. UUnet und AT&T sind nur zwei der zahlreichen Netzwerk-Provider, die ihren Kunden SLAs bieten [UUnet 1999; AT&T SLA 1998]. Diese SLAs beinhalten Dienstverfügbarkeit, Latenz, Durchsatz und Benachrichtigung bei Störungen. Wenn in einer Dienstvereinbarung zwischen einem Netzwerk-Provider und seinen Benutzern Leistungskriterien vereinbart wurden, ist die Messung und Verwaltung der Performance für den Netzwerkadministrator natürlich von großer Bedeutung.

- *Einbruchserkennung*: Ein Netzwerkadministrator möchte wahrscheinlich benachrichtigt werden, wenn Netzwerkverkehr von einer verdächtigen Quelle (z. B. Host oder Portnummer) kommt oder dorthin fließt. Ebenso möchte er sicherlich das Vorhandensein bestimmter Verkehrstypen (z. B. quellenspezifisch weitergeleitete Pakete oder eine große Zahl von SYN-Paketen zu einem bestimmten Host), die bekanntlich ein Hinweis auf bestimmte Attacken sind, rechtzeitig erkennen.

Die ISO (International Organization for Standards) hat ein Netzwerkmanagementmodell entwickelt, mit dem sich die obigen Szenarien in ein strukturiertes Rahmenwerk setzen lassen. Das Modell definiert fünf Bereiche für Netzwerkmanagement:

- *Performance-Management*: Das Performance-Management dient dazu, die Leistung (z. B. Auslastung und Durchsatz) verschiedener Netzwerkkomponenten zu quantifizieren, zu messen, zu melden, zu analysieren und zu kontrollieren. Zu diesen Komponenten zählen einzelne Geräte (z. B. Verbindungsleitungen, Router und Hosts) sowie Ende-zu-Ende-Abstraktionen, wie beispielsweise ein Pfad durch das Netzwerk. Später in diesem Kapitel wird beschrieben, dass Protokollstandards wie SNMP (Simple Network Management Protocol) [RFC 2570] in Bezug auf das Performance-Management im Internet eine zentrale Rolle spielen.

- *Fehlermanagement*: Das Fehlermanagement umfasst alle Funktionen, die zur Vermeidung, Erkennung und Behebung von Fehlern benutzt werden können. Die Grenze zwischen Fehler- und Performance-Management ist eher verschwommen. Man kann sich das Konzept so vorstellen, dass Fehlermanagement die unmittelbare Behandlung von vorübergehenden Netzwerkfehlern (z. B. Hard- oder Softwarestörungen in Verbindungsleitungen, Hosts oder Routern) betrifft, während

Abbildung 8.1 Einfaches Szenario zur Darstellung der Nutzungen von Netzwerkmanagement

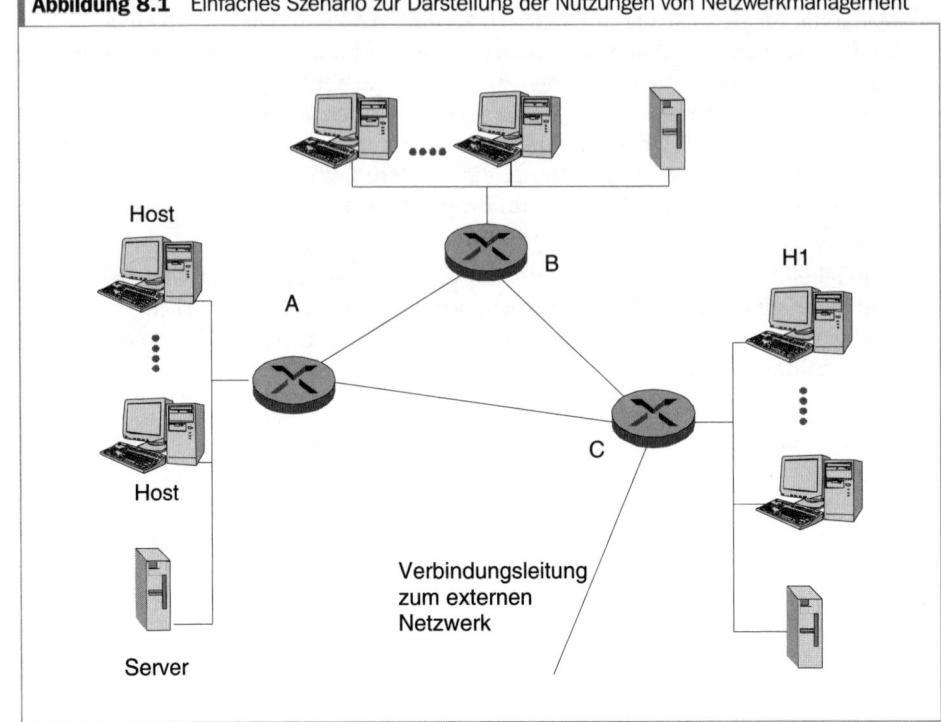

Performance-Management mit der längerfristigen Bereitstellung akzeptabler Leistungswerte angesichts schwankender Verkehrsnachfragen und gelegentlichen Ausfällen von Netzwerkgeräten zu tun hat. Wie beim Performance-Management spielt das SNMP-Protokoll auch im Fehlermanagement eine wichtige Rolle.

- *Konfigurationsmanagement*: Mit Konfigurationsmanagement kann ein Netzwerkmanager verfolgen, welche Geräte sich im verwalteten Netzwerk befinden, und die Hard- und Software dieser Geräte konfigurieren.
- *Accounting-Management*: Mit Accounting-Management (Abrechnungsmanagement) kann der Netzwerkmanager den Zugriff auf Netzwerkressourcen durch Benutzer und Geräte spezifizieren, protokollieren und kontrollieren. Beispielsweise zählen Nutzungsquoten, auf Nutzung basierende Gebührenerhebung und die Zuteilung von Zugriffsrechten auf Ressourcen zum Accounting-Management.
- *Sicherheitsmanagement*: Das Sicherheitsmanagement dient der Überwachung der Zugangsberechtigung auf der Grundlage einer wohl definierten Policy. Die in Abschnitt 7.5 beschriebenen Schlüsselverteilungszentren und Zertifizierungsstellen sind Komponenten des Sicherheitsmanagements. Die Verwendung von Firewalls für die Überwachung und Kontrolle externer Zugangspunkte auf ein Netzwerk (siehe Abschnitt 8.4) sind eine weitere wichtige Komponente des Sicherheitsmanagements.

In diesem Kapitel werden die Grundlagen von Netzwerkmanagement beschrieben. Der Schwerpunkt ist dabei absichtlich eng gefasst. Das heißt, wir beschreiben nur die *Infrastruktur* für Netzwerkmanagement – die Gesamtarchitektur, Netzwerkmanagementprotokolle und die Informationsbasis, mit der ein Netzwerkadministrator den

Netzwerkbetrieb pflegt und überwacht. Wir beschreiben *keine* Entscheidungsprozesse, die der Netzwerkadministrator im Rahmen der Planung, Analyse und Behandlung der dem NOC übermittelten Managementinformationen treffen muss. In diesem Bereich greifen eher Themen wie Fehleranzeige und -management [Katzela 1995; Medhi 1997], proaktive Anomalienerkennung [Thottan 1998], Alarmkorrelation [Jakobson 1993] usw. Ebenso wenig behandeln wir das breitere Thema des Dienstmanagements [Saydam 1996] – die Bereitstellung von Ressourcen (Bandbreite, Server-Kapazität und weitere Rechen- und Kommunikationsressourcen), die für die Erfüllung aufgabenspezifischer Dienstanforderungen eines Unternehmens benötigt werden. In diesem Bereich sind umfassendere (und leider auch mühsamere) Standards wie TMN [Glitho 1995; Sidor 1998] und TINA [Hamada 1997] relevant. TINA wird beispielsweise als »Reihe gemeinsamer Ziele, Prinzipien und Konzepte, die das Management von Diensten, Ressourcen und Teilen der verteilten Verarbeitungsumgebung abdecken« beschrieben [Hamada 1997]. Selbstverständlich würden diese Themen jeweils ein eigenes Fachbuch füllen und uns ein wenig zu weit von den eher technischen Aspekten der Computervernetzung wegführen. Deshalb liegt unser bescheidenes Ziel hier in der Beschreibung der wichtigsten Grundlagen der Infrastruktur, durch die der Netzwerkadministrator sicherstellt, dass die Bits reibungslos fließen können.

Eine häufig gestellte Frage lautet: »Was ist Netzwerkmanagement?« Unsere obige Diskussion hat die Notwendigkeit und Verwendungsarten für Netzwerkmanagement dargestellt. Wir beenden diesen Abschnitt mit einem (etwas umständlichen) Satz, mit dem Netzwerkmanagement in [Saydam 1996] definiert wird:

»Netzwerkmanagement beinhaltet die Installation, Integration und Koordination von Hardware, Software und menschlichen Elementen zum Überwachen, Testen, Abfragen, Konfigurieren, Analysieren, Bewerten und Kontrollieren des Netzwerks und seiner Element-Ressourcen, um die Anforderungen in Bezug auf Performance im Betrieb und Dienstqualität zu angemessenen Kosten zu erfüllen.«

Diese etwas langatmige und umständliche Beschreibung ist eine brauchbare Definition. Wir wollen in den nächsten Abschnitten versuchen, diese trockene Definition von Netzwerkmanagement mit etwas Fleisch und Saft anzureichern.

8.2 Infrastruktur für Netzwerkmanagement

Im vorherigen Abschnitt wurde erklärt, dass Netzwerkmanagement die Fähigkeit voraussetzt, die Hard- und Software und die Komponenten eines Netzwerks »zu überwachen, zu testen, abzufragen, zu konfigurieren ... und zu kontrollieren«. Da die Netzwerkgeräte verteilt sind, setzt dies als Minimum voraus, dass der Netzwerkadministrator in der Lage ist, Daten (z. B. für Überwachungszwecke) von einer entfernten Einheit zu sammeln und von seinem Standort aus auf dieser entfernten Einheit (z. B. zur Kontrolle) Änderungen durchzuführen. Eine menschliche Analogie mag hier hilfreich sein, um die für das Netzwerkmanagement benötigte Infrastruktur besser zu verstehen.

Stellen Sie sich beispielsweise vor, Sie sind der Geschäftsführer eines Großunternehmens mit Niederlassungen überall in der Welt. Ihre Aufgabe ist es, sicherzustellen, dass die Teile Ihres Unternehmens reibungslos funktionieren. Wie können Sie das bewerkstelligen? Als Minimum müssen Sie periodisch Daten von Ihren Niederlassungen in Form von Berichten und verschiedenen quantitativen Messwerten über

Aktivität, Produktivität und Budget einholen. Sie werden gelegentlich (aber nicht immer) ausdrücklich benachrichtigt, wenn in einer Niederlassung ein Problem auftaucht. Der Niederlassungsleiter, der in der Firmenhierarchie eine Stufe nach oben klettern will (und vielleicht auf Ihre Position aus ist), mag Ihnen vielleicht unaufgefordert Berichte zusenden, in denen er darauf hinweist, wie glatt in seiner Niederlassung alles läuft. Sie gehen die Berichte durch, in der Hoffnung, überall reibungslose Betriebsabläufe zu finden, stellen aber zweifellos Probleme fest, die Ihre Aufmerksamkeit erfordern. Sie beginnen vielleicht einen schrittweisen Dialog mit einer Ihrer problematischen Niederlassungen, sammeln weitere Daten, um das Problem zu verstehen, und geben dann eine Anordnung der Geschäftsleitung (»Führen Sie diese Änderung durch!«) nach unten zum Niederlassungsleiter durch.

Dieses absolut übliche menschliche Szenario enthält eine Infrastruktur für die Kontrolle des Unternehmens: der Boss (Sie), die kontrollierten separaten Standorte (die Niederlassungen), Ihre entfernten Agenten (die Niederlassungsleiter), Kommunikationsprotokolle (für den Austausch von Standardberichten, Daten und Dialogen) und Daten (der Inhalt der Berichte und die quantitativen Messungen von Aktivität, Produktivität und Budget). Jede dieser Komponenten im menschlichen Organisationsmanagement hat ein Gegenstück im Netzwerkmanagement.

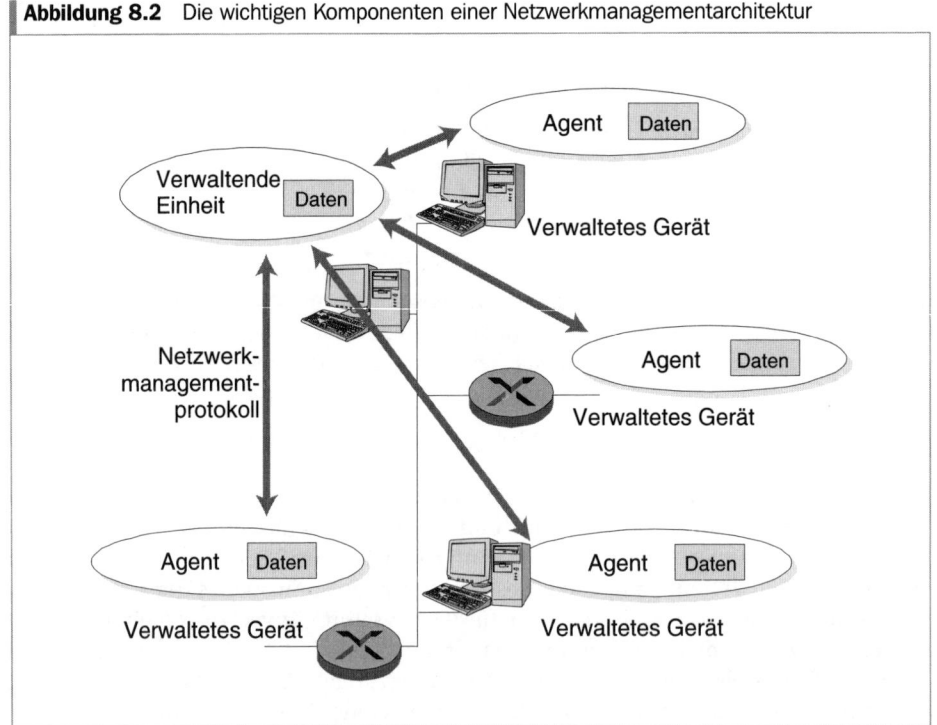

Abbildung 8.2 Die wichtigen Komponenten einer Netzwerkmanagementarchitektur

Die Architektur eines Netzwerkmanagementsystems ähnelt konzeptionell diesem einfachen Beispiel eines menschlichen Organisationsmanagements. Das Gebiet des Netzwerkmanagements hat natürlich seine eigene spezifische Terminologie für die verschiedenen Komponenten einer Netzwerkmanagementarchitektur, die wir hier ebenfalls übernehmen. Abbildung 8.2 zeigt die drei wichtigsten Komponenten einer

Netzwerkmanagementarchitektur: eine verwaltende Einheit (der Boss in unserem obigen Beispiel), die verwalteten Geräte (die Niederlassungen) und ein Netzwerkmanagementprotokoll.

Die **verwaltende Einheit** ist eine Anwendung, normalerweise mit einem Menschen in der Schleife, die auf einer zentralen Netzwerkmanagementstation im NOC (Network Operations Center) läuft. Die verwaltende Einheit ist das Zentrum der Aktivitäten im Rahmen des Netzwerkmanagements. Sie kontrolliert die Einholung, Verarbeitung, Analyse und/oder Anzeige von Netzwerkmanagementinformationen. Hier werden die Aktionen eingeleitet, um Netzwerkverhalten zu kontrollieren, und hier interagiert der menschliche Netzwerkadministrator mit den Netzwerkgeräten.

Ein **verwaltetes Gerät** ist ein Teil der Netzwerkanlage (einschließlich seiner Software), das in einem verwalteten Netzwerk residiert. Dies entspricht der Niederlassung in unserem menschlichen Beispiel. Verwaltete Geräte können Hosts, Router, Bridges, Hubs, Drucker oder Modems sein. Innerhalb eines verwalteten Geräts kann es mehrere **verwaltete Objekte** geben. Diese verwalteten Objekte sind die eigentlichen Hardwareteile in den verwalteten Geräten (z. B. eine Netzschnittstellenkarte) mit den Konfigurationsparametern für die Hard- und Software (z. B. ein Intradomain-Routing-Protokoll wie RIP). In unserer menschlichen Analogie sind die verwalteten Objekte die Abteilungen einer Niederlassung. Mit diesen verwalteten Objekten sind Informationen verbunden, die in einer **Managementinformationsbasis (MIB)** erfasst werden (siehe Abschnitt 8.3). Wie später noch beschrieben wird, stehen diese Informationen der verwaltenden Einheit zur Verfügung (und sie werden in vielen Fällen auch von ihr vorgegeben). In unserer menschlichen Analogie entspricht die MIB den quantitativen Daten (Messungen von Aktivität, Produktivität und Budget, wobei Letzteres von der verwaltenden Einheit festgesetzt werden kann!), die zwischen einer Niederlassung und dem Stammhaus des Unternehmens ausgetauscht werden. Schließlich residiert in jedem verwalteten Gerät auch ein **Netzwerkmanagement-Agent**. Das ist ein Prozess, der im verwalteten Gerät läuft und mit der verwaltenden Einheit kommuniziert, d. h. lokal Aktionen auf das verwaltete Gerät unter dem Kommando und der Aufsicht der verwaltenden Einheit durchführt. Der Netzwerkmanagement-Agent ist in unserer menschlichen Analogie der Niederlassungsleiter.

Die dritte Komponente einer Netzwerkmanagementarchitektur ist das **Netzwerkmanagementprotokoll**. Das Protokoll läuft zwischen der verwaltenden Einheit und den verwalteten Geräten und erlaubt es der verwaltenden Einheit, den Status von verwalteten Geräten abzurufen und indirekt über ihre Agents Aktionen auf diese Geräte auszuführen. Agenten können das Netzwerkmanagementprotokoll benutzen, um die verwaltende Einheit über außergewöhnliche Ereignisse (z. B. Komponentenfehler oder Verletzung von Performance-Grenzwerten) zu informieren. Wichtig ist die Feststellung, dass das Netzwerkmanagementprotokoll das Netzwerk nicht verwaltet. Es stellt lediglich ein Werkzeug dar, mit dessen Hilfe der Netzwerkadministrator das Netzwerk verwalten (»überwachen, testen, abfragen, konfigurieren, analysieren, bewerten und kontrollieren«) kann. Dies ist ein feiner, aber sehr wichtiger Unterschied.

Die Infrastruktur für Netzwerkmanagement ist konzeptionell einfach, wird aber durch verwirrende Fachbegriffe unnötig kompliziert dargestellt. Im Bereich des Netzwerkmanagements wird aus unserem einfachen Hostüberwachungsszenario z. B. ein Apparat mit »verwaltenden Agenten«, die sich in »verwalteten Geräten« befinden, die periodisch von der »verwaltenden Einheit« abgerufen werden. Wie so häufig, wird also ein einfaches Konzept durch sprachliche Ausschweifungen unnötig kompliziert. Wir können nur hoffen, dass wir mit dem menschlichen Organisationsbeispiel und seinen offensichtlichen Parallelen im Netzwerkmanagement das Thema in diesem Kapitel klar und verständlich darstellen können.

Unsere oben beschriebene Netzwerkmanagementarchitektur ist generisch und entspricht zahlreichen Netzwerkmanagementstandards und -arbeiten, die im Laufe der Jahre vorgeschlagen wurden. Die Entwicklung von Netzwerkmanagementstandards begann Ende der achtziger Jahre mit **CMISE/CMIP (Common Management Service Element / Common Management Information Protocol)** der OSI [Piscatello 1993; Stallings 1993; Glitho 1998] und **SNMP (Simple Network Management Protocol)** für das Internet [Stallings 1993; RFC 2570; Stallings 1999; Rose 1996], welches heute die beiden wichtigsten Standards sind [Miller 1997; Subramanian 2000]. Beide Standards wurden unabhängig von anbieterspezifischen Produkten oder Netzwerken entwickelt. Da SNMP schnell entworfen und zu einer Zeit eingeführt wurde, als der Bedarf nach Netzwerkmanagement schmerzlich klar geworden war, fand SNMP eine breite Akzeptanz. Heute ist SNMP das vorrangig benutzte und installierte Netzwerkmanagement-Rahmenwerk. SNMP wird ausführlich im nächsten Abschnitt beschrieben.

8.3 Netzwerkmanagement im Internet

Im Gegensatz zu dem, was man aus der Bezeichnung SNMP (Simple Network Management Protocol) möglicherweise schließt, ist Netzwerkmanagement im Internet viel mehr als nur ein Protokoll für die Übertragung von Managementdaten zwischen einer Managementeinheit und ihren Agenten. Außerdem hat es sich derart weiterentwickelt, dass es viel komplexer ist, als man durch das Wort »Simple« (einfach) erwarten mag. Die Wurzeln des derzeitigen »Internet Standard Management Framework« gehen zurück auf das SGMP (Simple Gateway Monitoring Protocol [RFC 1028]). SGMP wurde von einer Gruppe von Netzwerkwissenschaftlern an Universitäten sowie Benutzern und Managern entwickelt, deren Erfahrungen mit SGMP es ihnen ermöglichte, SNMP in nur wenigen Monaten zu entwerfen, zu implementieren und zu installieren [Lynch 1993] – also weit entfernt von den heutigen, eher langwierigen Standardisierungsprozessen. Seither hat sich SNMP von SNMPv1 über SNMPv2 bis zur neuesten Version SNMPv3 [RFC 2570] weiterentwickelt, die im April 1999 eingeführt wurde.

Bei der Beschreibung eines jeden Rahmenwerks für Netzwerkmanagement müssen unvermeidbar bestimmte Fragen geklärt werden:

- Was soll (aus semantischer Sicht) überwacht werden? Und welche Form der Kontrolle kann vom Netzwerkadministrator ausgeübt werden?
- Wie sieht die spezifische Informationsform aus, die gemeldet und/oder ausgetauscht wird?
- Wie sieht das Kommunikationsprotokoll aus, welches für den Austausch dieser Informationen verwendet wird?

Wir greifen wieder auf unsere Analogie des menschlichen Organisationsmanagements aus dem vorherigen Abschnitt zurück. Der Boss und die Niederlassungsleiter müssen sich auf die Messungen von Aktivität, Produktivität und Budget, die in den Berichterstattungen über die Niederlassungen benutzt werden, einigen. Ebenso müssen sie sich über die Aktionen einigen, die der Boss unternehmen kann (z. B. das Budget kürzen, die Niederlassungsleiter zur Änderung eines bestimmten Aspekts ihres Betriebsablaufs anweisen oder die Mitarbeiter entlassen und die Niederlassung schließen). Auf einer niedrigeren Detailebene werden sie sich auf die Form einigen, in der diese Daten gemeldet werden, z. B. in welcher Währung (Dollar oder Euro?) das Budget vorgelegt oder in welchen Einheiten die Produktivität gemessen wird. Diese Details sind zwar trivial, müssen aber dennoch vereinbart werden. Schließlich muss auch die Art, in der Informationen zwischen dem Stammhaus und den Niederlassungen ausgetauscht werden (d. h. ihr Kommunikationsprotokoll), spezifiziert werden.

Das Internet Network Management Framework greift die obigen Fragen auf. Dieses Rahmenwerk besteht aus vier Teilen:

- *Definitionen von Netzwerkmanagementobjekten*, die als MIB-Objekte bezeichnet werden. Im Internet Network Management Framework werden Managementinformationen als Sammlung von verwalteten Objekten dargestellt, die zusammen einen virtuellen Informationsspeicher bilden, die so genannte Managementinformationsbasis (MIB). Ein MIB-Objekt kann ein Zähler, z. B. die Anzahl von IP-Datagrammen, die in einem Router aufgrund von Fehlern im Header des IP-Datagramms verworfen wurden, oder die Anzahl von Carrier-Sense-Fehlern in einer Ethernet-Schnittstellenkarte, sein, aber auch beschreibende Informationen wie z. B. die Version der Software, die auf einem DNS-Server läuft; Statusinformationen darüber, ob ein bestimmtes Gerät korrekt funktioniert; oder protokollspezifische Informationen wie ein Routing-Pfad zu einem Ziel. MIB-Objekte definieren also die Managementinformationen, die von einem verwalteten Knoten geführt werden. Miteinander in Beziehung stehende MIB-Objekte werden zu so genannten **MIB-Modulen** zusammengefasst. In unserer Analogie mit dem menschlichen Organisationsmanagement definiert MIB die Informationen, die zwischen der Niederlassung und dem Stammhaus ausgetauscht werden.

- *Eine Datendefinitionssprache*, die als SMI (Structure of Management Information) bezeichnet wird; sie definiert Datentypen, ein Objektmodell und Regeln für das Schreiben und Revidieren von Managementinformationen. MIB-Objekte werden in dieser Datendefinitionssprache spezifiziert. In unserem menschlichen Organisationsmanagement wird die SMI benutzt, um die Details des *Formats* der auszutauschenden Informationen zu definieren.

- *Das Protokoll SNMP* für die Übermittlung von Informationen und Befehlen zwischen einer verwaltenden Einheit und einem Agent, der für diese Einheit innerhalb eines verwalteten Netzwerkgeräts handelt.

- *Sicherheits- und Administrationsfähigkeiten*: Diese Fähigkeiten stellen die wichtige Erweiterung von SNMPv3 gegenüber SNMPv2 dar.

Die Internet-Netzwerkmanagementarchitektur weist also mit einer protokollunabhängigen Datendefinitionssprache und MIB und einem MIB-unabhängigen Protokoll ein modulares Design auf. Interessant ist, dass diese modulare Architektur anfangs realisiert wurde, um den Übergang von einem SNMP-basierten Netzwerkmanagement auf ein Netzwerkmanagement-Rahmenwerk, das von der ISO (International Organization for Standardization) entwickelt wurde, zu vereinfachen. Die ISO-Netzwerkmanagementarchitektur konkurrierte mit SNMP, als es erstmals entworfen wurde, und der Übergang fand nie statt. Im Laufe der Zeit hat es das modulare Design von SNMP allerdings erlaubt, dass es sich durch drei wichtige Revisionen hindurch weiterentwickeln konnte, wobei sich die oben beschriebenen vier wichtigen Teile von SNMP unabhängig entwikkelten. Natürlich war diese Modularität eine gute Entscheidung, wenn auch aus einem falschen Grund! Die vier wichtigen Komponenten des Internet Network Management Framework werden in den nächsten vier Unterabschnitten ausführlich beschrieben.

8.3.1 SMI (Structure of Management Information)

Die **Structure of Management Information, SMI** (eine eher seltsame Bezeichnung für eine Komponente des Netzwerkmanagement-Rahmenwerks, die keinerlei Hinweis auf ihre Funktionalität liefert), ist die Sprache, die für die Definition der Managementinformationen benutzt wird, die in einer verwalteten Netzwerkeinheit residieren. Eine solche Definitionssprache ist nötig, um sicherzustellen, dass die Syntax und Semantik der Netzwerkmanagementdaten wohl definiert und unzweideutig sind. SMI definiert aber keine spezifische Instanz der Daten in einer verwalteten Netzwerkeinheit, sondern vielmehr die Sprache, in der solche Informationen spezifiziert werden. Die Dokumente, in denen SMI für SNMPv3 (mit der verwirrenden Bezeichnung SMIv2) beschrieben wird, sind [RFC 2578; RFC 2579; RFC 2580]. Wir behandeln SMI im Folgenden von unten nach oben, wobei wir mit den Basisdatentypen von SMI beginnen. Anschließend betrachten wir, wie verwaltete Objekte in SMI beschrieben und zusammenhängende verwaltete Objekte zu Modulen gruppiert werden.

SMI-Basisdatentypen

RFC 2578 spezifiziert die Basisdatentypen in der SMI-MIB Moduldefinitionssprache. Obwohl SMI auf der Objektdefinitionssprache ASN.1 (Abstract Syntax Notation One [ISO 1987; ISO X.680 1998]) basiert (siehe Abschnitt 8.4), wurden ausreichend SMI-spezifische Datentypen hinzugefügt, so dass SMI als eigenständige Datendefinitionssprache betrachtet werden kann. Die elf in RFC 2578 definierten Basisdatentypen sind in Tabelle 8.1 aufgeführt. Zusätzlich zu diesen skalaren Objekten ist es auch möglich, einer geordneten Sammlung von MIB-Objekten mit Hilfe des Konstrukts SEQUENCE OF eine tabellarische Struktur aufzuzwingen (siehe Details in RFC 2578). Den meisten Lesern ist der Großteil der in Tabelle 8.1 aufgeführten Datentypen sicherlich bekannt (bzw. die meisten erklären sich von selbst). Wir behandeln einen Datentyp – OBJECT IDENTIFIER – anschließend ausführlicher; er wird für die Benennung eines Objekts benutzt.

Tabelle 8.1 Basisdatentypen von SMI

Datentyp	Beschreibung
INTEGER	32-Bit-Ganzzahl gemäß Definition in ASN.1 mit einem Wert zwischen -2^{31} und $2^{31}-1$ oder einem Wert aus einer Liste möglicher benannter Konstantenwerte.
Integer32	32-Bit-Ganzzahl mit einem Wert zwischen -2^{32} und $2^{31}-1$.
Unsigned32	Vorzeichenlose 32-Bit-Ganzzahl im Bereich von 0 bis $2^{32}-1$.
OCTET STRING	Bytekette im ASN.1-Format, die beliebige Binär- oder Textdaten darstellt; maximal 65535 Byte.

Tabelle 8.1 Basisdatentypen von SMI

Datentyp	Beschreibung
OBJECT IDENTIFIER	Strukturierter Name im ASN.1-Format (wird administrativ zugewiesen); siehe Abschnitt 8.3.
IPaddress	32-Bit-Internet-Adresse in der Netzwerk-Byte-Reihenfolge.
Counter32	32-Bit-Zähler, der sich von 0 bis $2^{32}-1$ erhöht und dann wieder von 0 beginnt.
Counter64	64-Bit-Zähler
Gauge32	32-Bit-Ganzzahl, die nicht über $2^{32}-1$ zählt und nicht unter 0 sinkt, wenn erhöht oder verringert wird.
TimeTicks	Die Zeit, die seit einem Ereignis verstrichen ist, gemessen in Hundertstelsekunden.
Opaque	Nicht interpretierte ASN.1-Zeichenkette, die für Abwärtskompatibilität benötigt wird.

SMI-Konstrukte höherer Ebene

Zusätzlich zu den Basisdatentypen unterstützt die Datendefinitionssprache von SMI auch Sprachkonstrukte der höheren Ebene. Das Konstrukt OBJECT-TYPE wird benutzt, um den Datentyp, den Status und die Semantik eines verwalteten Objekts zu spezifizieren. Zusammengenommen enthalten diese verwalteten Objekte die Managementdaten, die im Kern des Netzwerkmanagements liegen. Es gibt fast 10.000 definierte Objekte in verschiedenen Internet-RFCs [RFC 2570]. Das Konstrukt OBJECT-TYPE hat vier Klauseln. Die Klausel SYNTAX einer Definition OBJECT-TYPE spezifiziert den Basisdatentyp in Verbindung mit dem Objekt. Die Klausel MAX-ACCESS bestimmt, ob das verwaltete Objekt gelesen, geschrieben oder erzeugt werden kann oder ob sein Wert in einer Benachrichtigung enthalten sein darf. Die Klausel STATUS sagt aus, ob die Objektdefinition aktuell und gültig, obsolet (in welchem Fall sie nicht implementiert werden sollte, weil ihre Definition nur für historische Zwecke einbezogen wurde) oder unerwünscht (obsolet, für Interoperabilität mit älteren Implementierungen aber noch nutzbar) ist. Die Klausel DESCRIPTION enthält eine für Menschen lesbare Definition des Objekts in Textform; dies »dokumentiert« den Zweck des verwalteten Objekts und sollte alle semantischen Informationen bereitstellen, die für die Implementierung des verwalteten Objekts notwendig sind.

Als Beispiel des Konstrukts OBJECT-TYPE betrachte man die Objekttypdefinition ipInDelivers aus RFC 2011. Dieses Objekt definiert einen 32-Bit-Zähler, der die Anzahl der IP-Datagramme verfolgt, die vom verwalteten Knoten empfangen und erfolgreich an das höherschichtige Protokoll abgegeben wurden. Die letzte Zeile dieser Definition betrifft den Namen dieses Objekts (Objektnamen werden im nächsten Abschnitt behandelt).

```
ipInDelivers OBJECT-TYPE
    SYNTAX      Counter32
    MAX-ACCESS  read-only
    STATUS      current
```

```
         DESCRIPTION
                 "Die Gesamtzahl der Eingabe-Datagramme, die
                 erfolgreich an IP-User-Protokolle (einschließlich
                 ICMP) abgegeben wurden."
         ::= { ip 9 }
```

Das Konstrukt MODULE-IDENTITY erlaubt die Gruppierung zusammenhängender Objekte zu einem »Modul«. RFC 2011 spezifiziert z. B. das MIB-Modul, das verwaltete Objekte (einschließlich ipInDelivers) für die Verwaltung von Implementierungen des Internet-Protokolls (IP) und des damit zusammenhängenden ICMP (Internet Control Message Protocol) definiert. RFC 2012 spezifiziert das MIB-Modul für TCP und RFC 2013 dasjenige für UDP. RFC 2021 definiert das MIB-Modul für RMON (Remote Monitoring). Das Konstrukt MODULE-IDENTITY enthält außer den OBJECT-TYPE-Definitionen auch Klauseln für die Dokumentation von Kontaktinformationen über den Autor des Moduls, das Datum der letzten Aktualisierung, eine Revisionshistorie und eine Beschreibung des Moduls. Als Beispiel betrachte man die Moduldefinition für das Management des IP-Protokolls:

```
ipMIB MODULE-IDENTITY
     LAST-UPDATED "9411010000Z"
     OGANIZATION "IETF SNMPv2 Working Group"
     CONTACT-INFO
          "      Keith McCloghrie
          Postal:  Cisco Systems, Inc.
                   170 West Tasman Drive
                   San Jose, CA 95134-1706
                   USA

          Phone:   +1 408 526 5260
          E-mail:  kzm@cisco.com"
     DESCRIPTION
             "MIB-Modul für die Verwaltung von IP- und ICMP-Implementierungen,
             jedoch ohne Verwaltung der relevanten IP-Routen."
     REVISION "9103310000Z"
     DESCRIPTION
             Die erste Revision dieses MIB-Moduls war Teil von MIB-II."
     ::= { mib-2 48 }
```

Das Konstrukt NOTIFICATION-TYPE wird benutzt, um Informationen hinsichtlich »SNMPv2-Trap«- und »InformationRequest«-Nachrichten, die von einem Agent oder einer verwaltenden Einheit erzeugt wurden, zu spezifizieren (siehe Abschnitt 8.3.3). Diese Informationen beinhalten eine Beschreibung (DESCRIPTION), wann solche Nachrichten zu senden sind, und eine Liste mit Werten, die in die erzeugten Nachrichten einzubeziehen sind (siehe RFC 2578).

Das Konstrukt MODULE-COMPLIANCE definiert die verwalteten Objekte innerhalb eines Moduls, die ein Agent implementieren muss. Das Konstrukt AGENT-CAPABILITIES spezifiziert die Fähigkeiten von Agents in Bezug auf die Definitionen für Objekt- und Ereignisbenachrichtigungen.

8.3.2 MIB (Management Information Base)

Bei der **MIB (Management Information Base)** handelt es sich um einen virtuellen Informationsspeicher für die Aufnahme verwalteter Objekte, deren Werte kollektiv den aktuellen »Zustand« des Netzwerks widerspiegeln. Diese Werte können von einer verwaltenden Einheit abgerufen und/oder gesetzt werden. Hierfür sendet die verwaltende Einheit SNMP-Nachrichten an den Agenten, der in einem verwalteten Knoten für die verwaltende Einheit handelt. Verwaltete Objekte werden mit dem oben beschriebenen SMI-Konstrukt OBJECT-TYPE spezifiziert und mit dem Konstrukt MODULE-IDENTITY zu **MIB-Modulen** zusammengefasst.

Die IETF standardisiert die MIB-Module in Verbindung mit Routern, Hosts und anderen Netzwerkgeräten. Dies beinhaltet grundlegende Identifizierungsdaten über bestimmte Hardware sowie Managementinformationen über die Netzwerkschnittstellen und Protokolle der einzelnen Geräte. Zum Release von SNMPv3 (Mitte 1999) gab es fast 100 auf Standards basierende MIB-Module und eine noch größere Zahl von herstellerspezifischen (privaten) MIB-Modulen. Mit all diesen Standards benötigte die IETF eine Möglichkeit, um die standardisierten Module und die spezifischen verwalteten Objekte der jeweiligen Module zu identifizieren und zu benennen. Statt von Null zu beginnen, übernahm die IETF ein standardisiertes Rahmenwerk zur Objektidentifizierung (Benennung), das bereits von der ISO (International Organization for Standardization) umgesetzt worden war. Wie dies bei vielen Standardisierungsgremien der Fall ist, verfolgte die ISO mit ihrem standardisierten Objektidentifizierungsrahmenwerk »große Pläne« – die Identifizierung jedes möglichen standardisierten Objekts (z. B. Datenformat, Protokoll oder Information) in jedem Netzwerk, ungeachtet der Netzwerk-Standardisierungsorganisation (z. B. Internet-IETF, ISO, IEEE oder ANSI), des Geräteherstellers oder des Netzwerkbetreibers. In der Tat ein hoch gestecktes Ziel! Das von der ISO übernommene Objektidentifizierungsrahmenwerk ist Teil der Objektdefinitionssprache ASN.1 (Abstract Syntax Notation One) [ISO 1987; ISO X.680 1998], die in Abschnitt 8.4 beschrieben wird. Standardisierte MIB-Module haben in diesem allumfassenden Benennungsrahmenwerk ihre eigene kleine Nische, wie weiter unten beschrieben wird.

Abbildung 8.3 zeigt, dass Objekte im ISO-Rahmenwerk auf hierarchische Weise benannt werden. Jeder Zweig im Baum hat sowohl einen Namen als auch eine Nummer (in Klammern dargestellt); jede Stelle im Baum ist folglich durch eine Sequenz von Namen oder Nummern identifizierbar, die den Pfad von der Wurzel zur betreffenden Stelle im Identifizierungsbaum spezifiziert. Ein witziges, aber unvollständiges und inoffizielles Web-basiertes Utility für die Überquerung eines Teils des Objektidentifizierungsbaums (mit Hilfe von Zweiginformationen, die von Freiwilligen bereitgestellt wurden) ist in [Alvestrand 1997] enthalten.

Ganz oben in der Hierarchie befinden sich die ISO (International Organization for Standardization) und die ITU-T (Telecommunication Standardization Sector of the International Telecommunication Union) – die beiden wichtigsten Standardisierungsorganisationen für ASN.1 – sowie ein gemeinsames Gremium dieser beiden Organisationen. Unter dem ISO-Zweig des Baums findet man Einträge für alle ISO-Standards (1.0) und Standards, die von den Standardisierungsgremien verschiedener ISO-Mitgliedsländer (1.2) entwickelt wurden. In Abbildung 8.3 nicht dargestellt, würden wir unter (ISO ISO-Mitgliedsgremium, 1.2) die USA (1.2.840) und darunter eine Reihe von IEEE-, ANSI- und herstellerspezifischen Standards finden. Dazu zählen RSA (1.2.840.11359) und Microsoft (1.2.840.113556) und darunter die Microsoft-Dateiformate (1.2.840.113556.4) für verschiedene Microsoft-Produkte wie Word

| **Abbildung 8.3** Der ASN.1-Objektidentifizierungsbaum

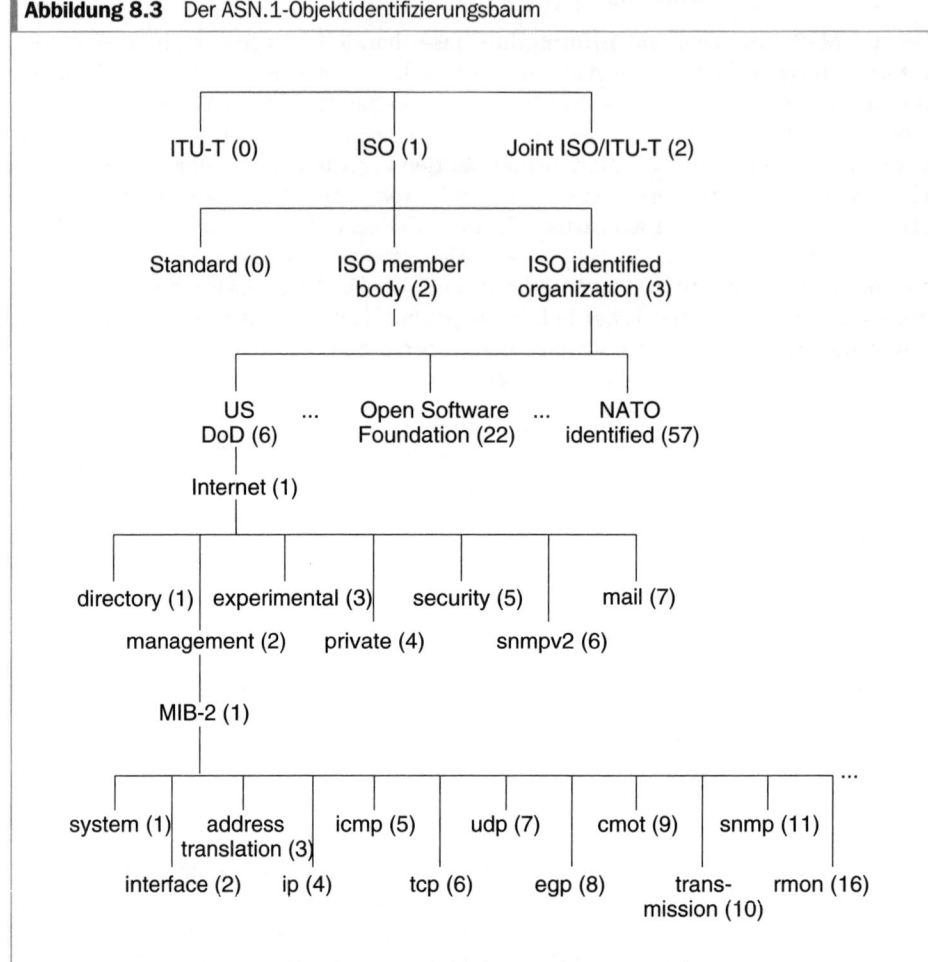

(1.2.840.112556.4.2). Wir sind hier aber nur an Vernetzung (und *nicht* an Microsoft-Word-Dateien) interessiert; deshalb richtet sich unser Augenmerk auf den Zweig mit der Nummer 1.3. Dies sind Standards, die von Gremien entwickelt wurden, die von der ISO anerkannt wurden. Dazu zählt das US-Verteidigungsministerium (DoD, 6), unter dem sich die Internet-Standards, die Open Software Foundation (22), die Airline-Association SITA (69), Nato-Gremien (57) und viele weitere Organisationen befinden.

Unter dem Zweig Internet im Baum (1.3.6.1) finden sich sieben Kategorien. Unter dem Zweig private (1.3.6.1.4) steht eine Liste [IANA 1999b] mit den Namen und Codes von mehr als 4.000 privaten Unternehmen, die sich bei der IANA (Internet Assigned Numbers Authority [IANA 1999]) registriert haben. Unter dem Zweig management (1.3.6.1.2) und MIB-2 (1.3.6.1.2.1) des Objektidentifizierungsbaums finden wir die Definitionen der standardisierten MIB-Module. Zugegeben, das ist ein langer Weg bis hinunter zu unserer Ecke mit dem ISO-Namensraum!

Standardisierte MIB-Module

Die unterste Ebene des Baums in Abbildung 8.3 zeigt einige wichtige hardwarespezifische MIB-Module (system und interface) sowie Module in Verbindung mit den wichtigsten Internet-Protokollen. RFC 2400 führt alle standardisierten MIB-Module auf. Während MIB-bezogene RFCs eine eher mühsame und trockene Lektüre sind, ist es recht lehrreich (etwa nach dem Motto »Spinat ist gesund«), sich mit ein paar MIB-Moduldefinitionen zu befassen, um einen Einblick in die Art von Informationen der verschiedenen Module zu erhalten.

Die verwalteten Objekte unter system enthalten allgemeine Informationen über das zu verwaltende Gerät. Alle verwalteten Geräte müssen die MIB-Objekte system unterstützen. In Tabelle 8.2 sind die Objekte der system-Gruppe gemäß Definition in RFC 1213 aufgeführt.

Tabelle 8.2 Verwaltete Objekte der MIB-2-Gruppe system

Objektidentifizierung	Name	Typ	Beschreibung (aus RFC 1213)
1.3.6.1.2.1.1.1	sysDescr	OCTET STRING	Voller Name und Versionsidentifikation des Hardwaretyps, des Betriebssystems und der Vernetzungssoftware des Systems.
1.3.6.1.2.1.1.2	sysObjectID	OBJECT IDENTIFIER	Dem Hersteller zugeteilte Objekt-ID, die ein einfaches und unzweideutiges Mittel für die Feststellung liefert, welche Art von Box verwaltet wird.
1.3.6.1.2.1.1.3	sysUpTime	TimeTicks	Die Zeit (in Hundertstelsekunden), seit der Netzwerkmanagementteil des Systems zuletzt erneut initialisiert wurde.
1.3.6.1.2.1.14	sysContact	OCTET STRING	Die Kontaktperson für diesen verwalteten Knoten, mit Kontaktinformationen.
1.3.6.1.2.1.1.5	sysName	OCTET STRING	Ein administrativ zugeteilter Name für den verwalteten Knoten. Der Konvention zufolge ist dies der voll qualifizierte Domain-Name des Knotens.
1.3.6.1.2.1.1.6	sysLocation	OCTET STRING	Der physische Standort des Knotens.
1.3.6.1.2.1.1.7	sysServices	Integer32	Ein kodierter Wert, der die Dienste bezeichnet, die auf diesem Knoten verfügbar sind: physikalisch (z. B. Repeater), Datalink/Subnet (z. B. Bridge), Internet (z. B. IP-Gateway), Ende-zu-Ende-Anwendungen (z B. Host).

Tabelle 8.3 definiert die verwalteten Objekte im MIB-Modul für das UDP-Protokoll in einer verwalteten Einheit.

Tabelle 8.3 Verwaltete Objekte im MIB-2-Modul udp

Objektidentifizierung	Name	Typ	Beschreibung (aus RFC 2013)
1.3.6.1.2.1.7.1	udpInDatagrams	Counter32	Gesamtanzahl der UDP-Datagramme, die an UDP-Benutzer übergeben wurden.
1.3.6.1.2.1.7.2	udpNoPorts	Counter32	Gesamtanzahl der empfangenen UDP-Datagramme, für die es am Zielport keine Anwendung gab.
1.3.6.1.2.1.7.3	udpInErrors	Counter32	Anzahl der empfangenen UDP-Datagramme, die aus anderen Gründen als einer fehlenden Anwendung am Zielport nicht übergeben werden konnten.
1.3.6.1.2.1.7.4	udpOutDatagrams	Counter32	Gesamtanzahl der UDP-Datagramme, die von dieser Einheit gesendet wurden.
1.3.6.1.2.1.7.5	udpTable	SEQUENCE of UdpEntry	Eine Sequenz von UdpEntry-Objekten – eines für jeden Port, der momentan für eine Anwendung geöffnet ist, unter Angabe der IP-Adresse und der von der Anwendung benutzten Portnummer.

8.3.3 SNMP: Protokolloperationen und Transportabbildungen

Das SNMPv2-Protokoll (Simple Network Management Protocol Version 2 [RFC 1905]) wird benutzt, um MIB-Informationen zwischen verwaltenden Einheiten und Agenten, die für verwaltende Einheiten handeln, auszutauschen. Am häufigsten wird SNMP im **Request/Response-Mode** (Anfrage / Antwort-Modus) benutzt, in dem eine SNMPv2-verwaltete Einheit eine Anfrage an einen SNMPv2-Agenten sendet, der die Anfrage empfängt, eine bestimmte Aktion ausführt und eine Antwort auf die Anfrage sendet. Normalerweise wird eine Anfrage benutzt, um MIB-Objektwerte in Verbindung mit einem verwalteten Gerät abzufragen (zu lesen) oder zu modifizieren (zu setzen). Eine zweite häufige Verwendung von SNMP ist das unaufgeforderte Versenden einer Nachricht, die als **Trap-Nachricht** bezeichnet wird, von einem Agenten an eine verwaltende Einheit. Trap-Nachrichten werden benutzt, um eine verwaltende Einheit über eine Ausnahmesituation zu informieren, die sich durch Änderungen von MIB-Objektwerten ergeben hat. Wie in Abschnitt 8.1 erwähnt wurde, ist der Netzwerkadministrator wahrscheinlich am Erhalt einer Trap-Nachricht interessiert, wenn beispielsweise eine Schnittstelle ausfällt, die Überlast einen vordefinierten Grenzwert auf einer Verbindungsleitung erreicht oder ein anderes kritisches Ereignis eintritt. Zwischen der Abfrage (Anfrage/Antwort-Interaktion) und Trapping bedarf es allerdings erheblicher Kompromisse (siehe Übungen am Ende dieses Kapitels).

SNMPv2 definiert sieben Nachrichtentypen, die man als **Protokolldateneinheiten** (Protocol Data Units, **PDU**) bezeichnet. Die PDU-Typen sind in Tabelle 8.4 und das PDU-Format in Abbildung 8.4 dargestellt.

Tabelle 8.4 DU-Typen in SNMPv2

PDU-Typ	Sender / Empfänger	Beschreibung
GetRequest	Manager / Agent	Wert von einem oder mehreren MIB-Objektinstanzen lesen.
GetNextRequest	Manager / Agent	Wert der nächsten MIB-Objektinstanz aus einer Liste oder Tabelle lesen.
GetBulkRequest	Manager / Agent	Werte aus großem Datenblock, z. B. aus einer großen Tabelle, lesen.
InformRequest	Manager / Manager	Entfernte Verwaltungseinheit über MIB-Werte informieren, auf die der informierende Manager nicht direkt zugreifen kann.
SetRequest	Manager / Agent	Wert von einer oder mehreren MIB-Objektinstanzen setzen.
Response	Agent / Manager oder Manager / Manager	Wert von einer oder mehreren MIB-Objektinstanzen setzen, die als Antwort auf GetRequest, GetNextRequest, GetBulkRequest, SetRequest PDU oder InformRequest erzeugt wurden.
SNMPv2-Trap	Agent / Manager	Manager über ein Ausnahmeereignis informieren.

- Die PDUs GetRequest, GetNextRequest und GetBulkRequest werden von einer verwaltenden Einheit an einen Agenten gesendet, um den Wert eines oder mehrerer MIB-Objekte im verwalteten Gerät des Agenten anzufragen. Die Objektidentifizierungen der MIB-Objekte, deren Werte angefordert werden, sind in dem Variablenteil der PDU spezifiziert. GetRequest, GetNextRequest und GetBulkRequest unterscheiden sich hinsichtlich der Granularität der Datenanfragen. GetRequest kann eine beliebige Menge von MIB-Werten anfragen. Mit mehreren GetNextRequest-Anfragen kann eine Sequenz von MIB-Objekten aus einer Liste oder

Tabelle angefragt werden. GetBulkRequest ermöglicht die Rückgabe eines größeren Datenblocks, so dass im Vergleich zu mehreren GetRequest- oder GetNext-Request-Nachrichten weniger Overhead entsteht. In allen drei Fällen antwortet der Agent mit einer Response-PDU, in der sich die Objektidentifizierungen und die entsprechenden Werte befinden.

- Die SetRequest-PDU wird von einer verwaltenden Einheit benutzt, um den Wert eines oder mehrerer MIB-Objekte in einem verwalteten Gerät zu setzen. Der Agent antwortet mit einer Response-PDU mit dem Fehlerstatus »NoError«, um zu bestätigen, dass der Wert gesetzt wurde.

- Die InformRequest-PDU wird von einer verwaltenden Einheit benutzt, um eine andere verwaltende Einheit über MIB-Informationen in Kenntnis zu setzen, die außerhalb ihres Bereichs liegen. Die empfangende Einheit antwortet mit einer Response-PDU und dem Fehlerstatus »NoError«, um den Empfang der Inform-Request-PDU zu bestätigen.

- Die SNMPv2-PDU ist die Trap-Nachricht. Trap-Nachrichten werden asynchron erzeugt, d. h. *nicht* als Antwort auf eine empfangene Anfrage, sondern als Reaktion auf ein Ereignis, über das die verwaltende Einheit benachrichtigt werden muss. RFC 1907 definiert wohl bekannte Trap-Typen, die einen Kalt- oder Warmstart durch ein Gerät, den Ausfall oder die Wiederherstellung einer Verbindungsleitung, den Verlust eines Nachbarn oder Authentifikationsfehler beinhalten. Auf eine empfangene Trap-Anfrage muss von der verwaltenden Einheit keine Antwort gesendet werden.

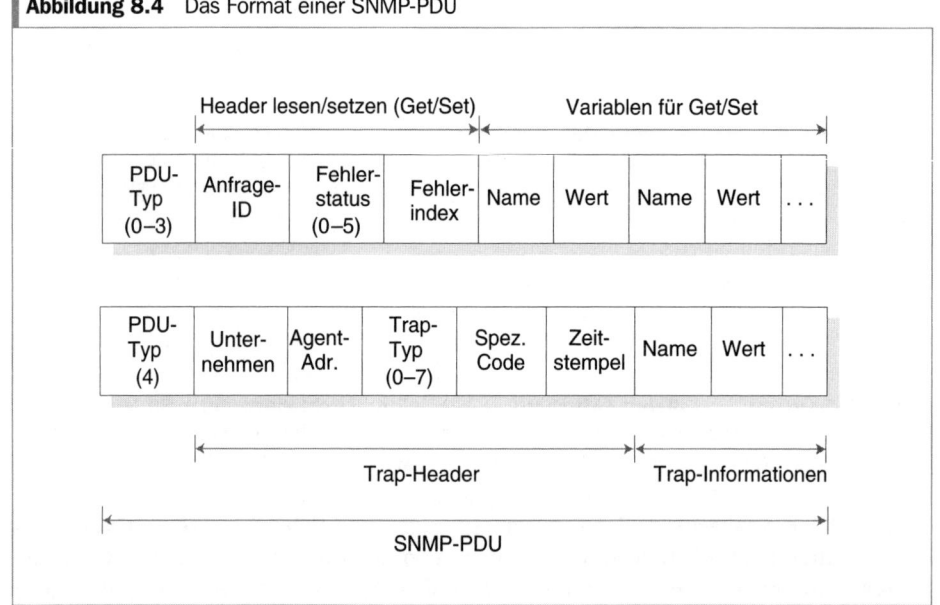

Abbildung 8.4 Das Format einer SNMP-PDU

Angesichts der Anfrage/Antwort-Natur von SNMPv2 stellen wir hier fest, dass SNMP-PDUs zwar über viele verschiedene Transportprotokolle übertragen werden können, normalerweise aber im Nutzdatenfeld von UDP-Datagrammen befördert werden. RFC 1906 spezifiziert UDP sogar als »das bevorzugte Transport-Mapping«.

Da UDP ein unzuverlässiges Transportprotokoll ist, besteht keine Gewähr, dass eine Anfrage oder die Antwort darauf am beabsichtigten Ziel ankommt. Das Feld »Anfrage-ID« (Request ID) der PDU wird von der verwaltenden Einheit benutzt, um ihre Anfragen an einen Agenten zu nummerieren. Die Antwort eines Agenten erhält ihre Anfrage-ID von derjenigen der empfangenen Anfrage. Folglich kann das Feld »Anfrage-ID« von der verwaltenden Einheit benutzt werden, um zu bestimmen, ob eine Anfrage erneut übertragen werden soll, falls nach einer bestimmten Zeit keine Antwort ankommt. Der SNMP-Standard schreibt keine bestimmte Prozedur für die Neuübertragung oder überhaupt Neuübertragungen vor. Er verlangt nur, dass die verwaltende Einheit »in Bezug auf Häufigkeit und Dauer von Neuübertragungen verantwortlich handeln soll«. Vor diesem Hintergrund fragt man sich natürlich, wie sich ein »verantwortungsvolles« Protokoll verhalten soll!

8.3.4 Sicherheit und Administration

Die Designer von SNMPv3 sprachen davon, dass »man sich SNMPv3 als SNMPv2 mit zusätzlichen Sicherheits- und Administrationsfähigkeiten vorstellen kann« [RFC 2570]. Sicherlich weist SNMPv3 gegenüber SNMPv2 einige Änderungen auf; sie zeigen sich aber nirgendwo so deutlich wie im Bereich Administration und Sicherheit. Das Thema Sicherheit war in SNMPv3 besonders dringlich geworden, weil der Mangel an angemessener Sicherheit dazu führte, dass SNMP bisher vorwiegend für die Überwachung und nicht für die Kontrolle benutzt wurde (z. B. wird SetRequest in SNMPv1 selten verwendet).

Während SNMP durch drei Versionen hindurch heranreifte, hat seine Funktionalität und natürlich auch die Anzahl der SNMP-bezogenen Standarddokumente zugenommen. Dies wird durch die Tatsache belegt, dass es jetzt sogar einen RFC [RFC 2571] gibt, der »eine Architektur für die Beschreibung von SNMP-Management-Rahmenwerken« beschreibt! Während die Vorstellung von einer »Architektur« für die »Beschreibung eines Rahmenwerks« ziemlich umständlich erscheinen mag, ist das Ziel von RFC 2571 recht eindrucksvoll: Einführung einer gemeinsamen Sprache für die Beschreibung der Funktionalität und Aktionen eines SNMPv3-Agenten oder einer verwaltenden Einheit. Die Architektur einer SNMPv3-Einheit ist unkompliziert, wie im Folgenden zu sehen sein wird.

So genannte **SNMP-Anwendungen** bestehen aus einem Befehlsgenerator, einem Benachrichtigungsempfänger und einem Proxy-Vermittler (die man normalerweise alle in einer verwaltenden Einheit vorfindet) sowie einem Befehlsgenerator auf der Antwortseite und einem Meldungsgeber (die man normalerweise beide in einem Agenten vorfindet). Hinzu kommt die Möglichkeit weiterer Anwendungen. Der Befehlsgenerator der verwaltenden Einheit erzeugt die PDUs GetRequest, GetNextRequest, GetBulkRequest und SetRequest (siehe Abschnitt 8.3.3) und behandelt die auf diese PDUs empfangenen Antworten. Der Befehlsgenerator auf der Agenten-Seite empfängt, verarbeitet und beantwortet (mittels Response-Nachricht) empfangene PDUs vom Typ GetRequest, GetNextRequest, GetBulkRequest und SetRequest. Der Meldungsgeber ist eine Anwendung im Agenten, die Trap-PDUs erzeugt. Diese PDUs werden in einer Anwendung einer verwaltenden Einheit empfangen und verarbeitet. Der Proxy-Vermittler leitet Anfrage-, Benachrichtigungs- und Antwort-PDUs weiter.

Eine von einer SNMP-Anwendung gesendete PDU durchläuft zunächst die SNMP-Engine, bevor sie über das entsprechende Transportprotokoll weitergeleitet wird. Abbildung 8.5 zeigt, wie eine vom Befehlsgenerator einer verwaltenden Einheit erzeugte PDU zuerst in das Dispatch-Modul eintritt, wo die SNMP-Version festgestellt wird. Anschließend wird die PDU im Nachrichtenverarbeitungssystem mit einem Nachrichten-Header verkapselt, der die SNMP-Versionsnummer, eine Nachrichten-ID und die Nachrichtengröße enthält. Ist Verschlüsselung oder Authentifikation erforderlich, werden auch die entsprechenden Header-Felder für diese Informationen eingebunden (siehe RFC 2571). Schließlich wird die SNMP-Nachricht (die von der Anwendung erzeugte PDU sowie der Nachrichten-Header) an das entsprechende Transportprotokoll weitergegeben. Das bevorzugte Transportprotokoll für SNMP-Nachrichten ist UDP (d. h., SNMP-Nachrichten werden im Nutzdatenfeld eines UDP-Datagramms befördert) und die bevorzugte Portnummer ist Port 161. Für Trap-Nachrichten wird Port 162 benutzt.

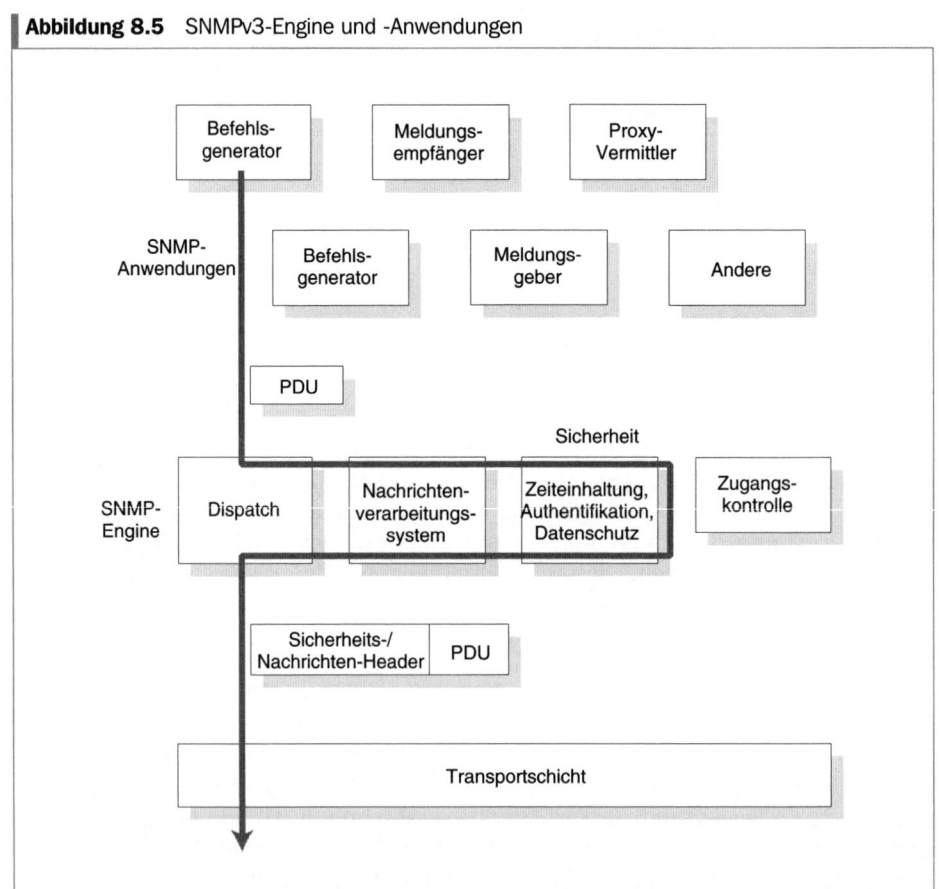

Abbildung 8.5 SNMPv3-Engine und -Anwendungen

Wir haben oben gesehen, dass SNMP-Nachrichten nicht nur zur Überwachung, sondern auch zur Kontrolle (z. B. durch den SetRequest-Befehl) von Netzwerkelementen benutzt werden. Natürlich könnte ein Eindringling, dem es gelingt, SNMP-Nachrichten abzufangen und/oder eigene SNMP-Pakete in die Managementinfrastruktur einzuschleusen, im Netzwerk viel Chaos anrichten. Folglich ist es wichtig, dass SNMP-Nachrichten sicher übertragen werden. Überraschend ist, dass Sicherheit erst in der

8.3 Netzwerkmanagement im Internet

letzten Version von SNMP die verdiente Aufmerksamkeit erhalten hat. SNMPv3 unterstützt Verschlüsselung, Authentifikation und Schutz vor Playback-Attacken (siehe Abschnitt 7.2 und 7.3) sowie Zugriffskontrolle. Die SNMPv3-Sicherheit gilt dahingehend als **benutzerbasierte Sicherheit** [RFC 2574], dass es das traditionelle Konzept eines mit einem Benutzernamen identifizierten Benutzers gibt, mit dem Sicherheitsinformationen wie ein Passwort, ein Schlüsselwert oder Zugriffsrechte assoziiert werden.

- *Verschlüsselung*: SNMP-PDUs können mit DES (Data Encryption Standard) im Cipher-Block-Chaining-Mode verschlüsselt werden (siehe Abschnitt 7.2). Da DES ein Chiffriersystem mit gemeinsamen Schlüsseln ist, muss der geheime Schlüssel der Benutzerchiffrierdaten der empfangenden Einheit für die Entschlüsselung der Daten bekannt sein.

- *Authentifikation*: SNMP kombiniert eine Hash-Funktion, z. B. den in Abschnitt 7.4 beschriebenen MD5-Algorithmus, mit einem geheimen Schlüsselwert, um sowohl Authentifikation als auch Fälschungsschutz bereitzustellen. Der als HMAC (Hashed Message Authentication Code [RFC 2104]) bekannte Ansatz ist vom Konzept her einfach. Angenommen, der Sender hat eine SNMP-PDU m, die er an den Empfänger senden möchte. Diese PDU ist vielleicht schon verschlüsselt. Wir nehmen weiter an, dass der Sender und der Empfänger einen gemeinsamen geheimen Schlüssel K kennen, der nicht unbedingt der gleiche Schlüssel sein muss, der für die Verschlüsselung verwendet wird. Der Sender sendet m an den Empfänger. Statt einen einfachen MIC (Message Integrity Code) $MIC(m)$ zu senden, der zum Schutz vor Fälschung bereits aus m berechnet wurde (siehe Abschnitt 7.4.2), hängt der Sender den gemeinsamen geheimen Schlüssel an m an und berechnet einen kombinierten MIC, $MIC(m,K)$, aus der PDU und dem Schlüssel. Der Wert $MIC(m,K)$ (aber nicht der geheime Schlüssel!) wird dann mit m übertragen. Wenn der Empfänger m erhält, hängt er den geheimen Schlüssel K an und berechnet $MIC(m,K)$. Stimmt dieser berechnete Wert mit dem übertragenen Wert von $MIC(m,K)$ überein, weiß der Empfänger nicht nur, dass die Nachricht nicht verfälscht wurde, sondern auch, dass sie von jemandem gesendet wurde, der den Wert von K kennt, d. h., die Nachricht stammt von einem vertrauenswürdigen und nun auch authentifizierten Sender. Im Betriebsumfeld führt HMAC die Anhängen/Hash-Operation zweimal mit jeweils einem geringfügig modifizierten Schlüsselwert durch (siehe RFC 2104).

- *Schutz vor Playback-Attacken*: Ein Nonce (siehe Kapitel 7) kann benutzt werden, um Schutz vor Playback-Attacken zu bieten. SNMPv3 weist einen damit zusammenhängenden Ansatz auf. Um sicherzustellen, dass eine empfangene Nachricht kein Playback einer früheren Nachricht ist, verlangt der Empfänger vom Sender, in jede Nachricht einen Wert einzubeziehen, der auf einem Zähler im *Empfänger* basiert. Dieser Zähler funktioniert als Nonce und spiegelt die Zeit des letzten Neustarts der Netzwerkmanagementsoftware des Empfängers und die Gesamtzahl der Neustarts seit der letzten Konfiguration der Netzwerkmanagementsoftware des Empfängers wider. Solange der Zähler in einer empfangenen Nachricht innerhalb eines bestimmten Fehlergrenzwerts vom tatsächlichen Wert im Empfänger abweicht, wird die Nachricht als Nicht-Playback akzeptiert und anschließend authentifiziert und/oder verschlüsselt (siehe RFC 2574).

- *Zugriffskontrolle*: SNMPv3 bietet eine auf Ansichten (Views) basierende Zugriffskontrolle [RFC 2575], die kontrolliert, welche Netzwerkmanagementinformationen von welchen Benutzern abgerufen und/oder gesetzt werden können. Eine SNMP-Einheit führt Informationen über Zugriffsrechte und Policies in einem lokalen Konfigurationsdatenspeicher (Local Configuration Datastore, LCD). Teile des LCD sind ihrerseits als verwaltete Objekte zugänglich [RFC 2575] und können folglich von einem abgesetzten Standort aus über SNMP verwaltet und manipuliert werden.

> **PRINZIPIEN IN DER PRAXIS**
>
> Heute werden Hunderte (wenn nicht Tausende) von Netzwerkmanagementprodukten angeboten, die alle in gewissem Umfang das in diesem Kapitel beschriebene Netzwerkmanagement-Rahmenwerk und die SNMP-Grundlagen umsetzen. Eine Studie dieser Produkte geht über Zweck und Umfang dieses Buchs hinaus. Wir beschränken uns hier darauf, lediglich einige bekannte Produkte zu erwähnen. Ein guter Ausgangspunkt, um sich einen Überblick über die Fülle der Netzwerkmanagement-Tools zu verschaffen, findet sich in Kapitel 12 von [Subramanian 2000].
>
> Netzwerkmanagement-Tools werden in zwei allgemeine Kategorien unterteilt: Tools von Netzwerkproduktherstellern und Tools für die Verwaltung von Netzwerken mit heterogenen Geräten. Zu den herstellerspezifischen Angeboten zählt CiscoWorks2000 [Cisco CiscoWorks 2000] für die Verwaltung von LANs und WANs auf der Grundlage von Cisco-Geräten. Transcend, ein Netzwerkmanagementsystem von 3Com [3Com Transcend 2000] ist SNMP-konform und bietet eine Technologie namens »3Com SmartAgent Intelligent Agent« zur Unterstützung von Netzwerkmanagementaufgaben. Das Optivity Network Management System von Nortel [Nortel 2000] bietet Netzwerk-, Dienst- und Policy-Management (Bandbreitenmanagement, QoS, Sicherheit auf Anwendungsebene und IP-Adressen).
>
> Besonders beliebte Tools für die Verwaltung heterogener Netzwerke sind Openview von Hewlett-Packard [Openview 2000], Spectrum von Aprisa [Aprisa 2000] und das Solstice Network Management System von Sun [Sun 2000]. Alle drei Systeme weisen eine verteilte Systemarchitektur auf, in der mehrere Server von der verwalteten Domain Netzwerkmanagementinformationen sammeln. Die Netzwerkmanagementstation kann dann Ergebnisse von diesen Servern erfassen, Informationen anzeigen und Kontrollaktionen einleiten. Alle drei Produkte unterstützen die SNMP- und CMIP-Protokolle und automatische Ereignis/Alarm-Korrelation.

8.4 ASN.1

Dieses Buch deckt eine Reihe interessanter Themen über Computernetzwerke ab. Das in diesem Abschnitt behandelte Thema – ASN.1 – dürfte allerdings nicht auf der Hitliste der zehn interessantesten Themen stehen. Wie Spinat gesund ist, so ist die Kenntnis über die Grundlagen von ASN.1 und von Darstellungsdiensten etwas, das eben einfach »gut für Sie ist«. ASN.1 ist ein ursprünglich von der ISO entwickelter Standard, der in verschiedenen Internet-Protokollen, insbesondere im Bereich Netzwerkmanagement, benutzt wird. Abschnitt 8.2 beispielsweise hat gezeigt, dass MIB-Variablen in SNMP unentwirrbar mit ASN.1 verflochten sind. Obwohl das Material über ASN.1 in diesem Abschnitt also eher trocken ist, hoffen wir dennoch, dass der Leser uns vertraut und tatsächlich erkennt, dass es wichtig ist.

Aus Gründen der Motivation betrachten wir das folgende gedankliche Experiment. Angenommen, man könnte Daten zuverlässig vom Speicher eines Computers direkt in den Speicher eines anderen entfernten Computers kopieren. Hätten wir damit das Kommunikationsproblem »gelöst«? Die Antwort auf diese Frage hängt davon ab, was man als »Kommunikationsproblem« definiert. Gewiss, eine perfekte Kopie von Speicher zu Speicher würde genau die Bits und Bytes von einer Maschine auf eine andere befördern. Bedeutet eine solche genaue Kopie der Bits und Bytes aber, dass wir genau die gleichen Werte sehen, die im Speicher des sendenden Computers gespeichert sind, wenn eine Software, die auf dem empfangenden Computer läuft, auf diese Daten zugreift? Nicht unbedingt! Der Kern des Problems ist, dass verschiedene Computerarchitekturen, verschiedene Betriebssysteme und Compiler unterschiedliche Konventionen bezüglich des Speicherns und Darstellens von Daten haben. Wenn Daten zwischen mehreren Computern ausgetauscht und gespeichert werden sollen (was in jedem Datennetzwerk der Fall ist), muss dieses Problem der Datendarstellung natürlich gelöst werden.

Als Beispiel dieses Problems betrachten wir das folgende einfache C-Codefragment. Wie kann diese Struktur im Speicher ausgelegt werden?

```
struct {
    char code;
    int x;
} test;
test.x = 259;
test.code = 'a';
```

Die linke Seite von Abbildung 8.6 zeigt ein mögliches Layout dieser Daten in einer hypothetischen Architektur: Hier wird ein einzelnes Speicherbyte, das den Buchstaben a, gefolgt von einem 16-Bit-Wort mit dem Ganzzahlwert 259, enthält, mit dem werthöchsten Byte zuerst gespeichert. Das Layout im Speicher des anderen Computers ist in der rechten Hälfte von Abbildung 8.6 dargestellt. Der Buchstabe a und der anschließende Ganzzahlwert werden hier mit dem wertniedrigsten Byte zuerst gespeichert und die 16-Bit-Ganzzahl ist auf den Anfang einer 16-Bit-Wortgrenze ausgerichtet. Wenn man diese Daten zwischen den Speichern dieser beiden Computer kopieren müsste und die gleiche Strukturdefinition verwenden würde, um auf die gespeicherten Werte zuzugreifen, erhielte man natürlich sehr unterschiedliche Ergebnisse auf den beiden Computern!

Abbildung 8.6 Das jeweilige Datenlayout zweier unterschiedlicher Architekturen

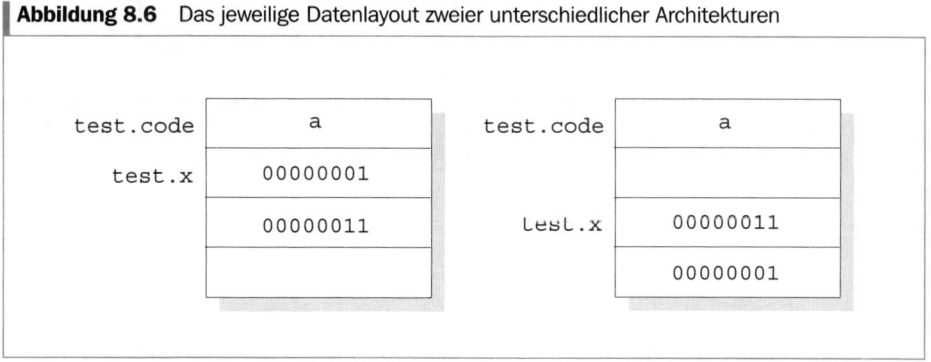

Die Tatsache, dass unterschiedliche Architekturen ein anderes internes Datenformat haben, ist ein echtes und allgegenwärtiges Problem. Das besondere Problem der Speicherung von Ganzzahlen in verschiedenen Formaten tritt so häufig auf, dass es eine Bezeichnung hat. Bei der »Big-endian«-Anordnung für die Speicherung von Ganzzahlen werden die werthöchsten Bytes zuerst (an der niedrigsten Speicheradresse) und bei der »Little-endian«-Anordnung die wertniedrigsten Bytes zuerst gespeichert. Sun-SPARC- und Motorola-Prozessoren sind Big-endian, während Intel- und DEC-Alpha-Prozessoren Little-endian sind. Nebenbei bemerkt, stammen die Begriffe »Big-endian« und »Little-endian« aus der Geschichte *Gullivers Reisen* von Jonathan Swift, in der zwei Gruppen von Leuten dogmatisch darauf bestehen, eine einfache Sache auf zwei unterschiedliche Arten zu tun (hoffentlich ziehen die Entwickler von Computerarchitekturen aus dieser Analogie einen gewissen Schluss). Eine Gruppe in Liliput, dem Land der Zwerge, besteht darauf, Eier am großen Ende (die »Big-endians«) und die andere am kleinen Ende (die »Little-endians«) zu köpfen. Der Unterschied war die Ursache einer großen Rebellion.

Wie sollten sich Netzwerkprotokolle angesichts der Tatsache, dass verschiedene Computer Daten auf unterschiedliche Weise speichern und darstellen, verhalten? Wenn z. B. ein SNMP-Agent eine Response-Nachricht sendet, die die ganzzahlige Anzahl der empfangenen UDP-Datagramme enthält, wie sollte es dann den ganzzahligen Wert, der an die verwaltende Einheit zu senden ist, darstellen – in der Big-endian- oder Little-endian-Anordnung? Als eine Möglichkeit könnte der Agent die Bytes der Ganzzahl in der gleichen Reihenfolge senden, in der sie in der verwaltenden Einheit gespeichert werden. Als weitere Möglichkeit würde der Agent sie in seiner eigenen Speicherreihenfolge senden und es der empfangenden Einheit überlassen, die Bytes je nach Bedarf umzuordnen. Bei beiden Optionen müsste der Sender oder der Empfänger das Format für die Ganzzahlendarstellung des jeweils anderen kennen.

Abbildung 8.7 Das Darstellungsproblem

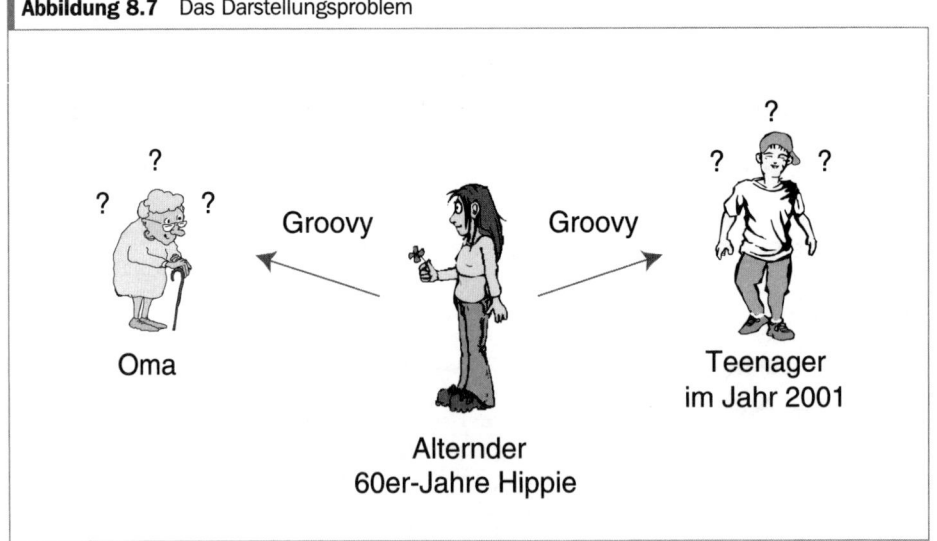

Eine dritte Möglichkeit ist die Verwendung einer von Rechner, Betriebssystem und Sprache unabhängigen Methode für die Beschreibung von Ganzzahlen und anderen Datentypen (d. h. eine Datenbeschreibungssprache) und Regeln, die bestimmen, auf welche Weise jeder Datentyp im Netzwerk zu übertragen ist. Wenn Daten eines

8.4 ASN.1

bestimmten Typs empfangen werden, kommen sie in einem bekannten Format an und können dann in dem erforderlichen rechnerspezifischen Format gespeichert werden. SMI (siehe Abschnitt 8.3) und ASN.1 unterstützen diese dritte Möglichkeit. Im ISO-Slang beschreiben diese beiden Standards einen **Darstellungsdienst** (Presentation Service), nämlich den Dienst der Übertragung und Übersetzung von Informationen von einem rechnerspezifischen Format in ein anderes. Abbildung 8.7 zeigt ein Darstellungsproblem aus der wirklichen Welt. Beide Empfänger verstehen nicht die übermittelte Idee des Sprechers. Wie in Abbildung 8.8 dargestellt ist, kann ein Darstellungsdienst dieses Problem dadurch lösen, dass die Idee (durch den Darstellungsdienst) in eine allgemein verständliche, von den Personen unabhängige Sprache übersetzt und diese Information zum Empfänger gesendet wird.

Abbildung 8.8 Das Darstellungsproblem wurde gelöst.

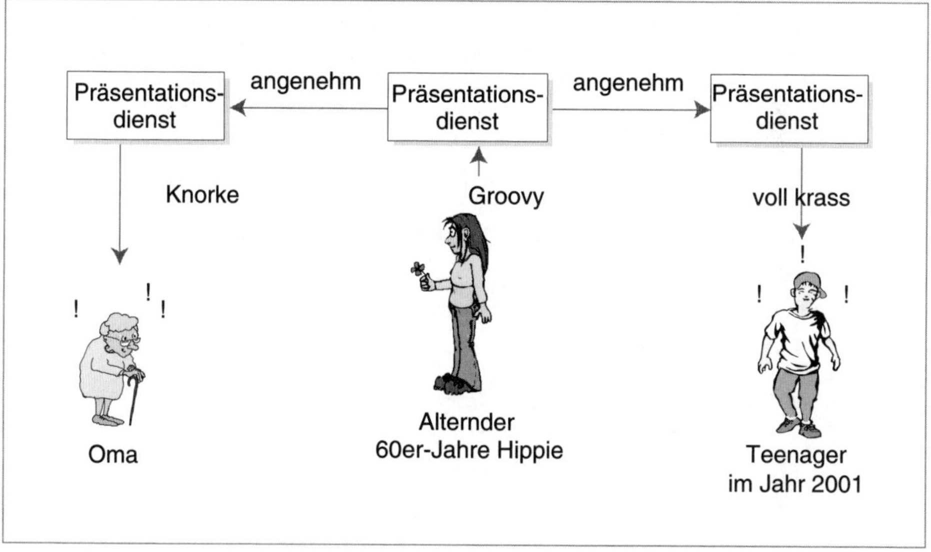

Tabelle 8.5 Ausgewählte ASN.1-Datentypen

Tag	Typ	Beschreibung
1	BOOLEAN	Der Wert ist »wahr« oder »falsch«.
2	INTEGER	Kann beliebig groß sein.
3	BITSTRING	Liste eines oder mehrerer Bits.
4	OCTET STRING	Liste eines oder mehrerer Bytes.
5	NULL	Kein Wert
6	OBJECT IDENTIFIER	Name im Namensbaum des ASN.1-Standards (siehe Abschnitt 8.2.2).
9	REAL	Gleitkomma

Tabelle 8.5 zeigt einige der in ASN.1 definierten Datentypen. Die in Zusammenhang mit SMI beschriebenen Datentypen INTEGER, OCTET STRING und OBJECT IDENTIFIER kommen auch hier wieder vor. Da unser Ziel (zum Glück) hier nicht die Bereitstellung einer vollständigen Einführung in ASN.1 ist, verweisen wir den Leser auf die Standards oder das gedruckte und elektronische Buch [Larmouth 1996] für eine ausführliche Beschreibung der ASN.1-Typen und -Konstruktoren, wie beispielsweise SEQUENCE und SET, mit denen strukturierte Datentypen definiert werden können.

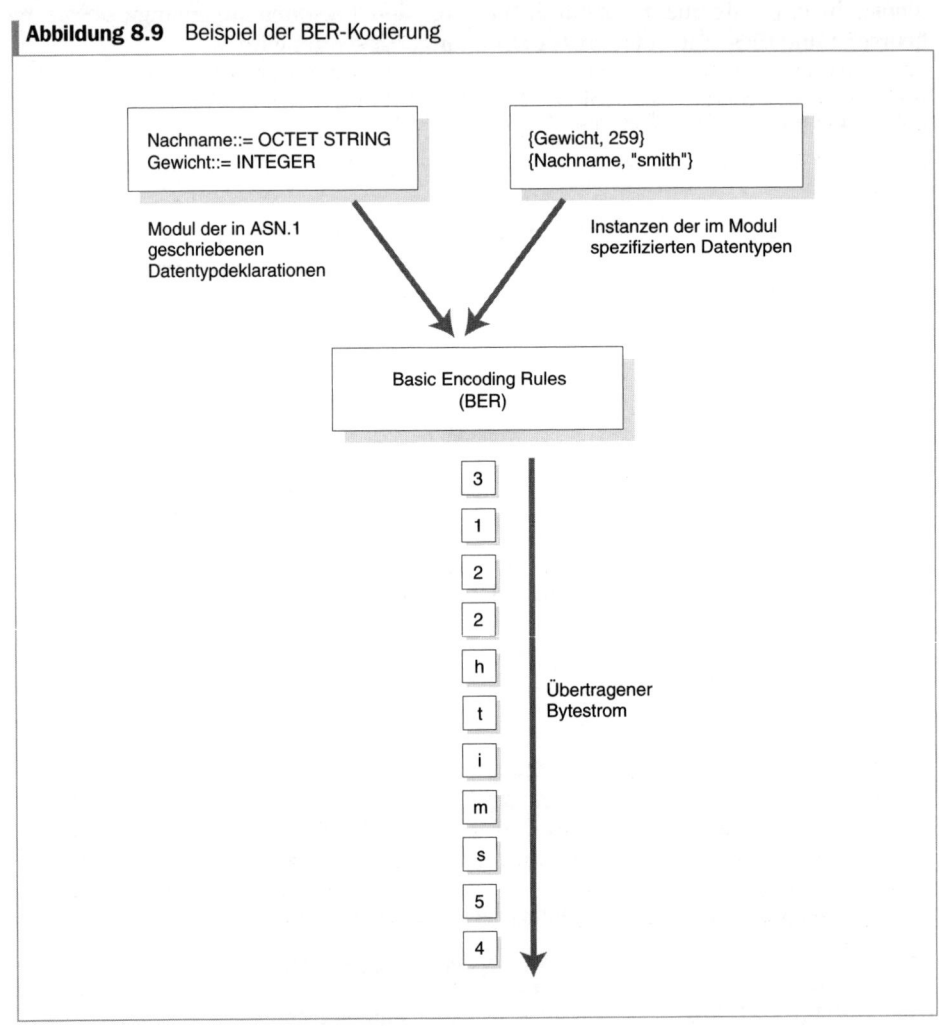

Abbildung 8.9 Beispiel der BER-Kodierung

Zusätzlich zur Bereitstellung einer Datenbeschreibungssprache bietet ASN.1 auch so genannte **Basic Encoding Rules** (**BER**), also Regeln, die spezifizieren, wie Instanzen von Objekten, die mit Hilfe der Datenbeschreibungssprache ASN.1 definiert wurden, über das Netzwerk versendet werden sollen. Die BER basieren auf dem so genannten TLV-Ansatz (**Type**, **Length**, **Value** bzw. Typ, Länge und Wert) für die Kodierung von Daten als Vorbereitung auf die Übertragung. Für jedes zu sendende Datenelement wird der Datentyp, die Länge des Datenelements und der tatsächliche Wert des Datenelements – in dieser Reihenfolge – übertragen. Mit dieser einfachen Konvention sind die empfangenen Daten im Wesentlichen selbst erklärend.

Abbildung 8.9 zeigt, wie die beiden Datenelemente in einem einfachen Beispiel gesendet werden. In diesem Beispiel möchte der Sender die Zeichenkette smith, gefolgt von dem Dezimalwert 259 (der in Binärform 00000001 00000011 oder einem Bytewert von 1, gefolgt von einem Bytewert von 3, entspricht), unter der Annahme einer Big-endian-Anordnung senden. Das erste Byte im übertragenen Datenstrom hat den Wert 4, weist also darauf hin, dass der Typ des anschließend folgenden Datenelements OCTET STRING ist; dies ist das »T« in der TLV-Kodierung. Das zweite Byte im Datenstrom enthält die Länge von OCTET STRING; in diesem Fall 5. Das dritte Byte im übertragenen Datenstrom startet das OCTET STRING mit Länge 5; es enthält die ASCII-Darstellung des Buchstabens s. Der T-, L- und V-Wert des nächsten Datenelements ist 2 (der Tag-Wert des Datentyps INTEGER), 2 (d. h. eine Ganzzahl mit einer Länge von 2 Byte) und die zwei Byte große Big-endian-Darstellung des Dezimalwerts 259.

Wir haben in unserer obigen Diskussion nur eine kleine und einfache Teilmenge von ASN.1 behandelt. Ausführliche Beschreibungen von ASN.1 finden sich in den ASN.1-Standarddokumenten [ISO 1987; ISO X.680 1998], auf der ASN.1-Homepage von Philippe Hoschka [Hoschka 1997] und in [Larmouth 1996].

8.5 Firewalls

In Zusammenhang mit dem Thema Sicherheit in Kapitel 7 haben wir festgestellt, dass das Internet kein besonders »sicherer« Ort ist, weil sich dort viele Bösewichte herumtreiben, die in ständig wachsendem Umfang versuchen, in die Netzwerke anderer Leute einzudringen. (Das CERT Coordination Center [CERT 1999] bietet eine Übersicht über gemeldete Attacken.) Eine Diskussion von nahezu 300 bekannten Attacken, die von den in diesem Abschnitt beschriebenen Firewalls abgewehrt sollen, ist in [Newman 1998] enthalten. Als Ergebnis müssen sich Netzwerkadministratoren nicht nur damit befassen, dass die Bits ungestört durch ihr Netzwerk fließen, sondern auch mit der Sicherung ihrer Netzwerkinfrastruktur gegen Bedrohungen von außen.

Wie wir bereits wissen, bietet SNMPv3 Authentifikation, Verschlüsselung und Zugriffskontrolle, um Netzwerkmanagementfunktionen zu sichern. Dies ist zwar wichtig (sicherlich möchte der Netzwerkadministrator nicht, dass andere Zugang zur Netzwerkmanagement-Funktionalität erhalten), stellt aber nur einen kleinen Teil der Sicherheitsbelange eines Netzwerkadministrators dar. Zusätzlich zur Überwachung und Kontrolle der Komponenten des Netzwerks muss der Netzwerkadministrator auch unerwünschten Verkehr (d. h. Eindringlinge) von dem verwalteten Netzwerk fernhalten. An diesem Punkt greifen Firewalls. Eine **Firewall** ist eine Kombination aus Hard- und Software, die bestimmte Pakete einlässt und andere aussperrt, so dass das interne Netzwerk einer Organisation vom Internet abgeschirmt werden kann. Organisationen verwenden Firewalls aus einem oder mehreren der folgenden Gründe:

- *Eindringlinge daran hindern, in die täglichen Operationen des internen Netzwerks einzugreifen*: Der Konkurrent eines Unternehmens oder einfach ein gelangweilter Internet-Bösewicht kann in einem ungesicherten Netzwerk großen Schaden anrichten. Durch eine Denial-of-Service-Attacke kann ein Eindringling z. B. eine wichtige

Netzwerkressource in Beschlag nehmen und das interne Netzwerk (und seinen Netzwerkadministrator) in die Knie zwingen. Ein Beispiel einer Denial-of-Service-Attacke ist das so genannte **SYN-Flooding** [CERT 2000], bei dem der Angreifer gefälschte TCP-Verbindungsaufbau-Segmente an einen bestimmten Host sendet. Der Host legt für jede Verbindung TCP-Pufferplatz beiseite und innerhalb von Minuten ist für »ehrliche« TCP-Verbindungen kein Platz mehr übrig.

- *Eindringlinge daran hindern, Informationen zu löschen oder zu modifizieren, die im internen Netzwerk gespeichert sind*: Ein Angreifer kann beispielsweise versuchen, die öffentliche Präsenz eines Unternehmens auf einem Web-Server zu verunstalten; das Ergebnis einer erfolgreichen Attacke können Tausende von Leuten innerhalb von Minuten sehen. Angreifern gelingt es vielleicht auch, Kundendaten von Web-Servern, die Internet-Commerce bieten (siehe Abschnitt 7.7), zu stehlen.

- *Eindringlinge daran hindern, geheime Informationen zu erhalten*: In den meisten Unternehmen sind geheime Informationen auf Computern gespeichert, z. B. Handelsgeheimnisse, Produktentwicklungspläne, Marketing-Strategien, Personaldaten und Finanzanalysen.

Die einfachste Firewall besteht lediglich aus einem Paketfilter. Anspruchsvollere Firewalls setzen sich aus Paketfiltern und Anwendungs-Gateways zusammen; beides wird in den nächsten Unterabschnitten beschrieben.

8.5.1 Paketfilter

Ein Unternehmen hat normalerweise einen Router, der das unternehmenseigene Netzwerk mit dem ISP (und damit mit dem öffentlichen Internet) verbindet. Der gesamte abgehende und ankommende Datenverkehr von und zum internen Netzwerk läuft durch diesen Router. Die meisten Router-Hersteller bieten Filteroptionen. Wenn diese Optionen eingeschaltet sind, übernimmt der Router zusätzlich zu seinen üblichen Aufgaben auch das Filtern. Wie die Bezeichnung andeutet, lässt ein **Filter** einige Datagramme durch den Router und filtert andere aus. Die Filterentscheidungen basieren normalerweise auf mehreren Kriterien:

- Die IP-Adresse, von der die Daten (vermeintlich) kommen.
- Die IP-Zieladresse.
- TCP- oder UDP-Quell- und -Zielport.
- ICMP-Nachrichtentyp.
- Datagramme, die mit Hilfe von TCP-SYN- oder -ACK-Bits Verbindungen initialisieren.

Als einfaches Beispiel kann ein Filter so gesetzt werden, dass er alle UDP-Segmente und alle Telnet-Verbindungen blockiert. Eine solche Konfiguration hindert Außenseiter an der Anmeldung an internen Hosts über Telnet und Insider an der Anmeldung an externen Hosts über Telnet. Außerdem wird »verdächtiger« UDP-Verkehr am Eindringen oder Verlassen des internen Netzwerks gehindert. Der Router filtert den UDP-Verkehr dadurch, dass er alle Datagramme blockiert, deren IP-Protokollfeld auf 17 (entspricht UDP) gesetzt ist. Ferner filtert er alle Telnet-Verbindungen dadurch, dass er alle (jeweils in einem Datagramm verkapselten) TCP-Segmente mit der Quell- oder Zielportnummer 23 (entspricht Telnet) blockiert. Die Filterung von UDP-Verkehr ist eine übliche Policy in Unternehmen, sehr zum Leidwesen der führenden

Audio- und Video-Streaming-Anbieter, deren Produkte im Default-Modus über UDP laufen. Die Filterung von Telnet-Verbindungen ist ebenfalls beliebt, weil sie externe Eindringlinge daran hindert, sich an internen Maschinen anzumelden.

Eine Filter-Policy kann auch auf der Kombination von Adressen und Portnummern basieren. Beispielsweise kann der Router alle Telnet-Pakete (Port 23) weiterleiten, mit Ausnahme derjenigen mit bestimmten IP-Adressen. Bei dieser Policy werden also Telnet-Verbindungen nur von und zu bestimmten Hosts zugelassen. Empfehlenswert ist es auf jeden Fall, alle Datagramme mit internen IP-Quelladressen abzuweisen. Das sind Pakete, die angeblich von internen Hosts stammen, in Wirklichkeit aber von außen kommen. Diese Pakete sind oft Teil von Spoofing-Attacken, um Adressen auszuschnüffeln, wobei der Angreifer vorgibt, von einer internen Maschine zu kommen. Leider bietet die Policy auf der Grundlage externer Adressen keinen Schutz vor einem externen Host, der vorgibt, ein anderer externer Host zu sein.

Die Filterung kann auch darauf basieren, ob das TCP-ACK-Bit gesetzt ist. Dieser Trick ist recht nützlich, wenn eine Organisation ihren internen Clients die Verbindung zu externen Servern gestatten, externe Clients aber daran hindern möchte, sich mit internen Servern zu verbinden. Im ersten Segment jeder TCP-Verbindung ist das ACK-Bit auf 0 und in allen weiteren Segmenten auf 1 gesetzt (siehe Abschnitt 3.4). Wenn also ein Unternehmen externe Clients daran hindern möchte, Verbindungen zu internen Servern herzustellen, filtert es einfach alle ankommenden Segmente mit dem ACK-Bit auf 0 aus. Diese Policy verhindert alle TCP-Verbindungen von außen, lässt aber Verbindungen von innen zur Außenwelt zu.

Wenn ein Unternehmen nicht sämtliche Verbindungen, sondern nur die über Telnet von außen blockieren möchte, kann es ankommende Pakete mit Zielport 23 oder abgehende mit Quellport 23 blockieren.

8.5.2 Anwendungs-Gateways

Mit Filtern kann ein Unternehmen eine grobe Filterung von IP- und TCP/UDP-Headern nach IP-Adressen, Portnummern und ACK-Bits durchführen. Basiert die Filterung auf einer Kombination von IP-Adressen und Portnummern, können Telnet-Verbindungen von internen Clients nach außen zugelassen und von externen Clients nach innen verhindert werden. Was aber, wenn ein Unternehmen nur einer bestimmten Gruppe von internen Benutzern den Telnet-Dienst gestatten möchte? Eine solche Policy geht über die Fähigkeiten eines Filters hinaus. Informationen über die Identität von internen Benutzern sind nicht in den IP/TCP/UDP-Headern, sondern in den Daten der Anwendungsschicht enthalten.

Um eine feinmaschigere Sicherheit zu realisieren, müssen Firewalls eine Kombination aus Paketfiltern und Anwendungs-Gateways aufweisen. Anwendungs-Gateways betrachten mehr als die IP/TCP/UDP-Header und treffen Policy-Entscheidungen anhand von Anwendungsdaten. Ein **Anwendungs-Gateway** ist ein anwendungsspezifischer Server, durch den alle (ankommenden und abgehenden) Anwendungsdaten fließen müssen. Auf einem Host können mehrere Anwendungs-Gateways laufen, aber jedes Gateway ist ein getrennter Server mit eigenen Prozessen.

Um einen Einblick in Anwendungs-Gateways zu erhalten, entwerfen wir eine Firewall, die es nur bestimmten internen Benutzern gestattet, Telnet-Verbindungen nach außen zu führen, und alle externen Clients daran hindert, Telnet-Verbindungen nach innen aufzubauen. Eine solche Policy lässt sich realisieren, indem man eine Kombination, bestehend aus einem Paketfilter (in einem Router) und einem Telnet-

Anwendungs-Gateway, implementiert (siehe Abbildung 8.10). Der Filter des Routers wird entsprechend konfiguriert, um alle Telnet-Verbindungen, außer denen, die von der IP-Adresse des Anwendungs-Gateways kommen, zu blockieren. Diese Filterkonfiguration zwingt alle abgehenden Telnet-Verbindungen, das Anwendungs-Gateway G zu durchlaufen. Wenn ein interner Benutzer eine Telnet-Verbindung zur Außenwelt aufbauen möchte, richtet er zuerst eine Telnet-Sitzung zum Anwendungs-Gateway ein. Eine im Gateway laufende Anwendung, die auf ankommende Telnet-Sitzungen wartet, fordert den Benutzer auf, seine Benutzerkennung und sein Passwort einzugeben. Nachdem der Benutzer diese Informationen eingegeben hat, prüft das Anwendungs-Gateway, ob der Benutzer für Telnet-Verbindungen zur Außenwelt berechtigt ist. Trifft dies nicht zu, beendet das Gateway die Telnet-Verbindung vom internen Benutzer zum Gateway. Ist der Benutzer berechtigt, führt das Gateway mehrere Schritte durch: (1) Es fordert den Benutzer auf, den Hostnamen des externen Hosts einzugeben, zu dem er die Verbindung aufbauen möchte, (2) es baut eine Telnet-Sitzung zwischen dem Gateway und dem externen Host auf und (3) es übermittelt alle vom Benutzer ankommenden Daten an den externen Host und alle vom externen Host ankommenden Daten zum Benutzer. Folglich führt das Telnet-Anwendungs-Gateway nicht nur Benutzerautorisation aus, sondern fungiert auch als Telnet-Server und -Client. Schritt (2) wird vom Filter unterstützt, weil das Gateway die Telnet-Verbindung zur Außenwelt einleitet.

Abbildung 8.10 Eine Firewall, bestehend aus einem Filter und einem Anwendungs-Gateway

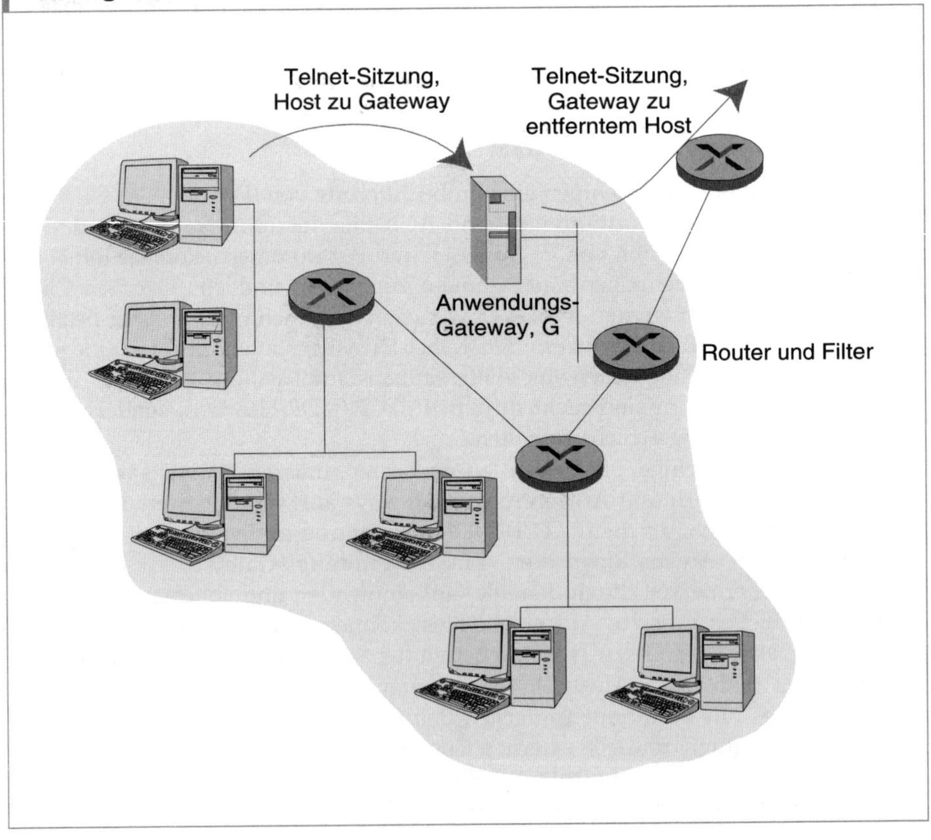

Interne Netzwerke sind oft mit mehreren Anwendungs-Gateways ausgestattet, z. B. je einem Gateway für Telnet, HTTP, FTP und E-Mail. Der Mail-Server (siehe Abschnitt 2.4) und der Web-Cache (siehe Abschnitt 2.6) eines Unternehmens sind beispielsweise Anwendungs-Gateways. Anwendungs-Gateways haben aber auch Nachteile. Erstens ist für jede Anwendung ein anderes Anwendungs-Gateway erforderlich. Zweitens muss entweder

- die Client-Software wissen, wie statt des externen Servers das Gateway kontaktiert wird, wenn der Benutzer eine Anfrage stellt, und wie dem Anwendungs-Gateway mitzuteilen ist, zu welchem externen Server eine Verbindung aufgebaut werden soll.
- oder der Benutzer muss explizit durch das Anwendungs-Gateway eine Verbindung zum externen Server aufbauen.

Wir beenden diesen Abschnitt mit dem Hinweis, dass Firewalls keinesfalls ein Allheilmittel für alle Sicherheitsprobleme sind. Sie erfordern einen Kompromiss zwischen dem gewünschten Kommunikationsumfang mit der Außenwelt und dem Umfang an erwünschter Sicherheit. Da Filter das Spoofing von IP-Adressen und Portnummern nicht aufhalten können, basieren sie oft auf einer Policy nach dem Motto »Alles oder Nichts« (z. B. Blockierung des gesamten UDP-Verkehrs). Gateways können Software-Bugs haben, so dass Schwachstellen entstehen, durch die Angreifer eindringen können. Außerdem sind Firewalls noch weniger effektiv, wenn interne Benutzer über drahtlose Kommunikationsmittel zur Außenwelt verfügen.

FALLBEISPIEL

Die Grenzen von Firewalls

Im Februar 2000 wurden mehrere große Internet-Commerce-Sites durch eine Distributed-Denial-of-Service-Attacke (DDoS) angegriffen. Die Angreifer griffen zuerst Yahoo! und dann weitere große Sites, darunter Amazon.com, eBay, CNN.com und Buy.com, an. Im Fall von Yahoo! konnten zeitweise nur noch knapp 10% der Yahoo-Kunden auf eine Seite zugreifen.

Eine Denial-of-Service-Attacke ist eine Angriffsart, bei der die Angreifer einen oder mehrere Hosts mit ankommenden Paketen überschwemmen – eine Art Paket-Blitzkrieg also. Ist das Angriffsziel eine Web-Site, kann der Angreifer dies leicht durchführen, indem er an Zielport 80 massive Mengen von HTTP-Anfragen an die Web-Site sendet. Die Web-Site ist dann mit der Bedienung der fingierten Anfragen derart beschäftigt, dass das Timeout von TCP-Verbindungen mit wirklichen Anfragen abläuft. Firewalls bieten einen begrenzten Schutz vor Denial-of-Service-Attacken, indem sie die IP-Quelladresse des Eindringlings identifizieren und alle Pakete mit dieser IP-Adresse ausfiltern.

Die Eindringlinge der Attacke vom Februar 2000 wendeten aber ein paar einfache (und wohl bekannte!) Tricks an, um die oberflächlichen Abwehrlinien der Firewall zu überwinden. Erstens pflanzten sie Programme, so genannte »Zombies« – auf mindestens 50 nichts ahnenden Hosts, von denen sich die meisten an Universitäten und Forschungsinstituten befanden. Zu einem bestimmten Zeitpunkt befahlen sie den Zombies dann, die Yahoo-Site anzugreifen. Die Zombies überschwemmten Yahoo! und andere Sites mit TCP-Verbindungen. Die Hintermänner dieser Angriffe beschafften sich keinen Root-Zugang zu einer Zielmaschine und es wurden keine vertraulichen Informationen gestohlen. Den Angreifern gelang es aber, viele wichtige Sites in die Knie zu zwingen.

→

> Was kann unternommen werden, um solche DDoS-Attacken zu verhindern? Auf diese Frage scheint es keine klare und einfache Antwort zu geben. Ein möglicher Ansatz ist, die Eindringlinge zu ermitteln und strafrechtlich zu verfolgen, um andere Angreifer abzuschrecken. Meist hinterlassen die Angreifer aber wenig elektronische Spuren, so dass ihre Identitäten nicht festgestellt werden können. Aus diesem Grund wird oft nach einem traditionelleren Ansatz vorgegangen, bei dem Informanten in den digitalen Untergrund eingeschleust werden und versuchen sollen, die Übeltäter zu finden.

8.6 Zusammenfassung

Wir haben unsere Untersuchung von Netzwerkmanagement und der gesamten Vernetzung beendet! In diesem letzten Kapitel über Netzwerkmanagement wurden zunächst Tools für den Netzwerkadministrator – die Person, deren Aufgabe es ist, den Betrieb des Netzwerks sicherzustellen – untersucht, mit denen er das Netzwerk überwachen, testen, abfragen, konfigurieren, analysieren, bewerten und kontrollieren kann. Zur Verdeutlichung wurden Analogien im Management komplexer Systeme, wie beispielsweise Kraftwerke, Flugzeuge und Organisationen, herangezogen. Die Architektur von Netzwerkmanagementsystemen gründet auf fünf wichtigen Komponenten: (1) ein Netzwerkmanager, (2) eine Reihe verwalteter und (aus Sicht des Netzwerkmanagers) entfernter Geräte, (3) die Managementinformationsbasis (MIB) in diesen Geräten, in denen sich Daten über Status und Betrieb dieser Geräte befinden, (4) entfernte Agenten, die MIB-Informationen melden und unter der Kontrolle des Netzwerkmanagers bestimmte Aktionen ausführen, und (5) ein Protokoll für die Kommunikation zwischen dem Netzwerkmanager und den entfernten Geräten.

Im weiteren Verlauf des Kapitels wurden die Details des Internet Network Management Framework und des SNMP-Protokolls beschrieben. Wir haben gesehen, wie SNMP die fünf wichtigen Komponenten einer Netzwerkmanagementarchitektur umsetzt. Ferner wurden MIB-Objekte, die Datendefinitionssprache SMI für die Spezifikation von MIBs und das SNMP-Protokoll selbst beschrieben. Wir haben festgestellt, dass SMI und ASN.1 unentwirrbar miteinander verflochten sind und ASN.1 eine wichtige Rolle auf der Darstellungsschicht des siebenschichtigen ISO/OSI-Referenzmodells spielt. Anschließend wurde ASN.1 kurz besprochen. Statt die Details von ASN.1 zu beschreiben, wurde festgestellt, dass eine Notwendigkeit besteht, zwischen maschinenspezifischen Datenformaten in einem Netzwerk zu übersetzen. Während einige Netzwerkarchitekturen explizit die Bedeutung dieses Dienstes bestätigen, indem sie eine Darstellungsschicht haben, fehlt diese Schicht im Internet-Protokollstack. Schließlich wurden noch Firewalls beschrieben, die thematisch zwischen Sicherheit und Netzwerkmanagement angesiedelt sind. Im Einzelnen wurde erklärt, wie sich Paketfilter und Anwendungs-Gateways in Kombination nutzen lassen, um das Netzwerk bis zu einem gewissen Umfang vor unerwünschten Eindringlingen zu schützen.

An dieser Stelle weisen wir darauf hin, dass es im Bereich Netzwerkmanagement noch viele Themen gibt, die wir hier nicht behandelt haben, z. B. Themen wie Fehleridentifizierung und -management, proaktive Erkennung von Anomalien, Alarmkorrelation und Dienstmanagement (beispielsweise im Gegensatz zum Netzwerkmanagement). Diese Themen sind wichtig, würden aber weitere Bücher füllen. Wir verweisen die Leser deshalb auf die Literaturhinweise in Abschnitt 8.1.

WIEDERHOLUNGSFRAGEN

1. Warum hat ein Netzwerkmanager einen Nutzen aus der Verfügbarkeit von Netzwerkmanagement-Tools? Beschreiben Sie fünf Szenarien.
2. Was sind die fünf von der ISO definierten Bereiche im Netzwerkmanagement?
3. Welcher Unterschied besteht zwischen Netzwerkmanagement und Dienstmanagement?
4. Erklären Sie kurz die Bedeutung der folgenden Begriffe: verwaltende Einheit, verwaltetes Gerät, Management-Agent, MIB, Netzwerkmanagementprotokoll.
5. Welche Rolle hat SMI im Netzwerkmanagement?
6. Welchen Zweck erfüllt der ASN.1-Objektidentifizierungsbaum?
7. Welcher wichtige Unterschied besteht zwischen einer Anfrage/Antwort-Nachricht und einer Trap-Nachricht in SNMP?
8. Was sind die sieben in SNMP benutzten Nachrichtentypen?
9. Was versteht man unter einer »SNMP-Engine«?
10. Welche Rolle spielt ASN.1 in der Darstellungsschicht des ISO/OSI-Referenzmodells?
11. Hat das Internet eine Darstellungsschicht? Falls nicht, wie werden Probleme bezüglich der Unterschiede in Maschinenarchitekturen, z. B. die unterschiedliche Darstellung von Ganzzahlen auf verschiedenen Maschinen, gelöst?
12. Was ist mit »TLV-Kodierung« gemeint?
13. Welcher Unterschied besteht zwischen der Verwendung eines Filters und eines Anwendungs-Gateways in einer Firewall?

ÜBUNGEN

8.1 Man betrachte die beiden Möglichkeiten der Kommunikation zwischen einer verwaltenden Einheit und einem verwalteten Gerät: Anfrage/Antwort-Modus und Trapping. Welche Vor- und Nachteile weisen die beiden Ansätze in Bezug auf (1) Overhead, (2) Benachrichtigungszeit beim Eintritt von Ausnahmeereignissen und (3) Robustheit hinsichtlich verlorener Nachrichten zwischen der verwaltenden Einheit und dem Gerät auf?

8.2 In Abschnitt 8.3 wurde erklärt, dass es besser ist, SNMP-Nachrichten in unzuverlässigen UDP-Datagrammen zu transportieren. Warum haben sich die Designer von SNMP Ihrer Meinung nach für UDP und nicht für TCP als Transportprotokoll für SNMP entschieden?

8.3 Was ist die ASN.1-Objektidentifizierung für das ICMP-Protokoll (siehe Abbildung 8.3)?

8.4 Angenommen, Sie arbeiten für ein in den USA ansässiges Unternehmen, das seine eigene MIB für die Verwaltung einer Produktlinie entwickeln möchte. An welcher Stelle im Objektidentifizierungsbaum (Abbildung 8.3) würde es registriert werden? (*Hinweis*: Sie müssen einige RFCs und andere Dokumente durchforsten, um diese Frage zu beantworten.)

8.5 Angenommen, Microsoft entwickelt ein neues Dateiformat für ein neues Softwareprodukt. An welcher Stelle im Objektidentifizierungsbaum würde es registriert werden?

8.6 Was wäre die BER-Kodierung von {Gewicht, 271} {Nachname, "Jackson"} in Abbildung 8.9?

DISKUSSIONSFRAGEN

8.1 Welche weitere Analogie zu einem komplexen verteilten System, das kontrolliert werden muss, können Sie zusätzlich zu den Analogien eines Kraftwerks und eines Flugzeug-Cockpits anführen?

8.2 Betrachten Sie das Szenario in Abbildung 8.1. Welche weiteren Aktivitäten möchte ein Netzwerkadministrator möglicherweise noch überwachen? Warum?

8.3 Lesen Sie RFC 789. Wie hätte der ARPANET-Absturz im Jahr 1980 vermieden (oder die Wiederherstellung vereinfacht) werden können, wenn die ARPANET-Manager über die heute erhältlichen Netzwerkmanagement-Tools verfügt hätten?

INTERVIEW

Jeff Case

Jeff Case ist Gründer und Technischer Leiter von SNMP Research Inc. SNMP (Simple Network Management Protocol) ist führender Entwickler von Internet-Standards und auf Standards basierenden Produkten für Netzwerkmanagement. Jeff erhielt zwei Bachelor- und zwei Masters-Grade (jeweils in Industrial Education und Electrical Engineering) an der Purdue-Universität. Er erhielt seinen Ph.D. in Technical Education an der University of Illinois, Urbana-Champaign.

- **Was veranlasste Sie, sich auf Vernetzung zu spezialisieren?**

Ich war schon seit meinem frühen Kindertagen, als ich Haarnadeln in Steckdosen steckte, von der Kopplung von Dingen fasziniert. Dies entwickelte sich zu einem Interesse an Audioanlagen, als ich als Teenager Sound-Systeme für Rock-Bands baute, die scheinbar stark genug waren, um Betonmauern zum Bröckeln zu bringen. Als ich mir als Fernseh- und Radioreparaturmechaniker (vorwiegend Audioanlagen) meinen Weg durch das College bahnte, wurde ich vom Computerfieber gepackt. Ich begann, mich für alles Seltsame zu interessieren, das mit etwas anderem Seltsamen verbunden werden konnte. Zuerst verband ich Peripheriegeräte mit Prozessoren. Später waren es Systeme mit Systemen. Vernetzung ist natürlich die ultimative Schnittstelle. Und heute ist das Internet das ultimative Netzwerk.

- → • **Was war Ihre erste Stelle in der Computerindustrie und wie sah Ihr Aufgabenbereich aus?**

Den Großteil meiner ersten Berufsjahre verbrachte ich an der Purdue-Universität. Zeitweise unterrichtete ich fast jeden Kurs in Elektrotechnik und Computertechnik auf dem Lehrplan für die unteren Semester. Dies beinhaltete die Einrichtung neuer Kurse über die damals entstehenden Fachgebiete Hard- und Software für Mikroprozessoren. Ein Semester unserer Klasse entwarf z. B. einen Computer aus Chips und baute ihn im Laborteil des Kurses, wobei ein Team die CPU, ein anderes das Speichersubsystem und wieder ein anderes das I/O-Subsystem usw. baute. Im nächsten Semester schrieben wir dann die Systemsoftware für die Hardware, die wir gebaut hatten. Während dieser Zeit übernahm ich eine Führungsposition im campusweiten Computerbereich; als Director of Academic Computer User Services unterstand ich direkt dem Rektor.

- **Welcher Teil Ihres Aufgabenbereichs ist am interessantesten?**

Mich trotz aller technischen und geschäftlichen Änderungen auf dem Laufenden zu halten. Ich bin ein sehr technischer Manager und es wird immer schwieriger, mit den technischen Fortschritten in unserer Branche Schritt zu halten. Meine Aufgabe setzt auch voraus, dass ich Änderungen im Geschäftsumfeld, z. B. Fusionen und Übernahmen, verfolge.

- **Wie sehen Sie die Zukunft von Computernetzwerken/des Internets?**

Mehr, mehr, mehr. Mehr Geschwindigkeit. Mehr Allgegenwärtigkeit. Mehr Inhalt. Mehr Spannungen zwischen Anarchie und Bevormundung. Mehr Spam. Mehr Anti-Spam. Mehr Sicherheitsprobleme. Mehr Sicherheitslösungen. Auf jeden Fall sollten wir das Unerwartete erwarten.

- **Welche Leute haben Sie beruflich inspiriert?**

Mein verstorbener Vater, der ein erfolgreicher Geschäftsmann war; Dilbert; Dr. Vint Cerf, Dr. Jon Postel, Dr. Marshall Rose und Chuck Davin, die wohl bekannten Größen im Internet-Bereich; Bill Seifert, der heute ein VC-Partner ist; Dr. Rupert Evans, mein Doktorvater; meine Frau, die mit mir im Geschäft mitarbeitet; und last but not least Jesus.

- **Ich habe gelesen, dass Sie über eine beachtliche Sammlung von Sprichwörtern verfügen. Gab es Sprichwörter, die Sie Ihren Studenten offerierten, als Sie Informatik-Professor waren?**

Ein Beispiel füllt zwei Bücher (von Gauss, glaube ich).
Manchmal besteht zwischen Theorie und Praxis eine Lücke. Die Lücke zwischen Theorie und Praxis in der Theorie ist nicht so groß wie die Lücke zwischen Theorie und Praxis in der Praxis. (Ich habe keine Ahnung, woher das stammt.)

- **Was waren Ihre größten Hindernisse bei der Entwicklung von Internet-Standards?**

Geld, Politik, Egos, mangelnde Führungsqualitäten.

→ • **Über welche Verwendung der SNMP-Technologie waren Sie am meisten überrascht?**

Über alle. Ich habe mich nicht mit Internet-Management befasst, um mir meinen Lebensunterhalt zu verdienen. Ich brauchte einige vernünftige Tools, um die Netzwerkinfrastruktur meiner Organisation zu verwalten. Der große Erfolg, der sich dadurch einstellte, dass viele andere ähnliche Probleme lösen mussten, ist erfinderischer Weitblick, viel Glück und viel harter Arbeit zuzuschreiben. Wichtig ist, dass wir die Architektur gleich von Anfang an richtig hinbekommen haben.

Literaturverzeichnis

In das Literaturverzeichnis wurden neben Veröffentlichungen in gedruckter Form auch wichtige URLs aufgenommen. Bedauerlicherweise veralten URLs rasch. Auf der Website der englischsprachigen Originalausgabe unter http://www.awl.com/kurose-ross ist daher eine regelmäßig aktualisierte Bibliographie erhältlich.

Hinweis zu *Internet Request for Comments (RFC):* Internet RFCs werden auf verschiedenen Websites angeboten. Die in diesem Literaturverzeichnis angegebenen URLs zu RFCs führen alle zum RFC-Archiv des Information Science Institute (ISI), das von der Internet Society gepflegt wird. Weitere RFC-Sites sind: http://www.faqs.org/rfcs, http://www.pasteur.fr/other/computer/RFC (in Frankreich) und http://www.csl.sony.co.jp/rfc/ (in Japan).

Internet RFCs können durch andere RFCs aktualisiert und revidiert werden. Wir raten daher dem Leser, die oben angegebenen Websites regelmäßig zu besuchen, um die jeweils aktuellsten Informationen zu erhalten. Die Suchmaschine von ISI unter http://www.rfc-editor.oprg/rfcsearch.html ermöglicht die Suche nach konkreten RFCs und liefert Updates.

[@Home 1998] @Home: »Frequently Asked Questions«, http://www.home.com/qa.html

[3Com 1999] 3Com Corporation: »Network Interface Cards«, http://www.3com.com/products/nics.html

[3Com Transcend 2000] 3Com Network Management Homepage, http://www.3com.com/solutions/enterprise/networkmanagement/

[Abbott 1999] S. Abbott: »The Debate for Secure E-Commerce«, *Performance Computing*, Feb. 1999, http://www.performancecomputing.com/features/9902f1.shtml

[Abitz 1993] P. Albitz und C. Liu: *DNS and BIND*, O'Reilly & Associates, Petaluma, CA, 1993.

[Abramson 1970] N. Abramson: »The Aloha System – Another Alternative for Computer Communications«, *Proceedings of Fall Joint Computer Conference, AFIPS Conference*, S. 37, 1970.

[Abramson 1985] N. Abramson: »Development of the Alohanet«, *IEEE Transactions on Information Theory*, Band IT-31, Nr. 3, März 1985, S. 119–123.

[ADSL 1998] ADSL Forum: »ADSL Tutorial«, http://www.adsl.com/adsl_tutorial.html

[Ahn 1995] J. S. Ahn, P. B. Danzig, Z. Liu und Y. Yan: »Experience with TCP Vegas: Emulation and Experiment«, *Proceedings of ACM SIGCOMM 1995*, Boston, August 1995, S. 185–195, http://www.acm.org/sigcomm/sigcomm95/papers/ahn.html

[Akamai 2000] Akamai Homepage, http://www.akamai.com

[Alliance1999] Gigabit Ethernet Alliance, http://www.gigabit-ethernet.org/

[Almanac 1998] Computer Industry Almanac, http://www.c-i-a.com/

[Alvestrand 1997] H. Alvestrand: »Object Identifier Registry«, http://www.alvestrand.no/harald/objectid/top.html

[Aprisa 2000] Aprisa Management Technologies, Spectrum, http://www.aprisma.com/.

[ARIN 1996] ARIN: »IP allocation report«, ftp://rs.arin.net/netinfo/ip_ network_allocations

[Ash 1998] G. R. Ash: *Dynamic Routing in Telecommunications Networks*, McGraw Hill, New York, 1998.

[AT&T Apps 1998] AT&T: »Killer Applications«, http://www.att.com/technology/forstudents/brainspin/networks/killerapps.html

[AT&T Bandwidth 1999] AT&T: »Bandwidth: The Need for Speed«, http://www.att.com/technology/forstudents/brainspin/networks/bandwidth/game.html

[AT&T Optics 1999] AT&T: »What are fiber optics?«, http://www.att.com/technology/forstudents/brainspin/fiberoptics/

[AT&T SLA 1999] AT&T: »AT&T raises the bar on data networking guarantees«, http://www.att.com/press/0198/980127.bsc.html

[ATM Forum 2000] The ATM Forum Website, http://www.atmforum.com/

[ATM Forum 1996] ATM Forum: »Traffic Management 4.0«, ATM Forum Dokument af-tm-0056.0000, April 1996, ftp://ftp.atmforum.com/pub/approved-specs/af-tm-0056.000.pdf

[ATM Forum 1997] ATM Forum: »Technical Specifications: Approved ATM Forum Specifications«, http://www.atmforum.com/atmforum/specs/approved.html

[Baran 1964] P. Baran: »On Distributed Communication Networks«, *IEEE Transactions on Communication Systems*, März 1964; Technischer Bericht der Rand Corporation mit dem gleichen Titel (Memorandum RM-3420-PR, 1964), http:// www.rand.org/publications/RM/RM3420/

[Berners-Lee 1989] T. Berners-Lee: »Information Management: A Proposal«, CERN, März 1989, Mai 1990, http://www.w3.org/History/1989/proposal.html

[Berners-Lee 1994] T. Berners-Lee, R. Cailliau, A. Luotonen, H. Frystyk Nielsen und A. Secret: »The World-Wide Web«, *Communications of the ACM*, Band 37, Nr. 8, Aug. 1994, S. 76–82.

[Bertsekas 1991] D. Bertsekas und R. Gallagher: *Data Networks*, 2. Aufl., Prentice Hall, Englewood Cliffs, NJ, 1991.

[Bhimani 1996] Anish Bhimani: »Securing the Commercial Internet«, *Communications of the ACM*, Band 39 Nr. 6, 29–35; März 1996.

[Biersack 1992] E. W. Biersack: »Performance evaluation of forward error correction in ATM networks«, *Proceedings of ACM SIGCOMM 1992* Baltimore 1992, S. 248–257, http://www.acm.org/pubs/articles/proceedings/comm/144179/p248-biersack/p248-biersack.pdf

[BIND 2000] Internet Software Consortium Page über BIND, http://www.isc.org/bind.html

[Blaze 1996] M. Blaze, W. Diffie, R. Rivest, B. Schneier, T. Shimomura, E. Thompson und M. Weiner: »Minimal Key Lengths for Symmetric Ciphers to Provide Adequate Commercial Security«, http://www.counterpane.com/keylength.html

[Bochman 1984] G. V. Bochmann und C. A. Sunshine: »Formal methods in communication«, http://www.counterpane.com/keylength.html

[Bochman 1984] G. V. Bochmann und C. A. Sunshine: »Formal methods in communication protocol design«, *IEEE Transactions on Communications*, Band COM-28, Nr. 4, April 1980, S. 624–631.

[Boggs 1988] D. Boggs, J. Mogul und C. Kent: »Measured capacity of an Ethernet: myths and reality«, *Proceedings of ACM SIGCOMM 1988* (Stanford, S. 222–234, http://research.compaq.com/wrl/publications/abstracts/88.4.html

[Bolch 1989] G. Bolch: *Leistungsbewertung von Rechensystemen*, Teubner Verlag, 1989.

[Bolot 1994] J-C. Bolot und T. Turletti: »A rate control scheme for packet video in the Internet«, *Proceedings of IEEE Infocom*, 1994, S. 1216–1223, ftp://ftp-sop.inria.fr/rodeo/bolot/94.Video_control.ps.gz

[Bolot 1996] J-C. Bolot und Andreas Vega-Garcia: »Control Mechanisms for Packet Audio in the Internet«, *Proceedings of IEEE Infocom*, 1996, S. 232–239, ftp://ftp-sop.inria.fr/rodeo/bolot/96.Audio_ctl.ps.gz

[Bradner 1996] S. Bradner und A. Mankin: *IPng: Internet Protocol Next Generation*, Addison-Wesley, Reading, MA, 1996.

[Brakmo 1995] L. Brakmo und L. Peterson: »TCP Vegas: End-to-End Congestion Avoidance on a Global Internet«, *IEEE Journal of Selected Areas in Communications*, Band 13, Nr. 8, S. 1465–1480, Okt. 1995, ftp://ftp.cs.arizona.edu/xkernel/Papers/jsac.ps

[Brassil 1994] J. T. Brassil, A. K. Choudhury und N. F. Maxemchuk: »The Manhattan Street Network: A High Performance, Highly Reliable Metropolitan Area Network«, *Computer Networks and ISDN Systems*, Band 26, Nr. 6–8, März 1994, S. 841–858.

[Brenner 1997] P. Brenner: »A Technical Tutorial on the IEEE802.11 Protocol«, Breezecom Wireless Communications, http://sss-mag.com/pdf/802_11tut.pdf

[Brodnik 1997] A. Brodnik, S. Carlsson, M. Degemark und S. Pink: »Small Forwarding Tables for Fast Routing Lookups«, *Proceedings of ACM SIGCOMM 1997*, Cannes, Okt. 1997, S. 3–15, http://www.acm.org/sigs/sigcomm/sigcomm97/papers/p192.html

[Bush 1945] V. Bush: »As We May Think«, The Atlantic Monthly, Juli 1945, http://www.theatlantic.com/unbound/flashbks/computer/bushf.htm.

[Byers 1998] J. Byers, M. Luby, M. Mitzenmacher und A Rege: »A digital fountain approach to reliable distribution of bulk data«, *Proceedings of ACM SIGCOMM 1998*, Vancouver, Aug. 1998, S. 56–67, http://www.acm.org/sigcomm/sigcomm98/tp/abs_05.html

[Cable 1998] Cable Data News: »Overview of Cable Modem Technology and Services«, 1998, http://www.cabledatacomnews.com/cmic/cmic1.html

[Cain 1999] B. Cain, S. Deering, I. Kouvelas und A. Thyagarajan: »Internet Group Management Protocol, Version 3«, in Arbeit, ftp://ftp.isi.edu/internet-drafts/draft-ietf-idmr-igmp-v3-03.txt

[Casner 1992] S. Casner und S. Deering: »First IETF Internet Audiocast«, *ACM SIGCOMM Computer Communications Review*, Band 22, Nr. 3, Juli 1992, S. 92–97, ftp://venera.isi.edu/pub/ietf-audiocast-article.ps

[Cela 2000] F. Cela: »A quick Tour around TCP«, http://www.ce.chalmers.se/%7Efcela/tcp-tour.html

[Cerf 1974] V. Cerf und R. Kahn: »A Protocol for Packet Network Interconnection«, *IEEE Transactions on Communications Technology*, Band COM-22, Nr. 5, S. 627–641.

[Cert SYN 1996] CERT(r): »Advisory CA-96.21: TCP SYN Flooding and IP Spoofing Attacks«, http://www.cert.org/advisories/CA-96.21.tcp_syn_flooding.html

[CERT Smurf 1998] CERT: Advisory CA-98.01, »Smurf IP Denial-of-Service Attacks«, http://www.cert.org/advisories/CA-98.01.smurf.html

[CERT 1999] CERT: »CERT Summaries«, http://www.cert.org/summaries/

[CERT 2000] CERT Coordination Center: »Denial of Service Developments«, http://www.cert.org/advisories/CA-2000-01.html

[CESG 2000] Communications Electronics Security Group: »The history of non-secret encryption«, http://www.cesg.gov.uk/about/nsecret.htm

[Chapman 1995] D. E. Chapman und E. D. Zwicky: *Building Internet Firewalls*, O'Reilly and Associates, Sebastopol, CA, 1995.

[Checkpoint 1999] Checkpoint Software Technologies Homepage, http://www.checkpoint.com

[Cheswick 1994] W. R. Cheswick und S. M. Bellovin: *Firewalls and Internet Security*, Addison-Wesley, Reading, MA, 1994.

[Chiu 1989] D. Chiu und R. Jain: »Analysis of the Increase and Decrease of Algorithms for Congestion Avoidance in Computer Networks«, *Computer Networks and ISDN Systems*, Band 17, Nr. 1, S. 1–14, ftp://netlab.ohio-state.edu/pub/jain/papers/cong_av.pdf

[Chu 2000] Y Chu, S. Rao und H. Zhang: »The Case for End System Multicast«, *Proceedings of ACM SIGMETRICS 2000*, Santa Clara, CA, Aug. 2000, http://www.cs.cmu.edu/~sanjay/Papers/sigmetrics-2000.ps.gz

[Cisco 8500 1999] Cisco Systems: »Catalyst 8500 Campus Switch Router Architecture«, http://www.cisco.com/warp/public/cc/cisco/mkt/switch/cat/8500/tech/8510_wp.htm

[Cisco 12000 1998] Cisco Systems: »Cisco 12000 Series Gigabit Switch Routers«, http://www.cisco.com/univercd/cc/td/doc/pcat/12000.htm.

[Cisco Addressing 1999] Cisco Systems: »ATM Signaling and Addressing«, Juli 1999, http://www.cisco.com/univercd/cc/td/doc/product/atm/c8540/wa5/12_0/12_3/net_tech/sig_addr.htm

[Cisco CiscoWorks 2000] Cisco Works2000 Homepage, http://www.cisco.com/warp/public/cc/cisco/mkt/enm/cw2000/index.shtml

[Cisco Congestion 1999] Cisco Systems: »Congestion Management Overview«, http://www.cisco.com/univercd/cc/td/doc/product/software/ios120/12cgcr/qos_c/qcpart2/qcconman.htm

[Cisco IGRP 1997] Cisco Systems: »Enhanced IGRP«, http://www.cisco.com/univercd/cc/td/doc/cisintwk/ito_doc/en_igrp.htm

[Cisco LAN 1998] Cisco Systems: »Designing Switched LAN Internetworks«, http://www.cisco.com/univercd/cc/td/doc/cisintwk/idg4/nd2012.htm

[Cisco LAN Switches 1999] Cisco Systems: »LAN Switches«, http://www.cisco.com/warp/public/cc/cisco/mkt/switch/index.shtml

[Cisco QoS 1997] Cisco Systems: »Advanced QoS Services for the Intelligent Internet«, http://www.cisco.com/warp/public/cc/cisco/mkt/ios/qos/tech/qos_wp.htm

[Cisco Queue 1995] Cisco Systems: »Interface Queue Management«, http://www.cisco.com/warp/public/614/16.html

[Cisco Security 1997] Cisco Systems: »Why you need a firewall«, http://www.cisco.com/univercd/cc/td/doc/product/iaabu/centri4/user/scf4ch2.htm

[Cisco Switches 1999] Cisco Systems: »Next Generation ClearChannel Architecture for Catalyst 1900/2820 Ethernet Switches«, http://www.cisco.com/warp/public/cc/cisco/mkt/switch/cat/c1928/tech/nwgen_wp.htm

[Claffy 1998] K. Claffy, G. Miller und K. Thompson: »The Nature of the Beast: Recent Traffic Measurements from an Internet Backbone«, *Proceedings of Inet 1998*, Genf, Juli 1998, http://www.caida.org/outreach/resources/papers/Inet98/

[Clark 1988] D. Clark: »The Design Philosophy of the DARPA Internet Protocols,« *Proceedings of ACM SIGCOMM 1988*, Stanford, CA, Band 18, Nr. 4, Aug. 1988, http://www.acm.org/sigcomm/ccr/archive/1995/jan95/ccr-9501-clark.html

[Cookie Central 2000] Cookie Central Homepage, http://www.cookiecentral.com.

[Corman 1990] T. Corman, C. Leiserson und R. Rivest: *Introduction to Algorithms*, The MIT Press, Cambridge, Massachusetts, 1990.

[Crow 1997] B. Crow, I. Widjaja, J. Kim und P. Sakai: »IEEE 802.11 Wireless Local Area Networks«, *IEEE Communications Magazine*, Sep. 1997, S. 116–126.

[Crowcroft 1995] J. Crowcroft, Z. Wang, A. Smith und J. Adams: »A Comparison of the IETF and ATM Service Models«, *IEEE Communications Magazine*, Nov./Dez. 1995, S. 12–16, ftp://cs.ucl.ac.uk/darpa/atm-ietf.ps.Z.

[Crowcroft 1999] J. Crowcroft, M. Handley und I. Wakeman: *Internetworking Multimedia*, Morgan-Kaufman, San Francisco, 1999.

[Cusumano 1998] M. A. Cusumano und D. B. Toffle: *Competing on Internet Time: Lessons from Netscape and its Battle with Microsoft*, Free Press, 1998.

[Cybertrust 1999] Cybertrust Solutions Homepage, http://www.cybertrust.com

[Daigle 1991] J. N. Daigle: *Queuing Theory for Telecommunications*, Addison-Wesley, Reading, MA, 1991.

[DEC 1990] Digital Equipment Corporation: »In Memoriam: J. C. R. Licklider 1915-1990«, SRC Research Report 61, Aug. 1990, http://gatekeeper.dec.com/pub/DEC/SRC/research-reports/abstracts/src-rr-061.html

[Deering 1990] S. Deering und D. Cheriton: »Multicast routing in datagram internetworks and extended LANs«, *ACM Transactions on Computer Systems*, Band 8, Nr. 2, 1990, S. 85–110.

[Deering 1996] S. Deering, D. Estrin, D. Faranacci, V. Jacobson, C. Liu und L. Wei: »The PIM Architecture for Wide Area Multicasting«, *IEEE/ACM Transactions on Networking*, Band 4, Nr. 2, April 1996, S. 153–162.

[Demers 1990] A. Demers, S. Keshav und S. Shenker: »Analysis and Simulation of a Fair Queuing Algorithm«, *Internetworking: Research and Experience*, Band 1, Nr. 1, 1990, S. 3–26.

[Denning 1997] D. Denning (Hrsg.) und P. Denning (Vorwort): *Internet Besieged: Countering Cyberspace Scofflaws*, Addison-Wesley, Reading, MA, 1997.

[Dertouzos 1999] M. Dertouzos: »The Future of Computing«, *Scientific American*, Aug. 1999, S. 52–55.

[Dialpad 2000] http://www.dialpad.com

[Diffie 1976] W. Diffie und M. E. Hellman: »New Directions in Cryptography«, *IEEE Transactions on Information Theory*, Band IT-22, 1976, S. 644–654.

[Diffie 1998] W. Diffie und S. Landau: *Privacy on the Line, The Politics of Wiretapping and Encryption*, MIT Press, Cambridge MA, 1998.

[Diffserv 1999] The IETF Differentiated Services Working Group Homepage, http://www.ietf.org/html.charters/diffserv-charter.html

[DNSNet 2000] DNSNet Page mit DNS-Ressourcen, http://www.dns.net/dnsrd/docs/

[Dodge 1999] M. Dodge: »An Atlas of Cyberspaces«, http://www.cybergeography.org/at10as/isp_maps.html

[Doeringer 1996] W. Doeringer, G. Karjoth und M. Nassehi: »Routing on Longest Matching Prefixes«, *IEEE/ACM Transactions on Networking*, Band 4, Nr. 1, Feb. 1996, S. 86–97.

[Eckert 2001] C. Eckert: *IT-Sicherheit. Konzepte, Verfahren, Protokolle*, Oldenbourg, München, 2001.

[EFF 1999] Electronic Frontier Foundation: »Frequently Asked Questions (FAQ) About the Electronic Frontier Foundation's DES Cracker Machine«, http://www.eff.org/pub/Privacy/Crypto/Crypto_misc/DESCracker/HTML/19980716_eff_des_faq.html

[Estrin 1997] D. Estrin, M. Handley, A. Helmy, P. Huang und D. Thaler: »A Dynamic Bootstrap Mechanism for Rendezvous-based Multicast Routing«, Technical Report, Department of Computer Science, USC, 1997; erschienen in: *Proceedings of IEEE Infocom 1998*, New York, April 1998.

[Estrin 1998b] Deborah Estrin, V. Jacobson, D. Farinacci, L. Wei, Steve Deering, Mark Handley, David Thaler, Ching-Gung Liu, Puneet Sharma und A. Helmy: »Protocol Independent Multicast-Sparse Mode (PIM-SM): Motivation and Architecture«, in Arbeit.

[Fall 1996] K. Fall und S. Floyd: »Simulation-based Comparisons of Tahoe, Reno and SACK TCP«, *ACM Computer Communication Review*, Band 26, Nr. 3, S. 5–21, Juli 1996, ftp://ftp.ee.lbl.gov/papers/sacks.ps.Z.

[Feldmeier 1988] D. Feldmeier: »Improving Gateway Performance with a Routing Table Cache«, *Proc. 1988 IEEE Infocom Conference*, New Orleans, März 1988.

[Feldmeier 1995] D. Feldmeier: »Fast Software Implementation of Error Detection Codes«, *IEEE/ACM Transactions on Networking*, Band 3, Nr. 6, Dez. 1995, S. 640–652.

[FIPS-46-1 1988] US National Bureau of Standards: »Data Encryption Standard«, Federal Information Processing Standard (FIPS) Publication 46-1, Jan. 1988.

[FIPS 1995] Federal Information Processing Standard: »Secure Hash Standard«, FIPS Publication 180-1, http://www.itl.nist.gov/fipspubs/fip180-1.htm

[Firetalk 2000] http://www.firetalk.com

[Fletcher 1982] J. G. Fletcher: »An Arithmetic Checksum for Serial Transmissions«, *IEEE Transactions on Communications*, Band 30, Nr. 1, Jan. 1982, S. 247–253.

[Floyd 1991] S. Floyd: »Connections with Multiple Congested Gateways in Packet-Switched Networks, Part 1: One-Way Traffic«, *ACM Computer Communications Review*, Band 21, Nr. 5, Okt. 1991, S. 30–47, http://www.aciri.org/floyd/papers/gates1.ps.Z

[Floyd TCP 1994] S. Floyd: »TCP and Explicit Congestion Notification«, *ACM Computer Communication Review*, Band 24, Nr. 5, S. 10–23, Okt. 1994, http://www.aciri.org/floyd/papers/tcp_ecn.4.ps.Z

[Floyd Synchronization 1994] S. Floyd und V. Jacobson: »Synchronization of Periodic Routing Messages«, *IEEE/ACM Transactions on Networking*, Band 2, Nr. 2, April 1997, S. 122–136, http://www.aciri.org/floyd/papers/sync_94.ps.Z

[Floyd 1997] S. Floyd, V. Jacobson, C. Liu, S. McCanne und L. Zhang: »A Reliable Multicast Framework for Light-weight Sessions and Application Level Framing«, *IEEE/ACM Transactions on Networking*, Band 5, Nr. 6, Dez. 1997, S. 784–803, http://www.aciri.org/floyd/srm-paper.html

[Floyd 1999] S. Floyd und K. Fall: »Promoting the Use of End-to-End Congestion Control in the Internet«, *IEEE/ACM Transactions on Networking*, Band 6, Nr. 5, Okt. 1998, S. 458–472.

[Floyd 2000] S. Floyd, M. Handley, J. Padhye und J. Widmer: »Equation-Based Congestion Control for Unicast Applications«, *Proceedings of ACM SIGCOMM 2000*, Stockholm, Aug. 2000.

[Fraser 1983] A. G. Fraser: »Towards a Universal Data Transport System«, *IEEE Journal on Selected Areas in Communications*, Band SAC-1, Nr. 5, S. 803–816.

[Fraser 1993] A. G. Fraser: »Early Experiments with Asynchronous Time Division Networks«, *IEEE Network Magazine*, Band 7, Nr. 1, 1993, S. 12–27.

[Freephone 1999] Freephone: »Why use the Plain Old Telephone when you can get so much better on the Internet?« http://www-sop.inria.fr/rodeo/fphone/

[FRForum 2000] Frame Relay Forum, http://www.frforum.com

[Friedman 1999] T. Friedman und D. Towsley: »Multicast Session Membership Size Estimation«, *Proc. IEEE Infocom 1999*, New York, März 1999, ftp://gaia.cs.umass.edu/pub/Friedman99_Infocom99.ps.gz

[Fritz 1997] J. Fritz: »Demystifying ATM Addressing«, *Byte Magazine*, Dez. 1997, http://www.byte.com/art/9712/sec4/art3.htm

[Frost 1994] J. Frost: »BSD Sockets: A Quick and Dirty Primer«, http://world.std.com/~jimf/papers/sockets/sockets.html

[Garber 1999] L. Garber: »Steve Deering on IP Next Generation«, *IEEE Computer*, April 1999, S. 11–13.

[Garcia-Luna 1993] J. J. Garcia-Lunes-Aceves: »Loop-free routing using diffusing computations«, *IEEE/ACM Transactions on Networking*, Band 1, Nr. 1, S. 130–141.

[Garey 1978] M. R. Garey, R. L. Graham und D. S. Johnson: »The complexity of computing Steiner minimal trees«, *SIAM Journal on Applied Mathematics*, Band 34, 1978, S. 477–495.

[Garrett 1996] M. Garett: »A Service Architecture for ATM: From Applications to Scheduling«, *IEEE Network Magazine*, Mai/Juni 1996, S. 6–14.

[Gauthier 1999] L. Gauthier, C. Diot und J. Kurose: »End-to-end Transmission Control Mechanisms for Multiparty Interactive Applications on the Internet«, *Proceedings of IEEE Infocom 1999*, New York, April 1999, ftp://ftp.sprintlabs.com/diot/infocom99-mimiaze.zip

[Gay 1997] V. Gay und B. Dervella: »MHEGAM – A Multimedia Messaging System«, *IEEE Multimedia Magazine*, Okt./Dez. 1997, S. 22–29.

[Giacopelli 1990] J. Giacopelli, M. Littlewood und W. D. Sincoskie: »Sunshine: A high performance self-routing broadband packet switch architecture«, *1990 International Switching Symposium*; eine erweiterte Version dieser Arbeit erschien in: *IEEE J. Sel. Areas in Commun.*, Band 9, Nr. 8, Okt. 1991, S. 1289–1298.

[GigaAdapter 2000] Data Communications: »LAN Gear«, http://www.data.com/hot_products/lan_gear/alteon.html

[Gilligan 1996] R. Gilligan und R. Callon: »IPv6 Transition Mechanisms Overview«, in: *IPng: Internet Protocol Next Generation*, S. Bradner, A. Mankin, (Hrsg.), Addison-Wesley, Reading, MA, 1996.

[Girard 1990] A. Girard: *Routing and Dimensioning in Circuit-Switched Networks*, Addison-Wesley, Reading, MA, 1990.

[Glitho 1995] R. Glitho und S. Hayes (Hrsg.): Sonderausgabe über Telecommunications Management Network, *IEEE Communications Magazine*, Band 33, Nr. 3, März 1995.

[Glitho 1998] R. Glitho: »Contrasting OSI Systems Management to SNMP and TMN«, *Journal of Network and Systems Management*, Band 6, Nr. 2, Juni 1998, S. 113–131.

[Goodman 1997] D. Goodman: *The Evolution of Untethered Communications*, National Academy Press, Washington DC, Dez. 1997,
http://www.nap.edu/readingroom/books/evolution/index.html

[Goralski 1999] W. Goralski: *Frame Relay for High-Speed Networks*, John Wiley, New York, 1999.

[Green 1992] P. Green: *Fiber Optics Networks*, Prentice Hall, 1992.

[Greenberg 1997] I. Greenberg: »The Future of the Living Room«,
http://www.cnet.c Content/Features/Dlife/Living/index.html

[Gupta 1998] P. Gupta, S. Lin und N. McKeown: »Routing lookups in hardware at memory access speeds«, *Proc. IEEE Infocom 1998*, San Francisco, CA, April 1998, S. 1241–1248.

[GutmannLinks 1999] P. Gutman: »Encryption and Security-related Resources«,
http://www.cs.auckland.ac.nz/~pgut001/links.html.

[GutmannTutorial 1999] P. Gutmann: »Godzilla Crypto Tutorial«,
http://www.cs.auckland.ac.nz/~pgut001/tutorial/index.html

[Hakimi 1971] S. L. Hakimi: »Steiner's problem in graphs and its implications«, *Networks*, Band 1, 1971, S. 113–133.

[Halabi 1997] B. Halabi: *Internet Routing Architectures*, Cisco Systems Publishing, Indianapolis, 1997.

[Hamada 1997] T. Hamada, H. Kamata und S. Hogg: »An Overview of the TINA Management Architecture«, *Journal of Network and Systems Management*, Band 5, Nr. 4, Dez. 1997, S. 411–435.

[Haynal 1999] R. Haynal, »Internet Backbones«, http://navigators.com/isp.html

[Hearme 2000] http://www.hearme.com

[Heidemann 1997] J. Heidemann, K. Obraczka und J. Touch: »Modeling the Performance of Http over Several Transport Protocols«, *IEEE/ACM Transactions on Networking*, Band 5, Nr. 5, Okt. 1997, S. 616–630.

[Hess 1998] C. Hess, D. Lin und K. Nahrstedt: »VistaMail: An Integrated Multimedia Mailing System«, *IEEE Multimedia Magazine*, Okt./Dez. 1998, S. 13–23.

[Hewlett-Packard 2000] Hewlett-Packard Overview Homepage,
http://www.openview.hp.com/

[Hill 2000] Hill Associates Website, http://www.hill.com

[Hinden 1999] R. Hinden: »IP Next Generation (IP ng)«,
http://playground.sun.com/pub/ipng/html/ipng-main.html

[Hobbes 1999] R. H. Zakon: »Hobbes Internet Timeline«, Version 4.2, 1999,
http://www.isoc.org/guest/zakon/Internet/History/HIT.html

[Hoe 1996] J. C. Hoe: »Improving the Start-up Behavior of a Congestion Control Scheme for TCP«, *Proceedings of ACM SIGCOMM 1996*, Stanford, CA, Aug. 1996, S. 270–280,
http://nwww.acm.org/sigcomm/sigcomm96/papers/hoe.html.

[Holbrook 1999] H. Holbrook und D. Cheriton: »IP Multicast Channels: EXPRESS Support for Large-Scale Single-Source Applications«, *Proceedings of ACM SIGCOMM 1999*, Boston, Aug. 1999, http://www.acm.org/sigs/sigcomm/ sigcomm99/papers/session2-3.html

[Hoschka 1997] P. Hoschka: »ASN.1 Homepage«,
http://www-sop.inria.fr/rodeo/personnel/hoschka/asn1.html

[Huffaker 1998] B. Huffaker, J. Jung, D. Wessels und K. Claffy: »Visualization of the Growth and Topology of the NLANR Caching Hierarchy«, *The 3rd Web Caching Workshop*, England, Juni 1998, http://www.caida.org/tools/visualization/plankton/Paper/plankton.xml

[Hughes 1998] L. Hughes: *Internet E-mail: Protocols, Standards and Implementation*, Artech House, Norwood, MA, 1998.

[Huitema 1995] C. Huitema: *Routing in the Internet*, Prentice Hall, Englewood Cliffs, NJ, 1995.

[Huitema 1997] C. Huitema: *IPv6: The New Internet Protocol*, Prentice Hall, Englewood Cliffs, NJ, 1997.

[Hunt 1998] C. Hunt: *TCP/IP, Netzwerk-Administration*, OReilly, 1998.

[Huston 1999a] G. Huston: »Interconnection, Peering, and Settlements – Part I«, *The Internet Protocol Journal*, Band 2, Nr. 1, März 1999, http://www.cisco.com/warp/public/759/ipj_2-1/ipj_2-1_ps1.html

[Huston 1999b] G. Huston: »Interconnecting, Peering, and Settlements – Part II«, *The Internet Protocol Journal*, Band 2, Nr. 2, Juni 1999, http://www.cisco.com/warp/public/759/ipj_2-2/ipj_2-2_ps1.html

[IANA 1999] Internet Assigned Number Authority Homepage, http://www.iana.org/

[IANA 1999b] Internet Assigned Number Authority: »Private Enterprise Numbers«, ftp://ftp.isi.edu/in-notes/iana/assignments/enterprise-numbers

[ICANN 2000] The Internet Corporation for Assigned Names and Numbers Homepage, http://www.icann.org

[IDMR 1998] IETF Interdomain Multicast Routing Working Group, http://www.ietf.org/html.charters/idmr-charter.html

[IEEE 802.5 1998] IEEE: »Token Ring Access Method (ISO/IEC 8802-5: 1998 und 8802-5: 1998/Amd 1)«, 1998; siehe Page über 802.5-Standards auf http://www.8025.org/802.5/documents/

[IEEE 802.3 1998] IEEE: »Carrier sense multiple access with collision detection (CSMA/CD) access method and physical layer specifications«, 1998; siehe Publikationskatalog zu IEEE 802.3 auf http://standards.ieee.org/catalog/IEEE802.3.html.

[IEEE 802.11 1999] IEEE: P802.11 Working Group for Wireless Local Area Networks, http://grouper.ieee.org/groups/802/11/main.html

[IMAP 1999] The IMAP Connection, http://www.imap.org/

[Interoperability 1999] Interoperability Lab Gigabit Ethernet Page, http://www.iol.unh.edu/training/ge.html

[IPMA 2000] Internet Performance Measurement and Analysis Project, »Internet routing table statistics«, http://www.merit.edu/ipma/routing_table/

[IP Multicast Initiative 1998] IP Multicast Initiative: »IP Multicast Technical Resource Center«, http://www.ipmulticast.com/techcent.htm

[Iren 1999] S. Iren, P. Amer und P. Conrad: »The Transport Layer: Tutorial and Survey«, *ACM Computing Surveys*, Band 31, Nr. 4, Dez. 1999, http://www.cis.udel.edu/~amer/PEL/survey/

[ISO 1987] International Organization for Standardization: »Information Processing Systems – Open Systems Interconnection – Specification of Abstract Syntax Notation One (ASN.1)«, International Standard 8824, Dez. 1987.

[ISO X.680 1998] International Organization for Standardization: »X.680: ITU-T Recommendation X.680 (1997) I ISO/IEC 8824-1:1998, Information Technology Syntax Notation One (ASN.1): Specification of Basic Notation.«

[ITU 2000] The ITU Website, http://www.itu.ch/

[ITU 1993] International Telecommunication Union: »Recommendation X.509, The Directory: Authentication Framework«, Nov. 1993.

[ITU 1997] International Telecommunications Union: »Recommendation E.164/ I.331 – The international public telecommunication numbering plan«, Mai 1997, http://www.itu.int/itudoc/itu-t/rec/e/s_e164.html

[Jacobson 1988] V. Jacobson: »Congestion Avoidance and Control«, *Proceedings of ACM SIGCOMM 1988*, Stanford, CA, Aug. 1988, S. 314–329, ftp://ftp.ee.lbl.gov/papers/congavoid.ps.Z

[Jain 1989] R. Jain: »Delay-Based Approach for Congestion Avoidance in Interconnected Heterogeneous Computer Networks«, *ACM Computer Communications Review*, Band 19, Nr. 5, 1989, S. 56–71.

[Jain 1994] R. Jain: *FDDI Handbook: High-Speed Networking Using Fiber and Other Media*, Addison-Wesley, Reading, MA, 1994.

[Jain 1996] R. Jain. S. Kalyanaraman, S. Fahmy, R. Goyal und S. Kim: »Tutorial Paper on ABR Source Behavior«, *ATM Forum/96-1270*, Okt. 1996, http://www.cis.ohio-state.edu/~jain/atmf/a96-1270.htm

[Jakobson 1993] G. Jacobson und M. Weissman: »Alarm Correlation«, *IEEE Network Magazine*, 1993, S. 52–59.

[Jimenez 1997] D. Jimenez: »Outside Hackers Infiltrate MIT Network, Compromise Security«, *The Tech*, Band 117, Nr. 49, Okt. 1997, S. 1, http://www-tech.mit.edu/V117/N49/hackers.49n.html

[Kahn 1967] D. Kahn: *The Codebreakers, the Story of Secret Writing*, The Macmillan Company, 1967.

[Kapoor 1997] H. Kapoor: »CoreBuilder 5000 Switch Module Architecture«, 3 Corporation White Paper, Nr. 500645.

[Karol 1987] M. Karol, M. Hluchyj und A. Morgan: »Input Versus Output Queuing on a Space-Division Packet Switch«, *IEEE Transactions on Communications*, Band COM-35, Nr. 12, Dez. 1987, S. 1347–1356.

[Katzela 1995] I. Katzela und M. Schwartz: »Schemes for Fault Identification in Communication Networks«, *IEEE/ACM Transactions on Networking*, Band 3, Nr. 6, Dez. 1995, S. 753–764.

[Kaufman 1995] C. Kaufman, R. Perlman und M. Speciner: *Network Security, Private Communication in a Public World*, Prentice Hall, Englewood Cliffs, NJ, 1995.

[Kegel 1999] Dan Kegel's ISDN Page auf http://alumni.caltech.edu/~dank/isdn/

[Kercheval 1998] B. Kercheval: *TCP/IP Over ATM*, Prentice Hall, Englewood Cliffs, New Jersey, 1998.

[Keshav 1998] S. Keshav und R. Sharma: »Issues and Trends in Router Design«, *IEEE Communications Magazine*, Band 36, Nr. 5, Mai 1998, S. 144–151.

[Kessler 1998] G. C. Kessler: »An Overview of Cryptography«, Hill Associates, Mai 1998, http://www.hill.com/library/staffpubs/crypto.html

[Kleinrock 1961] L. Kleinrock: »Information Flow in Large Communication Networks«, RLE Quarterly Progress Report, Juli 1961.

[Kleinrock 1964] L. Kleinrock: *1964 Communication Nets: Stochastic Message Flow and Delay*, McGraw-Hill, New York, 1964.

[Kleinrock 1975] L. Kleinrock: *Queuing Systems*, Band 1, John Wiley, New York, 1975.

[Kleinrock 1975b] L. Kleinrock und F. A. Tobagi: »Packet Switching in Radio Channels: Part I – Carrier Sense Multiple-Access Modes and Their Throughput-Delay Characteristics«, *IEEE Transactions on Communications*, Band COM-23, Nr. 12, Dez. 1975, S. 1400–1416.

[Kleinrock 1976] L. Kleinrock: *Queuing Systems*, Band 2, John Wiley, New York, 1976.

[Kleinrock 1998] L. Kleinrock: »The Birth of the Internet«, http://www.lk.cs.ucla.edu/LK/Inet/birth.html

[Kou 1981] L. Kou, G. Markowsky und L. Berman: »A Fast Algorithm for Steiner Trees«, *Acta Informatica*, Band 15, 1981, S. 141–145.

[Kurose 1996] J. F. Kurose: Unix Network Programming, http://manic.cs.umass.edu/~amldemo/courseware/intro.html

[Labovitz 1997] C. Labovitz, G. R. Malan und F. Jahanian: »Internet Routing Instability«, *Proceedings of ACM SIGCOMM 1997*, Cannes, 1997, S. 115–126, http://www.acm.org/sigcomm/sigcomm97/papers/p109.html

[Lakshman 1995] T. V. Lakshman und U. Madhow: »Performance Analysis of Window-Based Flow Control Using TCP/IP: The Effect of High Bandwidth-Delay Products and Random Loss«, *IFIP Transactions C-26*, High Performance« Networking V, 1994, S. 135–150.

[Lam 1980] S. Lam: »A Carrier Sense Multiple Access Protocol for Local Networks«, *Computer Networks*, Band 4, 1980, S. 21–32.

[Lamport 1981] L. Lamport: »Password Authentication with Insecure Communication«, *Communications of the ACM*, Band 24, Nr. 11, Nov. 1981, S. 770–772.

[LaPolla 1997] S. LaPolla: »IP Multicast makes headway among ISPs«, *PC Week On-Line*, http://www.zdnet.com/pcweek/news/1006/06isp.html

[Larmouth 1996] J. Larmouth: *Understanding OSI*, International Thomson Computer Press 1996; Kapitel 8 dieses Buchs behandelt ASN.1 und ist online auf http://www.salford.ac.uk/iti/books/osi/all.html#head8 verfügbar.

[Larsen 1997] A. Larsen: »Guaranteed Service: Monitoring Tools«, *Data Communications*, Juni 1997, S. 85–94.

[LeBoudec 1992] Jean-Yves LeBoudec: »ATM: A Tutorial«, *Computer Networks and ISDN Systems*, Band 24, 1992, S. 279–309.

[Leiner 1998] B. Leiner, V. Cerf, D. Clark, R. Kahn, L. Kleinrock, D. Lynch, J. Postel, L. Roberts und S. Woolf: »A Brief History of the Internet«, http://www.isoc.org/internet/history/brief.html

[List 1999] »The List: The Definitive ISP Buyer's Guide«, http://thelist.internet.com/.

[Lipstream 2000] http://www.lipstream.com

[Loeb 1998] L. Loeb: *Secure Electronic Transactions: Introduction and Technical Reference«*, Artech House, New York, 1998.

[Loshin 1997] P. Loshin und P. Murphy: *Electronic Commerce: On-Line Ordering and Digital Money*, Charles River Media, Aug. 1997.

[Lucky 1997] R. Lucky: »New Communication Services – What Do People Want?«, *Proceedings of the IEEE*, Okt. 1997, S. 1536–1543.

[Luotonen 1998] A. Luotonen: *Web Proxy Servers*, Prentice Hall, Englewood Cliffs, New Jersey, 1998.

[Lynch 1993] D. Lynch und M. Rose: *Internet System Handbook*, Addison-Wesley, Reading, MA, 1993.

[Macedonia 1994] M. R. Macedonia und D. P. Brutzman: »MBone Provides Audio and Video Across the Internet«, *IEEE Computer Magazine*, Band 27, Nr. 4, April 1994, S. 30–36, ftp://taurus.cs.nps.navy.mil/pub/mbmg/mbone.html

[Mahdavi 1997] J. Mahdavi und S. Floyd: »TCP-Friendly Unicast Rate-Based Flow Control«, unveröffentlichte Notiz, Jan. 1997, http://www.psc.edu/networking/papers/tcp_friendly.html

[Mahdavi 1999] J. Mahdavi und S. Floyd: »The TCP-Friendly Website«, http://www.psc.edu/networking/tcp_friendly.html

[manet 2000] Mobile Ad-Hoc Networks (manet) Working Group, http://www.letf.org/html.charters/manet-charter.html

[MasterCard 1999] MasterCard Web Site, »SET Secure Electronic Transaction«, http://www.mastercard.com/shoponline/set/

[Mathis 1996] M. Mathis und J. Mahdavi: »Forward Acknowledgment: Refining TCP Congestion Control«, *Proceedings of ACM SIGCOMM 1996*, Stanford, CA, Aug. 1996, http://www.acm.org/sigcomm/sigcomm96/papers/mathis.html

[McAuley 1994] A. McAuley: »Weighted Sum Codes for Error Detection and Their Comparison with Existing Codes«, *IEEE/ACM Transactions on Networking*, Band 2, Nr. 1, Feb. 1994, S. 16–22.

[McKeown 1997a] N. McKeown, M. Izzard, A. Mekkittikul, W. Ellersick und M. Horowitz: »The Tiny Tera: A Packet Switch Core«, *IEEE Micro Magazine*, Jan./Feb. 1997, http://tiny-tera.stanford.edu/~nickm/papers/HOTI_96.ps

[McKeown 1997b] N. McKeown: »A Fast Switched Backplane for a Gigabit Switched Router«, *Business Communications Review*, Band 27, Nr. 12, http://www.bcr.com/bcrmag/12/mckeown.htm

[McKusik 1996] M. K. McKusick, K. Bostic, M. Karels und J. Quarterman: *The Design and Implementation of the 4.4BSD Operating System*, Addison-Wesley, Reading, MA, 1996.

[Metcalfe 1976] R. M. Metcalfe und D. R. Boggs: »Ethernet: Distributed Packet Switching for Local Computer Networks«, *Communications of the Association for Computing Machinery*, Band 19, Nr. 7, Juli 1976, S. 395–404, http://www.acm.org/classics/apr96/

[Medhi 1997] D. Medhi und D. Tipper (Hrsg.): Fault Management in Communication Networks, *Journal of Network and Systems Management*, Sonderdruck, Band 5. Nr. 2, Juni 1997.

[Merkow 1998] M. Merkow, K. Wheeler und J. Breithaupt: *Building SET Applications for Secure Transactions*, John Wiley and Sons, New York, 1998.

[Merz 1999] M. Merz: *Elektronische Dienstemärkte, Modelle und Mechanismen des Electronic Commerce*, Springer Verlag, 1999.

[Microsoft Windows Media 2000] Microsoft Windows Media Homepage, http://www.microsoft.com/windows/windowsmedia/

[Miller 1997] M. A. Miller: *Managing Internetworks with SNMP*, 2. Aufl., M & T Books, New York, 1997.

[Mills 1998] S. Mills: »TV set-tops set to take off«, CNET News.com, Okt. 1998, http://news.cnet.com/news/0-1006-200-334433.html

[Molle 1987] M. L. Molle, K. Sohraby und A. N. Venetsanopoulos: »Space-Time Models of Asynchronous CSMA Protocols for Local Area Networks«, *IEEE Journal on Selected Areas in Communications*, Band 5, Nr. 6, 1987, S. 956–968.

[Molva 1999] R. Molva: »Internet Security Architecture«, *Computer Networks and ISDN Systems*, Band 31, Nr. 8, 1999, S. 787–804.

[mrouted 1996] »mrouted«, v3.8 der Routing-Software DVMRP für verschiedene Workstation-Plattformen, ftp://parcftp.xerox.com/pub/net-research/ipmulti

[Napster 2000] Napster Homepage, http://www.napster.com

[NAS 1995] Academy of Sciences: *The Unpredictable Certainty: Information Infrastructure Through 2000*, National Academy of Sciences Press, 1995, http://www.nap.edu/readingroom/books/unpredictable/chap4.html

[Nerds 1996] Triumph of the Nerds, Website zur PBS-Fernsehsondersendung, http://www.pbs.org/nerds

[Net2Phone 2000] http://www.net2phone.com/

[NetRadio 2000] http://www.netradio.com

[Netcraft 2000] The Netcraft Web Server Survey, Netcraft Website, http://www.netcraft.com/survey/

[NetscapePK 1998] Netscape Communications: »Introduction to Public-Key Cryptography«, http://developer.netscape.com/docs/manuals/security/pkin/contents.htm

[Netscape Certificate 1999] Netscape Communications: »Netscape Certificate Server FAQ«, http://sitesearch.netscape.com/certificate/v1.0/faq/index.html

[Netscape Cookie 1999] Netscape Communications: »Persistent Client State http Cookies«, http://home.netscape.com/newsref/std/cookie_spec.html

[Netscape Security 1999] Nescape Communications: Security Developer Central, http://developer.netscape.com/tech/security/

[Network 1996] Network Wizards: »Internet Domain Survey«, Juli 1996, http://www.nw.com/zone/WWW-9607/report.html

[Network 1999] Network Wizards: »Internet Domain Survey«, Jan. 1999, http://www.isc.org/ds/

[Network Associates 1999] Network Associates: »PGP Total Network Security«, http://www.nai.com/ default_pgp.asp

[Neuman 1994] B. Neuman und T. Tso: »Kerberos: An Authentication Service for Computer Networks«, *IEEE Communication Magazine*, Band 32, Nr. 9, Sep. 1994, S. 33–38.

[Neumann 1997] R. Neumann: »Internet Routing Black Hole«, *The Risks Digest: Forum on Risks to the Public in Computers and Related Systems*, Band 19, Nr. 12, Mai 1997, http://catless.ncl.ac.uk/Risks/19.12.html#subj1.1

[Newman 1998] D. Newman, H. Holzbar und M. Carter: »Firewalls: Tough Enough«, *Data Communications Magazine*, April 1998, http://www.data.com/lab_tests/ntfirewalls.html

[Nielsen 1997] H. F. Nielsen, J. Gettys, A. Baird-Smith, E. Prud'hommeaux, H. W. Lie und C. Lilley: »Network Performance Effects of Http/1.1, CSS1, and PNG«, *W3C Document*, 1997 (erschien auch in *Proceedings of ACM SIGCOMM 1997*), Cannes, S. 155–166, http://www.acm.org/sigcomm/sigcomm97/papers/p102.html

[NIST 1993] National Institute of Standards and Technology, »Federal Information. Data Encryption Standard«, Processing Standards Publication 46-2, 1993, http://www.itl.nist.gov/fipspubs/fip46-2.htm

[NIST 1999] National Institute of Standards and Technology, »Data Encryption Standard Fact Sheet«, http://csrc.nist.gov/cryptval/des/des.txt

[NIST 1999b] National Institute of Standards and Technology, »Draft Federal Information Processing Standard (FIPS) 46-3, Data Encryption Standard (DES), and Request for Comments«, http://csrc.nist.gov/cryptval/des/fr990115.htm

[NLANR 1999] A Distributed Testbed for National Information Provisioning, http://ircache.nlanr.net/

[Nonnenmacher 1998] J. Nonnenmacher, E. Biersak und D. Towsley: »Parity-Based Loss Recovery for Reliable Multicast Transmission«, IEEE/ACM Transactions on Networking, Band 6, Nr. 4, Aug. 1998, S. 349–361, ftp://gaia.cs.umass.edu/pub/NBT97:fec.ps.gz

[Nortel 2000] Nortel Networks, Network and Service Management, http://www.nortelnetworks.com/products/netmgmt/

[NTIA 1998] National Telecommunications and Information Administration (NTIA), U.S. Department of Commerce, »Management of Internet Names and Addresses«, Docket-Nr.: 980212036-8146-02, http://www.ntia.doc.gov/ntiahome/domainname/6_5_98dns.htm

[Onebox 2000] http://www.onebox.com.

[Pacific Bell 1998] Pacific Bell, »ISDN Users Guide«, http://www.pacbell.com/Products_Services/Residential/ISDNuserguide/0,1078,20,00.html

[Padhye 1999] J. Padhye und J. Kurose: »An Empirical Study of Client Interactions with a Continuous-Media Courseware Server«, IEEE Internet Computing, April 1999, ftp://gaia.cs.umass.edu/pub/Padh97:Empirical.ps.gz

[Parekh 1993] A. Parekh und R. Gallager: »A generalized processor sharing approach to flow control in integrated services networks: the single-node case«, IEEE/ACM Transactions on Networking, Band 1, Nr. 3, Juni 1993, S. 344–357.

[Partridge 1998] C. Partridge, u. a.: »A Fifty Gigabit per second IP Router«, IEEE/ACM Transactions on Networking, Band 6, Nr. 3, Juni 1998, S. 237–248.

[Paxson 1997] V. Paxson: »End-to-end Internet packet dynamics«, Proceedings of ACM SIGCOMM 1997, Cannes, Sep. 1997, http://www.acm.org/sigcomm/sigcomm97/papers/p086.html

[Perkins 1994] A. Perkins: »Networking with Bob Metcalfe«, The Red Herring Magazine, Nov. 1994, http://www.herring.com/mag/issue15/bob.html

[Perkins 1998] C. Perkins, O. Hodson und V. Hardman: »A Survey of Packet Loss Recovery Techniques for Streaming Audio«, IEEE Network Magazine, Sep./Okt. 1998, S. 40–47.

[Perlman 1999] R. Perlman: Interconnections: Bridges, Routers, Switches, and Internetworking Protocols, 2. Aufl., Addison-Wesley Professional Computing Series, Reading, MA, 1999.

[Pfitzmann 2000] A. Pfitzmann, A. Schill, A. Westfeld: Mehrseitige Sicherheit in offenen Netzen, Vieweg, 2000.

[PGPI 2000] The International PGP Homepage, http://www.pgpi.org

[Pickholtz 1982] R. Pickholtz, D. Schilling und L. Milstein: »Theory of Spread Spectrum Communication – A Tutorial«, IEEE Transactions on Communications, Band COM-30, Nr. 5, Mai 1982, S. 855–884.

[Piscatello 1993] D. Piscatello und A. Lyman Chapin: Open Systems Networking, Addison-Wesley, Reading, MA, 1993.

[Punks 1999] Cypherpunks Webpage, http://www.csua.berkeley.edu/cypherpunks/Home.html

[Quebec 1999] Quebec Maple Syrup Homepage, http://www.jam.ca/syrup/

[Quittner 1998] J. Quittner und M. Slatalla: *Speeding the Net: The Inside Story of Netscape and How it Challenged Microsoft*, Atlantic Monthly Press, 1998.

[Raepple 2001] M. Raepple: *Sicherheitskonzepte für das Internet*, dpunkt-Verlag, 2001.

[Rajan 1999] R. Rajan, D. Verma, S. Kamat, E. Felstaine und S. Herzog: »A policy framework for integrated and differentiated services in the Internet«, *IEEE Network Magazine*, Sep./Okt. 1999, S. 36–41.

[Ramakrishnan 1990] K. K. Ramakrishnan und Raj Jain: »A Binary Feedback Scheme for Congestion Avoidance in Computer Networks«, *ACM Transactions on Computer Systems*, Band 8, Nr. 2, Mai 1990, S. 158–181.

[Raman 1999] S. Raman und S. McCanne: »A Model, Analysis, and Protocol Framework for Soft State-based Communication«, *Proceedings of ACM SIGCOMM 1999*, Boston, Aug. 1999, http://www.acm.org/sigs/sigcomm/sigcomm99/papers/session1-2.html

[Ramaswami 1998] R. Ramaswami und K. Sivarajan: Optical Networks: *A Practical Perspective*, Morgan Kaufman Publishers, 1998.

[Ramjee 1994] R. Ramjee, J. Kurose, D. Towsley und H. Schulzrinne: »Adaptive Playout Mechanisms for Packetized Audio Applications in Wide-Area Networks«, *Proceeding IEEE Infocom 1994*, ftp://gaia.cs.umass.edu/pib/Ramj94:Adaptive.ps.Z

[Rao 1996] K. R. Rao und J. J. Hwang: *Techniques and Standards for Image, Video and Audio Coding*, Prentice Hall, Englewood Cliffs, NJ, 1996.

[RAT 1999] Robust Audio Tool, http://www-mice.cs.ucl.ac.uk/multimedia/software/rat/

[RealNetworks 2000] RealNetworks Homepage, http://www.realnetworks.com

[RealNetworks RTSP 2000] RTSP Resource Center, http://www.real.com/devzone/library/fireprot/rtsp/

[RFC 001] S. Crocker: »Host Software«, RFC 001 (der *allererste* RFC!), http://www.rfc-editor.org/rfc/rfc1.txt.

[RFC 768] J. Postel: »User Datagram Protocol«, RFC 768, Aug. 1980, http://www.rfc-editor.org/rfc/rfc768.txt.

[RFC 789] E. Rosen: »Vulnerabilities of Network Control Protocols«, RFC 789, http://www.rfc-editor.org/rfc/rfc789.txt

[RFC 791] J. Postel: »Internet Protocol: DARPA Internet Program Protocol Specification«, RFC 791, Sep. 1981, http://www.rfc-editor.org/rfc/rfc791.txt.

[RFC 792] J. Postel: »Internet Control Message Protocol«, RFC 792, Sep. 1981, http://www.rfc-editor.org/rfc/rfc792.txt

[RFC 793] J. Postel: »Transmission Control Protocol«, RFC 793, Sep. 1981, http://www.rfc-editor.org/rfc/rfc793.txt

[RFC 801] J. Postel: »NCP/TCP Transition Plan«, RFC 801 Nov. 1981, http://www.rfc-editor.org/rfc/rfc801.txt

[RFC 822] D. H. Crocker: »Standard for the Format of ARPA Internet Text Messages«, RFC 822, Aug. 1982, http://www.rfc-editor.org/rfc/rfc822.txt

[RFC 826] D. C. Plummer: »An Ethernet Address Resolution Protocol – or – Converting Network Protocol Addresses to 48.bit Ethernet Address for Transmission on Ethernet Hardware«, RFC 826, Nov. 1982, http://www.rfc-editor.org/rfc/rfc826.txt

[RFC 854] J. Postel und J. Reynolds: »TELNET Protocol Specification«, RFC 854, Mai 1993, http://www.rfc-editor.org/rfc/rfc854.txt

[RFC 904] D. Mills: »Exterior Gateway Protocol Formal Specification«, RFC 904, April 1984, http://www.rfc-editor.org/rfc/rfc904.txt

[RFC 950] J. Mogul und J. Postel: »Internet Standard Subnetting Procedure«, RFC 950, Aug. 1985, http://www.rfc-editor.org/rfc/rfc904.txt

[RFC 959] J. Postel und J. Reynolds: »File Transfer Protocol (FTP)«, RFC 959, Okt. 1985, http://www.rfc-editor.org/rfc/rfc959.txt

[RFC 977] B. Kantor und P. Lapsley: »Network News Transfer Protocol«, RFC 977, Feb. 1986, http://www.rfc-editor.org/rfc/rfc977.txt

[RFC 1028] J. Davin, J. D. Case, M. Fedor und M. Schoffstall: »A Simple Gateway Monitoring Protocol«, RFC 1028, Nov. 1987, http://www.rfc-editor.org/rfc/rfc1028.txt

[RFC 1034] P. V. Mockapetris: »Domain Names – Concepts and Facilities«, RFC 1034, Nov. 1987, http://www.rfc-editor.org/rfc/rfc1034.txt

[RFC 1035] P. Mockapetris: »Domain Names – Implementation and Specification«, RFC 1035, Nov. 1987, http://www.rfc-editor.org/rfc/rfc1035.txt

[RFC 1058] C. L. Hendrick: »Routing Information Protocol«, RFC 1058, Juni 1988, http://www.rfc-editor.org/rfc/rfc1058.txt

[RFC 1071] R. Braden, D. Borman und C. Partridge: »Computing The Internet Checksum«, RFC 1071, Sep. 1988, http://www.rfc-editor.org/rfc/rfc1071.txt

[RFC 1075] D. Waitzman, C. Partridge und S. Deering: »Distance Vector Multicast Routing Protocol«, RFC 1075, Nov. 1988, http://www.rfc-editor.org/rfc/rfc1071.txt Die heute benutzte DVMRP-Version ist im Vergleich zur RFC1075-Spezifikation erheblich erweitert worden. Eine aktuellere Arbeit definiert Version 3 von DVMRP: T. Pusateri, »Distance Vector Multicast Routing Protocol«, verfügbar auf http://www.ietf.org/html.charters/idmr-charter.html

[RFC 1112] S. Deering: »Host Extension for IP Multicasting«, RFC 1112, Aug. 1989, http://www.rfc-editor.org/rfc/rfc1112.txt

[RFC 1122] R. Braden: »Requirements for Internet Hosts – Communication Layers«, RFC 1122, Okt. 1989, http://www.rfc-editor.org/rfc/rfc1122.txt

[RFC 1180] T. Socolofsky und C. Kale: »A TCP/IP Tutorial«, RFC 1180, Jan. 1991, http://www.rfc-editor.org/rfc/rfc1180.txt

[RFC 1213] K. McCloghrie und M. T. Rose: »Management Information Base for Network Management of TCP/IP-based Internets: MIB-II«, RFC 1213, März 1991, http://www.rfc-editor.org/rfc/rfc1213.txt

[RFC 1256] S. Deering: »ICMP Router Discovery Messages«, RFC 1256, Sep. 1991, http://www.rfc-editor.org/rfc/rfc1256.txt

[RFC 1320] R. Rivest: »The MD4 Message-Digest Algorithm«, RFC 1320, April 1992, http://www.rfc-editor.org/rfc/rfc1320.txt

[RFC 1321] R. Rivest: »The MD5 Message-Digest Algorithm«, RFC 1321, April 1992, http://www.rfc-editor.org/rfc/rfc1321.txt

[RFC 1323] V. Jacobson, S. Braden und D. Borman: »TCP Extensions for High Performance«, RFC 1323, Mai 1992, http://www.rfc-editor.org/rfc/rfc1321.txt

[RFC 1332] G. McGregor: »The PPP Internet Protocol Control Protocol (IPCP)«, RFC 1332, Mai 1992, http://www.rfc-editor.org/rfc/rfc1332.txt

[RFC 1378] B. Parker: »The PPP AppleTalk Control Protocol (ATCP)«, RFC 1378, Nov. 1992, http://www.rfc-editor.org/rfc/rfc1378.txt

[RFC 1422] S. Kent: »Privacy Enhancement for Internet Electronic Mail: Part II: Certificate-Based Key Management«, RFC 1422, Feb. 1993, http://www.rfc-editor.org/rfc/rfc1422.txt

[RFC 1510] J. Kohl und C. Neuman: »The Kerberos Network Authentication Service (V5)«, RFC 1510, Sep. 1993, http://www.rfc-editor.org/rfc/rfc1510.txt

[RFC 1519] V. Fuller, T. Li, J. Yu und K. Varadhan: »Classless Inter-Domain Routing (CIDR)«, RFC 1519, Sep. 1993, http://www.rfc-editor.org/rfc/rfc1519.txt

[RFC 1542] W. Wimer: »Clarifications and Extensions for the Bootstrap Protocol«, RFC 1542, Okt. 1993, http://www.rfc-editor.org/rfc/rfc1542.txt

[RFC 1547] D. Perkins: »Requirements for an Internet Standard Point-to-Point Protocol«, RFC 1547, Dez. 1993, http://www.rfc-editor.org/rfc/rfc1547.txt

[RFC 1577] M. Laubach: »Classical IP and ARP over ATM«, RFC 1577, Jan. 1994, http://www.rfc-editor.org/rfc/rfc1577.txt; überholt durch RFC 2225.

[RFC 1584] J. Moy: »Multicast Extensions to OSPF«, RFC 1584, März 1994, http://www.rfc-editor.org/rfc/rfc1584.txt

[RFC 1631] K. Egevang und P. Francis: »The IP Network Address Translator (NAT)«, RFC 1631, Mai 1994, http://www.rfc-editor.org/rfc/rfc1631.txt

[RFC 1633] R. Braden, D. Clark und S. Shenker: »Integrated Services in the Internet Architecture: an Overview«, RFC 1633, Juni 1994, http://www.rfc-editor.org/rfc/rfc1633.txt

[RFC 1636] R. Braden, D. Clark, S. Crocker und C. Huitema: »Report of IAB Workshop on Security in the Internet Architecture«, RFC 1636, Nov. 1994, http://www.rfc-editor.org/rfc/rfc1636.txt.

[RFC 1661] W. Simpson (Hrsg.): »The Point-to-Point Protocol (PPP)«, RFC 1661, Juli 1994, http://www.rfc-editor.org/rfc/rfc1661.txt

[RFC 1662] W. Simpson (Hrsg.): »PPP in HDLC-like Framing«, RFC 1662, Juli 1994, http://www.rfc-editor.org/rfc/rfc1661.txt

[RFC 1700] J. Reynolds und J. Postel: »Assigned Numbers«, RFC 1700, Okt. 1994, http://www.rfc-editor.org/rfc/rfc1700.txt

[RFC 1723] G. Malkin: »RIP Version 2 – Carrying Additional Information«, RFC 1723, Nov. 1994, http://www.rfc-editor.org/rfc/rfc1723; überholt durch RFC 2453.

[RFC 1730] M. Crispin: »Internet Message Access Protocol – Version 4«, RFC 1730, Dez. 1994, http://info.internet.isi.edu/in-notes/rfc/files/rfc1730.txt; überholt durch RFC 2060.

[RFC 1752] S. Bradner und A. Mankin: »The Recommendations for the IP Next Generation Protocol«, RFC 1752, Jan. 1995, http://www.rfc-editor.org/rfc/rfc1752.txt

[RFC 1760] N. Haller: »The S/KEY One-Time Password System«, RFC 1760, Feb. 1995, http://www.rfc-editor.org/rfc/rfc1760.txt

[RFC 1762] S. Senum: »The PPP DECnet Phase IV Control Protocol (DNCP)«, RFC 1762, März 1995, http://www.rfc-editor.org/rfc/rfc1762.txt

[RFC 1771] Y. Rekhter und T. Li: »A Border Gateway Protocol 4 (BGP-4)«, RFC 1771, März 1995, http://www.rfc-editor.org/rfc/rfc1771.txt

[RFC 1772] Y. Rekhter und P. Gross: »Application of the Border Gateway Protocol in the Internet«, RFC 1772, März 1995, http://www.rfc-editor.org/rfc/rfc1772.txt

[RFC 1773] P. Traina: »Experience with the BGP-4 Protocol«, RFC 1773, März 1995, http://www.rfc-editor.org/rfc/rfc1773.txt

[RFC 1779] S. Kille: »A String Representation of Distinguished Names«, RFC 1779, März 1995, http://www.rfc-editor.org/rfc/rfc1779.txt; überholt durch RFC 2253.

[RFC 1810] J. Touch: »Report on MD5 Performance«, RFC 1810, Juni 1995, http://www.rfc-editor.org/rfc/rfc1810.txt

[RFC 1884] R. Hinden und S. Deering: »IP Version 6: Addressing Architecture«, RFC 1884, Dez. 1995, http://www.rfc-editor.org/rfc/rfc1884.txt; überholt durch RFC 2373.

[RFC 1889] H. Schulzrinne, S. Casner, R. Frederick und V. Jacobson: »RTP: A Transport Protocol for Real-Time Applications«, RFC 1889, Jan. 1996, http://www.rfc-editor.org/rfc/rfc1889.txt

[RFC 1905] J. Case, K. McCloghrie, M. Rose und S. Waldbusser: »Protocol Operations for Version 2 of the Simple Network Management Protocol (SNMPv2)«, RFC 1905, Jan. 1996, http://www.rfc-editor.org/rfc/rfc1905.txt

[RFC 1906] J. Case, K. McCloghrie, M. Rose und S. Waldbusser: »Transport Mappings for Version 2 of the Simple Network Management Protocol (SNMPv2)«, RFC 1906, Jan. 1996, http://www.rfc-editor.org/rfc/rfc1906.txt

[RFC 1907] J. Case, K. McCloghrie, M. Rose und S. Waldbusser: »Management Information Base for Version 2 of the Simple Network Management Protocol (SNMPv2)«, RFC 1907, Jan. 1996, http://www.rfc-c-editor.org/rfc/rfc1907.txt

[RFC 1911] G. Vaudreuil: »Voice Profile for Internet Mail«, RFC 1911, Feb. 1996, http://www.rfc-editor.org/rfc/rfc1911.txt; überholt durch RFC 2421.

[RFC 1932] R. Cole, S. Shur und C. Villamizar: »IP over ATM: A Framework Document«, RFC 1932, April 1996, http://www.rfc-editor.org/rfc/rfc1932.txt

[RFC 1933] R. Gilligan und E. Nordmark: »Transition Mechanisms for IPv6 Hosts and Routers«, RFC 1933, April 1996, http://www.rfc-editor.org/rfc/rfc1933.txt

[RFC 1939] J. Myers und M. Rose: »Post Office Protocol – Version 3«, RFC 1939, Mai 1996, http://www.rfc-editor.org/rfc/rfc1939.txt

[RFC 1945] T. Berners-Lee, R. Fielding und H. Frystyk: »Hypertext Transfer Protocol – http/1.0«, RFC 1945, Mai 1996, http://www.rfc-editor.org/rfc/rfc1945.txt

[RFC 2001] W. Stevens: »TCP Slow Start, Congestion Avoidance, Fast Retransmit, and Fast Recovery Algorithms«, RFC 2001, Jan. 1997, http://www.rfc-editor.org/rfc/rfc2001.txt; überholt durch RFC 2581.

[RFC 2002] C. Perkins: »IP Mobility Support«, RFC 2002, Okt. 1996, http://www.rfc-editor.org/rfc/rfc2002.txt

[RFC 2003] C. Perkins: »IP Encapsulation within IP«, RFC 2003, Okt. 1996, http://www.rfc-editor.org/rfc/rfc2003.txt

[RFC 2011] K. McCloghrie: »SNMPv2 Management Information Base for the Internet Protocol using SMIv2«, RFC 2011, Nov. 1996, http://www.rfc-editor.org/rfc/rfc2011.txt

[RFC 2012] K. McCloghrie: »SNMPv2 Management Information Base for the Transmission Control Protocol using SMIv2«, RFC 2012, Nov. 1996, http://www.rfc-editor.org/rfc/rfc2012.txt

[RFC 2013] K. McCloghrie: »SNMPv2 Management Information Base for the User Datagram Protocol using SMIv2«, RFC 2013, Nov. 1996, http://www.rfc-editor.org/rfc/rfc2013.txt

[RFC 2018] M. Mathis, J. Mahdavi, S. Floyd und A. Romanow: »TCP Selective Acknowledgment Options«, RFC 2018, Okt. 1996, http://www.rfc-editor.org/rfc/rfc2018.txt

[RFC 2021] S. Waldbusser: »Remote Network Monitoring Management Information Base Version 2 using SMIv2«, RFC 2021, Jan. 1997, http://www.rfc-editor.org/rfc/rfc2021.txt

[RFC 2045] N. Freed und N. Borenstein: »Multipurpose Internet Mail Extensions (MIME) Part One: Format of Internet Message Bodies«, RFC 2045, Nov. 1996, http://www.rfc-editor.org/rfc/rfc2045.txt

[RFC 2046] N. Freed und N. Borenstein: »Multipurpose Internet Mail Extensions (MIME) Part Two: Media Types«, RFC 2046, Nov. 1996, http://www.rfc-editor.org/rfc/rfc2046.txt

[RFC 2048] N. Freed, J. Klensin und J. Postel: »Multipurpose Internet Mail Extensions (MIME) Part Four: Registration Procedures«, RFC 2048, Nov. 1996, http://www.rfc-editor.org/rfc/rfc2048.txt

[RFC 2050] K. Hubbard, M. Kosters, D. Conrad, D. Karrenberg und J. Postel: »Internet Registry IP Allocation Guidelines«, RFC 2050, Nov. 1996, http://www.rfc-editor.org/rfc/rfc2050.txt

[RFC 2060] R. Crispin: »Internet Message Access Protocol – Version 4rev1«, RFC 2060, Dez. 1996, http://www.rfc-editor.org/rfc/rfc2060.txt

[RFC 2068] R. Fielding, J. Gettys, J. Mogul, H. Frystyk und T. Berners-Lee: »Hypertext Transfer Protocol – Http/1.1«, RFC 2068, Jan. 1997, http://www.rfc-editor.org/rfc/rfc2068.txt; überholt durch RFC 2616.

[RFC 2104] H. Krawczyk, M. Bellare und R. Canetti: »HMAC: Keyed-Hashing for Message Authentication«, RFC 2104, Feb. 1997, http://www.rfc-editor.org/rfc/rfc2104.txt

[RFC 2109] D. Kristol und L. Montulli: »http State Management Mechanism«, RFC 2109, Feb. 1997, http://www.rfc-editor.org/rfc/rfc2109.txt

[RFC 2131] R. Droms: »Dynamic Host Configuration Protocol«, RFC 2131, März 1997, http://www.rfc-editor.org/rfc/rfc2109.txt

[RFC 2136] P. Vixie, S. Thomson, Y. Rekhter und J. Bound: »Dynamic Updates in the Domain Name System«, RFC 2136, April 1997, http://www.rfc-editor.org/rfc/rfc2136.txt

[RFC 2153] W. Simpson: »PPP Vendor Extensions«, RFC 2153, Mai 1997, http://www.rfc-editor.org/rfc/rfc2153.txt

[RFC 2178] J. Moy: »Open Shortest Path First Version 2«, RFC 2178, Juli 1997, http://www.rfc-editor.org/rfc/rfc2178.txt; überholt durch RFC 2328.

[RFC 2186] K. Claffy und D. Wessels: »Internet Caching Protocol (ICP), Version 2«, RFC 2186, Sep. 1997, http://www.rfc-editor.org/rfc/rfc2186.txt

[RFC 2189] A. Ballardie: »Core Based Trees (CBT Version 2) Multicast Routing: Protocol Specification«, RFC 2189, Sep. 1997, http://www.rfc-editor.org/rfc/rfc2189.txt

[RFC 2201] A. Ballardie: »Core Based Trees (CBT) Multicast Routing Architecture«, RFC 2201, Sep. 1997, http://www.rfc-editor.org/rfc/rfc2201.txt

[RFC 2205] R. Braden (Hrsg.), L. Zhang, S. Berson, S. Herzog und S. Jamin: »Resource ReSerVation Protocol (RSVP) – Version 1 Functional Specification«, RFC 2205, Sep. 1997, http://www.rfc-editor.org/rfc/rfc2205.txt

[RFC 2210] J. Wroclawski: »The Use of RSVP with IETF Integrated Services«, RFC 2210, Sep. 1997, http://www.rfc-editor.org/rfc/rfc2210.txt

[RFC 2211] J. Wroclawski: »Specification of the Controlled-Load Network Element Service«, RFC 2211, Sep. 1997, http://www.rfc-editor.org/rfc/rfc2211.txt

[RFC 2212] S. Shenker, C. Partridge und R. Guerin: »Specification of Guaranteed Quality of Service«, RFC 2212, Sep. 1997, http://www.rfc-editor.org/rfc/rfc2212.txt

[RFC 2215] S. Shenker und J. Wroclawski: »General Characterization Parameters for Integrated Service Network Elements«, RFC 2215, Sep. 1997, http://www.rfc-editor.org/rfc/rfc2215.txt

[RFC 2225] M Laubach und J. Halpern: »Classical UP and ARP over ATM«, RFC 2225, April 1998, http://www.rfc-editor.org/rfc/rfc2225.txt

[RFC 2236] R. Fenner: »Internet Group Management Protocol, Version 2«, RFC 2236, Nov. 1997, http://www.rfc-editor.org/rfc/rfc2236.txt

[RFC 2246] T. Dierks und C. Allen: »The TLS Protocol«, RFC 2246, Jan. 1998, http://www.rfc-editor.org/rfc/rfc2246.txt

[RFC 2253] M. Wahl, S. Kille und T. Howes: »Lightweight Directory Access Protocol (v3)«, RFC 2253, Dez. 1997, http://www.rfc-editor.org/rfc/rfc2253.txt

[RFC 2267] P. Ferguson und D. Senie: »Network Ingress Filtering: Defeating Denial of Service Attacks which Employ IP Source Address Spoofing«, RFC 2267, Jan. 1998, http://www.rfc-editor.org/rfc/rfc2267.txt

[RFC 2326] H. Schulzrinne, A. Rao und R. Lanphier: »Real Time Streaming Protocol (RTSP)«, RFC 2326, April 1988, http://www.rfc-editor.org/rfc/rfc2326.txt

[RFC 2328] J. Moy: »OSPF Version 2«, RFC 2328, April 1998, http://www.rfc-editor.org/rfc/rfc2328.txt

[RFC 2362] D. Estrin, D. Farinacci, A. Helmy, D. Thaler, S. Deering, M. Handley, V. Jacobson, C. Liu, P. Sharma und L. Wei: »Protocol Independent Multicast-Sparse Mode (PIM-SM): Protocol Specification«, RFC 2362, Juni 1998, http://www.rfc-editor.org/rfc/rfc2362.txt

[RFC 2373] R. Hinden und S. Deering: »IP Version 6 Addressing Architecture«, RFC 2373, Juli 1998, http://www.rfc-editor.org/rfc/rfc2373.txt

[RFC 2400] J. Postel und J. Reynolds: »Internet Official Protocol Standards«, RFC 2400, Sep. 1998, http://www.rfc-editor.org/rfc/rfc2400.txt; überholt durch RFC 2500.

[RFC 2401] S. Kent und R. Atkinson: »Security Architecture for the Internet Protocol«, RFC 2401, Nov. 1998, http://www.rfc-editor.org/rfc/rfc2401.txt

[RFC 2402] S. Kent und R. Atkinson: »IP Authentication Header«, RFC 2402, Nov. 1998, http://www.rfc-editor.org/rfc/rfc2402.txt

[RFC 2405] C. Madson und N. Doraswamy: »The ESP DES-CBC Cipher Algorithm with Explicit IV«, RFC 2405, Nov. 1998, http://www.rfc-editor.org/rfc/rfc2405.txt

[RFC 2406] S. Kent und R. Atkinson: »IP Encapsulating Security Payload (ESP)«, RFC 2406, Nov. 1998, http://www.rfc-editor.org/rfc/rfc2406.txt

[RFC 2407] D. Piper: »The Internet IP Security Domain of Interpretation for ISAKMP«, RFC 2407, Nov. 1998, http://www.rfc-editor.org/rfc/rfc2407.txt

[RFC 2408] D. Maughan, M. Schertler, M. Schneider und J. Turner: »Internet Security Association and Key Management Protocol (ISAKMP)«, RFC 2408, Nov. 1998, http://www.rfc-editor.org/rfc/rfc2408.txt

[RFC 2409] D. Harkins und D. Carrel: »The Internet Key Exchange (IKE)«, RFC 2409, Nov. 1998, http://www.rfc-editor.org/rfc/rfc2409.txt

[RFC 2411] R. Thayer, N. Doraswamy und R. Glenn: »IP Security Document Road Map«, RFC 2411, Nov. 1998, http://www.rfc-editor.org/rfc/rfc2411.txt

[RFC 2420] H. Kummert: »The PPP Triple-DES Encryption Protocol (3DESE)«, RFC 2420, Sep. 1998, http://www.rfc-editor.org/rfc/rfc2420.txt

[RFC 2421] G. Vaudreuil und G. Parsons: »Voice Profile for Internet Mail – Version 2«, RFC 2421, Sep. 1998, http://www.rfc-editor.org/rfc/rfc2421.txt

[RFC 2427] C. Brown und A. Malis: »Multiprotocol Interconnect over Frame Relay«, RFC 2427, Sep. 1998, http://www.rfc-editor.org/rfc/rfc2427.txt

[RFC 2437] B. Kaliski und J. Staddon: »PKCS #1: RSA Cryptography Specifications, Version 2«, RFC 2437, Okt. 1998, http://www.rfc-editor.org/rfc/rfc2437.txt.

[RFC 2453] G. Malkin: »RIP Version 2«, RFC 2453, Nov. 1998, http://www.rfc-editor.org/rfc/rfc2453.txt

[RFC 2460] S. Deering und R. Hinden: »Internet Protocol, Version 6 (IPv6) Specification«, RFC 2460, Dez. 1998, http://www.rfc-editor.org/rfc/rfc2460.txt

[RFC 2463] A. Conta und S. Deering: »Internet Control Message Protocol (ICMPv6) for the Internet Protocol Version 6 (IPv6)«, RFC 2463, Dez. 1998, http://www.rfc-editor.org/rfc/rfc2463.txt

[RFC 2474] K. Nicols, S. Blake, F. Baker und D. Black: »Definition of the Differentiated Services Field (DS Field) in the IPv4 and IPv6 Headers«, RFC 2474, Dez. 1998, http://www.rfc-editor.org/rfc/rfc2473.txt

[RFC 2475] S. Blake, D. Black, M. Carlson, E. Davies, Z. Wang und W. Weiß: »An Architecture for Differentiated Services«, RFC 2475, Dez. 1998, http://www.rfc-editor.org/rfc/rfc2475.txt

[RFC 2481] K. K. Ramakrishnan und S. Floyd: »A Proposal to Add Explicit Congestion Notification (ECN) to IP«, RFC 2481, Jan. 1999, http://www.rfc-editor.org/rfc/rfc2481.txt

[RFC 2500] J. Reynolds und R. Braden: »Internet Official Protocol Standards«, RFC 2500, Juni 1999, http://www.rfc-editor.org/rfc/rfc2500.txt

[RFC 2570] J. Case, R. Mundy, D. Partain und B. Stewart: »Introduction to Version 3 of the Internet-standard Network Management Framework«, RFC 2570, Mai 1999, http://www.rfc-editor.org/rfc/rfc2570.txt

[RFC 2571] B. Wijnen, D. Harrington und R. Presuhn: »An Architecture for Describing SNMP Management Frameworks«, RFC 2571, April 1999, http://www.rfc-editor.org/rfc/rfc2571.txt

[RFC 2574] U. Blumenthal und B. Wijnen: »User-based Security Model (USM) for Version 3 of the Simple Network Management Protocol (SNMPv3),« RFC 2574, April 1999, http://www.rfc-editor.org/rfc/rfc2574.txt

[RFC 2575] B. Wijnen, R. Presuhn und K. McCloghrie: »View-based Access Control Model (VACM) for the Simple Network Management Protocol (SNMP)«, RFC 2575, April 1999, http://www.rfc-editor.org/rfc/rfc2575.txt

[RFC 2578] K. McCloghrie, D. Perkins und J. Schoenwaelder: »Structure of Management Information Version 2 (SMIv2)«, RFC 2578, April 1999, http://www.rfc-editor.org/rfc/rfc2578.txt

[RFC 2579] K. McCloghrie, D. Perkins und J. Schoenwaelder: »Textual Conventions for SMIv2«, RFC 2579, April 1999, http://www.rfc-editor.org/rfc/rfc2579.txt

[RFC 2580] K. McCloghrie, D. Perkins und J. Schoenwaelder: »Conformance Statements for SMIv2«, RFC 2580, April 1999, http://www.rfc-editor.org/rfc/rfc2580.txt

[RFC 2581] M. Allman, V. Paxson und W. Stevens: »TCP Congestion Control«, RFC 2581, April 1999, http://www.rfc-editor.org/rfc/rfc2581.txt

[RFC 2597] J. Heinanen, F. Baker, W. Weiß und J. Wroclawski: »Assured Forwarding PHB Group«, RFC 2597, Juni 1999, http://www.rfc-editor.org/rfc/rfc2597.txt

[RFC 2598] V. Jacobson, K. Nichols und K. Poduri: »An Expedited Forwarding PHB«, RFC 2598, Juni 1999, http://www.rfc-editor.org/rfc/rfc2598.txt

[RFC 2616] R. Fielding, J. Gettys, J. Mogul, H. Frystyk, L. Masinter, P. Leach und T. Berners-Lee: »Hypertext Transfer Protocol – Http/1.1«, RFC 2616, Juni 1999, http://www.rfc-editor.org/rfc/rfc2616.txt

[RFC 2638] K. Nichols, V. Jacobson und L. Zhang: »A Two-bit Differentiated Services Architecture for the Internet«, RFC 2638, Juli 1999, http://www.rfc-editor.org/rfc/rfc2638.txt

[RFC 2644] D. Senie: »Changing the Default for Directed Broadcasts in Router«, RFC 2644, Aug. 1999, http://www.rfc-editor.org/rfc/rfc2644.txt

[Rhee 1998] I. Rhee: »Error Control Techniques for Interactive Low-bit Rate Video Transmission over the Internet«, *Proceedings ACM SIGCOMM 1998*, Vancouver (31. Aug. – 4. Sep. 1998), http://www.acm.org/sigcomm/sigcomm98/tp/abs_24.html

[Roberts 1967] L. Roberts und T. Merril: »Toward a Cooperative Network of Time-Shared Computers«, *AFIPS Fall Conference*, Okt. 1966.

[RocketTalk 2000] http://www.rockettalk.com

[Rom 1990] R. Rom und M. Sidi: *Multiple Access Protocols: Performance and Analysis*, Springer-Verlag, New York, 1990.

[Rose 1996] M. Rose: *The Simple Book: An Introduction to Internet Management*, 2. überarbeitete Aufl., Prentice Hall, Englewood Cliffs, NJ, 1996.

[Rosenberg 1999] J. Rosenberg und Henning Schulzrinne: »The IETF Internet telephony architecture and protocols«, *IEEE Network Magazine*, Band 13, Mai/Juni 1999, S. 18–23.

[Ross 1995] K. W. Ross: *Multiservice Loss Models for Broadband Telecommunication Networks*, Springer, Berlin, 1995.

[Ross 1997] K. W. Ross: »Hash-Routing for Collections of Shared Web Caches«, *IEEE Network Magazine*, Band 11, Nov./Dez. 1997, S. 37–45.

[Ross 1998] K. W. Ross: »Distribution of Stored Information in the Web, An Online Tutorial«, 1998, http://www.eurecom.fr/~ross/CacheTutorial/DistTutorial.html

[RSA 1978] R. L. Rivest, A. Shamir und L. M. Adleman: »A method for obtaining digital signatures and public-key cryptosystems«, *Communications of the ACM*, Band 21, Nr. 2, Feb. 1978, S. 120–126.

[RSA 1997] RSA Data Security: »What is the RSA Secret Key Challenge?« http://www.rsasecurity.com/rsalabs/faq/2-4-4.html

[RSA FAQ 1999] RSA Laboratories: »RSA Labs FAQ«, http://www.rsasecurity.com/rsalabs/faq/

[RSA Fast 1999] RSA Laboratories: »How fast is RSA?« http://www.rsasecurity.com/rsalabs/faq/3-1-2.html

[RSA Key 1999] RSA Laboratories: »How large a key should be used in the RSA Crypto system?« http://www.rsasecurity.com/rsalabs/faq/3-1-5.html

[Rubenstein 1998] D. Rubenstein, J. Kurose und D. Towsley: »Real-Time Reliable Multicast Using Proactive Forward Error Correction«, *Proceedings of NOSSDAV 1998*, Cambridge, UK, Juli 1998, http://gaia.cs.umass.edu/pub/Rubenst98:proact.ps.gz

[Saydam 1996] T. Saydam und T. Magedanz: »From Networks and Network Management into Service and Service Management«, *Journal of Networks and System Management*, Band 4, Nr. 4, Dez. 1996, S. 345–348.

[Schneier 1995] B. Schneier: *Applied Cryptography: Protocols, Algorithms, and Source Code in C*, John Wiley and Sons, 1995.

[Schulzrinne 1997] H. Schulzrinne: »A Comprehensive Multimedia Control Architecture for the Internet«, *NOSSDAV 1997 (Network and Operating System Support for Digital Audio and Video)*, St. Louis, Missouri; 19. Mai 1997, http://www.cs.columbia.edu/~hgs/papers/Schu9705_Comprehensive.ps.gz

[Schulzrinne 1999] Henning Schulzrinne's RTP Site, http://www.cs.columbia.edu/~hgs/rtp/

[Schurmann 1996] G. Schurmann: »Multimedia Mail«, *ACM Multimedia Systems*, Okt. 1996, S. 281–295.

[Schwartz 1980] M. Schwartz: *Information, Transmission, Modulation, and Noise*, McGraw Hill, New York, 1980.

[Schwartz 1982] M. Schwartz: »Performance Analysis of the SNA Virtual Route Pacing Control«, *IEEE Transactions on Communications*, Band COM-30, Nr. 1, Jan. 1982, S. 172–184.

[Segaller 1998] S. Segaller: *Nerds 2.0.1, A Brief History of the Internet*, TV Books, New York, 1998.

[Semeria 1996] C. Semeria: »Understanding IP Addressing: Everything you ever wanted to know«, http://www.3com.com/nsc/501302s.html

[Semeria 1997] C. Semeria und T. Maufer: »Introduction to IP Multicast Routing«, http://www.3com.com/nsc/501303.html

[Setco 1999] SET Secure Electronic Transaction LLC, http://www.setco.org/.

[Shacham 1990] N. Shacham und P. McKenney: »Packet Recovery in High-Speed Networks Using Coding and Buffer Management«, *Proc. IEEE Infocom Conference*, San Francisco, 1990, S. 124–131.

[Sharma 1997] Puneet Sharma, Deborah Estrin, Sally Floyd und Van Jacobson: »Scalable Timers for Soft State Protocols«, *Proc. IEEE Infocom 1997 Conference*, Kobe, Japan, April 1997.

[Shenker 1990] S. Shenker, L. Zhang und D. D. Clark: »Some Observations on the Dynamics of a Congestion Control Algorithm«, *ACM Computer Communications Review*, Band 20, Nr. 4, S. 30–39, Okt. 1990.

[Sidor 1998] D. Sidor: »TMN Standards: Satisfying Today's Needs While Preparing for Tomorrow«, *IEEE Communications Magazine*, Band 36, Nr. 3, März 1998, S. 54–64.

[Siegmund 1999] G. Siegmund: *Technik der Netze*, Hüthig, 1999.

[Singh 1999] S. Singh: *The Code Book: The Evolution of Secrecy from Mary, Queen of Scots, to Quantum Cryptography*, Doubleday Press, 1999.

[Solari 1997] S. J. Solari: *Digital Video and Audio Compression*, McGraw Hill, New York, 1997.

[Solensky 1996] F. Solensky: »IPv4 Address Lifetime Expectations«, in: *IPng: Internet Protocol Next Generation*, S. Bradner, A. Mankin (Hrsg.), Addison-Wesley, Reading, MA, 1996.

[Spragins 1991] J. D. Spragins: *Telecommunications Protocols and Design*, Addison-Wesley, Reading, MA, 1991.

[Spurgeon 1999] C. Spurgeon: »Charles Spurgeon's Ethernet Website«, http://wwwhost.ots.utexas.edu/ethernet/ethernet-home.htm

[Squid 2000] Squid Web Proxy Cache, http://www.squid-cache.org/

[Srinivasan 1999] V. Srinivasan und G. Varghese: »Fast Address Lookup Using Controlled Prefix Expansion«, *ACM Transactions Computer Sys.*, Band 17, Nr. 1, Feb 1999, S. 1–40.

[Stallings 1993] W. Stallings: *SNMP, SNMP v2, and CMIP The Practical Guide to Network Management Standards*, Addison-Wesley, Reading, MA, 1993.

[Stallings 1999] W. Stallings: *SNMP, SNMPv2, SNMPv3, and RMON 1 and 2*, Addison-Wesley, Reading, MA, 1999.

[Stallings 2000] W. Stallings: *Sicherheit im Internet, Anwendungen und Standards*, Addison-Wesley, 2000.

[Steinmetz 2000] R. Steinmetz: *Multimedia-Technologie. Grundlagen, Komponenten und Systeme*, Springer, 2000.

[Stevens 1990] W. R. Stevens: *Unix Network Programming*, Prentice-Hall, Englewood Cliffs, NJ.

[Stevens 1994] W. R. Stevens: *TCP/IP Illustrated*, Band 1: *The Protocols*, Addison-Wesley, Reading, MA, 1994.

[Stevens 1997] W.R. Stevens: *Unix Network Programming*, Band 1: *Networking APIs-Sockets and XTI*, 2. Aufl., Prentice-Hall, Englewood Cliffs, NJ, 1997.

[Stewart 1999] J. Stewart: *BGP4: Interdomain Routing in the Internet*, Addison-Wesley, 1999.

[Stone 1998] J. Stone, M. Greenwald, C. Partridge und J. Hughes: »Performance of checksums and CRC's over real data«, *IEEE/ACM Transactions on Networking*, Band 6, Nr. 5, Okt. 1998, S. 529–543.

[Stone 2000] J. Stone und C. Partridge: »When Reality and the Checksum Disagree«, *Proceedings of ACM SIGCOMM 2000*, Stockholm, Aug. 2000.

[Strayer 1992] W. T. Strayer, B. Dempsey und A. Weaver: *XTP: The Xpress Transfer Protocol*, Addison-Wesley, Reading, MA, 1992.

[Subramanian 2000] M. Subramanian: *Network Management: Principles and Practice*, Addison-Wesley, Reading, MA, 2000.

[Sun 2000] Sun Microsystems: »System and Network Management«, http://www.sun.com/products-n-solutions/software/management/

[Sunshine 1978] C. Sunshine und Y. K. Dalal: »Connection Management in Transport Protocols«, *Computer Networks*, North-Holland, Amsterdam, 1978.

[Tanenbaum 2000] A. S. Tanenbaum: *Computernetzwerke*, 3. Auflage, Pearson Studium 2000.

[Talpade 1995] R. Talpade und M. H. Ammar: »Single Connection Emulation (SCE): An Architecture for Providing a Reliable Multicast Transport Service«, *Proceedings of the IEEE International Conference on Distributed Computing Systems*, Vancouver, Juni 1995, ftp://ftp.cc.gatech.edu/pub/coc/tech_reports/1994/GIT-CC-94-47.ps.Z

[Thaler 1997] D. Thaler und C. Ravishankar: »Distributed Center-Location Algorithms«, *IEEE Journal on Selected Areas in Communications*, Band 15, Nr. 3, April 1997, S. 291–303.

[Thinplanet 2000] Thinplanet Homepage, http://www.thinplanet.com/

[Thomson 1997] K. Thomson, G. Miller und R. Wilder: »Wide Area Traffic Patterns and Characteristics«, *IEEE Network Magazine*, Band 11, Nr. 6, Nov./Dez. 1997, S. 10–23.

[Thottan 1998] M. Thottan und C. Ji: »Proactive Anomaly Detection Using Distributed Intelligent Agents«, *IEEE Network Magazine*, Band 12, Nr. 5, Sep./Okt. 1998, S. 21–28.

[Tobagi 1990] F. Tobagi: »Fast Packet Switch Architectures for Broadband Integrated Networks«, *Proc. of the IEEE*, Band 78, Nr. 1, Jan. 1990, S. 133–167.

[Turner 1986] J. Turner: »New Directions in Communications (or Which Way to the Information Age?)«, *Proceedings of the Zürich Seminar on Digital Communication*, Zürich, März 1986, S. 25–32.

[Turner 1988] J. S. Turner: »Design of a broadcast packet switching network«, *IEEE Transactions on Communications*, Band 36, Nr. 6, Juni 1988, S. 734–743.

[Turner 1999] D. A. Turner und K. W. Ross: »Continuous-Media Internet E-Mail: Infrastructure Inadequacies and Solutions«, http://www.eurecom.fr/~turner/cmail1.html

[Utah 1999] State of Utah Department of Commerce: »Certification Authority Licensing Program«, http://www.commerce.state.ut.us/digsig/dsmain.htm

[UUnet 1999] UUnet: »Service Level Agreement«, http://www.uk.uu.net/support/sla/

[Valloppillil 1997] V. Valloppillil und K. W. Ross: »Cache Array Routing Protocol«, Internet Draft, <draft-vinod-carp-v1-03.txt>, Juni 1997.

[Varghese 1997] G. Varghese und A. Lauck: »Hashed and Hierarchical Timing Wheels: Efficient Data Structures for Implementing a Timer Facility«, *IEEE/ACM Transactions on Networking*, Band 5, Nr. 6, Dez. 1997, S. 824–834.

[Verisign 1999] Verisign Homepage, http://www.verisign.com/

[Viterbi 1995] A. Viterbi: *CDMA: Principles of Spread Spectrum Communication*, Addison-Wesley, Reading, MA, 1995.

[Voydock 1983] V. L. Voydock und S.T. Kent: »Security Mechanisms in High-Level Network Protocols«, *ACM Computing Surveys*, Band 15, Nr. 2, Juni 1983, S. 135–171.

[W3C 1995] The World Wide Web Consortium: »A Little History of the World Wide Web«, 1995, http://www.w3.org/History.html

[Wakeman 1992] I. Wakeman, J. Crowcroft, Z. Wang und D. Sirovica: »Layering Considered Harmful«, *IEEE Network*, Jan. 1992, S. 20–24.

[Waldvogel 1997] M. Waldvogel u. a.: »Scalable High Speed IP Routing Lookup«, *Proceedings of ACM SIGCOMM 1997*, Cannes, Sep. 1997, http://www.acm.org/sigs/sigcomm/sigcomm97/papers/p182.html

[Walke 2000] B. Walke: *Mobilfunknetze und ihre Protokolle*, Band 1 und 2 (2. Auflage), Teubner Verlag, 2000.

[Walke, Althoff, Seidenberg 2000] B. Walke, M.-P. Althoff, P. Seidenberg: *UMTS – Ein Kurs*, J. Schlembach Fachverlag, 2001.

[Wall 1980] D. Wall: »Mechanisms for Broadcast and Selective Broadcast«, PhD Dissertation, Stanford University, Juni 1980.

[Waung 1998] W. Waung: »Wireless Mobile Data Networking – The CDPD Approach«, Wireless Data Forum, 1998, http://www2.wirelessdata.org/public/whatis/whatis.html

[Waxman 1988] B. M. Waxman: »Routing of multipoint connections«, *IEEE Journal on Selected Areas in Communications*, Band 6, Nr. 9, Dez. 1988, S. 1617–1622.

[Web ProForum 1999] Web ProForum: »Tutorial on H.323«, 1999, http://www.webproforum.com/h323/index.html

[Wei 1993] L. Wei und D. Estrin: »A comparison of multicast trees and alg3«, 1999, http://www.webproforum.com/h323/index.html

[Wei 1993] L. Wei und D. Estrin: »A comparison of multicast trees and algorithms«, TR USC-CD-93-560, Dept. Computer Science, University of California, Sep. 1993.

[Wimba 2000] http://www.wimba.com

[Wireless 1998] Wireless Data Forum: »CDPD System Specification Release 1.1«, 1998, http://www2.wirelessdata.org/public/specification/index.html

[Wood 1999] L. Wood: »Lloyds Satellites Constellations«, http://www.ee.surrey.ac.uk/Personal/L.Wood/constellations/iridium.html

[Yahoo!Broadcast 2000] http://www.broadcast.com

[Yahoo-MIME 1999] Yahoo MIME Webpage, http://dir.yahoo.com/Computers_and_Internet/Multimedia/MIME/

[Yeager 1996] N. J. Yeager und R. E. McGrath: *Web Server Technology*, Morgan Kaufmann Publishers, San Francisco, 1996.

[Zegura 1997] E. Zegura, K. Calvert und M. Donahoo: »A Quantitative Comparison of Graph-based Models for Internet Topology«, *IEEE/ACM Transactions on Networking*, Band 5, Nr. 6, Dez. 1997,
http://www.cc.gatech.edu/fac/Ellen.Zegura/papers/ton-model.ps.gz;
siehe auch http://www.cc.gatech.edu/ projects/gtim über ein Softwarepaket, das Netzwerke mit einer realistischen Struktur erzeugt.

[Zhang 1991] L. Zhang, S. Shenker und D. D. Clark: »Observations on the Dynamics of a Congestion Control Algorithm: The Effects of Two Way Traffic«, *Proceedings of ACM SIGCOMM 1991*, Zürich, 1991,
http://www1.acm.org/pubs/citations/proceedings/comm/115992/p133-zhang/

[Zhang 1993] L. Zhang, S. Deering, D. Estrin, S. Shenker und D. Zappala: »RSVP: A New Resource Reservation Protocol«, *IEEE Network Magazine*, Band 7, Nr. 9, Sep. 1993, S. 8–18.

[Zhang 1998] L. Zhang, R. Yavatkar, Fred Baker, Peter Ford, Kathleen Nichols, M. Speer und Y. Bernet: »A Framework for Use of RSVP with Diff-serv Networks«, <draft-ietf-diffserv-rsvp-01.ttt>, 20. Nov. 1998, in Arbeit.

[Ziff-Davis 1998] Ziff-Davis Publishing: »Ted Nelson: Hypertext pioneer«, 1998, http://www.zdnet.com/zdtv/screensavers_story/0,3656,2127396-2102293,00.html

[Zimmermann 1999] P. Zimmermann: »Why do you need PGP?« http://www.pgpi.org/doc/whypgp/en/

Register

!

1,5-Mbps-Verbindungsleitung 513
10/100-Mbps-Adapter 422
100BaseT 419, 421
100Mbps-LANs 404
10Base2 419
10BaseT 419, 421
10BaseT-Ethernet 424
10Mbps-Ethernet 418
10Mbps-LANs 404
16Bit-Datenzeiger 216
16Bit-Feld 215
16Bit-Ganzzahlen 386
16Bit-Protokollcodes 443
16Bit-Wert 342
16Bit-Wort 188, 633
16Wort-Blöcke 580
1Bit-Sequenznummer 195
1Gbps-LANs 404
1Gbps-Verbindungsleitung 200
20Bit-Feld 342
20Byte-Header 457
28,8-Kbps-Wählmodems 509
32-Bit-Verbindungsidentifizierung 602
32Bit-Feld 215, 604
32Bit-IP-Adresse 335
32Bit-IP-Adressraum 341
32Bit-Sequenznummer 204
32Bit-Zähler 621
3Com 336, 382, 405, 412, 632
3DES 563
3PDUs 175
3Tupel 602
40-Byte-Header 341
40Byte-Header 342
48Bit-Jam-Signal 418
48Bit-Schlüssel 561
48Byte-Stücke 457
4B5B 422
4Bit-Feld 216, 342
4PDUs 175
56K-Modemverbindung 441
56Bit-Standard 558
5Byte-Header 388
64Bit-Eingabe 561
6Byte-Adressen 406
7Bit-ASCII 123
802.11-LANs 436
802.11-Spezifikation 437
802.3-LAN 405, 419
8Bit-Feld 342
8Bit-Polynomkodiertechnik 451

A

AAL 449, 453
AAL5 450, 454
AAL-Puffer 457
AAL-Teilschicht 453
Abfertigungsrate 435
Abhöraktionen 592
Ablaufzeit 409
ABR 448
Abramson, Norman 77, 399
Abrechnungsfunktionen 511
Abrechnungsmanagement 508, 614
ABR-Netzwerkdienst 279
Abschirmung 54
Abstand zwischen Paketen 494
Abstract Syntax Notation One 620
Abstraktion 275, 523, 544
Abstraktionsebene 29
Abtastrate 482
Abtastung 501
Abteilungen 423
Abteilungsübergreifende Kommunikation 424
Abwärtsausbreitung 402
Abwärtskompatibilität 422, 541
Abwehrlinien 641
Abweichung 230
Abweichung der Verzögerung 496
Abzweiganlage 49

Register

Accelar 1200 336
Access-Point 436
Accounting-Management 614
ACK 192, 364, 440
ACK-Bit 216, 639
ACK-Erzeugung 223
ACK-Feld 221
Acknowledgments 30
ACK-Segment 572
ACM 25
Adapter 381
Adapterdesign 382
Adapterhersteller 406
Adapter-RAM 407
Adapter-Seite 405
Adaptive Delta-Modulation 503
Adaptive Wiedergabeverzögerung 496
Addition 387
Additive-Increase, Multiplicative-Decrease 246
Address Lifetime Expectations 341
Address-Indirection 349
Adernpaar 53
Ad-hoc-Netzwerk 436
Administration 629
Administrative Autonomie 299
Administrative Domains 328
Admission Test 533
Adressabbildung 409
Adressblöcke 308
Adressierkonventionen 23
Adressierschema 407
Adressierung 302
Adressinformationen 66, 383
Adressklassen 306
Adresspräfix 309
Adressraum 306, 335, 406
Adressübersetzung 508, 511
ADSL 49, 52, 483
Advanced Research Projects Agency 75
Advertisements 323, 326
Advertising 228
AF-PHB 544
Agent 617, 622, 626, 629
Agents 618
Aggregationstechniken 322
AGIS 71
AH 602
AH-Header 603
Ahornsirup 598
AIMD 246
AIMD-Algorithmus 247
Akkumulator 580
Aktienhandel 598
Aktienkurse 347
Aktiver Eindringling 555
Aktivitätsphasen 38

Aktualisierungen 133, 186, 229, 290
Aktualisierungsnachricht 290, 328
Alarmkorrelation 615
Algorithmen
    DES 561
    Diffie-Hellman 563
    Kryptograpie 559
    Message-Digest 577
    RSA 565
Algorithmus 245, 496, 497
Aliasadressen 511
Aliasnamen 139, 511
Alice und Bob 553
Allheilmittel 641
ALOHA 398, 412
ALOHAnet 76 f., 412
Altavista 107
Alternating-Bit-Protokoll 199
Alterungszeit 428
Alto-Computer 412
Amazon.com 641
America OnLine 100
American Registry for Internet Numbers 341
Ameritech 71
Analogsignal 482
Andreesen, Marc 79, 100
Anfangssequenznummer 217, 230
Anfrage/Antwort-Modus 626
Anfrage-ID 629
Anfragekette 145
Anfragenachricht 102, 110, 142
Anfragepakete 409
Anfragezeile 106
Angebotene Last 237
Angreifer 638 f., 641
Anhängeschritt 580
Animationen 55
Ankunftsrate 60
Anmeldepasswort 555, 570 f.
Anomalienerkennung 615
Anonymität 594
Anpassung der Rate 226
Anschlussbuchsen 422
ANSI 623
Antwortnachricht 102, 108, 110, 322, 486
Antwortpakete 409
Anwendungscode 588
Anwendungsdaten 639
Anwendungsebene 448
Anwendungsentwickler 93, 150, 178, 182, 184 f.,
    249, 500 f., 505, 588
Anwendungs-Gateways 639
Anwendungsklassen 476
Anwendungsmultiplexen 179
Anwendungspaketflüsse 513
Anwendungsprogramme 28, 555

Anwendungsprotokolle 182
Anwendungsprozesse 175
Anwendungsschicht 68, 90, 588
Anycast-Adressen 341
AP 436
Apache 101
Apache-Web-Server 149
API 93
APNIC 310
Applet 230, 319
AppleTalk 414, 443, 446
AppleII-Computer 459
Application Programming Interface 93
Approximation 419
Approximationsalgorithmus 356
Aprisa 632
Arbeitsplatzumgebungen 405
Architektur von Routern 332
Architekturen 633
Architekturkomponenten 512, 539
Area-Border-Router 327
Areas 326
ARIN 309, 341
Arithmetik 204
ARPA 75, 400
ARPANET 75, 78, 212, 290, 334, 400, 412, 612
ARP-Anfragenachricht 458
ARP-Modul 408
ARP-Paket 409
ARP-Server 458
ARP-Tabelle 409, 457
ARQ 192
Arrays 166
AS 299, 321 f., 327, 330, 362, 364, 583
ASCII-Darstellung 126, 218, 580, 637
ASCII-Kodierung 123
ASCII-Text 130
ASCII-Textzeilen 125
ASCII-Zeichen 120, 127
Asien 346
ASN.1 620, 623, 632, 635
ASN.1-Homepage 637
ASN.1-Typen 636
Association for Computing Machinery 25
Assoziationen 44
Assured Forwarding 543
Asymmetric Digital Subscriber Line 49
Asymmetrie 49
Asynchrone Sprachanwendungen 479
Asynchronous Transfer Mode 447
AT&T 460, 613
ATM 242, 447
ATM-ABR-Überlastkontrolle 242
ATM-Adaptionsschicht 449
ATM-Adressen 457
ATM-Architektur 78, 349

ATM-ARP-Tabelle 456
ATM-Bitübertragungsschicht 449
ATM-Dienstklassen 453
ATM-Forum 278, 280, 447, 453
ATM-Header 448, 452
ATM-Merkmale 448
ATM-Netzwerkarchitektur 277
Atmosphäre 52
ATM-Protokollstack 449
ATM-Schicht 449, 452
ATM-Signalisierungsprotokoll 457
ATM-Switches 447, 455
ATM-Zellen 451, 457
Atomkraftwerk 611
Attachments 123, 131, 589
Attacken 637
Audio/Video-Clips 486
Audio/Video-Kodierung 486
Audio-/Videowiedergabe 476
Audioanwendung 504, 513
Audioblöcke 494
Audio-CDs 386
Audiodaten 501
Audiodateneinheiten 499
Audiokodierung 503
Audiokompression 482
Audiokonferenz 533
Audio-on-Demand 494
Audioqualität 494, 497 f., 503
Audio-Samples 187
Audiosignal 482, 492, 499
Audio-Streaming 483, 485, 499
Audioströme 499
Audioverbindungen 516
Auffüllschritt 580
Aufräumarbeiten 167
Aufzeichnungs-Timing 477
Ausbreitungsverzögerung 42, 55, 58, 402, 417, 419, 493
Ausfuhrbeschränkungen 592
Ausführungsinstanz 287
Ausgabedatenstrom 151
Ausgaberate 488
Ausgangsleitung 434
Ausgangsport 332, 335
Ausgangsportverarbeitung 338
Ausgangspuffer 36
Ausgangsrate 543
Ausgangsrouter 456
Ausgangsverbindung 235
Ausgangswarteschlange 340, 513, 518 f.
Auslastung 201
Ausnahmemechanismen 149
Ausnahmesituation 626
Außer der Reihe 205
Austrittspunkte 455

Authentification Header 602
Authentifikation 110, 554, 568, 588, 595 f., 630 f.
Authentifikationsalgorithmus 604
Authentifikationsdaten 603
Authentifikationsfehler 628
Authentifikationsproblem 572
Authentifikationsprotokoll 445, 568
Authentifikationsschema 570
Authentifikationsserver 583
Authentizität 594
Autobahn 58, 435
Automatic Repeat reQuest 192
Autonome Einheit 382
Autonome Systeme 299
Autonomie 76, 328
Autorisation 133, 508, 599 f.
Autorisierungsanfrage 601
Autoritativer Name-Server 141
Available Bit Rate 279, 448

B

Backbone 432
Backbone-Bereich 327
Backbone-Hub 424
Backbone-ISP 117
Backbone-Knoten 422
Backbone-Netzwerke 71
Backbone-Router 296, 327, 334, 539
Backbone-Routing-Anforderungen 335
Backbone-Service-Provider 73
Backoff-Algorithmus 418
Backoff-Prozedur 438
Backoff-Timer 439
Backoff-Zustand 424
Backslash 166
Backtracking 538
Bandbreite 22, 49, 72, 95, 135, 137, 248, 390, 529, 544, 613
Bandbreite sparen 533
Bandbreite/Verzögerung-Produkt 207
Bandbreitenanforderungen 499
Bandbreitenanteil 244
Bandbreitenbegrenzung 337
Bandbreitenblöcke 535
Bandbreitenhungrige Anwendungen 480
Bandbreitenmanagement 508, 511
Bandbreitenmenge 252, 515
Bandbreitennutzung 249
Bandbreitenreservierungen 481, 529, 537
Bandbreitensensitive Anwendungen 95
Bank 600
Bankautomaten 570
Baran, Paul 74
Bartransaktionen 594

base64-Kodierung 128
Basic Encoding Rules 636
Basic Service Set 436
Basisband 54
Basisbandübertragung 416
Basisdatentypen 620
Basisschicht 531
Basisstation 51, 436
Basis2-Arithmetik 387
Baumdatenstruktur 335
Baumkern 363
Bay Networks 336
BBN 75
Bedingtes GET 112
Befehlsgenerator 629
Befehlszeilen 167
Begrenzungszeichen 129
Begrüßungssocket 158
Behavior Aggregate 540
Beispielszenarien 258
Belgien 406
Bell Atlantic 460
Bellman-Ford-Algorithmus 290
Benachrichtigungsempfänger 629
Benennungsrahmenwerk 623
Benutzeranwendung 454
Benutzerautorisation 640
Benutzerbevölkerung 117
Benutzerchiffrierdaten 631
Benutzereingabe 155
Benutzeridentifizierung 119
Benutzeridentitäten 110
Benutzerinteraktivität 479, 484
Benutzerkennung 640
Benutzernamen 110
Benutzungsoberfläche 484
BER 636
Berechnungen 388, 398
Berechnungskomplexität 500
Berechnungsumfang 285
Bereiche 326, 331
Bereitstellung 530
Berichterstattungen 618
Berkeley Software Distribution 321
Berners-Lee, Tim 79
Besetztsignal 516
Bestandteile des Internets 21
Bestätigungen 179, 192, 224, 380, 459
Bestätigungsfeld 198, 230
Bestätigungsnummer 215 f.
Best-Effort-Dienst 179, 219, 278, 302, 479, 480, 492, 512 f.
Best-Effort-Qualität 76
Best-Effort-Versuch 184
Bestellinformation 600
Bestellungen 594

Betriebsabläufe 616
Betriebssystemcode 569
Betriebssysteme 89, 336, 447, 555, 570, 633
Betriebssystemplattformen 592
Betrügerische Transaktionen 599
Betrugsarten 599
BGP 290, 328
BGP-Aktualisierungen 330
BGP-Gateway 329
BGP-Nachrichtentypen 329
BGP-Peers 329
BGP-Tabelle 329
BGP-Version 4 328
Bibliotheksroutine 140
Bidirektionaler Datentransfer 190
Big-endian 634
Bildkompression 483
Bildqualität 530
Bildschirme 459
Bildsequenz 483
Binärarithmetik 387
Binärdaten 126
Binäre Suchtechniken 335
Binärform 637
Binärnotation 303
Binärsuche 335
Binärzahl 387
BIND-Software 138
Bitdarstellung 482
Bitebene 383
Bitfehler 42, 57, 192, 315, 380, 383
Bitfehlerraten 459
Bitfluss 27
Bitmuster 126, 387
BITnet 78
Bitraten 53
Bit-Reservoir-Pufferung 483
Bitsequenz 383, 481
Bitsynchronisation 451
Bitübertragungsschicht 69, 332, 416, 419, 423, 438, 442, 445, 448
Bitübertragungszeit 393
Bitumkehr 383
Bitweises EXCLUSIVE-OR 387
Bitzeitgaben 449
Bitzeitschlitz 393
Blackbox 140
Blaise de Vigenere 560
Blockadezustand 538
Blockierung 335, 516
BNC-Buchsen 420
Bodenstationen 55
Boggs, David 412
BOOTP-Protokoll 308
Bösewichte 556, 637
Boundary-Router 328

Box 382
Breitband 54
Breitbandkabel 54
Breitbandnetzwerkdienste 447
Bridge-Filterung 426
Bridges 70, 425, 430, 537
Bridge-Schnittstelle 425
Bridge-Tabelle 426
Briefkasten 66
Broadcast 284, 348
Broadcast-Adresse 409
Broadcast-Advertisements 326
Broadcast-Bus 401
Broadcast-Fluten 431
Broadcast-Kanal 405, 417
Broadcast-Leitung 305, 379, 389
Broadcast-Leitungen 388
Broadcast-Medium 50
Broadcast-Verbindungsleitung 304
Browser 79, 101, 110, 139, 484, 584, 595 f., 598, 600
Browser-Krieg 100
Browser-Software 89
Browser-Wallet 600
Brute-Force-Methode 560
BSD-Version 321
BSS 436
Buchstaben 559
Buchstabenpaare 560
Bucket 523
Bucket-Brigade-Attacke 575
Budget 619
Bündel von Kanälen 297
Bürogebäude 53
Burst-Fehler 388
Burst-Größe 523, 524
Burstiness 463
Bursts 60, 385
Busbasiertes Switching 336
Busgeschwindigkeit 336
Busschnittstelle 382
Busse 382
Bus-Switching 336
Bustopologie 413, 420
Bustopologie-Ethernet 424
Byte Stuffing 444
Byte-Arrays 160
Byte-Batch 157
Bytestopfen 444
Bytestrom 97, 216
Bytestromkanal 157

C

C++ 149, 154
CA 581, 585 f., 595 f., 598
Cache 110, 112, 335
Cache Array Routing Protocol 118
Cache-Cluster 117
Caching 112, 145
Caesar-Chiffre 559 f.
Caesar-Schlüssel 561
Call Admission 518, 526
Call-Setup 274
CAMs 335
Carrier Sense Multiple Access 400
Carrier-Sense Multiple Access
    with Collision Avoidance 437
Carrier-Sensing 400, 419
Cartoons 476
CBR 279, 448
CBR-Dienste 453
CBR-Netzwerkdienst 278
CBT 361, 363
CDMA 393
CDMA-Beispiel 394
CDMA-Encoder 393
CDPD 51
CD-Player 489
CD-Qualität 482, 513
CD-ROM-Qualität 483
CD-Technik 482
CDV 279
Cell Loss Priority 452
Cell-Delay-Variation 279
Cell-Loss-Rate 279
Cell-Transfer-Delay 279
Cellular Digital Packet Data 51
Cerf, Vinton 76, 212
CERN 79
CERT 556, 637
Certification Authority 581
CGI-Skripts 136
Challenge 558
Chaos 630
Chat 346
Chat-Room 479
Cheapnet 420
Checksum 188
Chiffretext 557, 559
Chiffrieralgorithmus 557, 560, 567, 595
Chiffrierschema 560
Chiffriersystem 631
Chipping-Rate 393
Chip-Set 382
Choke-Paket 241
Chosen-Plaintext-Attacke 560, 564
CI-Bit 243
CIDR 307
Cipher-Block-Chaining 563
Cipher-Block-Chaining-Mode 631
Ciphertext-Only-Attacke 560
CIR 461, 462
Circuit 33
Circuit Switches 33
Cisco 314, 321, 325, 328, 334, 436
Cisco 12000 337
Cisco 1900 336
Cisco-Router 12000 333
Cisco-Router 8500 335
CiscoWorks2000 632
Clark, Jim 100
Classful Addressing 307
Classless Interdomain Routing 307
Clear To Send 440
Client/Server-Anwendungen 148, 151, 250
Client/Server-Interaktion 484
Client/Server-Modell 28, 182
Client/Server-Paradigma 138
Client/Server-Programmierung 149
Client-Anwendung 232
Client-Aushungerung 489
Client-Authentifikation 596, 599
Client-Autorisierung 599
Client-Browser 113, 486
Client-Caching 111
Client-Code 153, 159
Client-Portnummer 163
Client-Programm 152
Client-Prozess 102
Client-Puffer 488
Clients 28
Client-Speicher 480
CLP-Bit 452
CLR 279
Cluster 118
CMISE/CMIP 618
CNN.com 641
Cockpit 611
Cocktail-Party 389
Code 501
Code Division Multiple Access 392
Code knacken 560
Codedefinitionen 343
Codeknackwettbewerbe 558
Coderaum 394
Codezeilen 154, 160, 162
Collision-Detection 400
Commerce-Site 588
Committed Information Rate 461
Compiler 633
CompuServe 100
Computer/Telefon-Integration 478

Register

Computerarchitekturen 633 f.
Computer-Enthusiasten 559
Computernetze 334
Computernetzwerke 176, 190, 389, 459, 481, 612, 632
Computervernetzung 537
Congestion Avoidance 245
Congestion Indication 243
Congestion Window 244
Constant Bit Rate 448
Content Addressable Memories 335
Content-Provider 100, 114
Control Protocol 446
Control-Escape-Byte 444
Controlled-Load-Dienst 528
Convergence Sublayer 454
Cookies 110, 111
Core-Based Trees 363
CoreBuilder-5000-Systeme 336
Countdown-Timer 198
Count-to-Infinity-Problem 294
CPCS-PDU 454, 457
CPU 333, 336
C-Quellcode 580
CRC 386, 577
CRC-Feld 414, 454, 461
CRC-Prüfung 415
CRC-Standard 388
CRLF 130
Crossbar-Switch 337
Crossbar-Switching-Fabric 340
CS 454
CSMA 400, 437
CSMA/CA 440
CSMA/CD 400, 417, 419, 422, 440
CSNET 78
CST 592
CTD 279
CTI 478
CTS-Rahmen 440
CU-Feld 541
Cut-Through-Switching 434
Cyber Surfer Cable 50
Cybertrust 587
Cyclic Redundancy Check 386
C-Codefragment 633
C-Implementierung 561

D

Dachspezifikation 508
Dämpfung 415
DARPA 76, 77
Darstellungsdienst 635
Data Communications 26, 382

Data Encryption Standard 558, 561
Datagramm 178, 329
Datagramm-Dienst 281
Datagramm-Fluss 353
Datagramm-Format 314
Datagramm-Header 431
Datagramm-Länge 314
Datagramm-Netzwerke 42, 44
Datagramm-Routing 277
Datagramm-Vermittlungsschicht 276
Datagramm-Weiterleitung 426
Data-Link-Protokoll 338
Dateierweiterung 108
Dateinamen 165
Dateisystem 119, 164, 485
Dateitransfer 255
Dateitransferprotokolle 119
Dateiübertragungen 433
Datenanfragen 627
Datenanwendungen 280
Datenbank 138
Datenbeschreibungssprache 634, 636
Datenbits 393
Datendarstellung 633
Datendefinitionssprache 619
Dateneinheit 67, 191, 377, 391
Datenelemente 637
Daten-Feeds 347
Datenintegrität 460, 577, 598, 602 f.
Datenkompression 592
Datennetzwerk 447, 633
Datenschutz 557
Datenstrom 151
Datenströme 485
Datenstromobjekte 155
Datenstrukturen 331, 335, 556
Datentransfer 176, 275
Datentransferdienst 123
Datentransferkomponente 225
Datentransferprotokoll 189
Datentransferverzögerungen 228
Datentransportdienst 179
Datentypen 619 f., 634, 636 f.
Datenübertragung 477
Datenverbindung 119
Datenverkehr 638
Datenverlust 95, 103
Datenverschlüsselung 595
Datenzellen 242
Dauer 440
Dauerzustand 252
Dauerzustandsdynamik 251
Davies, Donald 74
DDoS 641
DE-Bit 462
Debugging 187

DEC 78
DEC-Alpha 634
Dechiffrieralgorithmus 567
DECNET 78, 241, 407, 44, 446
Dedizierte Übertragungsrate 392
Dedizierter Pfad 23
Dedizierter Zugriff 433
Deep Crack 559, 563
Deering, Steve 353
De-facto-Standard 328, 330, 592
Default-Route 325, 333
Defense Advanced Research
    Projects Agency 76
Defense Data Network 79
Defer Access 440
Definitionssprache 620
Deframing 382
Dekompression 484, 488
Delegation von Zugriffsrechten 584
Delta-Switching-Fabrics 337
Demultiplexen 180, 212, 414
Demultiplexfunktion 187
Denial-of-Service-Attacke 637, 556, 641
Dense-Mode 363
DES 558, 561, 589, 595, 631
DES-CBC-Chiffrierung 604
DES-Challenge 563
Designentscheidungen 480
Designkomplexität 64
DES-Iteration 563
Desktop-PC 21, 28, 447
Desktop-zu-Desktop-Lösung 448
DES-Schlüssel 567
Dezentrale Kontrolle 77
Dezentraler Routing-Algorithmus 283
Dezentralisiertes Switching 333
Dezentralisierung 399
Dezimalnotation 138
DHCP 308
Diagnosezwecke 505
Dialpad 479
Dienstabstraktion 189
Dienstanforderungen 475, 615
Dienstdifferenzierung 539
Dienste der Sicherungsschicht 378
Dienstklassen 528, 538
Dienstmodell 65, 275, 331
Dienstqualität 512, 514, 516 f., 524, 528
Dienstvereinbarung 613
Dienstzusicherungen 280
Differentiated Service Code Point 541
Differentiated-Services 538
Differentieller Dienstumfang 522
Diffserv 539
Diffserv-Architektur 540 f., 543, 544
Diffserv-Feld 541

Diffserv-Modell 539
DIFS 438
Digitale Kameras 29
Digitale Signaldarstellung 482
Digitale Signatur 568, 575, 578, 584, 590
Digitalisierung 481, 501
Dijkstra-Algorithmus 284, 298, 325
Discard Eligibility 462
Dispatch-Modul 630
Dissertationen 390
Distance Vector Multicast Routing Protocol 361
Distanztabelle 288
Distanztabelleneinträge 288, 294
Distanzvektor-Algorithmus 283, 287, 361
Distanzvektor-Protokoll 328
Distributed Inter Frame Space 438
Distributed.Net 559
Distributed-Denial-of-Service-Attacke 641
Distribution-System 436
Division 387
DN-Format 587
DNS 138, 344, 408, 557
DNS-Anwendung 185
DNS-Caching 145
DNS-Nachrichten 147
DNSNet 148
DNS-Root-Server 309
DNS-Server 619
DNS-Spezifikation 185
DNS-Suche 155, 160
Dokumentarberichte 476
Dokumentformate 90
Domain 326
Domain Name System 138
Domain-Administrator 328
Domain-Namen 309
Domänen 426
DoS-Attacke 556
Dotted-Decimal Notation 303
Download/Löschen-Modus 134
Downstream-Kanal 49, 399
Downstream-Knoten 533
Downstream-Richtung 530
Downstream-Router 360, 363, 532
Downstream-Verbindungsleitungen 533
Drahtlose LAN-Kommunikation 436
Drahtlose Stationen 436
Drei-Wege-Handshake 30, 104, 150, 185, 213,
    231, 253, 274, 445, 571
Drop-Preference-Kategorien 544
Drosseln 185, 226
DS 436
DSCP-Feld 541
DS-Feld 540, 541
DSP-Chips 381
Dual-Stack-Ansatz 344

Dumme Terminals 459
Dünnes Koaxialkabel 420
Duplikat-ACK 196, 221, 223, 247
Duplikatbestätigungen 244
Duplikatpakete 194, 198, 210
Durchsatz 244, 248 f., 398, 403, 424
Durchsatz pro Verbindung 235
Durchschnitt 229
Durchschnittsrate 97, 392, 463, 523 f.
Durchschnittsverzögerung 496
Durchschnittszeit 229
DV-Algorithmus 288
DVD-Qualität 483
DVMRP 350, 361
Dynamic Host Configuration Protocol 308
Dynamische Adresszuweisung 308
Dynamische Hostkonfiguration 308
Dynamischer Algorithmus 283
Dynamisches Überlastfenster 253

E

E.164-Adressen 94
E/A-Geräte 336
eBay 641
EBGP 330
Echo 218
Echoanfrage 319
Echoantwort 343
Echtzeitanwendungen 95, 185
Echtzeitaudio 279, 500
Echtzeitdienste 38, 280 f.
Echtzeitkonferenzen 511
Echtzeit-Netzwerkanwendungen 386
Echtzeitsprache 447
Echtzeit-Streaming 480
Echtzeituhr 506
Echtzeitvideo 478
Echtzeit-Videokonferenzen 492
E-Commerce 587
EFCI-Bit 243
EFF 559
Effektive Übertragungsrate 398
Effizienz 397, 417
Effizienzfaktoren 397
Effizienzproblem 589
EF-PHB 543
EIGRP 321, 328
Einbruchserkennung 613
Eindeutige IP-Adresse 179, 303
Eindringling 326, 555, 557, 560, 565, 596, 630
Einer-Komplement 188
Einerkomplement-Arithmetik 315, 579
Einer-zu-Viele-Multicast-Beispiel 531
Einer-zu-Viele-Übertragung 532

Einfachheit 442
Eingabedatenstrom 151, 154
Eingaberate 488
Eingangsleitung 434
Eingangsleitungskarten 336
Eingangsport 332 f.
Eingangspuffer 36
Eingangsrouter 456
Eingangsverarbeitung 334
Eingangswarteschlangen 340
Einkaufskorb 111
Einleitungsformalitäten 185
Einmaliger Sitzungsschlüssel 582
Einmalwert 572
Eintrittspunkte 455
Einzelbitparität 385
Einziger Ausfallpunkt 140
Elastische Anwendungen 95, 476
Electronic Frontier Foundation 559
Elektromagnetische Störungen 54
Elektromagnetische Umgebungsstörungen 415
Elektromagnetische Wellen 52
Elektromagnetisches Rauschen 380
Elternknoten 382, 407
E-Mail 24
E-Mail-Nachrichten 21
Empfängerauthentifikation 589
Empfänger-Feedback 192
Empfänger-FSM 205
Empfängergruppe 349
Empfängerorientiert 529, 533
Empfangsbericht 506
Empfangsfenster 226
Empfangsoperation 334
Empfangspuffer 214, 226
Empfangsraten 531
Encapsulation Security Payload 602
Encoder 503
Endbenutzer 542
Ende-zu-Ende-Abstraktionen 613
Ende-zu-Ende-Bandbreite 481
Ende-zu-Ende-Basis 460
Ende-zu-Ende-Netzwerkschicht 189
Ende-zu-Ende-Pfad 251
Ende-zu-Ende-Rate 244
Ende-zu-Ende-Schaltkreis 34
Ende-zu-Ende-Transport 275
Ende-zu-Ende-Transportprotokoll 138
Ende-zu-Ende-Überlastkontrolle 240
Ende-zu-Ende-Verbindungen 339
Ende-zu-Ende-Verzögerung 62, 279, 435, 463, 479, 492, 493
Endpunkte 507
Endsysteme 21, 28, 70, 507
Energiepegel 438
Energiestärke 419

Enhanced Interior Gateway
   Routing Protocol 328
Entity Body 107 f., 110
Entleerung des Puffers 489
Entscheidungsprozesse 615
Entwicklungsphase 149
Enzyklopädie 99
Ereignisarten 204
Ereignisbasierte Programmierung 206
Ereignisse beim SR-Empfänger 209
Ereignisse beim SR-Sender 208
ER-Feld 243
Erfindung des Telefons 100
Erfolgreicher Schlitz 397
Erfolgsgeschichte 334
Erfüllungsstelle 600
Erhöhung des Durchsatzes 239
Erkennung von Kollisionen 440
Erneuerbare Tickets 584
Ersatznachricht 537
Erschöpfung des Adressraums 307
Ersetzungsbuchstaben 559
Ersetzungsoperation 561
Erste Iteration 285
Erster Hop 350
Erstklassedienst 480
Erstmaliges ACK 221
Erweiterte FSM 204
Erweiterungsschicht 531
ESP 602, 604
EstimatedRTT 229
Ethernet 69, 411
Ethernet-Adapter 416
Ethernet-Effizienz 419
Ethernet-Hardware 412
Ethernet-Kabel 304
Ethernet-Karte 333, 406, 412
Ethernet-LAN 405, 412, 417, 555
Ethernet-Netzwerke 461
Ethernet-Pakete 316
Ethernet-Rahmen 430
Ethernet-Rahmenstruktur 413
Ethernet-Segmente 427
Ethernet-Switches 432
Ethernet-Web-Site 412
Eudora 94, 122, 592
Europa 346, 431, 458
EWMA 229
Expedited Forwarding 543
Explicit Forward Congestion Indication 242
Explicit Rate 243
Exponential Weighted Moving Average 229
Exponentialrechnung 566, 567, 575
Exponentieller Backoff 417, 427
External-BGP 330
ECommerce 447

EMail 121, 279, 342, 447, 554, 641
EMail-Adresse 511
EMail-Anwendung 91
EMail-Chiffrierschema 592
EMail-Chiffrierung 592
EMail-Design 591
EMail-Infrastruktur 137
EMail-Nachricht 126, 586
EMail-Systemdesign 589

F

Fachbegriffe 617
Fading 439
Faires Verhalten 250
Fakultäten 423, 433
Fakultätshub 424
Fälschungsschutz 631
Fälschungssicher 575
Fälschungssicherheit 577
Farbe 483
Fast-Ethernet 421
Fast-Recovery 247
Fast-Retransmit 222 f., 247
Fax 33
FBI 592
FCFS 339
FCFS-Scheduling 340
FDDI 405
FDM 34, 391, 392
FEC 386, 493, 498 f.
Feedback 191, 241, 279
Feedback-Unterdrückung 352
Fehleranzeige 615
Fehlerbedingungen 315, 319, 343
Fehlerbehebung 67
Fehlercode 319
Fehlererkennung 187 f., 192, 380, 383, 415, 442
Fehlererkennungsbits 380, 384, 386
Fehlererkennungscode 577
Fehlererkennungsfelder 179
Fehlererkennungsschema 384
Fehlergrenzwert 631
Fehlerkontrolle 67, 315
Fehlerkorrektur 380, 442
Fehlerkorrekturcodes 449
Fehlermanagement 613
Fehlermeldung 319, 408, 533
Fehlerprüfung 184, 189, 381
Fehlerraten 380, 459
Fehlerstatus 628
Fehlertoleranz 429
Fenstergröße 203, 208, 215, 241, 254
Fernmeldejargon 33
Fernsehen 389

Fernsehfernbedienung 489
Fernsehsendungen 476, 478
Fernverbindungen 71
Festnetze 436
Festnetzverbindungen 53
Festplatte 145
Festverdrahtetes Ethernet 436
Fiber Distributed Data Interface 405
FIFO-Queuing 519
FIFO-Reihenfolge 513
FIFO-Scheduling 518
File Transfer Protocol 118
Filetransfer 24, 29, 78, 95, 226, 342
Filter 638
Filterkonfiguration 640
Filteroptionen 638
Filter-Policy 639
Filterung 426
FIN 216
Finanzanalysen 638
Finanzanwendungen 95
Finanzdaten 596
Finanzdienste 558
Finanzinstitut-Gateway 600
Finanzinstitutionen 594
Finanztransaktionen 598
FIN-Bit 232
Fingerprint 577
Finite-State Machine 191
Firetalk 479
Firewalls 637
Firewall-Schutz 431
Firmen 419
Firmengelände 404, 583
Firmenkunden 459, 460
First Come First Serve 339
First In First Out 513, 518
Fixed-Filter 534
Flache Struktur 406
Flag 314, 443
Flag-Bit 317
Flag-Feld 216
Flag-Muster 444
Flag-Sequenz 444
Flaschenhals 244
Flaschenhalsbandbreite 113
Flaschenhalsleitung 247
Flexibilität 463
Flexible Dienstmodelle 538
Fluggesellschaft 379
Flugsystem 62
Flugzeug 611
Fluktuation 230
Flusserhaltung 296
Flussidentifizierungsfeld 530
Flusskennzeichnung 341

Flusskontrolldienst 227
Flusskontrolle 30, 67, 179, 215, 226, 380, 460
Fluss-Label 342
Fluten 296, 325, 430
FM-Radiostationen 34
Folder-Hierarchie 134
Folgenummer 195
Formel 258, 525
Formularfelder 107
Forschungsartefakte 612
Forschungsdatenbanken 79
Forschungsgruppen 74
Forward Error Correction 386
Fragmente 317
Fragmentierung 317 f., 337, 343
Frame Relay Forum 463
Frame-Relay 460
Frame-Relay-Netzwerk 461
Frame-Relay-Schnittstellenkarte 461
Frame-Relay-Switch 460
Frames 34, 315, 377
Framing 379, 382, 443, 446, 449
Frankreich 79
Free Phone 499, 501
Freeware 592
Frequency-Division Multiplexing 34
Frequenzband 34, 399, 416
Frequenzbereich 436
Frequenzen 392
Frequenzmultiplexen 34
Frequenzspektrum 404
FSM 191
FSM-Darstellung 192
FSM-Spezifikation 204
FTP 31, 68, 92, 118, 182, 489, 570, 641
FTP-Anwendung 513
FTP-Befehle 120
FTP-Sitzung 119
Füllbytes 414
Funk 399
Funkfrequenz 437
Funkloch 439
Fusionsvereinbarung 576

G

G.711-Standard 508
G.722 509
G.723.1 509
G.723.3 482
G.728 509
G.729 482, 509
G2-Server 489
Ganzzahlen 634
Ganzzahlendarstellung 634

Ganzzahlenwert 633
Gatekeeper 508, 511
Gateway-Router 299, 330
Gateways 319, 508, 640
GBN-Protokoll 202
Gbps-Ethernet-Adapter 382
Gebühren 72
Gebührenerhebung 614
Gefälschte IP-Quelladresse 556
Geführte Medien 52
Geheimhaltung 554, 588 f., 590, 593, 602 f., 604
Gemeinsamer Broadcast-Kanal 389
Gemeinsamer Gruppenbaum 355
Gemeinsames Geheimnis 563
Gemeinsames Medium 54
Generalabdeckung 588, 602
Generalisierung 385
Generator 387
GEO-Satelliten 55
Geostationärer Erdorbit 55
Gepufferte Distributoren 422
Gerade Parität 384
Gerätehersteller 623
Gerichteter Graph 325
Geringste Kosten 282
Gesamtdurchsatz 236, 424, 431, 433
Gesamteingangsrate 38
Gesamtlatenz 253
Gesamtsignal 394
Gesamtverzögerung 38
Gesamtweiterleitungsrate 432
Geschäftstransaktion 553, 595
Geschichte des Internets 74
Geschichtete Kodierung 532
Gespaltene Lager 480
Gespeicherte Audiodateien 476
Gespeichertes Audio/Video 485
Gesprächsprotokoll 400
GET-Nachricht 30, 112
Gewicht 229
Gewichtete Kombination 229
Gewichtung 328
GIF-Bild 167
Gigabit Ethernet Alliance 423
Gigabit-Bereich 55
Gigabit-Ethernet 419, 422
Gigabit-Ethernet-Bridges 427
Glasfaser 54
Glasfaserkabel 423
Glasfaserleitung 422, 459
Glasfasertechnologie 53
Gleichung 258, 387, 393 f.
Globaler Routing-Algorithmus 283
Go-Back-N 202, 225
Gold/Silber/Bronze-Dienst 544
Golden-Gate-Brücke 334

Grafische Benutzeroberfläche 79, 94, 122, 137, 422, 484
Graft-Nachrichten 361
Granularität 627
Graph 328
Graphenabstraktion 281
Graphenalgorithmen 284
Grenz-Router 47, 51, 362 f., 515, 541
Grenz-Switch 462
Grenzwert 244 f., 493
Großbuchstaben 151, 157
Großraumbüro 409
Großrechner 459
Großstadtbereich 55
Gruppenadresse 349
Gruppenbaum 364
Gruppengröße 498
Gruppenmitgliedschaft 349
Gruppenmitgliedsprotokoll 351
GSM 482, 488, 501
GSM-Kodierung 498
GUI 79, 122
Gullivers Reisen 634

H

H.245 509, 510
H.261 503
H.261-Standards 483
H.323 507
H.323-Anlage 507
H.323-Protokollarchitektur 508
H.323-Sitzung 510
H.323-Zone 511
Hacker 555
Haftungsanteil 600
Halbduplexübertragung 380
Handelsbetrug 599
Handelsgeheimnisse 638
Händeschütteln 30
Händlerhaftung 599
Händler-Server 600
Händlerzertifikat 600
Handschriftliche Unterschriften 575
Handshake 30, 67, 97 f., 104, 184, 212, 415, 597
Handshake-Phase 150, 157, 595 f.
Hard-State-Protokolle 353
Hard-States 537
Hash 590
Hash-Funktion 577, 580, 590, 631
Hash-Routing 117
Hawaii 399, 412
Hawaiianische Inseln 76
HDLC 389, 441
Head-End-Station 49

Header 42, 44, 66
Header-Bedingung 542
Header-Fehlerkorrektur 451
Header-Felder 185, 453, 501, 630
Header-Informationen 180
Header-Länge 216, 314
Header-Optionen 315
Header-Overhead 42, 185
Header-Prüfsumme 315
Header-Zeilen 106, 108, 119, 126, 166
Head-of-the-Line Blocking 340
Heap 286
Hearme 479
HEC 451
HEC-Byte 451, 452
HEC-Feld 457
Heimzugang 483
Helper-Anwendung 484, 486, 491
Herleitung 397, 419
Herstellerspezifische Standards 623
Heterogene Netzwerke 632
Heterogenität 530, 531
Heuristiken 356
Hewlett-Packard 632
Hexadezimale Notation 407, 580
Hexenmeister 344
HFC 49
Hidden-Terminal-Problem 439
Hierarchie 71
Hierarchische Routing-Strukturen 326
Hierarchische Struktur 406
Hierarchisches LAN-Design 429
High-Definition-Video 480
HMAC 604, 631
Hochgeschwindigkeits-LAN 116, 412
Hochgeschwindigkeitsleitung 258
Hochgeschwindigkeitsnetze 200, 212
Hochgeschwindigkeitsverbindung 113
Hochgeschwindigkeitsvernetzung 72
Hochleistungsrouter 316
HOL-Blockierung 340
Home-Banking 79
Hop 350, 361
Hop-Anzahl 322
Hop-by-Hop 537
Hop-Limit 343
Hop-Router 569
Hops 239, 328
Hop-zu-Hop-Basis 459
Hostadapter 433
Hostnamen 137, 640
Hosts 28, 410, 613
Host-Schnittstellen 304
Host-Teil 304
Host-Überwachung 612
Hostüberwachungsszenario 617

Hotmail 135, 136
Hot-Potato-Routing 296
Housekeeping 167
HTML 79
HTML-Basisdatei 101, 103
HTML-Basisseite 260
HTTP 31, 67 f., 79, 101, 125, 135, 182, 346, 485, 487, 570, 641
HTTP/1.0 251
HTTP/1.1 105
HTTP-Anfrage 485
HTTP-Antwortnachricht 107, 486, 491
HTTP-GET 341
HTTP-Nachrichtenformat 106
HTTPS 596
HTTP-Server 486
HTTP-Transportschemata 260
Hub 54, 71, 421, 423, 427
Huckepack 104, 218, 253
Hybrid Fiber Coaxial Cable 49
Hybridlösung 49, 52
Hyperlink 486
Hypertext 79
HyperText Transfer Protocol 101

I

IAB 25
IANA 128, 624
IBGP 330
IBM 78
IBM-PCs 412
IBM-SNA 241
ICANN 309
ICMP 602, 622
ICMP-Echoanfragen 556
ICMP-Fehlermeldung 343
ICMP-Nachricht 602
IDEA 592, 595
Identifizierer 349, 491
Identifizierung von Benutzern 110
Identifizierungsbaum 623
Identifizierungsdaten 623
Identifizierungsinformationen 586
Identifizierungsnachricht 571
Identifizierungsnummer 111, 317
Identitäten 349
Identitätsnachweise 137
Identitätsprüfung 585
IEEE 25, 406, 412, 623
IEEE 802.11 436, 440
IEEE 802.3z 422
IEEE 802.5 405
IEEE-802.11-LAN 437
IEEE-802.11-Stationen 436

IEEE802-Standards 422
IETF 23, 25, 307, 310, 341, 436, 441, 538, 586, 623
IGMP 350
IGMP-Interaktion 350
IGMP-Nachrichten 351
IGMP-Version 2 351
IKE-Algorithmus 605
IMAP 94, 132, 135
IMAP-Befehle 135
IMAP-Mail-Zugang 595
IMAP-Site 135
Implementierung 64, 66, 148
Implementierungsaspekte 324
Implementierungsmechanismus 543
IMPs 75
InformationRequest 622
Informationsfeld 444, 537
Informationsform 618
Informationspakete 600
Infrastruktur 24, 615
Inhaltstyp 129
Initialisierung 447
Initialisierungsschritt 284 f., 290
Inseln 306
Installationsbestand 422
Installationsszenario 511
Institute of Electrical and Electronics Engineers 25
Institutionelles Netzwerk 114
Integrität 476, 554, 575, 579, 588, 590, 593
Intel 634
Intelligenz 459
Interaktive Anwendungen 499
Interaktive Multimedia-Anwendungen 492
Interaktive Operationen 478
Interaktive Spiele 347
Interaktives Echtzeitaudio 478
Interaktives Echtzeitvideo 480
Inter-AS-Multicast-Routing 364
Inter-AS-Protokoll 330
Inter-AS-Routing 328, 330
Inter-AS-Routing-Protokoll 299, 321, 328
Interface 303
Interface Message Processors 75
Interferenzen 55
Interior-Gateway-Protokolle 321
Interleaving 499
Internal-BGP 330
International Organization for Standards 613
International PGP Homepage 592
International Telecommunication Union 586
International Telecommunications Union 447
Internationale Internet-Provider 23
Interne Router 327
Internet 612, 618, 638

Internet Architecture Board 25
Internet Assigned Numbers Authority 624
Internet Caching Protocol 117
Internet Control Message Protocol 319
Internet Engineering Task Force 23
Internet Explorer 100
Internet Group Management Protocol 350
Internet Key Exchange 605
Internet Mail Access Protocol 132
Internet Network Management Framework 619, 620
Internet Society 25
Internetwork 189
Internetworking 76, 280
Internet-Adressierung 321
Internet-Aktivisten 592
Internet-Änderungen 481
Internet-Anschluss 74
Internet-Anwendungen 186, 595
Internet-Architektur 62, 275, 349
Internet-Backbone 55, 447
Internet-Benutzer 131
Internet-Betreiber 330
Internet-Commerce 584, 594, 595
Internet-Commerce-Protokoll 598
Internet-Commerce-Sites 641
Internet-Dienste 588
Internet-Durchsatz 250
Internet-Endsysteme 21
Internet-Explorer 598
Internet-IETF 623
Internet-Infrastruktur 24, 483
Internet-Killer-Anwendung 479
Internet-Mail 91, 132
Internet-Mail-System 121
Internet-Maschinen 344
Internet-MBone 364
InternetMCI 71
Internet-Multicast 347
Internet-Netzwerkarchitektur 277
Internet-Netzwerkdienstmodell 280
Internet-Over-ATM 450
Internet-Philosophie 459
Internet-Phone 478, 480, 492, 507
Internet-Phone-Anwendung 30, 492 ff., 497, 501
Internet-Phone-Software 502
Internet-Protokollstack 67, 449, 588
Internet-Protokollstapel 67
Internet-Prüfsumme 315, 386, 577, 579
Internet-Prüfsummenfeld 192
Internet-Radiostationen 478
Internet-Registries 309
Internet-RFCs 621
Internet-Router 318, 334
Internet-Schichten 65

Internet-Standards 23
Internet-Telefongespräch 481
Internet-Telefonie 91, 98, 476, 479, 495
Internet-Telefonprodukte 478
Internet-Topologie 71
Internet-Transaktionen 594
Internet-Transportschicht 190
Internet-Verkehr 602
Internet-Verkehrsvolumen 72
Internet-Vermittlungsschicht 219
Internet-Verzögerung 114
Internet-Visionäre 479
Internet-Wählton 23
Internet-Zensur 592
Internet-Zugang 404, 514
Internet-Zugangsraten 137
Interoperabilität 621
Interoperability Lab 423
Interoperation 332
Interpolation 484, 500
Interprozess-Kommunikation 89
Interrupt 336
Interrupt-Ereignis 220
Intra-Area-Routing 327
Intra-AS-Routing 325
Intra-AS-Routing-Protokoll 299
Intra-AS-Routing-Protokolle 321
Intradomain-Routing-Protokoll 617
Intranets 23, 523, 612
Investitionskosten 72
IP 179, 492
IP Security 601
IP-Adressen 93, 138, 303, 406, 407, 505
IP-Adressierarchitektur 307
IPCP 446
IP-Datagramm 230, 302, 310, 492, 537, 621
IP-Dienst 219
IP-Dienstmodell 179
IP-Fragmentierung 314, 457
IP-Header 603
IP-Knoten 343
IP-Multicast 505
IP-Netzwerk 226, 304
IPng 341
IP-Optionen 316
IP-Over-ATM 46, 448, 458
IP-Pakete 326
IP-Protokoll 68, 302
IP-Protokollfeld 638
IP-Protokollversion 314
IP-Quelladresse 569, 602
IP-Router 319, 455, 460
IP-Schicht 588
IPsec 601, 605
IPsec-Datagramm 602
IP-Spoofing 556, 569

IP-Telefoniedienst 512
IP-Unicast-Adresse 349
IPv4 317, 514, 541
IPv4-Adressen 341
IPv4-Adressierung 303
IPv4-Datagramm 314
IPv4-TOS-Feld 541
IPv6 314, 341, 346, 530
IPv6/IPv4 344
IPv6-Datagramm 343
IPv6-Verkehrsklassen-Feld 541
IP-Version 4 302
IP-Version 6 302
IP-Versionsnummer 342
IPX 407
ISDN 49, 52, 54
ISDN-Kanal 441
ISKMP 605
ISO 613, 619, 623, 632
ISO IDRP 290
Isolation 514, 515
Isolierte Netzwerke 306
Isolierung 54
ISP 541, 542, 638
ISP-Router 48
ISPs 71, 321, 345
Iteration 285
Iterative Anfragen 144
ITU 447, 453, 586
ITUT 623

J

Jam-Signal 417, 418
Java 101, 149
Java-Applet 42, 228, 319
Java-Applets 94
Java-Code 158
Java-Interpreter 154
Jitter 279 f., 480, 484, 488, 492 ff., 506
Join-Nachrichten 357
JPEG 101, 127
JPEG-Bild 167
JPEG-Datei 485
JPEG-Standard 483
Julius Caesar 559

K

Kabelabschluss 420
Kabelfernsehen 49, 420
Kabelfernsehsysteme 54
Kabelmantel 53
Kabelmodem 50, 483

Kahn, Robert 75, 212
Kaltstart 628
Kamera 503
Kanalaufteilung 397
Kanalaufteilungsprotokolle 391
Kanalausbreitungsverzögerung 402
Kanalauslastung 207
Kanalemulation 453
Kanalmodell 210
Kanalnummern 42
Kanalrate 397
Kanalzugriffsprotokoll 379
Kanonischer Hostname 139
Kapazitäten 201
Kapitalgeber 334
Karteninhaber-Transaktionen 600
Kartennummer 600
Kauderwelsch 559 f., 564
Kaufanweisungen 600
Kauftransaktionen 598 f.
KDC 581, 583
KDC-Infrastruktur 584
KEEPALIVE-Nachricht 329
Kerberos 583
Kerberos V4 583
Kerberos V5 583
Kerberos-AS 583
Kern 357, 363
Kernschmelze 611
Key Distribution Center 581
Key Signing Parties 594
Killer-Anwendung 99, 479
Killer-Reservierungsproblem 538
Killer-Technologien 483
Klangqualität 488, 509
Klangverschlechterung 482
Klartext 125, 557
Klartext/Chiffretext-Paare 560
Klartextnachricht 559 f., 584, 593
Klartextsprache 560
Klassenbezogene Adressierung 307
Klassendefinition 154
Klassenzimmer 389
Klassifizierung 541
Klauseln 621 f.
Kleinrock, Leonard 74
Klingeln 509, 510
Kniffe 480
Knoten 281, 377
Knotenadapter 427
Knotenberechnung 290, 296
Knotengruppen 427
Knotenrechner 334
Knotenverzögerung 59, 62
Known-Plaintext-Attacke 560
Koaxialkabel 49, 51, 54, 69

Koaxialkabelsegmente 420
Kodierer 503
Kodierrate 95, 506
Kodierstandards 508
Kodiertechnik 482
Kodiertechniken 503
Kodierungsart 486
Koeffizienten 386
Kollision 390, 395, 400, 417
Kollisionsdomäne 424 f., 427, 430
Kollisionserkennung 400, 403, 439
Kommerzialisierung 79
Kommunikationsaufgaben 28
Kommunikationsdienst 24, 273
Kommunikationskanäle 377
Kommunikationsleitung 22, 381
Kommunikationsmedien 437
Kommunikationsproblem 633
Kommunikationsprotokoll 65, 618
Kommunikationssatellit 55
Komponentenfehler 617
Kompression 481
Kompressionstechniken 482
Kompressionsverhältnis 481
Konferenzgespräche 34
Konfigurationsdatei 148
Konfigurationsdatenspeicher 632
Konfigurationsmanagement 614
Konfigurationsparameter 617
Konfigurationsprotokoll 428
Konföderation 321
Konkurrenzdruck 459
Konkurrierende Verkehrsklassen 540
Konnektivität 283
Konstante 497
Konstante Übertragungsrate 33
Konstruktor 160
Kontaktaufnahme 150
Kontaktinformationen 622
Kontinuierliche Medien 136
Kontinuierliche Medienanwendungen 475
Kontinuierliche Wiedergabe 477
Kontonummer 554
Kontrollaktionen 632
Kontrolle 630
Kontrollfeld 443
Kontrolloperationen 539
Kontrollpakete 507
Kontrollprotokoll 510
Kontrollraum 611
Konventionen 633
Konvergenz 295, 323
Konvergenz-Teilschicht 454
Konvertierung 407
Konzentrator 421
Kooperatives Caching 117

Koppelmodule 54
Kosten 281
Kostenmetrik 322, 328
Kraftwerke 611
Kreditkarten 598
Kreditkartenauszug 595
Kreditkartenindustrie 598
Kreditkarteninfrastruktur 594
Kreditkartenkäufe 598 f.
Kreditkartennummer 557, 595
Kreditkartentransaktionen 598 f.
Kreditkartenzahlung 599, 601
Kryptographie 557
Kryptographiepräferenzen 596
Kryptographische Programme 592
Kryptographische Techniken 557
Kumulative Bestätigung 204, 217
Kundenanonymität 594
Kundennachfrage 345
Kundenzertifikat 599
Kupferdoppelader 51
Kupferleiter 54
Kupferleitungen 459
Kürzester Pfad 282, 358

L

LAN 350, 389, 404 f., 409, 511, 534, 571, 612, 632
LAN-Abteilungssegmente 423
LAN-Adresse 405, 407
LAN-Adressierung 430
LAN-Broadcast-Adresse 407, 414
Längenfeld 187, 414, 454
LAN-Geschwindigkeiten 513
Langsamstart 103, 245
LAN-Segmente 424
LAN-Segmentpaar 432
LAN-Technologien 51
LAN-Verzögerung 114
LAN-Zieladresse 411, 425
Laptop 51, 436
Lastverteilung 139
Latenz 251, 254, 499
Latenzgleichung 257
Lauscher 553
Lautstärke 484
LCD 632
LCP 445, 447
Leaky-Bucket 523, 528, 542
Leaky-Bucket-Policing 524
Leasing 72
Least Loaded Path 298
Least-Cost-Path 282
Lebensdauer 227, 232, 244, 583
Leerzellen 451 f.

Legosteine 23, 71
Leistung 331, 402, 528
Leistungsanforderungen 334
Leistungskriterien 613
Leistungsmaß 297
Leistungsmetriken 613
Leistungsproblem 200
Leistungsstufen 544
Leistungswerte 614
Leiterdurchmesser 49
Leitungsabschluss 338
Leitungsabschlussfunktion 333
Leitungsbandbreite 243, 248, 297, 515, 525 f., 529 f., 540, 543
Leitungsebene 515
Leitungsgeschwindigkeit 334 f., 338, 340
Leitungskapazität 236, 248, 533
Leitungskarte 332, 336
Leitungskonfigurationsoptionen 445
Leitungskosten 326
Leitungsoptionen 445
Leitungsraten 427
Leitungsressourcen 544
Leitungsschnittstelle 381 f.
Leitungstypen 442
Leitungsvermittelte Routing-Algorithmen 297
Leitungsvermittler 33
Leitungsvermittlung 32, 33
Leitungszugang 379
Leitungszugriffsprotokoll 379
LEO-Satelliten 55
Letzter Hop 350
Lichtgeschwindigkeit 58, 402
Lichtwellenleiter 54
Licklider, J. C. R. 75
Liebesaffären 553
Liliputaner 634
Linear Predictive Encoding 503
Lineare Topologie 427
Line-Card 332
Line-Speed 334
Link Control Protocol 443, 445
Link-State-Advertisements 327, 362
Link-State-Aktualisierungen 299, 326
Link-State-Algorithmus 283 f.
Link-State-Broadcast 284
Link-State-Informationen 325
Lippensynchron 490
Lipstream 479
Little-endian 634
Live-Kommunikation 568
Live-Sendungen 478
Live-Übertragung 478
Lloyds Web-Seite 56
LLP-Routing 298
Logische Kommunikation 175, 179

Lokale Internet-Provider 23
Lokale Name-Server 141
Lokale Netzwerke 389, 404
Lokale Schnittstelle 350
Longest Prefix Matching 309
Lookup 334 f.
Lookup-Geschwindigkeit 335
Loopback-Schnittstelle 325
Loss Recovery Schemes 497
Low Earth Orbit 55
LS-Algorithmus 285
Lücken 415
Luminanz 483

M

M/M/1-Queuing Theory Formula 297
MAC 437
MAC-Adresse 406
MAEs 71
Mailbox 122
Mailing-Listen 25
Mail-Reader 121, 131
Mail-Server 91, 121 f., 135
Mail-Zugangsprotokolle 132, 137
Management Information Base 623
Managementeinheit 618
Managementinformationen 615, 619
Managementinformationsbasis 617, 619, 623
Managementinfrastruktur 617, 630
Manchester-Kodierung 416, 422
Man-in-the-Middle-Attacke 575
MANs 405
Manuelle Konfiguration 308
Markierung 462, 514, 541
Marking 462
Marktdurchdringung 101
Masking 483
Massendaten 218
Massendatentransfer 318, 347
MasterCard 599
MasterCard-Site 601
Master-Knoten 403
Materialkosten 52
Mautstelle 58, 435
Maximale Antwortzeit 352
Maximale Effizienz 398
Maximale Entfernung 424
Maximale Lebensdauer 210
Maximale Rahmenanzahl 403
Maximale Segmentgröße 213
Maximale Transfereinheit 316
Maximum Free Circuit 298
Maximum Response Time 352
Maximum Transfer Unit 316, 414

MBone 360, 364
MCR 279
MD4 581
MD5 580, 590, 592
Mechanismen 514
Media Access Control 406, 437
Media History Project 26
Media-Player 484, 486
Media-Player-Krieg 477
Medienblöcke 501, 509
Mediendatenstrom 488
Medienkanäle 510
Medienströme 506
Mehrfachzugriffsproblem 379, 389
Mehrfachzugriffsprotokoll 77, 389
Mehrschichtige Architektur 64
Mehrschichtiges Hub-Design 424
Meldung von Fehlern 303
Meldungen 319
Meldungsgeber 629
Menschliche Protokolle 389
Merkmale von ATM 448
Message Integrity Code 631
Message-Digest 577, 579 f., 590, 592
Message-Switching 42
Messfunktion 542
Messgröße 244
Messintervall 462
Messung 335, 417, 358
Metafile 486
Metcalfe, Bob 400, 412
Metcalfe, Robert 76
Methoden 154
Methodenfeld 106
Metropolitan Area Exchanges 71
Metropolitan Area Networks 405
MFC-Routing 298
MIB 617, 619
MIB-Module 619, 623, 625
MIB-Objekte 619, 625, 627
MIB-Werte 627
MIC 631
Microsoft 80, 100, 136, 477, 484, 487, 623
Microsoft Exchange 592
Microsoft Internet Explorer 90, 94, 101
Microsoft Internet Information Server 101
Microsoft NetMeeting 478
Microsoft Outlook 94, 122, 592
Mikrophon 503
Mikrowellennetzwerk 76
Mikrowellensender 55
Militärausrüstung 592
Militärische Kommunikation 553
Militärsysteme 393
MILNET 79
MIME 127

MIME-Header 589, 593
MIME-Multipart-Nachricht 135
Minimale Latenz 258
Minimale Pfadkosten 290
Minimale Zellenübertragungsrate 279
Minimalismus 76
Minimalistische Philosophie 354
Minimalistisches Dienstmodell 98
Minimum Cell Rate 279
Minimumbandbreite 544
Minimumkosten 290
Minimumrate 543
Minischlitze 393
Minitel 78, 100
Mischprozedur 538
MIT 74, 412, 583
Mitleitungsdienst 544
Mobile Computer 21
Mobile Datendienste 55
Mobile Geräte 436
Mobile Hosts 310
Mobile Zugangsnetze 52
Mobiltelefonnetz 51
Modem 23, 48
Modem-Pool 74
Modifizierer 128
Modulares Design 619
Modularität 620
Moduldefinitionssprache 620
Modulus2-Arithmetik 387
Monitor 151, 155, 159
Mono 482
Monoalphabetische Chiffre 559
Mosaic für X 79
MOSFP 350
MOSPF 326, 361, 362
Motion JPEG 503
Motorola 50, 634
Movies-on-Demand 118
Mozilla 106
MP3 482
MP3-Audiodateien 483
MPEG Layer 3 482
MPEG1 501, 503
MPEG2 501, 503
MPEG-Kompressionsstandards 483
MSS 213, 245, 251, 318
MTU 316, 318, 414
Multicast 530
Multicast Open Shortest Path First 362
Multicast-Abstraktion 347
Multicast-Adresse 306, 530 f., 537
Multicast-Anwendung 92, 186
Multicast-Baum 354, 506, 529, 531, 533
Multicast-Datagramm 348, 350
Multicast-Datenflüsse 530

Multicast-Dienstmodell 353
Multicast-Gruppenabstraktion 349
Multicast-Gruppenmitgliedschaft 362
Multicasting 213
Multicast-Kommunikation 348
Multicast-OSPF 326
Multicast-Protokolle 346
Multicast-Router 354
Multicast-Routing 274
Multicast-Routing-Algorithmen 350
Multicast-Routing-Problem 354
Multicast-Szenario 505
Multicast-Transportprotokolle 352
Multicast-Tunnel 362
Multicast-Unterstützung 347
Multimedia im Internet 479
Multimedia-Anwendungen 95, 186, 249, 476, 501 f., 512 f.
Multimedia-Daten 123
Multimediale Echtzeitanwendungen 528
Multimedia-Netzwerkanwendungen 475
Multimedia-Nutzer 489
Multimedia-Streaming-Projekt 364
Multimedia-Verkehr 480
Multimode-Glasfaser 58
Multimode-Glasfaserkabel 52
Multipart 129
Multiplayer-Games 95
Multiplayer-Spiele 347
Multiple-Access Protocol 77
Multiplex/Demultiplex-Dienst 176, 184
Multiplexen 67, 180, 212, 414
Multiplexen/Demultiplexen 215
Multiplikation 387
Multipoint-Leitungen 443
Multiprotokoll-Router 334
Multiprozessoren 336
Multipurpose Internet Mail Extensions 127
Münzen 396
Musik 482
Musik-CD 489
Musikclips 476
Musikdateien 483
Muster 482
Muster-RTT 228

N

Nachbarknoten 383
Nachbar-Router 326
Nachholbedarf 483
Nachrichten 89
Nachrichten abfangen 553
Nachrichten belauschen 555
Nachrichtendiktierprotokoll 192

Nachrichten-Header 127, 135
Nachrichtenintegrität 579, 589 f.
Nachrichtenkomplexität 295
Nachrichten-Routing 45
Nachrichtenrumpf 128, 130
Nachrichtentypen 351, 627
Nachrichtenverarbeitungssystem 630
Nachrichtenverkehr 365
Nachrichtenvermittlung 39
Nachrichtenverschlüsselung 577
Nachrichtenwarteschlange 123
Nächster Header 603
Nächster Hop 361
NAK 192, 415
NAK-Mechanismus 222
Namenskonverter 408
Name-Server 138
NAPs 71, 330
Napster 477
National Institute of Standards 561
National Science Foundation 78
Nationale Internet-Provider 23
Nationale Service-Provider 71
Nato-Gremien 624
NAV 440
Navigation 101
NCP 75, 447
Nebenstellenanlagen 478
Nebenwirkung 429
Negative Bestätigungen 192
Nelson, Ted 79
Nenner 522
Net2Phone 479
Netscape 587, 595, 598
Netscape Communication Corporation 79, 100
Netscape Communicator 101
Netscape Enterprise Server 101
Netscape Messenger 122
Netscape Navigator 90, 94
Netscape-Browser 149
Network Access Points 71
Network Allocation Vector 440
Network Associates 592
Network Control Protocol 75
Network Interface Card 381
Network Operations Center 611, 617
Network Solutions 310
Netzschnittstellenkarte 333, 381, 412, 617
Netzverbindungsgerät 430
Netzversorgung 382
Netzwerkadministrator 69, 326, 328, 398, 412, 422, 430, 542, 555, 611, 626
Netzwerkadressierung 430
Netzwerkadressübersetzerboxen 346
Netzwerkanlage 617
Netzwerkanwendungen 21, 89, 148, 180, 249

Netzwerkarchitektur 175, 240, 407, 539
Netzwerkattacken 556
Netzwerkbandbreite 97, 217, 483, 484
Netzwerkbetreiber 23, 623
Netzwerkbetrieb 615
Netzwerk-Caching 111, 480
Netzwerkcomputer 29
Netzwerkdienstmodell 275
Netzwerkeindringling 555
Netzwerkeinheiten 70, 71
Netzwerkelement 69, 568
Netzwerk-Feedback 242
Netzwerkfehler 613
Netzwerkflussproblem 296
Netzwerkgeräte 615
Netzwerkhardware 201
Netzwerkinfrastruktur 637
Netzwerk-Jitter 494, 495, 496, 505
Netzwerkkern 32, 539
Netzwerkkonstellationen 389
Netzwerkleitungen 388
Netzwerkmanagement 44
Netzwerkmanagement-Agent 617
Netzwerkmanagementanwendungen 186
Netzwerkmanagementarchitektur 616, 617, 618
Netzwerkmanagementdaten 620
Netzwerkmanagementfunktionen 332, 421, 637
Netzwerkmanagementmodell 613
Netzwerkmanagementprotokoll 617
Netzwerkmanagementsoftware 631
Netzwerkmanagementstation 617, 632
Netzwerkmanagementsystem 616
Netzwerkmanagement-Tools 612, 632
Netzwerkmanager 201, 570
Netzwerkmarkt 334
Netzwerkmaske 304
Netzwerkperipherie 28, 177, 354, 539, 541, 542
Netzwerkpräfix 305
Netzwerkproblem 234, 612
Netzwerkprodukthersteller 632
Netzwerkprogramme 583
Netzwerkprotokolle 22, 27, 634
Netzwerk-Provider 73
Netzwerk-Provider-Performance 613
Netzwerkressourcen 35, 516, 614
Netzwerk-Router 175
Netzwerksadministrator 429
Netzwerkschnittstellen 325, 623
Netzwerkschnittstellenkarte 67
Netzwerkschnittstellenkarten 27
Netzwerk-Server 583
Netzwerksicherheit 555, 588
Netzwerksteuerpakete 446
Netzwerk-Switch 243
Netzwerkszenario 512
Netzwerkteil 304

Netzwerktopologie 284, 286
Netzwerküberlast 234, 243, 449, 506, 512
Netzwerkunterstützung 459
Netzwerkverbindung 252, 283, 612
Netzwerkverhalten 617
Netzwerkverkehr 612, 613
Netzwerkverkehrslast 283
Netzwerkverzögerung 496
Netzwerkwendungen 347
Netzwerkzugangspunkte 71, 330
Netzwerkzugriff 424
Neugründungen 99
Neuübertragung 76, 192, 198, 210, 222, 228, 237, 380, 416, 484, 572, 629
Neuübertragungsmechanismen 493
New York Times 586
Newsgroups 29, 279
Next Generation IP 341
NFS 583
NI-Bit 243
NIC 381 f.
Nicht präemptiv 521
Nichtanerkennung 599
Nichtpersistente Verbindungen 103
Nischenmärkte 459
NLANR-Caching-System 117
No Increase 243
NOC 611 f., 615, 617
Nomadisierende Benutzer 111
Nomineller Audiostrom 498
Nonce 572, 584, 631
Non-preemptive 521
Nordamerika 71, 141, 431, 458
Normalbetrieb 353, 440
Nortel 632
Notation 194, 284
NOTIFICATION-Nachricht 329
Notlampe 611
Novell IPX 290, 414
NPL 74
NP-vollständig 356
NSFNET 78
NSPs 71
Nutzdaten 232, 316, 318, 343, 448, 452
Nutzdatenfeld 345, 457, 628, 630
Nutzdatenteil 454
Nutzdatentyp 502 f.
Nutzungsquoten 614

O

Objekt 101
Objekt-Caching 108
Objektdefinitionssprache 620, 623
Objektidentifizierungen 627

Objektidentifizierungsrahmenwerk 623
Objektmodell 619
Objektnamen 621
Objektorientierte Videokompression 483
Objekttypdefinition 621
OC3-Geschwindigkeit 538
OC48-Leitung 334
OC3-Leitung 335
Öffentliche Schlüssel 584
Offset 497
Offset-Feld 317
OI 600
Olympiade 544
Omega-Switching-Fabrics 337
Onebox 479
Online-Aktienhandel 79
Online-Banking 598
Online-Chat 581
Online-Spiele 95
Open Shortest Path First 321, 325
Open Software Foundation 624
OPEN-Nachricht 329
Openview 632
Operanden 387
Operationsrunden 561
Optimalität 356, 365
Optimierungsproblem 296
Optimumfaktor 358
Optionen 216, 314
Optionsfeld 315, 343
Optionsverarbeitung 341
Optische Impulse 52
Optivity 632
Organisationsbeispiel 618
Organisationsmanagement 619
Originalaudiosignal 482
Originalauthentifikation 571
Originalblöcke 498
Originaldaten 237
Originaldatenbits 393
Originaldatenfeld 603
Originaldatenübertragung 237
Originalinformationen 493
Originalsequenz 393
Ortsvermittlungsstelle 53
OSI 618
OSPF 321, 325, 362
OSPF-Router 327
Out-of-Band 119
Out-of-Band-Protokoll 489
Overbooking 463
Overhead 185, 252, 299, 315, 380, 384, 443, 454, 457 f., 499, 538, 577, 628

P

PacBell 72
Packet Switching 23
PacketChannel-Datenbus 336
Packet-Discarding-Policy 518
PAD-Feld 454
Pager 21
Paketabgänge 519
Paketankunftsrate 340, 542
Paketbitfehler 192
Paket-Burst 513
Pakete 36
Paketeinheit 191
Paketfehler 207
Paketfilter 639
Paketfilterung 430
Paket-Framing 441
Paket-Header 380
Paket-Header-Felder 541
Paketiertes Audio 534
Paketierungswirkungen 528
Paket-Jitter 480, 484, 492, 497, 504
Paketklassifizierung 514, 540
Paketlänge 58
Paketmarkierung 514, 540
Paketprüfsummenfeld 192
Paket-Queuing-Disziplin 543
Paketreihenfolge 277
Paket-Routing 281
Paket-Scheduler 339, 530, 532
Paket-Scheduling 480
Paketsenderate 542
Paketsequenznummern 209
Paket-Sniffer 555
Paketstrom 463
Paketstruktur 489
Paket-Switches 36, 70, 75, 425, 430, 459
Paketüberlauf 187
Paketübertragungen 275
Paketübertragungszeit 339
Paketumstellung 210
Paketverkehr 57
Paketverlust 37, 61, 95, 185 f., 198, 240, 247, 250, 338, 480, 492 f., 497
Paketverlustraten 493
Paketvermittelte Netzwerke 212
Paketvermittlung 23, 32, 35 f., 399, 447 f.
Paketvermittlungsdienst 460
Paketvermittlungstechnologie 458
Paketverzögerung 480
Paketwarteschlangen 338
Paketwiederholung 500
Parallele Übertragung 41
Parallelismus 104

Paritätsbits 384
Partner 329
Partybesucher 392
Passiver Eindringling 555
Passwort 110, 119, 593
Passwort chiffrieren 571
Passwörter stehlen 571
Passwortsequenz 571
Patches 345
Path Messages 533
Pauschalgebühr 73
PAUSE-Anfrage 491
Payload 448
PBX 478
PC 33, 48, 50, 71, 94, 131, 213, 459
PCM 482, 501, 503, 508
PCMCIA-Karte 381
PCM-Kodierung 498
PCR 279
PC-zu-Phone-Anwendungen 479
PDA 51
PDUs 65, 67, 180
PDU-Typen 65, 627
Peak Cell Rate 279
Peering 72
Peers 329
Performance 61, 528, 543
Performance-Grenzwerte 617
Performance-Management 613
Per-Hop Behavior 540
Periodische Paketankünfte 60
Periodizität 287
Peripheriefunktionen 540
Permanent Virtual Channel 455
Permutationsschritte 561
Persistente Verbindungen 103
Personalcomputer 412, 420
Personaldaten 638
Personenrufsysteme 21
Persönliche Web-Seite 584, 589
per-Verbindung-Durchsatz 236
Pfad 23, 281
Pfadbaum 325
Pfadbestimmungskomponente 302
Pfadermittlung 273
Pfadinformationen 328
Pfadkosten 290, 358
Pfadnachrichten 533
Pfadstatus 534
Pfadvektor-Protokoll 328
Pfadverlust 55
PGP 588, 592
PGP Public-Key-Server 594
PGP-Benutzer 594
PGP-Design 592
PHB 543

Register

Phoneme 500
Physical Medium Dependent 450
Physikalische Adresse 379, 405, 426
Physikalische Medien 22, 52
Physische Hindernisse 439
PI 600
Piggyback 104, 218
PIM 350, 361, 363
PIN 554
Ping 612
Ping-Nachricht 343
PIN-Nummern 570
Pipe 157, 160
Pipelining 105, 202, 222
Pixel 483
Pizzabestellung 584
Platten 459
Plattenspeicher 483, 489
Platzhalter 161, 166
PLAY-Anfrage 491
Playback-Attacke 571, 631
Plug-and-Play 308
Plug-and-Play-Geräte 429 f.
Plug-and-Play-Protokoll 410
Plug-ins 484
PMD 450
PMD-Teilschicht 450
Point of Presence 74
Pointer 216
Point-to-Point Protocol 441
Poisoned Reverse 294
Policies 632
Policing 523
Policing-Grenzen 523
Policing-Kriterien 523
Policing-Mechanismus 515
Policy 314, 328 f., 543, 614
Policy-Entscheidung 514
Policy-Entscheidungen 639
Policy-Fragen 281, 330
Policy-Kriterien 331
Policy-Rahmenwerk 543
Polling-Protokoll 403
Polling-Verzögerung 403
Polyalphabetische Chiffrierung 560
Polynomcodes 386
POP3 94, 132, 135
Port 110 133
Port 179 329
Port 21 182
Port 23 182
Port 520 324
Port 53 138
Port 6789 165
Port 80 182
Portnummer 6789 156

Portnummer der Quelle 181
Portnummer des Ziels 181
Portnummern 94, 149, 155, 182, 187, 217, 233, 489, 505, 630, 639
Portnummernpaar 182
Port-Queuing 338
Positive Bestätigungen 192
Post Office Protocol, Version_3 132
Postanschrift 407
Postdienst 44, 66, 69, 126, 177, 302
Postverteilerstelle 69
Potenzierung 568
Power-Management 441
PPP 69, 389, 441
PPP-Bytestopfen 444
PPP-Datenrahmen 443
PPP-Design 441, 442
PPP-Protokoll 563
Präambelbits 415
Präambelfeld 415
Präsentationsbeschreibungsdatei 490
Presentation Service 635
Pretty Good Privacy 592
Prim-Algorithmus 284
Primzahlen 566 ff.
Prioritäten 462
Prioritäten-Queuing 520
Prioritäten-Scheduling-Regel 513
Prioritätsdienst 480, 541 f.
Prioritätsklassen 520 f.
Privathaushalt 48
Privatnutzer 441, 447
Privatwohnungen 54
Probabilistische Übertragungsregel 397
Problembeseitigung 132
Prodigy 100
Produktentwicklungspläne 638
Pro-Fluss-Reservierung 538
Programmierschnittstelle 93
Programmiersprachen 204, 229
Progressive Networks 477
Pro-Hop-Verhalten 540 f., 543
Promiscuous Mode 555
Proprietäre Standards 483
Protocol Independent Multicast 363
Protokolldateneinheiten 65, 175, 627
Protokolldesigner 36
Protokolle
    ALOHA 398
    Anwendungsschicht 90
    ARQ 192
    Authentifikation 568
    Bitübertragungsschicht 69
    CARP 118
    CBT 363
    CDMA 393

CSMA 437
Datentransfer 191
Definition 26
DHCP 308
DNS 138
DVMRP 361
EIGRP 325, 328
E-Mail 91, 121
ESP 604
Fehlerkorrektur 380
FTP 118
Go-Back-N 202
Handshake 30, 127
HTTP 101, 135
ICP 117
IEEE 388
IGMP 350
Internet 28
IP 22, 68
IPsec 601
ISKMP 605
LCP 445
MAC 51, 438
MOSPF 362
Multicast 347
Namen 190
Netzwerkmanagement 617
OSPF 325
PIM 363
Portnummern 94
PPP 441
Proprietär 91
Public-Domain 149
RFCs 91
Routing 281, 290
RSVP 529
RTCP 505
RTP 501
RTSP 484, 489
Schichten 64
Schlüsselverwaltung 605
SET 599
Sicherungsschicht 69, 188, 316, 377
Signalisierung 276
Sliding-Window 203
Slotted-ALOHA 396
SMTP 121
SNMP 618
Spanning-Tree 430
SR 208
Stop-and-Wait 194
TCP 22, 96
TLS 595
Transportschicht 67, 175, 178
UDP 96
Unicast 347

Vermittlungsschicht 273
X.25 459
XTP 386
Protokollfeld 414, 445
Protokollnummer 315, 537
Protokollschichtung 65, 67
Protokollspezifische Daten 619
Protokollstack 66, 177, 206, 273, 315, 382, 407, 457, 588
Protokollstandards 613
Protokolltyp 442
Protokollzustand 195
Provisioning 530
Proxy-Server 108, 113
Proxy-Vermittler 629
Prozeduraufruf 191
Prozesse adressieren 93
Prozessorspeicher 336
Prozess-zu-Prozess-Datenübertragung 179
Prozess-zu-Prozess-Lösung 448
Prüfsumme 187, 343, 444, 577, 579
Prüfsummenbits 194
Prüfsummencodes 386
Prüfsummenfehler 612
Prüfsummenfeld 188, 215, 315
Prüfsummentechniken 386, 554
Prune-Nachrichten 360
Pruning 360, 362 f.
PSH-Bit 216
PSINet 71
PT 452
PT-Feld 451, 454
Public-Domain 91, 99, 122, 148, 592
Public-Domain-Protokoll 484
Public-Domain-Standard 484
Public-Key-Chiffrierung 563, 584, 586, 591, 602
Public-Key-Kryptographie 564, 573, 575, 581, 584, 589
Public-Key-Paar 592
Public-Key-Server 584, 589, 592
Public-Key-System 558
Public-Key-Technologie 596
Puffer 36, 56, 207, 214, 231, 336, 526
Pufferanforderungen 202
Puffergröße 150
Pufferkapazität 380
Pufferplatz 226, 235, 518, 544
Pufferraum 338
Pufferüberlauf 185, 238, 513
Pull-Operation 132
Pull-Protokoll 126
Pulscodemodulation 482
Punktdezimalnotation 303, 307, 408
Punkt-zu-Punkt-Kanal 189
Punkt-zu-Punkt-Leitungen 305, 379, 389, 422, 441

Register

Punkt-zu-Punkt-Verbindung 51, 213, 347, 441
Push-Protokoll 126
PVCs 455, 458, 463

Q

Q.931 509, 510
QCIF H.261 510
QoS-Anforderungen 513, 517
QoS-Architekturen 522
QoS-Zusicherungen 339, 514, 518, 526, 538
Quake 347
Quality-of-Service 339
Quantisierung 501
Quantisierungswerte 482
Quantitative Daten 617
Quantitative Zusicherungen 528
Quelladressfeld 555
Quellenauthentifikation 602
Quellenbasierte Bäume 355
Quellenbeschreibungspakete 506
Quellenidentifizierer 506
Quell-IP-Adresse 534
Quellportnummer 182
Quell-Quench-Meldung 320
Quellrouter 461
Queues 338
Queuing 339, 340
Quoted-Printable 128

R

Radio und Fernsehen 100
Radiosendungen 478
Rahmen 67, 315, 377, 379
Rahmenformate 379
Rahmen-Header 384
Rahmenrate 35
Rahmenstruktur 450
Rahmenübertragungszeit 398
Rahmenweiterleitung 426
Rahmenwerk 618
Rahmenzwischenspeicherung 424
Rahmung 220
RAM 145, 409
Randomisierung 287
RAS 509
RAT 499
Ratenbasierter Ansatz 242
Ratenberichtigung 243
Raum/Zeit-Diagramme 401
Raumdimension 401
Räumliche Redundanz 483
Rauschimmunität 422

RBOCs 71
Reaktionszeit 259
Real Player 477, 484
RealMedia 489
RealNetworks 477, 482, 484, 487, 491
Real-Time-Protokoll 484
Real-Time-Streaming-Protokoll 484
Reassemblierung 39, 67, 317, 318, 343, 456
Receive Window 226
Rechenaufwand 576
Recovery 353, 404
Redundante Informationen 493, 498
Redundante Pakete 484
Redundanzen 481, 483
Regierungsnetzwerke 23
Regional Bell Operating Companies 71
Regionale Internet-Provider 23
Regionale ISPs 71
Regler 484
Regulierung der Rate 523
Reichweite 419
Reichweiten 55
Reihenfolge 205, 208, 279, 302, 317, 443
Reines ALOHA 398
Reisebüro 379
Rekursive Anfragen 144
Remote Monitoring 622
Remote-Login 24, 29, 95, 218, 447
Rendezvouspunkt 357, 364
Reno-Algorithmus 247
Reorganisation 343
Repeater 419, 423, 427
Replizierte Web-Server 139
Request for Comments 23
Request ID 629
Request To Send 440
Request/Response-Mode 626
Reservierung von Ressourcen 531
Reservierungen 32, 481, 529
Reservierungsanfrage 481, 538
Reservierungsarten 534
Reservierungsfehler 538
Reservierungsnachricht 530, 532, 533
Reservierungspfad 537
Resource Reservation Protocol 526
Resource-Records 146
Ressourcen 30, 32 f., 231, 235, 275, 279 f., 297, 516, 526, 529, 615
Ressourcenmanagement-Zellen 242
Ressourcenmengen 544
Ressourcenreservierung 533
Ressourcenreservierungsprotokolle 346
Ressourcenzuteilung 543
Restaurants 32
ResvError-Nachrichten 538
Retransmissions 30

Reverse Path Forwarding 359
Revisionshistorie 622
RFC
   1028 618
   1034 78, 140
   1035 140
   1058 321
   1071 188, 315, 386
   1075 361
   1112 353
   1122 212
   1180 411
   1213 625
   1320 581
   1321 557, 580
   1323 212, 216
   1332 446
   1378 446
   1422 586
   1510 583 f.
   1542 308
   1547 441
   1584 326, 362
   1631 346
   1636 557
   1662 443
   1700 94, 182, 315, 443
   1723 321
   1760 571
   1762 446
   1771 328
   1772 328
   1773 328
   1889 501, 505
   1905 626
   1906 628
   1907 628
   1932 458
   1933 344
   1939 133
   1945 104, 106
   1991 441
   2002 310
   2011 621
   2012 622
   2013 622
   2018 212, 226
   2045 127
   2046 127
   2048 128
   2050 309
   2060 134
   2104 604, 631
   2109 110
   2131 310
   2136 148
   2153 441
   2186 117
   2189 363
   2201 363
   2205 529 f.
   2210 526
   2211 528
   2212 528
   2215 526
   2236 350, 351
   2246 595
   2253 587
   2267 556, 570
   2326 489
   2362 363
   2373 302, 343
   2400 625
   2401 601
   2402 604
   2405 604
   2406 604
   2407 605
   2408 605
   2409 605
   2411 601
   2420 557, 563
   2437 557
   2460 302
   2463 343
   2474 541, 544
   2475 540, 543 f.
   2481 241
   2570 613, 618, 621, 629
   2571 629 f.
   2574 631
   2575 631 f.
   2578 620
   2579 620
   2580 620
   2581 212, 223, 247
   2597 543 f.
   2598 543
   2616 91, 104, 106
   2638 544
   2644 556
   768 184, 187
   789 612
   792 319
   793 212 f.
   801 78, 344
   821 91, 123
   822 126 f.
   826 407
   854 216, 218
   959 119, 148
   HTTP 91

RFCs 23
Ringleitungen 55
RIP 321, 328
RIP-Advertisements 322
RIP-Antwortnachricht 322
RIPE 310
RIP-Partner 329
RIP-Router 324
RIP-Routing-Tabellen 186
Rivest, Ron 580
RJ45-Buchse 421
RMON 622
RM-Zellen 242
Roaming-Stationen 441
Robustheit 295
RocketTalk 479
Rockkonzerte 476
Rockmusik 483
ROM 406
Röntgenbilder 35
Root-Knoten 326
Root-Name-Server 141
Rotationsprotokolle 403
Round-Robin-Scheduling 521
Round-Robin-Warteschlange 522
Roundtrip-Ausbreitungsverzögerung 386
Roundtrip-Verzögerung 198, 222, 241
Roundtrip-Zeit 104, 228, 244, 252, 320, 496
Route 23, 281
routed 324
Route-Flapping 613
Routen im Uhrzeigersinn 286
Routen-Advertisements 330
Routen-Aggregation 308, 328
Routen-Aggregationstechniken 322
Routen-Auswahl 328
Routenberechnungen 296
Routen-Schwankungen 283
Router 22, 36, 70, 238, 276, 319, 334, 410, 427, 430, 613, 638
Router-Design 331
Router-Plattformen 364
Router-Puffer 219, 529
Router-Schnittstelle 304, 455
Router-Warteschlangen 480, 481
Routinen 206
Routing 28
Routing Information Protocol 321
Routing-Algorithmen 274, 283, 331, 347
Routing-Algorithmus 281
Routing-Architektur 306, 333
Routing-Baum 355, 358
Routing-Berechnungen 557
Routing-Daemons 557
Routing-Entscheidungen 45, 328, 331
Routing-Formulierung 297

Routing-Pfad 283, 299, 619
Routing-Protokolle 69, 281, 321, 530, 533
Routing-Prozessor 332, 336
Routing-Schleife 283, 293
Routing-Tabelle 288, 326, 332, 411, 537
Routing-Tabelleneinträge 299, 322
Routing-Tabellen-Lookup 333
RPF 361
RPF-Algorithmus 359
RR 146
RSA 558, 562, 565, 567, 589, 592, 596, 623
RSA Data Security 567
Rspec 526
RST 216
RSVP 526, 529, 538
RSVP-Modul 537
RSVP-Nachrichten 537
RSVP-Software 529
RSVP-Spezifikation 530
RTCP 505, 507
RTCP-Medienkontrollkanal 510
RTCP-Pakete 505
RTCP-Paketgröße 507
RTP 484, 501 f., 509
RTP-Header 501, 503
RTP-Paket 501
RTP-Paketstrom 504
RTP-Site 501
RTP-Sitzung 503
RTP-Spezifikation 505
RTSP 484, 489
RTSP-Beispiel 490
RTSP-Nachrichten 489
RTS-Steuerrahmen 440
RTT 104, 244, 254
RTT-Varianz 230
Ruckeleffekt 95
Ruckeln 476
Rückmeldung 191
Rücksendung 218
Rückverfolgung 538
Ruhezustand 291
Rundsenden 389
Rundumkreisen 431
Rundumverfahren 403, 522

S

S/KEY-System 571
SA 602
Sägezahnverhalten 250
SA-Kanäle 602
SampleRTT 228
Samples 482
Sampling 501, 504

Sampling Rate 482
SAR 454
Satellitenfunkkanäle 55
Satellitenhosts 399
Satellitenkanal 52
Satellitenknoten 399
Satellitennetzwerke 389
Satellitenverbindung 55, 326
SA-Verbindung 603 f.
Scantlebury, Roger 74
Schaltkreis 33
Schaltkreise 33
Schaltnetzwerk 332, 337
Schatten-Fading 55
Schattenkopie 333
Schätzungsform 496
Scheduler 522, 525
Scheduling 518
Scheduling-Disziplin 339
Scheduling-Mechanismen 530
Scheduling-Mechanismus 515
Scheduling-Policies 481
Schichten 64
Schichtenkonzept 67
Schicht2-Protokoll 189
Schleife 284, 329
Schleifenfreie Routing-Pfade 328
Schleifenschritt 580
Schleifenszenario 294
Schlüssel 557
Schlüsselaustausch 605
Schlüsselauswahl 565
Schlüssellängen 563
Schlüsselmanagement 586, 605
Schlüsselmanagementschema 605
Schlüsselpaar 576
Schlüsselverteilung 589
Schlüsselverteilungszentren 614
Schlüsselverteilungszentrum 581, 583
Schlüsselwerte 559
Schlüsselwörter 126
Schmalband-ISDN 49
Schmalbandtechnologie 48
Schneckenpost 121
Schnelle Algorithmen 568
Schnittstellen 66, 303, 410, 612
Schnittstellenidentifizierer 306
Schnittstellenkarte 415, 461, 612
Schnittstellennummern 43, 425
Schnittstellenteil 304
Schulzrinne, Henning 492, 501
Schwachstellen 581, 641
Schwankungen 229, 279, 286, 295
Schwankungsbreite 280
SDH 450
Secure Electronic Transactions 599

Secure Hash Algorithm 581
Secure Sockets Layer 595
Security Association 602
Security Developer Central 598
Security Parameter Index 602
Segment 178, 420
Segmentation And Reassembly 454
Segmentgrößen 150
Segment-Header 181, 230
Segmentierung 39, 67, 456
Selbstlernende Bridges 428
Selbstsynchronisation 287
Selective-Repeat 208
Selective-Repeat-Protokoll 226
Selektive Bestätigung 207
Semantik 620 f.
Sende- und Empfangspuffer 31
Sendepuffer 213
Senderauslastung 201
Senderauthentifikation 589 f.
Senderberichte 506
Sender-FSM 198
Sendeverhalten 523
Send-Operation 347
Sequencing 443
Sequenznummer 179, 195, 215 f., 383, 494, 497,
    500, 504, 603, 604
Sequenznummernbereich 203
Sequenznummernfeld 230
Sequenznummernraum 208
Sequoia Systems 334
Server 28, 333
Server-Authentifikation 595
Server-Code 156, 162, 164
Server-Design 110
Server-Portnummer 163
Server-Programm 150, 152
Service Level Agreements 613
SET 599
SET-Beispiel 600
SETCo 599
SETCo-Page 601
Settop-Boxen 29
SET-Transaktion 600
SETUP-Anfrage 491
SGMP 618
SHA 592
Shared-Explicit 534
Shareware 592
SHA1 581
Shopping 600
Short Inter Frame Spacing 438
Shortest Path 282
Shortest Path First 298
Shutdown-Segment 232
Sichere EMail 588

Sichere Kommunikation 553
Sichere Web-Site 598
Sicherheit 460, 629
Sicherheit im Internet 588
Sicherheit von RSA 568
Sicherheitsassoziation 605
Sicherheitsattacken 556, 569
Sicherheitsbedrohungen 556
Sicherheitsbelange 637
Sicherheitsdienste 589
Sicherheitsfunktionalität 588
Sicherheitsinformationen 631
Sicherheitslücke 569, 571
Sicherheitsmanagement 614
Sicherheitsmaßnahmen 595
Sicherheitsprobleme 641
Sicherheitsprotokoll 602
Sicherheitswerkzeuge 588
Sicherheitszwecke 580
Sicherungsschicht 69, 377, 588
Sicherungsschichtprotokoll 312, 377, 569
Sicherungsschichtrahmen 411
Sicherungsschichtverarbeitung 333
SIFS 438
SIGCOMM 25
Signaldämpfung 54, 380, 420
Signalenergie 417, 419
Signalisierung 242, 319
Signalisierungsnachrichten 276
Signalisierungsprotokoll 276, 459, 509, 529 f., 542
Signalisierungssoftware 35
Signalstärke 55, 415
Signierung 577
Silben 560
Silicon Graphics 100
Simple Gateway Monitoring Protocol 618
Simple Mail Transfer Protocol 121
Simple Network Management Protocol 618
Simplex-Verbindung 602
Single-Mode-Faser 450
Single-Mode-Glasfaser 69
SITA 624
Sitzung 530
Sitzungsbandbreite 507
Sitzungsschlüssel 567, 582 f., 589, 596, 602
Skalierbarkeit 331, 364, 538, 540
Skalierung 299
Skalierungsproblem 141, 507
SLA 613
Sliding-Window-Protokoll 203
Slotted-ALOHA 396, 417
Slow-Start 103, 245
Slow-Start-Mechanismus 258
Slow-Start-Phase 250, 480
SMI 619 f., 635

SMIv2 620
SMTP 31, 67, 68, 121, 123, 589
Smurf 556
SNA-Architektur 78
SNMP 602, 618
SNMP-Engine 629
SNMP-Nachrichten 623
SNMP-Pakete 630
SNMP-PDUs 628
SNMPv1 618, 629
SNMPv2 626 ff.
SNMPv2-Trap 622
SNMPv3 619 f., 623, 629, 631, 637
Socket-Interface 102
Socket-Objekt 150, 232
Socket-Programmierung 151, 154
Sockets 92, 97, 148 f., 484
Socket-Schnittstelle 492, 501
Socket-Verbindung 214, 486
Soft-State-Protokoll 353
Soft-States 537
Softwareanbieter 347
Software-Bugs 641
Softwarekomponenten 600
Softwareupgrade 347
Solstice 632
Sonderbehandlung 512
SONET 450
SONET/SDH 450
SONET/SDH-Leitung 441
SONET-Standard 449
Sozialversicherungsnummer 407
Spanning-Tree-Protokoll 430
Spannungen 449
Spannungspegel 417
Sparse/Dense-Dichotomie 363
Sparse-Mode 363
Spectrum 632
Speicher 459
Speicherbedarf 481
Speichermengen 299
Speichermöglichkeiten 137
Speicherplatz 61, 481
Speicherpreise 483
Speicherreihenfolge 634
Speichervermittlung 36
Speicherzugriff 335
Speicherzugriffszeiten 335
Sperrschritt 287
Spezielle Multicast-Adresse 325
SPF-Routing 298
SPI 602 ff.
Spiegelbilder 195
Spiegel-Sites 341
Spielfilme 476
Spielraum 328

Spitzenrate 515, 523 f.
Spitzenratenbegrenzung 528
Spitzenverkehrszeiten 479
Spoofing 641
Spoofing-Attacken 639
Sportveranstaltung 531 f.
Sprachanwendung 494
Sprachblöcke 494
Sprache 33, 74, 394, 482
Sprachinterpolation 494
Sprachkodierung 482
Sprachkommunikation 479
Sprachkompression 508
Sprachkompressionsstandards 509
Sprachkonstrukte 621
Sprachnachrichten 479
Sprachqualität 53
Sprachquelle 501
Sprachterminals 508
Sprachverbindungen 509
Sprachverständlichkeit 493
Sprechphase 492, 494, 495, 496
Sprint 460
SprintLink 71
Spurgeon 412
Squid 117
SR-Operation 208
SR-Protokolle 208
SSL 595
SSL-Handshake 596
SSL-Handshake-Protokoll 596
SSL-Sitzung 596
SSRC 506
SSRC-Feld 504
Standardausgabe 151
Standardeingabe 151
Standardisierte Objekte 623
Standardisierte Paketstruktur 501
Standardisierungsausschüsse 447
Standardisierungsgremien 623
Standardisierungsgruppen 477
Standardisierungsorgane 66
Standardisierungsorganisationen 623
Standardisierungsprozesse 618
Standardrahmen 410
Standard-Socket 324
Standard-Unicast-Datagramm 362
Stanford-Universität 334
Stationäre Satelliten 55
Statisches Überlastfenster 253
Statistiken 505
Statistische Analyse 560
Statistische Messwerte 60
Statistisches Multiplexen 37
Statuscodes 108
Statusinformationen 619

Statuszeile 108
Steckkarte 381
Steiner-Baum-Problem 356
Stereo 482
Stereomusik 482
Sterntopologie 413, 419, 421, 422
Steuerinformationen 42, 382, 489
Steuerkanal 490
Steuerpakete 190, 332
Steuerverbindung 119
Stichtag 344
Stillephasen 35, 492, 496
Stop-and-Wait-Protokolle 194
Stop-and-Wait-Verhalten 200
Stopfen 414
Stoppen 478
Store-and-Forward-Switch 430, 434
Store-and-Forward-Übertragung 36
Store-and-Forward-Verzögerung 36
Störende Sender 393
Störenfriede 586
Stream 151
Streaming 347, 477 ff., 480, 500
Streaming-Audioanwendung 187
Streaming-Server 484 f., 487
Streaming-Systeme 484
Strichcode 66
String-Objekte 165
Structure of Management Information 619 f.
Strukturdefinition 633
Strukturierte Datentypen 636
Subnetting 307
Subtraktion 387
Subtree 335
Subtypnamen 128
Such-/Weiterleitungsfunktion 333
Suchläufe 334
Suchmaschinen 100
Suchtechniken 335
Sun 632
Sun-SPARC 634
Supercomputer 559
Surfen im Web 230, 279, 318
Surfing 399
Swift, Jonathan 634
Switch-Architekturen 337
Switch-Durchsatz 336
Switched-Ethernet 51, 412
Switches 179, 242, 276
Switch-Hersteller 434
Switching 28, 448
Switching-Bandbreite 336
Switching-Fabric 332, 335 f., 432
Switching-Funktion 331
Switching-Techniken 434
Switch-Tabellen 276

Symmetric-Key-Algorithmus 559, 596
Symmetric-Key-Chiffrierung 602
Symmetric-Key-Kryptographie 572, 581
Symmetric-Key-System 558
Symmetric-Key-Technologie 589
SYN 216
SYNACK-Segment 231
SYN-Bit 231, 232
Synchronisation 415, 452, 490
Synchronisationsmechanismus 204
Synchronous Digital Hierarchy 450
SYN-Flooding 638
SYN-Flooding-Attacke 556
SYN-Pakete 613
SYN-Segment 230, 572
Syntax 620
Systemadministrator 308, 410
Systemeinstellungen 612
Systemmanager 148

T

T1 450
T3 450
Tabellen-Lookup 333
Tahoe-Algorithmus 247
Taiwan 406
Taking-turns Protocols 403
Takt 415, 451
Taktsynchronisation 422
Tankstellenwart 312
Tastatur 151, 154, 158
T-Buchse 420
TC 450
TCP 31, 69, 76, 96, 152, 178, 212,
    416, 488, 496, 511, 622
TCP/IP 212, 315, 450
TCP/IP-Netzwerke 241
TCP/IP-Protokollreihe 447
TCP-ACK-Bit 639
TCP-Code 158, 217, 319
TCP-Dienstmodell 97
TCP-Empfangspuffer 219
TCP-Fenstergröße 243, 248
TCP-Handshake 556
TCP-Implementierung 206, 217
TCP-Latenz 258
TCP-Pipe 155
TCP-Puffer 230
TCP-Pufferplatz 638
TCP-Segment 185, 213 f., 318, 602, 638
TCP-Segmentstruktur 214
TCP-Segmentverlust 240
TCP-Sendepuffer 166
TCP-Slow-Start 246

TCP-Socket 595
TCP-Spezifikation 213, 228
TCP-Tahoe 252
TCP-Überlastkontrolle 493
TCP-Verbindungen 104, 596, 641
TCP-Zustände 232
TCP-Zustandsvariablen 212
TC-Teilschicht 451
TDM 34, 391 f.
TEARDOWN-Anfrage 491
Technologieübergang 344
Technologieunternehmen 599
Teflon-Isolierung 53
Teilaufgaben 456
Teilbaum 335
Teilschicht der Transportschicht 501
Telefondienst 478
Telefondurchwahl 511
Telefongesellschaften 71
Telefonhandel 599
Telefonie 280
Telefonkabel 54
Telefonleitung 23, 48
Telefonnetz 33, 54, 447, 507 f., 512, 516
Telefonnetzwerke 33
Telefonverzeichnis 79
Telefonwählleitung 441
Telekommunikationsnetze 33
Telekonferenzen 95, 475
Telnet 29, 31, 89, 91, 108, 125,
    127, 133, 218, 570, 583, 641
Telnet-Server 182, 571
Telnet-Szenario 555
Telnet-Verbindungen 638
Terabits 447
Term 229, 257
Terminals 507, 509
Terrestrische Funkkanäle 55
Terrestrische Verbindungsleitung 281
Textdateien 251, 447
Text-Mail 137
Thawte Certification 598
The Codebreakers 557
Thin-Clients 29
Thin-Ethernet-Ports 420
Threading-Fähigkeiten 149
Threads 157
Threshold 244, 245
Ticket 583
Ticket Granting Server 583
Time Slots 34
Time To Live 146
Time-Division Multiplexing 34
Timeout 205, 228, 230, 237, 244, 361, 641
Timeout-Ereignis 220, 353
Timeout-Intervall 105

Timer 179, 198, 224, 228, 320, 537
Timer-Interrupt 206
Timeshare-Computer 74
Time-To-Live 314, 409
TINA 615
TLS 595
TLV 636, 637
TMN 615
Toaster 21
Token 166, 403, 405, 523
Token-Bucket 524
Token-Erzeugungsrate 524
Token-Passing-LANs 405
Token-Passing-Protokoll 403
Token-Passing-Technologien 405
Token-Ring-LAN 405
Toleranzspielraum 230
Tomlinson, Ray 75
Ton- und Bildteil 485
Tonqualität 493
Top-Down-Ansatz 70
Top-down-Ansatz 475
Topologie ohne Schleifen 430
TOS 326
TOS-Bits 314
TOS-Feld 514, 519, 541
Totalabsturz 612
Totzustand 445, 446
TP-Kabel 424
TP-Kupferkabel 53
Traceroute 45, 320
Traffic Management Specification 4.0 280
Traffic-Class 342
Tragbarer Computer 406
Trägererkennung 445
Trailer 604
Trailer-Felder 379
Transaktion 133
Transaktionsidentifizierung 600
Transatlantikleitungen 479
Transatlantische Verbindungsleitung 281
Transcend 632
Transferverzögerungen 279
Transit 519
Transitverkehr 330
Transmission Convergence 450
Transpac 76
Transparente Bridges 429
Transparenz 441, 444
Transport Layer Security 595
Transport-Header 176
Transport-Mapping 628
Transportmodi 379
Transportprotokoll 68, 96, 628 ff.
Transportschicht 68, 588
Transportschichtdienst 180

Transportschichtsegment 180
Transportschichtsoftware 182
Trap-Nachrichten 626, 628, 630
Trap-PDUs 629
Trapping 627
Treffer 333
Trefferraten 116
Triple-DES 563, 592
Trusted Intermediary 581
Tspec 526, 534
TTL 146, 314
TTL-Eintrag 409
TTL-Feld 343
Tunneling 345, 362
Tupel 157
Tür/Pipe-Analogie 160
Twisted-Pair 421, 422
Tymnet 76
Typ/Subtyp-Paare 128
Type Of Service 314
Typkonvertierung 160
Typnummer 414
Typumwandlung 161

U

Überbuchung 463, 534
Übergang 233, 416
Überlandnetzwerke 399
Überlast 228, 544, 613, 626
Überlastfenster 244 f., 255
Überlasthinweis 241
Überlasthinweisbit 279
Überlastkontrolle 31, 179, 187, 226, 234, 449
Überlastkontrollmechanismus 185
Überlastkontrollprozedur 245
Überlastvermeidung 245
Überlastvermeidungsalgorithmus 248
Überlastvermeidungsmodus 248
Überlastvermeidungsphase 250
Überlastzustand 241
Überlauf 219, 226, 227, 462
Überlaufkontrolle 226
Überprüfbar 575
Übersetzung 407, 409
Übersetzungstabelle 43
Übersprechen 534
Übertragungsbandbreite 499
Übertragungsdauer 36
Übertragungsinfrastruktur 92
Übertragungskapazität 238
Übertragungsmedien 52
Übertragungsmedium 69
Übertragungsperiode 507
Übertragungsrate
    22, 35, 58, 243, 250, 258, 404, 498, 528

Übertragungsrate drosseln 97, 442
Übertragungssequenz 392
Übertragungsverarbeitung 493
Übertragungsverzögerung 57, 58
Übertragungszeit 257
Übertragungszustand 254
Überwachung 630
Überwachungshost 422
UBR 448
UBR-Dienst 279
Übungskurse 26
UDP 31, 69, 96, 149, 157, 178, 329, 415, 487, 488, 501, 509 f., 622, 626, 630
UDP-Datagramme 248, 628
UDP-Dienstmodell 98, 184
UDP-Header 187
UDP-Implementierung 228
UDP-Pakete 244
UDP-Prüfsumme 188
UDP-Quellen 187
UDP-Segment 185, 492, 501, 506, 602, 638
UDP-Segmentstruktur 187
UDP-Socket 185
UDP-Verkehr 250
Umkehr 562
Umkehr-Routing-Funktion 534
Umordnung von Paketen 210
Umwandlungsdienst 140
Unabgeschirmtes TP-Kupferkabel 53
Unabhängige Datenpakete 149
Unendlich 285
Unerkannte Bitfehler 384
Unerwünschte Pausen 488
Ungeführte Medien 52
Ungenügende Ressourcen 538
Ungerade Parität 384, 561
Unicast 530
Unicast-Baum 358
Unicast-Dienstmodell 354
Unicast-IP-Adresse 533
Unicast-Kommunikation 348
Unicast-Protokolle 347
Unicast-Routing-Protokoll 365
Unicast-Transportverbindung 347
Unidirektionaler Datentransfer 190
Universitäten 419, 423
Universitätscampus 59, 404, 583
Universitätsgelände 389
Unix 321
Unix-Kernel 324
Unix-Maschine 109, 138, 140
Unix-Router 324
Unix-Workstation 324
Unix-Workstations 21
Unregulierte Senderate 185
Unsicherer Kanal 555

Unsicheres Medium 553
Unspecified Bit Rate 279, 448
Unstabilitäten 613
Unzuverlässiger Dienst 179, 415
UPDATE-Nachricht 329
Upstream-Kanal 49, 399, 404
Upstream-Router 240, 363, 532
URG-Bit 216
URL 45, 101, 139, 486, 596
Ursprungshost 273
Ursprungsserver 113, 114
USA 34, 54, 66, 71, 75, 78, 200, 330
US-Ausfuhrbeschränkungen 592
US-Bundesregierung 581
User Datagram Protocol 31
User-Agent 94, 101, 121, 127, 130, 131
US-Regierung 558, 592
US-Regierungsstandard 563
US-Verteidigungsministerium 79, 624
Utility 623
Utilization 201
UTP 54
UTP-Kabel 53, 423
UUnet 364, 613
UUNet Technologies 71

V

Variable Bit Rate 279, 448
Variablen 154, 205, 214, 226, 230 f., 244, 285
VBR 448
VBR-Dienst 279
VBR-Dienste 453
VC 458
VC-Abbau 275
VC-Architektur 280
VCI 448, 452, 458
VC-Netzwerke 42, 537
VC-Nummern 42, 461
VC-Nummernübersetzungstabelle 43
VC-Paketnetzwerk 275
VCR 489
VC-Setup 275
Veranstaltung 540
Verarbeitungsfähigkeiten 333
Verarbeitungs-Overhead 460
Verarbeitungsrunden 580
Verarbeitungsverzögerung 57, 493
Verbindlich 575
Verbindung-gewährt-Segment 230
Verbindungsabbau 276
Verbindungsanfragen 157, 162
Verbindungsaufbau 36, 38, 67, 275, 526
Verbindungsaufbauprozess 526
Verbindungsaufbauzustand 445

Verbindungsaufnahme 518
Verbindungsblockierung 516
Verbindungsgeräte 436
Verbindungsleitung 377, 480, 493, 613
Verbindungsleitungskapazität 236
Verbindungsleitungskosten 282 ff., 286, 356, 358
Verbindungsloser Dienst 24, 29, 31, 277, 415
Verbindungsmetrik 286
Verbindungsorientierter Dienst 24, 29 f., 97, 277
Verbindungsorientierter Transport 212
Verbindungspuffer 227
Verbindungssignalisierungskanal 510
Verbindungssocket 150, 151
Verbindungszustand 33, 185, 212, 347
Verdrilltes Kabelpaar 421
Verdrillung 53, 422
Verfallsdatum 583
Verfügbare Bandbreite 481
Verhaltensaggregat 540
Verisign 587
Verkapselung 446
Verkehrsabgrenzung 431
Verkehrsankunftsprozess 528
Verkehrsaufkommen 239
Verkehrscharakterisierung 526, 528
Verkehrs-Conditioning 540
Verkehrsdichte 544
Verkehrseinheit 286
Verkehrsflüsse 515
Verkehrsintensität 60, 115
Verkehrsklassen 326, 342, 514, 539 f., 543
Verkehrskonzentration 364, 365
Verkehrslast 338
Verkehrsmatrix 296
Verkehrsmenge 286, 296, 612
Verkehrsmuster 612
Verkehrsnachfragen 614
Verkehrsprofil 542
Verkehrsstau 31
Verkehrsüberwachung 613
Verkehrsumfang 287, 523, 528
Verkehrsvolumen 179
Verkettung 167, 590
Verlust von Paketen 492
Verluste
   aufeinander folgende 498
Verlustraten 500
Verlusttolerant 476
Verlusttolerante Anwendungen 95
Verlustwiederherstellungsschemata 497
Vermittler 33
Vermittlung 28, 274
Vermittlungseinheit 332, 335
Vermittlungsknoten 537
Vermittlungsschicht 68, 588, 602, 604

Vermittlungsschichtadressen 407, 442
Vermittlungsschicht-PDU 302, 417
Vermittlungsschichtprotokolle 414
Vernetzte Multimedia-Anwendungen 479
Vernetzungskonzepte 45
Vernetzungskosten 52
Vernetzungsplattformen 334
Vernetzungstechnologien 412
Vernetzungswelt 400
Versandhandel 599
Versatz 497
Verschlüsselung 595, 630, 631
Versionsnummer 314, 596
Verstümmelte Bits 189
Verteilerknoten 49
Verteilte Anwendungen 24, 29
Verteilte Datenbank 141
Verteilte DNS-Datenbank 146
Verteilte Spiele 24
Verteilter Routing-
   Aktualisierungsalgorithmus 328
Vertrauenswürdige Dritte 581
Vertrauenswürdige Firma 598
Vertrauenswürdige Router 326
Vertraulichkeit 596
Verwaltende Einheit 617, 626, 629
Verwaltete Objekte 617, 623, 625
Verwaltetes Gerät 617
Verwöhnservice 540
Verzahnung 499
Verzeichnisbaum 120
Verzeichnisdienste 478
Verzögerte Ankunft 230
Verzögerungen 56, 230, 492, 495
Verzögerungskomponenten 59
Verzögerungsleistung 38
Verzögerungssensitiv 476
Verzögerungssensitive Anwendungen 480
Verzögerungssensitiver Verkehr 326
Verzögerungsstatistiken 60
Verzögerungszusicherungen 97
Video 50
Videoclip 500
Videofähigkeiten 510
Videokassette 489
Videokodierung 503
Videokompression 483
Videokonferenz 89, 447, 503, 533 f.
Videokonferenzsoftware 507
Videostandard 510
Video-Streaming 483, 485, 500
Videostrom 503, 533
Videoverkehr 279
Viele-zu-Viele-Multicast-Sitzung 534
Vieltelefonierer 479
Views 631

Vigenere-Chiffren 561
Virtual Channel Identifier 448, 452
Virtual Circuit 42, 275
Virtual Circuit Identifier 452
Virtuelle Kanäle 42, 275, 448, 452
Virtuelle Welten 475
Virtueller Broadcast-Kanal 405
Virtueller Informationsspeicher 619, 623
Visa International 599
Voice-Chat-Anwendungen 479
Vollduplex 190, 213, 216
Vollduplexbetrieb 422
Vollduplex-Switch 432
Vollduplexübertragung 380
Vollduplexverbindung 226, 433
Volle Bandbreitenauslastung 248
Vorhängeschloss 598
Vorwärtsfehlerkorrektur 493
Vorzeichenlose Ganzzahl 342

W

W3C 25
Wagenrücklauf 106, 120
Wählmodems 48, 54, 482
Wählscheibentelefon 280
Wählton 509, 510
Wählverbindung 23, 48, 441
Wahrgenommene Qualität 499
Währung 619
Wallet 600
WANs 632
WAN-Technologien 458
Warenangebot 594
Warmstart 628
Warnmeldungen 320
Warteschlange 36, 335, 338, 434
Warteschlangenverzögerung 37, 57, 59, 252, 493 f., 528
Wartezeit 257
Wartezustand 193, 254
Wartungsdaten 452
Web 346, 594
Web-Anwendung 595
Web-Browser 27 f., 90 f., 101, 250, 486, 490, 594
Web-Cache 113, 116
Web-Caching 111
Web-Client 183, 484
Web-Commerce-Site 584
Web-Dokumenttransfer 95
Web-Fernseher 21, 29, 47
Web-on-Demand 483
Web-Seite 50, 101, 487, 492, 584, 586, 594
Web-Server 79, 101, 475, 484 f., 595 f., 638
Web-Server in Java 163

Web-Serversoftware 89
Web-TV 483
Web-Verkehr 113
Wegewahl 301
Wegewahlalgorithmen 298
Weighted Fair Queuing 339, 522
Weiterentwicklung des Internets 480
Weiterleitung 426, 540
Weiterleitungsdienst 541
Weiterleitungsfunktion 332
Weiterleitungsrate 528
Weiterleitungstabelle 429, 432, 433
Weitstreckenfunkkanäle 55
Weitstreckenleitungen 316
Weitverkehrsnetze 58, 419
Wellenreiten 399
Weltweites Computernetzwerk 21
Werbung 111
WFQ 339, 522
WFQ-Scheduling 524
WFQ-Warteschlange 526
Wiedergabe 488
Wiedergabepunkt 497
Wiedergabeverzögerung 494, 498 ff.
Wiedergabezeit 494 f.
Wiedergabezeitplan 496
Wiederherstellung 198, 202, 235
Wiederherstellungsprozedur 404
Wiederherstellungsschemata 499
Wildcard-Filter 534
Wimba 479
Window Size 203
Windows 95/98 141
Windows Media Player 477, 484
Windows-Betriebssystem 101
Wissenschaftler 403
Wohl bekannte Portnummern 182
Wohngegend 54
Work-conserving Queuing 521, 522
Workstations 28, 33, 71, 94, 213, 333, 447, 459
World Wide Wait 97, 140, 185
World Wide Web 24, 79, 99, 447
World Wide Web Consortium 25
Worst-Case 338
Worst-Case-Komplexität 286
Worst-Case-Verzögerung 198
Wortwiederholungen 208
Wurzelknoten 335
WWW-Seiten 21
WWW-Server 183, 557

X

X.25-Netzwerk 459
X.25-Protokollreihe 459

X.509 586
Xerox 78
Xerox Network Systems 321
Xerox PARC 412
XNS-Architektur 78, 321
XOR 498, 561
XTP 386

Y10K-Problem 583
Yahoo! 135, 641

Zahlentheorie 567
Zähler 619, 631
Zahlungsautorisierung 601
Zahlungsversprechen 600
Zeiger 216
Zeilenanfang 166
Zeilenmodusoberfläche 79
Zeilenvorschub 106, 120
Zeitablaufdiagramm 255
Zeitbeschränkungen 95
Zeitdimension 401
Zeiteinheit 339, 393, 524
Zeitintervall 398, 523, 528
Zeitkritischer Verkehr 326
Zeitliche Redundanz 483
Zeitlinie 519
Zeitmultiplexen 37
Zeitrahmen 391
Zeitschlitze 34, 391
Zeitsprung 484, 500
Zeitstempel 480, 494, 496 f., 500, 502, 504, 506, 584
Zeitsynchronisation 441
Zeitzusicherungen 98
Zelle 279, 436, 448
Zellenstrom 451
Zellensynchronisation 451
Zellenverlustrate 280
Zentrale Basisstation 436
Zentralisierte Datenbank 140
Zentralvermittlungsstelle 48
Zentrum 363
Zentrumsauswahl
   Algorithmen 358
Zentrumsbasierter Ansatz 357, 364
Zentrumsknoten 357
Zertifikat 585 f., 595

Zertifikat-Server 586
Zertifizierung 585, 591
Zertifizierungsstelle 581, 585 ff., 593, 595, 600, 614
Zieladapter 407
Zieladressfeld 537
Zielknoten 409
Zielport 641
Zielportnummer 182, 520
Zielstation 438
Zimmermann, Phil 592
Zivilbereich 393
Zombies 641
Zufällige Verzögerungen 396
Zufallszugriff 405
Zufallszugriffsprotokolle 395, 438
Zugang zum Internet 404
Zugangsbandbreite zum Internet 185
Zugangsberechtigung 614
Zugangsbitrate 24
Zugangskontrolle 518, 526
Zugangskontrollentscheidung 527
Zugangsnetzwerke 23, 47
Zugangsrate 462, 482
Zugangstest 533, 538
Zugangsverzögerung 114
Zugesicherte Dienstqualität 528
Zugesicherter Dienst 528
Zugriffskontrolle 397, 631
Zugriffsrechte 583, 631
Zurückspulen 478
Zuschüsse 400
Zusicherungen 24, 33, 149, 176, 280, 463, 479, 492, 512
Zustand 120, 353, 556
Zustandsdiagramme 191
Zustandsinformationen 44, 103, 120, 134, 185, 275 f., 283, 298, 347, 364, 459
Zustandslose Router 77
Zustandsloses Protokoll 103
Zustandsübergangsdiagramm 233, 445
Zustandsvariablen 30
Zutrittsberechtigungen 540
Zuverlässige Übertragung 379
Zuverlässiger Bytestromkanal 149
Zuverlässiger Datentransfer 30, 179, 189
Zuverlässiger Datentransferdienst 219
Zuverlässiger Kanal 189
Zuverlässiger Transportdienst 97
Zuverlässiges Datentransferprotokoll 189
Zuverlässigkeit 187, 460
Zweidimensionale Parität 385
Zweiginformationen 623
Zweite Iteration 285
Zwischenspeicherung 198, 205, 434

Computernetzwerke

Andrew S. Tanenbaum

Zum Buch:

Andrew Tanenbaum hat als erster Autor den Ansatz gewählt, Computernetzwerke über die Hardware zu erklären. Die Grundlagen und Techniken von Computernetzwerken werden in Hinsicht der Bitübertragungs-, der Sicherungs-, der Verarbeitungs-, der Vermittlungs- und der MAC-Teilschicht dargestellt. Dieser Ansatz in Verbindung mit dem übersichtlichen und verständlichen Stil des Autors macht den weltweiten Erfolg dieses Titels aus. Zu dem Buch gibt es ein Lösungsheft, das Dozenten von der Website des Buches unter www.pearson-studium.de herunterladen können. *Computernetzwerke* eignet sich für alle, die wissenschaftlich, beruflich oder im Rahmen ihrer Ausbildung mit Computernetzwerken zu tun haben.

Aus dem Inhalt:

- Einleitung
- Bitübertragungsschicht
- Sicherungsschicht
- MAC-Teilschicht
- Vermittlungsschicht
- Transportschicht
- Verarbeitungsschicht
- Zusatzlektüre und Literaturverzeichnis

Über den Autor:

Andrew S. Tanenbaum ist einer der bekanntesten und mit sechs internationalen Bestsellern einer der erfolgreichsten Autoren der Informatik. Er forscht und lehrt an der *Vrije Universiteit* in Amsterdam.

ISBN: 3-8273-7011-6
3. revidierte Auflage
€ 49,95 [D], sFr 91,00
875 Seiten

Pearson-Studium-Produkte erhalten Sie im Buchhandel und Fachhandel
Pearson Education Deutschland GmbH • Martin-Kollar-Str. 10–12 • D-81829 München
Tel. (089) 46 00 3 - 222 • Fax (089) 46 00 3 - 100 • www.pearsoneducation.de

Computernetzwerke und Internets

Douglas E. Comer

Zum Buch:

Die dritte Auflage dieses Standardwerks gibt eine umfassende, detaillierte und aktualisierte Darstellung aller Aspekte der Vernetzung, von der Datenübertragung über die Verkabelung bis zur Anwendungssoftware. Der Autor beschreibt die zugrunde liegenden Konzepte anhand von Analogien und Beispielen und führt analytische Ergebnisse ohne mathematische Nachweise auf. Drei neue Kapitel bieten Informationen zu Netzwerkprogrammierung und Anwendungen, zu Internet-Routing und zu verbindungsorientierter Vernetzung und ATM.

Aus dem Inhalt:

- Datenübertragung: Medien, Trägersignale, Bits, Modems
- Paketübertragung: Frames, LANs, WANs, Hardwareadressen, Bridges, Vermittler, Routing, Protokolle
- Internetworking: Internet-Architektur, Adressierung, Bindung, Kapselung, Transportprotokolle, TCP/IP
- Netzwerkanwendungen: Client/Server-Architektur, Sockets, Domain-Name-Struktur (DNS), E-Mail, Dateiaustausch, WWW, Java, Netzmanagement, Netzsicherheit, Konfiguration von Netzsoftware

Über den Autor:

Douglas E. Comer, Professor an der *Purdue University*, ist weltweit bekannt geworden durch sein dreibändiges Werk *Internetworking with TCP/IP*.

ISBN: 3-8273-7023-X
3. überarbeitete Auflage
€ 49,95 [D], sFr 91,00
681 Seiten mit einer CD-ROM

| informatik | kommunikation |

Pearson-Studium-Produkte erhalten Sie im Buchhandel und Fachhandel
Pearson Education Deutschland GmbH • Martin-Kollar-Str. 10–12 • D-81829 München
Tel. (089) 46 00 3 - 222 • Fax (089) 46 00 3 - 100 • www.pearsoneducation.de

Computerarchitektur

Strukturen, Konzepte, Grundlagen

Andrew S. Tanenbaum, James Goodman

Zum Buch:

Andrew S. Tanenbaum, Autor von mehreren Klassikern der Computer- und Informatik-Literatur, und James Goodman beschreiben in diesem Bestseller den grundsätzlichen Aufbau von Computern. Die Autoren verwenden dabei ein spezielles Ebenenmodell, das sie eingehend und detailliert beschreiben. Dieses Buch ist durch die Übungsaufgaben am Ende jedes Kapitels auch für das Selbststudium geeignet. Zu dem Buch gibt es ein Lösungsheft, das Dozenten von der Website des Buches unter www.pearson-studium.de herunterladen können.

Aus dem Inhalt:

- Geschichte der Computerarchitekturen
- Organisation von Computersystemen
- Ebenen der digitalen Logik, der Mikroarchitektur, der Assemblersprache und der konventionellen- bzw. Betriebssystem-Maschine
- Architekturen von Parallelrechnern
- Kommentierte Bibliografie

Über die Autoren:

Andrew S. Tanenbaum ist einer der bekanntesten und mit sechs internationalen Bestsellern einer der erfolgreichsten Autoren der Informatik. Er forscht und lehrt an der *Vrije Universiteit* in Amsterdam.
James Goodman ist Professor an der *University of Wisconsin* in Madison.

ISBN: 3-8273-7016-7
4. Auflage
€ 44,95 [D], sFr 78,00
784 Seiten

| informatik | grundlagen |

Pearson-Studium-Produkte erhalten Sie im Buchhandel und Fachhandel
Pearson Education Deutschland GmbH • Martin-Kollar-Str. 10–12 • D-81829 München
Tel. (089) 46 00 3 - 222 • Fax (089) 46 00 3 - 100 • www.pearsoneducation.de

Algorithmen

Robert Sedgewick

Zum Buch:

Sedgewicks Standardwerk stellt die wichtigsten gegenwärtig benutzten Algorithmen dar. Anfangend mit elementaren Datenstrukturen und Algorithmen bis hin zu den modernen Ansätzen wird dem Leser ein Eindruck von den vielfältigen Möglichkeiten der Problemlösung vermittelt. Der Leser lernt, Algorithmen sicher zu implementieren, auszuführen und zu debuggen. Die Programmbeispiele in Pascal sind aufgrund der einfachen, verständlichen Struktur dieser Sprache auch für Leser verständlich, die sonst mit anderen Programmiersprachen arbeiten. Insgesamt eignet sich das Buch als Lehrbuch für das Grundstudium ebenso wie als zuverlässiges und umfassendes Nachschlagewerk.

Aus dem Inhalt:

- Grundlagen
- Sortieralgorithmen, Suchalgorithmen
- Verarbeitung von Zeichenfolgen
- Geometrische Algorithmen, Algorithmen für Graphen
- Mathematische Algorithmen
- Weiterführende Themen

Über den Autor:

Robert Sedgewick ist Professor für Informatik an der *Princeton University*. Er gilt international als Experte für die Algorithmenanalyse und hat eine Reihe erfolgreicher Bücher zu diesem Thema geschrieben.

ISBN: 3-8273-7032-9
€ 44,95 [D], sFr 78,00
744 Seiten

Pearson-Studium-Produkte erhalten Sie im Buchhandel und Fachhandel
Pearson Education Deutschland GmbH • Martin-Kollar-Str. 10–12 • D-81829 München
Tel. (089) 46 00 3 - 222 • Fax (089) 46 00 3 - 100 • www.pearsoneducation.de

3D-Computergrafik

Alan Watt

Zum Buch:

Das Buch befasst sich mit allen wichtigen Aspekten dreidimensionaler Computergrafik und stellt neues Material zur Visualisierung im Bereich des Scientific Computing und zu Grafikstandards wie PHIGS vor. Es beschreibt den Prozess der Umwandlung mathematischer oder geometrischer Beschreibungen eines Objekts in eine zweidimensionale Visualisierung und in eine 3D-Grafik zur Simulation des realen Objekts.

Aus dem Inhalt:

- Beschreibung und Modellierung von 3D-Objekten
- Darstellung und Rendering
- Simulation der Interaktionen von Lichtobjekten
- Mapping-Techniken
- Arbeiten mit Maps und Geometrische Schatten
- Radiosity und Ray Tracing
- Anti-Aliasing in Theorie und Praxis
- Farben in Computergrafiken
- Computeranimation

Über den Autor:

Alan Watt ist Professor für Informatik und Leiter der *Computer Graphics Research Group* der *University of Sheffield*. Seine Forschungsergebnisse hat er in zahlreichen anerkannten Büchern zum Thema Computergrafik veröffentlicht.

ISBN: 3-8273-7014-0
3. Auflage
€ 49,95 [D], sFr 88,00
611 Seiten mit einer CD-ROM

Pearson-Studium-Produkte erhalten Sie im Buchhandel und Fachhandel
Pearson Education Deutschland GmbH • Martin-Kollar-Str. 10–12 • D-81829 München
Tel. (089) 46 00 3 - 222 • Fax (089) 46 00 3 - 100 • www.pearsoneducation.de